*Von Johannes Mario Simmel sind außerdem erschienen:*
Es muß nicht immer Kaviar sein – Bis zur bitteren Neige –
Lieb Vaterland, magst ruhig sein – Alle Menschen werden Brüder –
Und Jimmy ging zum Regenbogen – Der Stoff, aus dem die Träume sind
– Die Antwort kennt nur der Wind – Niemand ist eine Insel –
Meine Mutter darf es nie erfahren – Hurra, wir leben noch –
Zweiundzwanzig Zentimeter Zärtlichkeit – Wir heißen euch hoffen –
Die Erde bleibt noch lange jung – Bitte, laßt die Blumen leben –
Die im Dunkeln sieht man nicht – Doch mit den Clowns kamen
die Tränen – Affäre Nina B./Mich wundert, daß ich so fröhlich bin –
Auch wenn ich lache, muß ich weinen – Begegnung im Nebel –
Das geheime Brot – Ich gestehe alles – Gott schützt die Liebenden –
Träum den unmöglichen Traum – Liebe ist die letzte Brücke –
Der Mann, der die Mandelbäumchen malte – Ein Autobus, groß wie die
Welt – Mich wundert, daß ich so fröhlich bin –
Weinen streng verboten – Liebe ist nur ein Wort

# Johannes Mario Simmel

# Im Frühling singt
# zum letztenmal die Lerche

Roman

Knaur Taschenbuch Verlag

Für die freundliche Genehmigung des Abdrucks von Passagen aus
urheberrechtlich geschützten Werken danken Autor und Verlag

dem Musikverlag Chappel & Co. GmbH Hamburg (*Summertime* von
George Gershwin/Ira Gershwin und Du Bose Heyward aus:
»Porgy and Bess« sowie *Ol' man river* von
Oscar Hammerstein II/Jerome Kern aus: »Show Boat«)

dem Maro Verlag Benno Käsmayr (»Lauter große Schriftsteller« aus:
Charles Bukowski, »Schlechte Verlierer«, Augsburg 1977)

dem Ernst Rowohlt Verlag (»In einem anderen Land« aus:
Ernest Hemingway, »Gesammelte Werke«, Bd. 2, Hamburg 1977)

Besuchen Sie uns im Internet:
www.knaur.de

Vollständige Taschenbuchausgabe November 1992
Droemersche Verlagsanstalt Th. Knaur Nachf., München
Copyright © 1990 Droemersche Verlagsanstalt
Th. Knaur Nachf., München
Umschlaggestaltung: Fritz Blankenhorn
Druck und Bindung: Ebner & Spiegel, Ulm
Printed in Germany
ISBN-13: 978-3-426-60089-4
ISBN-10: 3-426-60089-7

8   10   11   9   7

*Frau Universitätsdozent*
*Dr. Ilse Kryspin-Exner gewidmet,*
*voll Bewunderung für ihre Person*
*und ihren Beruf,*
*sich der Sorgen und Ängste*
*von Menschen anzunehmen*
*und in ihnen Hoffnung,*
*Mut und Kraft zu wecken.*

*Jeder von uns kann in seiner Welt etwas verändern.*
*Dabei genügt es nicht, nur aus Vergangenem zu lernen.*
*Ebenso wichtig ist es, mögliche katastrophale Folgen*
*von Handlungen vorwegzunehmen. Das bleibt die einzige*
*Chance des Menschen, Unheil abzuwenden.*

J. M. S.

# Prolog

»Der Mensch sollte sich auf der Erde
leichtfüßig bewegen und möglichst
wenige Spuren hinterlassen.«

*Aus diesem Buch*

»Ein Anstieg der Welttemperatur
auch um nur drei Grad Celsius
würde das Weltklima in einen Bereich
jenseits der menschlichen
Erfahrungen katapultieren.
Ein Belastungszustand der Atmosphäre,
der einen solchen Klimasprung
unausweichlich macht,
ist bereits um das Jahr 2030
zu erwarten –
das ist von jetzt an nicht länger,
als der Zweite Weltkrieg zurückliegt.«

*Dr. Kate Matthews,*
*Biophysikerin*

Auf die Frage ihres Vaters, ob sie wahnsinnig geworden sei, antwortete die achtzehnjährige Susanne Marvin, einen Stapel Blusen aus ihrem Kleiderschrank hebend und in einen offenen Koffer werfend: »Ich bin vollkommen normal. Wenn einer wahnsinnig ist, dann bist es du.«

»Warum willst du hier sofort ausziehen?«

Dr. Markus Marvin war vor wenigen Minuten nach Hause gekommen.

»Weil ich mit dir nicht eine Stunde länger unter einem Dach leben kann.« Susanne nahm weitere Blusen aus dem Schrank und packte sie in den Koffer, der auf dem Bett lag. Neben ihm lag ein zweiter.

»Was hast du genommen?«

»Was, was habe ich genommen?«

»Drogen. Geht's damit jetzt auch noch los bei dir?«

»Bei mir geht gar nichts los. Drogen werde ich niemals nehmen.« Pullover und Unterwäsche flogen in den ersten Koffer. Susanne war in Eile.

»Verflucht noch mal, sag mir, was du hast!«

»Ich habe genug«, sagte das schlanke Mädchen mit dem brünetten Haar und den grauen Augen. »Ich hab' die Nase voll von dir und deinen Freunden. Ich kriege kaum noch Luft, seitdem du da bist. So sehr gehofft habe ich, du kommst erst später und ich bin schon weg. Daß mein Vater da mitmacht, war schon schlimm genug für mich. Daß er auch bei dieser Riesensauerei mitmacht, kommt selbst für mich unerwartet. Ohne die ›Frankfurter Rundschau‹ hättet ihr das doch weiter verschwiegen!«

»Ach so«, sagte Dr. Markus Marvin. Plötzlich fühlte er sich todmüde. Schwer ließ er sich auf das zerwühlte Bett fallen. »*Das* meinst du. Hätte ich mir denken können. Laß diese blödsinnige Packerei! Wir haben überhaupt nichts verschwiegen.«

»Ihr habt nichts . . .« Sie begann hysterisch zu lachen.

»Lach nicht! Wir, die Aufsichtsbehörde im Hessischen Umweltministerium, haben überhaupt nichts verschwiegen. Nicht einen Tag! Nicht eine Stunde! Der Betreiber hat uns den Störfall mit einer falschen Klassifizierung gemeldet, nämlich mit der niedrigsten. Weil wir ein schlechtes Gefühl hatten, gingen wir der Sache nach, rekonstruierten die Geschichte und stellten fest, daß das kein Fall N, sondern ein Fall E gewesen ist. Du sollst mit der Packerei aufhören!«

Er warf einen der beiden Koffer auf den Boden. Wäsche fiel heraus.

Vor dem Haus am stillen Heideweg auf dem Sonnenberg in Wiesbaden donnerten fünf schwere japanische Motorräder vorbei. Junge Männer in schwarzen Lederanzügen und mit bunten Sturzhelmen saßen auf ihnen.

»Heute haben wir den fünften Februar 1988. Am sechsten Februar 1987, also vor einem Jahr – vor einem Jahr!–, hat es einen äußerst schweren Störfall im Block A von Biblis gegeben«, sagte Susanne Marvin mit ungemein ruhiger Stimme, aber ihre Hände zitterten, als sie den Koffer aufhob und die Wäsche wieder hineinstopfte.*

»Im Kühlkreislauf des Reaktors war ein Ventil nicht geschlossen. Radioaktiver Dampf strömte damals ins Freie. Drei Schichten der Bedienungsmannschaft haben fünfzehn Stunden lang – fünfzehn Stunden lang! – die Warnlampen nicht bemerkt. Die ›Rundschau‹ schreibt, es bestand die Gefahr der Kernschmelze.[1] Die Betreiber haben euch einen N-Fall gemeldet, ja? Einen Normal-Fall. Ihr habt fünf Monate gebraucht, um einen E-Fall daraus zu machen, einen Eilt-Fall. Und heute, ein Jahr später, kommt – aber nur durch die Zeitungsmeldung – heraus, daß wir um ein Haar an einem Super-GAU vorbeigeschrammt sind bei diesem gottverfluchten AKW! Du sollst meinen Koffer in Ruhe lassen! Wenn du ihn noch einmal anrührst, hau ich hier ohne Nachthemd ab. Daß alle Atomkraftwerke Todesfallen sind, wissen wir. Darum protestieren wir ja seit

* In diesem Buch wird wahrheitsgemäß über den katastrophalen Zustand unserer Welt berichtet. Nur die Rahmenhandlung ist erfunden, und Namen, Orte und Zeiten wurden gelegentlich verändert. Wer mehr über die geschilderten Vorgänge erfahren möchte, sei auf die den hochgestellten Ziffern im Text entsprechenden Abschnitte der Dokumentation am Ende des Buches verwiesen.

Jahren gegen sie – ich noch dazu mit so einem Vater! Aber daß ihr den phantastischen Zynismus habt, diesen Fast-Super-GAU ein Jahr lang geheimzuhalten und jetzt zu tun, als wäre ein Stückchen Beton runtergefallen, das ist so infam, daß ich nur noch eines weiß: Ich muß weg hier. Weg von dir. So schnell ich kann!«

Dr. Markus Marvin, ein schlanker Mann von zweiundvierzig Jahren mit schmalem Gesicht und schwarzem Haar, in dem sich mehrere Wirbel befanden, so daß es ständig ungekämmt wirkte, brüllte plötzlich: »Es hat niemals, zu keinem Zeitpunkt, die Gefahr eines Super-GAUs bestanden! Niemals die Gefahr einer Kernschmelze!«

»Hör auf mit dieser Brüllerei!« sagte Susanne. »Hättest besser woanders und vor einem Jahr gebrüllt. Aber da hast du schön das Maul gehalten. Die ›Rundschau‹ hat einen Artikel aus einer amerikanischen Fachzeitschrift abgedruckt...«

»*Maul?* Susanne, so wirst du nicht mit deinem Vater sprechen, verstanden? So nicht!«

»...in dem die Ansicht der amerikanischen Atomaufsichtsbehörde über diesen Störfall zitiert wurde.« Susanne riß Kleider, Kostüme und Strumpfhosen aus dem großen Schrank und warf alles mit immer schnelleren Bewegungen in die beiden Koffer. »Die amerikanische Atomaufsichtsbehörde erklärte, in Biblis hätte es zu einer Kernschmelze kommen können.«

»Das weiß ich selber.« Marvin war nun um Ruhe und Beherrschung bemüht. »Mit Wonne haben die das dramatisiert. Uns eins anhängen – ist doch ihr Schönstes! Haben sie schon x-mal getan. Susanne, ich flehe dich an, hör auf mit dieser Packerei! Vor elf Jahren hat mich deine Mutter verlassen! Du bist alles, was ich habe.«

»Was du hast? Gehabt hast! Ich haue ab. Hätte ich längst tun müssen. Mit einem Vater, der zur Atom-Mafia gehört!«

»Ich verbiete dir...«

»Du verbietest mir gar nichts! Glaubst du, es macht mir Spaß, so was zu sagen? Ein Mitglied der Atom-Mafia habe ich zum Vater! Bei der Aufsichtsbehörde arbeitet er! Angeblich eingerichtet zur strengsten Überwachung. Überwachung – ein Witz ist das! Längst gekauft seid ihr von dieser Mafia! Was habt ihr *noch* alles verschwiegen? Wie viele andere Fast-Super-GAUs? Wieviel hast du genommen dafür, daß du mitmachst bei diesen mörderischen Lumpen?«

»Wenn du dich dafür nicht sofort entschuldigst, dann...« Marvin war aufgesprungen.

»Ja, ja, ja, was dann?« Nun schrie auch Susanne. Schwer atmend standen sie einander gegenüber, das Bett zwischen sich. »Schlägst du mich dann? Dann mußt du mich schon totschlagen, wenn du willst, daß ich mich entschuldige. Nie, nie tu ich das! Jetzt sehe ich erst, was für einen feinen Charakter du hast. Jetzt erst verstehe ich Mama. Eure Behörde hat geschwiegen, das kannst du nicht bestreiten!«

»Zuerst! Weil wir vom Betreiber zuerst einen Normal-Fall gemeldet bekamen. Von denen gibt's inzwischen vier-, fünftausend. Wenn wir die jedesmal bekanntgegeben hätten...«

»Wäre es längst aus mit euerm Geschäft.«

»...wären wir unverantwortliche Panikmacher.« Marvin keuchte. »Was glaubst du, was Tag für Tag im Flugverkehr an N-Fällen passiert? Geben die Piloten das den Passagieren bekannt?«

»Ihr habt aber doch herausgefunden, daß es ein E-Fall war.«

»Ja, das haben wir herausgefunden. Wir!«

»Nach fünf Monaten. Laß die Schuhe los! Du sollst die Schuhe loslassen!« Sie schlug nach ihm.

Er wich zurück. »Susanne...«

»Hör auf mit ›Susanne‹! Dabei war es von Anfang an ein S-Fall! Ein Sofort-Fall! Die Kernschmelze...«

»Es hat zu keiner Zeit auch nur die geringste Gefahr einer Kernschmelze gegeben, zum Teufel noch mal!«

»Das weißt du ganz genau, ja?«

»Das weiß ich ganz genau, ja! Unsere AKWs sind so gebaut, daß sie selbst bei menschlichem Versagen sicher bleiben.«

»Deshalb konnte auch radioaktiver Dampf austreten. Deshalb habt ihr das ein Jahr lang verheimlicht. Und hättet es für alle Zeit verheimlicht, wenn die Amis nicht gekommen wären mit ihrer Meldung. Menschliches Versagen! Wie viele Menschen haben denn damals versagt?« Susanne hatte immer neue Kleidungsstücke in den ersten Koffer gepreßt und versuchte nun, ihn zu schließen. Sie sprang auf das Bett, kniete auf dem Deckel, kämpfte mit den Schlössern. Dabei schrie sie weiter: »Fünfzehn Stunden zucken Alarmleuchten! Zwei Bedienungsschichten ignorieren das, sehen es nicht, pfeifen drauf! Was haben denn die genommen? Drogen? Schnaps? Waren die alle total high?«

»Susanne...«

»Die dritte Schicht, offenbar nur halb duhn, merkt endlich etwas, tut prompt das Falsche – und erst im letzten Moment gelingt es, ein Tschernobyl mal tausend zu verhindern. So sicher sind eure AKWs gegen menschliches Versagen! Und nachdem all das passiert ist, stuft der Betreiber es in die niedrigste Kategorie ein. Weißt du, wie die Menschen auf der Straße, wie die Öffentlichkeit so etwas findet?«

Er stotterte: »Die Öffentlichkeit... natürlich... die Öffentlichkeit ist darüber mit Recht in höchstem Maß beunruhigt...«

»Beunruhigt! Hast du die Interviews in den Zwanzig-Uhr-Nachrichten gehört? *Umbringen* möchten sie euch, jeden einzelnen von euch! Und mit Recht!«

»Susanne! Bitte! Durch *uns* ist die Schwere des Störfalls doch überhaupt erst bekanntgeworden! Wir haben Verfahren in die Wege geleitet. Sie werden zur Bestrafung der Verantwortlichen führen.«

»Das glaubst du doch nie im Leben!«

»Davon bin ich überzeugt. Dazu ist unsere Behörde da.«

»Selbstgerecht bis zum Verrecken. Ihr habt euch nichts vorzuwerfen. Keiner hat sich etwas vorzuwerfen. Ein Sofort-Fall! Und was ist geschehen bis heute? Wurde der Betreiber bestraft? Nein! Wird er jemals bestraft werden? Nie! Unsere Politiker scheißen auf die Menschen. Sie sind genauso gekauft wie ihr. Noch mehr! Für mich ist die ganze Republik gekauft. Von der Atom-Mafia, von Krupp, von Thyssen, von den Stromern, von der Deutschen Bank.«

»Du bist grotesk! Unsere Aufgabe war es, zu prüfen und zu informieren. Das haben wir getan. Der Fall ist in den Gremien ausgiebig diskutiert worden, zum Beispiel im Plenum der Reaktor-Sicherheitskommission. Unter Beteiligung aller Verantwortlichen. Die einzelnen Bundesländer haben unsere Mitteilungen erhalten. Es sind auf der technischen und auf der personellen Seite sofort Schritte unternommen worden, damit so etwas nie mehr vorkommen kann.«

»Aua!« Sie hatte sich einen Finger eingeklemmt.

»Laß dir helfen!«

»Rühr mich nicht an! Rühr den Koffer nicht an!« Das erste Schloß war zugeschnappt. Susanne kniete über dem zweiten. »In den Nachrichten vorhin hat sogar der Kraftwerksdirektor von Biblis die Möglichkeit eines ›Größten Anzunehmenden Unfalls‹ zugegeben. Und da willst du dabei bleiben, daß am Unfalltag richtig gehandelt worden ist? Der ARD-Korrespondent in Washington sagte, in Amerika wäre sofort eine Untersuchungskommission eingesetzt worden.«

»Herrgott, genauso war es doch bei uns! Die Gesellschaft für Reaktorsicherheit hat eingegriffen. Wir haben den TÜV beauftragt. Das sind die Gremien, an die wir uns zu wenden haben.«

»Noch einmal, bevor ich wirklich wahnsinnig werde: Du hältst es also für richtig, daß das Bundesumweltministerium von einem solchen Beinahe-Super-GAU, der im Februar 1987 passiert ist, erst im Februar 1988 erfährt?«

»Wir haben nicht das Bundesumweltministerium zu informieren, sondern die Gesellschaft für Reaktorsicherheit. Wie oft soll ich das noch sagen? Übrigens wurde inzwischen vereinbart, daß wir in Zukunft auch das Umweltministerium sofort verständigen werden. Aber wir – wir, wir, wir! – waren es damals, die den Fall in seinem ganzen Umfang aufdeckten.«

»Vater?« Susanne kletterte vom Bett. Sie hatte jetzt beide Koffer geschlossen.

»Ja?«

»Du kotzt mich an.«

»Susanne... Bitte, Susanne...« Sie schleppte die Koffer zur Tür. Er trat ihr in den Weg. »Nicht... Bitte... Bitte, laß mich nicht allein!«

Sie ging weiter.

Er hielt sie fest.

Susanne sah ihn lange unverwandt an. Zuletzt verzogen sich ihre Lippen zu einem verächtlichen Lächeln. Er wandte den Kopf und trat zur Seite, denn dieses Lächeln war mehr, als er ertragen konnte. Sie ließ die beiden Koffer die Treppe hinab zur Halle gleiten und stolperte zwischen ihnen her. Nun stand er reglos da. Am Fuß der Treppe drehte Susanne sich um und stellte noch eine Frage. Marvin gab keine Antwort. Sie öffnete die Haustür und ging. Die Tür fiel ins Schloß. Kurze Zeit später heulte der Motor von Susannes VW-Passat auf.

Immer noch stand Markus Marvin so reglos, als wäre er aus Stein. Zuerst meine Frau, dachte er. Nun meine Tochter. Allein. Ganz allein bin ich jetzt. Seit zehn Jahren, seit ich den Regiejob aufgegeben habe, arbeite ich in der Behörde, davon überzeugt, das Richtige zu tun. Alle Kollegen sind davon überzeugt. Alle, die anfingen mit Kernenergie, waren es: Endlich haben wir die Lösung gefunden. *Der* Segen für die Menschheit ist Kernenergie. Sauber. Unschädlich. Kein Kohlendioxidausstoß. Die Sache in Biblis wurde vertuscht, ja. Aber doch nicht von *uns*, doch nicht von der Aufsichtsbehörde! Von wem immer sie vertuscht wurde, wer immer Schuld daran trägt – wir tragen keine, ich trage keine. Und doch hat Susanne mich verlassen.

Einmal waren wir eine glückliche Familie. Schöne Gegend. Schönes Haus. Lauter Liebe. Dann ging Elisa. Aber Susanne wurde mir zugesprochen bei der Scheidung. Ich hatte immer noch Susanne. Geliebte Susanne. Ich habe gesehen, wie rings um mich Kinder und Eltern einander nicht mehr verstanden, wie ihre Beziehungen zerbrachen, wie die Kinder revoltierten, wie sie fortgingen. Ich habe Susanne stets jede Freiheit gelassen. Sie kann für Greenpeace arbeiten, sogar für die Antiatombewegung. Alles, alles konnte sie tun, nur damit sie bei mir bleibt. Damit nicht auch ich zu den vielen gehöre, die immer mehr werden, von ihren Kindern verlassen. Nun ist es trotzdem geschehen. Was soll ich machen? Wie soll ich weiterleben?

Marvins Beine trugen ihn plötzlich nicht mehr, er sank auf eine Stufe der Treppe, als er daran dachte, daß seine Tochter ihm zuletzt die schmerzlichste Frage ins Gesicht geschrien hatte, die einem Menschen überhaupt gestellt werden kann:

»Wer um Himmels willen mußt du sein, um so etwas zu tun?«

# Erstes Buch

»Die Geschichte lehrt die Menschen,
daß die Geschichte die Menschen
nichts lehrt.«

*Mahatma Gandhi, geboren 1869,*
*ermordet 1948*

# 1

Die Kuh stand langsam auf, schwankte und fiel um. Ein paar weitere Rinder der Herde erhoben sich, als der Landrover mit den zwei Männern über die große Weide auf sie zurollte.

»Wurden verkrüppelt geboren«, sagte Ray Evans hinter dem Steuer. »Laufen auf den Gelenken, nicht auf den Hufen. Sehen Sie, Mister – wie war der Name? Entschuldigen Sie, ich höre schlecht.«

»Marvin«, sagte der Mann neben ihm. »Markus Marvin.« Er sah elend aus, blaß, müde, traurig, total erschöpft.

»Natürlich. Marvin«, sagte Ray Evans. Er zeigte auf ein besonders verwachsenes Tier, welches überhaupt nicht aufstehen konnte. »Schauen Sie sich das an, Mister Marvin! Ist das nicht zum Heulen? Dabei sind die hier noch lange nicht die schlimmsten. Die schlimmsten werden schon als Kälber von den Kojoten gefressen.«

Zwei der Rinder, die sich erhoben hatten, fielen wieder um.

»Können sich nicht auf den Beinen halten, da haben Sie's, Mister. Ein Elend ist das. Heulen könnte ich, den ganzen Tag heulen.«

Die Weide lag vor der kleinen Stadt Mesa auf der rauhen Hochebene im östlichen Teil des Bundesstaates Washington, der an Kanada grenzt. Hier bläst der Wind stets aus Südwest. Der Windrichtung nach befindet sich Mesa dem riesigen Atomreservat von Hanford am nächsten. Alles, was von den kommerziellen Reaktoren, den Versuchsendlagern, den Tritium- und Plutoniumfabriken und der Testanlage des Schnellen Brüters an Schadstoffen kommt, trifft den Ort. Der mächtige Columbia River, der um das Reservat herumfließt und mit dessen Wasser die Maisfelder, die Kartoffeläcker, die Weiden, Weingärten und Obstplantagen hier oben fruchtbar gemacht werden, ist dem Ausstoß der Anlagen von Hanford genauso ausgesetzt wie Mesa.

Anschwellendes Dröhnen ließ die Luft erzittern. Marvin sah nach oben. Ein Düsenjet überflog, sehr tief, die gut zwei Dutzend Reaktortürme von Hanford.

»Der landet auf dem Tri-Cities-Airport«, schrie Farmer Ray Evans.

»Das hier ist die Einflugschneise.«

»Immer?«

»Ja, wo doch der Wind immer so weht.«

Markus Marvin war mit dem Wagen hierhergekommen, aber er wußte, daß der Tri-Cities-Airport für die Städte Richland, Kennewick und Pasco bestimmt war. Er hatte sich im Landrover umgedreht und erblickte nun die Gebäude und Türme von Hanford. Im hellen, kalten Sonnenlicht dieses Vormittags hatten sie harte, scharfe Umrisse. Marvin sah auf die Uhr. Es war achtundzwanzig Minuten nach elf am 11. März 1988, einem Freitag.

»Tri-Cities ist ein Großflughafen«, schrie er. »Haben die Atomkraftwerke Berstschutz?«

Der riesige Jet brauste über sie hinweg. Fast unerträglich laut war sein Toben nun geworden.

»Viele haben keinen«, brüllte Evans, »glauben wir jedenfalls.«

Marvin starrte den Farmer an. Er war außer sich – seit Tagen. Er hatte entzündete Augen, seine Lippen und seine Hände zitterten, er konnte nur mühsam sprechen. Marvin fühlte sich totenelend. Ich habe es nicht glauben wollen, dachte er. Ich habe gedacht, alle, die so was erzählen, sind Lügner. Dabei haben sie alle die Wahrheit gesagt. Wo immer ich hinkam in den letzten Wochen, habe ich dasselbe erlebt. Die schlimmsten Wochen meines Lebens waren das. Großer Gott, was für eine infame Schweinerei!

Susanne, dachte der müde, blasse Mann. Ach, Susanne.

Gleich nachdem sie ihn verlassen hatte, war er von seiner Behörde losgeschickt worden. Amerikanische Anlagen kennenlernen. Amerikanische Sicherheitssysteme. Große Aufregung herrschte in Deutschland wegen Biblis. Die Behörde wollte wissen, ob es in Amerika bessere Systeme gab als in der Bundesrepublik. Sie hatten ihn allerdings nicht gerade hierhergeschickt, wahrhaftig nicht. Zu den feinen Atomkraftwerken sollte er fliegen. Zu denen, die höchstens ein paar N-Fälle hatten. Er hatte sich nicht an die Reiseroute gehalten. So war er hierhergekommen in den Bundesstaat Washington, in das Atomreservat von Hanford.

Du hast recht, Susanne, dachte er. Alle deine Freunde haben recht. Aber es ist noch viel schlimmer, als ihr wißt, als ihr glaubt. Wie glücklich waren wir einmal, Susanne, ach, wie glücklich.

*Nessun maggior dolore...* « Ein Satz von Dante Alighieri fiel ihm plötzlich ein: »Nichts bedeutet mehr Schmerz, als sich im Unglück an Zeiten des Glücks zu erinnern...« Die Zeiten des Glücks, dachte er verloren. Er starrte immer noch den Mann am Steuer an. Cordsamthosen trug der, Stiefel, eine Lederjacke über dem bunten Wollhemd. Marvin war ähnlich gekleidet. Er hielt eine Kamera in der Hand und fotografierte immer wieder. Ich muß es beweisen können in Deutschland, dachte er bebend. Beweisen können muß ich, was ich erzählen werde.

Farmer Ray Evans war siebenunddreißig Jahre alt, er hatte es Marvin gesagt. Er sah aus wie sechzig. Kaum noch ein Haar auf dem Kopf. Das Gesicht von tiefen Falten durchzogen. Glanzlose Augen. Mächtig geschwollene Schilddrüsen. Das haben viele hier, dachte Marvin. Mächtig geschwollene Schilddrüsen.

Am Rande des Atomkomplexes sah Marvin in wenigen Metern Höhe drei kleine Pestizidmaschinen, die ihre Giftwolken auf die Felder sprühten. Das ging so von Morgengrauen bis zur Abenddämmerung, hatte Evans berichtet. Der fuhr noch immer an seinen Tieren vorbei.

»Erinner' mich genau, was mir vor ein paar Jahren passiert ist«, erzählte er. »Da wurden die Monster geboren in den Ställen. Schafe mit zu kleinem oder manchmal mit zwei Köpfen. Ohne Beine. Ohne Schwänze. Ausgesehen hat's bei mir wie bei Frankenstein. Nur nicht so gemütlich. Doc, ich meine Doc Clayton, der Veterinär hier, der hat mir immer wieder gesagt, Mann, Ray, du fütterst die Tiere falsch, darum sieht der Nachwuchs so aus. *Fucked-up Doc!* Ich hab' schon damals gewußt, warum es so aussieht, mein Jungvieh, das Jungvieh von vielen Farmern hier. Inzwischen wissen's alle. Strahlung kommt raus da aus den Türmen, massenhaft Strahlung, und die bringt die Tiere um, die bringt die Menschen um, die verseucht den Boden und das Wasser.« Er wies mit einer Hand zu dem Reservat hinüber. »Da, der T-Reaktor, sehen Sie den, Mister?«

»Ja.« Marvin fotografierte.

»In dem haben sie im Krieg das Plutonium für die Nagasaki-Bombe hergestellt. So lange arbeitet das Ding schon. Mehr als vierzig Jahre! Was glauben Sie, was die seither Plutonium brauchten für ihre *fucked-up* Sprengköpfe, Mister? Mehr als vierzig Jahre strahlt das Ding! Können Sie sich das vorstellen? Mehr als vierzig Jahre dauert diese mörderische Sauerei hier schon.[2] Langzeitstrahlenschäden hat hier alles – Mensch, Tier, Wasser, Erde. Da drüben, in dem N-Reaktor, da haben sie bis Anfang des Jahres auch Plutonium hergestellt für Atomwaffen. Nun haben sie ihn endlich runtergefahren auf *cold standby*. Wegen Sicherheitsmängeln.« Der Landrover holperte. »Sicherheitsmängel!« sagte Farmer Evans verzweifelt. »Die hatte das beschissene Ding, seit es arbeitete. Hat's wen gestört all die Jahre? *Hell*, *no*, keinen einzigen hat's gestört! Private Betreiber, nicht? Die, denen das hier gehört, die *goddamned bastards*, die sich dumm und dämlich verdienen, die wohnen nicht hier, Mister, und ihre Kinder auch nicht.«

Susanne, dachte Marvin, Susanne. *Sicher* ist diese Art von Energiegewinnung, das war mein Glaube. Einmal in zehntausend Jahren kann – vielleicht – etwas passieren, das ist das Schlimmste, womit man rechnen muß. Einmal in zehntausend Jahren! Vor zwei Jahren ist Tschernobyl hochgegangen. Schlamperei des Ostens, haben alle gesagt, bei uns ist so etwas unmöglich, absolut unmöglich, auch ich habe das gesagt, auch ich, so oft, so oft. Und nun?

»Ja«, sagte der Mann mit den geschwollenen Schilddrüsen, »aber was hat passieren müssen, bevor sie ihn runtergefahren haben, diesen N-Reaktor? Was alles? Bürgerproteste noch und noch. ›Time‹ hat in einer Coverstory Skandal gemacht, ebenso ›Newsweek‹. Und die großen Fernsehstationen. Nachgewiesen haben sie, daß aus dem *no-good-fucking* N-Reaktor vierzig Jahre lang mehr Strahlung rauskam als aus dem in Tschernobyl. Das müssen Sie sich mal vorstellen, Mister Marvin!« Evans schrie jetzt wieder. »Vierzig Jahre lang! Vierzig Jahre lang mehr als aus Tschernobyl! Was ist das für eine gottverfluchte Dreckswelt, in der Sie jedes Verbrechen begehen können, wenn Sie nur genug Geld haben und ein *big shot* sind und eine Menge *big shots* zu Freunden haben? Sie sagen, Sie sind Physiker, Mister. Aber mit der Kamera gehen Sie um wie ein Profi.«

»Ich habe eine Zeitlang Dokumentarfilme gedreht«, sagte Marvin, »aber ich bin Physiker«, fügte er klanglos hinzu.

»Atomphysiker? Ich meine – so einer wie die da drüben?«
»Nein, bei einer Aufsichtsbehörde.«
»Und in Deutschland ist noch nie was passiert? Noch nirgends Strahlung ausgetreten? Sie haben noch keinen Reaktor runterfahren und abschalten müssen?«
»Ein paarmal. Vorübergehend. Kleine Pannen. Absolut im Griff dank der Sicherheitssysteme.« Marvin mußte um jedes Wort kämpfen. Das bringt mich noch um, dachte er. Das bringt mich noch um, all das. Susanne. Susanne. Nichts bedeutet mehr Schmerz...
»Hören Sie auf!« schrie Evans. »Es gibt keine Sicherheit. Nirgendwo auf der Welt. Bei den Russkies nicht und nicht bei uns und nicht bei Ihnen. *You bet your fucking life*, Mister, dieselben Verbrechen an den Menschen passieren bei Ihnen. Sie wissen's nur nicht.«
Weg, weit weg war Marvin plötzlich mit seinen Gedanken...

»Es gibt einen einzigen Weg, den drohenden Klimaschock abzuwenden: Wir müssen die umweltfreundliche Kernenergie noch viel, viel intensiver nützen!«
Er, Markus Marvin, hatte das gesagt, an einem Novembernachmittag des vergangenen Jahres, im Ferienhaus von Professor Gerhard Ganz auf der Nordseeinsel Sylt. Das Haus lag in Keitum, am Uwe-Jens-Lornsen-Wai, hoch über dem Wattenmeer. Nebelig war es an diesem frühen Wintertag gewesen und sehr kalt.
Professor Ganz, dreiundsechzigjährig, groß und kräftig, Leiter der Physikalischen Gesellschaft Lübeck, hatte Markus Marvin zu einem Gespräch eingeladen, in der Hoffnung, ihn von seiner Kernkrafteuphorie abzubringen. Es war eine vergebliche Hoffnung gewesen, wie sich mehr und mehr herausstellte. Der Atomphysiker Dr. Markus Marvin, Mitglied der Aufsichtsbehörde im Hessischen Umweltministerium, ließ sich durch nichts von seinen Überzeugungen abbringen. Ganz konstatierte es mit Trauer. Da war wieder einer, zu dem er vergebens redete, wieder einer von den vielen, mit denen er sich herumschlug, sein Leben lang. Und weiter herumschlagen würde.
»Nein!« sagte er leidenschaftlich. »Nein und nein und nein! Betrachten Sie das Problem global, dann wird sofort deutlich, wie falsch dieser Weg wäre! Gegenwärtig liegt der Anteil der Atomkraft bei knapp fünf Prozent, lächerlichen fünf Prozent.«

Auch Marvin war immer erregter geworden. »Dann müssen eben mehr Atomkraftwerke gebaut werden – schnellstens«, rief er.

Ganz fühlte sich elend an diesem Tag. Sein Magen schmerzte, er empfand heftiges Brennen. Und dieser Mann, den er da eingeladen hatte, weil ihm gesagt worden war, daß er über große Beziehungen verfüge, daß er klug sei, einsichtig und von raschem Verstand – er war nicht besser als all die anderen Idioten. Ganz wollte auffahren, doch er beherrschte sich, nahm sich zusammen, um sachlich zu sprechen mit diesem Mann.

Er sagte: »Mehr Atomkraftwerke? Wie viele, Doktor Marvin? *Wie viele?* Um wirklich etwas Substantielles zu erreichen, müßten Sie jahrzehntelang fast täglich irgendwo in der Welt ein neues Atomkraftwerk der Größenordnung von Biblis in Betrieb nehmen. Jahrzehntelang!«

Sie saßen im großen Wohnraum des schönen alten Hauses mit seinen weißen Mauern und blauen Türen und blauen Fensterläden. Die Wände waren durch Bücherregale verdeckt, in einem Kamin brannten Holzscheite, darüber hing eine Lithographie von A. Paul Weber, die einen Mann zeigt, der im Nachthemd an einem Baumstamm lehnt und sich mit einem Hammer einen großen Nagel in die Stirn schlägt.

Eine dritte Person befand sich im Raum: Dr. Valerie Roth, Professor Ganz' Assistentin. Mittelgroß war Dr. Roth und schlank, braun wie ihr Haar waren ihre Augen. Sie sagte: »Ganz abgesehen davon, Doktor Marvin, daß kein Staatshaushalt der Welt und keine privaten Geldgeber es schafften, täglich ein neues Werk zu bauen – wo sollten diese Werke denn stehen? Vor dem Bundeskanzleramt? Am Brahmsee? In Oggersheim? Hören Sie doch: Wir haben im Institut Studien aus den USA und für die EG, in denen nachgewiesen wird, daß jede Mark – jede Mark! –, die man in Energiesparmaßnahmen investiert, siebenmal – siebenmal! – soviel Kohlendioxid vermeidet wie die gleiche Investition in Atomkraftwerke. Und es ist ja hauptsächlich Kohlendioxid, mit dem wir Luft und Atmosphäre derart vergiften, daß es in vierzig bis sechzig Jahren zur endgültigen Weltkatastrophe, zum Ende der Welt kommen wird. Die Hälfte aller Menschen, die heute leben, wird diese größte aller Katastrophen noch erleben.«

»Es gibt«, sagte Ganz, »weltweit kein einziges Energieszenario, dem zufolge es bei einer Ausweitung der Atomenergie zu einer Reduzierung der $CO_2$-Emissionen kommt. Die Weltprognose der Internationalen Energie-Agentur erwartet beispielsweise auch bei einer Verzwölffachung der Atomenergie einen Anstieg der Kohlendioxidmengen auf rund dreiundvierzig Milliarden Tonnen bis zur Mitte des einundzwanzigsten Jahrhunderts – also mehr als eine Verdoppelung.«

»Und nichts«, sagte Dr. Roth, »wäre verantwortungsloser, als das eine Risiko – die drohende Klimakatastrophe – mit einem anderen Risiko – der Gefahr eines Super-GAUs – erhöhen zu wollen. Schon heute hat die Nuclear Regulatory Commission die Wahrscheinlichkeit einer Reaktorschmelze bis zum Jahr 2000 nur für die USA rechnerisch auf fünfundvierzig Prozent eingeschätzt. Auf fünfundvierzig Prozent!«

»Und warum«, fragte Marvin erbittert, »forderten dann die Teilnehmer der letzten Weltklimakonferenz gerade jetzt auch die Zuhilfenahme der Kernenergie, um die Kohlendioxidemissionen in den Industrieländern zu vermindern?«

Ganz trank einen Schluck Tee, seine Hände zitterten. Der Schmerz stieg nun aus dem Magen aufwärts, wurde stärker. Mit wie vielen Menschen, die ihm nicht glaubten, hatte er schon geredet, sie beschworen, nicht weiter mitzuwirken an der Zerstörung der Welt! Vielleicht hörte dieser Mann zuletzt doch noch auf ihn. Es hatten schon manche ihre Ansicht geändert. Warum nicht auch dieser Mann? Jetzt saß der Schmerz bereits in der Brust. Ganz zwang sich weiterzureden: »Es gab Atomkraftbefürworter in Toronto, die das in die Debatte warfen. Aber es wurde ganz deutlich gesagt, und so steht es im Statement: ›Wenn man die Atomenergie heranziehen möchte, dann muß zuerst unerschütterlich sicher sein, daß dabei alle mit ihr verbundenen Gefahren beherrscht werden können – nämlich das ungelöste Entsorgungsproblem des Atommülls, das ungelöste Problem der Weiterverbreitung von waffenfähigem Material und das im Prinzip unlösbare Problem möglicher Unfallkatastrophen.‹ So steht es im Statement, Doktor Marvin, ich habe es mitentworfen. Und ich sage Ihnen: Von der Atomenergie können Sie niemals eine Lösung unserer Probleme erwarten – aber jederzeit eine unvorstellbare Katastrophe...«

Jederzeit eine unvorstellbare Katastrophe... Der Satz klang in Marvins Ohren nach, während Farmer Evans' Jeep über dessen Weide holperte und er in die Gegenwart zurückglitt.

»...dieselben Verbrechen an Menschen passieren bei Ihnen. Sie wissen's nur nicht.«

»Und Sie?« In seiner Verzweiflung wurde Marvin aggressiv. »Woher wissen Sie's? Woher wissen Sie überhaupt was von Deutschland? Die meisten hier haben doch nicht mal eine Ahnung, wo das liegt.«

»Ich schon«, sagte Evans verbissen. »Ich weiß eine Menge über Ihr Land, Mister Marvin. Ich war dort.«

»Sie waren in Deutschland?«

»Sag' ich doch.«

»Wann?«

»Vor zwölf Jahren. 1976. Zuerst in Frankfurt. Dann in München und Hamburg, in Berlin und Düsseldorf. Vier Monate war ich dort, Mister Marvin. Hab' mir alles genau angeschaut. Hab' mich genau umgesehen in Ihrem Germany, Mister Marvin...« Evans schwieg kurz, dann kam er auf sein ewiges Thema zurück: »Dieselben Verbrechen passieren bei Ihnen, glauben Sie mir! Unsere Reporter haben seinerzeit gedacht, sie machen einen Skandal, größer geht's nicht. Haben ihn gemacht. Furchtbar aufgeregt die Herren in Washington, D. C. – ein paar Tage lang! Den Reaktor hier runtergefahren. Na bitte, wir tun doch alles! Und schon hatten die Menschen, die nicht direkt hier leben, alles vergessen. Ich sage Ihnen, Mister, die Großen und die Reichen und die ganze Mörderbrut, sie alle können sich seit Jahrtausenden nur halten, weil die Menschen so schnell vergessen. Blöd!« schrie er und schlug sich mit der flachen Hand gegen die Stirn. »Blöd sind wir. Blöd werden wir erzogen. Blöd werden wir unser Leben lang gehalten. Die wissen schon, was sie tun. Wie sie uns abrichten müssen. Wie unser Leben ausschauen muß. Wissen *Sie*, wie unser Leben ausschaut, Mister? Fressen, ficken, fernsehen! Genauso ist es in Frankreich, in Rußland, in England. Wie war denn das mit dem großen Unglück in Windscale, das die Regierung dort fünfundzwanzig Jahre geheimgehalten hat, bevor's rauskam?« Evans hatte sich in solche Rage geschrien, daß er mitten auf der Weide den Landrover anhielt, weil er nicht mehr fahren konnte. Er keuchte. Dann schrie er weiter: »Die Kinder, die hier in den vierziger oder fünfziger Jahren geboren wurden – so wie ich, so wie mein Vetter Tom –, die haben allein mit der Milch mehr Radioaktivität abbekommen fürs Leben als die armen Würmer, die in Nevada groß wurden, wo sie die Atomtests machten. Ein einziges gigantisches Verbrechen ist das, Mister Marvin! Was hat die Regierung dagegen getan? Die jetzt und die vorher und die davor? Alle *fucked-up goddamned* Regierungen seit 1945? *A mother-fucking shit* haben sie getan, alle miteinander, *nothing, nothing, nothing!* Mehr als vierzig Jahre lang nichts. Dann endlich den N-Reaktor runtergefahren jetzt, weil einmal – einmal! – der Skandal nach den Berichten der Zeitungen und TV-Stationen zu groß war. Ein schlechtes Jahr für die Reagan-Administration ist das. Ein Jahr, wo die Boys vom TV und von der Presse zu munter geworden sind. Hier und beim Savannah-River-Komplex in South Carolina und in Rocky Flats bei Denver, Colorado. Dort ging's genauso zu wie bei uns hier. Auch dort hat die Regierung Reaktoren abgestellt. Auch dort. Müssen Sie unbedingt hin, Mister! Unbedingt müssen Sie da hin!«

Marvin setzte zweimal an, bevor er sprechen konnte. »Ich war schon dort, Mister Evans. Am Savannah River und in Rocky Flats.«

»Und Sie haben alles gesehen?«

»Ja«, sagte Marvin, »ich habe alles gesehen.«

»Und Sie wissen auch, was die Politiker jetzt aufführen?«

»Ja, Mister Evans.«

»Die scheißen sich in die Hosen!« schrie Evans. »Die heulen und jammern: Wenn wir noch ein paar von den Dingern abschalten, können wir keine Atomwaffen mehr bauen und uns nicht gegen die Russkies verteidigen. Wissen Sie, daß wir bis zum heutigen Tag in den ganzen großen Vereinigten Staaten nicht ein einziges Endlager für den Atommüll haben? Nicht ein einziges *fucked-up* Endlager! Haben *Sie* eines, ein einziges nur, in Germany?«

»Nein«, sagte Marvin leise.

»Was? Reden Sie lauter, Mann, ich hör' schlecht. Haben Sie eines? Ein einziges?«

»*Nein!*« Jetzt schrie auch Marvin. Er war am Ende seiner Beherrschung. »Wir haben auch keines. Nicht ein einziges.«

»Na, dann meinen Glückwunsch, Mister Marvin! Und alles absolut im Griff dank der Sicherheitsbestimmungen.« Evans startete den Jeep wieder und ließ ihn zur Straße zurückrollen. Abermals kamen sie an einigen kranken Tieren vorüber, die herumlagen mit fehlenden Körperteilen, ohne Hufe. Es gab auch viele gesunde. Oder sie sehen nur gesund aus, dachte Marvin, der jetzt am ganzen Körper zitterte. Sehen nur gesund aus und sind todkrank. Gott im Himmel! Und ich mache da seit Jahren mit. Seit vielen Jahren. Und habe Susanne und Professor Ganz für gewissenlose Hetzer gehalten.

»Sicherheitsbestimmungen«, wiederholte Evans. »Sie haben die strengsten, sagen Sie. Nur kein einziges Endlager. Warum sollten Sie bessere Systeme haben als wir, Mister? Warum? Wir hatten doch die ersten überhaupt! Unsere Leute haben die größte Erfahrung. Schauen Sie, was für eine prima Sicherheit sie uns gegeben haben mit ihrer so großen Erfahrung! Schauen Sie sich um!«

»Das tu' ich ja«, sagte Marvin.

»Was tun Sie, Mister?«

»Ich schau' mich um, Mister Evans. Seit Wochen. Im ganzen Land. Ich fotografiere. Ich rede mit vielen Leuten. Leuten wie Ihnen. Mit Ärzten. Militärs. Politikern. Gesundheitsverantwortlichen. Nachts tippe ich meine Berichte.«

»Für Ihre Behörde?«

»Ja«, sagte Marvin und fühlte, wie er zitterte, doch nun vor Wut. »Für meine Behörde.«

»Da werden die sich aber freuen, Mister Marvin.«

»Da *sollen* die sich auch freuen, Mister Evans!«

»Wissen Sie, was die tun werden, Mister Marvin? Feuern werden die Sie.«

»Das weiß ich, Mister Evans.«

»Dafür sorgen, daß Sie keinen Job mehr kriegen, nicht mal als Scheißhausreiniger in Ihrem wunderbaren Germany. Das werden sie tun, Mister Marvin.«

»Ich weiß, Mister Evans. Aber da sind andere, viele andere. Die werden auch reden. Die werden auch ihre Berichte schreiben. Man kann uns nicht alle feuern, Mister Evans. Man kann nicht alle unsere Berichte verbrennen. Man kann nicht erreichen, daß wir alle das Maul halten.«

»Nein? Kann man nicht?« Evans grinste schief. »Schauen Sie sich unser Land an, Mister! Man kann Sie alle feuern. Man kann alle Ihre Berichte verbrennen. Hat man schon, und wird man immer weiter. Eine lange Weile habe ich mich gefragt, was das wohl für einen Sinn hat: Wir bauen Atomwaffen zum Schutz gegen die Russkies – und wir vergiften uns selber dabei! Sieht aus, als hätte das keinen Sinn, wie?«

»Ja.«

»Sieht aber nur so aus! Und ob das einen Sinn hat, Mister, und ob! Ich hab's kapiert. Einen gottverflucht guten Sinn hat es. Der Profit! Der Profit! Der Profit für die, die das hier betreiben. So viele Milliarden von Milliarden gibt's da zu verdienen. Und das hat doch Sinn, oder? Hat das nicht einen gottverflucht guten Sinn, Mister Marvin?«

Er erhielt keine Antwort.

Marvins Gedanken waren wieder weit, weit fort gewandert… Das Haus über dem Watt. Der Nebel. Die Kälte draußen. Das Kaminfeuer. Das Gespräch mit Professor Ganz und Dr. Roth. Die Zeichnung des Mannes, der sich einen Nagel in die Stirn schlägt. An diesen Nachmittag im November 1987 mußte Markus Marvin wieder denken…

»Atomenergie ist tödlich«, sagte Ganz. Er preßte kurz eine Hand gegen die Brust, der Schmerz war sehr arg geworden. Weiter, sagte er zu sich, rede weiter! »Sie haben die Toronto-Konferenz erwähnt, Doktor Marvin. Sie kennen das Abschlußdokument und seinen ersten Satz, nicht wahr?« Er zitierte: »›Die Menschheit veranstaltet ein Atmosphärenexperiment, welches nur mit einem Nuklearkrieg zu vergleichen ist…‹«

»Hören Sie, Professor…« begann Marvin ungeduldig, doch der andere unterbrach ihn: »Nein, lassen Sie mich reden!« Das Atmen fällt mir plötzlich schwer, dachte er. Was ist das? Was ist los? »Die Menschheit«, sagte er mit Mühe, »hat tatsächlich allein mit den von ihr hervorgerufenen, erzeugten und längst außer jede Kontrolle geratenen Gasen und Abgasen die Atmosphäre in eine chemisch-klimatologische Langzeitbombe verwandelt.«

»Also, das würde ich doch als übertrieben…«

»Das ist es keinesfalls, Doktor Marvin! Das ist, im Gegenteil, eine

Untertreibung. Denn die ›Langzeit‹ der Bombenzündung besteht inzwischen nur noch aus einer sehr kurzen Reihe von Jahrzehnten. Wir Umweltschützer haben verzweifelt gewarnt, als diese Entwicklung sich anbahnte. Mittlerweile ist es unerbittliche Gewißheit: In den nächsten dreißig bis vierzig Jahren droht ein mittlerer globaler Temperaturanstieg zwischen eins Komma fünf und sechs Grad Celsius – schütteln Sie nicht den Kopf! Wenn sich an den Ursachen dafür nicht schnellstens – schnellstens! – etwas ändert, dann werden schon in der ersten Hälfte des nächsten Jahrhunderts – sein Beginn liegt nur noch zwölf Jahre entfernt – die Temperaturen in den tropischen Breiten um zwei Grad, in den mittleren Breiten um zwei bis fünf Grad und in polaren Breiten sogar um acht bis zehn Grad ansteigen. Und das wissen Sie!«

Draußen auf dem Uwe-Jens-Lornsen-Wai spielten trotz Kälte und Nebel Kinder. Sie sangen. Ihre hellen Stimmen drangen in den großen Raum:

> »Murmeltier kann ta-hanzen,
> eins und zwei und drei und vier!
> Murmeltier kann ta-hanzen,
> das kleine Murmeltier!«

Schweiß brach auf Gerhard Ganz' Körper aus. Er fühlte Tröpfchen vom Haaransatz den Nacken hinablaufen. Mit einem Taschentuch wischte er die Haut trocken. Weiter! sagte er sich. Und wenn dir immer noch übler wird. Du mußt weiterreden! Du hast das alles schon tausendmal gesagt. Tausendmal umsonst. Vielleicht ist es diesmal, dieses eine Mal nicht umsonst. Wegen dieses einen Males hast du dann gelebt.

»Die Ursachen für den Temperaturanstieg sind identifiziert«, sagte er. »Sie liegen vor allem in der Freisetzung von Kohlendioxid bei der Verbrennung fossiler Stoffe wie Kohle, Öl und Erdgas, also in Art, Struktur und Menge unseres Energieverbrauchs.«

»Unseres verbrecherisch und nur um der Bereicherung einiger weniger wegen ungeheuer überhöhten Energieverbrauchs«, sagte Valerie Roth.

»Aber nicht nur darin liegt die Ursache, wie Sie wissen«, sagte

Ganz, »sondern auch in der Zunahme der Konzentration von Fluorchlorkohlenwasserstoffen in der Atmosphäre – jenen Stoffen also, die aus Abermillionen Spraydosen Stunde um Stunde frei werden, aus Abermilliarden Kühlschränken, aus Abermilliarden Autokühlern, Klimaanlagen und bei der Herstellung von Kunststoffen.«

»Warum erzählen Sie mir das alles? Was habe ich damit zu tun?« Marvin ärgerte sich, dieser Einladung gefolgt zu sein. Eiferer, dachte er. Grüne Narren.

»Ich werde Ihnen gleich erklären, warum wir Ihnen das alles erzählen«, sagte Ganz. Valerie sieht mich ernst an, dachte er. Schaue ich sehr elend aus? Mir ist auch sehr elend. Jetzt strahlt der Schmerz in den linken Arm aus. Na und! Weiter! Ich muß diesem Mann alles sagen. Das ist einer von denen, die wenigstens genug Verstand haben. Ich muß ihn für uns gewinnen. Er darf nicht weitermachen mit jenen, die diese Welt vernichten. Er darf nicht. Ich fühle, nein, ich weiß, er wird auf unsere Seite kommen.

Ganz sagte: »Dieser Treibhauseffekt wird noch verstärkt durch die rasante und absolut gewissenlose Abholzung der tropischen Regenwälder – da können Sie mir nicht widersprechen! – sowie durch das Waldsterben und die Bodenvernichtung...«

»Ich weiß wirklich nicht, *warum* Sie mir das alles erzählen«, unterbrach ihn Marvin. »Was kann *ich* denn tun?«

»Gleich. Das sagen wir Ihnen gleich«, sagte Valerie Roth. »Sie wissen, daß durch Kohlendioxidfreisetzungen bloß auf fossiler Basis fast einundzwanzig Milliarden Tonnen Kohlendioxid im Jahr entstehen. Allein das mutwillige Verbrennen von Wäldern erhöht die Kohlendioxidemission auf dem Globus um zwanzig Prozent. Brandrodung, Fluorchlorkohlenwasserstoffe, Methangas aus drei Milliarden Rindermägen – all das zusammen wirkt in der Verbindung mit Spurengasen wie das gläserne Dach eines Treibhauses, das über unsere Erde gestülpt ist, nicht wahr? All das stört den Wärmehaushalt der Erde, weil die Wärmeabstrahlung in den Weltraum mehr und mehr blockiert wird.«

Marvin hatte genug. »Wollen Sie mir Nachhilfestunden in Naturwissenschaft geben, Frau Doktor?«

»Gewiß nicht«, sagte Valerie Roth.

»Was dann?«

»Wir wollen, daß Sie zu uns kommen«, sagte Professor Ganz, während er fühlte, wie der Schmerz aus dem linken Arm bereits seine Hand, seine Finger erreichte. »Daß Sie mit uns arbeiten. Daß Sie gemeinsam mit uns versuchen, das Schlimmste zu verhindern...«

Das ist ja schon ekelhaft, dachte Marvin.

Das ist ja schon ekelhaft, habe ich damals gedacht, erinnerte sich Marvin, als er jetzt neben Farmer Evans im Landrover saß. Und nun? Und nun? Nun bin ich im Ersten Kreis der Hölle gelandet. Oh, verflucht, verflucht, verflucht!

Sie hatten die Straße erreicht und fuhren in Richtung der kleinen Stadt Mesa. Nach einer Weile sagte Marvin erschüttert und dazu zornig über sich selbst, zornig darüber, wie er sich vor Monaten betragen hatte in jenem Haus auf Sylt: »Ich war schon mal hier, Mister Evans. Nicht hier direkt, dazu reichte die Zeit nicht. Aber in Richland war ich. Und da habe ich mit vielen Leuten gesprochen.«

»Und?«

»Und da hat man mir gesagt, rund hundertfünfzigtausend Menschen leben im Tri-Cities-Gebiet direkt oder indirekt von der Atomenergie. Alle seien überzeugt, etwas Gutes, etwas Notwendiges zu tun. Kaum einer habe Bedenken. Sie wissen es so gut wie ich: In Richland gibt es einen Supermarkt mit einem riesigen Schild, darauf steht ATOMIC FOOD. Und die größte Kegelbahn heißt Atomic Lanes. Und die Football-Mannschaft der High-School – was haben die für ein Emblem auf ihren Jacken? Einen Atompilz haben die auf ihren Jacken, Mister Evans. Und wie nennen sie sich? Die Richland Bombers nennen sie sich. Ihre kleinen Leute, nicht wahr, Ihre kleinen Leute, die ganz hilflos sind...«

»Idioten! Idioten sage ich doch, systematisch verblödet!«

»Lassen Sie mich ausreden, Mister Evans! Eine große Reinigung gibt es in Richland, die heißt Atomic Laundry. Wie wirbt sie auf Plakaten und in Riesenannoncen? Ich hab's gesehen. Ich hab's fotografiert. So wirbt die Atomic Laundry: ›Wir detonieren den Schmutz aus Ihrer Wäsche – mit dem heißesten Wasser der Stadt.‹«

»Verflucht, ich sag' doch: Idioten.« Ray Evans fuhr nun schnell.

Seine Hände umklammerten das Lenkrad. Kein Mensch, kein Auto begegnete ihnen. »Idioten, Mister Marvin! Nur so kann diese Scheißwelt funktionieren. Idioten! Nehmen Sie Joe Webb! Leitet eine Bürgerinitiative hier. *Für* Hanford. *Für* die Atomfabriken. Hanford Family heißt die. Sie müssen zu dem Idioten hingehen, Mister Marvin, ihn besuchen, reden mit diesem Kerl! Bei dem liegt die Bibel aufgeschlagen auf dem Tisch, und bevor Sie *ihm* was sagen können, sagt er *Ihnen* was.«

»Nämlich was?«

»Nämlich das: Plutonium-Industrie schadet keinem! Nützen tut sie allen, sagt das Arschloch. Eine bösartige Kampagne ist im Gang gegen Hanford, sagt er. Und wenn Sie ihn fragen, wer sie denn betreibt, diese bösartige Kampagne, dann wird er antworten: Senator Brock Adams betreibt sie, und sogenannte Umweltgruppen und die Zeitungen und die Fernsehsender, die uns zugrunde richten wollen. Das sagt der Ihnen ins Gesicht, dieses Mörderarschloch! Dieser Joe Webb, das ist einer, der sagt, es hat noch nie einen Unfall in Hanford gegeben. Dafür, daß Jod-131 Krebs erzeugt, gibt es keinen einzigen Beweis, sagt der. Und daß sie den N-Reaktor runtergefahren haben, das nennt der *son of a bitch* eine ›Tragödie‹!«

Sie hatten die Main Street von Mesa erreicht. Tankstellen, Kinos, Banken, Geschäfte, ein paar hohe Gebäude. Wenig Verkehr.

Die Menschen, dachte Marvin. Die Menschen hier. Alle sehen bedrückt aus. Sorgenvoll. Keiner lacht. Sogar die Kinder sind ernst. Nur wenige spielen. Und auch die sind traurig beim Spielen. Die meisten sitzen oder stehen herum. Wie die Rinder auf der Weide. Traurig ist das hier alles, dachte Marvin, was für eine große Traurigkeit!

»Und so wie dieser Joe Webb denken viele«, sagte Ray Evans und hustete verschleimt. »Immer noch. Gerade jetzt. Nicht hier natürlich. Aber in Richland, Kennewick, Pasco. Sie haben schon recht mit dem Atomic Food und der Atomic Laundry und all dem anderen, Mister Marvin. Großes Maul, nix im Kopf. Diese Kerle, also, die sind so dämlich, wenn die ein Begräbnisinstitut hätten – kein Mensch würde mehr sterben! Aber nicht hier in Mesa, Mister! Hier haben wir eine Scheißangst, seit der N-Reaktor runtergefahren wurde. Immer mehr hauen ab. Häuser und Wohnungen gibt's jetzt in Hülle und Fülle.« Er lachte wieder sein hoffnungsloses Lachen. »Und noch 'ne andere Angst gibt's bei den Leuten hier.«

»Was für 'ne andere Angst?«

»Daß sie ihre Arbeitsplätze in der Atomindustrie verlieren. Daß noch mehr Reaktoren runtergefahren werden müssen. Und davor haben sie auch in Richland und in Kennewick und in Pasco Angst. Im ganzen Tri-Cities-Gebiet. Angst. Angst. Angst. Angst vorm Leben. Angst vorm Sterben.« Er lenkte den Landrover zum Straßenrand, während er mit brüchiger Stimme ein paar Worte aus dem alten Lied sang: *»Ahm tired of livin' An' feared of dying, But Ol'man river, he jes keeps rollin' along . . .«*

Evans kletterte aus dem Landrover. »Kommen Sie, Mister«, sagte er und ging schon voraus, hinein in das Stardust Memories Cafe.

Ein Drugstore wie in hundert amerikanischen Filmen: lange Theke, an der man auf hohen Hockern ißt und trinkt. Bunte Nischen mit bunten Plastiktischen und Plastikstühlen. Daneben ein Krimskramsladen, Apotheke, Drogerie und Kaufhaus in einem. Hier konnte man eine Puppe ebenso kaufen wie ein Gewehr, eine Pakkung Präservative mit Himbeer- oder Orangengeschmack ebenso wie Angelruten, Taschenbücher, Geraniensamen oder eine elektrische Bohrmaschine.

Angestellte aus umliegenden Geschäften und Büros saßen hier, Arbeiter einer nahen Baustelle und drei Mädchen von der High-School mit ihren Freunden, die ein wenig herumalberten, während alle anderen ernst waren und gedämpft sprachen. Und die meisten, sah Marvin, hatten stark geschwollene Schilddrüsen.

Gleich beim Hereinkommen war ihnen Ray Evans' Vetter Tom entgegengeeilt. Sie hatten einander begrüßt, und Marvin hatte gedacht, daß Tom ein, na ja, Sonderling war, um es milde zu formulieren. Tom, dem das Stardust Memories Cafe gehörte, bat um Ruhe, und es wurde still, und Tom stellte den Gentleman aus Germany vor, der von seiner Behörde rübergeschickt worden war, damit er einen Eindruck kriegte, wie es hier aussah. Er arbeite auch im *atomic business,* und er solle einen Report machen für seine Behörde, und *maybe* auch für eine amerikanische, über alles, was hier vorging, und vielleicht, *who knows,* würde dann hier einiges anders und besser. Und ob einer was dagegen hätte, wenn Mister Marvin fotografierte.

Keiner hatte was dagegen, die Leute nickten dem Fremden zu, jetzt lächelten ein paar, kurz und freundlich, und die Schönheit hinter der Theke, der die Jungs sagten, daß sie wie Marilyn Monroe aussah, schminkte schnell ihre Lippen nach. Hatten schon die seltsamsten Wege nach Hollywood geführt.

»Einen Drink?« erkundigte sich Tom.

»Vielleicht ein Cola.«

»Drei *cokes*, Corabelle!«

Und während Marilyn an der Theke servierte, redeten die Menschen leise weiter miteinander, und die drei Teenies mit ihren Freunden flüsterten. Auch hier fühlte Marvin wieder jene große Trauer, jene scheue Ergebenheit ins arge Leben, jene Hoffnungslosigkeit, die über allen und allem lag wie schmutziger Tau. Selbst ein kleiner Hund auf einem uralten Korbstuhl unter einem großen Plakat, das aufforderte, AIDS keine Chance zu geben, schaute Marvin bekümmert an mit glanzlosen Knopfaugen. Sein Fell war räudig, viele Haare waren ausgefallen, man sah die weiße Haut. So winzig der Hund, so riesig die stumme Jukebox zwischen dem Korbstuhl und der Tür zu den Klosetten.

Wie als Pendant zur Jukebox hing an der anderen Seite neben der Tür eine große Tafel, und auf die hinkte Tom nun, schief und krumm gewachsen, zu, sein Vetter und Marvin folgten. Ray Evans hatte Marvin gesagt, daß Tom ihm etwas zeigen werde, das er fotografieren solle. Mit seltsam blecherner Stimme erklärte der Vetter nun, er habe diese Tafel selbst beschriftet, *word by word*, und was da stehe, sei die heilige Wahrheit, *cross my heart and hope to die*. Da stand also in roter Schrift ganz oben: DEATH MILE FAMILIES. Und neunundzwanzig Familiennamen standen darunter.

»Fotografieren Sie das, Mister!« sagte Tom. »*Take some pictures! Take the names! All of them.*« Nun wurde es ganz still in dem großen Raum, und Marvin fotografierte, und alle sahen zu. Also der Gentleman aus Germany interessierte sich wirklich für diese Geschichte. Wer wußte, wer das war, *some bigshot*, von einer Versicherung *maybe*, also ändert sich vielleicht wirklich was. Diese verfluchte Hoffnung, die du immer noch hast.

Auf der Tafel stand:

DIE LIVESEYS – Mutter und Tochter Schilddrüsenkrebs
DIE HAMMONDS – Mary und Bob, Brustkrebs, Leberkrebs
DIE FORRESTS – der Sohn Chlorakne, die Mutter Brustkrebs
MIKE UND HELEN LEE – beide Krebs, die Jungs sind weg
DIE HOLMES – Mutter Knochenkrebs

So ging das weiter, neunundzwanzig Namen lang, zuletzt stand da:
TOM EVANS.
Der erklärte hurtig selber, was ihm fehlte: »Am 25. März 1947
wurde ich hier geboren. Mit krummen Beinen und krummen Fingern.« Er zeigte sie her. »Finger- und Zehennägel verwachsen. Oft
operiert, bis sie sie halbwegs auseinandergekriegt haben – die da
nicht. Muß Spezialschuhe tragen. Bin impotent. Frau ist mir nach
der Hochzeitsnacht weggelaufen. Weiß jeder hier. Kann ruhig
drüber reden. Geht vielen wie mir. Das Café hier ist eine Goldgru-
be, zugegeben. Aber da scheiß' ich drauf. Mir ist das alles zum
Kotzen. Ich will nur noch eines, *for Christ's sake!*«
»Ach, hör schon auf, Tom!« sagte ein Gast.
»Ich werd' nie aufhören«, sagte Tom.
»Mensch, man kann's nicht mehr hören!« sagte ein anderer.
»Dann hau ab, wenn du's nicht mehr hören kannst, Fred!«
»Du mußt wirklich davon runterkommen, Tom!« sagte eine Frau.
Vielleicht gehört ihr der kleine Hausratladen nebenan, dachte Mar-
vin. »Bei uns ist's ja egal, wir kennen dich. Aber die Leute…«
»Was, was, was, die Leute?«
»Die Leute reden, Tom. Sie sagen, du bist ein Querulant. Das ist
noch das Harmloseste, was sie sagen. Sie sagen auch, *you're nuts*, du
bist verrückt, du hast sie nicht mehr alle, die Strahlung ist dir aufs
Gehirn gegangen. Hör endlich auf damit, Tom! Noch dazu vor dem
Gentleman aus Germany!«
»Gerade vor dem Gentleman aus Germany!« sagte Tom trotzig.
»Gerade der soll's hören und mich fotografieren, sooft er will. Los,
knipsen Sie weiter, Sir, immer zu! Und die Leute können ihr
dämliches Geschwätz nehmen und sich's in den Arsch stecken.«
»Was ist das, was Sie unbedingt haben wollen?« fragte Marvin.
»Gerechtigkeit«, sagte der krumme, verwachsene Tom, und ein
paar seiner Gäste lachten ein böses Lachen, und der kleine Hund

winselte dünn, als wolle er sagen: Gerechtigkeit will er, du liebe Güte!

»Jawohl, Gerechtigkeit«, sagte Tom. Nun nickten sie nur noch und aßen weiter ihr kaltes Huhn oder ihr T-bone-Steak mit Pommes frites und viel Ketchup drüber. Alle, die Tom kannten, schienen ihn für meschugge zu halten, harmlos meschugge. Hatte eben einen Hieb mit seiner Gerechtigkeit. Gab es ja selber zu.

»Schon gut«, sagte Tom, »ich bin verrückt. *Okay, folks, I'm nuts*, viele sagen das, besonders dieser Scheißkerl Joe Webb, dieser *no-good-fucked-up-son-of-a-bitch!* ›Tom Evans, ach der Spinner!‹ sagt er. ›Der ist angeblich durch Hanford krebskrank geworden, Schilddrüsenkrebs, sagt er, dabei ist es seine Veranlagung, genetisch, also das weiß ich, alle Ärzte hier haben es gesagt, genetisch defekt und ein kommunistischer Hetzer, das ist Tom Evans.‹ So spricht diese Topsau Joe Webb. Bin ich *a goddamned commie, folks?* Ihr kennt mich, ihr wißt, daß das eine dreckige Lüge ist. Oder?«

Sympathiegemurmel und wieder die Bitte, er möge doch endlich aufhören.

»Natürlich bist du kein *commie*, Tom«, sagte ein Dicker mit dicker Schilddrüse, »aber das mit deiner Gerechtigkeit, sei nicht böse, also das geht schon allen auf den Geist, Junge.«

Manche gaben dem Dicken recht. Andere protestierten. Nun waren sie beim Thema.

»Gerechtigkeit willst du«, sagte ein junger Mann, das Gesicht voller Sommersprossen. »Geld. Entschädigung für deine Krankheit. Die kriegst du nie, kapier es endlich, Mann!«

»Warum kriegt er die nie?« fragte Marvin, der dauernd fotografierte.

»Weil sie dann Milliarden zahlen müßten an Tausende im ganzen Land.« Ein Mann in blauem Anzug mit weißem Hemd und blauer Krawatte mischte sich ein, vielleicht der Chef der Bankfiliale gegenüber. »Und so schieben alle Behörden, alle Ärzte, alle Versicherungen alles auf genetische Defekte. Das ist ihr Lieblingswort. Genetisch! Tom Evans und die Leute in der Todesmeile und alle, die noch krank sind, ich auch, wir haben keine Chance, *no goddamned chance, no Sir*, kein Mensch hat eine gottverfluchte Chance.«

»Weil«, sagte ein Mann, dessen Gesicht von Ausschlag entstellt und dessen Augen entzündet waren, »es eben immer heißt, daß alles, was wir haben, alle Krankheiten genetisch bedingt sind, oder daß der Schilddrüsenkrebs von natürlichem Jodmangel kommt – das gibt es ja auch wirklich, was, Mister?«

»Ja«, sagte Marvin und fotografierte den Mann mit dem zerfressenen Gesicht und fühlte sich elend wie nie zuvor im Leben. Er dachte verzweifelt an Susanne und sein Gespräch mit Professor Ganz und Dr. Valerie Roth auf der winterlichen Insel Sylt und sagte: »Aber wenn Sie doch, wenn nötig vor Gericht, beweisen können, daß Ihre Krankheiten eben *nicht* genetisch bedingt sind, daß Sie – wie die vielen Tiere – krank geworden sind durch die Strahlung hier ... Ich meine, Gerechtigkeit hin, Gerechtigkeit her, so was gibt's doch nicht! Das muß so ein Gericht doch einsehen. Es können doch nicht *alle* Menschen Schweine sein.«

»Vielleicht doch. Ist jedenfalls noch kein einziger von uns durchgekommen damit«, sagte der im blauen Anzug. »Und versucht haben's viele, *believe you me*, das können Sie mir glauben!«

»Da in Richland«, sagte Corabelle hinter der Theke und strich das blonde Haar zurück, drückte die Brüste heraus und war schon *something to look at*, eine heiße Nummer, *oh yeah*, »also da in Richland gibt es ein Science Center und einen Computer. Ich war mal dort. Auf dem Computer steht FÜR IHRE PERSÖNLICHE DOSIS.« Marvin fotografierte sie, und sie wandte sich nun an ihn und lächelte wie Marilyn, während sie erzählte, und machte Marilyns Stimme nach. Man konnte wirklich nie wissen, ein paar von diesen Superstars sollen sie aus dem Puff geholt haben, nicht wahr, und Marilyn nach den Nacktfotos in diesem Kalender. »Na, da stelle ich mich also hin, Mister Marvin, und der Computer fragt: ›Wo wohnen Sie?‹ Tippe ich ein: ›Mesa, State of Washington‹. Kommt die grüne Schrift auf dem Schirm: ›Strahlung von der Erde – sechsundzwanzig Millirem pro Jahr.‹«

Marvin dachte: Millirem, das ist hier ein Wort wie Pepsi. Kennt einfach jeder.

»›Vom Wohnhaus – sieben Millirem pro Jahr.‹ Dann fragt der Computer nach Röntgenuntersuchungen. Wie viele habe ich hinter mir? Wie oft sehe ich fern? Wie oft bin ich schon geflogen? Fragt nach Essen und Trinken, und ich tippe alles brav ein, und es kommen immer neue Zahlen auf den Schirm, alle einfach idiotisch, idiotisch niedrig. Zum Schluß fragt der Computer: ›Wie weit entfernt vom nächsten Atomkraftwerk wohnen Sie?‹« Corabelle strahlte Marvin ohne Unterlaß an, während sie sprach. »Na, denke ich, Spaß muß sein, und tippe: ›Direkt am Zaun‹. *Just for the hell of it, you know.* Bloß so, aus Quatsch.«

»Und?« fragte Marvin.

»Ganze drei Millirem mehr hat der Computer gerechnet, Mister Marvin! Ganze drei Millirem – direkt am Zaun!«

Alle hatten Corabelles Bericht verfolgt. Ein Mann fluchte laut und lange. Einer lachte. Der kleine Hund winselte wieder.

»Also, meine persönliche Dosis ist zweitausendeinhundertachtund-sechzig Komma fünfzehn Millirem jährlich«, sagte Corabelle. Sie hatte auf einen Zettel gesehen, der an die Innenwand der Theke gepinnt war. »Zwei Röntgenärzte haben wir hier. Bei denen war ich auch. Der eine hat ein paar hundert Millirem weniger festgestellt, der andere ein paar hundert mehr. Alles genetisch, Mister Marvin, alles genetisch. Auch bei mir.«

»Wieso? Was haben Sie denn?«

»Leukämie«, sagte Corabelle. »Bin in ständiger Behandlung. Blut-bild gerade etwas besser geworden. Damit kann ich noch jahrzehn-telang leben, hat der Doktor gesagt.« Zehn Jahre Hollywood wür-den mir genügen, dachte sie. Mehr hatte Marilyn auch nicht. »Untypisch«, sagte sie.

»Was ist untypisch?«

Corabelle schob die weiße Seidenbluse energisch in den engen schwarzen Rock. Wirklich schöne Brüste hatte sie.

»Na, daß ich Leukämie habe. Haben mehr Männer als Frauen. Gab da eine große Untersuchung in Tennessee. Über genetische Defekte natürlich, nicht über Strahlungsschäden, i wo! Also, bei Männern mehr Leukämie und Hirnkrebs. Bei Frauen Brustkrebs. Wie gesagt: Ich bin untypisch.« Sie schenkte Marvin ein verheißungsvolles Lächeln, und der sagte voller Zorn: »Warum lassen Sie alle sich das gefallen? Warum protestieren Sie nicht?«

»Haben wir doch schon tausendmal!« sagte ein Arbeiter.

»Aber es ist besser, wir hören damit auf«, sagte Ray Evans, der Marvin herumgefahren hatte. »*I keep telling you again and again.* Ich sage es euch wieder und wieder, auch dir, Tom. Gebt Ruhe! Sehen Sie, Mister Marvin, die meisten von uns sind verschuldet bei den Banken. Das ist eben so in Amerika. Wenn einer hier mit den Atomfabriken zu tun hat, und das haben die meisten, also wenn so einer Krach macht, dann fliegt er raus und kann seine Bankschulden nicht bezahlen. Wenn er sagt, er ist krank, verliert er den Job. Und die Bank kündigt ihm sofort den Kredit. Ich bin Farmer, ich habe nichts zu tun mit den Atomfabriken. Aber verschuldet bei der Bank bin ich auch. Wenn ich was sagen würde von Krankheit – auch mein Kredit würde gekündigt, sofort. Außerdem: Sie haben ja gesehen, was hier alles wächst, was aus der Gegend kommt – Mais, Kartoffeln, Obst, Wein. Würde doch kein Mensch mehr unser Zeug kaufen, wenn sich herumspricht, daß das, was wir liefern, auch ich mit meinem Rindfleisch, aus einer verseuchten Gegend kommt, nicht?«

Professor Ganz, dachte Marvin. Dieser Nachmittag bei ihm. Was sagte er dann noch? Was geschah dann noch...

»Und das Ozonloch«, sagte Professor Gerhard Ganz. »So viel wurde schon zerstört, Doktor Marvin. Eine Minute vor zwölf ist es. Nur gemeinsam können wir die Katastrophe, wenn auch nicht mehr abwenden, so doch so klein wie möglich halten.« Auf einmal schien er keine Schmerzen mehr zu haben und sich großartig zu fühlen. »Die Erde wird, das wissen Sie, im Abstand von fünf bis fünfzig Kilometern von einem Ozonmantel umgeben. Dieser Mantel schützt alles irdische Leben vor der gefährlichen ultravioletten Strahlung aus dem Weltraum. Jedes Jahr im antarktischen Frühling, in den Monaten September und Oktober, verschwinden hier mehr als fünfzig Prozent, stellenweise sogar neunzig Prozent der Ozonmoleküle. Auf dramatische Weise hat sich dieses Areal äußerst verdünnten Ozons in den letzten Jahren durch die Art und Weise, wie wir die Atmosphäre verpesten, erweitert. Zur Zeit ist das ›Loch‹ schon so groß wie die USA. Hautkrebs, andere Krebsarten, unbekannte Krankheiten und der Zusammenbruch aller bisherigen Vorgänge in der Natur werden die unausweichliche Folge sein, wenn dieses Loch noch größer wird.«

»Bitte«, sagte Marvin. Er schüttelte den Kopf und sah durch das große Panoramafenster hinab auf das Watt. Es wurde langsam Nacht.

»Was, bitte?«

»Bitte, lieber Professor, keine Panikmache!« sagte Marvin, plötzlich schwer verärgert. Der alte Trottel, dachte er. Und diese Roth, seine dämliche Assistentin! Habe ich nötig gehabt, hierherzukommen und mir das alles anzuhören?

»Panikmache?« Valerie Roth war verblüfft.

»Ja«, sagte Marvin erbittert. »Ja, ja, ja! Ozonloch! Klimakatastrophe! Seit Jahren höre ich nichts anderes mehr. Alle Zeitungen, das Radio, das Fernsehen leben davon. Kein Blatt kann man mehr aufschlagen, ohne zu lesen, daß die teuflische Industrie die Erde kaputtmacht. Daß wir alle verantwortungslose Verbrecher sind. Zum beliebtesten Partygespräch ist diese Lüge geworden.«

»Doktor Marvin...« begann Ganz, aber der ließ sich nicht mehr unterbrechen.

»In Büros. In Schulen. In der Straßenbahn. Nur noch dieses Geschwätz. Nur noch die Lust am Untergang. Jedes Groschenblatt hat jeden Tag eine neue, noch gräßlichere Meldung. Kongresse jagen einander. Enqueten. Greenpeace-Heroen. Bürgerproteste. Bürger, die keine Ahnung haben, protestieren, klagen an! Jeder Politiker muß jeden Tag vor einer Kamera erklären, daß er, daß sich seine Partei mit allen Kräften für die Rettung der Welt einsetzt – als ob sie nicht ohnedies alles tun, was nur möglich ist!«

»Was tun sie, die Politiker?« rief Valerie Roth, nun ebenfalls äußerst erregt. »Was, Herr Marvin? Nichts! Überhaupt nichts!«

»Das ist nicht wahr!« rief Marvin.

»Bitte!« sagte Ganz. »Bitte...« Doch die beiden hörten nicht auf ihn.

»Das *ist* wahr!« rief Valerie Roth. »Versprochen wird alles. Getan wird nichts. Im Bundestag wurde ein sofortiges Verbot der Fluorchlorkohlenwasserstoffe beantragt. Und abgelehnt! Begründung des Kanzlers, wörtlich: ›Wir dürfen der Industrie nichts befehlen. Sie ist sich ihrer Verantwortung der Gesellschaft gegenüber sehr wohl bewußt.‹ Eine größere Bankrotterklärung einer der Industrie absolut ausgelieferten Regierung hat es nie gegeben.«

In der Ferne, aus Dämmerung und Nebel ertönte klagend die Sirene eines Zuges, der über den Hindenburgdamm fuhr.

Valerie Roth rief, nun vollends außer sich: »Unsere Politiker sind im Show-Geschäft! Der Umweltminister durchschwimmt den Rhein und zeigt, daß man da tatsächlich lebend wieder rauskommt. In Bayern trinkt ein anderer einen Schluck der verstrahlten Molke, die seit Jahren durchs Land gefahren wird, und sagt: ›Des macht mir fei gar nix!‹ Der Finanzminister trinkt ein Glas Nordseewasser aus und beweist, daß man selbst das überleben kann.«

»Bitte, Valerie«, sagte Ganz, »bitte, hör auf!«

Aber Valerie Roth hörte nicht auf. »In einem Skandalland leben wir! Ich bin sehr enttäuscht von Ihnen, Doktor Marvin, sehr enttäuscht. Sie finden es also richtig, daß hier sechzig Milliarden für Atomkraft ausgegeben wurden – und für umweltfreundliche erneuerbare Energie nur ein Bruchteil davon? Ja, Sie finden das richtig?«

»Hören Sie, ich . . .«

»Milliarden ›garantiert‹ diese Regierung den Mercedes-Leuten, die damit im Verbund mit MBB zur größten Waffenfabrik in Europa werden können! Zig Milliarden für den Jäger neunzig! Der Schnelle Brüter Kalkar, der nie ans Netz gehen wird, gehen kann – zig Millionen jährlich nur für seine Instandhaltung!«

Marvin rief wütend: »Was gibt es denn an Umweltschutz in Osteuropa? Nichts! Überhaupt nichts! Und die verpesten die Luft mehr als alle Staaten im Westen!«

»Sollen andere von ihren Skandalen sprechen«, rief die Roth, »ich spreche von unseren. Weltweit eine Billion Dollar jährlich für Rüstung! Und noch vierzig, fünfzig Jahre, und es gibt unsere Welt nicht mehr!«

In diesem Moment hatte Gerhard Ganz das Gefühl, daß ihm eine stählerne Hand das Herz aus der Brust riß. Taumelnd erhob er sich und fiel gleich danach zu Boden. Reglos lag er da.

»Gerhard!« schrie Valerie Roth. Schon kniete sie bei ihm, Marvin neben sich. Sie versuchten, Ganz auf den Rücken zu legen. Sein Körper hatte sich so sehr verkrampft, daß der Versuch mißlang.

»Einen Arzt!« keuchte Marvin. »Los, los, rufen Sie einen Arzt!«

## 2

»So war das, Herr Gilles«, sagte Markus Marvin neun Monate später, am Nachmittag des 12. August 1988. Gluthitze lastete über Sylt, Gluthitze herrschte auch im großen Wohnraum von Professor Ganz' schönem altem Haus in Keitum hoch über dem Watt. Marvin hatte im gleichen Sessel wie im November 1987 Platz genommen. Valerie Roth saß mit an den Leib gezogenen Beinen auf einer leinenbespannten Couch. Ihr Gewand aus blauem, leichtem Musselin war lang und hochgeschlossen. Marvin trug Jeans, ein dünnes Hemd über der Hose und Sandalen. Wirr wie stets war sein schwarzes Haar. In den dunklen Augen glomm beständige, überwache Bereitschaft, Partei zu ergreifen, sich einzumischen, aufzuregen.

»So war das, Herr Gilles«, wiederholte er, »in Amer ka und lange zuvor hier, als Professor Ganz seinen ersten schweren Herzinfarkt erlitt.«

Der Mann mit Namen Gilles sah ihn schweigend an. Er war über sechzig Jahre alt. Graues, dichtes Haar hatte er, groß war er, kräftig, aufrecht hielt er sich, hell glänzten die grauen Augen dieses Mannes, der vor etwa einer Stunde hierhergekommen war und sich Markus Marvins Geschichte angehört hatte.

»Sie brachten Gerhard zuerst ins Inselkrankenhaus«, sagte Valerie Roth. »Sechzehn Tage Intensivstation. Dann flogen sie ihn nach Hamburg. Dort bekam er den zweiten Infarkt. Die Ärzte haben wirklich getan, was sie konnten. Vier Monate lebte Gerhard noch. Als es ihm gerade wirklich besserzugehen begann, kam eine dritte Attacke. Die überlebte er nicht mehr. Er starb am sechsten August. Es war immer sein Wunsch gewesen, auf Sylt begraben zu werden. Darum sind Sie ja hier, Herr Gilles. Sie kannten Gerhard lange, nicht wahr? Sie waren befreundet?«

»Ja«, sagte der Mann mit dem dichten grauen Haar und den ernsten Augen. »Seit dem Krieg kannten wir einander. Doch wir haben uns nach 1945 nur zweimal wiedergesehen. Ich wollte unbedingt zum Begräbnis kommen.«

»Das ist ja nun vorüber«, sagte Marvin.

Über dem Haus kreischten Möwen. Etwas schien sie aufzuregen.

»Ja«, sagte Gilles, »das ist vorüber.« Er sprach langsam, mit tiefer, warmer Stimme. »Und Sie arbeiten jetzt mit Frau Doktor Roth in der Physikalischen Gesellschaft, Doktor Marvin?«

»Ja«, sagte der. »Grotesk, wie?«

»Grotesk?« fragte Gilles.

»Wenn Sie bedenken, wie mein letztes Gespräch mit Professor Ganz verlief.«

»Ach«, sagte der fremde Mann, der vor einer Stunde in dieses Haus gekommen war, durch Zufall eigentlich. »Der Mensch ist vielschichtig, nicht wahr? Und es hat Sie doch auch sehr erschüttert, was Sie in Amerika erlebt haben.«

»Unendlich erschüttert«, sagte Marvin. »Ich flog nach Deutschland zurück und berichtete meiner Aufsichtsbehörde in Wiesbaden alles über Mesa und alles über die Fast-Super-GAUs im Savannah-River-Komplex in South Carolina und über die unvorstellbaren Zustände in Rocky Flats bei Denver, Colorado, wo sie auch Reaktoren hatten abschalten müssen – gezwungen durch Presse und Fernsehen und Bürgerinitiativen und Dauerstreiks der Arbeiter. Ich zeigte den Herren, die mich zum Kennenlernen amerikanischer Sicherheitssysteme in die Staaten geschickt hatten, meine Fotos und spielte ihnen meine Interviewkassetten vor. Sie nahmen mir Fotos und Kassetten weg, aber natürlich waren sie sicher, daß ich die Originale besaß. Auf alle Fälle drohten sie mir gerichtliche Schritte an, falls ich irgendwelche Fakten – Lügen, sagten sie selbstverständlich – bekanntgäbe. Und dann warfen sie mich raus, klar.« Marvin konnte nicht aufhören zu reden.

Als ich noch jünger war, dachte Philip Gilles, war ich wohl auch so. Lange her.

»Ich habe bei ein paar Top-Schreibern vorgefühlt – nur vorgefühlt –, die wollten darüber schreiben, aber ihre Verleger wollten es nicht drucken, auch klar.«

»Hm.« Gilles saß sehr still. Er bewegte sich kaum.

»Nur ›DIE ZEIT‹ hatte keine Angst. Sie schickten einen Redakteur rüber und druckten, was er zu berichten hatte, und keiner verklagte ›DIE ZEIT‹, keiner! Aber der Bericht änderte natürlich nicht das geringste, nicht hier und nicht in den Staaten. Die Atomkraftleute machten weiter, *business as usual*, und kein einziger Abgeordneter im

Bundestag fand es auch nur der Mühe wert, eine Frage zu stellen. Kein einziger Bürger regte sich auf, es gab keine Proteste, nichts gab es, überhaupt nichts. Na ja, und ich war eine Weile arbeitslos, für meine Filmerei trieb ich kein Geld auf, und nun bin ich bei der Physikalischen Gesellschaft Lübeck. Mein Haus in Wiesbaden habe ich verkauft, ich lebe in einer Mietwohnung gleich daneben.« Und Susanne ist angeblich in Südamerika, dachte er. Sie hat nie wieder etwas von sich hören lassen. Ich mußte das Haus in Wiesbaden verkaufen, konnte dort unmöglich weiterleben. Hoffentlich hat Susanne nicht allzu viele Schwierigkeiten. Sie ist so ehrlich, so impulsiv...

Da saßen die drei Menschen im großen Wohnzimmer von Gerhard Ganz' schönem Haus über dem Watt. Die Zeit der Hochflut war längst vorüber, das Wasser ging zurück, schon sah man einen breiten Streifen schwarzen Schlamm und Schlick und Vögel darauf, die Würmer und Fische pickten, und auf dem asphaltierten Weg wanderten viele fröhliche Urlauber. Ihr Lachen drang weit in der heißen Luft.

Marvin fuhr sich durch das Haar, stand auf und begann hin und her zu gehen. »Ich habe Ihnen ein bißchen von dem erzählt, was ich mit Atomfabriken erlebt habe, ein winziges bißchen. Wir haben im Institut Material über die ungeheuerlichsten Schweinereien, die tagtäglich passieren. Mit den Regenwäldern. Mit der irrsinnigen Energieüberproduktion. Ich kann beweisen, beweisen, Herr Gilles, daß diese Welt im Jahr 2040 eine einzige entsetzliche Hölle sein wird für alle, die dann leben. Und dabei bin ich erst seit ganz kurzer Zeit am Institut. Ich weiß sozusagen noch gar nichts.« Er blieb vor Gilles stehen. »Also?«

»Also was?«

»Also, schreiben Sie nun darüber?«

Philip Gilles schwieg.

»Herr Gilles!« Valerie Roths Stimme war heiser.

»Ja?«

»Wollen Sie uns helfen? Wollen Sie über all dies schreiben?«

»Nein«, sagte Philip Gilles.

Und da waren die Möwen über dem Haus und ihr so seltsam aufgeregtes Kreischen.

»Sie wollen uns nicht helfen?« rief Marvin.

»Nein.«

»Aber... aber... diese Welt ist verloren, wenn nichts geschieht, Herr Gilles!«

»Mhm.«

»Und das ist Ihnen egal?«

»Vollkommen«, sagte der Mann mit dem grauen Haar und dachte, was für ein großer Fehler es gewesen war, hierherzukommen. Ein Kranz durch Fleurop hätte genügt. Was kümmerte es seinen Freund Gerhard, daß er zum Begräbnis gekommen war? Gerhard wußte nichts davon. Er weiß überhaupt nichts mehr, dachte Philip Gilles. Er hat es gut.

»Daß die Hälfte aller heute lebenden Menschen...« Marvins Hose war herabgerutscht, er zog sie hoch, »...aller heute lebenden Menschen den Untergang *erleben* wird, ist Ihnen auch vollkommen egal? Auch das?«

»Auch das. Egal. Vollkommen«, sagte Gilles. »Muß endlich den Flugplatz anrufen.« Damit stand er auf und ging zum Telefon und kam am Kamin und an der Lithographie von A. Paul Weber vorbei, mit dem Mann, der sich einen Nagel in den Kopf schlägt.

Markus Marvin trat ihm in den Weg. »Haben Sie denn gar kein Gewissen?«

»Hören Sie bloß auf mit Gewissen!« sagte Philip Gilles.

Sechs Stunden zuvor war er, von Hamburg kommend, mit einer Twin Otter auf dem Flugplatz von Sylt gelandet. Für neunzehn Passagiere hatte die Twin Otter Platz. Sie war ausgebucht gewesen. Alle Maschinen waren jetzt ausgebucht, immer, sagten sie ihm. Er hatte rechtzeitig einen Platz reservieren lassen, Rückkehr offen. Wegen der Hitze trug er einen leichten hellen Anzug. Etwas Wäsche und eine schwarze Krawatte lagen in einem kleinen Koffer. Vor dem Flughafen standen Taxis. Er ließ sich in den Fond des ersten fallen und sagte: »Benen-Diken-Hof, bitte.«

»Wird ein Weilchen dauern«, sagte der Chauffeur, ein alter Mann.

»Warum?«

»Autos. Alles verstopft. Sie werden's gleich sehen.«

Philip Gilles sah's dann auch gleich. Es war beängstigend, was auf der Insel hin und her fuhr. Sie kamen nur mühsam vorwärts, auch auf der breiten Keitumer Landstraße. Hunderte von Wagen schoben sich von Ost nach West, von West nach Ost. Die Heide blühte, ihre Zwergsträucher leuchteten rotviolett in der Sonne.

»Glauben alle, wir verdienen uns 'ne goldene Nase in der Saison«, sagte der Chauffeur. »Goldene Nase? Weniger als die Hälfte vom Winter! Dabei jede Menge Fahrten. Werde so oft gerufen, daß ich das Ding längst abgestellt habe.« Er wies mit dem Kinn auf die Sprechfunkanlage. »Sinnlos. Komme nicht durch. Und die Nerven, Herr! Heute ist mein letzter Tag. Fahre erst wieder, wenn es ruhig hier ist. Nun sehen Sie sich die Drecksau an!«

Die Drecksau war ein Kerl in schwarzem Leder mit Sturzhelm auf einer schweren Honda, der in irrem Tempo auf dem schmalen Raum zwischen den Kolonnen alle überholte, die Richtung Osten zum Wattenmeer fuhren.

Nachdem Philip Gilles die Drecksau gesehen hatte, blickte er nach links – rechts gab es nur Autos – aus dem Fenster auf Wiesen und Weiden, und er sah schöne alte, reetgedeckte Häuser, weiße Mauern, schwarze Fachwerkbalken und viele Blumen: goldgelbe Arnika, braunen Stechginster, lachsfarbene Glockenheide, blauen Lungenenzian und fleischfarbenes Knabenkraut. Riesige schwarze Steine sah Gilles, das waren Findlinge, er kannte sie bereits, allerdings nur vom Winter her. Sie waren stets im Winter hierhergekommen, seine Frau Linda und er, fünf- oder sechsmal, über Weihnachten und das Jahresende, und sie hatten immer im Benen-Diken-Hof gewohnt. Darum hatte er dort auch ein Zimmer bestellt und Glück gehabt – ein Gast war auf eine Qualle getreten, der Fuß hatte sich entzündet, so reiste der Mann früher ab als geplant, und nur deshalb gab es in der Hochsaison noch Platz. Gilles wohnte, wo es ging, stets in jenen Hotels, in denen er mit Linda gewohnt hatte, denn dann konnte er daran denken, wie es mit ihr gewesen war. Das tat er gerne – daran denken, wie es mit Linda gewesen war.

Der Taxifahrer hieß Edmund Keese, er stellte sich vor.

»Alles Scheiße«, sagte Edmund Keese. »Alles geht zugrunde. Tun tut keiner was von den feinen Herren in der Regierung. Obwohl die Fische und die Robben krepieren, nicht nur hier, überall in der Nordsee, schütten die von der Industrie jede Masse Gift rein, immer weiter, feste, feste – und keiner verbietet es ihnen. Keiner. Die Verklappung der Dünnsäure allein ist verheerend. Dieser Umwelt-minister! War hier, der Mann. Hat nicht mal gesprochen mit unserm Bürgermeister. Schipperte mit Journalisten ins Watten-meer. Anderswo ruft er Konferenz nach Konferenz ein, macht sich in der DDR stark für eine saubere Elbe – und die Industrie scheißt auf ihn.«

Gilles sah viele Schafe und junge Lämmer auf den Wiesen, alle sehr dünn. Im Winter, wenn er mit Linda hier gewesen war, hatten sie ihr dickes Fell gehabt, waren fette, runde weiße Kugeln gewesen. Die meisten trugen Farbzeichen auf dem Fell, rote oder grüne oder blaue Punkte, Kreuze, Dreiecke und Kreise, und Gilles fiel ein, daß Linda sich einmal ausgiebig erkundigt und ihm danach alles erklärt hatte: »Also diese Markierungen, die sind für die Besitzer. Damit jeder weiß, was wem gehört. Immer im Freien, die Schafe, auch im Winter meistens. Wenn sie zu lang im Stall sind, wird ihr Fell schlecht. Zur Winterszeit werden die Schafe besprungen.«

»Was?«

»Die Schafe werden zur Winterszeit von den Böcken besprungen, Liebling. So heißt das. Doch sehr anständig, was willst du eigent-lich? Und alle Böcke tragen dann rote Farbbeutel an ihrer Garnitur – sei ruhig, in Frankreich heißt das so, *la garniture*, die Ausrüstung. Also, da hängen die Farbbeutel, damit man sofort beim Hinschauen weiß, welches Schaf gesegnet ist. Das Lächeln des Lammes...«

»Du bringst da was durcheinander«, hatte er gesagt.

»Wenn das Lamm gesegnet ist, lächelt es, was weißt denn du, Heidenkind? Und um die heilige Osterzeit lammen die gesegneten Schafe dann, oder sie lämmern, das habe ich jetzt vergessen, also sie kommen nieder, nicht wahr, und dann werden sie geschoren, und deshalb sind sie im Sommer so dünn wie die fröhlichen Zicklein...«

»Die Apokalypse ist nahe«, sagte Taxichauffeur Keese.

»Was ist los?« Ach Linda, dachte Gilles.

»Die Apokalypse ist nahe, Herr. Luft vergiftet, Wasser vergiftet, Erde vergiftet. Das geht nicht mehr lang, glauben Sie mir! Wenn die Urlauber jetzt fortbleiben, kommen die Probleme mit den Arbeits-losen. Das ist dann der Exodus für die gesamte Insel. So heißt das: Exodus. Ich kenne viele feine Wörter, ich bilde mich durch Lesen.«

Edmund Keese war ein alter, gesprächiger Mann, Gilles wußte auch schon, warum. Er lebte seit sechzehn Jahren allein, hatte er gesagt. Auch so einer also, hatte Gilles gedacht.

»Unser Bürgermeister«, sagte der einsame Keese, »wenn der einfach alles hinschmeißen und zu denen in Bonn sagen würde: ›Mit mir nicht, meine Herren!‹ Haben wir diskutiert. Nee, sagt er, nee. Zu unbedeutend ist er, sagt er, gar nichts würde es helfen, wenn er zurücktritt. Und wenn sie sagen: ›Bleib!‹ Wo könnte er den Zeiger der Uhr hinschieben? Auf eine Minute vor zwölf? Er sagt, es ist schon fünf Minuten *nach* zwölf für Sylt. Jedes Jahr geht ein Stück Insel verloren. Also, was soll's? Alles im Arsch. Ich sag's ja auch.«

Keese bremste scharf. Gilles wurde im Sitz nach vorn geworfen.

»Verflucht noch mal, steig aus und lauf, wenn du nicht fahren willst, dämliche Pische!«

Die dämliche Pische war eine Blonde am Steuer des Wagens vor ihnen. Sie schminkte sich während der Fahrt, bremste dabei immer wieder, sah prüfend in den Rückspiegel und kokettierte mit anderen Fahrern, die im Schrittempo auf der Gegenfahrbahn vorbeizogen und ihre Schönheit bewunderten.

»Alle kommen sie rüber mit ihren Karren, und der Verkehr bricht zusammen. Dabei steht in Husum auf Riesenplakaten, daß man prima Parkplätze kriegen kann am Festland, und daß es hier bei jeder Tankstelle Fahrräder gibt. Zu leihen. Abgesehen von den Bussen. Aber nein! Nun fahr schon, Schnalle, gefärbte!«

Die Luft war wie Glas, und die Ferne war fern, doch klar und heiter. Aber im Winter, bei Nebel und Regen, verdämmert hier alles ins Spukhafte in der Heide, über den Mooren, dachte Philip Gilles. Ihm fiel ein, was Ernst Penzoldt geschrieben hatte: »Gott hat hier gefunden, was zur Herstellung des Menschen nötig war. Sand und Lehm für die Gestalt, Wind genug für den Atem, die Sprache und die Seele, Feuchte genug für Tränen, Bläue genug für die Augen, Steine für das Herz in der Brust.«

Penzoldt, dachte Gilles. Das war auch so einer, wie ich niemals war. Ich erinnere mich genau an den Tag in unserem Appartement im Benen-Diken-Hof, an dem Linda mir diese Stelle vorlas, und Linda ist tot, und Penzoldt ist tot, und bald werde ich tot sein und diese Insel und die ganze Erde und alle Menschen. Es ist nicht schade um uns.

»Als ich gehört habe, daß die ›Kronos‹ Titan weiter verklappen darf, da war ich doch fassungslos«, sagte Keese. »Nee, nee, also bei mir ist der Ofen aus. Ich habe kein Vertrauen mehr zu unseren Politikern und ihren Sonntagsreden. Alles nur Lakaien der Industrie. Lakaien – sehen Sie, auch so ein Wort! Ich kenne viele, weil ich doch so viel lese. Sagen Sie mal, sind Sie vielleicht Schriftsteller? Sie kommen mir bekannt vor. Schreiben Sie?«

»Nein«, sagte Gilles.

»Macht ja nischt«, sagte Keese. »Aber habe ich nicht recht mit den Politikern? Meilenweit entfernt sind die doch von den Problemen! Wollen nischt tun. Können nischt tun. Ein Monarch«, sagte er versonnen, »am besten wäre ein Monarch. Vorausgesetzt, er hat die richtige Utepie. Schon wieder so ein Wort! Ein Monarch labert nicht rum, ein Monarch befiehlt. Jetzt sind wir in Tinnum. Jetzt haben wir's bald geschafft. Wenn die blonde Pische vor uns nur fahren wollte!«

Nun sah Philip Gilles das Landhaus Stricker. Über dreihundert Jahre war es alt, oft hatte er da mit Linda gesessen. Einmal aßen sie Hummer, Tag um Tag, immer anders zubereitet, bis Linda ganz nah an einem Eiweißschock war und ein Arzt kommen mußte, und der hatte gefragt, warum man nur so unvernünftig sei und soviel Hummer in sich hineinstopfe. »Das können Sie mit Ihrem Leben bezahlen, gnädige Frau.« – »Herr Doktor«, hatte darauf Linda gesagt, »mit meinem Leben bezahle ich sowieso...«

»Ach ja«, sagte nun Chauffeur Keese hoffnungslos, »ich kann mir schon vorstellen, was los wäre, wenn der Ministerpräsident und ein paar von uns dem Kanzler eine tote Robbe vors Amt rollen würden. Wie ich den Laden einschätze, käme kurz davor ein Nadelstreif bei Engholm vorbei, der würde mit ihm Kaffee trinken und über die Kinder plaudern und dann so ganz freundlich sagen, daß die nächsten U-Boote ja nicht unbedingt in Kiel gebaut werden müssen... Hypothese, natürlich. Aber so läuft so was doch! Klar, man kann Menschenketten bilden, Unterschriften sammeln. Bringt nur nichts. Gehandelt werden müßte. Sofort. Sonst kann man das Meer begraben. Aber was passiert? Weiterverklappen läßt der Umweltminister. Das ist ja geradeso, wie wenn man einem Sterbenden Gift gibt und gute Besserung wünscht! Jetzt nur noch zehn Minuten,

Herr. Wenn wir bloß diese Gebleichte nicht vor uns hätten... Nein, ich darf über die Brüder in Bonn gar nicht nachdenken. Eigentlich müßte ich meine Steuern auf ein Sperrkonto tun. Der Kanzler? Hätte längst was tun müssen. Dazu ist er ja gewählt worden, nicht? Aber der kann nicht. Die Industrie! Herrje, aber wenn so ein Dröhnbüttel nicht in die Pampuschen kommt, soll er doch das Handtuch werfen! Keiner wirft das Handtuch bei uns. Nie. Da kann einer rechtskräftig verurteilt sein. Vorbestraft. Macht er erst die richtig große Karriere! Wissen Sie, was ich immer sage, Herr?«

»Was sagen Sie immer?« fragte Philip Gilles.

»Lieber der Blinde, der aus dem Fenster pißt, als der Witzbold, der ihm weismacht, daß er in der Toilette steht. Und wissen Sie auch, wer diese Witzbolde sind? Alle die Kerle, die immer noch weitermachen, während uns die Scheiße schon bis zum Hals steht. Die Saukerle, die es sich im Zaster wohlgehen lassen und den Himmel anflehen, daß es noch eine Weile so bleibt. Der Blinde, der sieht nicht, was geschieht mit der Welt, der kapiert nichts. Der kann nichts dafür. Die Witzbolde, die kapieren alles, die wissen es ganz genau, was da auf uns zukommt, was uns blüht.« Plötzlich sprach Keese leise: »Im Grunde sind wir alle mit daran schuld. Wer spart denn schon Energie? Wer fährt auch mal mit dem Rad oder nimmt die Treppe in den fünften Stock und nicht den Aufzug? Wer hat einen Katalysator und spült kalt ab oder knipst ein paar Lampen ab und wäscht aus den Hemden nicht auch noch die letzte Farbe? Tun Sie das? Keiner tut's!«

Die junge Frau sah aus, als ob sie grundsätzlich fröhlich wäre und oft lachte. Jetzt lachte sie nicht. Jetzt sprach sie kummervoll: »Herr Gilles, Sie haben wegen eines Zimmers mit meiner Kollegin telefoniert, mit Nele Starck. Die kennt Sie von früher. Hat sich so gefreut, daß Sie wieder einmal kommen. War ganz aufgeregt. Darum hat sie nicht nach Ihrer Adresse gefragt und nicht nach Ihrer Telefonnummer.«

»Ich habe kein Telefon«, sagte Gilles. »Ich rief aus einem Hotel an.«

»Das wußte Nele doch nicht! Auch nicht, daß Sie nicht mehr in Berlin leben. Wir haben in der Kartei nachgeschaut. Vor zwölf Jahren waren Sie zum letztenmal hier. Über Weihnachten und

Neujahr. Mit Ihrer Frau. Nele kennt natürlich Ihre Frau. Und natürlich haben wir in Berlin angerufen. Aber dort im Grunewald leben jetzt andere Leute, die wußten nichts von Ihnen. Bei der Berliner Auskunft war es dasselbe.«

»Tja«, sagte Gilles.

»Wir können wirklich nichts dafür! Nele hat Ihnen auch die richtige Zeit angegeben: heute, Freitag, zwölfter August, sechzehn Uhr. Und dann haben sie das geändert, ich weiß nicht warum, und den Herrn Professor Ganz einen Tag früher begraben, gestern. Wie hätten wir Sie erreichen sollen?«

Er war also einen Tag zu spät gekommen. Sein Freund Gerhard lag schon unter der Erde. Und hier im Benen-Diken-Hof wußten sie nichts von Lindas Tod. So etwas passiert eben. Zwölf Jahre...

»Den Kranz, den Sie bei Nele bestellten, hat der Blumen-Friedrich aus Westerland pünktlich geliefert – gestern. Liegen viele Kränze am Grab. Ihrer ist der schönste. Ich war in der Kirche. Und am Friedhof. Der Herr Professor hat doch ein Haus hier in Keitum gehabt. Waren viele Herrschaften da gestern. Sogar ein Minister aus Kiel. Keine Ahnung, wo die alle wohnten. Vielleicht in Westerland. Was machen wir denn jetzt, Herr Gilles?« Sie lachte versuchsweise kurz. Ein schönes Mädchen war Friede Lennig, ihr Name stand auf einem Täfelchen auf der Rezeptionstheke.

»Ich möchte mich ein wenig hinlegen«, sagte er. »Die Hitze. Der Flug. Vielleicht schlafe ich etwas. Dann gehe ich zum Grab.«

»Herr Johannsen hat gesagt, Sie bekommen das Appartement, das Sie immer hatten. Nummer elf.«

»Danke. Ist Claas da?« Claas Johannsen war der Besitzer des Benen-Diken-Hofes.

»Mußte nach Flensburg. Viele Grüße soll ich bestellen.« Friede ging vor Gilles her. Sie hatten das Haus umgebaut. Der Boden war nun mit weißen Wollteppichen ausgelegt, und die einzelnen Gästehäuser waren durch lange helle Gänge miteinander verbunden, die zu beiden Seiten aus Glasscheiben bestanden. Überall standen Schafe, viele weiße und zwei schwarze, künstliche, keine ausgestopften. Eine Riesenherberge ist das geworden, dachte Gilles, mit Sauna und Swimmingpool, alles in Weiß und Hellblau gehalten. Durch die großen Glaswände der Verbindungsgänge erblickte er Wiesen und

Wege, über die er oft mit Linda gegangen war. Viele magere Schafe mit bunten Farbmarkierungen grasten draußen und auch ein paar Pferde. Fröhliche Kinder begegneten ihm auf den Gängen und vergnügte Erwachsene.

Dieses Appartement 11, das Linda und er stets bekommen hatten, war ein kleiner Bungalow mit einer Treppe zum ersten Stock. Der Wohnraum befand sich unten, ebenso die Küche, Schlafzimmer und Bad waren oben. Sie hatten auch hier alles neu eingerichtet und Blumen und einen Früchtekorb hingestellt, und Gilles glaubte plötzlich, Lindas Parfum zu riechen. Er setzte sich erschöpft. Ich bin ein alter Mann, dachte er.

Dann fühlte er sich besser und stieg die Treppe hinauf und badete lange und legte sich nackt auf ein Bett und ließ das Wasser verdunsten. Durch das offene Fenster drangen Stimmen zu ihm und das Räderrollen der Züge auf dem Hindenburgdamm und ganz leise verwehte Musik. Er dachte, wie glücklich er in diesem Zimmer mit Linda gewesen war, aber da war er schon eingeschlafen und dachte es träumend.

In den alten Zeiten, in denen das Wünschen noch geholfen hat und man auf Walfang ging oder sich als Kapitän in die Dienste dänischer Reeder und Hamburger Kaufleute verdingte, haben viele das Glück beim Schopf gepackt und sind als reiche Leute nach Sylt zurückgekehrt. Dann bauten sie ein schönes Haus und verbrachten hier in Frieden den Abend des Lebens. Um 1600 gab es bereits mehr als dreißig Bauernkaten in dem späteren Kapitänsdorf Keitum, wo man alle Ehre einlegte, sein Heim so schön wie möglich zu bauen. Und diese Häuser standen heute noch, und für viele Menschen war Keitum der schönste Teil der Insel, nicht nur für Philip Gilles.

Er ging gegen halb vier Uhr durch den Ort mit den uralten Bäumen und Sandwegen die Süderstraße hinunter zur C.-P.-Hansen-Allee, über den Weidemannweg und vorbei an Fisch Fietes berühmtem Restaurant bis zum Sylter Heimatmuseum und dem roten Altfriesischen Haus. Ab und zu blieb er stehen und sah die reetgedeckten Kapitänshäuser an, weiß die Mauern, moosig das Reet, blau sehr oft Türen und Fensterrahmen. Er ging an einem Supermarkt und einer grellgelben Telefonzelle vorbei und dann wieder an den jahrtausen-

dealten Findlingen, und an allen Wegen, die zum Watt hinunter-
führten, sah er große Steine, in Stützmauern gefügt, und überall
Blumen, so viele Blumen, und so viele fröhliche Menschen. Und
Linda ging an seiner Seite. Ja, hier in Keitum hatte er das Gefühl,
daß sie bei ihm war.

An diesem 12. August 1988 erreichte das Niederwasser im Wattenmeer seine Spitzen um zehn Uhr vier und um zweiundzwanzig Uhr
sechsunddreißig; das Hochwasser die seinen um drei Uhr achtundvierzig und um fünfzehn Uhr zweiundfünfzig. Jemand auf Sylt
hatte ihm einen Kalender geschenkt, da konnte er nachschauen.

Also sah er von der Höhe der Düne, auf der er stand, wie die Flut
schon herangekommen und angestiegen war, hier und da überschwemmte sie den asphaltierten Weg und die Schutzsteine vor
diesem, und das Meer leuchtete und funkelte und blendete, und er
dachte daran, wie er mit Linda im Winter, warm angezogen – sie
trugen stets Pudelmützen mit Quasten und dicke Schals und Stiefel
und gefütterte Jacken und Cordsamthosen –, wie sie beide da unten
herumgelaufen waren, auf dem Weg und zwischen nassem Schilf
und Strandhafer und Tang und Zittergras. Bei Ebbe gab es stets
einen riesigen Streifen Schlamm und Schlick, und es lagen Mu-
scheln und Quallen und kleine Krebse herum, und sie sahen zu, wie
Vögel sie aufpickten. Schon beim zweiten Besuch kannte Linda alle,
denn sie hatte sich ein Buch mit vielen Abbildungen gekauft und
ihm danach einen kleinen Vortrag gehalten: »Alles bei dir spielt
immer innen, und Natur beschreibst du nie, eine Schande ist das,
die Kritiker sagen es auch, und Leserbriefe hast du schon gekriegt:
Warum keine Naturschilderungen, Herr Gilles? Aber du? Pfeifst
auf Natur. Ist dir egal. Lieber Bars und Hotelhallen und Flughäfen,
machst es dir einfach, aber nicht bei mir! Höre also zu, voll Demut
und Dankbarkeit: In diesem Vögelparadies – lach nicht – gibt es
Seeschwalben und Austernfischer, Regenpfeifer, Brandgänse und
Eiderenten, Wildenten und Wildgänse...« Linda wurde immer
schneller, während sie da am Watt entlangliefen. »...und Brachvö-
gel, Strandläufer, Rotschenkel, Uferschnepfen und Säbelschnäbler
und Silbermöwen und Lachmöwen...«

»Ich soll doch nicht lachen.«

»*Du* nicht, die Lachmöwen schon, die müssen, weil sie so heißen.

Und weißt du, daß unter einem Quadratkilometer Wattboden vierzig bis fünfzig Millionen Würmer leben? Nichts weißt du von Gottes wunderbarer Natur, und darum kannst du selbstverständlich auch nicht drüber schreiben, ein Jammer ist das mit diesem Mann...«

Wir suchen uns unsere Erinnerungen nicht aus. Sie suchen sich uns aus. So taten sie es an diesem Sommertag, an dem Philip Gilles mit Linda an der Seite den Kirchweg nach Norden ging und die Flut höher und höher stieg.

Sankt Severin, diese alte Seefahrerkirche, ist ein spätromanischer Bau. Das Ornamentsband auf dem Granitbecken soll irischen Ursprungs sein, die gleiche Musterung hatten Linda und er auch im Dekor alter bretonischer Kirchen sowie im Wappen der Bretagne gefunden. Und es war Linda, die ihm berichtete, was ihr eine alte Frau erzählt hatte (Linda ließ sich dauernd Geschichten erzählen, weil er dauernd Geschichten brauchte): »Also, bei Sankt Severin haben zwei Zwerge namens Ing und Dum den Turm und die Glocke gestiftet, und hinter den beiden Findlingen im Mauerwerk des Turms liegen sie bestattet. Kannst du damit was anfangen?«

Nun, so lange nach Lindas Tod, sah er diese Findlinge wieder, und dann ging er auf den Friedhof hinaus zu dem frischen Grab. Es gab noch keinen Stein, natürlich nicht, nur ein Holzkreuz, darauf stand: GERHARD GANZ, 1924–1988. Und mit Linda stand er vor dem Erdhügel und dachte daran, daß Gerhard ihm das Leben gerettet hatte. 1944 war das gewesen, sie verlegten Gerhards und seinen Truppenteil von der Ostfront an die Westfront, und ihr Zug wurde von Tieffliegern angegriffen und in Brand geschossen. Philip Gilles erlitt einen Oberschenkeldurchschuß und konnte nicht laufen und wäre in dem Zugwrack verbrannt, wenn Gerhard ihn nicht aus dem Feuer geholt und danach fast drei Kilometer bis zu einem Arzt geschleppt hätte. Natürlich wußte Linda das, als der Professor sie auf Sylt kennenlernte und mit ihrem Mann in sein Haus einlud, das auf dem höchsten Punkt über dem Wattenmeer stand und so schön war, daß Linda sagte: »Wer hier leben darf, der wird glücklich sein bis zum Tod.«

Dünenrosen und Grasnelken und Knabenkraut blühten auf dem alten Friedhof. Er war wie viele Gärten der Insel mit einer Mauer aus Feldsteinen abgeschlossen, ein paar Grabtafeln waren zerbrochen und umgefallen, und Gilles stand da in der Nachmittagshitze und überlegte, ob Gerhard wohl glücklich gewesen war bis zum Tod. Er hatte nie geheiratet, Gilles wußte auch nichts von Verwandten und eigentlich nichts über ihn, das wurde ihm plötzlich klar, und es machte ihn traurig, daran zu denken, wie wenig er von all den Menschen wußte, die in seinem Leben eine Rolle gespielt hatten. Du natürlich ausgenommen, sagte er zu Linda, die an diesem Tag bei ihm war.

Da lag sein Kranz, die gelben Rosen welkten schon, auf der Schleife stand nur PHILIP, das hatte er so gewünscht. Es gab viele Kränze, manche an Gestellen um das Grab herum, und viele Sträuße, und auch alle anderen Blumen welkten bereits.

Und Gilles dachte darüber nach, wie seltsam es war, daß Menschen, die sich aus den Zeiten des Krieges kannten, die einander damals geholfen und beigestanden, die das Grauen erlebt und überlebt hatten, in so vielen Fällen, fast in allen, sich später niemals mehr sahen und auch nicht den Wunsch danach empfanden. Es schien fast, als würden sie sich ganz allgemein nur ungern wiederbegegnen, als sei Freundschaft im Kriege etwas ganz anderes als Freundschaft im Frieden, und so hatte er auch Gerhard aus den Augen verloren.

Und Gerhard ist tot und hat keine Ahnung, daß ich da stehe, dachte er. Schwachsinn war es zu kommen, und auch Linda gibt es nicht mehr, und also weiß auch sie nichts davon. Höchste Zeit, sich das klarzumachen, dachte er, sie geht nicht mit mir, sie steht nicht neben mir. Es ist dringend nötig, wieder zu verschwinden. Eine Menge Möwen kreischten die ganze Zeit über ihm und flogen aufs Watt hinaus und kehrten zurück, sie schienen sehr irritiert. Und nun war Linda nicht mehr neben ihm.

Er versuchte zu beten, aber das funktionierte kaum jemals und also auch diesmal nicht, und am anderen Ende des Friedhofs hatte ein Kater auf einem warmen Grabstein eine Katze besprungen, und das sah er sich an, und als die Tiere fertig waren, verließ er den Friedhof und ging den Weg zurück zum Dorf. Am Damm und hinunter zum Watt standen viele windverbogene, phantastisch geformte, verkrüppelte Birken, deren Gewirr von Ästen sich schon am Boden teilte. Die Flut hatte jetzt ihren Höhepunkt erreicht. Sie überschwemmte Wege, Wiesen und die großen Steine, die man hingelegt hatte, damit sie nicht zu weit vordrang, aber die Flut kümmerte das nicht.

Er erinnerte sich, daß Gerhards Haus hier in der Nähe stand, ganz vorne am Uwe-Jens-Lornsen-Wai, beim Altfriesischen Haus, und er dachte, ach zum Teufel, geh doch mal hin! Es war wirklich ein schönes Haus in einem großen, wilden Garten mit weißen Mauern und blauen Fensterläden und blauen Türen, und im Garten saß eine junge Frau auf einem Korbsessel im Schatten.

»Ja, bitte?« sagte die junge Frau.

»Guten Tag«, sagte er und dachte sofort, daß er besser gleich zum Benen-Diken-Hof zurückgegangen und zum Flughafen gefahren wäre, jetzt, ohne Linda.

Die junge Frau war etwa Ende Dreißig, mittelgroß und schlank. Sie trug ein knöchellanges Gewand aus blauem, leichtem Musselin, hochgeschlossen. Ihr braunes Haar leuchtete in der Sonne. Sie hatte in einem Buch gelesen, das sie nun umgekehrt auf die Knie legte. Gilles konnte den Titel lesen, es war »Das Buch vom Lachen und vom Vergessen«, Milan Kundera hatte es geschrieben, *das* ist ein Autor, dachte er traurig.

Die junge Frau fragte: »Kann ich etwas für Sie tun?«

»Nein«, sagte er. »Verzeihen Sie die Störung, bitte. Wollte nur einen Moment lang das Haus ansehen. Kannte Gerhard Ganz, wissen Sie.« Er nannte seinen Namen.

»Philip Gilles?« Plötzlich aufgeregt, erhob sie sich, das Buch fiel ins Gras. »*Der* Philip Gilles? Ich meine, der Schriftsteller?«

»Ja.«

»Dann ist der Kranz mit PHILIP auf der Schleife von Ihnen?«

»Ja.«

»Unglaublich!« Sie war nahe herangekommen, und sie kam noch näher. Jetzt war ihr Gesicht zwei Handbreit von seinem entfernt.

»Ich...«

»Meine Contactlinsen«, sagte sie.

»Bitte?«

»Verloren. Irgendwo hier im Gras. Kurzsichtig. Sechs Dioptrien. Kann Sie nicht richtig sehen. Erst in zwei Stunden wieder.«

»Was, in zwei Stunden wieder?«

»Kann ich Sie richtig sehen. Großer Gott, Philip Gilles!« Ihre Stimme klang heiser. Schöne Zähne hatte sie, hohe Backenknochen, einen großen Mund mit vollen Lippen. Unter den braunen Augen lagen tiefe Schatten. Die Frau sah erschöpft aus. »Ich bin seine Nichte«, sagte sie. »Valerie Roth. Viele Jahre haben wir zusammen gearbeitet. Er hat so oft von Ihnen gesprochen.«

»Tatsächlich?«

»Ja. Mit mir. Und anderen. Wußte nicht, wo Sie waren. Jetzt stehen Sie hier. Phantastisch. Ich kann es nicht fassen. In zwei Stunden.«

»In zwei Stunden?«

»Spätestens. Er hat es mir versprochen.«

Sehr durcheinander, diese Nichte, dachte Gilles. Muß machen, daß ich hier wegkomme.

»Der Taxichauffeur, meine ich«, sagte sie. »Ich habe einen Linsen-paß. Hat jeder, der Contactlinsen trägt. Mein einziger Verwandter war Gerhard. Mutter starb vor elf Jahren. Nun habe ich niemanden mehr. Es ist sehr schwer für mich...«

»Gewiß«, sagte er. »Ich spreche Ihnen mein Beileid aus, Frau Roth.«

»Danke. Ein gut sortierter Optiker hält das Passende vorrätig. Ich habe einen in Westerland angerufen. Der sagte, er muß die Linsen aus dem Lager holen, ich soll einen Taxichauffeur mit dem Paß schicken. Wird wohl zwei Stunden dauern bei dem irren Verkehr. Glauben Sie nicht, daß ich verrückt bin! Oder wunderlich. Ger-hards Tod... ist... ist mir sehr nahe gegangen. Ich muß mich erst fassen... Sie haben das Begräbnis um einen Tag vorverlegt.«

»Ja«, sagte Gilles und begann zu gehen, »das weiß ich nun.«

»Nichts gefunden in Hamburg bei der Obduktion«, sagte sie. Die Möwen kreischten jetzt sehr laut, direkt über ihnen.

Gilles ging weiter.

»Kein einziger Hinweis«, sagte sie.

Gilles blieb stehen.

»Kein einziger Hinweis?« wiederholte er fragend.

»Sie sagten nur, daß er schnellstens begraben werden müsse. Die Hitze, nicht wahr.«

»Wer sind ›sie‹?«

»Da drüben, die von der Gemeindeverwaltung.« Valerie Roth wies mit dem Kinn. »Ich hatte schon Karten verschickt. Jetzt mußte ich alle Leute anrufen und den neuen Termin bekanntgeben. Ihnen schickte ich keine Karte. Wußte ja nicht, wo Sie leben, nicht wahr.

Sind heute noch ein paar Leute gekommen, die ich nicht erreichen konnte. Alle gingen hier vorbei. Sie kamen als einziger nahe heran.«

»Was heißt: kein einziger Hinweis?« fragte Gilles. Warum bin ich bloß zu diesem Haus gekommen, dachte er.

»Ah!« sagte die junge Frau.

»Ah was?«

»Sie wissen doch.«

»Ich weiß überhaupt nichts. Was heißt ah?«

»Widerlich ist das, wenn man nichts sieht. Dabei müssen die Dinger hier rumliegen. Ich habe vorher gewußt, daß sie nichts finden würden.«

»Wann vorher?«

»Vor der Obduktion. Das war ein echter Herzinfarkt. Sein dritter. Der Infarkt hat ihnen die Arbeit erspart.«

»Was für eine Arbeit?«

»Ihn umzubringen«, sagte Dr. Valerie Roth.

*Liebe Kollegen bei Hoechst und Kali-Chemie,*
*alle Anzeichen sprechen dafür, daß die Menschheit im Begriff ist,*
*den verzweifelten Wettlauf um den Erhalt der Ozonschicht und*
*gegen den Treibhauseffekt zu verlieren. Die chemische Industrie*
*wird zwar nicht müde zu behaupten, sie habe aus ihren Fehlern*
*gelernt, doch können es sich die Firmenleitungen immer noch*
*erlaubt, die Produktionszahlen von Fluorchlorkohlenwasserstof-*
*fen nicht bekanntzugeben. Sie spielen Katz und Maus mit Öffent-*
*lichkeit und Politikern . . .*

Als Gilles diese Sätze las, war etwa eine Viertelstunde vergangen, und er saß mit Valerie Roth im großen Wohnzimmer von Gerhard Ganz' Haus, von dem Linda gesagt hatte, wer hier wohne, der würde glücklich sein bis zum Tod. War Gerhard glücklich gewesen bis zum Tod? War er es je gewesen?

Dr. Roth hatte Gilles unter keinen Umständen gehen lassen wollen. Sie müsse unbedingt mit ihm sprechen, hatte sie gesagt und ihn praktisch ins Haus gedrängt.

Worüber sprechen?

»Lesen Sie zuerst einmal dies!« Valerie hatte Gilles zwei mit

Schreibmaschinenschrift bedeckte Seiten gegeben. »Das ist ein offener Brief, der nächste Woche im ›Stern‹ erscheinen wird. Geschrieben hat ihn ein Chemiker. Peter Bolling heißt er. Arbeitet mit uns zusammen. Physikalische Gesellschaft Lübeck. Sie haben gefragt, wer meinen Onkel gern tot sieht. Dann lesen Sie – nur *ein* Beispiel – diesen offenen Brief!« Valerie saß nun in ihrem langen Musselingewand auf einer sehr großen U-förmigen Couch, die einen mit Büchern beladenen Tisch umschloß und mit Leinen überzogen war. Gilles saß in einem alten Ohrenstuhl bei dem Panoramafenster, durch das man auf das Watt hinabblickte. Nun kreisten Möwen über dem Haus, und immer noch schrien sie. Er las weiter:

*. . . Ich bin es leid, darüber zu feilschen, ob diese FCKWs zu zwanzig Prozent oder vierzig Prozent zum Abbau der Ozonschicht beitragen, ob sie den Treibhauseffekt zu zwanzig oder fünfunddreißig Prozent bedingen. Also lassen wir das Zahlenspiel: Je nachdem, wie alt Ihr seid, werdet Ihr vielleicht Eure Haut noch retten können. Eure Kinder und Kindeskinder werden das nicht mehr schaffen . . .*

Er ließ die Blätter sinken.
»Na«, sagte Valerie heiser, »wie finden Sie das, Herr Gilles?«
Er antwortete nicht. Über dem Kamin hing eine Lithographie von A. Paul Weber, die er kannte. Ein Mann im Nachthemd lehnt an einem Baumstamm, trägt eine Zipfelmütze, hat ein ernstes Gesicht und ist dabei, sich mit einem Hammer einen großen Nagel in die Stirn zu schlagen. »Der Schlag ins Leere« hieß dieses Bild, das wußte Gilles. Auf dem Kaminsims stand eine Vase mit Heideblumen. Er las:

*. . . Ihr findet es normal, wenn sich die Industrie Politiker als Marionetten hält. Doch was werdet Ihr Euren Kindern erzählen, wenn alle Vegetation stirbt, wenn wegen der ultravioletten Lichteinstrahlung die Meere keinen Sauerstoff mehr produzieren? Werdet Ihr dann von Karriere, von Gratifikation, von Loyalität, von Befehlen stammeln? Habt Ihr keine Angst, einmal für Eure Tätigkeit zur Rechenschaft gezogen zu werden, wenn Menschen mit Hautkrebs Schadenersatz von Euch verlangen, wenn Landwirte ihre verdorrte*

*Ernte bei Euch reklamieren, wenn Hungernde ihr Recht auf Nah-
rung einklagen?...*

»Was Sie da lesen über die FCKWs, das ist natürlich nur einer von
zahllosen Skandalen, die zum Himmel schreien«, sagte Valerie
Roth. Schwarz erschienen die Schatten unter ihren Augen jetzt.
»Gibt eine Menge andere. Lesen Sie weiter!«

*...Hört auf Eure Frauen und Kinder, die eine Produktion für das
Leben auf der Erde fordern! Setzt Euch in Euerm Betrieb für die
Einstellung der Produktion der Fluorchlorkohlenwasserstoffe sowie
aller ozonzerstörenden Substanzen ein! Es geht um das nackte
Überleben der Menschheit...*

Als er an dieser Stelle angekommen war, trat ein Mann in den
Wohnraum und sagte: »Herr Gilles, Gott sei Dank!«
Der Mann war groß und sehr schlank. Er hatte ein schmales Gesicht
und wirres schwarzes Haar mit mehreren Wirbeln, so daß es ständig
ungekämmt wirkte. Er trug Jeans, ein leichtes Hemd über der Hose
und Sandalen. So schlank er war, so kräftig wirkte der Mann. Er
machte einen sehr nervösen und sehr traurigen Eindruck. Anfang
Vierzig war er wohl.
»Ich heiße Markus Marvin. Das nennt man Glück! Trank gerade
Kaffee mit einem Journalisten im Benen-Diken-Hof, da sagte jemand, Philip Gilles wohnt im Haus, er ist zum Friedhof gegangen.
Also lief ich los. Auf dem Friedhof kein Mensch. Dachte ich, schau
mal hier nach! Vielleicht ist er hier. Sie haben Gerhard doch
gekannt. Und tatsächlich! Freut mich, Herr Gilles, also wirklich!
Sie sind genau der Mann, den wir brauchen. Tag, Valerie! Ist Ihnen
noch immer so elend?«
»Ja. Und ich habe meine Contactlinsen verloren.«
»Schon wieder? Also wissen Sie! Gibt keinen besseren Mann. Hat
doch auch Gerhard immer gesagt, nicht?«
»Deshalb habe ich Herrn Gilles hereingebeten.« Valerie blinzelte
heftig. »Ich hoffte, Sie würden bald kommen. Natürlich gibt es
keinen besseren.«
Gilles stand auf.

»Bitte! Bitte! Bleiben Sie sitzen!« Markus Marvin trat hastig vor und drückte ihn zurück in den Ohrenstuhl. »Ihre Bücher habe ich gelesen, als ich noch zur Schule ging. Großartig, einfach großartig! Sie schreiben so, daß es jeder versteht. Ihr Buch über Gen-Manipulation – wir haben es uns gewünscht! Wer das alles liest! Einen, den die Menschen verstehen, brauchen wir. Herr Gilles, Sie sind ein großartiger Autor. Ohne diese blöden, elitären Mätzchen. Einer, der auf Literatur pfeift...«

»Ich pfeife nicht auf Literatur«, sagte Gilles und stand wieder auf. »Aber natürlich danke ich für das Kompliment.«

»Allmächtiger Vater!« sagte Marvin bebend. »Ich wollte Sie doch nicht beleidigen! Im Gegenteil! Wir verehren Sie. Das müssen Sie mir glauben. Bitte! Herr Gilles! Glauben Sie mir?«

»Selbstverständlich«, sagte Gilles. »Wo ist das Telefon?«

»Moment! Moment!« Marvin hob beschwörend die Hände. »Ich sehe, Sie haben den offenen Brief von Peter Bolling gelesen.«

»Ja.«

»Na und?«

»Was, na und?«

»Ist Ihnen gleichgültig, was der schreibt?«

»Ich muß gehen. Tut mir leid, Frau Roth, daß ich gestört habe. Tatsächlich, es könnte niemandem mehr leid tun.«

»Aber... aber...« begann sie. »Wirklich, Sie müssen für uns schreiben. Sie *müssen* einfach!«

»Ja, ja«, sagte er. »Schönen Tag noch.« Er ging drei Schritte.

»Herr Gilles!« rief Marvin. »Sie haben den offenen Brief gelesen und sagen: ›Na und?‹«

»Na und?«

»Herr Gilles, bitte! Sie haben über geistig Behinderte geschrieben. Den Riesenwirbel in Düsseldorf wegen der krebskranken Kinder in dieser alten Uniklinik haben Sie gemacht, so lange und so laut, bis mit dem Bau der neuen Klinik begonnen wurde. Gegen Rauschgifthandel haben Sie geschrieben. Gegen das Wettrüsten. Gegen – du lieber Gott, Sie können doch nicht sagen, daß der offene Brief Sie gleichgültig gelassen hat, Herr Gilles!«

»Ich will hier raus.«

»Aber... *bitte*, Herr Gilles!« Markus Marvin legte ihm eine Hand auf die Schulter. »Hören Sie mir ein paar Minuten zu! Lächerliche paar Minuten. Wenn . . . wenn ich Ihnen meine Geschichte erzähle, wird Ihnen nicht mehr alles gleichgültig sein!«

»Ich will Ihre Geschichte gar nicht hören.«

»Wir brauchen Sie, Herr Gilles. Wir brauchen einen, der so schreibt, daß die Leute aufwachen. Einen, der sie wütend macht. Die Menschen müssen endlich aufwachen und wütend werden. *Sie* können das erreichen. Es ist Ihre Verantwortung.«

»Was für eine Verantwortung?«

»Den Menschen gegenüber.«

»Pfeif auf die Menschen.«

»Nein, nein, nein, das meinen Sie nicht so.«

»Doch, doch, doch, das meine ich genau so.«

»Glaube ich einfach nicht.«

»Glauben Sie, was Sie wollen!«

Die Möwen. Die Möwen. Sie schrien. Direkt über dem Haus.

»Aber Sie können doch nicht einfach zuschauen, wie die Welt kaputtgemacht wird und wir alle krepieren!«

»Nein?« fragte Gilles.

»Nein. Sie können schreiben! Sie müssen schreiben! Sie werden schreiben!« rief Marvin. Ein elender Konvertit bin ich eben, dachte er verzweifelt. Den Glauben gewechselt. Alles, woran ich glaubte. Konvertiten sind die Schlimmsten. Immer gewesen. Die Unerbittlichsten. Die Intolerantesten. Die Fanatischsten. So ein Kathole, der mal Evangele war. So ein Kommunist, der feststellte, daß sein Gott versagt, daß seines Gottes Thron leerstand. Arthur Koestler, Ignazio Silone, George Orwell, Stephen Spender. Was wurden das für Kommunistenfresser!

»Ich schreibe seit zehn Jahren nicht mehr. Und ich werde nie wieder schreiben!« sagte Gilles ruhig.

Susanne, dachte Marvin. Susanne. Wenn du jetzt hier wärest. Auf dich würde dieser Mann hören.

»Ein paar Minuten, Herr Gilles. Geben Sie mir ein paar Minuten!«

»Nein.«

»Bitte!« Marvin suchte nach Worten. »Ich . . . ich war in Amerika . . . Hab da unfaßbare Dinge erlebt . . . Ich erzähle Ihnen davon.«

»Nein.«

»Doch! Wenn Sie dann immer noch sagen: ist mir alles egal, respektiere ich das! Ehrenwort! Bring Sie zum Flughafen. Bitte!«

Philip Gilles konnte niemals erklären, warum er sich setzte und sagte: »Also gut, meinetwegen.«

Siebenundzwanzig Minuten später hatte Markus Marvin in größter Eile über die Zustände im Atomreservat Hanford und über Professor Gerhard Ganz' Ende berichtet, und als sich Gilles immer noch weigerte zu helfen und zum Telefon ging, trat er ihm in den Weg.

»Haben Sie denn gar kein Gewissen?«

»Hören Sie bloß auf mit Gewissen«, sagte Philip Gilles. »Ich bin ein alter Mann. Was kann denn ich in dieser Welt noch tun?«

Jemand kam die Treppe herauf, und eine Stimme rief: »Hallo! Frau Doktor Roth!« Gleich darauf erschien der Taxichauffeur Edmund Keese, der Philip Gilles vom Flughafen zum Benen-Diken-Hof gefahren hatte. Er begann: »Die Tür war offen. Ich bringe Ihnen...« Da sah er Gilles. »Nanu, Sie sind doch der Herr, der...«

Gilles stieß Marvin beiseite, rannte zu Keese und zog ihn mit sich zur Treppe. »Legen Sie die Linsen hin! Los, los, los! Kommen Sie!«

»Aber...«

*»Los!«*

Marvin schrie hinter Gilles her: »Das wird Ihnen noch einmal leid tun! Grausig leid tun! So kann sich keiner benehmen in dieser Zeit! Sie wissen, was ich einmal getan habe. Bestraft wurde ich dafür. Alles habe ich verloren. Wird Ihnen auch passieren.«

»Kann mir nicht passieren«, sagte Gilles. »Habe schon alles verloren.«

»Was...« begann Chauffeur Keese unglücklich.

»Gar nicht hinhören!« sagte Gilles. Er zerrte Keese durch den Garten auf die Straße hinaus zum Taxi.

Die Möwen. Die Möwen.

Ein großer Schwarm kreiste über dem Haus, die Vögel schrien laut.

Nur weg hier! Weg, weg, weg! Gilles schob Keese hinter das Lenkrad, rannte um den Kühler und ließ sich auf den Beifahrersitz fallen.

»Zuerst zum Benen-Diken-Hof!«

»Hören Sie, so geht das aber nicht«, protestierte Keese.

»Doch, doch, so geht das schon. Fahren Sie!«

»Ich kenne Frau Doktor Roth. Den Herrn kenne ich nicht. Was hatten Sie mit dem? Was war da los? Ich rufe die Polizei.«

»Nein!«

»Doch! Über Funk. Da ist etwas passiert.«

»Da ist gar nichts passiert.«

»Das glaube ich Ihnen nicht.«

Gilles drückte ihm zwei Hundertmarkscheine in die Hand, und da glaubte Keese ihm und fuhr los. Im Benen-Diken-Hof trug er sogar den kleinen Koffer aus dem Appartement ins Taxi. Gilles bezahlte seine Rechnung bei der jungen Frau namens Friede Lennig, die gewiß gerne lachte und es nun wieder nicht tat, und den Kranz bezahlte er auch, und er gab Friede Trinkgeld.

»Gute Reise, Herr Gilles! Wir haben so gehofft, Sie würden länger hierbleiben.«

»Muß leider weg. Viele Grüße an Herrn Johannsen!«

Dann saß er wieder im Wagen, und sie fuhren nach Westerland hinüber.

»Kann das alles nicht begreifen«, sagte Keese.

»Mißverständnis unter Freunden«, sagte Gilles. »Wieso kamen gerade Sie mit den Contactlinsen? Gibt doch viele Taxis auf der Insel.«

»Schon«, sagte Keese, »aber in Keitum nur zwei.« Offenbar in Erinnerung an die zweihundert Mark fügte er hinzu: »Geb' Ihnen meine Karte. Falls Sie wiederkommen. Oder was brauchen. Bin Tag und Nacht zu erreichen. Hier ist meine Nummer.« Er überreichte eine Visitenkarte, ein Notizbuch und einen Plastik-Kugelschreiber. »Kleine Geschenke. Nehmen Sie ruhig! Und verlieren Sie die Karte nicht! Man kann nie wissen, was passiert.«

An den letzten Satz sollte Gilles noch einmal denken.

Im Flughafen sagten sie ihm dann, daß die letzte Maschine, die an diesem Tag nach Hamburg flog, ausgebucht sei. Es gingen aber noch ein paar Züge, der nächste in etwa eineinhalb Stunden.

Keese brachte Gilles zum Bahnhof. Der gab seinen Koffer auf und bezahlte Keese. Der Chauffeur schlug ein Kreuz auf Gilles' Stirn und murmelte dabei.

»Was ist los?«

»Schalom!« sagte Keese. »Hab' nachgeschaut. Ist israelisch. Heißt Frieden.« Gilles dachte, daß die Urlauber auf Sylt sehr international sein mußten, wenn der Fremdwörterliebhaber Keese diesen Gruß benötigte, denn in ganz Westdeutschland lebten keine dreißigtausend Juden mehr, und besonders hier oben im Norden war der Gruß, den der Chauffeur entbot, einigermaßen abenteuerlich.

»Schalom!« sagte also auch Gilles und sah Keese nach, als der wegfuhr. Hier gab es viel Verkehr und noch mehr Menschen, und da Gilles nun Zeit hatte, ging er zum Strand von Westerland hinunter...

»Also, die Tiere können einem schon leid tun«, sagte die Frau mit dem gelben Badeanzug. Sie sagte es zu einer Frau in rotem Badeanzug. Die beiden hatten insgesamt fünf Kinder, keines älter als zehn Jahre. Zwei tobten im flachen Meer, drei schwammen. Dreißig Meter weiter lagen riesige Mengen von weißem, angeschwemmtem Algenschaum. »Aber«, fuhr die Frau in Gelb fort, »die verenden doch draußen, die werden doch hier nur angeschwemmt, nicht?«

An diesem Tag, las Gilles später, wurden an den Stränden von Sylt dreihundertachtundvierzig tote Robben gefunden. Das waren viele, doch der Tagesrekord sollte es noch lange nicht sein. »Wenn das Todeswasser hier ankommt«, sagte die Frau in Gelb, »ist es ja quasi schon wieder gefiltert. Und dann will ich den Kleinen ja auch nicht ihre Kindheit vermiesen.« Sie senkte die Stimme. »Wissen doch gar nicht, worum es geht.«

Die in Rot hatte überhaupt keine Bedenken. »Was soll's?« fragte sie und winkte den Kindern zu. »Meine dürfen schwimmen, so lange sie wollen. Sterben müssen wir schließlich alle. Schauen Sie mal, das ist doch wie mit dem Herzinfarkt. Der eine überlebt ihn, der andere nicht. Der Mann von meiner Freundin Lotte hat ihn nicht überlebt, und dabei war er erst sechsundvierzig.«

In jenen Hochsommertagen des Jahres 1988 war das Robbensterben nicht nur die Sensation von Sylt; täglich brachten alle Fernsehsender Berichte. Millionen äußerten sich erschüttert, erschrocken, empört darüber, wie sehr nun also auch schon das Meer vergiftet war. Tiere rühren immer, dachte Philip Gilles. Menschen sind

Menschen gleichgültig, aber Tiere, diese armen, unschuldigen und wehrlosen Geschöpfe Gottes – ihr Leiden und Sterben erfreut das Herz eines jeden Redakteurs bei Zeitung, Funk und Fernsehen.

Fremde Menschen sprachen ihn an.

Ein Mann sagte: »Gestern ist eine Robbe vor dem Hotel Thule angeschwemmt worden. Die sah so schrecklich aus, daß sie nicht ein einziger fotografiert hat. Zwei Stunden lang hat dort niemand das Gelände betreten.«

»Und niemand ging schwimmen«, sagte eine Frau.

»Dort nicht«, sagte der Mann. »Bißchen weiter weg natürlich schon. Die Leute machen schließlich Urlaub hier.«

Sylt war überfüllt mit Touristen, die Strände waren voller Menschen. Fast alle badeten, sah Gilles, nur wenige blieben in den Strandkörben. Drei Damen aus dem Ruhrgebiet (sie stellten sich den anderen, die mit Gilles sprachen, und auch ihm vor) hatten einen ungewöhnlichen Kompromiß gefunden.

»Wir baden nur bis zum Bauch«, informierte eine. »Wenn wir Ausschlag kriegen, können wir immer noch Strumpfhosen anziehen. Tampons haben wir natürlich alle.«

Daneben rieb eine Mutter ihr nacktes Kind mit Eau de Cologne ab, und in einer flachen Kuhle schützte sich eine etwa fünfzehnjährige Schönheit gerade mit Sonnenspray. Sie warf feurige Blicke in die Runde.

Zwei sehr kleine Jungen eilten vorbei. Der eine sagte zu seinem Freund: »Morgen gehn wir wieder tote Robben gucken.«

Tote Robben gucken schien das beliebteste Spiel der Kinder in diesem Sommer zu sein.

Gilles blickte auf die Uhr und ging über den Strand nach Süden zurück zum Bahnhof. Plötzlich kamen ihm von allen Seiten Gruppen entgegen, die ans Meer wollten. Er sah, daß die ersten vor den riesigen Schaummassen ein Transparent entfalteten. Es war weiß, und rot stand darauf: UNSERE NORDSEE – LASST SIE LEBEN!

Ein dicker Mann stieß heftig mit Gilles zusammen. Ihm folgten die ebenso dicke Ehefrau und eine Schar von fünf Kindern.

»Tut mir leid«, sagte der Dicke atemlos. »Müssen uns beeilen.«

»Was ist denn los?«

»Die Kette«, sagte seine Frau.

»Was für eine Kette?«

»Wir machen eine Kette. Jeden Tag. Viele Kilometer lang. Halten uns an den Händen. Sie sehen doch, das Fernsehen ist schon da!« Die Frau wies auf einen Hubschrauber, der in geringer Höhe über dem Strand stand. Am Rumpf las Gilles die großen Buchstaben einer bekannten Fernsehstation. In der offenen Luke saß, festgezurrt, ein Kameramann. Ein Mann stand hinter ihm und hielt ein Megaphon.

»Beeilung!« ertönte seine laute, verzerrte Stimme. »Wir wollen drehen!«

Nun sah Gilles noch andere Hubschrauber und andere Männer mit Kameras in den offenen Luken, und er sah, wie sich am Strand Menschen die Hand gaben und wie in großer Eile eine Kette entstand, die immer länger wurde.

Ein kleiner Mann, um dessen Hals an Lederriemen mehrere Fotoapparate hingen, wieselte durch die Menge und schrie dabei, so laut er konnte: »Erinnerungsbilder im Großpostkartenformat! Gruppenaufnahmen aus der Kette! Sie waren dabei! Sie haben mitgekämpft! In zwei Stunden fertige Bilder bei Foto-Gernrich, Lange Straße fünf! Dreißig Prozent der Einnahmen für den Umweltschutzverein! Erinnerungsbilder im Großpostkartenformat! Gruppenaufnahmen aus der Kette!«

Eine Frau, an der er eben vorbeikam, fragte: »Was kostet das?«

»Sechs Stück dreißig Mark. Zwölf Stück fünfzig.«

»Unverschämtheit«, sagte die Frau »da kann ich mich ja malen lassen!«

»Alles für den guten Zweck!« bellte der Kleine. »Dreißig Prozent für den Umweltschutzverein!«

»Wer's glaubt«, sagte die Frau.

»Keiner muß, keiner wird gezwungen.« Der kleine Mann begann wieder zu schreien: »Erinnerungsbilder . . .«

Ein bärtiger Mann sagte zu Gilles: »Ich bin vom schleswig-holsteinischen Nordseebäderverband.«

»Angenehm«, sagte Gilles.

Es war ein gesprächiger Herr. »Aktionswoche«, sagte er. »Am Sonntag hat der Pfarrer einen Ökogottesdienst zelebriert. In der Muschel auf der Kurpromenade.«

»Aha.«

»Jahrelang haben die Fremdenverkehrsmanager hier den Mund gehalten. Aus Angst, daß die Urlauber ausbleiben. Jetzt *informieren* wir die Urlauber und machen so Druck auf die Politiker.«

»Wie?«

»Das kommt ins Fernsehen, die Menschenketten!« rief der Bärtige.

»Nicht nur bei uns. Sie sehen ja, sind noch andere Teams da! Vor zwei Monaten ist so ein Algenteppich wie hier, nur viel, viel größer, vor Norwegen angekommen und hat Millionen Fische sterben lassen und die ersten toten Robben gebracht. Jetzt sind wir dran.« Er gab Gilles ein Flugblatt und sagte feierlich: »Es wachsen Wut und Betroffenheit über die zögernde Umweltpolitik der Bundesregierung.«

»Ich verstehe.«

»Wenn das so weitergeht, ist es aus mit Sylt«, sagte der Mann. »Und nicht nur mit Sylt. Mit der ganzen Welt. Einen schönen Tag wünsche ich Ihnen, mein Herr. Auch Sie sind aufgerufen.«

»Gewiß«, sagte Gilles und sah ihm nach, als er zum Strand stolperte, wo die Menschenkette nun sehr lang geworden war und der Mann aus dem Hubschrauber über Megaphon bekanntgab, wie er es am liebsten hätte und daß sie in spätestens zehn Minuten einfach drehen müßten.

Gilles drückte sich gegen die Menschenmassen weiter Richtung Bahnhof durch. Das Flugblatt hatte er weggeworfen. In der Fußgängerzone saßen viele Leute vor Konditoreien und aßen Kuchen und tranken Kaffee. Musik dröhnte aus Lautsprechern. Einige Paare tanzten.

Über die Hochhäuser flog ein einmotoriges Sportflugzeug hinweg. Es zog ein Reklametransparent, und Gilles las, daß es einfach nichts Wunderbareres gab als die genannte Marke Campari. Eine Frau ohrfeigte ihren Sohn, weil der ein Stück Sahnetorte auf ihr mit großen Blumen bedrucktes Kleid hatte fallen lassen. Der Knabe brüllte.

»So ein Tag, so wunderschön wie heute, so ein Tag, der dürfte nie vergehn!« dröhnte die Stimme eines Sängers aus dem Lautsprecher über einem Café, vor dem nur ältere Leute saßen. Die älteren Leute waren glücklich.

Endlich kam Gilles wieder bei dem kleinen Bahnhof an. Hier herrschte ein solches Gedränge, daß er nur noch geschoben wurde, vorbei an Zeitungs- und Postkartenständern. Er sah jede Menge Seehunde – auf glanzlackierten Postkarten. Sie wurden haufenweise gekauft. Eine Frau vor ihm zeigte ihrem Sohn eine Karte – ein Robbenkind schwamm da im Meer. Die Mutter las laut, was daneben stand: »Ein Seehund durch die Wellen treibt und denkt: Wo nur mein Liebchen bleibt? Denn noch vor kurzer Zeit war mir, als hätt' ich es gesehen hier.«

»Vielleicht liegt's in den Tiefkühltruhen«, sagte ein verärgerter Mann mit Glatze, der auch zum Zug wollte und hinter Gilles wartete.

»Was für Tiefkühltruhen?«

»Na, die in der Müllverbrennungsanlage hier.« Ein Inselbewohner. Er sprach plattdeutsch. »Zweimal die Woche werden die Kadaver eisgekühlt zum Sezieren nach Kiel gebracht«, sagte er. »Können sich vorstellen, was da jetzt los ist. Mit jedem Transport achthundert, neunhundert Stück. Alles überfüllt.« Er hustete. »Geschisse«, sagte er. »Fische sind Fische, was? Aber Robben? Robben sind Menschen wie du und ich.«

Jetzt ging es überhaupt nicht mehr weiter. Vor dem Bahnhofseingang mußte Gilles stehenbleiben. Es wurden mehrere Extrazüge eingesetzt, aber die Massen waren einfach nicht zu bewältigen. Auch beim Eingang gab es Postkartenständer. Ein Ehepaar wählte dreimal den Seehund: einmal schwimmend, einmal kosend, einmal guckend.

Versonnen sagte die Frau zu ihrem Mann: »Vati, sieh mal, genau wie unsere Susi.«

»Wer ist Susi?« fragte jemand.

»Unsere Jüngste.«

Der Zug war überfüllt. Gilles fand keinen Sitzplatz und stand auf dem Gang. Vom Hindenburgdamm aus erblickte er noch einmal Keitum und Gerhard Ganz' Haus über dem Watt. Es war ein heißer Sommerabend, Gilles hatte das Fenster herabgelassen, der Fahrtwind traf sein Gesicht, und er dachte an Linda.

In Altona mußte er etwas länger als eine Stunde warten. Auf dem

Bahnsteig saßen ein paar Betrunkene. Sie waren friedlich und philosophierten. »Mensch!« sagte einer. »In dieser Scheißwelt wird doch schon seit einer Ewigkeit viel mehr gekillt als gefickt!«

Der Nachtzug nach Zürich mit vier Schlafwagen rollte an, und Gilles bekam ein Single-Abteil. Er legte sich ins Bett und wollte noch Zeitung lesen, aber er schlief sofort ein und träumte von den Möwen.

## 3

Ich heiße Philip Gilles.

Ich bin dreiundsechzig Jahre alt.

Wenn Sie die Autobahn Zürich–Genf wählen und diese bei der Ausfahrt nach Bulle, einer kleinen Stadt nahe dem Lac de la Gruyère, verlassen, führt Sie eine Landstraße, die in südlicher Richtung verläuft, an den Dörfern Gruyères, Enney, Villars-sous-Mont, Albeuve und Montbovon vorbei zu einer großräumigen Berggemeinde mit verstreuten Siedlungszentren und Einzelhöfen. Dies ist Château-d'Oex, der Hauptort des Pays-d'Enhaut, um das sich im Mittelalter die Grafen von Greyerz und Bern lange Jahre zankten. Ein Dorf hier heißt Rossinière, eines Les Moulins, ein anderes L'Etivaz, wieder ein anderes Rougemont und eines schließlich – wie der Hauptort – Château-d'Oex.

Diese Streusiedlung brannte 1800 ab und wurde wieder aufgebaut. In den letzten Jahren entstanden am Fuß eines nach oben immer steiler werdenden Wiesenhangs, an den sich zuletzt breite Berghänge schließen, die zu Almen führen, moderne Zweitwohnung-Residencen. Am Waldrand indessen, über dem schönen Hotel Bon Accueil, einem umgebauten großen Bauernhaus, gibt es noch etwa zwei Dutzend sehr alte Gebäude. In einem davon, es heißt Le Forgeron und war tatsächlich einmal eine Schmiede, lebe ich seit acht Jahren.

Vielleicht kennen Sie meinen Namen – ich habe zwischen 1946 und 1978 achtzehn Bücher veröffentlicht, die viel gekauft und in viele Sprachen übersetzt worden sind. Seit zehn Jahren habe ich keine einzige Zeile mehr geschrieben. 1978 starb meine Frau Linda im Martin-Luther-Krankenhaus zu Berlin, wo wir damals im Grunewald ein Haus hatten.

Mit dem Tod meiner Frau, die in Berlin auf dem Friedhof an der Heerstraße nahe dem See begraben liegt, hörte ich auf, ein Autor zu sein. Zu schreiben begonnen habe ich sehr früh, als Soldat während des Krieges, mit siebzehn Jahren. 1946 erschien mein erster Roman. Während der Arbeit an den nächsten sechs Büchern – erst das achte brachte mir internationalen Erfolg – schrieb ich, um leben zu können, Filmdrehbücher nach eigenen und fremden Stoffen, war Reporter bei einer großen Illustrierten und vier Jahre lang Korrespondent der Deutschen Presse-Agentur. Sie schickten mich in viele Länder, und ich habe, solange ich schrieb, über Ereignisse der Zeitgeschichte berichtet – als Reporter, Korrespondent und Buchautor.

1953 traf ich in Berlin Linda Brenner. Sie war Ballettänzerin gewesen und hatte in Rom und London und besonders lange an der Pariser Oper gearbeitet. Als ich sie kennenlernte, war sie Dolmetscherin im Amt des Französischen Stadtkommandanten. 1954 haben wir in Berlin geheiratet. Ganz gewiß war Linda jene Frau, die ich am meisten liebte. Und dennoch verließ ich sie 1974 einer anderen wegen, mit der ich zwei Jahre in Amerika verbrachte, bevor diese Beziehung zerbrach und ich nach Berlin und zu Linda zurückkehrte. Sie kränkelte bereits, und trotzdem waren diese letzten beiden Jahre die glücklichsten in ihrem und meinem Leben.

Während jener kleinen Weile erfuhr ich wieder, daß einer des anderen Gedanken als die eigenen empfand, desgleichen Verstand, Hoffnung, Freude, Trauer, Mut, Gewissen und Humor, wobei angesichts der Welt, in der wir leben, Lindas Humor eine ganz besonders wichtige Rolle zukam. Ihm und ihrem Mut. Ja, und ganz sicher war sie mein Gewissen, war es immer gewesen. Ihretwegen mischte ich mich schreibend wieder und wieder ein in das Tagesgeschehen, was mir zuweilen Beifall und Anerkennung, jedoch unvergleichlich mehr Anfeindung, Angriffe und Ablehnung eintrug.

Es geschah zum Beispiel, daß in einer großen und seriösen Wochenzeitung ein Kritiker hymnisch über mein neues Buch schrieb und drei Wochen später ein anderer Kritiker in derselben Wochenzeitung fand, ich hätte kein Recht, mich dem Reich der Literatur auch nur zu nähern. Und wenn daraufhin ein dritter Kritiker dem zweiten antwortete, und ein vierter dem dritten, und zuletzt schon gar nicht mehr ich beschimpft wurde, sondern Kritiker, wie es ein paarmal geschah, ihre Privatkriege führten, dann machte Linda daraus perfekte Kabarettnummern und bewies, daß mir gar nichts Besseres widerfahren konnte als eine deutsche Kritik, die »Kreuziget ihn!« und eine, die »Hosianna!« schrie.

Und wenn Linda in anderen Sketchen (sie dachte sich neue aus, immerzu) vorspielte, wie Kritiker noch viel schlimmer als über mich über einen Kritikerkollegen herfielen, der ein Buch veröffentlicht hatte, wenn sie also mit ihrer Darstellung dieses Jahrmarkts der Eitelkeiten, des Hochmuts, des Dünkels und der Grotesken – alles Dinge, ohne die unsere Literaturszene nicht auskommen kann – immer wieder erreichte, daß ich lachte, dann versäumte sie es nie, mir auch klarzumachen, wie wenig im Grunde Lob, Anerkennung und Segnungen von Kritikern bedeuten.

Und sie sagte: »Woran immer sie herumnörgeln, keiner hat jemals, auch nicht im ärgsten Verriß, das, woran du glaubst, und das, was du verteidigst, und das, was du zu schützen suchst, als schlecht bezeichnet.«

Etwas war besonders wichtig für sie, und da zitierte sie die letzte Zeile eines Gedichtes von Erich Kästner, in dem sich ein Freund aus Gram das Leben nehmen will und Kästner ihm Ohrfeigen anbietet, noch als Leiche, und diese letzte Zeile heißt: »Bleib am Leben, sie zu ärgern!«

»Na«, sagte Linda, »und ist das nicht eine ganz wichtige Aufgabe?« Sie schenkte mir eine Schallplatte mit Liedern von Barbra Streisand, und in einem Lied sang die Streisand: *»I'll never give up.«* Und das sagte Linda immer und immer wieder, es sollte mich stark machen, und sie versuchte, sich selbst damit stark zu machen dann in Krankheit und Schmerz: »Nie, hörst du, nie darfst du aufgeben! Nie.« Und das habe ich nie getan. Ich habe nie aufgegeben.

Solange Linda lebte.

Während ich diese Zeilen schreibe, denke ich auch an andere Aussprüche und Ansichten, die bezeichnend für sie waren.

Natürlich gab es schon in den siebziger Jahren leidenschaftliche

Diskussionen darüber, wie Menschen die Welt zerstörten und was Menschen dagegen tun konnten. Ich erinnere mich an eine, die stundenlang währte und von den Beteiligten äußerst aggressiv geführt wurde. Linda hörte schweigend zu. Der Regisseur Billy Wilder, mit dem sie, ganz jung, ein Jahr in Berlin befreundet gewesen war, erzählte mir nach dem Krieg einmal, er habe Linda »mein Stilles« genannt, weil sie meist nur zuhörte und selten sprach. Bei jener Diskussion also forderte jemand Linda zuletzt gereizt auf, endlich ihre Meinung zu äußern, und da sagte sie: »Ich denke, der Mensch sollte sich auf der Erde leichtfüßig bewegen und möglichst wenige Spuren hinterlassen.«

Diese Worte, meine ich, könnten wohl als Motto taugen für das Buch, das ich schreibe.

Mit achtzehn Jahren war ich aus der Kirche ausgetreten, weil mir meine Mutter erzählt hatte, daß die Pfarrer im Ersten Weltkrieg auf beiden Seiten der Front die Kanonen gesegnet haben, damit diese viele böse Feinde töteten. Linda zögerte mit dem Austritt, vollzog ihn nie. Sie litt seit ihrer Jugend an einer seltenen Blutkrankheit und stand unter Dauerkontrolle.

»Man kann nicht wissen«, sagte sie. »Ich habe doch meine hämolytische Anämie. Und vielleicht ist Er kleinlich, und wenn ich austrete, ist Er beleidigt und läßt mich sterben – und ich will doch mit dir leben, so lange es geht. Nein, nein, das ist zu riskant. Außerdem: Die katholischen Kirchen sind so schön, die Bibel ist ein wunderbares Buch, reichlich pornographisch im Alten Testament – nicht, daß ich etwas dagegen hätte –, und es gibt so viele großartige Stellen.«

Eine der großartigsten Stellen, fand sie, war jene, an der es heißt: »Selig sind die Armen im Geiste.«

Davon war sie immer wieder begeistert: »Ja. Ja. Ja. Die Doofen sind glücklich. Und so beneidenswert.« Und sehr vertraulich, als wäre es eine geheime Botschaft, teilte sie mir mit: »Wenn Gott einen Menschen bestrafen will, dann gibt er ihm Verstand.«

Einmal, als ich Drehbuchautor war, kam Linda ins Atelier und sah zu. Es wurde gerade eine Szene mit einem Fotoreporter vorbereitet, der eine Kamera um den Hals hängen hatte.

»Ist ein Film drin?« fragte Linda den Regisseur.

»Nein. Aber das kann doch keiner merken.«

»Das Publikum wird es merken«, antwortete Linda. Für mich ist damit alles über Kunst gesagt.

Ich las ihr stets vor, was ich schrieb, und ich hatte niemals einen besseren und klügeren Kritiker. Da ich zu Übertreibungen neige, geschah es immer wieder, daß Linda bedächtig den Kopf schüttelte und freundlich sagte, das sei alles viel zu sehr Melodram oder viel zu lang und müsse natürlich geändert werden. Dann gab es – ach, war das herrlich! – immer dieselbe Szene: Ich weigerte mich, die Sache umzuschreiben. »Drei Tage Arbeit waren das, und weißt du, was Schreiben für eine Quälerei ist, die Schultern tun einem weh und der Kopf und die Augen, einfach alles, und schlafen kann man nicht, und ausgelaugt und leer fühlt man sich, und überhaupt und ein für allemal: Ich streiche nichts, ich schreibe nicht um!«

Als ich mich zum erstenmal derart hysterisch produziert hatte, sagte Linda, sie müsse mir eine Geschichte aus ihrer Zeit mit Billy Wilder erzählen.

»Er hatte eine winzige Wohnung, und er war doch mein erster Mann, und ich liebte ihn so sehr, und wenn der Nachmittag vorüber war, sagte er oft: ›Jetzt gehen wir sofort runter ins Romanische Café – erzählen.‹ Natürlich wurde nichts erzählt, doch in das Romanische Café gingen wir, und du weißt, da saßen viele berühmte Schauspieler und Zeitungsleute und Maler und Schriftsteller, und ich kleine Tänzerin war doch total überwältigt von allen diesen großen Leuten und gerade fünfzehn, ich konnte nur immer ganz still sein. Na ja, und eines Tages kam Erich Maria Remarque und setzte sich zu uns. Remarque war damals Chefredakteur der ›Dame‹, und das war für mich einfach ungeheuer. Und an diesem Abend sagte er, daß er bei der ›Dame‹ aufhören wolle, um einen Roman schreiben zu können. Und Billy sagte seinem Freund Remarque, er solle nicht verrückt sein und einen solchen Prachtposten hinschmeißen, und dann stritten sie eine Weile, und zuletzt sagte Billy zu mir: ›Nun rede du doch endlich mal mit dem Meschuggenen, mein Stilles!‹ Und ich bekam vor Aufregung kaum die Worte heraus, als ich sagte: ›Herr Remarque, ich glaube, daß Herr Wilder recht hat. Wir haben Sie einmal besucht, erinnern Sie sich? Sie haben ein so schönes Büro. Und da sind so viele schöne Damen. Und Sie haben gesagt, es ist nicht sehr viel Arbeit. Sie sollten wirklich bei der ›Dame‹

bleiben, Herr Remarque!‹ Na ja«, erzählte mir Linda, »Remarque aber kündigte bei der ›Dame‹ und schrieb den Roman ›Im Westen nichts Neues‹. Das kommt davon, wenn man nicht auf mich hört.« Und von da an sagte sie oft, wenn sie etwas bei meiner Vorleserei zu beanstanden hatte und ich protestierte: »Denk an Remarque!«

Ihre stets neue Freude war, daß ich dann am nächsten Morgen beim Frühstück sagte: »Hab' schon alles umgeschrieben.« Ich hörte immer auf sie, und was sie sagte, war immer richtig.

In den letzten zwei Jahren verheimlichte Linda mir, daß sie sich krank und kränker fühlte, daß sie Schmerzen hatte und litt – bis zu jener Nacht, in der sie schreiend zusammenbrach. Und da war es dann für alles zu spät. Ich merkte natürlich, wie sie immer schwächer und schwächer wurde, aber sie hatte doch diese Blutkrankheit und mußte ständig auf eine bestimmte Medikamentendosis eingestellt werden. In all den Jahren hatte es solche Zeiten großer Schwäche und Müdigkeit gegeben, und Linda verstand es, mir einzureden, dies sei eine solche Zeit. Selbst daß sie schließlich kaum mehr essen und nicht in Konzerte und Theater oder ins Kino gehen wollte, ließ mich nichts Schlimmes befürchten. Ich kaufte an Videofilmen zusammen, was gut war – nach ihrem Tode hatte ich an die zweihundert Kassetten –, und je elender sie wurde, um so bestimmter verlangte sie, wenn ich ihr abends das »Programm« anbot, nur lustige Filme: »Tootsie« oder »Some like it hot« und alles von Woody Allen. Und von seinen vielen berühmten Sentenzen, die sie alle liebte, liebte sie eine aus dem »Stadtneurotiker« am meisten.

»Gibt da einen alten Witz«, sagt Woody Allen in diesem Film. »Zwei ältere Damen sitzen in einem Catskill-Berghotel. Sagt die eine: ›Gott, das Essen hier ist wirklich schrecklich!‹ Sagt die andere: ›Stimmt, und diese kleinen Portionen!‹ Na ja«, sagt Allen danach im Film, »und im wesentlichen sehe ich so auch das Leben: voll Einsamkeit und Elend und Leid und Kummer. Und dann ist es auch noch so schnell vorbei.«

Diese Stelle zitierte Linda oft, und einmal sagte sie die letzten Worte laut zu sich selber. Sie saß im dunklen Wohnzimmer und hörte mich nicht hereinkommen, und als sie geendet hatte, wiederholte sie noch einmal: »So schnell vorbei.«

Einer empfand des anderen Gedanken, habe ich geschrieben, und so war ich also nach Lindas Tod nur noch ein halber Mensch mit einem halben Leben. Und ich verlor all meinen Mut, alle Hoffnung, alle Fähigkeit, mich zu freuen und Infamien zu ertragen durch Humor. Es war ein Gefühl des unendlichen Ekels, das mich befiel in meiner Einsamkeit, des Ekels vor allem, was in der Welt geschah und worüber ich bisher mein Leben lang zu berichten bemüht gewesen war, Ekel vor den Menschen. Natürlich nicht vor allen und nicht vor Lindas und meinen Freunden, aber diese mied ich, weil sie mich nur an die Frau erinnerten, die ich verloren hatte und an deren Stelle niemals eine andere treten würde, treten konnte, das wußte ich.

Ekel vor den Menschen, ja, und ich bin ganz gewiß so wenig wert, wie sie es sind. Ekel vor dem, was Menschen aus dieser Welt gemacht haben. Ekel davor, wie wir miteinander umgingen, wie wir logen, betrogen, einander schadeten, einander verrieten, einem anhingen, wenn wir Hilfe brauchten, und ihn fallen ließen in der Sekunde, da wir seine Hilfe nicht mehr benötigten.

Jede Nachrichtensendung des Fernsehens ekelte mich an. Ich konnte die Gesichter der Konzernherren und der Kirchenmänner und der mit buntem Blech behängten Militärs und der Politiker nicht mehr sehen, ihre Worte nicht mehr hören. Bei jedem, der da sprach, fragte ich mich: Wieviel hat er bekommen dafür, daß er so und nicht anders lügt? Welche Untaten gehen auf sein Konto, die ihn erpreßbar machen für einfach alles? Es ekelte mich an, daß jene, die über unser Schicksal bestimmten, über das Schicksal dieser Welt, so ungeheuer offen korrupt geworden waren. Früher hatten sie sich wenigstens noch ein wenig Mühe gegeben, ihre Verbrechen, ihre Brutalität, ihre Menschenverachtung zu verbergen und denen, die ihnen ausgeliefert waren, wie Schauspieler etwas vorzumachen. Nun verzichteten sie auf jede Maskierung. Nun waren sie absolut schamlos geworden. Sie hielten ihre Mitmenschen für so dumm und so schlecht, wie sie selbst es waren. Zeit ist Geld, wozu also Verstellung, es geht doch auch so.

Zu meiner Verzweiflung kam, daß ich mein Leben lang gegen die Nazis geschrieben und gekämpft hatte, weil sie die größten Verbrecher in der von mir erlebten Geschichte waren, welche die größten Verbrechen in der von mir erlebten Geschichte begangen hatten – und nun mußte ich erfahren, daß all mein Bemühen und das von so vielen anderen umsonst und vergebens geblieben war, mußte ich Tag für Tag sehen, wie sehr es sie noch – oder schon wieder – gab, diese Pest, und daß Faschismus und Rassismus durchaus exportierbar waren – nach Frankreich zu Le Pen, nach Chile zu Pinochet, nach Südafrika zu Botha... Die Reihe war lang und wurde immer länger.

In Deutschland ist eine Abrechnung nach innen niemals vollzogen worden. Wir haben uns bei den Juden entschuldigt und (darauf sind manche Politiker besonders stolz) viele Milliarden Wiedergutmachung gezahlt und den »großen Frieden mit den Tätern gemacht«, wie Ralph Giordano es formulierte. So glaubten wir, einen neuen Anfang wagen zu können. Der Kommentator der Nürnberger Rassengesetze wurde Chef des Bundeskanzleramts, Hitlers Generäle bauten die neue Bundeswehr auf, und Willy Brandt hatte sich dafür zu rechtfertigen, daß er im Krieg auf der anderen Seite gestanden war. In der Bundesrepublik gibt es bis zu dem Moment, da ich dies schreibe, kein Mahnmal für die Opfer des Holocaust, und bis mindestens 1955 wurde das Gas Zyklon B, das in Gaskammern Anwendung fand, unter diesem Namen weiter vertrieben, nur ohne den Zusatz B. Später erst bekam es, chemisch verändert, die Bezeichnung Cyanosil[3].

Vierzig Jahre hat es gedauert, bis ein westdeutsches Staatsoberhaupt sich erlauben durfte, den 8. Mai 1945 als das zu bezeichnen, was er war, nämlich der »Tag der Befreiung«. So sensationell war diese Enthüllung, so großartig diese Rede Richard von Weizsäckers, daß sie in Buchform gedruckt, auf Platten gepreßt und in Kassetten vertrieben wurde. Doch der Haß war längst wieder unter uns – subtil dort oben, wo man über schärfere Ausländergesetze nachdachte und Asylanten zurück in ihr Land und damit in den Tod schickte, brutal dort unten, wo man Türken verprügeln ging und Nazilieder grölte auf Intercity-Fahrten zu Fußballspielen.

Das Leben muß einen Sinn haben, sagen viele, sonst kann man es nicht ertragen. Mein Sinn im Leben war fünfundzwanzig Jahre lang Linda gewesen. Nun war Linda tot, und ich fand, daß man auch ohne Sinn leben konnte, nicht sehr gut und gewiß nicht fröhlich, aber immerhin. Und eines Menschen Zeit war so kurz. Auch das kam mir nun erst richtig zu Bewußtsein. Gestern las ich im »Journal de Château-d'Oex«, dem Blättchen, das hier gedruckt wird und das dienstags und freitags erscheint und neben Lokalnachrichten und vielen Anzeigen auch noch eine Spalte »Neues aus aller Welt« bringt, daß Forscher soeben eine Galaxie entdeckt haben, die fünfzehn Milliarden Lichtjahre von der Erde entfernt ist. Sie dürfte, hieß es im »Journal«, so alt sein wie das Universum.

Ach Linda, Linda, Linda.

Ich hatte alles verkauft, was ich in Berlin besaß, und war eine Weile in Frankreich und England und Holland umhergezogen, um dann hier zu landen vor acht Jahren, wo ich das alte Haus am Waldrand kaufte, das Le Forgeron heißt und einst eine Schmiede gewesen ist. Alles, was ich mitbrachte, waren meine Anzüge und meine Wäsche und ein paar Kisten Bücher. Ich hatte in Berlin fast fünfzehntausend besessen, nun besaß ich noch ein paar hundert, kaum Romane, hauptsächlich Biographien, naturwissenschaftliche Werke und von den Philosophen jene, die ich zu verstehen glaubte: Bertrand Russell, Karl Jaspers, Hannah Arendt, Karl Popper, Spinoza, Voltaire, Pascal, Schopenhauer und einige andere. Und Shakespeares Werke und Laurence Sternes »Tristram Shandy«, ein Buch, das ich mein Leben lang immer und immer wieder lese, dazu die »Abenteuer des braven Soldaten Schwejk« und alles von Hemingway.

Ja, und den »Sinnenden« von Ernst Barlach behielt ich, diese etwa siebzig Zentimeter hohe, schmale Skulptur eines Mannes im langen Hemd, der in der rechten Hand ein Buch hält und die Finger der linken an die Wange gelegt hat, die Augen sind geschlossen. Von dieser Bronzegestalt geht eine ungeheure Ruhe aus, man wird ganz still, und alles Denken kehrt sich nach innen. Oft saß ich stundenlang vor der Figur und dachte an alles, was vergangen und wundervoll gewesen war. Einmal hatte ich eine Filmgeschichte nach Amerika verkauft, und da erwarb ich den »Sinnenden«, und Linda und ich, wir liebten ihn sehr.

Von den Möbeln hatte ich absichtlich kein einziges Stück behalten, und so war es nun nötig, etwas Neues zu kaufen. Ich habe schon das Hotel Bon Accueil erwähnt. In dieses riesige Schweizer Bauernhaus hatte sich vor langer Zeit ein Mann mit dem schönen Namen Antoine Oltramare verliebt. Er hat es umgebaut und Schränke, Tische, Stühle und Betten in der ganzen Umgebung zusammengesucht. Monsieur Oltramare, schlank, nachdenklich, sehr höflich und von federleichtem Charme, fuhr mit mir, gleich nachdem ich Le Forgeron gekauft hatte, zu den großen Höfen und jahrhundertealten Chalets, und für annehmbare Summen kauften wir wunderbare Möbel. Monsieur Oltramare half mir beim Einrichten von Le Forgeron. Er brachte den Kamin in Ordnung und zimmerte Bücherregale, und er besorgte mir Abonnements vieler Zeitungen und Magazine, deutscher, französischer, englischer. Er stellte niemals eine Frage, zog sich stets zurück und kam nur, wenn ich ihn zu mir bat.

Barlachs Skulptur stand nun auf einem handgewebten Teppich in dem großen Wohnraum.

Einmal am Tag ging ich in das Hotel Bon Accueil, um zu essen, und manchmal spielte ich Schach mit Monsieur Oltramare. Ansonsten machte ich lange Spaziergänge, schlief viel, las viel und dachte an Linda, und das war schön und schrecklich zugleich. So lebte ich weiter, und natürlich sah ich fern und sah und hörte all die Lügner und Verbrecher und Schlächter und Harlekine, die unsere Welt beherrschten, und da war der Ekel, der Ekel.

Oft dachte ich daran, daß meine Zeit auslief, schnell, so schnell. Jeder Tag konnte das Ende bringen. Ich badete stets besonders sorgfältig und schnitt meine Fußnägel und achtete darauf, immer sehr gepflegt zu sein und frische Unterwäsche zu tragen, denn es war jeden Tag möglich, daß ich aus dem Nichts und dem Dunkel langsam, langsam auftauchte und eine hallende Stimme hörte, die sagte: »Herr Gilles, Sie kommen nun zu sich. Sie hatten einen schweren Herzinfarkt und liegen auf der Intensivstation.« Es mußte kein Herzinfarkt sein, es konnte alles mögliche sein, und ebenso groß wie die Möglichkeit, dann zu sich zu kommen, war jene, nie mehr aufzutauchen aus Dunkel und Nichts und niemals mehr etwas zu hören oder zu fühlen. Jede Stunde konnte das geschehen.

Eines Tages schickte mir meine alte Berliner Buchhandlung, die mich mit Neuerscheinungen von naturwissenschaftlichen Werken und neuen Biographien versorgte, ein schmales Bändchen. Es hieß »Das Untier«, der Autor war Ulrich Horstmann, und was er schrieb, faszinierte mich bis zur Schlaflosigkeit. Das Untier ist nach Horstmann der Mensch. Ihn betrachtet der Autor als absolut entsetzlichen Irrläufer der Evolution, so entsetzlich, daß es unter uns Untieren, meint Horstmann, längst eine heimliche Übereinkunft gibt, ein unausgesprochenes großes Einverständnis: Wir müssen ein Ende machen mit uns und unseresgleichen, so bald und so gründlich wie möglich – ohne Pardon, ohne Skrupel und ohne Überlebende. Mit der modernen Waffentechnologie hat das Untier nun nach einer »sich Jahrtausend und Jahrtausend fortsetzenden Litanei des Hauens, Stechens, Spießens, Hackens« zum erstenmal die Chance, den Evolutionsprozeß, den grauenvollen, bewußt und planvoll zu Ende zu bringen – mit der kollektiven Selbstvernichtung der Menschheit. Nur eine Sorge quält Horstmann: Diese mit den Arsenalen der ABC-Waffen gegebene Gelegenheit, unwiderruflich und erinnerungslos Schluß zu machen mit uns, könnte vertan werden.

Welch ein Buch! Welche Gedanken! Welch eine Erklärung für alles, was in dieser Welt geschieht!

Etwa zu der Zeit, da ich »Das Untier« las, lernte ich Gordon Trevor kennen. Er war etwa so alt wie ich und wohnte gleichfalls in einem Chalet, es hieß Les Clématites. Unsere Häuser hatte der Brand von 1800 neben einigen anderen verschont.

Trevor war Engländer und so zurückhaltend und diskret wie viele seiner Landsleute. Es hatte tatsächlich zwei Jahre gedauert, bis er mich ansprach, als ich einmal vom Einkaufen aus dem Dorf zurückkam. Er stellte sich mit jungenhafter Scheu vor, sagte, er habe einige meiner Bücher gelesen, und ob wir nicht bei Monsieur Oltramare *a cup of tea* nehmen wollten.

Neben ihm lief ein sehr häßlicher Hund. Er hatte große, traurige Augen und ein geflecktes Fell, das an vielen Stellen kahle Flecken aufwies. Ich weiß heute noch nicht, was für eine Rasse das war. Trevor stellte auch den Hund vor. Der Hund hieß Happy.

Nun, wir tranken Tee bei Monsieur Oltramare, und ich erfuhr, daß Trevor bereits seit zwölf Jahren hier lebte, fest angestellt bei der Gemeinde als Pilot von Heißluftballons. Während der Sommer- und Wintersaison hatte ich diese bunten Riesenkugeln fast täglich gesehen, wie sie hoch am Himmel über Berge und Täler schwebten. Gordon Trevor war neben zwei Einheimischen einer der Männer, die sie lenkten.

Im Zweiten Weltkrieg hatte Trevor als Spitfire-Pilot in der Royal Air Force gekämpft. Fünfundvierzig Missionen flog er über Deutschland, immer kam er zurück, auch bei der sechsundvierzigsten. Da kam er dann gleich ins Hospital, denn durch den Splitter eines deutschen Flakgeschosses war er am Unterleib verwundet worden. Die Chirurgen schafften eine Menge, auch daß er wieder anstandslos pinkeln konnte. Ein paar Dinge schafften sie nicht, und so kam es, daß Gordon im Mai 1943 zum letztenmal mit einer Frau geschlafen hatte.

Nach dem Krieg arbeitete er sehr erfolgreich als Architekt und verdiente viel Geld, und er hatte eine große Liebe, eine junge Anwältin, die sagte, ihr mache das, was Gordon passiert sei, gar nichts aus. Es machte ihr elf Jahre lang nichts aus, dann verließ sie ihn wegen eines anderen. Gordon lebte nun mit verschiedenen Frauen, immer nur für kurze Zeit, und es endete immer schlecht. Zwei Jahre lebte er mit einem Mann, und auch dieser sagte eines Tages, es sei zu Ende.

»Aber du bist doch mein Freund«, sagte Gordon zu ihm. »Ich brauche dich.«

»Wenn du einen Freund brauchst, kauf dir einen Hund!« sagte dieser Mann.

So hatte Gordon nun einen Hund, Monsieur Oltramare und mich, also drei Freunde. Den Hund mußte er nicht kaufen, der war ihm zugelaufen.

Gordon Trevor hatte gleich mir alle Verbindungen abgebrochen, bevor er nach Château-d'Oex gekommen war, und wir verstanden einander sehr gut und gingen mit dem Hund, der Happy hieß, zu den Almen mit den vielen Kühen hinauf und in die Wälder, oder wir saßen in meinem Wohnzimmer vor dem Kamin und sahen den »Sinnenden« an und schwiegen und tranken Whisky.

Ein paarmal träumte ich in diesen Jahren denselben Traum. Als Reporter hatten sie mich auch nach Japan geschickt, und einmal war ich in der Stadt Nara in einem Tempel gewesen und hatte eine Koto-Zither gesehen, und in meinen Träumen war ich wieder dort und sah die Koto-Zither und die Zeichen auf ihr, und ein Priester erklärte mir, was sie besagten.

Und sie besagten dies:

Im Meer des Lebens,
Meer des Sterbens,
in beiden müde geworden,
sucht meine Seele den Berg,
an dem alle Flut verebbt.

Ja, dachte ich dann, wenn ich aufwachte und mich an den Traum erinnerte, ich habe ihn gefunden, meinen Berg, und auch Gordon hat ihn gefunden.

»Wir sind reich«, sagte er einmal beim Whisky, »unerhört reich, Philip, weißt du das?«

»Du hast einen sitzen«, sagte ich. »Wir sind nicht reich. Wäre schön, wenn wir es wären.«

»Wir sind es«, sagte er hartnäckig. »Hier in Château-d'Oex sind wir es, weil wir hier geschützt sind. Jeder Schutz vor dem wirklichen Leben ist Reichtum.«

»Ach so«, sagte ich. »Da ist was dran. Komm, wir trinken noch einen!«

Wenn der ehemalige Jagdflieger in der Saison viel zu tun hatte, half ich ihm. Ich fuhr den verbeulten Rover mit dem Anhänger und versuchte, in jener Richtung zu bleiben, in der Gordon mit dem Ballon flog, denn zuletzt mußte das Ding ja zurücktransportiert werden.

Am 7. August 1988, einem Sonntag, rief Monsieur Oltramare an und sagte, ein Herr und eine Dame aus Rom würden gerne am Montagvormittag fliegen. Gordons Gehilfe war krank, und so fuhr wieder einmal ich den Rover. Wir hatten Walkie-talkies, für alle Fälle, aber wir mußten uns nur wenig verständigen, ich sah ja Gordons blau-rot-gelben Ballon dauernd unter dem tiefblauen Sommerhimmel, während ich über Wege durch Wiesen voll blühender Blumen und Sträucher holperte, und es war Sommer, Hochsommer, und ich sah viele fröhliche Menschen.

Gordon landete auf einem großen Acker, und ich fuhr so nahe heran, wie es möglich war, und dann geschah etwas, das mich immer aufs neue entzückte: Um zu mir zu gelangen, schickte Gordon kurze Flammenstöße von brennendem Propangas in das Innere des Ballons, und durch die ständig neue Erwärmung hüpfte der Ballon mit Korb, Gordon und dem Herrn und der Dame aus Rom graziös über den Acker, bis er beim Rover angekommen war. Danach koppelten wir den Ballon vom Korb ab, ließen die Luft entweichen und falteten die Haut sorgsam zusammen. Wir hievten alles auf den Anhänger, und endlich krochen alle in den alten Rover. Ich brachte zuerst das italienische Ehepaar, das ergriffen schwieg (wie die meisten schwiegen, wenn sie wieder zur Erde zurückkamen), ins Hotel, und dann fuhren Gordon und ich nach Hause, wobei wir bei Monsieur Oltramare unsere Zeitungen abholten, er nahm sie immer für uns entgegen. Briefe waren nie dabei, es schien seit Jahren niemanden mehr zu geben, der sich noch an Gordon erinnerte oder an mich, und so wollten wir es ja. Vor Le Forgeron setzten wir uns in den Schatten eines alten Baumes und blätterten in den neuen Zeitungen und Magazinen, Gordon rauchte Pfeife dabei. Er las viel gründlicher als ich, und so war er es, der die Nachricht in der »Süddeutschen Zeitung« entdeckte, einen kurzen Einspalter, darin hieß es, daß Professor Gerhard Ganz, Leiter der Physikalischen Gesellschaft Lübeck, in einer Hamburger Klinik gestorben war, am Samstag, dem 6. August.

»Ist das etwa dein Ganz?« fragte Gordon. Und ich sagte, er sei es, denn ich wußte zumindest, was Gerhard nach dem Krieg gemacht und woran er in Lübeck gearbeitet hatte.

»Das ist tatsächlich der, der dich im Krieg drei Kilometer weit geschleppt hat?«

»Ja.«

Ich hatte Gordon erzählt, wie Gerhard mir das Leben gerettet hatte.

»Da steht, er wird auf Sylt begraben – seinem Wunsch gemäß«, sagte Gordon. »Du solltest hinfliegen.«

Ich dachte, daß ich das sehr ungern tat, ich fühlte mich immer ganz krank, wenn ich Château-d'Oex einmal verlassen mußte, aber es war schlimm genug, Gerhard so sehr aus den Augen verloren zu haben, und nun war er tot, und darum sagte ich: »Ja, ich muß hinfliegen.«

»Geht eine Swiss-Air von Genf nach Hamburg«, sagte Gordon. »Und auf die Insel kommst du mit einer von diesen kleinen Twin Otter, das sind kanadische Maschinen.« Er interessierte sich immer noch fürs Fliegen und hatte einen Haufen Flugpläne. Jeder muß irgend etwas haben, ich hatte den »Sinnenden«.

Vier Tage später, sehr früh, flog ich dann vom Genfer Flughafen Cointrin los und kehrte noch einmal zurück in jene Welt, aus der ich mich vor so langer Zeit zurückgezogen hatte. So lernte ich Dr. Valerie Roth und Dr. Markus Marvin, die Mitarbeiter meines Freundes Gerhard Ganz, kennen und eine Menge andere Menschen, die, allein gelassen und sehr machtlos, ihr Leben einsetzten, bei dem Versuch, allem, was geschah, zum Trotz, die endgültige Vernichtung unserer Welt noch zu verhindern, und dabei ereignete sich Furchtbares und Wunderbares, und es gab das Bittere und das Süße, o ja, auch das Süße.

Zu den großen Schriftstellern, die ich liebe und verehre, gehört Somerset Maugham. Immer ist er in seinen Meisternovellen der Chronist außerhalb des Geschehens, der nie eingreift und sich nie ein moralisches Urteil erlaubt, der die Menschen und das, was sie tun, weder bewundert noch verachtet, ja nicht einmal versucht, sie und das, was sie tun, zu verstehen, sondern der nur darüber berichtet – selbst wenn er sehr oft nicht Augen- oder Ohrenzeuge ist, sondern erst später davon erfährt. Mein Leben lang habe ich gewünscht, einmal so zu schreiben, und wußte zugleich, daß mir das niemals gelingen würde.

Bei allem, was ich zu schildern habe, spielte ich zu keiner Zeit eine Rolle von auch nur einiger Bedeutung – außer bei jenem Ereignis, das ich für unmöglich gehalten hatte, bis es mir widerfuhr. Hier wird es wohl unvermeidlich sein, gelegentlich die Ich-Form zu wählen. Ansonsten will ich bemüht sein, von nun an wieder als Chronist zu berichten, eingedenk der Worte, die Horatio am Ende des »Hamlet« spricht:

> »... So sollt ihr hören
> von Taten, fleischlich, blutig, unnatürlich,
> zufälligen Gerichten, blindem Mord;
> von Toden, durch Gewalt und List bewirkt,
> und Plänen, die verfehlt zurückgefallen
> auf der Erfinder Haupt: Dies alles kann ich
> mit Wahrheit melden.«

# 4

»Man kann natürlich der Meinung sein«, sagte Gordon Trevor, »daß Philip nicht richtig gehandelt hat, indem er diese Leute da auf Sylt so brutal im Stich ließ. Wenn er schon nicht ihre Geschichte schreiben will, hätte er sich wenigstens ihre Sorgen anhören können. Nun, ich vermag ihn gut zu verstehen. Ich an seiner Stelle hätte ebenso gehandelt. Ich fühle mich genausowenig zum Retter der Menschheit auserwählt wie er. Und in unserem Alter schon gar nicht. Was geht das alles uns noch an, verdammt?« Gordon Trevor, einst Pilot der Royal Air Force, seit vielen Jahren in Château-d'Oex untergetaucht vor dem mörderischen Leben, verstummte und sog an seiner Pfeife.

Das war am Abend des 17. August, einem Mittwoch. Gordon, sein häßlicher Hund Happy und Monsieur Oltramare saßen in der Bar des Hotels Bon Accueil, es war schon spät, alle Gäste hatten sich zurückgezogen, und die beiden tranken ein wenig Whisky. Nach einem heißen Tag war es immer noch sehr warm. In diesen Hochsommerwochen hatte Gordon enorm viel zu tun, er war dauernd mit seinem Ballon unterwegs und ganz braun gebrannt.

Monsieur Oltramare machte neue Drinks. Er sprach sehr wenig. Ein großer Zuhörer war Monsieur Oltramare.

»Philip wollte einfach zurück«, sagte Gordon, den Hund streichelnd. »Er will hier bleiben. Für immer. Sich nie mehr einmischen, worum es auch geht. Kennen Sie die Geschichte von Rip Van Winkle?«

»Nein«, sagte Monsieur Oltramare. »Verzeihen Sie«, fügte er schnell hinzu.

»Danke für den Whisky«, sagte Gordon und hob sein Glas. »*Cheers*!« Er trank. Dann sprach er weiter: »Ein amerikanischer Autor, Washington Irving, schrieb die Story um 1820 herum, tatsächlich ist es die erste amerikanische Kurzgeschichte. In den USA kennt sie jedes Kind, und andere Autoren haben sie immer wieder aufgegriffen und abgewandelt – bis in die Gegenwart. Worauf die Faszination beruht, kann keiner sagen.«

Monsieur Oltramare neigte sich vor und lauschte aufmerksam.

»Also, dieser Rip Van Winkle ist ein völlig unbedeutender Mann mit einem völlig unbedeutenden Leben, ein Kinderfreund, der sich vor seiner zänkischen Frau fürchtet«, erzählte Gordon. »Eines Tages geht er aus seinem Dorf fort, um einen Spaziergang zu machen, und dabei kommt er in eine Gegend, die ihm völlig fremd ist. Begegnet einem Riesen, der ist gekleidet wie ein Holländer. Alles wird immer seltsamer. Großes Donnern erfüllt die Luft. Der Riese lädt Rip ein, mit ihm zu kommen, und sie landen bei einer Gruppe von holländischen Riesen, die Kegel schieben und eine enorme Kugel rollen lassen – das ist der Donner, Sie verstehen?«

Monsieur Oltramare nickte.

»Nun«, sagte Gordon, »mit diesen Riesen besäuft Rip sich und schläft ein. Als er aufwacht, ist keiner mehr da. Mühsam findet er den Weg ins Dorf zurück – aber dort erkennt ihn niemand mehr. Alles hat sich verändert. Auch er kennt niemanden. Panik erfaßt ihn, als er feststellt, daß zwanzig Jahre vergangen sind, seit er fortging. Zwanzig Jahre! ›Kennt hier denn keiner Rip Van Winkle?‹ schreit er. Keiner. Dann glaubt er, sich selber zu sehen, wie er war vor zwanzig Jahren, als er in die Berge stieg, verliert völlig die Fassung, beginnt an seiner Identität zu zweifeln und fragt sich, ob er noch er selbst oder ein anderer ist... *Santé*, Monsieur Oltramare!«

»*Santé*, Monsieur Trevor!«

Sie tranken beide.

»Doch da«, sagte Gordon, »erkennt Rip seinen altgewordenen Sohn, und auch seine Tochter lebt noch. Nur die böse Frau ist tot. Und so endet Rips Leben in der alten, elenden Art. Daß gerade die Nachricht vom Tod seiner Frau ihn veranlaßt, zu erklären, wer er ist, bildet so etwas wie einen ironischen Schlußakzent.« Gordon klopfte seine Pfeife aus. »Monsieur Oltramare, ich sagte, daß diese Geschichte immer wieder von anderen Autoren aufgenommen worden ist. 1953 hat Ihr großer Schweizer Dichter Max Frisch ein Hörspiel daraus gemacht. Und in dem Roman ›Stiller‹ läßt Frisch den Helden das Märchen seinem verständnislosen Verteidiger erzählen.«

Der Hund schmiegte sich an Gordon. Der Häßliche liebte den so Verletzten, und dieser ihn.

»Rip erscheint Stiller als Symbol für die gefährdete Freiheit, die der einzelne nur dann bewahren kann, wenn es ihm gelingt, eine ihm von der Gesellschaft aufgezwungene falsche Identität abzuschütteln. Und darum ändert der Erzähler Stiller den Schluß des Märchens, das er seinem Verteidiger erzählt. Rip widersteht da dem Wunsch, sich seiner Tochter zu erkennen zu geben: ›Dein Vater ist tot, sagte Rip. Und so ließ auch das junge Weib ihn stehen, was ihn schmerzte, doch es mußte wohl so sein.‹«

Gordon begann, eine neue Pfeife zu stopfen.

»Aber der Wunschtraum Stillers, der Umklammerung durch die Welt zu entfliehen, erfüllt sich nicht bei Frisch. Stiller scheitert und muß wie Rip seine alte Rolle wieder übernehmen. Und gerade das will Philip nicht. Er will nicht in die alte Welt zurückkehren. Er ist ein Rip Van Winkle à la Frisch, aber ein Rip, der mehr Glück hat. Als Philips Frau starb, kam er hierher und fand Frieden. Nun war er draußen in der Welt, im alten Leben. Er kann dort nicht mehr sein. Ich könnte es auch nicht. Nie! Darum vermag ich Philip so gut zu verstehen.«

Gordon setzte den Tabak in der Pfeife behutsam in Brand. Nach ein paar Zügen redete er weiter: »Wir sind beide zu alt, Philip und ich. Wir sind beide schon zu lange hier. Wir sind beide Stiller, dessen Traum in Erfüllung ging. Mutige Leute, da auf Sylt. So große Sorgen haben sie. Wollen die Katastrophe aufhalten. Gott segne sie! Sicherlich hat Philip Sympathie für alle, die meinen, es wäre noch etwas zu retten. Aber er will – nein, er darf nichts mit ihnen zu tun haben als ein Rip, der klüger ist als der im Märchen und mehr Glück hat als der von Frisch. Hier ist Philip glücklich – mit seiner Erinnerung. Hier ist er frei. Hier ist er ruhig und zufrieden. Hier will er bleiben, genau wie ich, die kurze Zeit, die wir noch haben.«

In Antoine Oltramares Büro nebenan begann das Telefon zu läuten. Er ging hin. Der häßliche Hund seufzte und preßte sich noch fester gegen Gordons Bein.

Oltramare kam zurück. »Für Monsieur Gilles. Eine Dame. Sie sagt, es sei sehr dringend. Sie muß ihn unbedingt sprechen.«

»Ich hole ihn«, sagte Gordon. Er stand auf und lief aus der Bar und die wenigen hundert Meter weit zu Philip Gilles' Haus. Die Tür stand offen. Gilles sah fern.

»Was ist los?« fragte er.

»Telefon für dich.«

»Wer kann's schon sein? Ich möchte diesen Bericht zu Ende sehen.«

»Nun komm!« sagte Gordon. »Die Dame sagte, es sei sehr dringend. Muß dich unbedingt sprechen. Unbedingt, hat sie gesagt. Los, Philip!«

Der erhob sich verärgert und trottete hinter Gordon her zum Hotel hinab und durch die Bar in Oltramares Büro. Dort nahm er den Telefonhörer und meldete sich. Er erkannte die Frauenstimme sofort. Es war Dr. Valerie Roth.

»Gott sei Dank, daß ich Sie erreiche!« sagte sie erleichtert.

»Woher haben Sie diese Nummer?«

»Auskunft. Sie haben mir ja gesagt, wo Sie wohnen. Die Auskunft sagte, Sie hätten da keinen Anschluß. Aber ein Hotel in Ihrer Nähe habe einen.«

»Was wollen Sie?«

»Markus Marvin ist verhaftet worden.«

»So.«

»Er sitzt in Untersuchungshaft in Frankfurt.«

»Aha.«

»Hören Sie, Herr Gilles, Sie müssen sofort herkommen!«

»Ah ja?«

»Hat Gerhard Ihnen das Leben gerettet – ja oder nein?«

»Mhm.«

»Gerhard hat ein Leben lang für das gekämpft, wofür Markus jetzt sitzt.«

»Aha.«

»Er hat einen Mann zusammengeschlagen.«

»Fein«, sagte Gilles.

»Hilmar Hansen heißt der Kerl.«

»Welcher Kerl?«

»Den er zusammengeschlagen hat. Ein Chemiewerk hat er.«

»Sehr interessant.«

»Stellt Pinkelsteine her.«

»Stellt was her?«

»Pinkelsteine! Wissen Sie nicht, was Pinkelsteine sind? Die blauen und grünen Würfel, die in jeder Klomuschel hängen, in jedem Pissoir. Diese Dinger, die dafür sorgen, daß es nicht stinkt, sondern nach Lavendel riecht. Oder nach Veilchen. Oder nach Zitrone oder Tannenwald. Sogar nach Maiglöckchen.«

»Sie sind betrunken, wie?«

»Vollkommen nüchtern. In Frankfurt ist das passiert. Ich bin noch in Lübeck.« Jetzt sprach sie gehetzt. »Hansen stellt das Zeug auch als Paradichlorbenzol-Tabletten her, für die Sarghygiene.«

»Für was?«

»Sarghygiene!« Valerie Roths Stimme wurde laut, sie sprach übertrieben deutlich. »Man gibt die Tabletten zu den Leichen in die Särge. Auch wegen des guten Geruchs. Zirka zweihundert Gramm pro Sarg werden eingestreut. Allein in der Bundesrepublik fallen jährlich an die siebenhunderttausend Leichen an. Davon werden zehn Prozent verbrannt, in etwa dreißig Krematorien. Das Paradichlorbenzol betäubt natürlich nur die Geruchsnerven, es vernichtet nicht den Gestank...«

»Hören Sie...«

»Und nur ein Teil der Krematorien ist mit Primitivfiltern ausgerüstet. Bei Leichenverbrennung entstehen aus dem Paradichlorbenzol Dioxine und Furane – die gehen voll in die Umwelt. In Mottenkugeln ist das Zeug übrigens auch drin. Dieser Hilmar Hansen hat aus einem Umweltgift Handelsgut gemacht. Bei der Leichenverbrennung wird die Bildung von Dioxinen zusätzlich durch Paradichlorbenzolspuren im menschlichen Fettgewebe gefördert. Und der Rauch enthält auch noch Cadmium aus den Innereien.«

»Hören Sie, Frau Doktor Roth, ich habe jetzt genug.«

»Jawohl, Cadmium! Die Nieren älterer Menschen sind richtige Cadmiumdeponien.«

»So«, sagte Gilles. »Jetzt reicht's.«

»Sie kommen nicht? Sie schreiben nicht?«

»Nein.«

»Also... also muß etwas anderes geschehen. Und dann *werden* Sie kommen.«

»Gute Nacht, Frau Doktor Roth«, sagte Gilles, legte den Hörer auf und ging in die Bar.

Gordon und Monsieur Oltramare sahen ihn an.

»Na?« fragte der Ballonpilot. »Wer war das?«

»Valerie Roth, diese Verrückte.«

»Und? Was ist los?«

»Gar nichts«, sagte Philip Gilles und setzte sich. »Ich hätte auch gerne einen Schluck.«

## 5

An einem kalten Wintermorgen des Jahres 1944 fuhr eine Frau in mittleren Jahren knapp nach sechs Uhr früh mit einem Wagen der Berliner Ringbahn hinaus nach Siemensstadt. Es war noch dunkel. Im Waggon mit seinen schwarzgestrichenen Scheiben, durch die wegen der alliierten Flieger kein Licht dringen durfte, brannten flackernde, schwache Lampen. Die Menschen hatten bleiche, erschöpfte Gesichter, der Wagen war überfüllt, die Frau mußte stehen. Sie hätte auch stehen müssen, wenn der Wagen ganz leer gewesen wäre. Es war ihr verboten zu sitzen. Sie war eine sogenannte »geschützte Jüdin«, geschützt durch die Ehe mit einem »arischen« Mann, und zum »Arbeitseinsatz« verpflichtet. Auf ihrem Mantel trug sie in Brusthöhe einen Stern aus gelbem Stoff, darauf stand in schwarzer Schrift das Wort JUDE. Die geschützte Jüdin sah krank aus. Sie hielt sich an einer Schlaufe fest, die von der Decke herabhing, und wurde beim Ruckeln der Ringbahn hin und her geworfen.

Ein Arbeiter mit Lederjacke und Schiebermütze, dessen rechtes Auge eine schwarze Klappe verdeckte, stand auf und sagte zu der geschützten Jüdin: »Nu setz dir man, Sternschnuppeken!«

Die Frau sagte: »Sie sind sehr freundlich, aber ich darf nicht sitzen. Das ist verboten.«

»Da scheiße ick aba druff«, sagte der Mann. »Det war mein Sitz, nu isset Ihra. Ick nehme doch stark an, niemand hat wat dajejen.«

»Die Jüdin...« fing ein kleiner Mann an.

»Halt die Fresse, Mensch, oda et setzt wat«, sagte ein Soldat, der sich offenbar auf Heimaturlaub befand. Und zu der Frau: »Nu los, Madame, wen wa Sie bitten dürfen!«

Die geschützte Jüdin setzte sich und begann zu weinen.

Als der Einäugige später ausstieg, eine alte Aktentasche unter dem Arm, stieg auch der Soldat aus. Er gab dem Arbeiter die Hand und sagte: »Ich heiße Oskar Kraszinski. Hier haste meine Adresse. Man kann nie wissen.« Er hatte während der Fahrt etwas auf eine Zeitung gekritzelt, die gab er nun dem andern.

»Danke«, sagte der. »Ick heiße Karl Bukatz. Aba ick kann dir keene Adresse jeben, Kamerad. Mir hamse ausjebombt. Ick wohne zur Zeit mal hier und mal da.«

»Uff de Zeitung steht ooch noch die Adresse von meine Tante«, sagte Oskar. »Hasenheide lebt die. Irjendwo wirste ma schon finden.«

»Sicha«, sagte Karl. »Mußte zurück an de Front?«

»Ja.«

»Allet Jute!« sagte Karl. »Bald varreckense, die Hunde.«

»Wird noch 'ne Weile dauan, fürchte ick«, sagte Oskar. »Also denn, bis um sechs nach'm Endsieg in der Kneipe vom Hardtke!«

Sie schüttelten einander die Hand und gingen auseinander, jeder in eine andere Richtung, hinein in die Finsternis und die Kälte...

Verrückt, dachte Dr. Miriam Goldstein, eine kleine, zierliche Frau mit weißem Haar, das locker und leicht frisiert war. Groß und dunkel standen schwarze Augen im Gesicht der Anwältin. Sie trug ein blaues Sommerkostüm mit weißem Kragen und weißen, umge- schlagenen Manschetten, und sie saß in einem Airbus, der vor einer Viertelstunde in Frankfurt gestartet war und nach Genf flog.

Völlig verrückt ist das alles, dachte Miriam Goldstein. Daß ich nach Genf reise, um von dort zu einem Ort namens Château-d'Oex zu fahren und da einen Mann namens Philip Gilles zu treffen, den ich seit sechs Jahren suche. Daß ich von jener geschützten Jüdin weiß, die 1944 an einem kalten Wintermorgen hinaus nach Siemensstadt zur Arbeit fuhr, und von Oskar Kraszinski, diesem Soldaten auf Heimaturlaub, und von Karl Bukatz, diesem Arbeiter, der nur noch ein Auge hatte und der geschützten Jüdin in jenem Waggon der Ringbahn seinen Platz anbot und sagte: »Nu setz dir man, Stern- schnuppeken!« Oskar ist längst tot, und Karl ist längst tot, und die geschützte Jüdin auch. Ich lebe noch, und ich weiß das alles und viel mehr, und das ist gar nicht verrückt, sondern völlig normal und gesetzmäßig. Alles hat seinen Sinn. Es gibt nichts, das sinnlos oder zufällig geschieht in dieser Welt.

Draußen glühte die Luft unter einem blauen Hochsommerhimmel. An vielen Kabinenfenstern waren Blenden herabgelassen. Leise rauschten die Düsenaggregate.

1982, dachte Miriam Goldstein, traf ich in Berlin auf einer Party, die der Generalkonsul der Vereinigten Staaten gab, Mrs. Bellamy, eine ältere, immer noch schöne Dame. Ihr Mann George war Chirurg der amerikanischen Garnison. Nur zweimal war ich zuvor in Berlin gewesen. Beim drittenmal lernte ich Mrs. und Mr. Bellamy kennen. Auch das war vorbestimmt, auch das mußte so sein.

Später an diesem Abend, nach dem Essen, trat Mrs. Bellamy ohne ihren Mann zu der Anwältin.

»Verzeihen Sie, Frau Doktor Goldstein...« Sie sprach fließend deutsch. »Heißen Sie Miriam?«

»Ja«, sagte diese.

»Sie sind in Hamburg aufgewachsen?«

Sehr viele Leute waren auf dieser Gesellschaft, eine kleine Kapelle spielte. Mrs. Bellamy hatte Miriam Goldstein in eine Ecke gezogen.

»Ja, in Hamburg«, sagte sie und fühlte, daß sie unruhig wurde.

»Und Ihr Vater hatte dort eine große Anwaltspraxis?«

»Ja«, sagte Miriam Goldstein wieder, und nun war sie sehr aufgeregt. »Woher wissen Sie das alles, Frau Bellamy?«

»Ich habe Ihren Vater gekannt«, sagte diese.

Damals lebte Miriam Goldstein in der Überzeugung, daß ihr Vater in einem Konzentrationslager umgekommen war. Seit 1941 hatte sie nichts mehr von ihm gehört. Gesucht hatte sie ihn nach Kriegsende viele Jahre lang. Nirgends gefunden trotz aller Suche. Und nun...

»*Wann?*« fragte Miriam. »Wann haben Sie meinen Vater gekannt, Mrs. Bellamy?«

»1952 begegnete ich ihm zum erstenmal«, sagte die blonde Frau. »Danach noch oft. Er hat Sie gesucht, Frau Goldstein. So viele Jahre lang hat er Sie gesucht in Berlin.«

»Wieso...« begann Miriam sehr erschüttert. »Ich meine... *wo* haben Sie meinen Vater gesehen in jener Zeit?«

»*Oh, when the Saints go marching in*«, spielte die kleine Kapelle.

»Hier ist es zu laut«, sagte Mrs. Bellamy. Sie nahm Miriams Arm und führte sie ins Freie, in einen kleinen Park hinaus. Warm war die Sommernacht. Sie setzten sich auf eine Bank neben einem blühenden Strauch, der sehr stark duftete. Nun drangen die Stimmen und die Musik nur noch leise zu ihnen.

»Bitte«, sagte Miriam. »Wo haben Sie meinen Vater gesehen, Mrs. Bellamy?«

»In einer Bar am Kurfürstendamm«, sagte sie. »Oskars Bar hieß sie.

Da kam Ihr Vater hin mit einem Paar ganz kleiner Mädchenschuhe...«

»Schau mal!«
Miriam Goldstein schreckte auf.
Vor ihr stand ein kleiner Junge und sah sie ernst an. Sein schmales Gesicht war sehr blaß. Er hatte ein großes Blatt Papier in den Händen, das zeigte er Miriam. Mit Buntstiften waren Häuser und Flüsse und Straßen und Bäume und Autos darauf gemalt.
»Hab' ich gemacht«, sagte der kleine Junge. Die Maschine war fast komplett besetzt.
»Das ist ja wunderschön«, sagte sie. »Du zeichnest, was da unter uns alles zu sehen ist, nicht wahr?«
»Alles, was ich sehe.« Er nickte ganz ernst, ganz sorgenvoll. »Tu' ich immer, wenn ich fliege.«
»Fliegst du oft?«
»O ja. Vati nimmt mich mit.«
»Wo ist denn dein Vati?«
Er zeigte mit einer Hand. »Paar Reihen weiter hinten.«
Miriam drehte sich um. Ein Mann mit Brille las in einem dicken Aktenordner. Der Platz neben ihm war frei.
»Ist es der Herr mit der Brille?«
»Ja«, sagte der kleine Junge. »Hat immer so viel zu tun. Gibt mir Buntstifte und Blocks und sagt, ich soll zeichnen. Aber er schaut sich meine Bilder nie richtig an. Weil er so viel zu tun hat.«
»Und deine Mutti?« fragte Miriam. »Wo ist deine Mutti?«
»Wir sind geschieden«, sagte der kleine Junge. »Ich bin Vati zugesprochen worden.«
»Wie heißt du denn?«
»Klaus«, sagte er.
»Das ein schöner Name. Ich heiße Miriam.«
»Miriam ist viel schöner als Klaus«, sagte er, immer ernst.
»Es sind beides gleich schöne Namen«, sagte die zierliche Frau. »Wie alt bist du, Klaus?«
Der Junge wollte antworten, doch ein jäher Hustenanfall hinderte ihn daran. Er hielt sich an der Lehne von Miriams Sitz fest, sein ganzer Körper zitterte, während er tieftönend, bellend und rauh

hustete. Sein Gesicht hatte sich angstvoll verzerrt und war noch blasser geworden. Einige Menschen drehten sich um.

»Mein Gott...« Miriam war erschrocken aufgestanden und hatte sich über Klaus gebeugt, dem der Husten Tränen in die Augen trieb.

»Was ist denn... ich rufe deinen Vater.«

Klaus hörte auf zu husten.

»Schon vorbei. War ein ganz kleiner.«

»Ganz kleiner was?«

»Anfall.«

»*Das* war ein kleiner?«

»Sage ich doch. Eigentlich gar nichts.«

»Gar nichts? Na, hör mal! Hustest du oft so?«

»Ja. Nur meistens viel schlimmer.«

»Aber was hast du denn?«

»Irgendwas mit Krupp«, sagte Klaus. »Fällt mir nicht ein im Moment. Kennst du was mit Krupp?«

»Pseudokrupp«, sagte Miriam leise und ließ sich auf ihren Sitz sinken.

»Pseudokrupp, ja, das hab' ich«, sagte der bleiche Junge. Er wischte sich mit einem Taschentuch Mund und Augen trocken. »Du weißt, was das ist?«

Miriam nickte. »Ja«, sagte sie. Eine Kehlkopfentzündung ist Pseudokrupp, dachte sie, bei Kindern zwischen einem und sechs Jahren. Wird hervorgerufen durch das Einatmen von mit Schwefeldioxid verpesteter Luft und psychische Störungen. Neben medikamentöser Behandlung das Wichtigste: Beruhigung.

»Wo wohnt ihr denn?« fragte Miriam und wischte mit ihrem Taschentuch Schweißperlen von der Stirn des Jungen.

»Duisburg«, sagte Klaus. »Es ist widerlich. Wenn ich husten muß, hab' ich immer Angst. Das heißt, eigentlich habe ich auch Angst, wenn ich nicht husten muß. Aber wenn so ein Anfall kommt, am meisten. Daß ich ersticken muß, weißt du.«

»Ja«, sagte Miriam. Typisches Symptom, dachte sie. Hervorgerufen durch Einengung beim Ein- und Ausatmen. »Hast du das schon lang?«

»Über ein Jahr«, sagte Klaus. »Deshalb fliege ich so oft.«

»Weshalb?«

»Mein Vater ist Ingenieur. Baut überall. Auch auf Teneriffa. Da wohnt meine Tante Clara. In der Nähe von Santa Cruz. Kennst du Santa Cruz?«

Miriam nickte.

»Na ja, und Vater bringt mich immer wieder da runter. Wir steigen in Genf um und fliegen weiter nach Teneriffa. Ich werde wieder zwei Monate bei Tante Clara wohnen. Dann muß ich zurück nach Duisburg. Untersuchungen. Dann wieder zu Tante Clara, zwei Monate. So wird der Pseudokrupp weggehen, sagt der Doktor. Er geht nur nicht weg. Du hast gefragt, wie alt ich bin. Fünf. Nächstes Jahr bin ich sechs und muß in die Schule. Dann kann ich nicht mehr so oft nach Teneriffa fliegen. Nur in den Ferien. Keine Ahnung, wie das dann sein wird.«

»Habt ihr keine Haushälterin?«

»Doch. Die Tina.« Er hob die Schultern. »Ich weiß schon, man kann nichts machen. Willst du mein Bild? Ich schenke es dir.«

»Oh«, sagte Miriam, »das ist aber lieb von dir. Ich danke schön, Klaus.«

»Soll ich noch eines zeichnen? Mit anderen Sachen drauf? Sind immerzu andere Sachen unter uns.«

»Ja«, sagte Miriam. »Wenn du das tun willst, das wäre fein.«

Er nickte und ging ernst und blaß zu dem freien Sitz neben dem Mann mit der Brille und dem dicken Aktenordner zurück. Der Mann sah ihn kurz an und strich abwesend über das schwarze Haar des Kindes. Klaus winkte Miriam zu. Sie winkte zurück.

Fünf Jahre ist er alt, dachte Miriam. Pseudokrupp. Duisburg. Die Luft voll Schwefeldioxid. Wie viele kleine Kinder haben Pseudokrupp? Wie viele kleine Kinder haben Angst, ständig Angst zu ersticken? In Deutschland. In Europa. Auf der ganzen Welt?

Fünf Jahre, dachte sie, in Gedanken versinkend. Ich war vier damals, 1941, als sie kamen in der Nacht, Hans und Ellen Schönberger. Gute Freunde meiner Eltern in Hamburg. Es war seit langer Zeit abgesprochen, daß sie Vater, Mutter und mich in ihrem großen Haus in Blankenese verstecken würden, wenn die »Deportierung« bevorstand. Ja, vier Jahre alt war ich damals, ich habe nichts von allem verstanden, was geschah, nur, daß wir uns verstecken mußten. Das fand ich sehr aufregend.

Die Erwachsenen trugen Koffer, Mutter hielt mich an der Hand, und ich mußte laufen, denn alle gingen sehr schnell. In der Dorotheenstraße war plötzlich die Streife da. Zwei Polizisten. Sie verlangten Papiere zu sehen. Vater zeigte anstelle eines Ausweises seinen Judenstern. Wir hatten alle Judensterne, Vater, Mutter und ich, aber wir hatten sie alle abgetrennt, bevor wir unsere Wohnung verließen. Und nun zeigte Vater seinen Stern plötzlich den beiden Polizisten.

Damals begriff ich das nicht: Er versuchte, wenigstens uns zu retten. Und das gelang ihm. Nachdem er den Judenstern gezeigt hatte, rannte er, so schnell er konnte, in der Richtung zurück, aus der wir gekommen waren. Die Polizisten rannten hinter ihm her. Und Hans und Ellen Schönberger rissen Mutter und mich weiter, weiter, weiter, um eine Ecke, in eine andere Straße, in eine dritte, und wir entkamen.

Das Haus in Blankenese hatte einen großen Dachboden. Dort verbrachten Mutter und ich die nächsten dreieinhalb Jahre. Ihre Freunde sorgten für uns. Mutter weinte viel und sagte, daß die Polizisten Vater natürlich eingeholt und verhaftet hatten und daß er ganz gewiß in ein Konzentrationslager gekommen war. Ich wußte damals noch nicht, was das war, ein Konzentrationslager. Fast vier Jahre versteckten Hans und Ellen Schönberger Mutter und mich. Großartige Menschen. Es gab damals auch viele großartige Menschen in Deutschland, und viele halfen Juden oder versteckten sie. Im Mai 1945 befreiten uns die Engländer, und Mutter und ich liefen von Behörde zu Behörde, denn da hofften wir noch, daß Vater das Konzentrationslager überlebt hatte. Jahrelang suchten wir ihn, doch niemand konnte uns helfen, und wir fanden keine Spur von ihm, und so dachten wir zuletzt, er sei ums Leben gekommen. Und 1982, auf jener Party des amerikanischen Generalkonsuls, traf ich dann Mrs. Bellamy, die sagte, sie habe Vater gekannt, und er habe viele Jahre lang nach mir gesucht, und in eine Bar am Kurfürstendamm sei er gekommen mit einem Paar ganz kleiner Mädchenschuhe...

»Was soll das heißen: mit einem Paar ganz kleiner Mädchenschuhe?« fragte Miriam Goldstein Mrs. Bellamy auf der Bank in jenem Park. Mrs. Bellamy schüttelte den Kopf. »Ich muß Ihnen das der Reihe nach erzählen, Frau Goldstein«, sagte sie. »Berlin lag in Trümmern nach dem Krieg – wie beinahe alle deutschen Städte. Vielleicht noch etwas mehr. Am Kurfürstendamm gab es fast nur ausgebrannte Ruinen. Das Haus, in dem sich Oskars Bar befand, war halb eingestürzt, die Mauern, die noch standen, hatten unzählige Einschüsse. Diese Bar gehörte zwei Männern. Der eine hieß Oskar Kraszinski, der andere Karl Bukatz. Karl nannte sich Charly und konnte Klavier spielen. Oskar stand hinter der Theke. Sie hatten einander im Krieg kennengelernt, in der Ringbahn, das erzählte mir Oskar einmal...« Mrs. Bellamy berichtete von der geschützten Jüdin und dem Arbeiter, der in jenem Waggon aufgestanden war und ihr seinen Platz überlassen hatte. »... Oskar gab damals Karl seine Adresse, und nach dem Krieg fanden sie einander wieder, und 1948 machten sie diese Bar auf. Sie waren vier Jahre lang nur zu zweit, 1952 konnten sie sich schon eine Barfrau leisten. Diese Barfrau war ich.«

»Sie?«

»Ich bin geborene Berlinerin. Ich heiße Elfi, mein Mädchenname ist Zeiner. Ja, als Barfrau arbeitete ich mit Charly und Oskar. Alle Getränke waren billiger bei uns, wir hatten viele Gäste. Oskar und Charly waren emsig auf dem schwarzen Markt tätig, und beide träumten von einer größeren und schöneren Bar, ich auch. 1952 mußte es eben noch diese kleine tun mit den roten Samtmöbeln und den roten Wänden und den rotüberzogenen Hockern am Tresen. Ja, und an einem Herbsttag 1952, ich war erst seit zwei Monaten in der Bar, kam ein kleiner, sehr magerer Mann herein. Er sah krank und traurig aus, und er hatte hohle Wangen, eine bleiche, von Ausschlag befallene Haut und nur noch sehr wenige graue Haare... Er sah einfach schrecklich aus... Verzeihen Sie, Frau Goldstein, bitte verzeihen Sie!«

»Nichts zu verzeihen«, sagte diese und fühlte das Blut an ihren Schläfen klopfen. »Erzählen Sie weiter, Elfi, bitte, erzählen Sie weiter!«

Und Elfi erzählte...

Der kleine, magere Mann trug ein kleines Paket in der Hand. Er grüßte Oskar und Charly und die Gäste – es waren nur wenige da an diesem frühen Abend –, und Elfi sah, wie er Oskar und Charly die Hand schüttelte. Dann verneigte er sich vor Elfi und sagte: »Guten Tag, meine Dame. Ich heiße Alfred Goldstein.« Und er gab auch Elfi, die damals sehr jung und ganz außerordentlich hübsch war, die Hand.

Danach öffnete Goldstein umständlich das kleine Paket und entnahm ihm ein Paar weiße, sehr kleine Mädchenschuhe.

»Ich lasse das Papier bei Ihnen, Herr Oskar«, sagte er. »Und nun will ich die Herrschaften fragen, wenn Sie erlauben.«

»Okay«, sagte Oskar.

Goldstein ging durch die Bar zu einem Tisch, und Elfi sah, daß er dem jungen Mann und dem Mädchen, die dort saßen, die Schuhe zeigte und mit ihnen sprach. Sie hörten aufmerksam zu, und dann schüttelten sie den Kopf, und Goldstein verneigte sich und ging an den nächsten Tisch.

»Wer ist das, Oskar?« fragte Elfi.

»Ach, ein ganz armer Hund«, sagte Oskar, der hinter der Theke mit gerunzelter Stirn genau die Reaktionen der Gäste beobachtete. »Kommt immer wieder her. Alfred Goldstein. Hatte mal eine große Anwaltspraxis in Hamburg. Jude. Charly hat ihm im Grunewald ein Zimmer besorgt.«

Charly, über einem Auge eine schwarze Klappe, saß am Klavier und spielte »*La vie en rose*«.

»Aber was will er?« fragte Elfi beklommen. »Was sind das für Schuhe, Oskar?«

»Na, Kinderschuhe. Siehste doch.«

»Ja, das sehe ich. Nur verstehen tu' ich nix.«

»Schau mal«, sagte Oskar, der die Augen nicht von dem kleinen Mann ließ, »dieser Goldstein und seine Tochter und seine Frau sind 1941 festgenommen worden, hat er mir erzählt. Die Frau und die Tochter, bildet er sich ein, kamen nach Auschwitz. Er landete in Groß-Rosen. Als die Russen ihn befreit hatten, schaffte er den Weg nach Auschwitz. Die Nazis hatten da noch alles gesprengt und in Flammen gesteckt, was sie konnten, aber es war einfach zu viel, und da standen dann eben immer noch Gebäude, und da lagen dann eben immer noch Riesenhaufen von Brillen und Kleidern und Prothesen und Frauenhaar und Koffern und Schuhen... und bei den Schuhen gab es auch viele ganz kleine, von vielen ganz kleinen Kindern eben. Und Goldstein hat da so ein kleines Paar rausgenommen, weil er davon überzeugt war, daß sie seiner Tochter gehörten. Miriam hieß die, vier war sie, als sie festgenommen wurden. Sie haben ihm hundertmal gesagt, daß in Auschwitz Mütter und kleine Kinder meist von der Rampe weg in die Gaskammern geschickt wurden, aber er glaubte es einfach nicht. Er glaubt es heute noch nicht. Seit 1947 läuft er mit den Schuhen in Berlin herum und zeigt sie allen Leuten und fragt, ob sie nicht wissen, wo seine Miriam ist, weil er sich einbildet, seine Miriam wäre nach Berlin gebracht worden.«

»Aber wieso Berlin? Er kommt doch aus Hamburg.«

»Herrgott, siehst du denn nicht, daß der Mann völlig verwirrt ist? Der hat Hamburg vergessen. Der kann sich an nichts mehr erinnern. Nur noch an seine kleine Tochter. Ein Jammer.«

»Kümmert sich denn kein Arzt um ihn?« fragte Elfi.

»Aber ja doch«, sagte Oskar. »War auch ein paarmal in Anstalten. Hat alles nix genützt. Schuld sind ein paar Frauen.«

»Was für Frauen?«

»*La Mer*«, spielte Charly jetzt.

»Die überlebten, in Auschwitz. Er traf sie dort, und eine erinnerte sich an eine Miriam und erzählte ihm, die Kinder hätten ein Spiel gehabt: Was wäre ich am liebsten? Und da habe diese Miriam gesagt: ›Am liebsten wäre ich ein Hund, denn die SS-Leute haben Hunde gern.‹ Und deshalb glaubt Goldstein fest, daß die SS-Leute auch seine Miriam gern hatten und nicht umbrachten.«

Elfi Bellamy brach ab und sah Miriam Goldstein an.

»Verzeihen Sie bitte noch einmal«, sagte sie stockend. »Das alles ist furchtbar für Sie, Frau Goldstein. Aber ich habe gedacht, ich muß Ihnen erzählen, daß ich Ihren Vater kannte und was damals geschah...«

Miriam legte eine Hand auf die von Mrs. Bellamy.

»Danke«, sagte sie. »Natürlich ist das alles furchtbar, aber ich muß es wissen. Ich muß alles wissen. Erzählen Sie, Elfi, bitte!«

Ein Flugzeug brauste über sie hinweg, schon sehr tief, vor der Landung auf dem Flughafen Tegel. Als sich der Lärm gelegt hatte, sprach Elfi weiter.

»Niemand konnte Ihrem Vater natürlich helfen an diesem Abend. Und auch später nicht, als er wiederkam. Die Leute waren verlegen oder erschüttert, alle aber immer voll Mitgefühl, immer, bis...«

»Bis?« fragte Miriam.

»Bis zu diesem Nachmittag im Januar 1954«, sagte Elfi. »Ich erinnere mich noch genau... Da war die Bar zuerst leer. Dann kamen ein Mann und eine Frau, die oft kamen. Sie hatten unsere Bar gern, und wir hatten sie gern. Charly spielte immer ihre Lieblingsmelodien. Sie hatten ihm gesagt, welche Melodien sie am liebsten hatten. Und sie hatten ihm auch ›ihr‹ Lied genannt: Das war die alte ›Sentimental Journey‹, auch das weiß ich noch. Sie waren nicht verheiratet, die beiden, aber sie wollten heiraten. Und sie liebten einander sehr, das sah man. Der Bartresen war gebaut wie ein großes L, und an der schmalen Seite gab es eine Bank für zwei, das war ›ihre‹ Ecke. Ich weiß nicht, wie die Frau hieß, kannte nur den Vornamen, Linda. Er hieß Philip Gilles.«

Miriam Goldstein sah auf.

»Der Schriftsteller?«

»Damals war er vor allem noch Reporter und Filmeschreiber«, sagte Elfi. »Ich glaube, seine Bücher gingen nicht. Sie hatten wenig Geld, die beiden, und tranken Weinbrand, Whisky konnten sie sich nicht leisten, und auch den Weinbrand tranken sie langsam. Wir hatten die beiden wirklich sehr gern, am Nachmittag kamen sie immer, wenn es noch ruhig war und Charly Zeit hatte, ihre Lieder zu spielen. An diesem Tag im Januar 1954 schneite es mächtig...«

... und lange Zeit waren Linda Brenner und Philip Gilles die einzigen Gäste, und Charly spielte sehr schön, und Oskar hatte eine Kerze auf der Theke angezündet, und sie tranken ihren Weinbrand wirklich langsam und waren sehr freundlich zu Oskar und Charly und Elfi, der Barfrau, die kleine Vasen mit Blumen auf die Tische stellte und Aschenbecher und Getränkekarten.

Elfi hatte Linda und Gilles einmal erzählt, daß sie jährlich elf Monate in dieser Goldgrube schwer arbeitete und sich jede Menge Trinkgeld geben ließ und auch schon mal einen Gast mit nach Hause nahm. Sie sparte eisern, und einen Monat im Jahr fuhr sie nach Sankt Moritz, mit erstklassigen Koffern und schönen Kleidern. Da oben kannte sie keiner, und sie lebte so wie die feinen Damen, von denen sie in den Illustrierten las, und das war ihr größter Luxus: »Dann lass' ich keinen drüber, nicht für eine Million!«

An diesem Abend hatte Elfi plötzlich mächtig zu tun, denn eine Gesellschaft von zehn oder elf Männern kam herein. Sie waren alle laut und lachten und waren bereits angetrunken.

»Tut mir leid«, sagte Oskar zu den beiden auf dem Bänkchen.

»Ist doch schön für Sie«, sagte Linda. »Wir gehen ohnedies bald.«

»Bitte, bleiben Sie noch!« sagte Oskar. »Die sind aus dem Westen, könnt' ich wetten.« Der Westen, das war die Bundesrepublik. »Schauen Sie doch bloß: rausgefressen und Specknacken.«

Als er das sagte, stand schon ein Dicker bei Charly am Klavier und fragte laut und ungehalten, ob er nur diesen ausländischen Dreck spielen könne, und Charly sagte, nein, er könne alles spielen, was es denn sein solle, und der Dicke verlangte »Das machen nur die Beine von Dolores« und »Pack die Badehose ein« und »Ach Egon, Egon, Egon«. Und Charly hob die Schultern und begann mit den Beinen von Dolores. Ein paar von den angetrunkenen Gästen grölten den Text mit, und Oskar sagte zu Gilles: »Na bitte!«

Elfi nahm die Bestellungen auf, die Männer wollten Bier und klaren Schnaps, zwei wollten Sekt (»Aber keine Hausmarke! Zeigen Sie mal die Karte, was haben Sie denn überhaupt in diesem Loch?«), und der Dicke betatschte Elfis Brüste und ihren Hintern, und sie schlug ihm auf die Finger. Linda sah Gilles an, und der nickte. Sie wollten offenbar wirklich gehen.

Unmittelbar darauf öffnete sich die Tür, mit dem Heulen des Windes flog Schnee in den Vorraum, und ein kleiner, sehr magerer Mann trat unsicher und demütig ein. Der Mann hatte hohle Wangen, bleiche, von Ausschlag befallene Haut und dunkle, traurige Augen. Er nahm den Hut ab, und alle sahen, daß er nur noch wenige graue Haare besaß. In der Hand hielt er ein kleines Paket. Er nickte zu Oskar und auch Charly, der gerade mit Dolores fertig war und mit der Badehose begann. Der ältere Mann ging zu Charly.

»Verflucht«, sagte Oskar, »ausgerechnet jetzt!«

»Was, ausgerechnet jetzt?« fragte Linda.

»Kommt er.«

Der Mann sprach mit Charly, und man konnte erkennen, daß dieser ihm dringend empfahl, zu verschwinden. Aber der kleine Mann schüttelte den Kopf.

»Ach herrje!« sagte Oskar höchst irritiert. Er machte Charly Zeichen. Der hob die Schultern. Auch Elfi, mit dem Servieren beschäftigt, redete im Vorbeigehen auf den kleinen, mageren Mann ein, gleichfalls vergebens.

»Wer ist denn das?« fragte Gilles.

Oskar erklärte Linda und Gilles, wer das war, er erzählte Goldsteins Geschichte und daß er die kleinen Schuhe in Auschwitz gefunden habe und glaube, es seien die Schuhe seiner Tochter. Die ganze Geschichte erzählte er hastig in wenigen Sätzen und schloß: »... Sie waren ja in Auschwitz, Herr Gilles, als Reporter, nicht?«

»Ja«, sagte Gilles, »1952 war ich dort.« Er dachte: Auschwitz I, Auschwitz II – Birkenau, das Vernichtungslager. Auschwitz III – Monowitz. Im Museum in Auschwitz I habe ich all das gesehen, wovon Oskar gerade sprach: die Frauenhaare, die Prothesen, die Brillen, die Schuhe, die Kleider, die Koffer mit den daraufgeschriebenen Namen und Adressen ihrer einstigen Besitzer. IDA KLEIN, GRUPELLOSTRASSE 15, DÜSSELDORF. WAISENKIND. Niemals werde ich das vergessen.

In Monowitz, dachte Gilles, ließen die IG-Farben eine Fabrik zur Produktion von synthetischem Gummi errichten, und dort und in den umliegenden Arbeitslagern schufteten Hunderttausende bis zum Verrecken für die deutsche Kriegsindustrie, und neben IG-Farben waren Konzerne wie Krupp, Siemens und viele andere mit dabei. Ach, klingende Namen tragen unsere Konzerne in die Welt!

»Na also«, sagte Oskar, »da haben wir's!«

Goldstein war zu den Männern getreten und zeigte ihnen die Schuhe.

»Herr Goldstein!« rief Oskar. Aber es war schon zu spät. Der Dicke nahm dem kleinen Mann die Schuhe fort und hielt sie hoch, so hoch, daß Goldstein sie nicht erreichen konnte, auch wenn er es versuchte, indem er sprang. Der Dicke ließ ihn springen. Er hatte ein rosiges Gesicht, kein brutales, nein, ein anziehendes, gutmütiges. Er war ein großer dicker Mann, der mit einem kleinen mageren Mann seinen Spaß trieb.

»Geben Sie ihm sofort die Schuhe wieder!« schrie Oskar.

Der Dicke dachte nicht daran. Die meisten seiner Freunde waren angewidert und sagten das auch, aber ein paar waren entzückt, und der Dicke warf die winzigen Schuhe einem Freund zu, der entzückt war, und der stand auf und warf sie einem dritten zu, und Goldstein hetzte zwischen ihnen hin und her und sprang und rief: »Wiedergeben! Bitte! Bitte, wiedergeben!«

Elfi brachte ein Tablett voller Gläser und stieß mit dem Dicken zusammen. Das Tablett krachte auf den Boden, Glas splitterte, und Elfi, diese Lady für einen Monat im Jahr, sagte empört zu dem Dicken: »Hören Sie auf damit! Sofort! Das ist gemein von Ihnen!«

Der Dicke sah Elfi erstaunt an, schüttelte lächelnd den Kopf und wollte sich wieder mit ihren Brüsten beschäftigen.

»Na warte, du Scheißkerl!« sagte da Charly, der schon seit einiger Zeit nicht mehr Klavier spielte. Er stand auf, ging an Elfi vorbei und sagte scharf zu ihr: »Renn weg!«

Danach schlug er dem Dicken eine Faust ins Gesicht, worauf der instinktiv die Hände hochnahm, und Charly schlug ihm mit aller Kraft in den Bauch. Der Dicke japste nach Luft und setzte sich auf den Boden.

»Sie auch, weg!« sagte Charly zu Goldstein. »Los, los, los! Hinter die Theke!«

Während er noch sprach, sprang ihn ein Freund des Dicken von hinten an und hielt ihn fest, und ein anderer Freund begann, Charly systematisch in die Magengrube zu schlagen. Ein dritter nahm die Kinderschuhe und warf sie gegen die Spiegelwand hinter dem Tresen, an der viele Flaschen standen. Eine Flasche fiel vom Regal, riß andere mit, manche zerbrachen, es stank nach Alkohol, und Oskar rannte zum Telefon und wählte die kurze Nummer der Funkstreife. Währenddessen hatte Elfi einen Besen erwischt und drosch damit wie von Sinnen auf einen der Männer ein, der auf Charly eindrosch.

Goldstein war wie erstarrt stehengeblieben. Der Dicke zog ihn zu sich und fing an, auf den kleinen Mann einzuschlagen, immer nur auf den Kopf des kleinen Mannes, der vor ihm zurückwich und wimmerte: »Nicht... nicht... bitte nicht...«

»Du kleiner Saujud«, sagte der gemütliche Dicke, während er Goldsteins Kopf traf, wieder und wieder. »Da sitzt man friedlich und ruhig und trinkt sein Bier, und da kommt so einer! Dich haben sie vergessen zu vergasen.«

Drei Männer ergriffen begeistert des Dicken Partei, die anderen protestierten lauthals, standen auf und schrien den Dicken und seine Freunde an, daß sie sich wie Schweine betrugen, und versuchten, Goldstein zu helfen. Damit näherte sich die Prügelei ihrem Höhepunkt.

»Meine Damen und Herren, hier spricht Ihr Kapitän«, ertönte eine Lautsprecherstimme in der Passagierkabine des Airbus. »Wir überfliegen gerade Basel und werden in etwa fünfundzwanzig Minuten in Genf landen...«

Die Stimme hatte Miriam Goldstein aus ihrer Erinnerung gerissen. Benommen dachte sie: 1954 hat man meinen Vater schon wieder einen Saujuden genannt und ihn geschlagen. Nun gibt es seit Jahrzehnten die Nazipartei NPD und seit ein paar Jahren jene schrecklichen »Republikaner«, deren Chef ein ehemaliger SS-Mann namens Franz Schönhuber ist, und die Reaktion der sogenannten christlichen Parteien darauf sieht so aus, daß manche ihrer Politiker fordern, die radikalen Ziele der »Republikaner« zu übernehmen, und das schnellstens, also insbesondere all das, was Schönhuber und seine Leute im Zusammenhang mit der Abschiebung von Ausländern, einem Asylantenzuzugs-Stopp und dem »Ende des ewigen Canossa-Ganges« verlangen. Denn, so denken wohl einige der christlichen Unionsherren, wir müssen in allem der gleichen Ansicht wie die »Republikaner« sein, so daß alle »Patrioten« besser gleich CDU/CSU wählen, das ist ihre wahre Heimat. Bereits damals, zu Beginn des Jahres 1954, als sie meinen Vater schlugen, dachte Miriam, gab es schon wieder Rassismus und Antisemitismus, zwar noch nicht in der großen Politik und als Parteiprogramm, aber im kleinen, und Neonazis beschmierten jüdische Grabmäler mit Hakenkreuzen und warfen die Steine um und schändeten sie mit Kot.

»Schau doch!«

Miriam Goldstein drehte sich zur Seite. Da stand der kleine Junge mit dem schwarzen Haar, der Klaus hieß, und sah sie ernst an. »Ich hab' noch eine Zeichnung für dich gemacht.« Er hielt ihr wieder ein Blatt hin. »Eben jetzt. Das ist der Rhein.«

Miriam sah, daß ein großer blauer Streifen das neue Bild beherrschte.

»Ja, natürlich«, sagte sie. »Das ist der Rhein. Großartig hast du das hingekriegt, Klaus.«

»Nimm es!« sagte der kleine, blasse Junge. »Hab' ich dir doch versprochen!«

»Ich danke sehr, Klaus«, sagte Miriam Goldstein und nahm das Blatt und lächelte dem kleinen Jungen zu, der an Pseudokrupp litt und so freundlich zu ihr war...

Oskar hatte rasend schnell am Telefon gesprochen, jetzt rannte er, um seinem Freund Charly und der schönen Elfi zu helfen. Die Mehrheit der Männer war empört über das Vorgehen des Dicken und seiner fröhlichen Freunde und versuchte, sie zu stoppen, und die Folge war eine allgemeine Prügelei, bei der jeder jeden traf.

Oskar bekam eine Faust in die Zähne und spuckte Blut. Er sprang einen Mann an, der Charly schlug, und das Menschenbündel stürzte zu Boden. Der Dicke traf noch immer den Kopf des wimmernden Goldstein und sagte dazu: »Sechs Millionen – daß ich nicht lache! Höchstens zwei.«

Als er während der Schlägerei ganz nahe an den Tresen herangekommen war, sagte Gilles: »Nazisau.«

Der Dicke ließ von Goldstein ab, sah Gilles mit seinen gutmütigen Kinderaugen an und sagte: »Sag das noch mal, du Arsch!«

Also sagte Gilles es noch mal und nahm seine Brille ab. Er war ziemlich kurzsichtig, im Alter sollte das viel besser werden. Elfi hatte er einmal gesagt, daß er sich höchst ungern prügele, aber in seinem Beruf sei das häufig nötig gewesen, und da er ohne Brille wenig sah, kämpfte er, wenn er schon kämpfen mußte, so unfair wie möglich, um eine Chance zu haben.

Er rutschte aus seiner Ecke und trat dem Dicken in den Unterleib, so fest er konnte, und der Dicke schrie und setzte sich wieder auf den Boden und hielt sich das, was laut Linda in den weniger feinen französischen Kreisen *la garniture* hieß. Gilles trat dem Dicken auf die Hände und hörte Lindas Stimme, aber nun prügelten sich so viele Männer, daß er Linda nicht mehr sah, noch dazu ohne Brille. Einer warf einen Stuhl, der Gilles an der Schläfe traf und auf den

Rücken stürzen ließ. Bevor er wieder hochkam, sprang ihn ein anderer an und traf mit der Faust sein Gesicht. Gilles schlug zurück, aber er erwischte den Kerl nicht – dieser ihn schon, immer wieder im Gesicht. Die Haut über Gilles' rechter Augenbraue riß auf, und er begann mächtig zu bluten, und sah nun alles auch noch durch einen roten Schleier, also fast gar nichts mehr, und plötzlich kniete der Kerl über ihm und fing an, ihn systematisch zusammenzuschlagen, hauptsächlich traf er seine Brust. Gilles bekam kaum noch Luft und hatte Angst, daß der Kerl, den er nicht sehen konnte durch diesen Blutvorhang, ihn noch umbringen würde, wenn das so weiterging, da kippte dieser plötzlich zur Seite und rührte sich nicht mehr. Als rote Silhouette sah Gilles Linda, die sich über ihn neigte. Sie hatte einen Schuh ausgezogen und dem Kerl mit dem Absatz auf den Schädel geschlagen. An diesem Tag trug sie Schuhe mit hohen Hacken und dünnen, spitzen Stöckeln. Der Kerl rührte sich noch immer nicht, und Gilles dachte, daß Linda ihm vielleicht die Schädeldecke durchschlagen hatte, da riß sie ihn hoch und gab ihm seine Brille und seinen Mantel, ihren hatte sie schon an, sah er durch den Rot-Vorhang, denn noch immer lief Blut über seine Augen.

Linda schrie: »Herr Goldstein!«

Da war er, klein und zitternd, und während die Prügelei weiterging, zerrte Linda die beiden Männer zur Ausgangstür, und gleich darauf standen sie in der eisigen Kälte des Kurfürstendamms. Es schneite heftig, Sturm peitschte ihnen harte Flocken ins Gesicht, Linda rief: »Seine Schuhe!« und rannte noch einmal nur mit dem linken Pumps in Oskars Bar, der rechte, mit dem sie zugeschlagen hatte, war ihr entglitten.

Gilles hielt Goldstein fest, der andauernd umzufallen drohte, und da kam Linda zurück, immer noch hinkend, denn ihren rechten Schuh hatte sie offenbar nicht gefunden. Aber sie hielt die beiden kleinen Schuhe in der Hand, die Goldstein von einem großen Haufen ähnlich kleiner Schuhe in Auschwitz mitgenommen hatte und die er seit sieben Jahren in Berlin jedem, der es sich gefallen ließ, zeigte, um ihn zu fragen, ob er wisse, wo seine kleine Tochter Miriam sei, und Linda gab diese Schuhe Goldstein.

Dann lief sie auf den Kurfürstendamm hinaus – am rechten Fuß nur einen Seidenstrumpf. Ein Taxi kam, und Linda hob beide Arme, der Taxifahrer bremste, sein Wagen drehte sich auf der glatten Straße, sie riß den Schlag auf und schrie Goldstein an: »Rein mit Ihnen! Hier ist Geld! Morgen vormittag kommen Sie zu uns!« Zu dem Fahrer, der fluchte, sagte sie: »Hier, die zwanzig sind für Sie. Entschuldigen Sie, was ich getan habe, aber es ist sehr dringend. Bitte, schreiben Sie unsere Adresse auf, und bringen Sie den Herrn sicher nach Hause in den Grunewald.«

»Ist jut, liebe Dame«, sagte der Taxichauffeur, und tatsächlich kritzelte er die Adresse auf einen Block, dann fuhr er los.

Elfi war aus der Bar herausgelaufen, um ihren Lieblingsgästen zu helfen, doch das war nicht mehr nötig.

Linda packte Gilles und rannte mit ihm, der so wenig sah wegen des vielen Bluts, bis zur Knesebeckstraße und in diese hinein. Hier war es finster. Gilles fühlte sich ziemlich erledigt und sank gegen die Mauer einer Ruine, und Linda formte einen Schneeball und wischte damit das Blut fort, doch es kam immer neues. Nun hörten sie und Elfi, die an der Ecke stehengeblieben war, die Sirene einer Funkstreife. Das Heulen wurde lauter und starb dann ab, Wagentüren knallten, und Linda wischte aus Philip Gilles' Gesicht immer noch Blut. Es tropfte auf seinen Mantel und auf ihren, der Schneesturm zerrte an ihnen, und Gilles sagte: »Das mit dem Schuh hast du großartig gemacht.«

»Mein Gott, wie ich Nazis hasse!«

»Weißt du, wir sollten heiraten«, sagte Gilles.

»So war das an diesem Tag, Frau Goldstein«, sagte Elfi Bellamy vierunddreißig Jahre danach im Park der Villa des amerikanischen Generalkonsuls in Berlin. Beide Frauen schwiegen lange.

Endlich fragte Miriam: »Und wie ging es weiter? Was geschah mit meinem Vater?«

»Diese zwei, meine Lieblingsgäste, heirateten kurz danach, und sie kümmerten sich sehr um ihn. Sie besorgten ihm ein schönes Zimmer im Jüdischen Altersheim Jeanette Wolff in der Dernburgerstraße und einen erstklassigen Arzt, Doktor Schäfer hieß er. Und jede Woche besuchte Frau Gilles Ihren Vater. Ich besuchte ihn auch – natürlich nicht so oft. Es ging ihm bald viel besser, aber klar – entschuldigen Sie – wurde er nie mehr. Zuletzt war Frau Gilles so etwas wie eine Tochter für ihn, sagte er mir einmal. Ganz ruhig und fast glücklich war er da, und wir saßen zusammen und tranken Tee, und die kleinen Schuhe lagen auf einer Kommode. Er ging nicht mehr mit ihnen herum. Das hatte Doktor Schäfer erreicht. Ja, und 1962 lernte ich in Sankt Moritz meinen Mann kennen. Wir haben hier in Berlin geheiratet und einen vierundzwanzigjährigen Sohn und eine sechzehnjährige Tochter. In der Miquelallee wohnen wir, es geht uns gut... Mein Gott, das sage ich so vor Ihnen...«

»Mir geht es auch gut«, sagte Miriam.

»Lebt Ihre Mutter noch?«

»Mit mir zusammen, in Lübeck. Gott gebe ihr noch viele Jahre!«

»Ja, das soll er tun! Es... es freut mich so, daß wenigstens Ihre Mutter noch lebt, Frau Goldstein.«

»Jemand muß immer bei ihr sein. Wir haben eine treue Haushälterin.«

»Ist Ihre Mutter krank?«

»Blind«, sagte Miriam. »Als wir versteckt lebten, vier Jahre lang, da erblickten wir kaum jemals Tageslicht. Nach 1945 sah Mutter schlecht, es wurde immer schlimmer. Operationen halfen – eine Zeitlang. Seit 1968 sieht sie nichts mehr. Aber sie ist immer fröhlich und geistig sehr rege. Und mein Vater? Wann starb er?«

»1979«, sagte Elfi. »Im Mai. Ich war mit George beim Begräbnis. Ihr Vater hat ein schönes Grab auf dem Friedhof der Jüdischen Gemeinde am Scholzplatz. Die Leute vom Altersheim pflegen es. Die können Ihnen gewiß viel mehr als ich über Ihren Vater erzählen. 1978 ist Frau Linda Gilles gestorben...«

»O Gott.«

»Ja, es muß schrecklich gewesen sein für ihren Mann. Wir waren damals gerade in Amerika und erfuhren es erst nach unserer Rückkehr. Sie hatten auch im Grunewald gelebt, in der Bismarckallee. Standen nicht mehr im Telefonbuch. Also fuhr ich hin. Aber da wohnten schon fremde Leute, die hatten keine Ahnung, wohin Herr Gilles gezogen war. Ich muß gestehen, wir haben uns auch nicht gerade übermäßige Mühe gegeben, ihn zu finden... Es ist doch immer das gleiche... Die Arbeit... die Kinder... die viel zu kurzen Ferien in Europa... Und die Zeit vergeht so schnell... Charly ist schon 1973 gestorben, Oskar 1976. Die Bar hatten sie da längst verkauft. Bei diesen beiden Begräbnissen war ich – so alte Freunde, nicht wahr? Ja, alle sind tot. Ich weiß nicht einmal, ob Herr Gilles noch lebt. Doch, der wird noch leben. Er ist zu bekannt, man hätte es gehört, wenn er gestorben wäre...«

»Meine Damen und Herren«, ertönte eine helle Mädchenstimme aus den Bordlautsprechern, »wir werden nun in Genf landen. Bitte, stellen Sie das Rauchen ein, und benützen Sie die Anschnallgurte. Wir hoffen, Sie hatten einen angenehmen Flug, und wir würden uns freuen, Sie bald wieder bei uns begrüßen zu dürfen. Danke...«

»Die Welt zerbricht jeden, und nachher sind viele an den gebrochenen Stellen stark. Aber die, die nicht zerbrechen wollen, die tötet sie. Sie tötet die sehr Guten und die sehr Feinen und die sehr Mutigen; ohne Unterschied. Wenn du nicht zu diesen gehörst, kannst du sicher sein, daß sie dich auch töten wird, aber sie wird keine besondere Eile haben.«
Diese Sätze aus dem Buch »In einem andern Land« von Ernest Hemingway las Philip Gilles gerade in einem Liegestuhl vor seinem Haus Le Forgeron, als er Schritte hörte.
Er nahm die Lesebrille ab.
Vom Hotel Bon Accueil her kam eine zierliche Frau mit lockerem weißem Haar auf ihn zu. Sie hatte ein schmales Gesicht und große, dunkle Augen, und sie trug ein blaues Sommerkostüm, mit weißem Kragen und weißen, umgeschlagenen Manschetten.
Er stand auf.
Die Frau war nahe herangekommen. »Herr Gilles?«
»Ja.«
»Ich bin Miriam Goldstein«, sagte die Besucherin.
Er starrte sie an und versuchte zu sprechen, aber es gelang ihm nicht. Fast eine Minute standen sie einander so gegenüber, dann trat Miriam Goldstein vor ihn, zog mit beiden Händen seinen Kopf herab und küßte ihn auf Stirn, Wangen und auf den Mund.
Sie hatte Tränen in den Augen, als sie sagte: »Danke! Ich danke Ihnen und Ihrer Frau so sehr für alles, was Sie für meinen Vater getan haben, lieber Herr Gilles.«
Immer noch konnte er kaum sprechen. »Aber...«, begann er. »Aber wie... Es gibt Sie also wirklich... Sie leben noch...«

»Ja«, sagte sie leise. »Wie Sie, Herr Gilles.«

»Und Sie sind hier! Das... das ist doch irrsinnig! Einen solchen Zufall gibt es nicht.«

»Es gibt überhaupt keinen Zufall, lieber Herr Gilles«, sagte sie ernst. »Glauben Sie mir, ich bin so bewegt wie Sie. Darf... dürfte ich mich setzen?«

»Pardon...« Er führte sie ins Haus, und sie nahm in dem großen Wohnraum Platz, nahe der schmalen, hohen Figur des »Sinnenden« von Ernst Barlach.

Gilles holte Gläser und eine Flasche Perrier aus dem Kühlschrank. Er kam zurück und goß die Gläser mit dem Mineralwasser voll, sie tranken beide, und er setzte sich gleichfalls.

»Seit sechs Jahren weiß ich, was Sie getan haben«, sagte Miriam. »Von Valerie Roth erfuhr ich, wo Sie leben. Ich bin Anwalt der Physikalischen Gesellschaft Lübeck, Herr Gilles.«

»Aha«, sagte er.

»Vor sechs Jahren hat mir eine Mrs. Bellamy in Berlin von Ihrer Frau und Ihnen erzählt. So erfuhr ich alles, was Sie für meinen Vater getan haben. Auch alles über jene Nacht in der kleinen Bar am Kurfürstendamm, Oskars Bar hieß sie, nicht wahr?«

»Ja.«

»Und sie erzählte mir von Oskar und Charly, dem Klavierspieler. Erinnern Sie sich?«

»Ja«, sagte er. »Sie sind tot.«

»Wie mein Vater.«

»Wer ist diese Mrs. Bellamy?« fragte Gilles. »Ich höre den Namen zum erstenmal.«

»Mrs. Elfi Bellamy«, sagte Miriam und betonte den Vornamen.

»Elfi? Die schöne Elfi aus der Bar?« Er starrte Miriam wieder an.

»Ja, Herr Gilles. Sie hat einen amerikanischen Arzt geheiratet, den sie in Sankt Moritz kennenlernte vor langer Zeit. Ich traf sie auf einer Party. Aber auch Elfi wußte nicht, wohin Sie gezogen waren. Nun erst kann ich Ihnen danken. So viele Jahre danach. Alles ist vorbestimmt, alles, obwohl viele sagen, daß alles sinnlos ist und es keinen Gott gibt.«

»Sie glauben, es gibt Gott?«

»Ja, Herr Gilles.«

»Wenn es ihn gibt, dann muß er die Welt gehaßt haben, als er sie schuf.«

»Lieber Herr Gilles...«

»Und nun erzählen Sie mir noch, daß Sie an das Gute im Menschen glauben.«

»Ich glaube an das Gute im Menschen.«

»Ich war in Auschwitz«, sagte er. »Und in Hiroshima und in Korea und in Chile und in Vietnam, und sie haben mich in zahlreiche Kriege nach 1945 geschickt. Ich habe Folterspezialisten kennengelernt und ihre Opfer gesehen. Wirklich, viel Gutes ist im Menschen.«

»In vielen Menschen, Herr Gilles.«

»Als Jüdin sollten Sie besser nicht so denken.«

»Als Jüdin bleibt mir gar nichts anderes übrig, als so zu denken. Wie könnte ich sonst leben nach allem, was geschehen ist und geschieht, Herr Gilles?«

»Ach so. In Ordnung, wenn Sie es aus therapeutischen Gründen tun.«

»Durchaus nicht nur aus ihnen! Ich glaube es wirklich. Die Menschen, die meine Mutter und mich versteckten, all jene, die den Nazis Widerstand leisteten und jeder anderen Art von Verbrechern und jeder anderen Art von Verbrechen und Unrecht und Terror – sind das nicht viele, Herr Gilles? Sie und Ihre Frau haben das Böse gehaßt, Sie haben dagegen gekämpft, nicht nur gegen Nazis. Ich kenne Ihre Bücher.«

»Hören Sie bitte auf!«

»Nein, ich höre nicht auf. Ich bin hierhergekommen, um darüber zu reden. Damals... Ohne Sie und Ihre Frau wäre mein Vater in dieser Bar zusammengeschlagen worden. Sie haben verhindert, daß er elend zugrunde ging. Sie haben für ihn gesorgt. Und da waren Charly und Oskar. Da ist Elfi. Da sind Millionen in der Welt, Herr Gilles. Ihr Freund Gerhard Ganz hat gegen Verbrecher und Verbrechen an der Menschheit gekämpft wie Sie – wie Markus Marvin das tut.«

»Hören Sie, das ist nun doch wohl ein ziemlich kühner Vergleich.«

»Er ist nicht kühn. Die Menschen, die heute den Weltuntergang wissentlich und willentlich herbeiführen für großen Profit, sind ebensolche Verbrecher, wie die Nazis es waren. Markus Marvin ist in Not. Ich muß tun, was ich kann, damit er nicht zu langer Haft verurteilt wird.«

»Langer Haft?«

»Er ist angeklagt des versuchten Totschlags.«

»Was ist denn nun wirklich geschehen?«

»Das erzählen Ihnen Frau Roth und Bolling in Frankfurt. Herr Gilles, jetzt müssen Sie über diesen globalen Skandal schreiben. *Jetzt!* Schon um Marvin zu helfen. Sie kennen die wichtigen Blätter. Von Ihnen wird alles gedruckt.«

»Da bin ich durchaus nicht sicher.«

»Da können Sie absolut sicher sein. Sie müssen mit mir kommen. Es ist sozusagen überlebensnotwendig – eine Formulierung von Professor Ganz. Er hat oft über Sie gesprochen.«

»Warum?«

»Er sah da einen möglichen Weg, die Menschen aufzurütteln. Denn Sie, sagte er, können komplizierte Sachverhalte einfach und spannend erklären. Die Umweltleute – Robin Wood, Greenpeace – haben ungeheuer starke Interessen und Mächte zu Gegnern. Mächte, die es schaffen, daß die Menschen gar nicht oder falsch informiert werden. Umweltschützer lügen oder übertreiben, heißt es dann. Die Menschen kennen die Wahrheit nicht. Nicht, weil sie das nicht wollten, nein, sondern weil wir ihnen nicht richtig erklären können, was vorgeht. *Sie* können das, Herr Gilles.«

»Früher einmal vielleicht. Jetzt nicht mehr.«

»O doch! Ich erinnere mich an viele Gespräche mit Marvin, Bolling, Professor Ganz, Frau Roth. Wir haben das gleiche Problem wie alle unsere Kollegen. Gewiß könnten wir Freunde gewinnen bei gewissen politischen Parteien – aber das wäre dann selbstsüchtiges Interesse, und wir wären abhängig. Deshalb kommt schon gar nicht Unterstützung durch Industrie und Staat in Frage – dann hätten die uns in der Hand, und wir wären jeder Art von Beschwichtigungsmanipulationen ausgesetzt. ›Wir dürfen‹, sagte Professor Ganz immer wieder, ›auf niemanden vertrauen als auf uns selbst. Und wir brauchen jemanden, der die Menschen zu unseren Mitkämpfern macht.‹ Das klingt gräßlich pathetisch, ich weiß. ›Philip Gilles‹, sagte Professor Ganz, ›wenn wir den hätten...‹ Nun haben wir ihn.

Ich sitze vor ihm. Und er wird mit mir nach Frankfurt fliegen und, indem er schreibt, Markus Marvin helfen – und uns allen. Er hat stets schreibend zu helfen versucht, wenn Menschen in Not ihn riefen.«

»Da war ich jünger, liebe Frau Goldstein. Glauben Sie mir, es geht nicht mehr. Ich habe jede Hoffnung verloren.«

»Das ist nicht wahr!«

»Das ist wahr«, sagte Gilles. »Ich muß Ihnen ein Buch zu lesen geben... ›Das Untier‹... Ich bin ein alter Mann, der an nichts mehr glaubt als an das Ende von allem.«

»Sie helfen uns also nicht?«

»Nein.«

»Sie kommen nicht nach Frankfurt?«

»Ich komme nicht nach Frankfurt.«

# 6

Einen Tag später, gegen Mittag des 19. August, traf Philip Gilles im Frankfurter Hof ein. Die Halle bei der Rezeption, sah er, war umgebaut worden, desgleichen ein ganzer Hotelflügel. Sein Appartement war sehr schön, in Schwarz und Weiß gehalten. Er hatte gebadet und war dann wieder hinuntergefahren.

Der Vormittags-Chefportier Günter Bergmann kam ihm entgegen, groß, schlank, elegant – Gilles kannte ihn seit gewiß zwanzig Jahren. Bergmann sprach gedämpft: »Die Herrschaften erwarten Sie in der Großen Halle, Herr Gilles. Erlauben Sie, daß ich Sie begleite.«

Im Frankfurter Hof hatte Gilles schon gewohnt, als der noch eine halbe Ruine war. Hier gehöre ich »zur Familie«, dachte er nun. Meine vielen Freunde in so vielen Hotels, sie alle kannten Linda. Ja, ein wenig wie zu Hause ist es, dachte er, als er neben Bergmann ging. Mein Freund Bergmann.

Die Große Halle war fast leer. Draußen flimmerte heiße Luft. Hier war es kühl. Bergmann brachte Gilles zu einem Tisch in der linken hinteren Ecke, sprach ein paar Worte, lächelte, verneigte sich andeutungsweise und verschwand.

Ein Mann und eine Frau saßen an dem Tisch. Der Mann, der eine Brille trug, stand auf.

»Vielen Dank, daß Sie gekommen sind, Herr Gilles! Ich heiße Peter Bolling. Valerie Roth kennen Sie. Frau Doktor Goldstein treffen wir später. Sie ist zum Gericht gegangen.«

Gilles begrüßte Dr. Roth und setzte sich dann gleichzeitig mit Bolling. Miriam Goldstein hat gesagt, es gibt keinen Zufall, dachte er. Da bin ich also. Um nichts in der Welt wollte ich herkommen. Da bin ich.

Ein Kellner erschien, sie bestellten Tee. Peter Bolling trug das schwarze Haar ganz kurz geschnitten, seine Finger hatten Laugen und Säuren gelblich verätzt. Er war in allem und jedem Markus Marvins Gegenstück: scheu, verschlossen, zurückhaltend, leise.

Die Roth trug ein helles Sommerkleid. Etwas irritierte Gilles. Er starrte sie an.

»Ist was, Herr Gilles?«

»Ihre Augen.«

»Was ist mit meinen Augen?«

»Sie sind grün.«

»Ja, und?«

»Als ich Sie auf Sylt traf, waren sie braun.«

»Das sind sie auch.«

»Sie sagten eben...«

»Contactlinsen«, sagte Valerie Roth. »Erinnern Sie sich nicht? An dem Tag hatte ich meine Contactlinsen verloren und wartete auf neue.«

»Ich erinnere mich«, sagte er. »Aber jetzt sind Ihre Augen grün.«

»Jetzt habe ich grüne Contactlinsen«, sagte sie. »Braune habe ich auch. Und schwarze und blaue. Man bekommt sie in vielen Farben.«

Der Kellner brachte den Tee und servierte.

Bolling räusperte sich heftig. »Also, ganz kurz, Herr Gilles: Paradichlorbenzol. Hauptprodukt – Produzent natürlich in Anführungszeichen – bei uns ist Bayer.« Er atmete plötzlich mühsam. »Außerdem gibt es vier weitere Firmen in der BRD. Das Zeug fällt bei der Chlorierung von Benzol an, ist hochgiftig und krebserregend und müßte natürlich entsorgt werden. Das wäre aber teuer. So wurde Paradichlorbenzol zum Wirtschaftsgut und kommt als Hygieneartikel bei der Geruchsbekämpfung unter die Leute.« Jetzt schnaufte er heftig. »Frau Roth hat Ihnen ja schon eine Menge am Tele...« Bolling stand auf und sagte, nach Atem ringend: »Entschuldigen Sie!« Damit holte er ein Fläschchen aus der Tasche, hielt es an den Mund und ging schnell in Richtung der Garderobe und der darunterliegenden Toiletten.

»Was hat er?« fragte Gilles erschrocken.

»Asthma«, sagte Valerie Roth. »Berufskrankheit. Darum ist er Frührentner mit sechsundvierzig. Hat sich das im Labor geholt. Geht tagelang gut. Dann kommt es wieder. Das sind Corticoide, die er sich jetzt in den Mund sprüht.«

In der Nähe lachten zwei Damen mit Topfhüten beim Verzehr von Torte und Kaffee.

Der Kellner kam vorbei und fragte: »Alles in Ordnung?«

Gilles nickte.

»Ist der Herr krank? Soll ich einen Arzt rufen?«

»Nicht nötig. Vielen Dank«, sagte Valerie Roth und lächelte ihn an.

»Sehr freundlich von Ihnen.«


Typischer Fall von revoltierendem Unterbewußtsein, dachte Bolling. Er saß, durch den Anfall erschöpft, auf einem Hocker des Toilettenvorraumes. Fünf Minuten sehe ich diesen Gilles, schon kriege ich keine Luft mehr. Peinliche Geschichte. Hoffentlich erzählt ihm niemand davon. Passierte, als Ganz wieder mal von ihm schwärmte. Da sagte ich: »Also wirklich, Herr Professor, das können Sie sich schon aus Gründen Ihres Rufes einfach nicht leisten.«

»Was?« fragte Ganz.

»Diesen Gilles.«

»Warum nicht?« fragte die Goldstein.

»Alles, was recht ist«, sagte ich. »Aber Philip Gilles!«

»Red nicht solchen Blödsinn!« sagte Markus Marvin.

»Ist kein Blödsinn«, sagte ich. »Ist die Wahrheit.«

»Hast du *ein* Buch von ihm gelesen?«

»*Buch*?« sagte ich. »Keine einzige Zeile! Und freiwillig werde ich das auch nie tun.«

»Aber du weißt genau Bescheid über ihn, ja?« fragte Marvin.

»Ja«, sagte ich. »Ich interessiere mich schließlich für Literatur, nicht wahr? Was unsere Kritiker über diesen Gilles schreiben, genügt mir. Genügt mir vollkommen!«

Scheußlich peinlich das, also wirklich.


Ein großer Teil des hohen Gebäudes Gerichtstraße 2, in dem sich Landgericht, Amtsgericht und Oberlandesgericht befanden, wurde umgebaut. Sehr viel Lärm gab es hier. Justizvollzugsbeamter Franz Kulicke erzählte dem Pförtner, der gerade Dienst tat, einen Witz.

»Was kriegt eine Frau, die jahrzehntelang Intimspray verwendet, Gustav?«

»Was kriegt sie?« fragte der Pförtner, der Gustav hieß.

»Ein Ozonloch«, sagte Kulicke und lachte so sehr, daß er sich verschluckte.

»Hör auf!« sagte Gustav. »Da ist die Goldstein.« Ein hellgrünes Sommerkostüm trug die zierliche Frau mit dem weißen Haar. Kulicke sprang aus der Portierloge.

»Frau Doktor! Hab' schon auf Sie gewartet! Herr Staatsanwalt Ritt hat gesagt, ich soll Sie führen, wenn Sie kommen.«

»Ich finde schon hin, Herr Kulicke«, sagte Miriam Goldstein.

»Eben nicht!« Kulicke dienerte. »Nie im Leben, Frau Doktor. Das ist vielleicht ein Affentheater bei uns mit der Bauerei! Jeden Tag schlimmer. Heute funktionieren die Aufzüge nicht. Ich muß Sie wirklich führen. Darf ich bitten?« Sie gingen einen langen Gang hinab. Kulicke konnte keine zehn Sekunden schweigen, sein Tick.

»Kennen uns so lang und so gut, Frau Doktor. Sind mir nicht böse, wenn ich was sage.« Das war keine Frage, das war eine Feststellung.

»Natürlich nicht, Herr Kulicke«, sagte Miriam. Sie hatte so etwas erwartet, als sie den älteren Mann beim Eintreten sah.

»Ganz bestimmt nicht böse?«

»Ganz bestimmt nicht, Herr Kulicke.«

Er legte los: »Sie kommen wegen diesem Markus Marvin, ich weiß. Sage ich kein Wort, kein einziges Wort. Sind sein Anwalt. Können sich Ihre Kunden nicht aussuchen. Alles klar. Alles in Ordnung. Aber ich meine: Das ist doch ein Spinner mit seinem verdreckten Wasser und seiner vergifteten Luft und alldem! Sie können sich's nicht aussuchen, sage ich ja. Aber wenn Sie mich fragen, Frau Doktor, also mir hängt das jetzt schon meterweit zum Hals heraus, dieses Gejammere und Geseiere, daß wir die Welt kaputtmachen. Ist doch alles nicht wahr! Lauter Lügen von den Roten und den Grünen. Nur Angst verbreiten wollen die. Erinnern Sie sich an den Wirbel nach Tschernobyl, Frau Doktor? Also, das war ja schon kriminell, was die sich da geleistet haben! Angeblich alles verstrahlt, nix mehr sollte man essen, Kinder nicht im Sand buddeln lassen, rennen, wenn es regnet – der ganze Mist. Komplett erstunken und erlogen. Sie kennen die Werte, die das Innenministerium rausgegeben hat, so gut wie ich, Frau Doktor. Normal. Völlig normal.« Miriam Goldstein wußte, daß er nicht zu stoppen war. Sie bog an seiner Seite in einen anderen Gang ein.

»Oder das Waldsterben! Haben Sie mal gesehen, wie intakt die Wälder entlang den Autobahnen sind? Aber nein, Tempo hundert höchstens, schreien die Linken, und Katalysator auch noch! Was soll denn unsere Autoindustrie machen mit ihren guten, schnellen Wagen? Wo sind denn Wälder kaputt, wenn überhaupt? Doch da, wo nie ein Auto hinkommt. Saurer Regen, sagen sie. Auch so eine Lüge. Kommt doch nie saurer Regen auf die Autobahnen! Die Schweizer, das sind vernünftige Leute. Lassen sich nicht verrückt machen. Haben eine Auto-Partei. Eine Partei, die sich um die Rechte der Autofahrer kümmert. Finde ich prima, einfach prima. In der Schweiz gibt es solche Aufkleber. Ich habe mir einen besorgt. Und auf die Heckscheibe von meinem Wagen geklebt. Steht drauf: MEIN AUTO FÄHRT AUCH OHNE WALD!« Er lachte herzlich. »Gut, was?«

»Hm.«

»Oder die toten Fische«, fuhr Justizvollzugsbeamter Kulicke animiert fort. »Ich habe einen Professor gefragt, der sitzt wegen – Gott behüte, das darf ich nicht sagen! Also, der hat mir erklärt, das mit den Fischen ist völlig normal. Auch mit den Robben und den anderen Tieren. Jetzt erst mal diese Treppe rauf, wenn ich bitten darf. Die Natur in ihrer Weisheit reguliert alles. Waren wieder mal zu viele Fische und Robben und andere Tiere da, deshalb sind die, die zuviel waren, gestorben. Ein Prozeß, sagt der Herr Professor, für den wir auf Knien dankbar sein müssen. Auf Knien! Immer weiter hoch die Treppe, ich sage ja, Sie würden nie allein hinfinden zu Staatsanwalt Ritt! Auch das mit dem Klima ist reine Propaganda. Solche Schwankungen hat es seit Millionen Jahren immer wieder gegeben. Absolut natürlich. *Notwendig*! sagt der Herr Professor. Und dann der Unsinn mit dem Ozonloch! Kennen Sie schon den Witz, was kriegt eine Frau – Herrjesses, verzeihen Sie! Kommt, weil ich mich so aufregen muß, wenn ich an diese Roten und Grünen bloß denke. Nicht eingreifen dürfen wir in die jahrmillionenalten Reguliermethoden der Natur, sagt der Herr Professor. Jetzt rechts! Oder das mit der Luftverschmutzung. Reine politische Hetze. Diese Verbrecher, die *wollen* doch das Chaos, die *wollen* eine ruinierte Industrie, ein paar Millionen Arbeitslose mehr. Und dann los mit dem Kommunismus! Ist doch wahr! Ich meine, so ein Professor, so ein hochgebildeter Mann, der weiß doch, wovon er spricht, nicht?«

Bolling kam in die Hotelhalle zurück. Er war verlegen, als er sich setzte.

»Sie haben gehört, was mit mir los ist?« Er sah Valerie Roth kurz an.

»Ja«, sagte Gilles.

»Andern geht's schlimmer. Also: Die Pinkelsteine geben bei Benützung das Gift frei, es kommt in die Abwässer und bleibt im Klärschlamm hängen. Nicht abbaubar. Der Klärschlamm landet zu vierzig Prozent als Dünger auf den Feldern und somit in der Nahrungsmittelkette. Der Rest kommt auf Deponien oder in Verbrennungsanlagen. Beim Verbrennen entsteht Dioxin. Ist Ihnen ein Begriff? Seveso?« Gilles nickte. »Das ärgste Gift überhaupt. Aber sehen Sie, es bringt als Handelsware sehr viel Geld. Auch bei der sogenannten Stallhygiene.«

Die Damen mit den Topfhüten nebenan lachten wieder. Der Kellner servierte ihnen gerade zwei weitere Stücke Schwarzwälder Kirschtorte.

»Bauern wollen, daß es in ihren Ställen nicht stinkt. Kühe sollen auch nicht im Gestank stehen. Wir wollen Milch von glücklichen Kühen. Wenn so ein Stall ausgespritzt wird, dann ist im Reinigungswasser auch jede Menge Paradichlorbenzol drin. Die Bauern sind froh, die Kühe sind froh, und das Paradichlorbenzol geht ins Grundwasser und in unsere Lebensmittel. Das Ganze ist bei weitem nicht die größte Sauerei – bei weitem nicht! –, aber es ist eine ganz hübsche. Vor allem, wenn man bedenkt, wie viele andere derartige ›Wirtschaftsgüter‹ noch im Handel sind.«

Valerie Roth sagte: »Und dieser Hilmar Hansen stellt das Zeug her, verstehen Sie, Herr Gilles. Für die Klos, für die Leichen und für die Ställe. En gros! Seit langer Zeit. 1984 gab's eine kleine Unannehmlichkeit. Das Fernsehmagazin ›Monitor‹ brachte einen Beitrag, in dem auf die Gefährlichkeit der Pinkelsteine hingewiesen wurde.«

Gilles überlegte, was eine Frau wohl veranlaßte, dauernd die Farbe ihrer Augen zu ändern.

»Gab es einen Skandal. Die Leute hatten Angst vor dem Zeug. Hansen und andere suchten eine neue Chemikalie und klebten auf ihre Produkte einen Zettel: ›Dieses Präparat enthält kein Paradichlorbenzol.‹«

»Ich verstehe«, sagte Gilles. »Und warum sitzt Marvin?«

»Warten Sie!« Bolling redete jetzt freier. Scheint ein ganz ordentlicher Mann zu sein, dieser Gilles. Mieser Autor vielleicht natürlich trotzdem. »Warten Sie! Herr Hansen produzierte nach wie vor Paradichlorprodukte. Aber selbstverständlich! Wenn so etwas in Europa nicht mehr geht, gibt's immer noch die Dritte Welt.«

»Sie meinen, das Zeug wird jetzt einfach nur anderswo verkauft?«

»Herr Gilles, blauäugig ist ja ganz schön«, sagte Dr. Roth, die gerade grünäugig war. »Aber nicht übertreiben! Weiß doch wirklich jedes Kind, was aus der hungernden, darbenden, elenden Dritten Welt noch an Abermilliarden rauszuholen ist.«

»Fein«, sagte er. »Wollte mal einen Roman schreiben über die Dritte Welt. All die Hilfsorganisationen. Brot für arme Menschenbrüder und so weiter.«

»Gut, daß Sie's gelassen haben«, sagte Bolling. »Ist eben erst wieder ein deutsches Entwicklungshilfeschiff vor Somalia aufgebracht worden. Voll mit Waffen. Sie haben's sicher gelesen. Uralte Sitten und Gebräuche. Devise: Schiffe mit Reis. Unterm Reis die Maschinengewehre.«

»Ja, ja, ja«, sagte Gilles. »Große Schweinerei. Dürfte ich nun vielleicht endlich erfahren, warum Marvin sitzt?«

»Geht überall so«, sagte Valerie Roth, von Empörung überwältigt. »Nehmen Sie Amerika! Dort wurden Gesetze erlassen, nach denen sind Spraydosen verboten. Alle Arten von Spraydosen. Großartig, wie? Verglichen mit dem Saustall bei uns. Nicht ganz so großartig. Denn natürlich produzieren die Amis weiter alle Arten von Sprays. Und exportieren sie in Länder, in denen sie nicht verboten wurden.«

»Wenn wir schon dabei sind, Sie über das Grundsätzliche aufzuklären, Herr Gilles«, sagte Bolling, »Sie können davon ausgehen, daß wir in einer Welt leben, die von Dummköpfen und Verbrechern zerstört wird. Die Dummköpfe bilden die viel kleinere Gruppe. Allgemein gesprochen: Kein Mensch ist auch nur um einen Groschen besser, als er sein muß. Gut, wenn Sie sich das als ›Bollings Gesetz Nummer eins‹ von Anfang an merken. Valerie und ich haben wieder und wieder Anzeigen gegen diesen Kerl Hansen erstattet und Prozesse geführt, die letzten mit Markus' Unterstützung. Alle verloren.«

»Darum brauchen wir ja Sie, Herr Gilles«, sagte die Roth. »Es ist wie mit den Zehn Geboten.«

»Bitte?«

»Nun ja«, sagte sie. »Die haben doch nie funktioniert. *Konnten* nicht funktionieren. Moses hat da total versagt. Die Zehn Gebote hätten ganz anders verkauft werden müssen.« Sie lachte kurz.

»Es gibt da ein Totschlagargument bei uns«, sagte Bolling.

»Ein was?«

»Totschlagargument. Mit seiner Hilfe darf man einfach alles machen, und nichts darf verboten oder auch nur eingeschränkt werden. Dieses Totschlagargument lautet: Da gehen Arbeitsplätze verloren. Frieden zum Beispiel gefährdet Arbeitsplätze. Also liefern wir U-Boot-Blaupausen für Südafrikas Rassistenregime. Tornado-Jagdbomber an Israels Nachbarn Jordanien. Atomanlagen für Pakistan. Müssen wir tun, sonst...«

»... gehen Arbeitsplätze verloren«, sagte Gilles. »Ganz klar. Verstehe vollkommen. Beeindruckende Logik. Wenn Sie nun endlich die Freundlichkeit hätten, mir mitzuteilen, warum Marvin sitzt.«

»Das hängt alles damit zusammen!« rief Valerie Roth. »Lassen Sie es uns doch auf unsere Weise erklären, Herr Gilles! Damit Sie am besten verstehen, was Markus tat.«

»Bitte sehr. Wie immer Sie es für richtig halten, Frau Doktor Roth.«

»Wir müssen auch weiter für irrsinnige Summen Steinkohle fördern und irrsinnig viel Energie erzeugen und die Luft mit Kohlendioxid verpesten. Gruben stillegen? Kommt nicht in Frage! Gehen Arbeitsplätze verloren! Kein einziges AKW dürfen wir runterfahren oder nur daran denken, mit der Atomenergie ganz aufzuhören. Arbeitsplätze gingen verloren!« sagte Valerie Roth. »Ausländer raus! Nehmen Deutschen deutsche Arbeitsplätze weg. Deutsche Arbeitsplätze nur für Deutsche! Keine Ausländer mehr rein! Brutale Gesetze? Nieder mit dem unnatürlichsten aller menschlichen Laster: der Barmherzigkeit! Sie kostet Arbeitsplätze.«

»Einer hinterzieht Steuern«, sagte Bolling. »Milliarden! Hätte er nicht hinterzogen, hätte sein Werk Pleite gemacht, sagt er. Wären ganz unheimlich viele Arbeitsplätze verlorengegangen. Hoch klingt das Lied vom braven Mann.«

»Arbeitsplätze«, sagte Valerie Roth, »die muß man sichern. Und wenn man mit den Arbeiten an diesen Plätzen noch soviel Unheil anrichtet. Wenn man dieser Welt den Rest gibt – ganz richtig so! Ganz in Ordnung so! Zweieinviertel Millionen Arbeitslose haben wir. Werden wir niemals mehr wegkriegen, werden immer mehr werden, sagen die Experten. Lächerlich! Wir lösen auch dieses Problem. Wir zerstören die Erde derart, daß die Menschen wie Fliegen sterben durch vergiftete Luft, vergiftetes Wasser, vergiftetes Essen.«

»Und dank dieser genialen Methode gibt es immer weniger Arbeitslose und immer mehr Arbeitsplätze. Zuletzt wird es überhaupt keine Arbeitslosen mehr geben«, sagte Bolling, »und ungeheuer viele freie Arbeitsplätze. Soll erst mal einer draufkommen auf so was!«

»Der größte Umweltverbrecher ist kein Verbrecher, wenn er für Arbeitsplätze sorgt«, sagte Valerie Roth, und ihre grünen Contactlinsen funkelten.

»Deshalb muß der, der so ein Verbrechen aufdeckt, vernichtet werden – *er*, nicht der Verbrecher!« sagte Bolling.

»Diese Welt«, fuhr er verbissen fort, »diese Welt könnte anders aussehen. Wir könnten längst auf alternative Energieformen umsteigen. Auf Sonnenenergie zum Beispiel. Geht das? Das geht eben nicht! Das sind ›unausgereifte Systeme‹. Arbeitsplätze in Gefahr! Kommt also überhaupt nicht in Frage.«

»Sonnenenergie?« fragte Gilles.

»Ja!« sagte Dr. Roth. »Die einzige Art von Energie für die Zukunft – wenn's eine solche noch geben soll. Aber mit dem Arbeitsplätzeargument ist eben wirklich alles totzuschlagen. Darum durfte Hansen ja auch sein Zeug in die Dritte Welt exportieren. Stellen Sie sich vor, er hätte zumachen müssen! Die Arbeitsplätze, Herr Gilles! Ein erhaltener Arbeitsplatz ist tausendmal wichtiger als ein gesunder Arbeiter, wichtiger als der Klimaschock, wichtiger als das Ende der Welt. Deshalb haben wir natürlich auch unseren letzten Prozeß gegen Hansen wieder verloren. Markus war total verzweifelt.«

»Jetzt noch diese Treppe rauf, Frau Doktor, dann haben wir's gleich geschafft«, sagte der Justizvollzugsbeamte Franz Kulicke, dem ein einsitzender Professor, ein hochgebildeter Mann, erklärt hatte, daß dieses ganze Affentheater um Klimaschock und Umweltverschmutzung und Temperaturanstieg zum Repertoire der grünen und roten Hetzer gehöre, die Industrie, Wirtschaft und Staat, einfach alles, ruinieren wollten. »Hat sich einiges geändert bei uns, was? Platzen aus allen Nähten. Vor zehn Jahren!« Kulicke lachte. »Du liebes Gottchen! Und heute! Dieser Spinner, Ihr Markus Marvin – Sie sind wirklich nicht böse? –, der sitzt draußen in Frankfurt-Preungesheim. Riesen-U-Haftanstalt, also wirklich! Sie kennen sie nicht, wie? Dachte ich mir. Eine für Männer, eine für Frauen. Derselbe Eingang – Homburger Straße einhundertzwölf. Vielleicht zwei Kästen! Da, wo jetzt die Frauen sind, war mal die Gestapo. Und wenn sie alles zu Klump bombardieren – Gefängnisse bleiben immer heil bei uns. Die Richter hier und die Staatsanwälte, die meisten jedenfalls, waren noch nie in Preungesheim. Komisch, nicht? Werden jetzt richtige Führungen veranstaltet da draußen für alle hier. Damit die mal sehen, wie es aussieht in so einer U-Haftanstalt. Sonst... wenn mit einem Untersuchungshäftling gesprochen werden soll, da haben wir den Pendelverkehr. Grüne Minnas. In so was wird dann einer wie der Marvin reingesteckt, meistens mit einer ganzen Partie, und die Minna bringt ihn hierher zum Staatsanwalt, und wenn der fertig ist mit ihm, bringt die Minna ihn und den Rest von der Partie wieder zurück nach Preungesheim. Sehr beliebt bei den U-Häftlingen. Kommen sie doch immer mal wieder raus aus dem Bau und in die Stadt. Kleine Abwechslung, nicht? Verdienen tun sie's nicht, die Ganoven! Aber wir leben ja in einer Demokratie, nicht? Schöne Demokratie! Längst nötig, daß da einer kommt und Ordnung schafft bei uns!«

»Wie krankenhausreif hat Herr Marvin Herrn Hansen denn geschlagen?« fragte Gilles.

»Ziemlich«, sagte die Roth.

»Was heißt ziemlich?«

»So an die vier, fünf Wochen stationär.«

»Hut ab«, sagte Gilles. »Man muß natürlich bedenken, daß er sehr verzweifelt war. Und wo hat er das fertiggebracht?«

»Bei Hansen daheim«, sagte Bolling. »Ins Werk hätten sie ihn nie reingelassen. Das Mädchen, das ihm öffnete, wußte von nichts. Also ging Markus dahin, wo er Stimmen hörte, und im Wohnzimmer fand er Hansen und zwei leitende Angestellte. Sie hatten eine Besprechung. Hansen wollte Markus sofort rauswerfen lassen, aber das klappte nicht. Das brachten auch die drei Mann nicht fertig. Er ist sehr stark, unser Markus.«

»Hatte drei Leute gegen sich«, sagte die Roth. »Die beiden Angestellten trat er immer wieder weg, und diesen Hansen schlug er zusammen. Dabei wurden auch unfreundliche Worte gewechselt. So kam es zur Anklage der versuchten Körperverletzung mit Todesfolge.«

»Wieso?«

»Na ja, Markus schrie: ›Dich bringe ich um!‹«

»Hat das natürlich nicht so gemeint«, sagte Bolling.

»Sind Sie sicher?«

»Herr Gilles!« Valerie Roth schüttelte den Kopf. »Sie kennen Markus. Er ist leicht erregbar und äußerst sensibel.«

»O ja«, sagte Gilles.

Ernst sagte Bolling: »Ein sensibler Idealist. Würde nicht dauernd seine Existenz aufs Spiel setzen, wenn er anders wäre. Sehen Sie, Herr Gilles, darauf will Frau Doktor Goldstein jetzt beim Staatsanwalt hinaus. Markus hat als Dokumentarfilmer und bei der Behörde so viele Nackenschläge erhalten, derart viel Gemeinheit gesehen, derart viel durch Habsucht erzeugte Zerstörung von Natur und

Mensch und Tier, daß er sich einfach nicht mehr so betragen kann, wie das am englischen Hof üblich ist. Wo Gewalt herrscht, da hilft nur Gewalt, das hat er erkannt.«

»Hat schon Brecht erkannt«, sagte Gilles.

»Bitte!« sagte die Roth. »Ein so großer Dichter! Markus griff Hansen aus objektiv ehrenvollen Motiven an. Hansen ist einer von so vielen Unternehmern, denen kein Staatsanwalt ein Haar krümmt. Darum ist nicht weniger verwerflich, was er tut. Am verwerflichsten ist die Haltung des Staatsanwalts oder jener Instanzen, die dem Staatsanwalt Weisung geben, nichts zu tun.«

»Daß Hansen dann auf den Boden knallte, ist besonderes Pech gewesen«, sagte Bolling. »Dadurch sind nämlich die meisten seiner Verletzungen entstanden.«

»Was hat er denn für Verletzungen?« fragte Gilles.

»Na ja«, sagte Bolling, »also drei gebrochene Rippen, zwei ausgeschlagene Zähne, Hämatom am linken Auge, Schlüsselbeinbruch, Bänderriß am rechten Sprunggelenk, viele Blutergüsse.«

»Beeindruckend«, sagte Gilles. »Hatte Herr Hansen wirklich eine Menge Pech.«


Miriam Goldstein war etwas außer Atem, als Kulicke endlich vor einer Tür stehenblieb und sagte: »Da wären wir, Frau Doktor!« An der Tür sah sie ein kleines Schild, auf dem stand: ELMAR RITT – STAATSANWALT.

Kulicke klopfte, und sie traten in ein Wartezimmer. Die Tür zu dem Büro des Staatsanwaltes war angelehnt. Man hörte eine Männerstimme. Offenbar telefonierte Ritt gerade.

Kulicke trat vor und meldete die Ankunft von Frau Doktor Goldstein.

»Nur zwei Minuten«, sagte die Stimme. »Sie möchte bitte Platz nehmen.«

»Zwei Minuten«, sagte Kulicke, zu Miriam gewandt. »Sie möchten...«

»Hab's gehört«, sagte sie und setzte sich.

»Ja, also dann tschüß, Frau Doktor!« sagte Kulicke und verschwand. Die Tür fiel hinter ihm ins Schloß. Miriam saß auf einem mit Kunstleder überzogenen Sessel und hörte die wütende Stimme nebenan...

».... ›*Ariertest*‹ heißt das Zeug, Herr Oberstaatsanwalt... jawohl, ›*Ariertest*‹! Wir führen ein Ermittlungsverfahren wegen Volksverhetzung. Leider bislang gegen ›Unbekannt‹. Wir haben auch bereits einen Beschlagnahmebeschluß für die Software dieses – ich weigere mich zu sagen: Spiels – erwirkt... Ja, das scheint bei Ihnen in München genau dasselbe zu sein wie bei uns hier in Frankfurt... Bitte? ... Also, was *wir* beschlagnahmt haben, das sind achthundertvierundsechzig heimlich vertriebene Disketten für Heimcomputer. Die einfachsten Geräte, die jedes Kind bedienen kann. Beim ›Ariertest‹ soll eine Punktezahl ermittelt werden, die sich durch die Beantwortung von zwanzig Fragen ergibt – etwa der nach dem Geburtsort, oder der Haar- und Augenfarbe, ob man NSDAP, Jüdische Volkspartei oder Grüne wählt.« Die Stimme des Staatsanwalts wurde immer lauter. »Bei solchermaßen elektronisch aufgespürten ›Juden‹ sieht dieses dreckige Machwerk die ›Vernichtung im KZ‹ vor, bei gewissen ›Mischlingen ersten und zweiten Grades‹ die Entsendung an die Ostfront. Bei Erreichung des ›Vollariers‹ taucht auf dem Computerschirm dieser Text auf: ›Sieg Heil! Solche Männer wie Dich braucht der Staat!‹«

Ich glaube an das Gute im Menschen, dachte Miriam Goldstein. Plötzlich war sie sehr verzweifelt. Du darfst nicht verzweifelt sein, sagte sie zu sich. Nie. Du darfst nie deinen Glauben verlieren. Niemals.

Unterdessen sprach die Stimme nebenan weiter: »Die Bundesprüfstelle in Bonn hat diesen ›Ariertest‹[4] als jugendgefährdend auf die ›Schwarze Liste‹ gesetzt... Nein, der Besitz der Diskette ist nicht strafbar, da haben Sie recht, Herr Oberstaatsanwalt. Nur die Herstellung und Verbreitung. Und die läuft geheim. Wir haben noch keine einzige Spur. *Ein* einziger besorgter Vater hat uns eine solche Diskette zukommen lassen... anonym... Die achthundertvierundsechzig fanden wir in einem Depot. Niemand kann oder will uns dort Auskunft geben... Wie groß die Gesamtmenge der ›Ariertests‹ in Deutschland ist, weiß kein Mensch. Wir haben einen Aufruf veröffentlicht: Wer etwas über die Verbreiter weiß, möge sich bei uns melden... Auch bei Ihnen, gut! Ich notiere, Herr Oberstaatsanwalt... Ja, für die Presse hier... Es wird ersucht, sich in Bayern mit der Staatsanwaltschaft München I an der Nymphen-

burger Straße, Telefonnummer 52041, in Verbindung zu setzen...
Gewiß, Herr Oberstaatsanwalt, ich veranlasse das sofort...«
Miriam hörte, wie ein Sessel zurückgeschoben wurde. Schritte
näherten sich. In der Bürotür erschien ein schlanker junger Mann.
Er hatte ein gutes, offenes Gesicht. Die Haut war stark gerötet. Air-
condition lief, doch Staatsanwalt Ritt schien es dennoch heiß zu
sein. Er trug eine Leinenhose und ein rotes, kurzärmeliges Sport-
hemd.
»Frau Rechtsanwältin...«
Miriam stand auf.
»Sie haben alles mit angehört?«
»Ja.«
»Ist das nicht eine Infamie?«
»Gewiß.«
»Eine hundsgemeine Infamie«, sagte Ritt. Er war sehr erregt.
Miriam verlor doch die Beherrschung. »Erstaunt Sie so etwas
noch?«
Er starrte sie an. »Wie?«
»Nichts«, sagte sie. »Es ist infam. Sie haben recht.« Hier steht ein
anständiger Mensch, dachte sie. Du darfst ihn nicht entmutigen.
Niemanden darfst du entmutigen. Niemals. Und selbst darfst du
niemals den Mut verlieren. Wenn du das tust, bist du verloren.
Diesem Mann ist heiß vor Zorn, dachte sie. Das Gute im Menschen?
Ja, ja, ja, dachte sie und ballte die kleinen Hände zu Fäusten. Das
Gute im Menschen!
»Bitte, kommen Sie herein, gnädige Frau!« sagte Staatsanwalt Ritt.
Sie folgte ihm in ein kleines Büro, das nur ein Fenster hatte.
Während er sich hinter einen mit Akten vollgeladenen Schreibtisch
setzte, fragte er – und die ganze Zeit über dröhnten in der Nähe
Preßlufthämmer: »In was für einem Land leben wir?« Er schlug auf
die Schreibtischplatte und fluchte wüst. »Verzeihen Sie, Frau
Rechtsanwältin«, sagte er danach und sah unglücklich aus. »Als ich
im Frankfurter Hof anrief, waren Sie schon fort.«
»Ich bin das Stück hierher zu Fuß gegangen«, sagte sie. »Warum
haben Sie angerufen?«
»Um Ihnen den Weg zu ersparen.«
»Verstehe ich nicht. Wir wollten doch über Markus Marvin sprechen.«

»Hat sich erledigt.«

»Bitte?«

»Hat sich erledigt«, sagte Elmar Ritt. »Herr Hansen ließ aus dem Krankenhaus durch seine Anwälte bestellen, daß er Herrn Marvin nichts nachträgt und sich nicht geschädigt fühlt. Den Satz ›Dich bringe ich um!‹ habe Herr Marvin nicht gesagt. Im gleichen Sinn äußerten sich vor einer halben Stunde die beiden Mitarbeiter von Herrn Hansen.«

Miriam starrte den Staatsanwalt an.

»Und ausgeschlagene Zähne, Schlüsselbeinbruch, Bänderriß, gebrochene Rippen und Blutergüsse – das alles steckt dieser Hansen einfach so weg?«

»Das alles steckt dieser Hansen einfach so weg.«

»Und vier, fünf Wochen Krankenhausaufenthalt dazu.«

»Und vier, fünf Wochen Krankenhausaufenthalt dazu«, sagte Ritt.

»Natürlich stinkt da was!« brüllte er plötzlich. »Verzeihen Sie, Frau Rechtsanwältin!«

»Sie sind mit den Nerven runter«, sagte Miriam.

»Sie nicht?«

»Ach Gott«, sagte Miriam. »Ich bin viel älter als Sie. Ich habe die Zeit des Brüllens hinter mir.«

»Glaube ich nicht«, sagte er.

»Natürlich werden Sie die Attacke meines Mandanten dennoch rechtlich zu würdigen haben.«

»Natürlich«, sagte er. »Auch wenn es keinen Kläger gibt, klar. Aber das mit dem versuchten Totschlag können wir vergessen. Eine Geldstrafe wird es geben.« Das Telefon läutete. Ritt hob ab und meldete sich.

Gleich darauf stand er auf.

»Wann?« fragte er mit völlig veränderter Stimme. Er lauschte, dann: »Mordkommission verständigt?« Wieder eine Pause. »Das weiß ich auch nicht, wie das möglich war!« schrie er wieder los. »Klar komme ich raus! Sofort!« Er knallte den Hörer hin und nahm eine Jacke vom Haken.

»Was gibt's?« fragte Dr. Miriam Goldstein.

»Markus Marvin ist tot«, sagte Elmar Ritt. »Gift im Essen.«

## 7

Und es begab sich in jenen Tagen ...

Erste Umweltkatastrophe in der Antarktis: In der Bismarckstraße, nahe der Nordspitze der Antarktis, sank das mit neunhunderttausend Litern Dieselöl beladene argentinische Schiff »Bahia Paraiso«. In den folgenden Tagen begann ein Massensterben unter sämtlichen Jungvögeln, weil die Eltern in dem ölverseuchten Wasser kein Futter mehr finden konnten. Auch Pinguinbrutplätze waren von dem Ölteppich eingeschlossen, die Tiere zu Zehntausenden zum Tode verurteilt. Wissenschaftler sagten voraus, Pflanzen- und Tierwelt in dem Gebiet werden – wenn überhaupt je – wegen der extremen Kälte mindestens hundert Jahre brauchen, um sich zu erholen.

Infolge anhaltend hoher Schadstoffbelastung der Luft erließ die Stadt Genf zunächst eine Woche lang ein Teilfahrverbot für Autofahrer. Wagen ohne Katalysator mußten abwechselnd je nach gerader und ungerader Autonummer einen über den anderen Tag in der Garage bleiben.

Die sowjetische Zeitung »Sozialistitscheskaja Industrija« meldete, Luft und Trinkwasser in Moskau seien »chronisch« verschmutzt. Die Konzentration von Stickoxid liege in der Hauptstadt der UdSSR dreißig Prozent über den maximal zulässigen Normen, die Menge an Kohlenmonoxid überschreite die »Sicherheitsnormen« gar um das Doppelte. Moskaus Wasser eignet sich nach diesen Angaben nicht mehr zum Trinken.

Seit mehr als einem Jahr hat man in Mailand nur ein paar Millimeter Regen gemessen. Nebel umhüllt die Eindreiviertelmillionenstadt. Eine Inversionswetterlage ohne Luftzug hat eine dichte Staubwolke über der Stadt zur Folge. Zwei Drittel der Menschen tragen Schutzmasken, Polizisten weigern sich, ihre Mundfilter zu lüften, um Auskunft zu geben. In Schulklassen herrscht, der Masken wegen, nur noch unverständliches Gemurmel. An Hauswänden kleben

Plakate mit Aufrufen, die Heizungen zu drosseln. Radio und Fernsehen geben Hinweise zum Schutz der Gesundheit. An der Peripherie verweigern Polizisten allen Autos ohne Mailänder Kennzeichen die Einfahrt.

Das Fernsehen zeigte Bewohner der Stadt:

»Mein Gekrächze«, sagt der Portier im »Hotel dei Fiori« an der Ausfahrt zur Blumenautobahn Richtung Riviera, »kriege ich schon seit einem halben Jahr nicht mehr los.«

Der Kioskinhaber hinter der Scala: »Ich fühle mich jeden Tag sauschlecht. Wie soll ich wissen, ob heute besonders viel Dreck in der Luft liegt?«

Andenkenverkäufer in der verkehrsfreien Zone am Dom zeigen offene Wunden und Pusteln auf der Haut.

Einer mit Ausschlag:

»Der Dreck kommt von oben nach unten, der kriecht auch die gesperrten Straßen entlang – und das meiste kommt sowieso von den Schloten der Fabriken.«

Schrie einer auf vor Zorn?

Schrie einer auf vor Angst?

Ach wo.


Die Radioaktivität im Umfeld der Plutoniumfabrik Windscale – heute aus PR-Gründen umbenannt in Wiederaufarbeitungsanlage Sellafield – in Nordwestengland übersteigt die zulässigen Sicherheitsnormen um das Fünffache. Diesen Vorwurf erhob die Umweltorganisation »Freunde der Erde« auf Grund von Bodenproben aus der Nähe des Esk-Flusses. Dabei ergab sich ein hoher Gehalt an Cäsium, Americium 241 und eine erhebliche Gammastrahlung. Keinerlei Maßnahmen von seiten der Behörden.


Zweieinhalb Jahre nach der Reaktorkatastrophe von Tschernobyl hat sich die Zahl der Krebserkrankungen in den damals nicht evakuierten Gebieten rund um das Atomkraftwerk verdoppelt – das meldete die sowjetische Nachrichtenagentur TASS. Immer noch liegt die Strahlung um ein Vielfaches über dem Erlaubten. Ein alarmierender Anstieg von Fehlgeburten und Mißbildungen bei Kindern und Haustieren wird beobachtet.

Originalton der österreichischen TV-Hauptabendnachrichtensendung »Zeit im Bild«. Sprecherstimme: »Auch die tschechischen Behörden geben erstmals offen eine Naturkatastrophe zu. Bisher waren verseuchtes Grundwasser und sterbende Wälder keine Themen. Nun gibt es Berichte und Untersuchungen über den Zustand von Flora und Fauna im Riesengebirge, und die sind erschreckend. Die Rede ist da von ›bereits toten Wäldern‹.«

Der bundesdeutsche Umweltminister Klaus Töpfer spendete dem »Kölner Kasper« Werner Bach, Chef der Höhenhauser Puppenspiele, zweihundert Mark pro Vorstellung (bei zweihundert Vorstellungen pro Jahr), weil Bach an Schulen und Kindergärten, in Kaufhäusern und Vereinen für eine saubere Umwelt wirbt. Zur Zeit ist Bach, seit über dreißig Jahren im Geschäft, mit einem Sechzig-Minuten-Stück »Der lustige Mülleimer« auf Tournee. Textauszug:

> »Abfall, Papier und Dreck
> werfen wir nicht in die Eck,
> werfen wir nicht auf die Straß,
> das macht uns keinen Spaß.
> In den Eimer mit dem Schmutz,
> dann bist du gut im Umweltschutz!«

# 8

Die Sirene des Funkstreifenwagens heulte.
Er raste über die Eschenheimer Anlage ostwärts, dann scharf links ein weites Stück die Friedberger Landstraße nach Norden hoch, an dem schier endlosen Hauptfriedhof vorbei, links hinein in die Gießener Straße und schließlich die parallel zu ihr verlaufende Homburger Landstraße entlang. Das war schon der Stadtteil Preungesheim, da waren schon die Riesenbauten der Untersuchungshaftanstalt, links die Abteilung für Männer, rechts die für Frauen.
Das große Eingangstor war geöffnet. Der Streifenwagen fuhr in den mittleren Hof und hielt an. Die Sirene starb ab. Staatsanwalt Elmar

Ritt sprang ins Freie. Er trug jetzt eine weiße Jacke über dem roten Polohemd.

Fünf weitere Funkstreifenwagen standen im Hof, neben ihnen etwa zwei Dutzend Polizisten. Manche trugen Maschinenpistolen. Auch ein Leichentransporter und ein Gerätewagen des Erkennungsdienstes parkten da. Die Flügel des Eingangstores hatten sich bereits wieder lautlos geschlossen. Ein junger Mann kam aus dem großen Gebäude. Er trug vorsichtig zwei Plastiktüten, deren Inhalt Ritt nicht erkennen konnte, und ging zum Wagen des Erkennungsdienstes.

»Tag, Herr Ritt.«

»Tag. Wer ist Chef der Mordkommission?«

»Hauptkommissar Robert Dornhelm. Freund von Ihnen, nicht?«

»Ja. Wo finde ich ihn?«

»Im Büro des Direktors. Zitronenfalter.«

»Was ist los?«

»Da tanzt ein Zitronenfalter.« Der junge Mann lächelte versonnen. Ritt rannte durch das Portal der Untersuchungshaftanstalt.

1932 gab es in Deutschland sechs Millionen Arbeitslose, und darum hatte Hitler (»Ich gebe euch Arbeit und Brot!«) so großen Zulauf. Er wäre vermutlich dennoch nicht an die Macht gekommen, wenn Sozialdemokraten, Kommunisten und Liberale gemeinsam gegen ihn gestanden hätten. Tragischerweise waren indessen gerade die Linksparteien untereinander zutiefst zerstritten. Täglich kam es im ganzen Land zu Straßenkämpfen. Sieger waren meistens die Nazis, und es gab viele Tote und Verletzte.

Unter den sechs Millionen ohne Arbeit war auch Paul Dornhelm, Feinmechaniker in Frankfurt. Er hatte eine Frau und einen zweijährigen Sohn, Robert, und es ging der Familie elend. Oft gab es nicht genug zu essen. Immer wieder konnten das elektrische Licht, das Gas und die Heizung nicht bezahlt werden und wurden deshalb häufig gesperrt. Roberts Vater war sehr verzweifelt.

Am Abend des 9. Mai 1932 ging er fort. Er sagte nicht, wohin er ging, und er kam niemals wieder. Die Mutter erstattete auf dem nächsten Polizeirevier eine Vermißtenanzeige, und der Vater wurde lange gesucht – vergebens.

Niemals konnte geklärt werden, ob Paul Dornhelm im Verlauf einer Straßenschlacht das Leben verloren hatte und beseitigt worden war, oder ob er, was damals häufig geschah, ratlos und mutlos die Familie einfach im Stich gelassen hatte als einer jener Männer, die »gerade mal um die Ecke gingen, um Zigaretten zu kaufen«.

Der Vater des Mannes, der von 1980 an Chef der Mordkommission Frankfurt am Main I war, hatte sich 1929 entschlossen, der Kommunistischen Partei beizutreten. In jener Nacht des 9. Mai 1932 kam es in der Stadt Frankfurt zu neun schweren Zusammenstößen zwischen Kommunisten und Nazis. Paul Dornhelm konnte dabei also sehr wohl eines von vielen Opfern geworden sein. Die Mutter, die sich und den kleinen Jungen nun mit schwerster und schlechtest bezahlter Arbeit gerade am Leben erhielt, war niemals imstande zu akzeptieren, daß es ihren Mann nicht mehr gab. Wenn sie mit Robert das Abendgebet sprach, baten sie gemeinsam stets den lieben Gott, auch den Vater zu beschützen.

»Wo ist Vati denn?« fragte Robert dann oft.

Und immer antwortete die Mutter: »Du weißt doch, ich war bei der Polizei. Die Polizei sucht ihn, mein Herz.«

Im Alter von fünf Jahren beschloß Robert Dornhelm, Polizist zu werden, um seinen Vater zu finden und, falls seinem Vater etwas zugestoßen war, jene ihrer Strafe zuzuführen, die daran Schuld trugen.


Zur Zeit, da Staatsanwalt Ritt in Preungesheim eintraf, war Miriam Goldstein schon wieder im Salon ihres Appartements im Neubau des Frankfurter Hofs. Der Staatsanwalt hatte gesagt, er würde sie hier anrufen.

Miriam konnte nicht ruhig sitzen, lief hin und her, legte sich auf das Bett, stand auf und setzte sich in einen weißen Fauteuil, neben dem ein schwarzes Tischchen mit vielen Tageszeitungen stand. Sie waren schon am Morgen heraufgeschickt worden, aber Miriam hatte sie noch nicht durchgesehen. Nun versuchte sie zu lesen, und das ging auch nicht, sie war zu erschüttert über Marvins Tod. So blätterte sie nur in den Zeitungen, und plötzlich sah sie ein ganzseitiges Inserat.

Die oberen zwei Drittel der Seite zeigten sehr groß die Erdkugel mit

Europa, Afrika, Teilen von Westrußland, dem Osten Amerikas und ganz Südamerika. Um die Kugel herum lief, an einen Autoreifen erinnernd, ein breiter Ring, auf dem TREIBMITTEL OHNE FCKW stand. Im unteren Seitendrittel war zunächst einmal auf zwei Zeilen über die ganze Blattbreite zu lesen: ERFOLG FÜR BUNDESUMWELTMINISTER TÖPFER. SPRAYDOSEN OHNE FCKW! Darunter stand zweispaltig folgender Text: »Schneller als im internationalen Ozonprotokoll von Montreal vorgesehen, haben deutsche Hersteller von Sprays reagiert. Weil das Treibmittel FCKW im dringenden Verdacht steht, die Ozonschicht zu schädigen, wurde bereits 1987 begonnen, FCKW aus Haarsprays und Deos vollständig zu entfernen. Seit einem Jahr beliefern die Firmen (hier folgten Namen von sieben bekannten Unternehmen, die Kosmetika herstellten) den Handel nur noch mit FCKW-freier Ware. Sie ist kenntlich gemacht durch ein entsprechendes Zeichen. Umweltbewußte Bürger, so ist zu hoffen, werden dieses Angebot annehmen; zumal die Spraydose noch immer die optimale Anwendungsform ist.« Zwischen den Satzspalten war eine kleine Spraydose abgebildet und neben ihr, als das »entsprechende Zeichen«, noch einmal klein die Erdkugel mit dem Treibmittel-ohne-FCKW-Slogan auf dem breiten Ring.

Miriam Goldstein betrachtete das seltsame Rieseninserat lange. Zuerst Schmeichelei für den Umweltminister. Dann: »Schneller als im internationalen Ozonprotokoll... vorgesehen...« Und: »Seit einem Jahr...« Da rühmten sich also sieben Firmen. Warum haben sie sich nicht schon vor einem Jahr gerühmt? Zuletzt buhlten sie um Käufergunst: »Umweltbewußte Bürger, so ist zu hoffen...« Angst ums Geschäft? Sehr sonderbar.

Miriam blätterte sämtliche Zeitungen durch, die auf dem Tischchen lagen, überall fand sie die gleichen ganzseitigen Inserate. Sie dachte an den offenen Brief, den Bolling für den »Stern« geschrieben und in dem er sich an die lieben Kollegen von Hoechst und Kali-Chemie gewandt hatte mit der dringenden Bitte, gegen die in ihrem Ausmaß geheimgehaltene Produktion von Fluorchlorkohlenwasserstoffen zu protestieren. In Bollings Brief war es aber nicht um Haar- und Deosprays gegangen. Er hatte die »lieben Kollegen« gewarnt, daß sie vielleicht ihre Haut noch retten könnten, die ihrer Kinder und Kindeskinder jedoch nicht mehr. Was sie ihren Kindern erzählen würden, wenn alle Vegetation stirbt, hatte er gefragt, und wenn wegen der ultravioletten Lichteinstrahlung die Meere keinen Sauerstoff mehr produzieren. »Es geht um das nackte Überleben der Menschheit«, hatte sein Appell gelautet.

Was sollten diese Inserate, in denen voll Begeisterung davon berichtet wurde, daß sieben Firmen Fluorchlorkohlenwasserstoffe aus Haarsprays und Deos entfernt hatten? Wieso war das ein Erfolg für den Umweltminister? Kali-Chemie und Hoechst beispielsweise gehörten nicht zu den sieben genannten Firmen.

Miriam blätterte weiter. Schließlich fand sie in der »Süddeutschen Zeitung« auf der Kommentarseite einen Zweispalter mit der Überschrift: TÖPFER VON VERSCHMUTZERN ÜBERHOLT.

»Zu spät und zu wenig, dies ist die Tragik der Umweltpolitik. Die Industrie hat, wie ... in riesigen Anzeigen stolz verkündet wurde, endlich die Fluorchlorkohlenwasserstoffe fast ganz aus den Spraydosen entfernt. Allein: Die wichtigeren Anwendungen als Kühlmittel und Treibgas für Kunststoffe bleiben. Und die Ersatzchemikalien... heizen ebenfalls die Erdatmosphäre auf...«

Und wie viele Spraydosen der alten Art gehen nun in die Dritte Welt? dachte Miriam.

»Umweltminister Töpfer setzte jetzt das Ziel, bis 1995 insgesamt um neunzig bis fünfundneunzig Prozent weniger Fluorchlorkohlenwasserstoffe zu verwenden...«

Also wieder mal eine Frist von vielen Jahren statt sofortigem Verbot, dachte Miriam.

»Für Ankündigungen ist diese Bundesregierung immer gut. Doch entgegen ihren seit Jahren wiederholten Prognosen ist zum Beispiel die Luftverschmutzung mit Stickoxiden in Deutschland nicht nur nicht geringer, sondern schlimmer geworden. Hauptursache: das schnelle Fahren von immer mehr Lastkraftwagen und von Autos ohne den geregelten Drei-Wege-Katalysator.... Der zu erwartende europäische Markt der freien Fahrt für die Lastkraftwagen aller Länder durch die Bundesrepublik wird eine nicht mehr einzuschätzende Katastrophe für die Umwelt werden, wenn politisch nicht sofort gegengesteuert wird...«[5]

Miriam Goldstein saß still in dem weißen Fauteuil am Fenster und betrachtete die vielen leuchtenden Türme der Banken in der City.

Sie überlegte, wer wohl Anlaß hatte, Markus Marvin nach dem Leben zu trachten, und es fielen ihr eine Menge Leute ein, ach ja, eine Menge...

Der Hauptkommissar Robert Dornhelm, dem der Direktor der Untersuchungshaftanstalt Frankfurt-Preungesheim in alter Freundschaft sein Büro zur Verfügung gestellt hatte, war ein großer, schwerer Mann mit ständig violetten Lippen. Entgegen allen Vermutungen hatte der Achtundfünfzigjährige ein völlig gesundes Herz. Das Zimmer, in dem er saß, war eingerichtet wie der Arbeitsraum eines erfolgreichen Anwalts, allerdings behinderten schwere Gitter vor den Fenstern die Sicht. Auf dem Schreibtisch stand in einer schmalen Kristallvase eine rote Rose.

Trotz der Hitze im Raum – hier gab es keine Air-condition – trug der massige Hauptkommissar einen dunkelgrauen Anzug mit Weste und zu dem grün-weiß gestreiften Hemd eine dunkelgrüne Krawatte, auf der ein kleines, goldfarbenes Phantasiewappen eingestickt war. Er reinigte gerade seine Fingernägel, als die Tür aufflog und Elmar Ritt hereinstürzte.

»Was ist das hier für eine Sauerei, Robert?« brüllte der jugendliche Staatsanwalt, außer Atem. »Hat die Mafia diesen Laden auch schon übernommen?«

Der Mann mit den violetten Lippen zuckte nur gleichmütig mit den Achseln, indessen Ritt weitertobte: »Dieser Marvin, der saß doch mit dem Engelbrecht zusammen in einer Zelle, nicht wahr, mit diesem Waffenschieber Herbert Engelbrecht. Der Waffenschieber bekommt natürlich feines Fressen aus einem Hotel. Hat sein Staatsanwalt erlaubt. Weil er ein solcher Menschenfreund ist, dieser Waffenschieber, konnte er nicht mit ansehen, wie der arme Marvin den Anstaltsfraß runterwürgte, nicht wahr? Lud ihn darum als Gast ein. Nahm Marvin das erfreut an. Hätte ich auch erfreut angenommen, stimmte darum ja ebenfalls zu. Also, die beiden bekamen Sondervergünstigung. Und am Telefon sagte der Direktor, das Gift war im Essen.«

»Ja, aber...« begann Dornhelm milde.

»Also!« Ritt redete sich immer mehr in Wut, er sprach immer schneller. Heiß war ihm. Schweiß lief über sein Gesicht. »Wieso ist dann der Menschenfreund Engelbrecht nicht auch tot und vergiftet?«

»Ist er ja. Mausetot.«

»Gottes Gerechtigkeit... Aber paß auf: Kam doch immer mit einem Wagen vom Hotel, das feine Fressen, nicht? Thermosbehälter, nicht?«

»Burschi...« Dornhelm zuckte wieder mit den Achseln und schwieg. Daß er derart lange beherrscht und geduldig bleiben konnte, schien vielen die Erklärung für seinen großen Erfolg im Beruf.

»Der Mann, der es bringt, gibt die Behälter am Eingang ab und holt sie wieder am nächsten Tag, wenn er die nächsten anliefert, nicht?«

»Elmar!« brüllte Dornhelm plötzlich. Auch die Fähigkeit zur jähen Gemütsänderung bewunderten viele an ihm.

»Nicht brüllen!« brüllte Ritt. »Sauladen, elender! Der Mann kommt niemals in das Gebäude! Die Behälter werden von einem Beamten übernommen, dann bringt ein Kalfaktor sie mit einem Kollegen oder einem U-Häftling zur Zelle von Engelbrecht und Marvin. Alle müssen in der Zelle essen. Die Mahlzeiten werden nur ganz flüchtig kontrolliert. Im Bau kannst du den Mörder von Marvin bis ins Jahr 3000 suchen! Da ist der nie, sage ich dir.«

Dornhelm schrie los: »Halt endlich dein Maul, Mensch! Dein Marvin ist überhaupt nicht vergiftet worden! Der ist quietschlebendig!«

»Was?«

»Der lebt, dein Marvin. Dem ist nichts passiert.«

In Miriam Goldsteins Hotelsalon läutete das Telefon. Sie hob ab und meldete sich.

»Oh, Maître Goldstein«, sagte eine Frauenstimme, »das ist ja großartig!« Die Anruferin sprach französisch.

»Was ist großartig?« fragte Miriam, gleichfalls französisch.

Ein Flugzeug flog über das Haus. Sie sah aus dem Fenster und erblickte einen Jumbo der Air France über den riesigen Zwillingstürmen der Deutschen Bank. Steil zog der Pilot die Maschine in den strahlendblauen Himmel empor. Für kurze Zeit war das Dröhnen der Düsen sehr laut.

»Hallo!« rief die junge Frauenstimme. »Maître Goldstein!«

»Ja. Ein Flugzeug. Was ist großartig?«

»Daß ich Sie so schnell finde. Monsieur Vitran sagte, Sie seien heute in Frankfurt. Der Frankfurter Hof ist das erste Hotel, das ich angerufen habe. Und schon Glück. Darf ich an Monsieur Vitran weitergeben?«

»Bitte, Isabelle.«

»*Ne quittez pas!*« sagte Isabelle.

Das sagen sie alle, immer, dachte Miriam.

Es meldete sich eine Männerstimme: »Hier ist Gerard Vitran. Guten Tag, Miriam!«

»Guten Tag, Gerard!«

»Waren Sie schon bei Gericht?«

»Ja.«

»Und? Konnten Sie etwas für Markus erreichen?«

»Gerard, unser Freund Markus Marvin ist tot.«

Er rief entsetzt: »Nein!«

»Doch«, sagte Miriam.

»*Mais, pour la grâce de Dieu*, warum? Wie ist das passiert?«

»Er wurde vergiftet.«

»Aber er ist doch in Haft!«

»Er wurde in der Haftanstalt vergiftet.«

Sie hörte, wie er ihre letzten Worte wiederholte, und wie danach zwei Frauenstimmen aufgeregt zu sprechen begannen.

Dann war er wieder da: »Hören Sie, Miriam, das... das... ist entsetzlich. Warum? Warum hat man ihn getötet?«

»Ich habe keine Ahnung«, sagte sie. »Ich war gerade bei dem Staatsanwalt, Ritt heißt er, als ein Anruf kam. Ritt war sehr erschrocken, sagte nur, Marvin sei tot, vergiftet, und fuhr sofort zum Gefängnis. Das liegt an der Peripherie von Frankfurt. Ritt sagte, ich solle hier auf weitere Nachrichten von ihm warten.«

»Furchtbar. Absolut unfaßbar. Sind wir schon *so weit*?«

»Wie Sie sehen...«

»Wir kommen mit der nächsten Maschine, Miriam! Bitte, bleiben Sie im Hotel, oder hinterlassen Sie eine Nachricht, wenn Sie fortgehen! Ich weiß nicht, wann die nächste Maschine fliegt. Wir sind unter allen Umständen in ein paar Stunden in Frankfurt.«

»Was heißt das, Marvin lebt?« fragte Elmar Ritt. In seiner Verblüffung sprach er endlich normal. »Am Telefon...«

»Ja!« Der massige Hauptkommissar mit den violetten Lippen nickte. »So ein Idiot von Wärter hat dem Direktor in der ersten Panik nur Block, Stockwerk und Zellennummer genannt, als er den Vorfall meldete. Und in dieser Zelle saßen Marvin und Engelbrecht, der Direktor konnte das hier in seinem Büro mit einem Blick auf den Zellenplan feststellen. Also rief er den Staatsanwalt von Engelbrecht an und dich, um euch die frohe Botschaft zu bringen, daß eure Klienten tot sind. Tut mir leid, wenn sie dich falsch informiert haben, Burschi.« Sanft und leise war Dornhelms Stimme wieder.

»Mir tut leid, daß ich hier herumgebrüllt habe. Lauter Scheiße wieder einmal heute. Hansen zieht die Anzeige zurück. Erklärt, er fühlt sich nicht geschädigt. Zwei Zeugen lügen. Stinkt zum Himmel, das alles. Dann ruft München an. Wegen so einer Nazischweinerei.«

»Schrecklich, wie du schwitzt. Schau mich an. Schwitze ich? Nicht die Spur schwitze ich. Du darfst dich nicht immer über alles so aufregen, Burschi!«

»Hör bloß auf, Mensch! Wieso sitzt du eigentlich hier rum? Hast du nichts zu tun?«

»Nein.«

»Was heißt nein?«

»Ich habe meine Leute. Erstklassige Leute. Machen schon alles richtig. Müssen nur wissen, daß der alte Trottel in der Nähe ist.«

»Welcher alte Trottel?«

»Ich.« Dornhelm grinste. »Du hast ja keine Ahnung, was hier los war! Einziges Chaos, sagte der Direktor. Bis die einen Arzt fanden! Mußten ihn auspiepen lassen. Sein Pieper natürlich kaputt. Dauerte fast eine Viertelstunde, bis er in die Zelle kam. Die zwei Männer längst tot.«

Nach Staub und Schweiß und alten Akten roch es im Raum. Ritts Gesicht war wieder rot angelaufen. Er schluckte krampfhaft.

»Die *zwei* Männer? Was für zwei Männer?«

»Engelbrecht und Mohnhaupt.«

»Ich werde verrückt«, behauptete Ritt schreiend. »Engelbrecht und *wer*?«

»Mohnhaupt. Traugott Mohnhaupt.«

»Wer ist Traugott Mohnhaupt?«

»Der Kalfaktor, der die Thermosbehälter brachte.«

»Wieso ist der tot?« brüllte Ritt.

»Weil er das vergiftete, feine Hotelfressen im Bauch hat, Burschi.«

»Wieso hat der ... dieser Dings ... wieso hat ...« Ritt stöhnte.

»Engelbrecht lud ihn ein.«

»Lud ihn zum Fressen ein?«

»Sage ich doch, Burschi. Nicht anzusehen, wie du schwitzt.«

»Wieso hat der Engelbrecht den Mohnhaupt eingeladen zum Fressen?«

»Ruhig! Ruhig! Du *mußt* dich einfach zusammennehmen! Herzinfarkt. Die Leute, die einen kriegen, sind zunehmend jünger, habe ich gelesen. Schau mal, der Engelbrecht bekommt sein Fressen. Fühlt sich einsam. Ist allein. Will nicht allein fressen. Also lädt er den Mohnhaupt ein. Der freut sich halb tot. Paar Minuten später ist er ganz tot.«

»Wieso war Engelbrecht allein in der Zelle?« flüsterte Ritt heiser.

»Weil sie deinen Marvin rausgeholt haben, zwei Stunden vorher. Der wird doch heute entlassen, hast du das vergessen? Mußte eine Menge erledigen in der Verwaltung. Da ist er immer noch. Hat dort gefressen. Den Blechnapffraß.«

Ritt sagte langsam: »Marvin lebt nur, weil er nicht mit Engelbrecht in der Zelle gegessen hat.«

Dornhelm trat gegen den Schreibtisch und schrie: »Hast du das tatsächlich schon kapiert, ja?« Die Erschütterung hatte zur Folge, daß die Kristallvase mit der roten Rose umfiel. Wasser floß auf den Teppich.

»Nicht schreien!« sagte Ritt.

»Was?«

»Du sollst nicht schreien! Ich mag das nicht.«

»Chuzpe. Ausgerechnet du!« Dornhelm stand auf, ging zu einem Waschbecken und füllte die Kristallvase neu. Danach stellte er die Rose umsichtig wieder an ihren Platz. »Madelon«, sagte er dabei.

»Immer nur Madelon.«

»Was?«

»Die Rosensorte. So heißt sie. Madelon. Jeden zweiten Tag eine neue Madelon. Hat mir der Direktor gesagt. Er liebt alle roten Rosensorten. Madelon liebt er am meisten.« Jetzt grinste Dornhelm heftig. »Ja, Mohnhaupt bekam Marvins Essen! Der war eben aus der Zelle raus. Die Wachhabenden hatten das noch nicht bekanntgegeben. Lara. Solaria. Baccara. Lauter rote Rosensorten. Alle schön. Nicht so schön wie Madelon, sagt der Direktor. Dallas gibt es auch noch. Und Sonja. Aber die ist lachsfarben. Rasch tritt der Tod den Menschen an, Burschi. Ein schöner Tod. Weißt du, woran sie gestorben sind, Engelbrecht und Mohnhaupt?« Dornhelm schmatzte grinsend. »Krabbencocktail. Cordon bleu mit wildem Reis. Zum Nachtisch Auswahl von feinen Sorbets. Dazu kamen sie nicht mehr.«

»Wozu kamen sie nicht mehr?« Ritt wischte sich mit einem Taschentuch Schweiß von der Stirn.

»Zu den feinen Sorbets.« Dornhelms Grinsen verstärkte sich noch. »Das Gift war in dem wilden Reis, sagte Doktor Grünberg, unser Arzt. Hat noch Kügelchen gefunden. Fraßen fast den ganzen wilden Reis, die beiden, bevor das Gift wirkte. Zyankali. Die Zelle stinkt nach bitteren Mandeln. Richtiger Hecht. Hab's gerochen. Kein Zweifel, Zyankali. Ganz kleine Kügelchen, sagt Doktor Grünberg. In den wilden Reis gemischt. Konnte kein Mensch erkennen. Die gefüllten Kügelchen bestehen aus einer Substanz – Grünberg weiß genau, welcher –, die wird von der Magensäure in zwei bis drei Minuten aufgelöst. Konnten Engelbrecht und Mohnhaupt also ordentlich mampfen, bevor sie was merkten.« Dornhelm erwärmte sich für das Thema. »Wenn Zyankali frei wird, verwandelt es sich in Blausäuregas. Das Blausäuregas im Magen blockierte sofort alle eisenhaltigen Enzyme. Tut Blausäuregas immer. Weißt du, was Enzyme sind, Burschi?«

»Nein.«

»In lebenden Zellen gebildete Stoffe, die den Ablauf zahlreicher biochemischer Reaktionen im Organismus katalysieren.«

»Aha.«

»Blausäuregas blockiert natürlich auch die Atmungsenzyme. Damit ist mit der Atmung Sense. Und mit der Sauerstoffzufuhr zum Gehirn. So ein Gehirn reagiert unerhört empfindlich auf Sauerstoffmangel, weißt du, Burschi. Wenn man Zyankali nicht gerade in einer Glaskapsel hat und die erst zerbeißen muß und das Zeug einem die Speiseröhre verätzt, sondern wenn es so wie bei Engelbrecht und Mohnhaupt im Magen freigesetzt wird, wenn man's gleich als Gas bekommt, ist das eigentlich eine außerordentlich humane Tötungsweise. Ich finde ja Madelon auch am schönsten.«

»Ich brauche noch einen Cognac«, sagte Dr. Markus Marvin. »Mir ist mächtig flau.«

Da war es knapp nach siebzehn Uhr an diesem 19. August, und Marvin saß im Salon von Miriam Goldsteins Appartement im Frankfurter Hof. Bei dem erfolgreichen Versuch, den Pinkelstein-produzenten Hilmar Hansen krankenhausreif zu schlagen, hatte auch er einiges abbekommen. Seine rechte Hand war verbunden, das rechte Auge fast zugeschwollen, er hatte blaue Flecken im Gesicht und ein Pflaster an der linken Schläfe.

Der Mann mit dem schwarzen, ewig ungekämmt wirkenden Haar war eleganter gekleidet als seinerzeit auf Sylt. Er trug einen blauen Sommeranzug, Slipper und sogar eine Krawatte. Daß er nur dank einer Verwechslung noch am Leben war, nahm den athletischen Atomphysiker mit. Miriam Goldstein holte ein weiteres Fläschchen Remy Martin aus der Zimmerbar.

Da saßen sie nun alle im Appartement der zarten, weißhaarigen Anwältin, und draußen war es irrsinnig heiß, während hier das leise Rauschen der Klimaanlage ertönte.

Staatsanwalt Ritt hatte angerufen und Miriam berichtet, was in der Untersuchungshaftanstalt Preungesheim geschehen war. Nun gingen ihm die Frau und die Anwälte des vergifteten Waffenschiebers Herbert Engelbrecht ebenso an den Hals wie die Angehörigen des infolge Engelbrechts Gastfreundschaft vergifteten Traugott Mohnhaupt, des weiteren die Gefängnisverwaltung und das Justizministerium, und er und sein Freund Dornhelm von der Mordkommission mußten versuchen, herauszufinden, wer das Essen vergiftet hatte und wo und weshalb. Und endlich verlangte es den Staatsanwalt dringend zu wissen, warum der Pinkelstein-Hansen, den Marvin zusammengeschlagen hatte, derart plötzlich entschlossen war, seine Klage zurückzuziehen.

So viele Fragen. So viel Arbeit.

Miriam wiederum erzählte den Versammelten, daß Gerard Vitran aus Paris angerufen habe zu einem Zeitpunkt, da sie noch glaubte, Marvin sei tot, und daß Vitran bereits unterwegs nach Frankfurt sei.

»Kommt er allein?« fragte Marvin.

»Er hat gesagt: ›wir‹. Ich weiß nicht, wer kommt.«

»Wahrscheinlich er und seine Frau. Wird ein hübscher Schock sein für die beiden, wenn sie mich hier sitzen sehen.« Marvin schüttelte den Kopf. »Unfaßbar, was für einen Massel ich habe«, sagte er mit geradezu kindlichem Erstaunen. »Stellt euch bloß vor, ich hätte mit Engelbrecht gegessen!«

»Doofe haben Glück«, sagte Peter Bolling. »Alte Volksweisheit. Da siehst du wieder einmal, *wie* weise.«

»Ich will Sie keinesfalls noch mehr aufregen«, sagte Miriam Goldstein, »aber ist Ihnen noch nicht der Gedanke gekommen, daß jemand nicht Herbert Engelbrecht vergiften wollte, sondern Sie?«

»Donnerwetter«, sagte Marvin, »welch hübsche Idee! Tja, das ist natürlich auch möglich.«

»Herr Ritt gibt das gleichfalls zu überlegen«, sagte Miriam.

»Warum sollte jemand Markus umlegen wollen?« fragte Bolling.

»Warum wohl«, sagte Valerie Roth. Sie wandte sich an Gilles. »Als Sie zu Gerhards Grab nach Sylt kamen und wir einander dann kennenlernten, sagte ich Ihnen, der dritte Herzinfarkt meines Onkels habe gewissen Leuten die Mühe erspart, ihn umzubringen, erinnern Sie sich?«

»Ja«, sagte Gilles.

»Jetzt ist Markus dran«, sagte sie. »Miriam hat recht.«

»Vielleicht«, sagte Miriam. »Vielleicht sollte wirklich nur Herbert Engelbrecht sterben. Aber ich habe das ganz miese Gefühl, daß Sie dran waren, Markus.«

»Ich muß eigentlich schon die längste Zeit dran sein«, sagte der, bereitwillig sofort auf diese Möglichkeit eingehend. »Spätestens seit ich aus dem Atomreservat Hanford zurückkam und bei der Aufsichtsbehörde rausflog.«

»Staatsanwalt Ritt meint, Sie können Polizeischutz anfordern«, sagte Dr. Goldstein.

»Ich will keinen«, sagte Marvin. »Das ist doch alles Nonsens! Wenn sie wirklich vorhaben, mich umzubringen, schaffen sie's – auch mit noch soviel Polizeischutz.« Er grinste schief, als er sagte: »Kein Polizeischutz, nein! Ich habe Glück, ihr seht es ja. Ich bin ein Masselmolch.«

Miriam Goldstein klopfte auf Holz. »So etwas darf man nie sagen! Ich bin sehr besorgt, Markus. Gerard wird mindestens so besorgt sein wie ich.«

Valerie Roth wandte sich an Gilles. »Sie wissen nicht, wer die Vitrans sind. Gute Freunde von uns. Wir arbeiten zusammen.«

Marvin strahlte. »Was für Freunde! Gerard und Monique. Sie werden begeistert sein, Herr Gilles. Die schmeißt nichts um, die beiden. Was Gerard schon hinter sich hat – du lieber Scholli! Sehen Sie, der studierte an einer von diesen ›Großen Schulen‹ Frankreichs, wo die ganzen Spitzenleute aus Politik und Wirtschaft herkommen: an der École Polytechnique in Paris. Doktor der Naturwissenschaft ist er. Spezialgebiet: Atomphysik. Hat aber keine Karriere in der Politik oder der Industrie gemacht, sondern wurde Sekretär der Atomarbeitersektion, der C.D.T., dieser Gewerkschaft. Und dort benützte er Stellung und Möglichkeiten, um Kritik an Atomkraftwerken und Atomenergie zu üben. Als Experte! Auf alle Gefahren hingewiesen hat er wieder und wieder. Welche Sicherheitsrisiken die französischen AKWs sind. Vertrat stets nur die Interessen der Arbeiter. Die liebten ihn.«

»Eins a Kumpel!« sagte der Chemiker Bolling lebhaft. »Typisch für ihn zum Beispiel: Als C.D.T.-Boß hätte er immer im Bonzenrestaurant essen können. Hat er nie. Immer in der Kantine bei den Arbeitern.«

»Schrieb ein Buch über die Gefahren der Atomtechnik. Zusammen übrigens mit Monique. Die hatte er kennengelernt in der Gewerkschaft. Auch Atomphysikerin. Sie ist fünfunddreißig, er wird einundvierzig.« Marvin lachte plötzlich kurz und verzog das Gesicht. Lachen tat ihm weh. »Als das Buch erschien«, sagte er, »rief die Belegschaft der Wiederaufbereitungsanlage am Ärmelkanal einen dreimonatigen Streik aus. Da flog Gerard natürlich als Gewerkschaftsboß. Die Betreibergesellschaften bestanden darauf.«

»Als nächstes wurde er von der Regierung gerufen«, sagte Bolling.

»Gerard sagte von Anfang an«, unterbrach ihn Marvin, »wenn wir weiter derart Energie verschwenden, ist die Erde kaputt, bevor wir aus Atomenergie und Kohlekraftwerken aussteigen und umsteigen auf Sonnenenergie. Zuerst also runter mit dem Energieverbrauch, aber drastisch, dann Sonnenenergie! Das hat der Regierung eingeleuchtet, und sie hat Gerard mit einer großen Studie darüber beauftragt, wie man wo mit welchen Mitteln Energie sparen kann. Man kann unheimlich viel sparen – Gerard wird Ihnen das selber erzählen.« Marvin lachte neuerlich, sagte »Au!«, hörte auf zu lachen und fuhr fort: »Er war nur einfach wieder zu tüchtig. Beschuldigte die gesamte Industrie, Energie zu verschwenden, und brachte derart radikale – und realisierbare – Einsparungsvorschläge, daß die Regierung ihn einfach nicht halten konnte gegen den Druck der Industrie. Gerard flog zum zweitenmal. Machte ihm das was? Einen Dreck machte ihm das. Zusammen mit seiner Frau und anderen gründete er ESI – Energy Systems International. Was soll ich Ihnen sagen? Jetzt berät diese Firma Gesellschaften und Ministerien, ja Regierungen in der ganzen Welt.«

Das Telefon läutete.

»Ob sie das schon sind?« fragte Marvin aufgeregt.

Miriam hob ab.

Eine Mädchenstimme sagte: »Frau Doktor Goldstein?«

»Ja.«

»Herr Joschka Zinner ist gekommen. Er sagt, er sei mit Ihnen um halb sechs verabredet.«

»Du lieber Gott!« Miriam Goldstein griff sich an die Stirn. »Bitten Sie Herrn Zinner um einen Moment Geduld!« Sie deckte mit der Hand die Sprechmuschel ab und wandte sich an die anderen. »Jetzt vergesse ich bereits Verabredungen. Aber total! Eigentlich bin ich noch zu jung, um so gaga zu sein.«

»Joschka Zinner?« sagte Gilles.

»Ja. Filmproduzent. Kennen Sie ihn?«

»Und ob«, sagte Gilles grimmig. »Was will denn der von Ihnen?«

»Das weiß ich nicht.« Miriam hob hilflos die Schultern. »Rief vor zwei Tagen an. Sagte, er müsse mich unbedingt sprechen. Es sei äußerst wichtig. Gehe um eine ganz große Sache, an der auch das Frankfurter Fernsehen beteiligt sei. Ich könne dort einen Mann aus der Produktion fragen. Das habe ich getan. Der Mann bestätigte mir, was Zinner sagte. Sie bereiten ein Projekt vor, das für uns von enormem Interesse wäre.« Miriam sah in die Runde. »Ich wollte Ihnen davon erzählen. In der Aufregung um Marvin habe ich auch das glatt vergessen.« Sie fragte Gilles: »Was ist das für ein Mensch, dieser Zinner?«

»Ein Verrückter«, sagte der. »Aber was für ein Verrückter! Sie werden gleich etwas erleben.«

»Wenn es zu schlimm wird, werfe ich ihn hinaus«, sagte Dr. Miriam Goldstein. Sie nahm die Hand wieder von der Sprechmuschel. »Fräulein, ich bitte Herrn Zinner, heraufzukommen.«

»Es tut mir leid, Frau Doktor. Er hat gesagt, das dauert ihm zu lange.«

»Was?«

»Ich bitte sehr um Verzeihung!« Das Mädchen in der Zentrale klang unglücklich. »Der Herr fragte nach Ihrer Appartementnummer. Meine Kollegin gab sie ihm – leider. Mir ist das schrecklich unangenehm. Herr Zinner war sehr aufgeregt und sprach sehr schnell. Er rannte zum Lift. Muß jeden Moment bei Ihnen sein. Wir waren diesem Herrn einfach nicht gewachsen. Entschuldigen Sie bitte!«

»Schon gut«, sagte Miriam Goldstein und legte den Hörer auf.

»Er ist einfach losgestürmt«, sagte sie kopfschüttelnd zu den andern. »Sie sagten, ein Verrückter, Herr Gilles?«

»Ja«, sagte Gilles langsam. »Aber selbst, wenn man das berücksichtigt...«

»Was meinen Sie?« fragte Valerie Roth.

»...ist es eigenartig, daß er gerade jetzt bei Ihnen auftaucht.«

»Sie denken«, sagte Miriam Goldstein, »da stimmt etwas nicht?«

»Vielleicht ist alles in Ordnung«, sagte Gilles, plötzlich seltsam beunruhigt. »Immerhin... Joschka Zinner. Machen Sie sich auf einiges gefaßt!«

Die Glocke des Appartements läutete.


»*Philip!*« Miriam Goldstein war aufgestanden und hatte die Tür geöffnet. Der kleine Mann, der draußen stand, schoß an der Anwältin und allen anderen vorbei durch den Salon und schlang die Arme um Gilles, der sich gleichfalls erhoben hatte. Weil der Mann klein und dick war, erwischte er Gilles um die Hüften.

»Runter!« sagte er. »Kommen Sie tiefer runter!« Gilles neigte sich

148

vor, und der Kleine küßte seine Wangen. »Na los!« sagte er danach. Alles ging rasend schnell.

»Los, was?«

»Kriegt der alte Joschka kein Küßchen?«

Er bekam es und sah sich strahlend um.

»Mein bester und ältester Freund, Damen und Herren!« verkündete er. »Hat sieben oder acht Filme für mich geschrieben, lange her! Einziger anständiger Mensch in unserer Saubranche. Einziger, der was kann. Wird sagen, ich übertreib'. Wird sagen, wir hatten nur Ärger miteinander. Dauernd vor Gericht, weil ich nie die dritte Rate bezahlt hab' fürs Drehbuch. Nicht auf ihn hören, Damen und Herren, nicht auf ihn hören! Tut er nur aus Bescheidenheit. Der wird nie protzen, sich nie aufspielen. Daß ich die dritte Rate nicht zahle, sagt Ihnen jeder Autor. Stimmt auch. Laß mich immer verklagen. Einziges Vergnügen. Man gönnt sich ja sonst nix. Ist wie beim Roulette. Manchmal gewinnt der Autor, manchmal gewinn' ich. Also, ich war schon immer von diesen Rechtsverdrehern begeistert. Weiß selbst *ich* nie, was die sich ausdenken.«

Alle starrten ihn an.

Einen maßgeschneiderten weißen Seidenanzug trug er, einen verrückt hohen weißen Kragen hatte sein blaues Hemd. Durch Krawattenknoten und Hemdkragen war eine kostbare Brillantnadel gesteckt. Brillantknöpfe steckten in den Manschetten. Diese hingen aus den Ärmeln. Er muß dem amerikanischen Schriftsteller Tom Wolfe über den Weg gelaufen sein, dachte Gilles. Früher trug Joschka grundsätzlich nur billigste Stangenware. »Was ein Mann schöner ist als ein Aff, ist Luxus.« Immer wieder hat er diesen Satz aus Friedrich Torbergs Buch »Die Tante Jolesch« zitiert. Und Torberg hat er genauso reinzulegen versucht wie mich.

»Das ist Herr Joschka Zinner, Filmproduzent«, sagte Gilles. »Joschka, darf ich Sie bekannt machen mit...«

»Mach' ich selber. Sie brauchen zu lang dazu. Ihr einziger Fehler. Dieses feine Geschisse. Bin auch fein. Aber schneller. Frau Doktor Goldstein.«

»Ja.« Schon hatte sie einen Handkuß weg. »Woher...«

»Na, weiß ich doch. Berühmte Frau. Und Sie sind Frau Doktor Roth. Große Ehre.« Zweiter Handkuß. »Natürlich Doktor Markus

Marvin!« Handschütteln. »Und Herr Bolling. Was macht das Asthma, Herr Bolling? Schrecklich ist das. Aber deshalb bin ich ja hier.« Er ließ sich auf eine weiße Ledercouch fallen. Die Beinchen hingen in der Luft. Joschka lächelte, zeigte Mausezähnchen und rieb die rosigen Händchen. »Sie können mir ein Glas Sodawasser geben, Frau Doktor. Alkohol rühr' ich nicht an. Absolut verderblich. Küß die Hand, Frau Doktor, danke!« hetzte er, ein Glas voll Sodawasser von Miriam entgegennehmend. »Zur Sache! Zeit ist Geld. Muß morgen nach Hollywood. Will heute noch alles regeln mit Ihnen. Passen Sie auf, Blitzidee!«

»Was für eine Idee?« fragte Miriam Goldstein, schwer irritiert.

»Blitzidee. Meine Spezialität. Bin ich groß geworden damit. Beste Ideen kommen bei mir wie Blitze. Filmproduzent, sagt er! Tck, tck, tck! Größter Produzent Europas! Film *und* Fernsehen! In letzter Zeit mehr Fernsehen. Internationale Coproduktionen. Jede Menge Preise. Erste Wahl bei allen Sendern. Wahr oder nicht, Philip?«

»Wahr«, sagte der. »Lassen Sie sich von Gehabe und Aussehen dieses Herrn nicht verwirren. Er ist tatsächlich ein großartiger Produzent. Betrügt, wo er kann, aber hat ausgezeichnete Filme gemacht.«

»Genug, Philip! Herrschaften haben Eindruck. Werden begeistert sein. Beste Blitzidee, die Joschka Zinner je hatte.«

Markus Marvin lachte. Es tat ihm weh, und er hörte gleich wieder auf.

»Sie lachen, Herr Doktor Marvin. Können auch lachen. Chance Ihres Lebens.« Joschka steigerte seine Geschwindigkeit beim Sprechen noch. »Hab' alles verfolgt, seit Sie mit der Filmerei aufgehört haben: Ihren Rausschmiß bei der Aufsichtsbehörde. Ihre Arbeit in Lübeck. Auch *Ihre* Arbeit, Herr Bolling, und *Ihre*, Frau Doktor Roth. Genau das, was man jetzt bringen muß. Gibt nichts Wichtigeres. Aber mit Drive! Ganz groß aufgezogen. International. Aufruhr muß sein! Schreien müssen die Leut'! Toben müssen die Leut'! Werden sie! Werden sie! Joschka Zinner hat schon alles vorbereitet. Können sofort anfangen. Joschka hat alle Verträge dabei.« Er hob einen Diplomatenkoffer hoch. »Da! Alles drin. Nur noch unterschreiben.«

»Herr Zinner...« begann Miriam Goldstein.

»Nicht unterbrechen, bitte, gnädige Frau, pardon! Ich erklär' Ihnen. Alles mit dem Frankfurter Fernsehen abgesprochen. Grünes Licht von obersten Chefs. Sind begeistert.« Noch schneller. »Natürlich nur, weil *ich* Produzent bin. Habe ihnen Riesengewinne gebracht mit letzte Filme. Na, und jetzt erst! Also, ganz kurz, *time is money*, muß nach Hollywood: Sie kriegen erstklassiges Team. *Meine* Leute! Kameramann und Allroundtechniker. Sie sagen, wohin Sie wollen. Sie fliegen. Keine Zensur. Was Sie drehen, wird gesendet. Das Frankfurter Fernsehen *will* Sensation. Sie können *alles* bringen. Jeden Skandal. Den größten! Können jeden angreifen. Kohl. Die Regierung. Alle Regierungen! Absolut frei. Vertraglich zugesichert. Sie überwachen den Schnitt. Niemand beeinflußt Sie. Und Geld ist genug da, glauben Sie Joschka Zinner!« Er strahlte alle an. »No?«

»Keine Ahnung, wovon Sie reden«, sagte Valerie Roth.

»Hab' mich doch klar und deutlich ausgedrückt! Bewundere, was Sie tun. Verehre Sie dafür. Die letzten, wo diese Welt retten können. Aber mit Fernsehen! Decken da jede Schweinerei auf. Ohne Rücksicht. Ganz hart. Ganz scharf. Eigene Sendereihe im Frankfurter Fernsehen. Alles schon eingeplant. Absoluter Hammer. Ich sage nur: Revolution!«

Doktor Goldstein sagte langsam: »Sie schlagen vor, daß ein Aufnahmeteam mit Herrn Marvin losfliegt und Dokumentarfilme dreht?«

»Küß die Hand, gnädige Frau.«

»Zum Beispiel über die Vernichtung der Regenwälder?«

»Zum Beispiel.«

»Die maßlose Energieverschwendung?«

»Klar.«

»Geschäfte mit dem Giftmüll?« sagte die Roth.

»No was.«

»Dünnsäureverklappung? Ermordung der Meere?« sagte Marvin.

»Ist ein Muß!«

»Die Atomlobby? Das Stromerdiktat?«

»Was es nur gibt!« Joschka nickte, ergriffen von der eigenen Größe. »Also bitte: Ist das Blitzidee?«

»Was ich in Amerika erlebt habe«, sagte Marvin aufgeregt. »In Mesa? In dem Atomreservat?«

»Sehen Sie. Wirkt schon. Klar! Müssen Sie wieder hin.«

»Die dreckigen Plutoniumgeschäfte?« sagte Bolling und faßte sich an die Brille.

»No!« Joschka warf die Hände hoch. Manschetten schossen vor. »Aber natürlich auch das Positive. Niemals das Positive vergessen! Ist bei mir immer drin. Gibt Idioten, die machen nur in Negativ. Große Mode jetzt. *No future*. Und Brutalität. Tritt der Mutter in den Hintern! Schmeiß sie die Treppe runter, die alte Dame! Machen natürlich Pleite, solche Idioten. Positiv, immer positiv! Was ist die Rettung für unsere Welt?« Er holte kaum noch Atem jetzt. »Sonnenenergie! Das muß ganz ausführlich rein in die Serie. Größtes Projekt, das ich je auf die Beine stellte. Aber auch größtes Thema. Hab' genug gelesen. Kenn' mich aus. Joschka Zinner weiß immer Bescheid. Hat Nase. Und Nase sagt ihm: *Das* und nichts anderes jetzt! No?«

»Ich finde das wunderbar«, sagte Valerie Roth.

»Ich auch«, sagte Marvin. Susanne, dachte er, wenn du nun von alldem hörst oder liest und es zuletzt siehst, vielleicht kommst du dann zu mir zurück. Ach, Susanne! »Weiß noch nicht, ob wir die Filme dann in Abständen ausstrahlen oder nacheinander im Block. Damit es die Leute wirklich umhaut. Das Frankfurter Fernsehen ist für einen pro Woche. Absoluter Straßenfeger. Was glauben Sie, wie's Ausland kaufen wird! *Das* Thema überhaupt! Hab' schon Interessenten in vierzehn Ländern. Finanzierung überhaupt kein Problem. Kann Ihnen anständige Gagen zahlen. Eventuell Beteiligung. Sie fliegen mit, Philip! Schreiben Kommentar zu jedem Teil! Schauen Sie mich nicht so an! Immer muß er sich zieren, ein Künstler! Mensch, Philip, ich hab' Sie doch schon an das Frankfurter Fernsehen verkauft! Das Ganze ist ein Paket. Zeit, daß man wieder mal was von Ihnen hört. Zehn Jahre nix geschrieben. Können Sie das vor Gott verantworten? Wozu hat er Ihnen das Leben geschenkt? Daß Sie rumhängen in diesem Drecksnest da in der Schweiz? Der wird Ihnen schön was erzählen, wenn Sie dann stehen vor seinem Thron. ›Dazu habe ich dir das Leben nicht geschenkt, Philip Gilles‹, wird er sagen, ›dazu nicht!‹ Sie versündigen sich, Philip. Wie er mich anschaut! Ist er nicht süß? Ach, ich liebe den Mann! So was gibt es nur einmal. Kommt nicht wieder. Also, unterschreiben wir Verträge!«

»Herr Zinner«, sagte Miriam Goldstein sanft.

»Verehrte Dame?«

»Arbeiten Sie immer so?«

»Immer. Warum?«

»Weil das mit mir nicht geht.«

»Was heißt, mit Ihnen nicht geht? Was haben Sie damit zu tun?«

»Ich bin der Anwalt.«

»Und? Wo ist Schwierigkeit?«

»Ich will die Verträge lesen. Und mir Zeit lassen damit.«

Er zögerte nicht einen Moment. »Selbstverständlich, Frau Doktor, ganz wie Sie wünschen. Bewundere Sie. Hut ab! Seriös. Wollen alles prüfen. No bitte! Flieg' ich morgen *nicht* nach Hollywood. Hollywood kann warten. Das hier ist wichtiger. Sie und ich, wir setzen uns zusammen. Gehen Verträge durch. Zeile um Zeile. Was Ihnen nicht paßt, wird geändert. Weiß ich doch, was wir da für ein Projekt haben. Was davon abhängt. Hat nie wichtigeres Projekt gegeben. Weiß ich doch alles, liebe Frau Doktor. Schauen Sie Herrn Doktor Marvin an, Herrn Bolling, Frau Doktor Roth. Alle sind hingerissen.«

Das Telefon klingelte, und Miriam hob ab.

»Frau Doktor Goldstein«, sagte die Mädchenstimme von vorhin. »Es sind jetzt drei Herrschaften eingetroffen. Monsieur und Madame Vitran und Mademoiselle Delamare. Ich will keinen zweiten Fehler machen. Ich...«

»Die Herrschaften möchten bitte heraufkommen«, sagte Miriam. »Ich erwarte sie beim Lift.«


Also ging sie den langen Gang durch den Neubau und dann ein Stück durch den Altbau bis zu den Gobelins bei den Lifts. Einer traf eben ein. Zwei Frauen und ein Mann stiegen aus. Der Mann sah sie und rief: »Miriam!«

»Gerard!«

Er umarmte sie. »Mein Gott, wer hat Markus getötet? Welcher verfluchte...«

»Gerard...«

»Ja?«

»Ein anderer wurde getötet. Markus lebt.«

Vitran sah sie fassungslos an. »Lebt?«

»Ja! Er ist in meinem Appartement.«

»Kommt!« Vitran packte seine Frau an der Hand und rannte los. Miriam rannte mit.

Die zweite Frau stand einen Moment allein beim Lift, dann folgte sie langsam. Blaue Augen hatte sie, kurzes blondes Haar, das am Kopf anlag, und ein zartes Gesicht mit schöner Haut. Schlank war sie, zerbrechlich wirkte sie. Lang und wohlgeformt waren die Beine. Sie trug ein Kostüm. Der Rock war dunkelgrau, in den Hüften eng, unten sprang er auf. Die pepitagemusterte Jacke war hochgeschlossen. Schmale schwarze Paspeln liefen um den Kragen, die Enden der Ärmel und an den Rändern der kleinen Taschen entlang. Schwarze Schuhe und dunkelgraue Strümpfe trug diese junge Frau.

Als sie in Miriam Goldsteins Appartement trat, dessen Tür offenstand, umarmten Gerard Vitran und seine Frau Monique immer noch Markus Marvin. Monique hatte das schwarze Haar knabenhaft kurz geschnitten. Sie war so groß wie ihr Mann, der das schmale Gesicht eines Gelehrten und sehr helle Augen hatte. Sein dichtes Haar war graumeliert. Er schlug Markus auf den Rücken, wieder und wieder, Monique streichelte Marvins Hand.

Die junge Frau schloß die Appartementtür leise und blieb neben ihr stehen. Zurückhaltend wirkte sie, diskret. Es dauerte noch eine ganze Weile, bis Vitran Markus losließ. Er sah die junge Frau.

»Isabelle! *Excuse-moi*!« Schnell ging er zu ihr, legte einen Arm um ihre Schulter und führte sie in den Salon. Dabei sprach er französisch mit ihr und endete: »... *alors, ma chère, s'il te plaît!*«

Die Frau, die soviel Charme, soviel Jugend ausstrahlte, sah alle lächelnd an und sagte dann in fließendem Deutsch mit einem ganz kleinen Akzent: »Ich heiße Isabelle Delamare und bin die Sekretärin von Herrn und Frau Vitran. Und ihre Dolmetscherin. Sie sprechen nur Englisch und ganz wenig Deutsch. Weil sie aber in vielen Ländern arbeiten, bin ich meistens mit ihnen unterwegs, um zu übersetzen.«

»Woher können Sie so gut Deutsch?« fragte Bolling. Er sah Isabelle Delamare entzückt an.

»Ich habe Sprachen studiert.«

»Welche?«

»Außer Deutsch«, sagte Isabelle, »noch Englisch, Spanisch, Portugiesisch und Italienisch.«

»Donnerwetter!« Bolling stand da mit leicht geöffnetem Mund.

Monique Vitran sprach französisch. Isabelle lachte und schüttelte den Kopf. »*Mais oui, mais oui!*« rief Monique.

Isabelle sagte verlegen: »Madame Vitran... sie ist sehr liebenswürdig, aber natürlich übertreibt sie ganz schrecklich... Sie bittet... nein, sie besteht darauf, daß ich sage, sie und ihr Mann könnten nicht einen Tag ohne mich arbeiten. Das ist grotesk und nicht wahr.«

»Das isch wahr!« rief Monique. »Das isch wahr!«

Alle lachten, und die Vitrans traten zu Joschka Zinner und zu Bolling und sprachen englisch mit ihnen. Zuletzt standen die drei Franzosen vor Gilles, mit dem sie in ihrer Sprache reden konnten. Während des kurzen Gesprächs sah Gilles Isabelle unentwegt an und machte den Eindruck eines Mannes, für den auf einmal alles unwirklich, vollkommen unwirklich geworden war.

Es wurde sehr spät an diesem Abend. Joschka Zinner trug sein großes Projekt auch den Vitrans vor, und diese waren außerordentlich angetan. Monique sagte, Markus müsse unbedingt eine Folge über alle Möglichkeiten der Energieeinsparung drehen, und Gerard bot seine Verbindungen und Arbeiten an. Sie hatten neue Einfälle, aber desgleichen Fragen und Bedenken, und Isabelle Delamare sprang immer wieder als Übersetzerin ein.

Die Gespräche wurden zunehmend freundschaftlicher, und plötzlich war es für Gilles so, wie es einmal vor langer, langer Zeit im Nachkriegs-Berlin gewesen war in seinem Haus im Grunewald, als Schauspieler und Autoren, Politiker, Sänger und Maler bei ihm und Linda verkehrten. Jene Atmosphäre der Freundschaft und der Freude über alles, was man nun tun würde, weil man es nun tun durfte, gab es auch an diesem Abend in Frankfurt, und Erinnerungen überfluteten Gilles. Und doch, dachte er beunruhigt, und doch ist etwas anders hier, ganz anders. Was er sah, was er hörte, war nicht die Wahrheit, nein, nicht die Wahrheit...

Er saß beim Fenster, rauchte Pfeife und hörte nur zu. Dabei sah er immer wieder Isabelle an, wie sie ruhig, sicher und ohne zu ermüden übersetzte, präzise und wortgewandt. Einmal schlug sie ein Bein über das andere, und er sah, daß der dunkelgraue Rock ihres Kostüms innen mit einer Bahn Pepitastoff besetzt war.

Isabelle lächelte ihm ein paarmal zu, und auch er lächelte und war den ganzen Abend gleichermaßen erfüllt von einem Gefühl der unbestimmten Sorge und einem solchen der seltsamen Verzauberung, wann immer er Isabelle ansah, wann immer er ihre Stimme hörte.

Später aßen alle im Französischen Restaurant im Erdgeschoß des Hotels. Die Gespräche gingen auch da weiter, und, wann immer es nötig wurde, übersetzte Isabelle liebenswürdig und mit größter Aufmerksamkeit. Es war dann Gerard Vitran, der vorschlug, sie solle das Filmteam doch überallhin begleiten, sie beherrsche doch perfekt sechs Sprachen. Alle waren begeistert, Bolling besonders.

Gilles freute sich darüber, daß Vitran Isabelle lobte, er sah ihr beim Essen und Trinken und Sprechen zu, und alles, was sie tat, gefiel ihm. Isabelle blickte ihn von Zeit zu Zeit an, einmal hob sie ihr Weinglas, und er hob das seine, und den ganzen Abend empfand er weiterhin eine große Bewegtheit.

Natürlich fing Joschka Zinner wieder davon an, daß Gilles unbedingt mitfliegen und später die Kommentare für die einzelnen Filme schreiben müsse, und alle baten Philip, das zu tun, und Isabelle sah ihn an, und zu seiner Verblüffung sagte er zu.

Nach dem Essen gingen sie noch in die Lipizzaner-Bar neben der Rezeption und tranken ein wenig. Alle waren aufgeregt.

Miriam Goldstein setzte sich neben Gilles. Sie sagte leise: »Schön, wie begeistert alle sind, wie fröhlich, wie hoffnungsvoll, nicht wahr?«

Er sah sie stumm an.

»Sie schweigen«, sagte sie leise. »Sie denken dasselbe wie ich.«

Er schwieg weiter.

»Soll ich Ihnen sagen, was Sie denken?« fragte Miriam noch leiser, nur er verstand sie in dem Gewirr aus Stimmen und dem Spiel des Pianisten. »Sie denken, es geschieht zu viel auf einmal. Der Mordanschlag auf Markus. Hansens Rückzieher. Joschka Zinner, der uns so viel Geld und so grandiose Möglichkeiten gibt – gerade jetzt. Jahrelang hätte er Gelegenheit dazu gehabt. Warum will das Frankfurter Fernsehen gerade jetzt so eine Serie produzieren? Warum wollen Menschen Marvin umbringen, damit er schweigt, und warum wollen zur gleichen Zeit andere ihm alle Mittel zur Verfügung stellen, damit er über ein so gewaltiges Medium wie das Fernsehen viele Millionen über alles, was Menschen Menschen und was Menschen dieser Erde antun, unterrichten kann? Das denken Sie doch, Herr Gilles, oder?«

»Ja«, sagte er. »Das denke ich, Frau Doktor Goldstein. Und darum müssen wir nun mit der Arbeit beginnen. Denn nur so haben wir eine Chance, herauszufinden, was wirklich vorgeht.«

Miriam nickte sehr ernst und ging wieder zu den anderen. Gilles blieb allein. Nach einer Weile erhob er sich, weil er auf sein Zimmer gehen wollte. Alle wünschten ihm eine gute Nacht, und Isabelle gab ihm die Hand zum Abschied.

Im Appartement rief Gilles das Hotel Bon Accueil an. Monsieur Oltramare meldete sich und sagte, Gordon spiele gerade mit ihm Schach, und dann war Gordon am Telefon und fragte, wie es Gilles gehe. Der erzählte nun alles, was sich ereignet hatte, und schloß:

»...So werde ich also morgen mit der Swissair-Nachmittagsmaschine nach Genf kommen und ein paar Tage in Château-d'Oex bleiben, mein Alter. Am 25. August, das wurde eben festgelegt, werden wir von Frankfurt aus losfliegen nach Rio de Janeiro. Marvin will als erstes einen Film über die Zerstörung der Regenwälder am Amazonas drehen. Ein Umweltschützer, den Vitran empfohlen hat, sitzt in Rio.«

Gordon, der fast alle Flugpläne auswendig kannte, sagte: »Ab Frankfurt startet donnerstags eine Boeing 747 der Lufthansa um 21 Uhr 50. Landet um 6 Uhr 35 Ortszeit auf dem Internationalen Flughafen von Rio. Flug Nummer 510.« Und Gilles dachte wieder, daß jeder Mensch etwas haben mußte, an dem er hing, und wenn es die Erinnerung an die Zeit war, als Gordon Spitfire-Maschinen flog.

»Ja, Gordon, diese Maschine nehmen wir«, sagte er. »Bis dahin haben Doktor Goldstein und Joschka Zinner alles besprochen, was mit Verträgen und Geld zusammenhängt. Ich schreibe für die Filme nur die Kommentare. Mit allem anderen Material, das wir recherchieren, darf ich anfangen, was ich will.«

»Du wirst eine Menge Sachen mitnehmen müssen zum Anziehen«, sagte Gordon.

»Ja.«

»Ich habe einmal gesagt, jeder Schutz vor dem wirklichen Leben ist Reichtum. Weißt du noch?«

»Ja, Gordon.«

»Aber du hast recht: Man darf sich nicht immer und vor allem schützen.«

»Nein«, sagte Gilles, »das darf man nicht. Und da ist noch etwas anderes, Gordon.«

»Was meinst du – noch etwas anderes?«

»Ich kann es nicht sagen. Aber ich fühle es. Ganz stark fühle ich es. Ich war so lange Reporter, ich *weiß* einfach, daß da noch etwas vor sich geht neben diesem Plan, Filme zu drehen, die die Menschen wachrütteln sollen. Absolut überzeugt davon bin ich!«

»Und du willst rausfinden, was das ist.«

»Ich muß es rausfinden. Denn da geht etwas Mieses vor sich, etwas Obermieses. Keine Ahnung, was, aber ich schwöre dir, ich habe recht. Wie dieser Joschka Zinner auftauchte! Wie dieser Marvin durch pures Glück noch am Leben ist! Wie dieser Kerl, dieser Hansen, seine Anzeige zurückzieht. Klipp, klapp. Klipp, klapp. Tür auf, Tür zu. Wie das abläuft. Wie das inszeniert ist, ja inszeniert ...«

»Guter Gott!« sagte Gordon. »Philip, wie er war, bevor er nach Château-d'Oex kam. Der alte Philip!«

»Nicht der alte Philip. Aber der alte Reporter.«

»Okay, okay. Wir werden den alten Reporter am Flughafen abholen, Monsieur Oltramare und Happy und ich. Und wir werden den alten Reporter dann auch wieder hinbringen, zum Abschied.«

»Ihr seid die Besten«, sagte Gilles, »du und Monsieur Oltramare und Happy.«

»Ach, hör schon auf!« sagte Gordon. »Bis morgen also!«

»Bis morgen!« sagte Gilles und legte auf, und dabei bemerkte er, daß seine Hand noch den Duft von Isabelles Parfum trug.

# Zweites Buch

»Um die Wahrheit zu finden,
mußt du ganz nah rangehen.
Wenn du ganz nah rangehst,
gehst du drauf.«

*Aus dem amerikanischen Film*
*»Salvador«*

# 1

*Also zieht G. die Korken aus den vier kleinen Flaschen Zucker-*
*schnaps und holt aus den Jackentaschen seines Khakianzugs zwei*
*Päckchen amerikanische Zigaretten und reißt sie auf und teilt*
*Fläschchen und Zigaretten mit mir. Wir tragen beide Khakianzüge*
*und Leinenhüte wegen der starken Sonne. Der Urwald ist voll sehr*
*hoher und alter Palmen, von denen riesenhafte Orchideenbüschel*
*herabhängen.*
*Man muß die Flaschen öffnen, sagt G. Die Geister können das nicht.*
*Dasselbe ist es mit den Zigaretten. Die Geister können die Packun-*
*gen nicht öffnen, darum müssen wir es tun und die Zigaretten in die*
*Höhlen legen, und wir dürfen die Streichhölzer nicht vergessen. –*
*Die Zigaretten selber anzünden, das können die Geister, ja? – Das*
*mußten sie lernen, sagt G. Würden wir sie anzünden, wären sie*
*schon verglommen, bevor die Geister kommen, nicht wahr? – Nur*
*logisch, sage ich. Welche Höhle gehört mir? – Suchen Sie sich eine*
*aus. Sie sehen, es sind jede Menge da. Hier haben Sie Streichhölzer.*
*– Danke. – Können Sie alles halten? – Sehr gut, sage ich. Wir*
*sprechen französisch miteinander, in halber Höhe des Corcovado,*
*auf dessen Spitze sich die (hat G. bekanntgegeben) vierzig Meter*
*hohe Christusstatue erhebt. Wir sind hierhergekommen, um eine*
*Macumba zu machen...*

14. Juni 1989: Es ist jetzt früher Abend und nach der Hitze dieses
Tages angenehm kühl in Château-d'Oex und meinem alten Haus Le
Forgeron. Seit Monaten schreibe ich hier. Auf der Wiese vor
Monsieur Oltramares schönem Hotel sitzen viele Gäste. Ihre Stim-
men und ihr Lachen dringen bis in mein Zimmer.
Ein Tagebuch liegt vor mir auf dem Tisch. Isabelle hat es mir

geschenkt und die Erlaubnis gegeben, daraus zu zitieren, was ich will und soviel ich will. Das habe ich eben zum erstenmal getan, und ich denke, daß ich es noch einige Male tun werde, zum einen, weil ich sonst leicht in Gefahr käme, bei der Schilderung jenes Ereignisses, das ich für unmöglich gehalten hatte, bis es mir widerfuhr, vor Überwältigtsein und Glück melodramatisch oder übermäßig bewegt zu werden, zum anderen, weil Isabelles Niederschrift mir die Möglichkeit gibt, meiner Chronistenposition treu zu bleiben. Die Eintragung, die ich zu zitieren begonnen habe, ist in Isabelles Tagebuch datiert mit *Sonntag, 28. August 1988*, und ich erinnere mich noch genau an diesen Tag und an unsere Macumba. Dunkelblau waren Isabelles Augen, als sie da im Urwald neben mir stand, und unter dem Leinenhut sahen nur die Spitzen ihres blonden Haares hervor. Sie war kaum geschminkt.

Weiter also aus ihrem Tagebuch:

*Wir sind nun schon den dritten Tag in Rio. Die heißeste Zeit des Jahres ist vorbei, aber die Luftfeuchtigkeit enorm hoch. Wir wohnen mit Markus Marvin, Peter Bolling und dem Team, das Joschka Zinner ausgewählt hat – einem Kameramann und einem Techniker –, im Hotel Miramar an der Avenida Atlantica.*

*Joschka Zinners Beziehungen ist es zu danken, daß Marvin die Erlaubnis erhalten hat, Deutschland zu einem Zeitpunkt zu verlassen, da weder das seltsame Verhalten Hilmar Hansens noch die Ermordung des Waffenschiebers Engelbrecht, noch die des Kalfaktors Traugott Mohnhaupt, den man gleich mit um die Ecke gebracht hatte, geklärt ist. Auch Valerie Roth scheint sich mit guten Kontakten dafür eingesetzt zu haben. Staatsanwalt Ritt, den ich vor dem Abflug kennenlernte, machte eine Bemerkung in diesem Zusammenhang. Ich kann mir nicht vorstellen, was für Kontakte das sein sollen. Unter zwei Bedingungen durfte Marvin das Land verlassen: Er muß Ritt und Hauptkommissar Dornhelm von der Mordkommission I stets seinen Aufenthaltsort mitteilen und bereit sein, jederzeit zurückzufliegen, falls die Untersuchungen seine Anwesenheit in Frankfurt notwendig machen.*

*Schöne Zimmer hat man für uns reserviert, meines liegt neben dem von G., beide gehen nach vorne hinaus, und vom Balkon sieht man* jenseits der Avenida Atlantica den Strand der Copacabana und das Meer. Der Sandstreifen, sagte G., war bei seinem letzten Aufenthalt hier strahlend weiß und das Wasser klar und rein. Nun sieht das Wasser noch immer klar und rein aus und der Sand strahlend weiß, aber einer der beiden Portiers, er heißt Carioca Parcas, meinte, wir sollten lieber woanders hinfahren, um zu schwimmen, hier bekämen die Leute Hautallergien.

1973, sagte G., war der Strand vor dem Miramar voll gewesen mit fröhlichen Menschen der verschiedensten Hautfarben, alle Rassenmischungen sah man – und die schönsten Mädchen. Es sind noch immer schöne Mädchen und Mischlinge jeder Schattierung da, aber weniger. Dieses Meer hier und dieser Strand haben viele vertrieben...

Isabelle war noch nie in Rio gewesen, und als sich herausstellte, daß Dr. Bruno Gonzalos, der Umweltschützer, der auf Marvins Liste an erster Stelle stand, unser Kabel offenbar mißverstanden und Rio über das Wochenende mit seiner Frau verlassen hatte, mietete ich einen Wagen und zeigte Isabelle die Stadt. Portier Parcas sagte, die Senhora müsse unbedingt eine Macumba machen, und Isabelle fragte, was das sei. Mein Freund Carioca Parcas war sehr alt geworden, seit ich ihn zum letztenmal gesehen hatte, aber das war ich schließlich auch...

Dies ist eine ziemlich bizarre Affäre, sagt der Portier, alle hier glauben daran, die frömmsten Katholiken und die, die an überhaupt nichts glauben. Sehen Sie, minha Senhora, im Urwald des Corcovado leben viele mächtige Geister. Sie können den Menschen sehr schaden, wenn sie wollen. Sie können aber auch jeden Wunsch erfüllen, den Menschen haben. – Und er blinzelt. – Klingt fabelhaft, sage ich und blinzle auch. – Jeden Wunsch, wenn man sie bei Laune hält, die Geister, sagt der alte Portier. – Und wie hält man sie bei Laune, Senhor Parcas? – Senhor Gilles weiß Bescheid, erwidert Parcas. Er hat schon eine Macumba gemacht. – Ist das so? frage ich G. – Ja, sagt er, das ist so. – Und? – Und was? – Und ist das, was Sie sich wünschten, in Erfüllung gegangen?...

An diesem Tag roch ich wieder Isabelles Parfum.

Was meine erste Macumba betraf, so konnte ich mich nicht mehr an sie erinnern, aber an die letzte, 1973. Damals wünschte ich mir von den Geistern des Urwalds die Liebe jener Frau, mit der ich dann zwei Jahre nach Amerika ging, und diese Liebe hat scheußlich geendet.

*Monsieur Gilles! Er schreckt richtig aus irgendwelchen geheimnisvollen Gedanken auf und starrt mich an, und ich frage noch einmal: Ist das, was Sie sich wünschten, in Erfüllung gegangen?*

*Er sieht aus, als wolle er nein sagen, sagt aber ja, und ich sage: Dann will ich auch eine Macumba machen!*

*So fahren wir also den Corcovado, der sich direkt hinter der Stadt erhebt, ein Stück empor bis dorthin, wo die Straße endet. Danach gehen wir zu Fuß. G. erinnert sich, daß es hier ein ausgezeichnetes Waldrestaurant gegeben hat, und das gibt es noch immer. Wir sitzen im Freien, unter Palmen und Orchideenbüscheln, und in den Sträuchern klettern zahme Papageien und sehen uns zu. Ein Kellner fragt, ob wir Aperitifs wünschen, und G. sagt, der einzige Aperitif, den man vor Sonnenuntergang hier trinken solle, sei Gin Tonic mit einer kleinen grünen Limone darin.*

*Also trinken wir den Sun-downer und ein wenig Wein zu herrlichem Fisch, und als es kühler wird, gehen wir dorthin, wo die Höhlen sind. Um einen sehr großen Krater läuft ein schmaler Weg, entlang dem steile Berghänge ansteigen. In diese Hänge sind viele kleine Höhlen geschlagen. Sträucher, Farne und Bäume verdecken die Tiefe des Kraters. Die Sonne scheint in das seltsame Amphitheater, und nun halte ich Fläschchen, Zigaretten und Streichhölzer in beiden Händen und sage: Ich möchte gerne meine Macumba in dieser Höhle hier machen, d'accord? – D'accord, sagt G. und geht ein Stück weiter zu einer anderen Höhle, und ich hinterlege Zigaretten, Fläschchen und Streichhölzer und sehe dabei Schwarze vor anderen Höhlen auf der gegenüberliegenden Seite des Kraters, und ich sehe auch weiße Frauen…*

Ich hatte hier jedesmal weiße Frauen gesehen und überlegt, warum sie sich wohl mit ihren Geschenken Freundschaft und Hilfe der

Geister erwerben wollten, und ich sagte mir, daß sie gewiß darum beteten, ihr Geliebter möchte sie nicht verlassen wegen einer anderen, und sie wohl auch wünschten, lange begehrenswert zu bleiben mit schönen Körpern und guter Haut und strahlenden Augen, denn in Rio gab es viele strahlend schöne junge Frauen und sehr gut aussehende Männer.

Als ich meine Geschenke niedergelegt hatte, trat ich einen Schritt zurück und blickte zu Isabelle hinüber. Sie stand vor ihrer Höhle, sehr schmal in ihrem Khakianzug, den Hut hatte sie abgenommen, das blonde Haar leuchtete in der Sonne, und ich dachte beklommen, daß diese Frau meine Tochter oder meine Nichte sein könnte, dem Altersunterschied nach. Da stand sie, und rund um den Krater spazierten Menschen, und die wilden Papageien lärmten, und ich dachte, daß ich gerne gewußt hätte, was Isabelle sich wünschte. Zuletzt wandte sie den Kopf und rief: »Fertig. Sie auch?«

Ich nickte und ging zu ihr, und in der feuchten, schwülen Luft empfand ich den Geruch ihres Parfums besonders stark, und ich sagte: »Dieser Duft muß für Sie erfunden worden sein.«

*Natürlich, sage ich und sehe mein Gesicht winzig klein in seinen Augen. Von Emenaro.*

*Wir verlassen den Krater. G. besteht darauf, daß ich an der Bergseite gehe, damit ich nicht in die Tiefe stürze, und lange Zeit sprechen wir nicht. Als wir den Parkplatz erreichen, öffnet er den Schlag des Wagens für mich, und während wir zur Stadt hinabfahren, fragt er: Haben Sie sich viel gewünscht? – Gar nichts, sage ich. – Gar nichts? Aber Sie standen so lange vor der Höhle! – Da war etwas Seltsames, sage ich. – Etwas Seltsames? – Ich hatte viele Wünsche, aber dann mußte ich an dieses Seltsame denken, und das beschäftigte mich so stark, daß ich nicht dazu kam, mir auch nur ein klein bißchen zu wünschen. – Ich verstehe, sagt G., und natürlich versteht er gar nichts.*

*Die Straße macht viele Haarnadelkurven, und er muß sehr achtgeben beim Fahren.*

*Und haben Sie sich etwas gewünscht? frage ich G. – Nein, sagt er. Es ging mir ähnlich wie Ihnen. Ich sah Sie an, Sie haben es nicht bemerkt, und da konnte ich nicht mehr an die Geister denken. – Das tut mir leid. – Ich kann mir auch so alles wünschen, sagt er. Mit diesen Geistern ist das ohnehin eine unsichere Sache. Sie werden mir nicht verraten, was das Seltsame war, an das Sie denken mußten? – O nein! sage ich, ganz gewiß nicht. Und danach schließe ich die Augen, denn er lenkt den Wagen gerade wieder in eine Kurve, und das gleißende Licht der sinkenden Nachmittagssonne trifft uns zusammen mit dem gleißenden Licht des Meeres, und beide blenden sehr stark. G. fährt langsam und behutsam, und ich öffne die Augen erst wieder, als wir die Elendsviertel der Vororte mit ihren Blechhütten erreichen.*

# 2

Und es begab sich in jenen Tagen...

In den Tierkörperverwertungsanstalten in Horstedt bei Husum und in Niebüll, Kreis Nordfriesland, wurden etwa fünftausend verweste und stinkende Robbenkadaver zu Viehfutter und Industriefett verarbeitet. Der Toxikologe Professor Otmar Wassermann von der Universität Kiel[6] empörte sich: »Die Verwertung derart schadstoffbelasteter Kadaver zu Viehfutter und zu Fetten garantiert, daß die mit technischen Schadstoffen ohnehin schon kritisch belastete Bevölkerung einer zusätzlichen, aber absolut vermeidbaren Schadstoffbelastung ausgesetzt wird. ...Warum muß in der Industriegesellschaft einfach alles verwertet werden – sogar die Leichen der Seehunde, an deren Tod wir ganz erhebliche Mitschuld tragen?«
Seine Frage blieb unbeantwortet, der Skandal von den Medien unbeachtet.

Das Trinkwasser, eines der kostbarsten Güter der Menschheit, ist zum gefährlichen Gebräu geworden. Schuld an der Verseuchung des Lebensmittels Nummer eins sind Landwirtschaft und Industrie. Dies erklärten international anerkannte deutsche Wissenschaftler.

Einige Alarmmeldungen aus einer schier endlosen Liste: Sechs Säuglinge in Bayern starben an kupferverseuchtem Trinkwasser.[7] Baden-Württemberg schloß zweihundertfünfzig verpestete Brunnenanlagen. Nitrathaltiges Wasser erhöhte die Magenkrebsrate im »Gülle-Kreis« Vechta. Zwischen Passau und Flensburg entdeckten Chemiker im Grundwasser fünfundvierzig verschiedene schwere Ackergifte. Aus der Söse-Talsperre im Harz schwappte schwermetallhaltiges Wasser in die Fernleitung nach Göttingen. In viertausendsechshundert nordrhein-westfälischen Brunnen fand sich doppelt soviel Nitrat wie erlaubt.

Der Bielefelder Umweltdezernent Uwe Lahl prangerte in einer Podiumsdiskussion die staatliche Umweltpolitik an: »Die Politiker bleiben untätig, wir haben das organisierte Vollzugsdefizit. Die chemische Industrie macht weiter glänzende Geschäfte, sie mokiert sich über die Versuche von Ökologen, die Öffentlichkeit vor der Gefahr der Pestizide im Trinkwasser zu warnen. Auf Fachkongressen und Pressekonferenzen verurteilen Industrievertreter im besten Einvernehmen mit Pflanzenschutzämtern und Landwirtschaftskammern die Aufregung über ›die winzigen Ultraspuren‹.«

An Alaskas Südküste kam es zur größten Umweltkatastrophe in der Geschichte der Vereinigten Staaten. Mit zweihundertelftausend Tonnen Rohöl beladen, lief der Supertanker »Exxon Valdez« im Prinz-William-Sund auf ein Riff und wurde aufgerissen. Der Ölteppich breitete sich über ein riesiges Gebiet aus. Millionen Robben, Fische und Vögel gingen qualvoll zugrunde.

Vier Tage nach dem Unglück stieg an allen Börsen der Preis für Rohöl auf den höchsten Stand seit neunzehn Monaten.

Nördlich von Norwegen sank ein atomgetriebenes, Torpedos führendes sowjetisches U-Boot mit sechzig Mann Besatzung auf fünfzehnhundert Meter Tiefe. Nur wenige Menschen konnten gerettet werden. Sie hätten den Reaktor abgestellt, erklärten die Überlebenden. Experten sprachen von einer »atomaren Zeitbombe«, norwegische Wissenschaftler erinnerten an Tschernobyl.

Schon wenige Tage nach dem Unglück sprach niemand mehr davon.

Nach einer Untersuchung von Greenpeace liegen auf dem Grund der Weltmeere achtundvierzig nicht explodierte Atomsprengköpfe und elf Atomreaktoren. Ein Greenpeace-Sprecher: »Schuld daran sind Russen ebenso wie Amerikaner durch Unfälle, Pannen und Schlamperei. Wir wissen nicht mit Sicherheit, ob eine Umweltverseuchung bereits begonnen hat. Doch eines Tages werden sich diese Waffen zersetzen und gefährlich werden. Die verlorengegangenen Raketen und Bomben liegen in so großen Tiefen, daß sie nicht geborgen werden können.«

»Ich kann der Nordsee nur einen ganz miesen Sommer mit viel Regen und wenig Sonne wünschen«, erklärte Professor Thomas Höpner, Biochemiker und Meeresbiologe von der Universität Oldenburg. »Die Nordsee verträgt kein gutes Wetter mehr. Die Situation des Meeres ist labil und chaotisch.« Nach Höpners Ansicht sind daran die vielen Abfälle schuld, die in die Nordsee geleitet werden, jährlich unter anderem viertausend Millionen Kubikmeter ungeklärtes Abwasser, einenhalb Millionen Tonnen Stickstoffverbindungen und zweihunderttausend Tonnen Phosphate. Die vielen Nährstoffe im Wasser – in Verbindung mit Licht und Wärme – »mästen« Algen geradezu. Absterbende Algen werden von Bakterien zersetzt. Dafür benötigen die Bakterien gewaltige Mengen Sauerstoff. Folge: Fische ersticken, das gesamte Ökosystem kann umkippen.[7]

Eine Umfrage unter dreitausend deutschen Realschülern der zehnten Klasse ergab: Fünfundzwanzig Prozent konnten keine einzige Blume nennen. Siebzig Prozent wußten nicht, daß die Tanne vom Aussterben bedroht ist. Was als »Sondermüll« zu bezeichnen ist, wußten nur vier Prozent.

## 3

»Über die Hälfte aller tropischen Regenwälder ist bereits zerstört oder irreversibel geschädigt. Niemand vermag auch nur annähernd den damit verbundenen Verlust an Tier- und vor allem Pflanzenarten abzuschätzen«, sagte Dr. Bruno Gonzalos. Er wartete, bis Isabelle übersetzt hatte, und fuhr dann fort: »Fest steht jedoch schon jetzt, daß in den Regenwäldern der größte je von Menschenhand praktizierte Ökozid und damit die umfangreichste Artenausrottung der Weltgeschichte vollzogen worden ist.«

Clarisse, seine Frau, eine schöne dunkelhäutige Mulattin mit ganz kurz geschnittenem schwarzem Haar, sehr großen schwarzen Augen und herrlichen Zähnen, sagte: »Schon Christoph Kolumbus schwärmte von der ›großen Schönheit‹ und ›tausendfachen Vielfalt‹ der Waldlandschaft in der Karibik mit ›Bäumen tausend verschiedener Arten, die so hoch sind, daß sie den Himmel zu berühren scheinen‹.«

Ihr Mann nahm ein Buch. »Und Alexander von Humboldt schreibt hier, ich zitiere: ›Ich beneide den Menschen in der heißen Zone, der von der Natur damit belohnt wird, ohne seine Heimat zu verlassen, alle Pflanzengestalten der Erde zu sehen.‹«

»Damit ist es vorbei«, sagte Clarisse, von Beruf Biologin. »Mit der Rodung verschwinden täglich mehrere Tier- und Pflanzenarten von unserem Planeten. Wenn das Tempo der Zerstörung anhält, werden es bald mehrere in der Stunde sein. Es ist, als hätten die Nationen der Welt beschlossen, ihre Bibliotheken zu verbrennen, ohne nachzusehen, was darin steht.«

»Diese Zerstörung«, sagte Gonzalos, »bedeutet nicht nur einen ungeheuren Verlust an Lebensformen, sondern eine Zerstörung des gesamten weiteren Evolutionsverlaufs. Bei diesem Ökozid geht es nicht um Tod, sondern um das Ende von Geburt.«

Nachdem Isabelle auch dies übersetzt hatte, war es sehr still im Arbeitszimmer des Dr. Gonzalos. Der sechsunddreißigjährige Meteorologe, der im Auftrag einer Umweltschutzorganisation der Vereinten Nationen seit sieben Jahren darum kämpfte, daß nicht auch der Rest der Regenwälder vernichtet wurde, war ein ruhiger, sanfter Mann und machte einen scheuen Eindruck. Wenn er indessen sprach, konnte seine Stimme bittend und beschwörend klingen oder auch, wie jetzt, kalt, anklagend und hart. Sehr hell war die Farbe seines schmalen Gesichts, braun wie das kurzgeschnittene Haar waren seine Augen. Er saß bei einem Fenster, durch welches man das große Gebäude des Museu Nacional de Belas Artes an der Avenida Rio Branco, schräg gegenüber, erblickte. Gilles war mit Isabelle in dem Palast gewesen, während sie auf die Rückkehr der Gonzalos nach Rio warteten. Sie hatten all die wunderbaren Gemälde gesehen, und Gilles, der sich sehr für Malerei interessierte, hatte Isabelle viel erklärt und erzählt, und die junge Frau war beeindruckt gewesen von der Art seiner Schilderungen. Nun, im Arbeitszimmer des Dr. Gonzalos, saß Isabelle zwischen Gilles und Clarisse. Hinter Clarisse an der Wand hing ein Bild, das in poetischer, traumhafter Art ein Liebespaar zeigte. Gilles hatte es sogleich entzückt als Werk des Malers Ismael Nery erkannt, was die Eheleute Gonzalos erfreute, denn auch sie liebten Nerys Gemälde, und so hatte man davon gesprochen, daß dieser Künstler nach einem Aufenthalt in Paris ab 1927 unter den Einfluß Chagalls geraten war, und Isabelle, die übersetzte, war erfreut darüber, wieviel Gilles wußte und zu sagen hatte, seltsam stolz machte sie das, und sie hatte den Schriftsteller immer wieder angesehen, als sähe sie ihn zum erstenmal.

Drei weitere Personen befanden sich im Raum: Der Chemiker Peter Bolling, der Kameramann des Teams und ein Techniker. Daß Fernsehanstalten international dazu übergegangen waren, nur noch zweiköpfige Teams loszuschicken, hatten die Gonzalos nicht gewußt, und so war des längeren auch davon die Rede gewesen. Früher, hatte der sehr höfliche, sehr ernste Kameramann – Bernd Ekland hieß er – erklärt, arbeitete man mit Teams bis zu fünf Mitarbeitern, doch nun, so sagte er, gab es ganz neue Kameras, BETAs wurden sie genannt.

»Elektronische Kameras gibt es schon lange«, sagte Ekland, der die linke Hand beständig am rechten Oberarm hielt und diesen behutsam massierte. »Aber diese neuen arbeiten mit halbzölligen BETA-Bändern in Kassetten, die nicht größer sind als normale Videokassetten. Sie haben den enormen Vorteil, daß man genau wie bei einer normalen Videokamera aufnehmen und die Kassette sofort über einen Recorder auf einem Monitor abspielen und feststellen kann, ob die Aufnahmen gelungen sind, optisch und akustisch. Früher gab es da noch einen Tonmeister, einen Assistenten des Kameramanns und einen Beleuchter. Das war das mindeste. Heute übernimmt deren Arbeit ein einziger Mensch, und weil er so viel Verschiedenes zu tun hat, ist für seine Bezeichnung niemandem etwas Besseres eingefallen als das Wort ›Techniker‹. Mit meinem Techniker«, sagte er, und seine Stimme wurde weich, »arbeite ich schon seit elf Jahren.«

»Die ersten acht Jahre war ich Tonmeister«, sagte der Techniker, eine junge Frau, die sich kleidete wie ein Junge. Sie hieß Katja Raal, hatte eine Männerfrisur mit Scheitel und ein stets fröhliches Gesicht, dessen Haut verheert war von einer niemals überstandenen Akne. »Sie schicken Bernd und mich immer zusammen los, weil wir uns so gut verstehen.« Bernd lächelte ihr kurz zu, gleich wurde er wieder ernst. Seine linke Hand massierte den rechten Oberarm. »Darauf achten sie«, sagte die kleine Person mit den lustigen Augen, »daß der Kameramann und der Techniker gut auskommen miteinander. Oft arbeiten sie monatelang zusammen. Das geht nur, wenn man sich wirklich versteht.« Und wieder strahlte sie Ekland an.

»Was wiegt so eine BETA-Kamera?« fragte Gilles.

»Neun Kilo«, sagte Ekland.

»Und die halten Sie auf der Schulter?«

Der große, kräftige Mann nickte. »Oder man schraubt sie auf ein Stativ.«

»Neun Kilo. Das ist hart«, sagte Clarisse, und alles, was gesprochen wurde, übersetzte Isabelle.

»Bißchen schon, ja«, sagte Ekland. »Wenn man so ein Ding fünfzigmal am Tag auf der Schulter hat und dann wieder aufs Stativ heben muß und vom Stativ auf die Erde und dann wieder auf die Schulter und dann wieder aufs Stativ, und das wochenlang... bißchen hart, doch, doch. Aber Katja hilft mir. Ohne Katja könnte ich nicht arbeiten.«

»*Sie* heben die Kamera auch?« fragte Isabelle.

»Na klar!« sagte Katja, und ihre fröhlichen Augen blitzten, und die Haut ihres Gesichts war bedeckt von Narben und Pusteln und schwarzen, großen Poren und verlederten Stellen. Den meisten Menschen fiel es schwer, Katja Raal gelassen und natürlich anzusehen und sich kein Erschrecken über dieses Gesicht anmerken zu lassen. Katja war es gewohnt, daß man sie mitleidig oder irritiert musterte. »Sie meinen, ich bin zu schwach? Ha! Was glauben Sie, wieviel Kraft ich habe!«

Bernd betrachtete sie zärtlich. »Schuftet wie ein Pferd, die Kleine. Denn natürlich muß sie sich dazu noch um den Ton kümmern und mir beim Filmen helfen, sich um das Ausleuchten sorgen und dazu noch um x andere Dinge. So ein BETA-Set besteht aus vielen Teilen: Kamera, Stativ, Scheinwerfern und allem, was zu ihnen gehört, Kabeln, einem Lichtkoffer, den Gurten, an denen die Akkuplatten stecken, die die Kamera laufen lassen, einem Monitor, Kassetten, Werkzeug... Was glauben Sie, was wir mit uns rumschleppen! Großartig ist er, mein Techniker.«

Katja strahlte und strich über Bernds Oberarm.

»Und immer fröhlich, immer gut aufgelegt – ein Wunder, wirklich, ein Wunder.«

»Hör auf!« rief Katja lachend, und Röte überzog ihr verunstaltetes bleiches Gesicht. »Ich möchte nie etwas anderes machen als so arbeiten – mit dir.«

Und das, dachte sie, lachend und dabei völlig verzweifelt, wird nur noch ein Jahr gehen. Allerhöchstens ein Jahr. Ich und Bernd wissen es, sonst weiß es keiner, außer zwei Ärzten. Beim ersten war Bernd vor drei Jahren, als die Schmerzen in seiner Schulter ganz arg wurden. Der erste Arzt hat eine Berufskrankheit festgestellt. Ich kann den lateinischen Namen auswendig, weil sich ja Bernds und mein Leben um diese Krankheit dreht. Sie heißt *Periathritis humeroscapularis*. Schultersteife. Entstanden durch das Schleppen der verfluchten BETA und aller verfluchten Kameras vor ihr. Zuerst also Bestrahlungen. Wärme. Ultraschall. Kurzwellen. Voraussetzung natürlich: nicht arbeiten! Natürlich keine Rede davon. Bernd arbeitet weiter wie bisher. Filmen bedeutet einfach Leben für ihn, und das ist keine Phrase. Die Schmerzen bleiben. Der Arzt sagt, also Injektionen. Cortison. In die Schulter. Regelmäßig. Bringt mir bei, wie man sie macht, denn wir sind ja viel unterwegs. Mit den Cortisoninjektionen wird es tatsächlich besser. Bis vor einem Jahr ein anderer Arzt davon hört und sich aufregt: Cortisoninjektionen? Drei in der Woche? Sie sind ja wahnsinnig! Absetzen, sofort absetzen! Wenn nicht, riskieren Sie, daß die Muskelsehne reißt. Dann ist Schluß, aber endgültig. Dann können Sie den Arm nicht mehr heben. Dann haben Sie eine *frozen shoulder*. Also kriegen Bernd und ich einen Riesenschreck und hören tatsächlich auf mit dem Cortison. Natürlich werden die Schmerzen ärger. Immer ärger. Jetzt sind sie schon so arg, daß Bernd ständig unter Antischmerzmitteln steht, er nimmt zu viel, immer nimmt er zu viel. Seit sechs Monaten ist er nicht mehr zum Arzt gegangen, er will es nicht wissen, er will es nicht wissen, er schluckt Antischmerzmittel, weil er doch filmen will, filmen, und ich, ich will ja genau dasselbe, daß er filmt, filmt, filmt, solange er noch eine Kamera halten kann. Ich kenne ein paar, die haben sich so eine *Periathritis humeroscapularis* geholt bei diesem Job. Einen habe ich gesehen, der konnte zuletzt nicht einmal mehr ein Blatt Papier aufheben und war halb verrückt vor Schmerzen. Er hat gefilmt, bis es nicht mehr ging, und das wird auch Bernd tun, er will es so, und ich, ich weiß, daß das egoistisch ist, aber ich weiß ja, daß für ihn Filmen Leben bedeutet, ich will es auch, und niemand darf es wissen, sonst setzen sie ihn sofort an so einen Schreibtisch, und wenn Bernd nicht mehr filmen darf, was wird dann aus mir? Mich wollte doch nie einer, weil ich so scheußlich aussehe, keiner wollte mich, bis Bernd auftauchte, der war freundlich und höflich und lieb zu mir vom ersten Moment an. *Mir* hat er das erzählt mit seinem Arm, als er zum erstenmal vom Arzt kam, und auch als er hörte, daß es nur noch ein Jahr dauern kann, allerhöchstens ein Jahr. Und dann? Was wird dann aus mir? Nicht daran denken, dachte Katja, nur nicht daran denken, nein, nein, nein, und sie lachte fröhlich.

Sie waren am Vormittag dieses 29. August, einem Montag, in der Wohnung der Gonzalos zusammengekommen, um die Einzelheiten des Films über die Zerstörung der Regenwälder zu besprechen.

»Je besser die Interviewten«, hatte Marvin gesagt, »um so besser läuft die Arbeit. Wir müssen *vor* Drehbeginn genau wissen, worauf es ankommt, damit wir die richtigen Fragen stellen. Auch für die Dolmetscherin ist das wichtig. Es erleichtert das Hin- und Herübersetzen vor laufender Kamera...«

Da saßen sie und tranken Tee, und von der Straße herauf ertönte durch das offene Fenster das Lied eines Bettlers.

»Was singt er?« fragte Peter Bolling.

Isabelle lauschte und sagte mit kleinen Pausen: »Was mein Schicksal mir erkor... läßt mich nie... Einzig kenn' ich nur die Trauer... denn für sie bin ich geboren... ich für sie...«

Clarisse stand auf, wickelte Münzen und Scheine in ein Blatt Papier und warf sie für den Sänger aus dem Fenster.

»Genozid – Ökozid«, sagte Marvin. »Furchtbare Worte. Völkermord. Naturmord. In was für Zeiten leben wir!«

Isabelle übersetzte alles. Sie trug ein hellblaues, leichtes Kleid und weiße Schuhe, und immer wieder sah sie Gilles an und lächelte manchmal, doch er blieb ernst und lächelte nie.

»Menschen können Menschen töten und ganze Rassen und Völker ausrotten«, sagte Bruno Gonzalos. »Die Natur können sie nicht töten. Sie können es versuchen. Doch von einem bestimmten Moment an wird die Natur zurückschlagen, und die Menschen, die sie so verletzt haben, gehen zugrunde. Die Natur wird ewig sein, sie wird sich in immer neuen Formen erholen. Der Mensch braucht die Natur. Die Natur braucht den Menschen nicht. Machen wir uns nichts vor: Tropische Länder wie Brasilien oder Indonesien müssen jedes Jahr etliche Millionen Menschen mehr unterbringen und ernähren. Mit dem Mut der Verzweiflung werden viele dieser Unglücklichen die Regenwälder immer wieder angreifen – genau wie die Unternehmer eines nur an Profit orientierten Wirtschaftssystems. Also *muß* die Endkatastrophe, der Selbstmord der Menschheit, kommen, bald – wenn es uns nicht gelingt, schnellstens eine wirkungsvolle Geburtenkontrolle durchzusetzen und ein Verbot der absolut gewissenlosen Ausbeutung aller Schätze der Regenwälder durch absolut gewissenlose Regierungen, Banken und Industrien.«

»Mit dieser Forderung werden wir anfangen«, sagte Marvin. »Und dann erklären, was die Zerstörung des Regenwaldes für das Klima bedeutet.«

»Können wir am besten hier drehen«, sagte Ekland. »Als erstes kommt das Interview mit Ihnen.«

Unten auf der Avenida Rio Branco sang der Bettler noch immer sein klagendes Lied.

»Der Regenwald«, sagte Gonzalos, »entwickelte sich in mehr als sechzig Millionen Jahren zum tier- und pflanzenreichsten Gebiet der Erde. Zwanzig Millionen Quadratkilometer war er einmal groß. Ein knappes Jahrhundert brauchte der Mensch, dann waren die gewaltigen Baumflächen rund um den Äquator auf die Hälfte geschrumpft. Die Regenwälder in Indien, Bangladesch und Sri Lanka sind bereits fast völlig vernichtet.«

»Der Rückgang des tropischen Laubgürtels, vor allem das Schrumpfen der ›Grünen Lunge‹ im Amazonasbecken, verursachen weltweite Temperaturveränderungen«, sagte Clarisse Gonzalos.

Katja sah sie gebannt an. Diese schöne Haut, dachte sie. So herrlich dunkel. So fein wie Samt. Ach, dachte Katja, noch kann Bernd die Kamera halten. Noch habe ich Glück. Und mit fröhlichem Gesicht lauschte sie Clarisse, die weitersprach.

»Wenn Holzschlag und Brandrodung unvermindert fortgesetzt werden, droht die Klimakatastrophe in kürzester Zeit. Uralte Luftblasen aus dem Eis von Grönland und der Antarktis zeigen: Je größer der Anteil an dem Verbrennungsgas Kohlendioxid, desto höher steigt die Temperatur. Heute gelangen jährlich etwa fünf Milliarden Tonnen Kohlendioxid in die Luft...«

»Wieviel?« fragte Marvin entsetzt. »Sagen Sie das bitte noch einmal, Isabelle.«

»Ich habe mich nicht versprochen, Monsieur Marvin«, sagte die junge Frau mit dem blonden Haar und den blauen Augen. »Fünf Milliarden Tonnen Kohlendioxid jährlich.«

»Und schätzungsweise drei Fünftel davon stammen aus der Brandrodung der Regenwälder«, sagte Clarisse. »Wenn das so weitergeht, wird die Welttemperatur derart ansteigen, daß das Eis an den Polkappen zu schmelzen beginnt. Das hätte eine Überflutung weiter Küstenlandschaften zur Folge, und die Verwüstung der Erde würde sich rasend beschleunigen.«

»Wenn die riesigen Pflanzenflächen fehlen, wird auch der natürliche Abbau von Kohlendioxid durch die Photosynthese der Blätter verhindert«, sagte Gonzalos.

Bolling wandte sich an Gilles. »Photosynthese – das heißt, die Pflanzen nehmen Kohlendioxid und Wasser auf und verwandeln beide mit Hilfe von Sonnenenergie in Stärke und Zucker.«

»Danke«, sagte Gilles.

»O bitte«, sagte Bolling. »Ich erkläre Ihnen gerne alles, was Sie als Laie nicht verstehen.« Seine Antipathie gegen den Schriftsteller war wieder erwacht. Der schien es nicht zu bemerken und sah immer wieder Isabelle an.

»Die Zurückdrängung der Regenwälder hat weltweite Auswirkungen auch auf den Wasserkreislauf«, fuhr Gonzalos fort. »Früher waren sie gigantische Feuchtigkeitsspender, in denen einige Milliarden Tonnen Wasser durch Verdunstung und Niederschlag endlos zirkulierten. So stabilisierten sie das tropische Klima und schützten weit über ihre Grenzen hinaus vor Trockenheit und Überschwemmung. Durch den mörderischen Kahlschlag ist es bald auch damit vorbei. Und schließlich verlieren wir die sogenannte genetische Reserve von geschätzten eins Komma sieben Millionen Pflanzen- und Tierarten, die noch nicht einmal zur Hälfte wissenschaftlich beschrieben sind. Der Regenwald ist – abgesehen vielleicht vom Meer – der einzige Lebensraum, der eine Vielzahl neuer Nahrungsmittel, Naturstoffe für Medikamente und pflanzliche Rohstoffe für eine immer mehr anwachsende Menschheit bereitgehalten hat...
Nun wird er seit langem skrupellos ausgebeutet von multinationalen Gesellschaften, Banken, Konzernen und Regierungen. Wir werden Ihnen das zeigen, wir werden Ihnen das alles zeigen, meine Frau und ich.«

»Wir gehen mit Ihnen ins Rechenzentrum des Instituts für Weltraumforschung«, sagte Clarisse. »Dort gibt es Reihenbilder von Satelliten, die über den südamerikanischen Kontinent fliegen. Die Bilder zeigen das Ausmaß der Zerstörung im Amazonasbekken.«

»Bilder. Gut«, sagte Ekland. »So viel Bilder wie möglich. Bilder wirken mehr als Worte.«

»Sie werden genug Bilder bekommen«, sagte Gonzalos. »Meine Leute haben beschlossen, daß ich Sie auf Ihrer Reise begleite. Ich stehe Ihnen bei all Ihren Filmen zur Verfügung. Zuerst fliegen wir hinauf nach Belém und von da nach Altamira. Dort beginnt in drei Tagen ein Kongreß, zu dem die Indianer eingeladen haben, die gegen den Bau des größten Wasserkraftwerks der Welt protestieren. Ich bringe Sie zu den Goldgräbern. Ich bringe Sie zur Hochebene von Carajás, wo das ›brasilianische Ruhrgebiet‹ entstanden ist – ohne die geringste Rücksichtnahme auf die Folgen dieses Raubbaus, unter zynischer Mißachtung aller ökologischen Zusammenhänge.«

Gonzalos sagte, plötzlich leise und mit gesenktem Blick: »Ja, alle Verbrechen, die hier begangen wurden, werde ich Ihnen zeigen. Es sind internationale Verbrechen, sehr viele Länder haben sich an ihnen beteiligt – besonders Amerika, Deutschland und Japan. Wir...« Er stockte... »... Wir geben nicht auf. Und so viele andere auch nicht. Dennoch... ganz ehrlich: Ich weiß nicht – niemand weiß –, ob wir die Katastrophe noch abwenden können. Und in einer solchen Situation ist es absolut unverantwortlich, Kinder in die Welt zu setzen. Denn was, wenn alle Bemühungen erfolglos bleiben, und Kinder bald, sehr bald schon in einem danteschen Inferno leben müssen, sie und die Kinder dieser Kinder?«

Clarisse entschuldigte sich, um das Mittagessen, zu dem die Besucher eingeladen worden waren, vorzubereiten.

»Ich muß in die Küche«, sagte sie. Und zu Isabelle: »Wollen Sie mit mir kommen? Ich zeige Ihnen auch die Wohnung.«

Isabelle nickte.

In der Küche arbeitete eine Indio-Frau. Clarisse machte ihren Gast mit ihr bekannt, kümmerte sich um die Speisen und bat Isabelle dann in das Schlafzimmer. Hier sank sie, plötzlich völlig kraftlos, wie es schien, auf das Bett.

»Ich bin unglücklich, Senhora Delamare. So sehr unglücklich.«

»Warum?« fragte Isabelle erschrocken.

Clarisse Gonzalos erwiderte leise, fast flüsternd: »Mein Mann will unter keinen Umständen ein Kind, Sie haben es gehört. Ich wollte es auch nicht. Nun will ich es unter allen Umständen. Ich bin im zweiten Monat schwanger, Senhora Delamare. Bruno ahnt nichts davon. Ich will dieses Kind haben. Was soll ich tun?« Sie sprang auf, umarmte Isabelle bewegt, preßte sie an sich, und während sie zu weinen begann, wiederholte sie verzweifelt: »Was soll ich tun? Was soll ich tun?«

# 4

Am 4. Mai 1945 unterzeichneten in Lüneburg hohe deutsche und englische Militärs die Kapitulationsurkunde für die deutschen Truppen in Holland, Friesland, Bremen, Schleswig-Holstein und Dänemark. Auf den im Hafen von Svendborg liegenden deutschen Schnellbooten wurde Waffenruhe befohlen. Im Morgengrauen des 6. Mai verließen fünf Matrosen ihre Unterkünfte, um sich von der Truppe abzusetzen und nach Hause durchzuschlagen. Sie wurden indessen bald aufgegriffen und am 9. Mai – fünf Tage, nachdem die Teilkapitulation, am Tag, an dem die bedingungslose Kapitulation des gesamten Deutschen Reiches in Kraft getreten war – von einem Standgericht unter Vorsitz des Stabsrichters Holzwig wegen eines »schweren Falls der Fahnenflucht im Felde« zum Tode verurteilt. Die Urteile wurden am 10. Mai durch Erschießen vollstreckt, die Leichen im Meer versenkt.

Von Kriegsausbruch bis zum 31. Januar 1945 (darüber hinaus gibt es keine Zahlen) haben deutsche Militärrichter vierundzwanzigtausendfünfhundertneunundfünfzig deutsche Soldaten »rechtskräftig« zum Tode verurteilt. Wenigstens sechzehntausend von ihnen wurden erschossen, geköpft oder gehängt, die weitaus meisten anderen kamen durch »Begnadigung« in Strafkompanien und verloren dort ihr Leben.

Zum Vergleich: Die Richter der kaiserlichen deutschen Armee haben während der vier Jahre des Ersten Weltkriegs achtundvierzig Soldaten hinrichten lassen.

Von den zehn Millionen Amerikanern, die im Zweiten Weltkrieg Soldaten waren, wurde ein einziger von amerikanischen Richtern wegen Fahnenflucht zum Tode verurteilt und erschossen.

Nicht einen deutschen Militärrichter stellte man nach 1945 auch nur zur Rede. Die meisten von ihnen machten enorme berufliche oder politische Karrieren. Berühmt wurde der Skandal um den ehemaligen Wehrmachtsrichter und späteren Ministerpräsidenten von Baden-Württemberg, Doktor Hans Filbinger.

Unter den fünf Matrosen, die noch am 10. Mai 1945 auf Grund eines Urteils des Stabsrichters Holzwig erschossen wurden, befand sich der neunundzwanzigjährige Peter Ritt. Sein Sohn Elmar Ritt war zu jener Zeit eineinhalb Jahre alt. Er hat den Vater niemals gesehen.

»Wieso Personenschutz?« fragte Elmar Ritt.

»Aber so lautet doch Ihre Anordnung, Herr Staatsanwalt!« sagte der junge Kriminalbeamte Karl Wilmers verwirrt. »Doktor Hansen hat Personenschutz rund um die Uhr. Sie selber haben das verlangt, Herr Staatsanwalt!«

»Ich«, sagte Ritt mit schmalen Lippen, »habe das nicht verlangt.«

»Sie haben nicht...« Wilmers wurde immer verwirrter. »Aber deshalb sind wir doch hier! Wenn Sie das nicht verlangt haben – wer dann?«

Dieses Gespräch fand am Mittag des 29. August 1988, jenem Montag statt, da Dr. Bruno Gonzalos und seine Frau Clarisse in ihrer Wohnung in Rio de Janeiro Markus Marvin und sein Team für die Fernsehdokumentation über die Zerstörung des brasilianischen Regenwaldes empfingen.

Elmar Ritt stand mit einem Stenographen in der Eingangshalle des Bürgerhospitals in Frankfurt am Main. Er hatte dem Pförtner gerade gesagt, daß er eine Verabredung mit Dr. Hilmar Hansen habe, der hier auf der Privatstation liege, als ein junger Mann auf ihn zutrat und sich als Kriminalinspektor Karl Wilmers vorstellte.

»Wer das verlangt hat?« antwortete Ritt. »Vermutlich jemand von der Oberstaatsanwaltschaft. Man wird vergessen haben, es mir mitzuteilen.« Ritt erinnerte sich an seinen Vater, den er niemals gesehen hatte, und dachte: Darum bin ich Staatsanwalt geworden. Ich wollte alles tun, was ich nur konnte, damit in diesem Land Gerechtigkeit herrscht. Kein Blutrichter von einst stand jemals angeklagt vor einem Kollegen. Sehr viele Nazimassenmörder wurden niemals verurteilt. Sehr viele Naziärzte auch nicht. Sehr viele Wirtschaftsverbrecher niemals. Sehr viele dunkle Stellen hat die Gerechtigkeit in unserm Land bekommen. Was geht nun wieder hier vor? Hat keinen Sinn, mit diesem jungen Mann zu hadern. Er wurde hergeschickt. Ich werde herausfinden, was geschehen ist und auf wessen Weisung und warum an mir vorbei und weshalb überhaupt. Verlier nicht gleich die Nerven! sagte er zu sich. Dieser junge Mann kann nichts dafür.

»Ich möchte Herrn Doktor Hansen sprechen«, sagte er.

»Gewiß, Herr Ritt. Ich bringe Sie zu ihm«, sagte Wilmers.

Hinter dem Staatsanwalt und dem Stenographen betrat er einen

Lift, und sie fuhren zur Privatstation empor, die hinter einer geschlossenen Milchglastür lag. Der junge Kriminalbeamte klingelte. Eine Schwester öffnete.

»Bitte?«

»In Ordnung, Schwester Cornelia«, sagte Wilmers. »Das ist Herr Staatsanwalt Ritt, ich kenne ihn vom Sehen, und das ist...« Er brach ab.

»Das ist Herr Jakob Horn, Gerichtsstenograph«, sagte Ritt, der wieder wütend wurde. Vor einer der Türen der Privatabteilung hatte ein zweiter junger Mann gesessen, der nun herankam und grüßte.

»Inspektor Herterich«, stellte Wilmers ihn vor. »Bewacht Herrn Doktor Hansen hier oben. Wird in zwei Stunden abgelöst.«

»Führen Sie mich bitte zu Herrn Doktor Hansen«, bat Ritt lächelnd den zweiten Kriminalbeamten, der Herterich hieß.

»Sofort, Herr Staatsanwalt...« Herterich wirkte unglücklich. »Sofort, nachdem...«

»Sofort, nachdem was?«

»Es ist nur eine Kleinigkeit...« Herterich errötete verlegen.

»Was ist nur eine Kleinigkeit?«

»Ich muß Sie und Ihren Begleiter darauf hin untersuchen, ob Sie eine Waffe bei sich tragen«, sagte Herterich, fast stotternd.

»Sie müssen was?«

»So lautet die Anordnung, Herr Staatsanwalt«, sagte Wilmers. »Niemand darf zu Herrn Doktor Hansen, ohne kontrolliert worden zu sein. Wir müssen unsere Pflicht tun... Sie wollen uns doch nicht in Schwierigkeiten bringen, Herr Staatsanwalt!«

»Ich...« Ritt holte tief Atem. Ruhig! sagte er zu sich, verflucht noch mal, bleib ruhig! Laß deine Wut nicht an den beiden Jungen aus!

»Schon gut«, sagte er. »In Ordnung.« Er fragte die Schwester: »Wo kann ich telefonieren?«

»Hier drin.« Sie wies auf einen kleinen Raum voller Medikamentenschränke, dessen Tür offenstand.

»Danke.« Ritt sagte zu dem Stenographen: »Einen Moment, Herr Horn. Das haben wir gleich«, ging in den kleinen Raum, nahm den Telefonhörer ab, wählte und verlangte dann den Leitenden Oberstaatsanwalt seines Gerichts.

Er wurde dreimal weiterverbunden. Zuletzt sagte eine Mädchenstimme: »Herr Oberstaatsanwalt Hirmer ist nicht anwesend, Herr Ritt.«

»Dann geben Sie mir den Vertreter.«

»Der ist auch nicht da... Es... es...«

»Na!« schrie Ritt. Nicht! dachte er. Nicht schreien!

»Es ist überhaupt niemand hier, Herr Ritt«, sagte die Mädchenstimme klagend. »Bis fünfzehn Uhr bestimmt nicht. Die Herren haben Mittagspause. Dafür kann ich doch nichts.«

»Wissen Sie, wer die Anordnung gegeben hat, jedermann zu durchsuchen, bevor er zu Herrn Hansen in sein Zimmer im Bürgerhospital gehen darf?«

»Nein, Herr Ritt.«

»Nein?«

»Nein. Herr Hansen befindet sich in Gefahr, nicht wahr?«

»Wer sagt das?«

»Niemand. Aber er muß sich doch in Gefahr befinden, wenn es eine solche Anweisung gibt.«

Vor dieser Logik konnte Ritt nur die Augen schließen. »Danke«, sagte er, hängte ein und trat wieder auf den Gang hinaus.

»Bitte, nehmen Sie alle metallenen Gegenstände aus den Taschen, Herr Horn!« sagte Herterich gerade.

Ritt sagte zu Horn: »Tun Sie, was dieser Mann sagt!« Horn folgte. Er holte Schlüssel und Münzen aus seiner Jacke. Herterich nahm eine Sonde und führte sie an Horns Körper auf und ab. Dabei murmelte er: »Ich kann doch nichts dafür.«

»Ja, ja, ja«, sagte Ritt, während er die gleiche Prozedur über sich ergehen ließ. Er zitterte vor Wut, weil er seit einiger Zeit zwanghaft an seinen Vater und an dessen Ende denken mußte. »In Ordnung. In Ordnung. Sie können nichts dafür. Sie können nichts dafür. Hören Sie, Herr Horn, der Mann kann nichts dafür!«

»Wir bitten noch einmal um Verzeihung«, sagte Wilmers mit gepreßter Stimme. »Kommen Sie, meine Herren, ich bringe Sie jetzt zu Herrn Hansen.«

Sie gingen den Gang hinab bis zu der Tür, vor der Herterich gesessen hatte. Aus der Tür gegenüber trat ein älterer, grauhaariger Arzt und grüßte förmlich. »Herr Staatsanwalt Ritt?«

»Ja.«

»Heidenreich. Wir haben telefoniert.«

»Richtig.«

»Herr Hansen ist noch sehr schwach. Eine Viertelstunde, ich sagte es Ihnen am Telefon. Fünfzehn Minuten, keinesfalls länger. Wäre nicht zu verantworten.« Er klopfte an die Tür, an der eine Tafel mit den Worten EINTRITT VERBOTEN hing, und öffnete sie. »Herr Doktor Hansen«, sagte er, »die Herren vom Gericht sind jetzt da.«

»Herr Doktor Hansen«, sagte Elmar Ritt, auf einem Stuhl neben dessen Bett sitzend, »Sie wissen jetzt, wer ich bin, und Sie wissen jetzt, wer der Herr an dem Tischchen da drüben ist. Ich habe Fragen an Sie. Bereitet Ihnen Sprechen Schmerzen? Dann genügt es, wenn Sie nicken.«

»Es geht schon«, sagte Hansen. Er sprach mit einem leisen Zischen. Marvin hat ihm zwei Zähne ausgeschlagen, dachte Ritt. Hansens Gesicht und nackte Arme waren von Blutergüssen in allen Farben bedeckt. Um den Oberkörper lief ein dicker Pflasterverband. Die gebrochenen Rippen, dachte Ritt. Dachziegelverband heißt das. Klebt fest. Wird weh tun, wenn sie ihn runterreißen. Zellstoffverband über dem linken Auge. Hämatom. Gipsverband an der rechten Schulter. Schlüsselbeinbruch. Der rechte Fuß in Gips. Bänderriß am Sprunggelenk, dachte Ritt. Er betrachtete den schmalen, edel geschnittenen Schädel Hansens. Sein Haar war sehr fein und weiß. Die Augen waren groß und dunkel und hatten einen sanften Ausdruck. Wirkt ungemein mädchenhaft, dachte Ritt, ja, ein bezauberndes Mädchen könnte er sein, voll Charme gewiß und zugleich voller Scheu, überaus zart und liebenswert.

Ritt nahm die Akte, in der er sich während der Fahrt über Dr. Hilmar Hansen informiert hatte.

Dessen vollständiger Name war Hilmar Christoph Augustus Hansen, geboren am 22. Mai 1946 in Frankfurt. Eltern: Alexander Christoph Thomas Hansen, Mutter Roswitha Clementine, geborene Werth. Alleinhaftender Besitzer der Firma Hansen-Chemie, Kommanditgesellschaft. Die Hansen-Chemie war von Hansens Urgroßvater Paul Alexander im Jahr 1827 gegründet worden. Hansens Vater hatte sie außerordentlich erweitert. Von 1925 bis 1943 wuchs das Werk unter seiner Leitung zu einem mächtigen Unternehmen. Dann wurde der größte Teil der Werke am Main durch Luftangriffe zerstört. Bald machte sich Alexander Christoph Thomas Hansen an den Wiederaufbau. Schon während Hilmars Studienzeit und erst recht danach, als er in die Firma eintrat, half er dem Vater bei der Vergrößerung des Unternehmens. Nun, 1988, war die Hansen-Chemie bereits so etwas wie ein – kleiner – Bruder von Bayer und Hoechst geworden.

Hilmar Hansen wohnte nahe Königstein im Taunus in dem kleinen Schloß Arabella, das sein Großvater hatte erbauen lassen. Er war verheiratet mit Frau Elisa Katharina Luise Hansen, einer geborenen Thiel, und er hatte einen Sohn, Thomas, neun Jahre alt.

Ritt neigte sich vor. »Sie können sprechen, Herr Hansen?«

»Durchaus, Herr Staatsanwalt. Durchaus. Nur noch nicht laut. Es tut kaum weh.« Trotz des Lächelns lagen Wehmut, Demut und Trauer in den schönen Augen mit den langen, seidigen Wimpern. Melodisch und rein war Hansens Stimme. Beim Sprechen versprühte er winzige Speicheltröpfchen durch die Zahnlücken.

»Nun gut«, sagte Ritt. »Herr Hansen, haben Sie jemals Handelsware aus der chemischen Verbindung Paradichlorbenzol hergestellt – sogenannte Pinkelsteine, beziehungsweise Mittel zur sogenannnten Leichenhygiene?«

»Ja, Herr Staatsanwalt. Allerdings nur sehr kurze Zeit, vielleicht ein halbes Jahr. Danach wurde die Produktion gestoppt.«

»Warum?«

»Wir erhielten von verschiedenen Seiten Hinweise, denen zufolge Paradichlorbenzol unter dem Verdacht steht, krebserregend zu sein. Es werden zudem beim Gebrauch giftige Substanzen aktiv.« Hansen sprach jetzt schnell. »Das letztere wußten wir. Mit Hilfe einiger chemischer Veränderungen verhinderten wir von Anbeginn, daß diese Substanzen aktiv wurden. Wir haben die Produktion dennoch eingestellt – aus freiem Entschluß, Herr Staatsanwalt, aus freiem Entschluß.«

»Was heißt ›freiem Entschluß‹?«

»Es fehlt bis heute der exakte Nachweis, daß Paradichlorbenzol in der Tat krebserregend ist. Die Untersuchungen laufen – und werden das noch jahrelang tun. Wir wollten keinerlei Risiko eingehen. Keinerlei Risiko, nein.«

»Inzwischen hat das Bundesgesundheitsministerium **Paradichlor-benzolprodukte** verboten.«

»1988, Herr Staatsanwalt«, sagte Hansen, milde zischend. »Wir haben die Herstellung bereits 1985 eingestellt. Lassen Sie mich hinzufügen, daß Paradichlorbenzolprodukte in vielen Ländern keineswegs verboten sind. Deutsche Bestimmungen zeichnen sich durch besondere Umsicht und Strenge aus.«

Lautlos arbeitete der Stenograph an seiner kleinen Maschine. Jakob Horn war ein trauriger Mann. Er liebte seine Frau, und seine Frau litt an multipler Sklerose, die schon so weit fortgeschritten war, daß sie sich nur im Rollstuhl fortbewegen konnte, ins Bett und aus dem Bett gehoben, gewaschen, gepflegt, angezogen und ausgezogen werden mußte. Jeden Abend nach Dienstschluß, jedes Wochenende, jeden Feiertag, jede frei Stunde verbrachte Jakob Horn an der Seite seiner Frau. Der Arzt hatte ihm gesagt, die Krankheit werde im Laufe des nächsten Jahres das Atemzentrum seiner Frau erreichen, was Tod durch Ersticken bedeute. Seit einigen Minuten dachte Jakob Horn wieder einmal daran, daß er dann allein in der großen, grauen, alten Wohnung würde leben müssen.

»Herr Hansen, Sie sagen, Sie haben die Produktion nach kurzer Zeit eingestellt.«

»So ist es, Herr Staatsanwalt.«

»Sie haben niemals Paradichlorbenzolmittel in andere Länder, insbesondere solche der Dritten Welt geliefert?«

»Niemals.«

»Frau Doktor Valerie Roth und Herr Peter Bolling haben viermal Anzeige gegen Sie erstattet und behauptet, Sie würden in andere Länder, insbesondere solche der Dritten Welt, liefern.«

»Ich habe – und Sie wissen das, Herr Staatsanwalt – alle vier Prozesse gewonnen. Es hat sich nie der geringste Anhaltspunkt, geschweige denn ein Beweis für diese Behauptung gefunden.«

Ritt blätterte in seinem Akt. »Zuletzt wurden Sie aus dem gleichen Grund von Herrn Doktor Markus Marvin angezeigt.«

»Auch da wurde ich freigesprochen, wie Sie wissen.«

Ritt erhob sich. »Warum stehen Sie unter Personenschutz, Herr Hansen?«

»Weil Sie darauf bestanden haben.« Wörter wie »bestanden« stei-

gerten das leise Zischen und auch die Menge der feinen Speicheltröpfchen. Der mädchenhafte Mann sah Ritt irritiert an. »Was soll
diese Frage? Ich habe gesagt, ich will keinen Personenschutz, ich
empfinde das unnötig und lächerlich und als Belästigung – aber Sie
haben darauf bestanden mit der Begründung, ich hätte sehr viele
Drohbriefe und Morddrohungen erhalten, nachdem Berichte über
meine angeblichen Lieferungen in die Dritte Welt von den Medien
verbreitet wurden.«

»Herr Hansen«, sagte Ritt, »ich habe niemals Personenschutz für
Sie beantragt.«

»Sie haben niemals...«

»Niemals.« Ritt sah zu Horn. »Können Sie folgen?«

»Jawohl, Herr Staatsanwalt«, sagte der bleiche Mann an seinem
kleinen Apparat, dessen Tasten er lautlos bewegte. Fast schon bis
zum Atemzentrum, dachte er.

»Ja, aber ich werde doch bewacht Tag und Nacht! Niemand darf in
dieses Zimmer, ohne leibesvisitiert zu sein – selbst meine Frau
nicht!«

»Selbst Herr Horn und ich nicht«, sagte Ritt.

»Aber auf wessen Weisung hin? Ich meine... wenn Sie die Weisung
nicht gegeben haben, wer hat es dann getan? Und warum?«

»Um Sie zu schützen, Herr Hansen. Solche Morddrohungen werden sehr ernst genommen.«

»Ja, aber da müßte, wer immer das veranlaßt hat, Sie doch wenigstens verständigt haben.« Die sanften Mädchenaugen hatten sich
unruhig geweitet. »Was sagen denn die Beamten draußen?«

»Daß ich die Anordnung gegeben habe.«

»Aber das ist doch Schwachsinn!« Zischen.

»Ich glaube nicht, daß es Schwachsinn ist, Herr Hansen«, sagte
Ritt. »Gewiß hat alles seine Richtigkeit«, fügte er hinzu, während er
dachte, daß hier alles durchaus nicht seine Richtigkeit hatte. Er
wollte Hansen nicht zu erkennen geben, wie empört er war. Vielleicht hatte er wirklich einen Unschuldigen vor sich. Oder aber der
Schein trog, und Hansen wußte viel mehr, als er sagte – dann durfte
er sich erst recht keine Blöße geben. Ritt sagte: »Umweltsünder.
Umweltverbrecher. So wurden Sie ja nun in den Medien etikettiert,
nicht wahr? Immer wieder gibt es Umweltkatastrophen: Fast-

GAUs, vergiftete Erde, vergiftetes Wasser, vergiftete Luft. Viele Menschen sind außerordentlich verunsichert. Ganz gewiß gibt es auch Psychopathen unter ihnen. Ihr Schutz besteht zu Recht, Herr Hansen.«

»Eine der Folgen des Zeitgeistes«, sagte Hansen ergeben und feucht.

»Was meinen Sie mit Zeitgeist?«

»Sehen Sie, Herr Staatsanwalt, wovon hören die Menschen heute am meisten? Von Treibhauseffekt, Ozonloch, Klimakatastrophe. Vierundzwanzig Stunden täglich hören sie davon. Es passiert ja auch erschreckend viel. Auf allen Kontinenten werden Mensch und Natur von Dürren heimgesucht, von Überschwemmungen, Sturmfluten, Mißernten, Hungersnöten.« Hansens Gesicht hatte sich gerötet, er zischte lauter. »Fünfundzwanzig Millionen ›Umweltflüchtlinge‹ werden heute bereits im Sudan und in Bangladesch gezählt, las ich heute früh.« Er sah zu seinem Nachttisch, auf dem Zeitungen und Zeitschriften lagen. »Und zwar, weil Überschwemmungen aufgrund klimatischer Veränderungen jetzt schon katastrophale Ausmaße annehmen. So las ich.«

»Sie betonten die letzten Worte. Stimmt das alles nicht? Ist es das, was Sie den ›Zeitgeist‹ nennen, Herr Hansen? So etwas wie die Lust am Untergang? Verstehe ich Sie recht?« Ritt war vor dem Bett stehengeblieben. Wer ist dieser Mann wirklich? dachte er. Was denkt er wirklich?

»Sie verstehen mich nur zum Teil«, sagte Hansen mild. »Ich erlaube mir lediglich die Frage, ob das Klima ›kollabieren‹ kann oder sich ›killen‹ läßt, wie man das heute zu bezeichnen liebt – oder ob im Sudan und in Bangladesch nicht schon immer periodisch Überschwemmungen auftraten, und ob nicht demographische sowie politische Veränderungen wichtigere Ursachen für das beklagenswerte Schicksal der fünfundzwanzig Millionen ›Umweltflüchtlinge‹ sind als ausgerechnet das Wetter. Es ist doch – pardon – einigermaßen grotesk, andauernd präzise Szenarien (zwei schlimme Wörter für ihn) von Klimakatastrophen präsentiert zu bekommen, die in bestimmten Regionen in vierzig oder fünfzig Jahren auftreten sollen, obwohl der Alltag lehrt, daß Meteorologen heute noch keine Vorhersagen treffen können, die länger als zehn Tage Bestand haben.«

»Das heißt also doch, daß Sie nicht an diese Gefahren glauben...«

»Lassen Sie mich ausreden, bitte, Herr Staatsanwalt! Es ist alles komplizierter, als es in den Medien behandelt wird. Viel komplizierter. Ich denke, ich bin lange genug in diesem Beruf, um mitreden zu können. Natürlich gibt es die Gefahren, die heute so riesenhaft an die Wand gemalt werden. Die sogenannte etablierte Wissenschaft hat in der Vergangenheit viel Glaubwürdigkeit verspielt, ganz gewiß, sie hat mißliebige Probleme verharmlost, aber ja! Jedoch...«

»Jedoch?«

»Jedoch seit einigen Jahren meinen immer mehr Forscher – und eine Unzahl ihrer Jünger, die mit Forschung nichts zu tun haben, niemals zu tun hatten –, sie müßten ihren Elfenbeinturm verlassen, um Natur und Menschheit zu retten. Die einen preisen segensreiche Erfindungen zur Lösung drückendster Probleme an – Sonnenenergie, nicht wahr, Mittel gegen Aids oder Krebs, Impfstoff für die siechen Robben, Düngemittel für den kranken Wald –, die anderen warnen vor dem Weltuntergang durch Umweltgifte, Verseuchung der Flüsse und Meere, der Luft und der Erde, durch Artensterben, Ozonloch oder eben Klimakollaps.«

Die Tür ging auf, der ältere, grauhaarige Dr. Heidenreich kam herein. »Tut mir leid, Herr Staatsanwalt, fünfzehn Minuten sind längst um. Herr Hansen braucht Schonung und Ruhe. Ich bin für seinen Zustand verantwortlich. Bitte, gehen Sie jetzt!«

»Nein!« Das hatte Hansen fast geschrien.

Alle sahen ihn erstaunt an.

»Aber...« begann der Arzt.

»Herr Doktor, bitte, lassen Sie mich das zu Ende führen, was ich dem Herrn Staatsanwalt gerade erkläre. Es ist wichtig... Es ist ungeheuer wichtig für einen Mann wie ihn, daß er die *wirklichen* Zusammenhänge versteht. Ich fühle mich ausgezeichnet. Noch fünfzehn Minuten – auf meine Verantwortung, Herr Doktor!«

Der Arzt hob die Schultern.

»Es ist *Ihre* Gesundheit«, sagte er. »In zehn Minuten muß endgültig Schluß sein.« Er verließ verärgert das Zimmer.

»Ein Geschisse (arges Wort für ihn) machen die mit mir...« Hansen schüttelte den Kopf. Er war jetzt sehr erregt. »Ich muß Ihnen das doch erklären, Herr Staatsanwalt! Ich bin ein Betroffener. Ich stand vor Gericht. Angezeigt von Doktor Roth und Doktor Marvin und Herrn Bolling. Freigesprochen jedesmal, ja. Unschuldig, gewiß. Aber ein Umweltverbrecher für die Medien. Ein Fressen für den Zeitgeist. Ich stand vor Gericht: *Semper aliquid haeret*. Es bleibt immer etwas hängen, nicht wahr? Zurück zum Zeitgeist! Es sind nicht nur die ›alternativen‹ Wissenschaftler in den Ökoinstituten, die diesem Zeitgeist in Retterpose oder mit Kassandrarufen huldigen. Auch Direktoren von Universitäts- und Max-Planck-Instituten reiten auf dieser Welle. Teils aus Überzeugung, teils, weil es Sympathien bringt. Vor allem aber...« Er hob die Stimme beschwörend, und Ritt überlegte, ob dieser Mann nicht wirklich integer und ein Opfer war, Marvin hingegen ein Fanatiker, der von einem Extrem (die Atomenergie anbeten) ins andere (für das Überleben der Menschheit kämpfen) verfiel als labiler (um ein harmloses Wort zu verwenden) Charakter. Oder, dachte Ritt, geht hier etwas vor, hoch, hoch über meinem Kopf, von dem ich nichts ahne, das ich mir nicht vorstellen kann? »Vor allem aber«, wiederholte Hansen, »weil es sich herumgesprochen hat, daß allein bei Aussicht auf eine wichtige Problemlösung – und natürlich stehen wir vor riesigen Problemen – Milliardensummen für die Forschung freigemacht werden. Hier«, er wandte sich ächzend zur Seite und nahm ein Magazin von dem Zeitungsstapel auf dem Nachttisch, »das ›Deutsche Ärzteblatt‹, neueste Ausgabe Seite eins, schreibt, ›... daß Aids auf einem ganz anderen Gebiet ein – Klammer auf – makabrer – Klammer zu – Segen ist: Erst seit Aids gibt es eine hochsubventionierte Virusforschung.‹« Hansen ließ das Blatt auf die Decke fallen. »Da haben Sie es, Herr Staatsanwalt! Erst durch das Waldsterben erfuhr die vernachlässigte Forstwirtschaft ungeheuere Bedeutung. Algenpest und Robbensterben bescherten der Meeresforschung ungeahnten Aufwind. Ozonloch und Treibhauseffekt weckten die Atmosphärenforschung und die Klimatologie mit Milliardensummen aus ihrem Dornröschenschlaf.«

»Das müssen Sie doch begrüßen!«

»Das begrüße ich auch, Herr Staatsanwalt. Nicht begrüße ich es, wenn Umweltgruppen, Politiker, Journalisten und Wissenschaftler die Gefahren, denen diese Welt ausgesetzt ist, für ihre Karriere und ihr Wohlergehen ausnützen. Nicht begrüße ich es, daß manche gar zynisch das nächste Unglück herbeisehnen, weil sich dann endlich ›etwas politisch bewegen muß‹. Nicht alle, Herr Staatsanwalt, nicht alle, die als Retter und Schützer daherkommen, haben lautere Motive. Es wäre hoch an der Zeit, diese Leute ebenso kritisch unter die Lupe zu nehmen wie die Verharmloser und Abwiegler...«

»Sie müssen sich beruhigen«, sagte Ritt, der irritiert feststellte, daß Hansen bis zum Keuchen erregt, daß seine geschundene Gesichtshaut dunkelrot geworden war.

»Ich muß mich beruhigen? Aufregen muß ich mich!« rief Hansen.

»Sie wissen natürlich, wer Paul Watzlawick ist.«

»Der berühmte österreichische Psychotherapeut, der in Amerika arbeitet. Ich kenne seine Bücher.«

»Nun, in einem österreichischen Nachrichtenmagazin las ich ein Interview mit Watzlawick.[8] Er spricht über dieses seltsame Phänomen: Den Menschen in Westeuropa – wenigstens hier – geht es heute besser als je zuvor. Niemand leidet Hunger, nicht wahr? Fast alle hält das soziale Netz. Und dennoch sind viele nicht glücklich, sind depressiv, sehr oft in Endzeitstimmung. Was ist da los? fragt der Interviewer. Und Watzlawick antwortet: ›George Orwell, der Autor von ›1984‹, hat das sehr treffend in einem Essay erklärt, in dem er schrieb: ›Menschen mit leeren Bäuchen verzweifeln nicht am Universum. Sie denken nicht einmal daran.‹ 1946, sagt Watzlawick, arbeitete er in dem zusammengebombten Triest bei den Polizeibehörden. Es fehlte einfach an allem, und sie registrierten vierzehn Selbstmorde pro Jahr. In den fünfziger Jahren, als die meisten Menschen schon wieder Arbeit, Wohnung und zu essen hatten, schnellte die Selbstmordrate hinauf: auf zwölf pro Monat. Das, sagt Watzlawick, gebe ihm sehr zu denken.«

»Und wie interpretierte er es?« Die Unterhaltung faszinierte Ritt plötzlich.

»Der Mensch ist schlecht darauf vorbereitet, in einigermaßen sicheren Verhältnissen zu leben, sagt er.«

»Meine Mutter erzählte, die Kirchen wären nie so voll gewesen wie gleich nach dem Krieg, im Elend, angesichts von Trümmern, Hunger und Kälte«, sagte Ritt, immer nachdenklicher werdend.

»Sehen Sie, Herr Staatsanwalt! Watzlawick sagt in diesem Interview sinngemäß: Große Leitbilder sind wichtig, wenn Gefahr besteht. Wenn es rundum Tod und Zerstörung gibt, ist der Mensch viel mehr auf die Existenz ausgerichtet und wird deshalb einen Glauben suchen oder irgendwelche anderen Überzeugungen, die ihn widerstandsfähig machen. Der Inteviewer fragt: ›Könnte man also behaupten: Weil unsere Existenz so gut abgesichert ist, besitzen wir weniger Glauben denn je?‹ Und Watzlawick antwortet: ›Das könnte man behaupten.‹«

»Keine beruhigende Prognose«, sagte Ritt.

»Wahrhaftig nicht. Vor dem Jahr 2000, sagt Watzlawick, und vor dessen Herannahen wird sich noch einiges abspielen. Man kann, sagt er, schon Vergleiche ziehen zum Jahr 999, von dem auch eine beispiellose Hysterie überliefert ist. Damals, so Watzlawick, gab es kein Ozonloch, keinen sauren Regen, kein Aids. Es wurde dennoch der Weltuntergang prophezeit und das Verschwinden der Erde in Feuer und Pestilenz. Und nun hören Sie, Herr Staatsanwalt, dies sagt Watzlawick wörtlich: ›Als Vertreter einer Richtung, die der Auffassung ist, daß wir selbst uns unsere Wirklichkeit konstruieren, fühle ich mich bestätigt. Denn der 999-Wahnsinn ging an jenen Ländern spurlos vorüber, die sich nicht der christlichen Zeitrechnung bedienten. Für sie alle war das ein ganz normales Datum.‹« Hansen lächelte. »Großartig, wie?«

»Großartig«, sagte der Staatsanwalt, der Hansen nun unentwegt ansah. »Und warum haben Sie die Anzeige gegen Markus Marvin, der Sie derartig zusammenschlug, zurückgezogen?«

Hansen zögerte nicht eine Sekunde mit der Antwort: »Er ist ein alter Freund von mir.«

»Ein Freund?«

»Ja. Seit über einem Vierteljahrhundert. Wir haben gemeinsam studiert, ich Chemie, er Physik. Wir waren praktisch unzertrennlich, bis Markus sich völlig veränderte – Sie wissen, er war vor kurzem noch bei der Aufsichtsbehörde im Hessischen Umweltministerium und hat sich dann abrupt und, ja, das muß man wohl sagen, unter dem Einfluß des Zeitgeistes zu einem Mann mit Verfolgungswahn entwickelt. Er ist paranoid geworden, man muß auch das sagen, leider. Alle chemischen und pharmazeutischen Fabriken, beispielsweise, werden in seinem Wahn von Verbrechern geführt, die diese Welt zerstören. Er entwickelte urplötzlich Haß, ja, blanken

Haß auch gegen mich – besonders gegen mich natürlich, weil ich ihm am nächsten stand.« Hansens Stimme wurde so leise, daß Ritt die folgenden Worte kaum verstand: »Tragisch ist das. So wird Freundschaft, das Wertvollste, das es gibt, vernichtet. Hätten Sie ihm nicht vergeben unter diesen Umständen, Herr Staatsanwalt? Hätten Sie die Anzeige nicht zurückgezogen?«

»Das ist doch alles nicht wahr«, sagte eine Frauenstimme.

Ritt und Hansen sahen zur Tür. Ohne daß sie beide es bemerkt hatten, war eine Frau von etwa vierzig Jahren eingetreten.

»Oh, Elisa!« sagte Hansen.

»Hilmar, Liebster!« Die Frau trug ein Sommerkleid aus cremefarbenem Stoff, ein Dutzend rote Rosen hielt sie in der Hand. Sie war groß und hatte breite Schultern, schmale Hüften und schöne lange Beine. Ihr braunes Haar war zu einer Pagenfrisur geschnitten. Sie hatte einen großen, vollen Mund und braune Augen. Weiße Spitzenhandschuhe trug die Frau, die nun an das Bett getreten war und Hansen auf den Mund küßte.

»Elisa«, sagte Hansen, als sie sich aufrichtete, »das ist Herr Staatsanwalt Ritt, und das ist sein Stenograph Herr... Ich habe den Namen vergessen.«

»Horn«, sagte Ritt.

»Horn«, sagte Hansen.

Horn sagte nichts.

»Ich weiß, Liebster«, sagte die Frau.

»Woher? Pardon, Herr Staatsanwalt, Herr Horn, das ist meine Frau Elisa.«

»Sehr erfreut«, sagte Ritt.

Horn sagte nichts.

»Die Kriminalbeamten draußen haben es mir gesagt«, sagte Elisa Hansen.

»Und was ist alles nicht wahr?« fragte Ritt.

»Was mein Mann Ihnen als Grund dafür angegeben hat, daß er die Anzeige gegen Markus – gegen Herrn Marvin zurückzog.«

»Elisa, bitte«, sagte Hansen schwach.

»Laß mich!« sagte sie. »Herr Ritt wird es ohnehin herausfinden.«

»Was war also der Grund, gnädige Frau?« fragte der.

»Hilmar hat die Anzeige zurückgezogen, weil ich ihn darum bat«, sagte sie.

»Und warum baten Sie ihn darum, gnädige Frau?«

»Markus Marvin war acht Jahre mit mir verheiratet«, sagte sie.

»Er war...« Ritt schwieg verblüfft.

»Mein Mann. Neun Jahre lang. Wir haben eine gemeinsame Tochter – Susanne. Sie wissen vielleicht, daß inzwischen auch Susanne ihren Vater verlassen hat.«

»Das weiß ich. Aber wieso...«

»Ich erkläre es Ihnen, Herr Staatsanwalt, ich erkläre es Ihnen.« Außerordentlich energisch war Elisa Hansen. »Ich verließ Markus schon vor elf Jahren. Das verzieh er mir nie. Und er verzieh Hilmar nie, daß ich zu ihm ging und ihn heiratete.«

»Elisa«, sagte Hansen, äußerst geniert.

»Liebling, bitte«, sagte sie. »Dieser Überfall auf meinen Mann, Herr Staatsanwalt, hat keinen, auch nicht den allerkleinsten anderen Grund als den der rasenden Eifersucht meines ehemaligen Mannes Markus Marvin.«

Die Tür öffnete sich, Dr. Heidenreich trat ins Zimmer.

»Herr Staatsanwalt...«

Ritt erhob sich.

»Ich bitte um Verzeihung! Wir gehen schon.« Er machte Horn ein Zeichen, der daraufhin sein Stenographiergerät schloß. Ritt sah Elisa Hansen an. »Aber wir müssen noch miteinander reden, gnädige Frau.«

»Jederzeit«, sagte sie, und jetzt funkelten ihre Augen. »Wann immer Sie wollen. Ich stehe zu Ihrer Verfügung.«


In dem Dienstwagen, der sie zum Bürgerhospital gebracht hatte und der nun zum Gericht zurückfuhr, hatte der Fahrer das Radio angedreht. Es liefen gerade Nachrichten, als Ritt und Horn einstiegen.

»...erstenmal haben sämtliche deutsche Umweltbehörden heute früh Ozonalarm gegeben«, sagte eine Sprecherstimme.[9] »Vor allem Kinder, ältere Menschen, Sportler und Asthmatiker sind gefährdet. Die Behörden warnen diese Risikogruppen vor jeder Art von Überanstrengung. Die SPD forderte ein sofortiges Fahrverbot für alle Autos ohne Katalysator...«

Der Fahrer lenkte den Wagen umsichtig durch den sehr starken

Verkehr. Im Radio folgte nun ein Kurzinterview mit dem Luftexperten der Berliner Umweltbehörde, Dr. Manfred Breitenkamp.

Eine Reporterstimme fragte: »Woher kommt dieses Ozon, Herr Doktor Breitenkamp?« Breitenkamps Stimme: »Es hat in diesen extremen Hitzetagen seinen Ursprung im Autoverkehr. Beim Tanken entweicht Kohlenwasserstoff. Dieser vermischt sich, vereinfacht gesagt, mit Stickoxiden aus den Abgasen der Autos. Bei intensiver Sonnenstrahlung entsteht daraus, wieder vereinfacht gesagt, Ozon. Das Gas riecht leicht süßlich. Ozon kommt aus dem Griechischen und bedeutet ›Das Riechende‹.« Reporterstimme: »Aber wie paßt die neue Sorge um zu *viel* Ozon durch Autos und Hitze zu der Sorge um zu *wenig* Ozon durch das Ozonloch?« Breitenkamps Stimme: »Die beiden untersten Schichten der Erdatmosphäre nennen wir die Troposphäre – sie reicht von null bis etwa fünfzehn Kilometer Höhe – und die darüberliegende die Stratosphäre – sie reicht von fünfzehn bis etwa sechzig Kilometer Höhe. Dort oben, in der Stratosphäre, macht Ozon das Leben auf der Erde erst möglich: Es schützt Menschen, Tiere und Pflanzen vor krebserregenden Sonnenstrahlen. Dort ist das fatale Ozonloch entstanden, das unsere Erde bedroht. In der darunterliegenden Troposphäre hingegen ist zuviel Ozon schädlich. Es tötet auf der Erde Bakterien, Keime, Viren und Pflanzen. Es fördert wahrscheinlich auch das Waldsterben. Bei Menschen und Säugetieren verursacht es eine Reizung der Atemwege und wird in schlimmen Fällen über Schwindelanfälle und Nasenbluten tödliche Lungenödeme verursachen. Als Schutz- und Gegenmittel empfehlen Ärzte Vitamin E – das ist in Kapseln erhältlich.«

Der Fahrer mußte halten. Auf der verstopften Straße war der Verkehr zum Stillstand gekommen.

Die Stimme des Nachrichtensprechers ertönte wieder: »In diesem Zusammenhang wird mir gerade eine weitere Meldung gereicht. Zwei Abgeordnete der CDU/CSU haben mit Empörung gegen die Auslösung des Ozonalarms protestiert und eine Entlassung der Verantwortlichen gefordert. Sie bezeichnen die Aktion als ›reine Panikmache‹ und verlangen eine sofortige Hinaufsetzung der zulässigen Höchstwerte pro Kubikmeter Luft... Sowjetunion: In ihrer heutigen Ausgabe berichtet die Regierungszeitung ›Iswestija‹ von einer vieltausendköpfigen Mäuse- und Rattenplage in der Umgebung des 1986 explodierten Atomkraftwerks Tschernobyl. Die Tiere haben das Dreifache der gewöhnlichen Größe und sind äußerst aggressiv. Desgleichen entwickeln in dieser Gegend Bäume, die nach der Katastrophe verdorrt waren, plötzlich Riesenwachstum. Die Blätter von Pappeln werden bis zu achtzehn Zentimeter lang, und die Knospen sehr vieler Pflanzenarten entfalteten sich zur falschen Zeit...«

Der Stenograph Jakob Horn saß reglos im Wagen. Wenn Marie nun stirbt, bringe ich mich um, dachte er.

In der Gerichtsstraße tobten Preßluftbohrer, dröhnten Baumaschinen. Voll Staub war die Luft. Strafvollzugsbeamter Franz Kulicke dienerte, als Elmar Ritt die Halle des Landgerichts betrat.

»Schönen guten Tag, Herr Staatsanwalt! Das ist eine Freude bei uns, wie? Immer munter, immer flott! Soll noch zwei Monate so gehen.« Er sprach sehr laut, sein Mitteilungsbedürfnis war ungebrochen. »Ozonalarm haben wir, schon gehört, Herr Staatsanwalt? Die glauben auch, sie können alles mit uns machen, wie? Einmal zu wenig Ozon, dann wieder zu viel Ozon. Rin in die Kartoffeln, raus aus die Kartoffeln! Wenn da nicht bald einer kommt und für Recht und Ordnung sorgt...«

Ritt war um ein Mauereck verschwunden. Kulicke starrte ihm gekränkt nach. Er trat wieder neben die Pförtnerloge an seinen Lieblingsplatz und sagte zu dem Beamten hinter der Glasscheibe: »Nun guck dir den an, Gustav! Graf Koks von der Gasanstalt! Ist man nett und freundlich, und der sagt nicht mal muh. Feines Benehmen, die feinen Herren. Na, aber wirklich. Ist das eine Art?«

»Kann sein, du gehst ihm auf die Nerven«, sagte der Pförtner.

»Ich? Wieso?«

»Mit deiner ewigen Quasselei. Ich bin dein Freund, Franz, das weißt du. Aber manchmal ist dein Gequatsche auch mir zuviel. Außerdem mußt du endlich kapieren, daß nicht alle Leute deinen starken Mann wollen. Schönhuber ist nicht Beckenbauer.«

»Abwarten«, sagte Kulicke.

Elmar Ritt schloß die Tür zu seinem Büro auf und durchquerte den Vorraum. Dabei bemerkte er, daß ein Kuvert durch den Türschlitz geworfen worden war und auf dem Boden lag. Er öffnete es, während er zu seinem Schreibtisch ging und die Jacke auszog. Wie stets war ihm zu heiß. Der Bogen, den Ritt entfaltete, trug den Briefkopf des Oberstaatsanwalts am Landgericht.

*29. August 1988*

*Herrn Staatsanwalt*
*Elmar Ritt*

*Sehr geehrter Herr Kollege,*
*hiermit muß ich Sie darüber informieren, daß mit sofortiger Wirkung die Bearbeitung des Falles Hilmar Hansen/Markus Marvin Herrn Dr. Werner Schiskal übertragen wurde. Gründe werde ich Ihnen noch mitteilen.*
*Ich ersuche Sie, heute, den 29. August 1988, bis spätestens fünfzehn Uhr alle im Zusammenhang mit diesem Fall angelegten Akten sowie sämtliche sonstige Unterlagen Herrn Dr. Werner Schiskal zu übergeben und ihn über den Stand der Ermittlungen zu informieren.*

*Mit kollegialen Grüßen*

*– Name in Handschrift und Stempel –*
*Leitender Oberstaatsanwalt*

Ich bin raus aus dem Fall Hansen, dachte Ritt. Und raus aus dem Fall Marvin. Sehr schnell hat das funktioniert. Was geht hier vor? Was soll hier vertuscht werden? Wer wird geschützt? Von wem? Warum?
Abwesend sah er auf seine Armbanduhr. Es war drei Minuten nach zwei. Elmar Ritt saß reglos da. Er dachte an seinen Vater.

Im Schlafzimmer ihrer Wohnung an der Avenida Rio Branco in Rio de Janeiro fragte Clarisse Gonzalos verzweifelt Isabelle Delamare: »Was soll ich tun? Was soll ich tun?«

Isabelle legte einen Arm um ihre Schulter und führte sie langsam zum Bett. Sie setzten sich.

»Wenn es für Sie so wichtig ist, wenn Sie sich dieses Kind so sehr wünschen, müssen Sie es auch bekommen«, sagte Isabelle.

»Nicht wahr?« Clarisse hob den Kopf. »Und ich habe ja auch nur gemeint: Was soll ich tun, um es meinem Mann beizubringen, Senhora Delamare. Ich, ich bin fest entschlossen, das Kind zu bekommen.«

Isabelle nickte und schwieg.

»Ein Schwangerschaftsabbruch, Senhora Delamare, käme doch so etwas wie einer Resignation auf allen Gebieten gleich, nicht wahr? Mein Mann und ich, wir kämpfen gegen die Zerstörung der Regenwälder, gegen die Zerstörung der Welt. Wenn ich dieses Kind nun ablehne, wenn ich es nicht mehr in diese Welt zu setzen wage, so heißt das doch, tief, tief in mir hat sich die absolute Gewißheit gebildet, daß all unser Mühen umsonst, daß schon alles verloren ist. Habe ich recht?«

»Sie haben vollkommen recht, Senhora Gonzalos.«

»Ich glaube«, sagte Clarisse, »dieses Kind ist unendlich wichtig – für unsere Ehe, für unsere Arbeit, einfach für alles.«

»Ganz gewiß«, sagte Isabelle. »Sie werden mit Ihrem Mann sprechen. Man kann verstehen, daß er unter dem Eindruck des täglichen Schreckens zu der Ansicht gekommen ist, in diese Welt dürfe man keine Kinder mehr setzen. Aber wenn Sie nun mit ihm sprechen... wenn Sie Ihre Argumente vorbringen... alles, was Sie mir eben sagten... Er wird vielleicht eine Weile benötigen, um sich mit der Situation abzufinden... seine Meinung zu ändern... aber ich bin ganz sicher, er *wird* sie ändern. In welch furchtbaren Zeiten wurden schon Kinder geboren! Während der großen Pest, während der Cholera, in Kriegen, im Bombenhagel. Und doch wuchsen sie heran...«

»Ich kenne Sie erst seit ein paar Stunden«, sagte Clarisse, »aber ich habe sofort so große Sympathie für Sie empfunden, daß ich mich Ihnen anvertrauen wollte. Ich danke Ihnen!«

»Nein«, sagte Isabelle, »danken Sie mir nicht! Ich bin es, die sich über Ihr Vertrauen freut... Jeder von uns ist oft sehr allein und braucht einen anderen. Alles wird gut werden.« Sie lächelte. »Schließlich sagte der *bluebird*, er werde im Frühling wiederkehren und singen.«

»Ich verstehe nicht...«

»Robert Frost«, sagte Isabelle. »Er ist...«

»...einer der größten Dichter Amerikas, ich weiß«, sagte Clarisse. »In portugiesischer Übersetzung gibt es leider nur eine Auswahlausgabe.«

»Im Französischen auch«, sagte Isabelle. »Ich kann nicht sagen, welche seiner vielen Gedichte ich am meisten liebe. Gewiß ist jenes darunter über das letzte Wort eines *bluebird*, für ein Kind erzählt.«

»Was ist der *bluebird*? Der Blaue Vogel?«

»Der Blaue Vogel«, wiederholte Isabelle. »Als Art gibt es ihn nur in Nordamerika, er ist ein Frühlingsbote. Bei Robert Frost bedeutet er deshalb mehr, viel mehr als eine Artbezeichnung.«

»Ich verstehe nicht...«

»Warten Sie«, sagte Isabelle. »Warten Sie, Clarisse. Ich erkläre es... Zuerst will ich versuchen, das Gedicht zu übersetzen, damit Sie Ihrem Mann davon erzählen können... davon und auch von etwas anderem... Also: ›*The Last Word of a Bluebird*‹... *As I went out a crow in a low voice said: ›Oh, I was looking for you. How do you do?*‹... Als ich ins Freie trat, sagte eine Krähe leise zu mir: ›Oh, ich habe schon Ausschau gehalten nach dir. Wie geht es?... *I just came to tell you*... Ich soll dir bestellen, du sollst Leslie bestellen – vergiß es bloß nicht! –, daß ihr kleiner Blauer Vogel mir auftrug, ihr unbedingt mitzuteilen: Der Nordwind heute nacht, der die Sterne so hell machte... *that made the stars bright*... und Eis an der Dachrinne frieren ließ... *almost made him cough*... er brachte ihn derart zum Husten, daß er fast seine Schwanzfedern verlor...‹«

Clarisse sah Isabelle ernst an, und auch diese war ernst geworden, während sie versuchte, die an ein Kind gerichteten Zeilen des großen Dichters zu übersetzen.

»›...*He just had to fly*... Er mußte einfach fortfliegen... Aber er

197

schickt Leslie Grüße, und sie soll brav sein... *and wear her red hood*...
und ihre rote Kapuze tragen... und im Schnee nach den Spuren des
Stinktiers suchen... und einfach alles tun, was ihr Freude bereitet... *And perhaps in the spring he would come back and sing*... Und im
Frühling vielleicht... kehrt der Blaue Vogel wieder und singt.‹«

»Schön«, sagte Clarisse.

»Nicht wahr?«

»Welcher Vogel ist bei Ihnen Symbol für den Beginn des Frühlings,
des neuen Tags, der Freude und der Hoffnung?«

»Die Lerche.«

»Bei uns auch. In Deutschland und England ebenso. Jeder Mensch
auf der Welt wünscht sich Freude, Hoffnung, Zukunft. Doch nur,
wenn er das alles *sucht* und bereit ist, alle daran teilhaben zu lassen,
findet er sie, die Lerche... Und sie macht ihn und alle anderen
glücklich und zuversichtlich. Sie, Clarisse, und Ihr Mann und so
viele andere suchen mit ihrer Arbeit die Lerche, diesen Morgen-
Vogel... Und Sie verschenken ihn an alle... Solange die Menschen
suchen und das, was sie finden, verschenken, solange wird die
Lerche im Frühling wiederkehren und singen...«

»Ja«, sagte Clarisse, »aber Frosts Blauer Vogel läßt Leslie bestellen,
daß er im Frühling *vielleicht* wiederkehren und singen wird. Nur
*vielleicht*...«

Isabelle nickte. »Wenn die Menschen«, sagte sie, »die Lerche nicht
mehr suchen, weil sie unverantwortlich handeln, dann singt sie
eines Tages im Frühling wirklich zum letztenmal für sie...«

»Oh!« Clarisse sah Isabelle an.

»Was ist?«

»Mit Ihren Filmen wollen Sie die Menschen doch wachrütteln,
aufmerksam machen auf die Gefahr, in der sie sich befinden!«

»Gewiß...«

»Wäre das also nicht ein guter Titel für die Serie?«

»Ein guter Titel?«

»Ja«, sagte Clarisse: »›Im Frühling singt zum letztenmal die Lerche‹.«


Wenn alle Geschichten erzählt sein werden, die großen und tragischen, die melodramatischen und grotesken, wenn von allen Ge-

schehnissen auf dieser am Ende des zweiten Jahrtausends christlicher Zeitrechnung dem Untergang entgegentaumelnden Erde berichtet sein wird, dann wird man sich, für den Fall, daß wir noch einmal davonkommen, an die Geschichten und Schicksale jener Menschen erinnern, die unsere Welt noch einmal gerettet haben.

Ein Telefongespräch.

»Herr Doktor Marvin?«

»Ja. Was ist los, verflucht?«

»Hier spricht Miriam Goldstein aus Lübeck.«

»*Wer?*«

»Miriam Goldstein.«

»Miriam Goldstein... Oh!... Entschuldigen Sie, ich habe geschlafen. Sehr tief offenbar... Wie spät... Halb sechs Uhr früh... Welche Freude, Ihre Stimme zu hören, liebe Frau Goldstein!«

»Ich weiß, es ist sehr ungehörig von mir, jetzt anzurufen, Herr Marvin. Verzeihen Sie, bitte! Bei uns in Deutschland ist es schon halb elf... fünf Stunden Zeitdifferenz... Ich würde nicht anrufen, wenn es nicht so dringend wäre...«

»Bitte, sprechen Sie! Entschuldigen Sie meine Verwirrung... Jetzt bin ich ganz munter. Also?«

»Erinnern Sie sich noch, wie plötzlich Herr Joschka Zinner, dieser verrückte Filmproduzent, im Frankfurter Hof auftauchte?«

»Plötzlich und unerwartet. Ja, natürlich.«

»Sehr plötzlich und sehr unerwartet, nicht wahr?«

»Das stimmt. Auf einmal so viel Geld! Die Eile, uns loszuschicken, damit wir diese Filme drehen. War schon recht seltsam...«

»Recht seltsam, ja, Herr Marvin. Ich spreche übrigens aus einer Zelle im Hauptpostamt. Ich weiß nicht mehr, ob mein Telefon koscher ist. Vielleicht wird es abgehört.«

»Was ist passiert, Frau Goldstein?«

»Der Staatsanwalt Elmar Ritt – Sie erinnern sich? – rief mich an. Aus einer Telefonzelle. Und sagte, ich solle auf ein Postamt gehen, wo er mich rückrufen könne.«

»Ritt rief Sie an? Warum?«

»Man hat ihm heute den Fall Marvin/Hansen entzogen.«

»Aber warum?«

»Ja, warum? Ritt rief im Hessischen Justizministerium an. Verlangte eine Erklärung.«

»Bekam die Erklärung nicht, wie?«

»Nein. Setzte sich in seinen Wagen. Fuhr nach Wiesbaden. Machte im Ministerium Krach. Angeblich sind jene, die wissen, warum ihm der Fall weggenommen wurde, gerade verreist. Also rief er Frau Roth und mich an und bat, ihm zu helfen. Frau Roth hat doch ihre Beziehungen. Und ich werde mich mit Frau Hansen unterhalten. Kann mir niemand verbieten. Ich rufe Sie an, weil vermutlich auch bei Ihnen nicht mehr alles stimmt. Sie haben noch nichts bemerkt?«

»Nein, nichts. Übermorgen fliegen wir nach Belém und von da zu einem Protestkongreß der Indianer nach Altamira. Der Kongreß dauert fünf Tage. Ich halte Augen und Ohren offen. Danke für die Nachricht, Frau Goldstein! Und viel Glü... Nein, warten Sie, ich weiß das Wort: *Masseltoff! Masseltoff*, Frau Goldstein!«

»*Masseltoff* auch für Sie, Herr Marvin.

»Es war eine verflucht schwere Arbeit«, sagte der Physiker Carlos Bastos. »Tag und Nacht saßen wir hinter den Bildschirmen, mein Kollege Erico Veleso und ich. Abwechselnd. In Zwölfstundenschichten. Über uns, in einer Höhe von achthundertdreißig Kilometern, flogen die Wettersatelliten NOAA 9 und 10 alle einhundertzwei Minuten über den südamerikanischen Kontinent und lieferten Erico und mir auf unseren Bildschirmen die Belege für diese Katastrophe...«

Bernd Eklands BETA war auf einem Stativ befestigt. Am Vormittag des 30. August 1988, einem Dienstag, filmte das Team im Rechenzentrum des Brasilianischen Instituts für Weltraumforschung. Das riesige, lichtdurchflutete Laboratorium der Physiker Bastos und Veleso hatte Platz für Dutzende von Computern, komplizierte Apparaturen und eine Unzahl sehr stark vergrößerter Computerbilder, die alle Wände bedeckten. Die beiden Wissenschaftler standen vor einer solchen Wand. Seitlich von ihnen lehnte Markus Marvin, zu dem Bastos gesprochen hatte.

Die Technikerin Katja Raal mit den fast immer lustigen Augen und der von Akne zerstörten Gesichtshaut hatte vor Beginn des Interviews viel zu tun gehabt bei der Verkabelung aller an diesem Gespräch Beteiligten. Bastos und Veleso trugen kleine Mikrophone in den obersten Knopflöchern ihrer weißen Labormäntel, Marvin trug ein solches Mikro am offenen Kragen seines Sommerhemds. Unter Labormänteln, Sommerhemd und durch die Hosenbeine der drei Männer liefen von den Mikroknöpfen weg Kabel, die bei den Schuhen herauskamen und über den Steinboden weiterführten zu Katjas Tonaufnahmegeräten.

Etwas entfernt, in einem Nebenraum, saß Isabelle an einem Labortisch. Sie war von der kleinen Katja, die so große Sorgen hatte und trotzdem so fröhlich war, ebenfalls verkabelt worden. Isabelle hielt ein Handmikro, und in ihrem rechten Ohr steckte ein silberner Knopf, von dem desgleichen ein langes Kabel fortführte. Solche Knöpfe hatte Katja auch Marvin und den beiden Physikern verpaßt. Sinn dieser Vernetzung: Dank der Knöpfe im Ohr hörten Bastos, Veleso und der Deutsche die Stimme Isabelles, welche simultan ins Portugiesische oder Deutsche übersetzte, was gesprochen wurde. Auf diese Weise konnte das Interview fließend geführt werden. Katjas Geräte zeichneten die Originalstimmen und Isabelles gesamte Übersetzung auf. Später, im Tonstudio, würde Isabelles Stimme durch die einer professionellen Sprecherin ersetzt und laut über die zurückgenommenen Stimmen der Brasilianer gelegt werden.

Der Physiker Veleso sagte: »Wir haben unser Gebiet in Rastern von einem mal einem Kilometer Größe abgetastet. Es ging darum, genau und zum erstenmal herauszufinden, welches Ausmaß die Zerstörung des brasilianischen Regenwaldes durch Feuer und Abholzung schon erreicht hat. Täglich versuchten wir, sämtliche Satellitendaten zu Computerbildern zusammenzusetzen.« Er nahm einen Zeigestab und wies auf den Anfang einer Bildreihe hinter sich. »Das zum Beispiel war im Juli 1987, zu Beginn der dreimonatigen Trockenzeit...«

»Aus!« sagte Markus Marvin.

»Bitte?« fragte Veleso, nachdem Isabelles Übersetzung in seinem Ohr erklungen war. »Warum aus?«

»Das geht nicht mit der BETA auf dem Stativ«, sagte Marvin. »Bernd, Sie müssen völlige Bewegungsfreiheit haben. Wir können diese Wände nicht einfach abschwenken.«

»Natürlich nicht«, sagte der Kameramann.

Katja Raal öffnete schon die Verschlüsse des Stativs. Behutsam half sie, als Ekland die BETA auf die rechte Schulter hob. Sie flüsterte: »Schlimm?«

»Heute geht's prima«, flüsterte Ekland.

Auf Katjas zerstörtem Gesicht zeigte sich größte Fröhlichkeit. Sie lief zu ihrem Tonkoffer und sah auf die Skalen. »Okay bei mir«, sagte sie.

Die Kamera lief wieder.

»Bitte, Doktor Veleso!«

Der begann noch einmal: »Das zum Beispiel« – er wies mit seinem Stab zum ersten in einer Reihe von sehr stark vergrößerten Computerbildern – »war im Juli 1987, zu Beginn der dreimonatigen Trockenzeit. Da hielt der Schaden sich noch in Grenzen... Es ist nur ein winziges Teilgebiet aus dem nahezu unermeßlichen Raum des Amazonasbeckens... Die schwarzen Punkte auf den Bildern sind Brandherde... Anfang Juli 1987 registrierten NOAA 9 und 10 nur siebenhundertzweiundfünfzig derartige Brandherde...« Veleso ging langsam die lange Reihe von Aufnahmen ab. Ekland folgte ihm auf Strümpfen, ruhig, ohne zu stocken oder zu zittern, so, als fahre die Kamera auf Schienen. Gut, daß ich noch zwei Tabletten mehr genommen habe heute früh, dachte er. Katjas Augen begleiteten ihn unentwegt mit einem Ausdruck grenzenloser Liebe und Bewunderung.

»Doch schon am vierzehnten August«, sagte Veleso, mit dem Stab über neue Bilder gleitend, »waren es bereits sechstausendneunhundertneunundvierzig Brandherde... Und Anfang September hatten wir mehr als zehntausend... Stellen Sie sich das vor! Mehr als zehntausend Rasterpunkte... hier... hier... hier... nicht mehr zu zählen... Zehntausend Rasterpunkte, die allesamt Brandherde waren. Das Feuer drang wie eine ungeheuere Walze vor...« Immer weitere Bilder, auf denen die abgebrannten und gerodeten Flächen schwarz erschienen, filmte Ekland. Von Bild zu Bild verdunkelte sich der Nordteil Brasiliens.

»Diese Feuerwalze«, sagte jetzt Carlos Bastos, und die Kamera schwenkte von der Wand fort zu ihm, »hinterließ die größte Rauchwolke, die jemals beobachtet worden ist...« Bastos zeigte auf eine andere Wand. »Das sind Aufnahmen, die aus Flugzeugen gemacht wurden...« Langsam drehte sich Ekland, die Kamera auf seiner Schulter schwenkte, sacht, so sacht. »Furchtbar, wie?« fragte Bastos. »Wir haben hier einen sehr bekannten Umweltschützer, Chico Mendes. Hat Auszeichnungen und Ehrungen der UNO für seine Arbeit erhalten... Ein Kautschukzapfer aus dem Norden... Mendes flog über das Gebiet, und er sagte: ›Es ist die Apokalypse.‹ Er sagte auch: ›Wohin ich sah, rauchten Bäume wie Kamine, wurde der Wald... ja, was wurde er?‹ sagte Mendes. ›Verdammt noch mal, er wurde gekocht, geröstet, gesiedet. Hinter dem Rauch war der Himmel verschwunden, nächtelang gab es keinen Stern, keinen Mond... Wir tun so‹, sagte Mendes, ›als wären wir die letzte Generation auf der Erde, und nach uns kommt die Sintflut, das Ende der Welt, die Apokalypse, ja, die Apokalypse...‹ Der Pilot, mit dem Mendes flog, sagte, er hatte den Eindruck, als würde ganz Brasilien brennen... Beiden tränten die Augen, bis sie fast nichts mehr sehen konnten. Nach ihrer Landung mußte die Fluggesellschaft VASP allein im Nordosten dreiundfünfzig Verbindungen streichen, weil so viele Pisten von Schwaden vernebelt waren... Hier, auf diesen Bildern sehen Sie es, da sind sie schon vernebelt...« Ekland hatte seine Schmerzen vergessen. Was für Bilder! dachte er. Großer Gott, was für Bilder!

Im Nebenraum übersetzte Isabelle alles in das Handmikro. Weite blaue Hosen aus sehr leichtem Stoff, blaue Sommerschuhe an den bloßen Füßen und ein unter der Brust zusammengeknotetes weißes Hemd trug sie an diesem Tag. Gilles saß neben ihr und ließ einen kleinen Recorder laufen. Er brauchte alle Interviews für die Begleittexte der Filme.

»...diese ungeheuere Rauchwolke«, übersetzte Isabelle gerade die Worte Bastos', »verhüllte zeitweilig die Sicht auf eineinhalb Millionen Quadratkilometer...«

»Wieviel?« fragte Marvin und starrte den Physiker ungläubig an.

»*Quantos?*« fragte ihn Isabelle von nebenan durch den Knopf im Ohr.

Bastos wiederholte: »Eineinhalb Millionen Quadratkilometer.« Er wies auf neue Bilder: »Und so hat es im Oktober 1987 ausgesehen.« Schwarz, schwarz, schwarz war das riesige Land nun an so vielen,

vielen Stellen. »Hier haben Sie die Schreckensbotschaft für die Menschheit«, sagte Bastos direkt in die Kamera. »Jedes Jahr – jedes Jahr! – werden inzwischen über hundertvierzigtausend Quadratkilometer der tropischen Primärwälder durch Abholzen oder Brandroden zerstört.[10] Das ist eine jährliche Fläche größer als die Hälfte der Bundesrepublik Deutschland. Und jedes Jahr kommt eine solche Fläche dazu. Niemals«, sagte Bastos, »niemals haben Erico und ich gedacht, daß es derart furchtbar ist...« Ekland ging nahe an sein Gesicht heran und ließ die Kamera dann langsam über die Wand mit den Bildern des Grauens zu Erico Veleso gleiten. Der sagte: »Solche alarmierenden Beobachtungen machen Wissenschaftler in fast allen tropischen Ländern, in Indonesien, Thailand, der Elfenbeinküste, Ghana, Haiti oder Ecuador.« Die Kamera war noch immer auf Velesos Gesicht gerichtet. »Wird die Dynamik des Vernichtungsprozesses nicht gestoppt, wird der Wald in den meisten Tropenländern im Verlauf der kommenden fünfzig Jahre weitestgehend zerstört werden.«[11]

»In der Trockenzeit«, sagte nun Bastos, »werden die Bäume mit der Motorsäge gefällt, Edelhölzer mit Bulldozern fortgeschleift. Die verbleibenden Baumteile rösten unter der Sonne, zuletzt sind sie Zunder. Mitte August wird der Scheiterhaufen angesteckt, um den toten Wald in Äcker und Weiden zu verwandeln...«

Die BETA war jetzt wieder auf dem Stativ.

»Brandroden«, sagte Bastos, »ist eine alte Bauerntechnik, weil sie pflanzliche Rückstände verbrennt und dadurch Nährstoffe freisetzt, die die Fruchtbarkeit des mit Asche gedüngten Bodens erhöhen. Doch schon nach wenigen Jahren wird die Pflanzendecke rissig. Der Pflug zerstört die Erde, tropische Sonne glüht sie aus. Wind treibt die Krume weg, Wolkenbrüche schwemmen alles fort...« Nebenan übersetzte Isabelle. Kleine Schweißperlen standen auf ihrer Stirn. »Übrig bleibt eine rote Wüste aus Sand und eisenhaltigem Lehm, und zuletzt sieht die Erde so aus, wie Chico Mendes, dieser Mann, der seit zehn Jahren für die Regenwälder kämpft, es beschrieben hat, ›wie bei einem abgehäuteten Tier die Knochen...‹«

»Und fast überall«, ergänzte Veleso, »verursachen oder begünstigen wirtschaftliche oder politische Maßnahmen dieses Vernichtungswerk.«

»Bitte, erklären Sie das näher!« sagte Marvin.

Veleso sagte: »Da ist zum ersten die Siedlungspolitik der Regierung hier in Brasilien. Man will Millionen verelendete Menschen aus dem Süden im Norden ansiedeln. Diese Millionen brandroden das, was nach dem Fällen der Bäume übriggeblieben ist. Außerhalb der Waldregionen erhalten sie kein Land. Was sollen sie also tun? Auf ihrem gerodeten Stück versuchen sie dann, Rinder zu züchten... Zweitens: Immer weiter werden die Wälder von skrupellosen Holzhandelsfirmen vernichtet – an erster Stelle stehen dabei die Japaner, dann kommen die Deutschen, dann die Amerikaner. Immer größer wird der Bedarf an Hart- und Edelhölzern in den Industrieländern.«

Im Nebenraum tupfte Gilles mit seinem Taschentuch Isabelle den Schweiß von der Stirn. Sie lächelte ihm zu. Das lange Simultanübersetzen strengte sehr an.

»Zurück zur Rinderzucht«, sagte Bastos. »Es gab da ein steuerlich begünstigtes Agrarprojekt, mit dessen Hilfe Brasilien zum größten Rindfleischexporteur der Welt werden sollte. Mit über einer Milliarde Dollar finanzierten unsere Militärs Großgrundbesitzern und internationalen Konzernen die Einrichtung von Rinderfarmen. So stieg auch VW do Brasil in dieses Geschäft ein. VW do Brasil ließ sich seine *fazenda* Rio Cristalino, ein Gelände so groß wie Berlin, Hamburg und Bremen zusammengenommen, zum Teil vom Staat zahlen... Viele andere Konzerne taten dasselbe – und gaben das Projekt wie VW do Brasil dann wieder auf.«[12]

»Warum?« fragte Marvin.

»Sehen Sie, Senhor Marvin«, sagte Veleso, »der dürre Grasbewuchs auf den kargen Böden ernährt gerade ein Rind pro Hektar und auch das nur wenige Jahre lang. Die Fleischproduktion erreichte bloß sechzehn Prozent des geplanten Umfangs. Die meisten Großfarmen, von denen jede im Durchschnitt eins Komma siebenundzwanzig Millionen Dollar Staatszuschüsse jährlich erhielt, verfielen, sobald der Subventionszuschuß versiegte. Darum gab VW schon 1986 auf.«

»Aber«, sagte Bastos, »weil Grundbesitz, der zuvor entwaldet wurde, steuerlich begünstigt wird, lassen Investoren sogar Wald in Flammen aufgehen, ohne jemals in die Rinderzucht einzusteigen. Das tun auch zahlreiche Parlamentarier in der Hauptstadt Brasilia, die selbst zu den größten Landbesitzern gehören. Von diesen Spekulationsunternehmen bleiben riesige verkarstete Landstriche zurück, deren Boden so schlecht ist, daß sich die elende Ernährungslage der Bevölkerung noch um vieles verschlimmert.«

»Darüber spricht Chico Mendes immer und immer wieder«, sagte Veleso. »Er klagt die Viehzüchter ganz allgemein an. Sie behaupten, daß sie ihr Geschäft betreiben, um den Hungernden Brasiliens zu helfen. Der Zynismus dabei ist, sagt Chico Mendes, daß das ganze Fleisch nur für den Export produziert wird – für die Buletten in den amerikanischen Hamburger-Ketten zum Beispiel.«

»Drittens«, sagte Bastos, »Banken und ehrgeizige Politiker begeistern sich zum Beispiel an überdimensionalen Industrieanlagen, Staudämmen und Atomkraftwerken, die riesige Wälder verschwinden lassen. Aus aller Welt kommen Banken und Gesellschaften, entschlossen, die gigantischen Erzvorkommen in den Regenwaldgebieten zu erschließen, mit brasilianischen Erzmassen die Preise auf dem Weltmarkt zu drücken – und Milliarden zu kassieren. Auch von ihnen werden die Wälder vernichtet... Mein Freund Erico Veleso hat, geschockt durch unsere Untersuchungsergebnisse« – er wies an die Bilderwände –, »in einer Titelstory für ein großes Nachrichtenmagazin alle Ursachen für die Vernichtung des Regenwalds genannt – und die Vernichter dazu. Nur eine atomare Katastrophe könne die globalen Auswirkungen dieser Vernichtung übertreffen, schrieb er.«

»Wen nannten Sie als Vernichter?« Marvin sah Veleso an.

»Die brasilianische Regierung«, sagte der, »den internationalen Holzhandel, die Weltbank, die EG, die bundeseigene Deutsche Kreditanstalt für Wiederaufbau, deutsche und japanische Privatbanken, die mit Milliardenbeträgen in das Erzgeschäft eingestiegen sind. Lesen Sie keine Zeitungen? Die EG hat sich für fünfzehn Jahre ein Drittel der jährlichen Eisenerzproduktion zu den Preisen von 1982 gesichert. Allein der Thyssen-Konzern bestellte acht Millionen Tonnen. Die Weltbank will Brasilien einen weiteren Fünfhundert-Millionen-Dollar-Kredit für den Energiesektor zuschanzen. Die USA werden – mit neunzehn Stimmen im Weltbankdirektorium – diesen Kredit vermutlich verweigern. Ihr Repräsentant Hugh Foster hat schon den ersten Energiekredit wegen der Umweltfolgen als ›kompletten Irrsinn‹ bezeichnet. So, schrieb ich, kommt der Bundesrepublik Deutschland, die fünf Prozent der Weltbankanteile hält, bei der Entscheidung eine Schlüsselrolle zu. An die umstrittene Weltbankzusage sind noch weit größere Kredite privater Banken aus der Bundesrepublik, Japan und den USA gekoppelt – im Gesamtumfang von eins Komma sieben Milliarden Dollar! Mit diesen Mitteln soll auch die Fertigstellung der beiden Atommeiler Agra II und III bezahlt werden, die Ihr Elektrokonzern Siemens westlich von Rio de Janeiro baut. Würden diese Kraftwerke Investitionsruinen, könnte Siemens bei Ihnen Entschädigungen in Milliardenhöhe aus Steuermitteln fordern, weil die deutsche Bundesregierung durch Bürgschaften an die Mammutprojekte gebunden ist.«[13]

»Ihr Umweltminister«, sagte Bastos, »beklagte im Januar dieses Jahres im Deutschen Bundestag das Schicksal Brasiliens, das, wie er sagte, ›vom lieben Gott praktisch nicht mit fossilen Energieträgern ausgestattet ist. Man darf Brasilien nicht verurteilen‹, sagte er, ›wenn es hingeht und seine Wasserkräfte nutzt und Kernenergie ausbaut‹... Dabei könnten wir mit vergleichsweise geringen Investitionen die Hälfte unseres Energiebedarfs decken, indem wir die vorhandenen Stromreserven besser einsetzen. Das geht aus einer Expertise der Weltbank hervor. Der Umweltexperte Rich meinte allerdings bitter, diese Studie hätte genausogut auf dem Mond geschrieben werden können... Das alles«, sagte Bastos, »stand in dieser Titelstory, und mehr, viel mehr. Na ja, und daraufhin...«

»Hör auf, Carlos!« sagte Veleso.

»Warum soll ich aufhören?«

»Weil... Bitte, stellen Sie die Kamera ab!« sagte Veleso. »Ich denke, wir haben das Wichtigste.«

Ekland nickte.

»Das muß nicht gerade auch noch auf den Film«, sagte Veleso.

»Was?« fragte Marvin irritiert. »Wovon reden Sie beide?«

»Na, mein Freund Erico Veleso hat sechs Jahre lang an einem Buch über Umweltzerstörung und Umweltschutz geschrieben – ein großartiges Buch«, sagte Bastos. »Das Manuskript war schon von einem Verlag angenommen. Nach der Titelstory gab's jede Menge Stunk in den regierungsnahen Zeitungen, im Radio und im Fernsehen, und daraufhin haben die feigen Hunde in seinem Verlag sich prompt in die Hosen gemacht und erklärt, sie werden das Buch nicht drucken.«

»Gibt doch andere Verleger«, sagte Marvin. Ekland hatte sich gesetzt und massierte seinen rechten Oberarm. Katja, mit ihren lustigen Augen, stand neben ihm.

»Wenn einer Schiß hat, haben alle Schiß«, sagte Veleso. »Ist bei Ihnen doch dasselbe. Ist doch auf der ganzen Welt dasselbe. Ein Manuskript, das ein Verlag abgelehnt hat – bringen Sie das einmal unter! Ach, pfeif drauf! Wär' schön gewesen. Immerhin, sechs Jahre Arbeit. Na ja. Gibt Schlimmeres.«

Der Chemiker Peter Bolling hatte das Labor betreten. Eilig ging er zu Markus Marvin, nahm seine Brille ab und sprach auf ihn ein.

Gilles fragte Isabelle leise: »Können Sie hören, was Bolling sagt? Oder Marvin?«

Im nächsten Moment sah Gilles, wie Marvin das kleine Mikrophon, das an seinem offenen Hemdkragen befestigt war, löste, einen Fuß hob und das Gerät samt Kabel aus dem Hosenbein zog. Er ließ es zu Boden fallen und trat mit Bolling in eine Ecke des Labors.

»Pech«, sagte Gilles.

»Was ist los? Was haben Sie?«

»Nichts«, sagte Gilles. »Ich... eh... hrm!... Ich hatte da eine vollkommen idiotische Idee. Vergessen Sie's bitte!« Er lächelte.

In der Ecke sprach Peter Bolling noch immer auf Markus Marvin ein.

# 6

*Dienstag, 30. August 1988: G. will mit mir zu Abend essen. Morgen fliegen wir nach Belém, dann geht's in den Urwald nach Altamira. Wer weiß, was uns dort erwartet; Schlangen und Eidechsen werden unsere Nahrung sein. Ob wir's überstehen? Also die Henkersmahlzeit. Was ich denn gern hätte? – Irgend etwas typisch Brasilianisches. – Sofort rattert er fünf Menüvorschläge herunter. Wir bleiben hängen bei Avocados, gewürfelt als Salat. Ja, das ist etwas anderes als Ihre Avocados mit Sauce vinaigrette oder Sauce provençale, meine Schöne! Danach* camarão com catupiri, *Riesencrevetten mit Käse, aber was für einem Käse, die Spezialität Brasiliens, so was gibt's in der ganzen Welt nicht mehr! Und zum Dessert Pflaumen in Kokosmilch, also das ist, so wie es hier gemacht wird, eine Sache, von der werden Sie träumen Ihr Leben lang, ma belle!*

*Nur ordentlich von gutem Essen reden, da kriegt man mich. Sie sind ein Gourmet, sagt er, gestehen Sie! Gewiß kochen Sie auch mit Liebe. – Tue ich. – Bitte. Als Bürgerin eines Landes, dessen ungeheuere Kultur sich schon darin manifestiert, daß es über vierhundert Käsesorten (wenn auch keinen* catupiri*) hat, ist es meine patriotische Pflicht, mit ihm essen zu gehen. Wunderschöne, taufrische junge Dame mit wunderschönem, nicht mehr ganz so taufrischem jungem Mann. Alle werden ihn bestaunen und sie beneiden. (Wenn ich will, umgekehrt.) Und das Restaurant wird mir* catupiri *nach Paris schicken auf Lebenszeit, dafür verbürgt er sich, er hat dort Freunde. Und wenn wir erst in Paris zusammenleben und ich für ihn koche.*

*Okay, auf also, zum Letzten Gericht! Vieles an diesem Mann gefällt mir. Daß er sich andauernd über sich lustig macht. Daß er so sicher ist. Sehr ernst reden kann man mit ihm, und fröhlich sein und herumalbern. Wunderbar, sagt er. Alter, einsamer (wenn auch äußerst soignierter) Mann wartet also um sieben auf mich in der Bar. – Als ich dann komme, greift er sich ans Herz. Mein Kleid! Mehr, als ein einsamer alter Mann ertragen kann. Der e. a. Mann sieht übrigens* très chic *aus. Dunkelblauer Anzug, weißes Hemd, blaue Krawatte, graues Haar, gebräuntes Gesicht. Die Leute schauen uns nach, als wir die Bar verlassen. Nur meinetwegen, sagt er. Er würde mir nicht nur nachschauen. Nachrennen würde er mir! Bis ans Ende der Welt – oder wenigstens der Copacabana, vorausgesetzt, daß er genug Luft kriegt.*

*Los im Leihwagen. Irrsinniger Verkehr. Ins Restaurant Caesar will G., das liegt im Stadtteil Ipanema, weites Stück weg, sagt er. Keine Angst. Vertrauen Sie G. Allezeit und allerwegen! Überhaupt: Man sollte* Plakate *mit seinem Gesicht anschlagen und darunter schreiben: Mütter, diesem Mann könnt ihr euere Töchter anvertrauen!*

Restaurant Caesar. Im einundzwanzigsten Stock des Park-Hotels. Der Maître d'hôtel begrüßt uns wie seine ältesten Freunde. Tatsächlich ist er ein alter Freund von G. Der hat, wie er mir sagte, sein halbes Leben in Hotels gelebt und einen Hoteltick entwickelt mit seinen Freunden, den Portiers, den Wagenmeistern, den Kellnern, den Barkeepern. Warum eigentlich nicht? Wie viele Ticks habe ich? Und G. ist von solcher Herzlichkeit und Kameraderie gegenüber allen, daß alle ihn natürlich lieben. Unter anderem hat G. sich das Leben leichter gemacht damit. Er protzt nicht, will nicht angeben, will mich nicht beeindrucken. Für ihn ist das alles selbstverständlich. Er freut sich, daß sein Freund, der Maître, uns zum schönsten Tisch des Lokals führt, in einer Nische vor einer mächtigen Glaswand. Kristallvase mit Orchidee. Cattleya, tief violett. Stellt sich heraus, daß G. schon einmal hier war. Am Nachmittag. Da hat er diese Cattleya gebracht, selber ausgesucht in einem Blumenladen. Schönste, wo gab.

Nun bestellt er. Die Avocados, gewürfelt als Salat, die Riesencrevetten mit dem bestgehüteten brasilianischen Käsegeheimnis, dem catupiri. Den schicken sie mir wirklich nach Paris, aber liebend gerne! Ballett der Kellner. Der Maître d'hôtel strahlt mich an. Darf er sich erlauben, Komplimente zu machen? Wie Mademoiselle aussieht! Ravissant, einfach ravissant! Maître d'hôtel hat Kerzen angezündet. Ernste Beratung über den Champagner. Cuvée Dom Perignon, Jahrgang 1980. – Den habe ich zum erstenmal nach meiner Diplomprüfung getrunken, sage ich. Unvorsichtigerweise. Denn prompt erklärt G., daß er das natürlich wußte und eben deswegen...

Ach, hören Sie auf, G.! Sie sind ja verrückt! – Selbstverständlich, sagt er, verrückt nach Ihnen. Muß man sein, was sonst, meine Schönste?

Dann sind wir allein und warten auf die Aperitifs (auf Godot, sagt er). Sehen einander so lange an, bis er sagt: Schöne Aussicht, wie? – Ja, aber mir geht es genauso, ich hätte ihn nur noch ein paar Sekunden länger ansehen können. Also die schöne Aussicht. Lichterketten auf der Praia de Ipanema. Scheinwerfer, Rück- und Bremslichter in den Strömen der Autos, die in beide Richtungen fahren. Lichter der Schiffe auf dem Meer, weiße, rote und blaue,

Buchhandlung

# FRÍCK

Buchhandlung

# FRÍCK

Buchhandlung

Buchhandlung Frick GmbH
Kärntner Straße 30
1010 Wien
Tel.: 01/513 73 64

1               3         07.04.2010

Knaur TB.60089 Simmel.Im Frühling
9783426600894         2         8.20

ZW-SUMME EUR                    8.20
Bar                             8.20

MWST-BRUTTOUMSATZ               8.20
10.00% MWST  2         0.75
   NETTOUMSATZ         7.45


Vielen Dank für Ihren Einkauf!
FN 41174a
UID-Nr.: ATU14896004
Umtausch nur gegen Gutschrift!
BON-NR      / UHRZEIT /    KASSIERER
4284         14:19              3
Es bediente Sie
     Frick Team 3

*alles so wunderbar, daß es schon kitschig ist. Ach was, soll es kitschig sein!*

*G. erzählt mir wieder, wie schön ich bin, und ich freue mich darüber, so, wie ich mich darüber freue, daß er sagt, ich hätte wieder Emenaro-Parfum genommen. Das passe am besten zu mir (finde ich ja auch), er kennt sich aus mit Parfums, ist Spezialist, hat die Marke nicht erkannt im Urwald, als wir unsere Macumba machen wollten, eine Schande, ist ihm noch nie passiert. Wir lachen. Ach, kann man mit dem Mann lachen! Und sich gut unterhalten! Und sich wohl fühlen.*

*»Moon River«, sagt er. – Was? – Der Pianist spielt »Moon River«. Sein Lieblingslied. Kenne ich doch, wie? Aus »Frühstück bei Tiffany«. Mit Audrey Hepburn. Wo sie den Kater suchen im Regen... Was ist mein Lieblingslied? – »Summertime«. – Aha, mhm. Auch sehr, sehr schön... Fünf Minuten später entschuldigt er sich. Nur einen Moment. Verschwindet. Kommt wieder. Und bald darauf spielt der Pianist mein »Summertime«. Er war also bei dem Pianisten, hat ihm Geld gegeben, um das Lied gebeten. – Danke, G.! – Danke für gar nichts, sagt er.*

*Sehr trockene Martinis kommen, gleich wird er sagen: Auf uns, darauf, daß wir einander begegnet sind! – Wir trinken. Was sagt er? – Sie sind also ein Emenaro-Fan, sagt er. Nicht nur, was das Parfum betrifft. Wußte es schon im Frankfurter Hof. Da trugen Sie ein Emenaro-Kostüm. Rock dunkelgrau, in den Hüften eng, unten sprang er auf. Jacke hochgeschlossen, Pepitamuster... Genau beschreibt er das Kostüm. Wie der sich erinnert! Stimmt, ich habe Emenaro-Kleider am liebsten und kaufe, was ich mir leisten kann. Und das fällt ihm auf? – Es war einmal vor langer, langer Zeit ein Schriftsteller (wie ein Märchen erzählt er das), der mußte vieles wissen, zum Beispiel, wie er die Frauen in seinen Büchern anzog. Darum interessierte er sich stets für Mode...*

Ja, das sagte ich an jenem Abend. Mir war durchaus nicht geheuer, sosehr ich es auch überspielte. Ich meine, immerhin: sie zweiunddreißig, ich dreiundsechzig. Also fing ich mit der Geschichte vom Schriftsteller an. Und blieb dann gleich dabei, wie ich in Isabelles Tagebuch lese...

*. . . Er ist schließlich auch Schriftsteller, sagt G. Oder war es. Wenn er es je wieder wird, wenn er ein Buch schreibt über diese Filmexpedition – er wird's nie tun, aber nur einmal angenommen –, also, dann wird er wohl oder übel auch jemanden wie mich erwähnen müssen, nicht? – Wohl oder übel, sage ich. Und wohl oder übel jemanden wie ihn, nicht? – Eben, sagt er. Darauf will er hinaus. Wenn er also über jemanden wie mich und einen Abend wie diesen schreibt – er wird's nie tun, aber nur einmal angenommen –, dann wird er wissen müssen, was so eine dramatis persona wie ich, wenn sie mit so einer dramatis persona wie ihm essen geht, für ein Kleid trägt, das ist doch nur selbstverständlich, wie? – Nur selbstverständlich, sage ich. – Zieht er einen Block aus der Tasche, nimmt einen Bleistift, kritzelt und macht Notizen. – Tja also, da hätten wir zunächst das Kleid, sagt er. Hellgrüne Seide, Stoff hat Muster mit kleinen, beigefarbenen Blumen, dazu ein Jäckchen aus brauner Seide mit gleichem, aber braunem Blumenmuster. Breites Band um Hüfte – wie breit, meine Schöne? – Zwanzig Zentimeter, sage ich Kuh prompt, und zwanzig Zentimeter notiert er. Zu sehr breiter Schleife gebunden. Schleife sitzt seitlich, natürlich kann man sie auch nach vorne oder hinten oder auf die andere Hüfte drehen, wenn man Jäckchen auszieht. Und – er sieht unter das Tischtuch – keine Strümpfe, braune Schuhe. Natürlich Emenaro, sagt G., etwas anderes kommt überhaupt nicht in Frage für Isabelle. Weise Frau mit unendlichem Geschmack und blauen Augen, die dunkel werden wie gerade jetzt, und . . . – Hören Sie auf! – . . . und brauner Ledertasche. Ganz bezaubernder Ledertasche. Und im kleinen Dekolleté an dünner goldener Kette eine Münze. Amulett, ganz besondere Bedeutung, Isabelle wird sie nicht verraten, Geheimnis, muß Geheimnis bleiben, Isabelle und ihr Geheimnis. So etwas ist immer etwas Gutes in einer Geschichte, sagt G.*

*Sommelier bringt Champagner, gießt ein wenig in zwei Gläser, die Männer kosten, schmecken, nicken. Sommelier füllt mein und G.s Glas halb, dann trinken wir einander noch einmal zu, diesmal auf uns, es ist mein Vorschlag.*

*Die letzten Tropfen aus seinem Glas läßt G. auf den Boden fallen. Für die Götter unter der Erde. Die sind genauso durstig wie die im Urwald, und wenn man ihnen Cuvée Dom Perignon, Vintage 1980, serviert, bringen sie Glück.*

*Nein, ich werde ihm nie das Geheimnis meiner Münze verraten! Es*
*gibt übrigens noch ein anderes Geheimnis: Was in mir vorging an*
*jenem Tag im Urwald bei dieser Macumba, bei der man sich alles*
*wünschen darf. Zigaretten, Reisschnaps und Streichhölzer hatte ich*
*schon in die kleine Höhle gelegt, er beobachtete mich, ich bemerkte*
*es aus den Augenwinkeln. Oh, viele Wünsche hätte ich gehabt, aber*
*dann mußte ich an etwas Seltsames denken, das mich so sehr in Bann*
*schlug, daß ich einfach nicht mehr die Konzentration hatte, mir*
*irgend etwas zu wünschen. Das Seltsame: Plötzlich und jäh wurde*
*mir klar, welch großen Eindruck G., mit dem ich kaum noch richtig*
*gesprochen hatte, auf mich machte. Mit zweiunddreißig hat man*
*natürlich schon ein paar Affären hinter sich, aber nie zuvor war da*
*ein Mann, der mich sofort so anzog, froh und voll Hoffnung machte*
*wie G. Woher kam das? Warum? Das alles dachte ich da im Urwald,*
*völlig verwirrt. Und so fing alles an, meine Lieben, und so fing alles*
*an (Kipling).*
*An diesem Abend im Restaurant Caesar bin ich es, die am meisten*
*spricht und von sich erzählt. Habe ich noch nie getan. War stets*
*bemüht zuzuhören, andere sprechen zu lassen, Empfindungen und*
*Gefühle für mich zu behalten. Mein Leben lang auf Zurückhaltung*
*bedacht. Nicht an diesem Abend! Und natürlich kam ich auch auf*
*meine idée fixe…*

Ach ja, ihre *idée fixe!*
Sie war, sagte sie, wirklich engagiert. Glaubte, daß wir noch einmal
davonkommen. Glaubte aber auch: Kein Mensch kann die Zeit
beurteilen, in der er lebt. Unmöglich so etwas. Nur die Zukunft
kann die Vergangenheit beurteilen. »Jetzt haben wir die Endzeit« –
wie oft wurde das schon gesagt? Nein, so geht es nicht, meinte
Isabelle. Denn was ist ein Menschenleben und all sein Wissen und
Denken? Eine Sternschnuppe im unendlichen Universum, die auf-
glüht für Bruchteile von Sekunden – und vorbei. Zwar logisch, daß
jeder alles von sich aus beurteilen will, aber wie kann er das? Was
weiß er schon? Nichts und nichts. Wie erleben wir Geschichte in
unserer kurzen, kurzen Weile Leben? Wie in einem verrückt gewordenen Zeitraffer. Begreifen nicht, daß Geschichte unendlich ist –
nach beiden Richtungen, vorwärts und rückwärts…

Und nun ihre fixe Idee: Als Kind verbrachte sie den Sommer mit den Eltern immer auf dem Land. In der Nähe von Beaugency, da bei Orleans, an der Loire. Und von alten Bauern hörte sie Prophezeiungen, zum Beispiel: Wenn alle Frauen Hosen tragen und wenn das Wasser der Loire verkehrt, also aufwärts fließt, dann ist das Ende der Welt gekommen.

»Wie bitte?« fragte ich da. »Frauen tragen Hosen ist gleich Ende der Welt? Mademoiselle halten also nichts von Emanzipation. Hätte ich nicht gedacht, erstaunlich...«

»Hören Sie«, rief Isabelle, »die *Bauern* sagten das, die alten Bauern da bei Beaugency. Das ist doch nur ein Beispiel, und Sie wissen es genau. Wenn«, sagte sie würdevoll und ein ganz klein wenig beschwipst, »die Frauen Hosen tragen und somit in den Augen der Bauern – in den Augen der Bauern! – nicht mehr die ihnen von der Natur zugedachte Rolle übernehmen, wenn Flüsse sich so aufstauen, daß ihre Strömung sich umkehrt – gar keine unmögliche Vorstellung heute, wie? –, dann geht's zu Ende mit der Welt. Wir leben in einem Zeitkontinuum. Zeit ist nicht Geschichte. Geschichtsforschung hat noch nie zu etwas geführt. Aber die Zeit... Warum gibt es nicht so etwas wie *psychologische Zeitforschung?*« fragte sie.

Psycho-Historie! *Das* wäre wichtig! Nicht im Sinne von Ereignisse beurteilen, sondern im Sinne der Erforschung der Vorbedingungen von Ereignissen. Sagen zu können: Wenn ihr das und das tut aus diesen und jenen Motiven (oder wenn ihr es nicht tut aus diesen und jenen Motiven), dann ist mit Gewißheit *vorher*zusagen, was ihr anrichtet. Seit sie sich an die Prophezeiungen der alten Bauern erinnert, läßt sie der Gedanke an Psycho-Zeitforschung nicht los. Registrieren, wie die Zeit bisher verlaufen ist, in welchen Rhythmen, Wellenbergen und Wellentälern, damit wir auf katastrophale Zeiten sehr, sehr früh vorbereitet wären, nicht erst so spät wie bislang. Dann könnte man endlich sagen: Dies geschah – dies muß die Folge sein. Deshalb hat das und das zu geschehen! Deshalb darf das und das nie wieder geschehen, weil wir die Folgen nicht überleben würden!

Dann wären wir keine Sternschnuppen mehr. Dann könnten, dann dürften wir aus unserer Zeit heraus über unsere Zeit urteilen.

Das alles sagte Isabelle, und zuletzt, so steht es im Tagebuch...

*...Jetzt haben Sie mich glücklich dazu gebracht, einen Vortrag zu halten, G. Mit Champagner. Wahrhaft hinterhältig sind Sie! – Und Sie sind wahrhaft wunderbar, sagt er. – Hören Sie sofort auf. – Ich habe noch gar nicht angefangen. Kluge Frauen tragen stets wichtige Dinge bei sich, zum Beispiel Sicherheitsnadeln. Ganz gewiß tragen Sie eine Sicherheitsnadel bei sich, ma belle? – Ja, sage ich, aus der Fassung gebracht. Warum?*

*Er nimmt die violette Orchidee. Weil ich Sie bitte, dies an Ihr Dekolleté zu stecken. – Wenn es Ihnen Freude macht, Monsieur... Ja, so fing alles an, meine Lieben, und so fing alles an.*

*Spät, zwei Uhr früh, wieder in unserm Hotel. Er bringt mich bis zur Zimmertür, küßt meine Hand, fragt, ob er meine Wangen küssen darf, er darf, ich küsse seine. Er wartet, bis ich im Zimmer bin und die Tür geschlossen habe. Orchidee in ein Glas Wasser. Auf dem Tisch im Vorraum: kleiner Berg kleiner Päckchen. Jedes in andersfarbiges Papier gewickelt und mit Goldband verschnürt. Bums, also doch zuviel getrunken! Aber die Päckchen sind real, und so setze ich mich im Abendkleid an den Tisch und zähle die Päckchen, neun Stück. Badezimmer. Nagelschere. Bänder auf. Papiere ab. Jede Menge Kosmetik – ausschließlich Emenaro. Großer Flacon Parfum, großer Flacon Eau de toilette, beide mit mechanischem Zerstäuber, Body Spray, ohne FCKW, steht drauf, Body Soap, Shower Bath, Perfumed Powder, Body Lotion, Body Cream, Body Dry Oil... Da sitze ich, erstarrt wie diese Frau aus dem Alten Testament, die sich nicht umdrehen sollte und das natürlich doch tat, vor all den Fläschchen und Dosen, und zuletzt lache ich und lasse mich über die Zentrale mit G. verbinden. Meldet sich sofort. – G., Sie sind verrückt, komplett verrückt! – Ich glaube, das hatten wir heute abend schon einmal. Wäre es Mademoiselle genehmer, ich wäre normal? – O nein, nur das nicht! – Voilà! – Und Emenaros gesammelte Werke nehme ich also morgen mit in den Regenwald, wie? – Wenigstens das Parfum und das Eau de toilette. Werden wir ganz dringend benötigen. Alles andere bleibt bei Chefportier Carioca Parcas, meinem alten Freund. Wir kommen noch einmal nach Rio, bevor wir nach Europa zurückkehren. Dann nehmen Sie alles mit. – Wann haben Sie das gekauft, G.? – Heute nachmittag, anläßlich des Orchideenerwerbs. Es ist fast die gesamte Collection Emenaro, die junge Dame in der Parfümerie hat mir eine Liste gegeben. – Und die Päckchen gemacht, die schönen Päckchen? – Nach meinen Anweisungen, Mademoiselle. – Also ich... ich... ich danke Ihnen, Monsieur! – Ich habe zu danken, Mademoiselle. Dafür, daß es Sie gibt. Schlafen Sie wohl! Halt! Sie wissen, Umweltschützer baden nicht. Deshalb fehlt das Body Bath. Duschen Sie mit Shower Bath, und um Gottes willen nicht vergessen, danach die Body Lotion! – Das alles will ich getreulich tun, Monsieur. – Ach, und das Wichtigste, fast vergessen. – Das Wichtigste? – Die junge Dame hatte nur einen Fünfzehn-Milliliter-Parfum-Flacon. Morgen früh gibt sie hier im Hotel einen Dreißig-Milliliter-Flacon ab. Wir brauchen Vorrat. Gute Nacht, schöne Dame mit der Geheimnismünze um den Hals! – Gute Nacht, sage ich und lege den Hörer auf und gehe ins Bad und schraube das Shower Bath auf und atme den Emenaro-Duft ein, bevor ich mich ausziehe. Und alles ist vollkommen verrückt und vollkommen unmöglich und vollkommen wunderbar.*

# 7

»Energie?« schrie die Indianerin mit den langen zotteligen Haaren, dem bunten Federkopfschmuck und dem zerschlissenen Hemd. »Energie, was ist Energie? Ich brauche das nicht.« Sie war aufgesprungen und riß die Machete, die sie in der Hand gehalten hatte, hoch. So drängte sie sich durch die Menschen vorwärts zu dem Podium und auf José Muniz zu, der entsetzt zurückweichen wollte, aber nicht konnte, weil er in der Menge eingeschlossen war: Indianer, Leibwächter, Reporter, Polizisten, Dutzende von Fernsehteams. Die alte Indianerin war außer sich. Das schwere Buschmesser in ihrer Hand zischte um den Kopf des entsetzten Muniz, der sich in Todesangst hin und her wand. Die Menge tobte in der Stadthalle von Altamira. Noch mehr Scheinwerfer flammten auf. Alle Kameras arbeiteten – auch die BETA von Bernd Ekland. »Maria, Mutter Gottes!« stöhnte er. »Bitte, laß sie das mit der Machete über seinem Schädel weitermachen... weitermachen!« Bei ihm standen Katja Raal, Markus Marvin, Peter Bolling, Isabelle

Delamare, Bruno Gonzalos und Philip Gilles. Alle starrten zum Podium. José Muniz, der Direktor der Planungsabteilung des Energiegiganten Electronorte, den sie in das Nest Altamira am Xingú-Fluß geschickt hatten, damit er den Indianern erklärte, warum man ihren Grund und Boden unter Wasser setzen, warum man sie vertreiben mußte, weil ausgerechnet hier das größte Wasserkraftwerk der Welt gebaut werden sollte, war aschfahl. Warm fühlte er an den Beinen, wie sich seine Blase entleerte. Urin rann ihm in die Schuhe.

»He, he, he! Ho, ho, ho!« skandierten über dreihundert federgeschmückte Indianer mit meterlangen Eisenspitzenspeeren rhythmisch, um die Frau anzufeuern, die mit dem riesigen Buschmesser haarscharf um Muniz' Kopf herumschlug in ihrer Verzweiflung, in ihrem ohnmächtigen Zorn, denn sie wußte, was sämtliche Indianer hier wußten, daß sie schon längst alle verraten und verloren waren. Fünfunddreißig Grad heiß war es vor der Halle. In ihr war es gewiß noch viel heißer. Peter Bolling lehnte kreidebleich gegen Marvin, rang nach Luft und führte ununterbrochen das Fläschchen, das er wegen seines Asthmas stets bei sich hatte, zum Mund. Der Spray half ein bißchen, nicht viel. Die Luft kochte. Alle Männer waren nackt bis auf Unterhosen oder Shorts, die Frauen trugen Shorts und T-Shirts, Schweiß rann in Strömen über die Körper, Ekland hatte mit feuchten Händen Mühe, die BETA zu bedienen. Isabelles weißes T-Shirt klebte am Körper, es sah aus, als wäre sie nackt.

»Wenn sie ihn tötet...«, stammelte Isabelle. »Wenn sie ihn tötet...«

»Verflucht, wenn sie's doch endlich tun würde!« sagte Ekland inbrünstig. »Na los doch, Alte, los!«

José Muniz saß nun reglos, vor Angst erstarrt. Seine Füße badeten in Urin. Und auch sein Schließmuskel hatte nachgegeben. Die um ihn standen, rochen es. Der Direktor der Planungsabteilung von Electronorte hatte sich vor Angst in die Hosen geschissen.

»Mörder!« schrie die alte Indianerin, deren Machete durch die Luft schwirrte, links, rechts, rechts, links, »Mörder! Mörder! Mörder!«

»Ho, ho, ho!« brüllten die Indianer. »He, he, he!« Sie stampften mit den nackten Füßen im Takt. Sie schüttelten ihre Speere. Lichtbahnen der Scheinwerfer durchschnitten den Hitzenebel der Halle.

»Aus! Hör auf! Schluß!« brüllte Paulinho Paiakan, Häuptling der Kaiapó-Indianer, der mit über dreihundert Kriegern hierhergekommen war. »Laß das sein, Carca!« Er drängte sich zu der rasenden Frau vor, die dem Electronorte-Manager nun die Machete mit der flachen Klinge auf beide Wangen schlug. »Du sollst aufhören!«

Plötzlich war es totenstill, nur das Keuchen der Menschen, die allesamt nach Luft rangen, war zu hören. Diejenigen, welche die Indianerin eben noch angefeuert hatten, schwiegen. Jeder begriff plötzlich klar, daß er Zeuge eines Mordversuchs gewesen war.

Der Häuptling riß die Frau zurück. Sie taumelte, fiel, blieb liegen. Tränen schossen aus ihren Augen und liefen über ihr Gesicht. Sie begann sich in hysterischen Zuckungen herumzurollen. Alle wichen vor ihr zurück.

»Hast du noch genug Band?« schrie Marvin zu Ekland. »Gottverflucht, wenn die Kassette jetzt gewechselt werden muß!«

»Fünf Minuten«, rief Ekland. Katja hielt schon eine neue Kassette in der Hand. Auch sie war schweißüberströmt.

Häuptling Paulinho Paiakan hatte Journalisten aus der ganzen Welt zu diesem fünftägigen Kongreß geladen, damit die ganze Welt erfuhr, daß hier Natur zerstört, Indianer ausgerottet, das wahnsinnigste Unternehmen des Jahrhunderts in Angriff genommen werden sollte.[14]

Sie waren gekommen, Korrespondenten von Nachrichtenagenturen, Reporter großer Zeitungen und Rundfunkstationen, Fotoreporter, Fernsehteams, über hundert Menschen, die Fotoapparate und Fernsehkameras und Schreibcomputer in den Urwald schleppten. Derart viele Berichterstatter waren natürlich nicht eines Indianerprotestes wegen losgeschickt worden. Zu dem wäre wohl kein halbes Dutzend Journalisten erschienen. Der Bau dieses gigantischsten Wasserkraftwerks der Welt war indessen verbunden mit dem Engagement vieler prominenter Politiker und Großbanken aus vielen Ländern. Hier ging es um Machtkämpfe zwischen Ost und West, um Milliarden Dollar, internationale Institutionen, die in arges Zwielicht geraten waren, um Korruption und monströse Wirtschaftsskandale. Deshalb war es zu dieser Reporterinvasion gekommen, nur deshalb. Protestierende Indianer allein hätten die Massenmedien völlig gleichgültig gelassen. Aber so...

Vor einer halben Stunde hatte José Muniz noch gelächelt, krampfhaft, mechanisch, um seine Angst zu verbergen. Auch vor einer halben Stunde schon verfluchte er seine Bosse, die ihn hierhergeschickt hatten, damit er mit diesem Lumpengesindel sprach, erklärte, anpries, was da gebaut werden sollte. Schweine, verfluchte, dachte Muniz. Ihr sitzt in euren fernen Villen mit euren Huren, Klimaanlagen laufen, eiskalt sind eure Drinks, eine Station hier überträgt live, so könnt ihr, zurückgelehnt in eure Fauteuils, sehen, was vorgeht, können eure Huren sich aufgeilen an den Bildern, bevor sie mit euch Fettsäcken losficken. Immer mich, dachte Muniz, immer mich schicken sie dorthin, wo's am ärgsten ist.

Häuptling Paiakan hatte diesen Kongreß wirkungsvoll vorbereitet. Bevor Muniz Gelegenheit bekam, den Versammelten klarzulegen, wie segensreich für alle der »Plan 2010« war, der hier realisiert werden sollte, dieser Plan, der Altamira, das Drecksnest, zum Industriezentrum machen würde, dessen Wasserkraftwerk eines Tages elftausend Megawatt Strom produzieren sollte, etwa zehnmal soviel wie ein modernes Kernkraftwerk, bevor Muniz darüber sprechen konnte, hatten die dreihundert Krieger des Häuptlings mit ihrer Vorstellung begonnen. Federhauben trugen sie, ansonsten nur Turnhosen, ein jeder von ihnen den traditionellen spitzen Holzknüppel, viele dazu noch Speer und Pfeil und Bogen. Sie hatten zu tanzen begonnen und rhythmisch zu brüllen: »He, he! Ho, ho! He, he! Ho, ho!« Sie hatten Scheinangriffe mit Knüppeln und Speeren gegen Muniz geführt, und danach hatte Paiakan gesprochen – und Isabelle hatte seine Ansprache übersetzt, sehr laut nun für Katjas Tonkoffer: »Wissen Sie eigentlich, was *kararaô* bedeutet? Es bedeutet soviel wie: ›Wir erklären den Krieg.‹ Ja, wir erklären den Krieg! Der ehrenwerte Senhor Wanderlan de Olivera Cruz, Vorsitzender und Wortführer der ehrenwerten Gesellschaft der Großgrundbesitzer, hat erklärt: ›Der Fortschritt wird nicht von dreihundert Indianern aufgehalten werden.‹ Mit anderen Worten: Wir alle hier sind Todeskandidaten. Und das ist nicht übertrieben. Nur noch etwa zwanzigtausend von ursprünglich zehn Millionen Indianern haben den Siegeszug der Zivilisation in Brasilien überlebt!« Gebrüll. »In den Bars dieser Stadt heißt es nach dem dritten *caipinrinha*, den einer trinkt: ›Jetzt ist der Rest dran, an der Spitze Häuptling Paiakan.‹

Denn Gesetze, was sind die hier wert? Nach Altamira kommen keine Zeitungen. Wer etwas besitzt, der heuert als erstes Leibwächter an.« Gebrüll. Alle Kameras liefen. Ständige Blitzlichtgewitter.

»Wir stehen dem Fortschritt der ehrenwerten Gesellschaft im Wege, meine Schwestern und Brüder! Wir müssen erschossen, vergiftet, erschlagen, gehängt, wir müssen ausgerottet werden – für den Fortschritt der Großgrundbesitzer! Ich sage hier, vor so vielen Reportern aus so vielen Ländern: Wir werden unser Land nicht verlassen. Und wenn es doch zum Dammbau kommt, dann sterben wir lieber hier als irgendwo anders.«

Die Gluthitze in der Stadthalle, das Geschrei und das Dröhnen von Trommeln waren fast unerträglich. Isabelle sank in einem Schwächeanfall gegen die nackte Brust Bollings. Er hielt sie fest. Erregt spürte er jede Wölbung ihres Körpers.

»Isabelle!«

Sie richtete sich auf und schüttelte den Kopf. »Schon wieder gut. Warm hier, wie?«

Er strich mit einem feuchten Lappen über ihren Hals, ihre Brüste.

»Nicht…«

»Nur den Schweiß weg.«

»Bitte, nicht!« Sie wandte sich ab. Keuchend stand Bolling da.

»He, he! Ho, ho! He, he! Ho, ho!« Dreihundert Krieger stampften, schwangen Speere, Bogen und Pfeile, tanzten, die Gesichter zu Grimassen verzerrt.

Marvin hatte ins Mikrophon gesprochen: »…In Altamira also soll dieses Riesenwasserkraftwerk gebaut werden. Wegen des geringen Gefälles des Xingú, der nordwestlich von Belém in das Amazonas-Delta mündet, wird hinter der untersten Staustufe allein ein See von eintausendzweihundert Quadratkilometern entstehen«, er überlegte kurz, »mehr als doppelt so groß wie der Bodensee. Und dies ist Indianerland. Dies ist tropischer Regenwald, der dann unter Wassermassen begraben sein wird.«

»Aus«, sagte Ekland.

»Was?« Marvin starrte ihn an.

»Kassette voll.«

Die Kamera stand auf dem Stativ. Blitzschnell legte Katja, die fröhliche Katja, eine neue Kassette ein. Sie hatte dauernd Angst, ohnmächtig zu werden, aber sie lachte hektisch. Verbissen drehte sie an den Knöpfen ihrer Apparate, beobachtete den Ausschlag der Skalenzeiger. Unter ihren Kopfhörern rannen Schweißbäche herab.

»Fertig!« brüllte Ekland. »Mach weiter, Markus!«

»Moment!« schrie Katja. Sie schmierte mit einem Fettstift etwas auf ein Blatt Papier und hielt es vor die Kamera. ALTAMIRA III/STADT-HALLE.

»Ton?« schrie Ekland.

»Läuft!« schrie Katja.

»Los!« schrie Ekland.

Markus Marvin sprach weiter: »Nicht nur die Kaiapó-Indianer kamen nach Altamira, um gegen den Staudamm zu protestieren, es kamen auch Umweltschützer aus Brasilien...« Ekland schwenkte die BETA und nahm Dr. Bruno Gonzalos auf, der mitgeflogen war, wie er es versprochen hatte. »...aus Nordamerika, Asien, Europa... Der britische Popsänger Sting erschien hier, um einer Runde von brasilianischen, mexikanischen und nordamerikanischen Indianern zu erklären: ›Ich weiß, daß die Amerikaner den Regenwald schützen, hier und überall auf der Welt. Wenn der Regenwald stirbt, wird das auch meinem Land schaden!‹ Kamera aus, bitte!«

Marvin fragte Ekland: »Habt ihr im Sender genug Material von Sting?«

»Massig.«

»Auch seine Musik?«

»Jede Menge.«

»Prima. Schneiden wir hier rein.«

Der stille Gonzalos hatte ein Wort auf einen Zettel geschrieben und hielt ihn Marvin hin. »Hélio« stand darauf.

Marvin machte Ekland ein Zeichen. Die BETA lief wieder. Marvin sagte: »Nicht eben ein herzlicher Empfang wurde uns bereitet. Kurz vor Beginn der Konferenz legte der Gouverneur des Staates Para, Hélio Gueiros, los: ›Da kommen die Demagogen aus Schweden, Serbokroatien und Bulgarien und wollen uns verbieten, unser Land zu entwickeln.‹ Und für die Umweltschützer aus Nordamerika, die ganz bestimmt hier zahlreicher vertreten sind als etwa Serbokroaten, hatte der Gouverneur noch ganz andere Worte zur Begrüßung: ›Ihr seid doch Spezialisten! Ihr wißt doch am besten, wie man Indianer vernichtet!‹«

Das war vor zwanzig Minuten gewesen.

Kaum hatte Häuptling Paulinho Paiakan endlich die rasende alte Frau mit der Machete vor dem Direktor José Muniz zurückgerissen, kaum setzte der zu sprechen an, da ertönte von draußen ungeheuerer Lärm.

»Das Geschwätz von dem Kerl gibt uns meine Freundin Tuesday Wells von ABC«, sagte Ekland. »Los, kommt sehen, was draußen los ist!« Katja und er nahmen die BETA vom Stativ, er schulterte sie, und ihm nach schoben und drängten die anderen auf die Straße hinaus. Dort, an einer Kreuzung im Ortskern, hatte eine zweite Demonstration begonnen – der Zeitpunkt war geschickt gewählt.

»Warte doch, Mensch!« schrie Katja, die mit beiden Händen voller Kabel und Instrumente hinter Ekland herstolperte. »Alte Frau ist kein D-Zug!« In fliegender Hast verband sie Mikros und befestigte das Stromkabel der BETA wieder an dem von Akkupatronen schweren Cowboygürtel Bernds. Schwer war die BETA, schwer der Gürtel, zu aufgeregt Ekland, zu sehr Profi, um jetzt Schmerzen zu spüren. Er filmte eine brüllende, singende, tanzende Menschenmenge.

»Frag bitte die Leute, wer sie sind!« schrie Marvin. Isabelle lief fort, kehrte wieder, berichtete: »Organisation der Großgrundbesitzer. Rechtsradikal. União Democratica Ruralista, UDR. Da, ich habe es dir aufgeschrieben. Die Silben unterstrichen, die betont werden...«

Berittene Gauchos paradierten, ließen ihre Pferde sich aufbäumen. Dutzende von Böllern krachten plötzlich gleichzeitig los, immer neue Salven folgten. Die ganze Stadt war auf den Beinen – bei fünfunddreißig Grad Hitze. Hunderte von Autos, alle hupend, Viehtransporter, sogar Straßenbaumaschinen rollten an. Der Lärm war höllisch, die Hitze war höllisch, es *war* die Hölle.

Eklands Gesicht hatte sich zu einem irren Grinsen verzerrt. Er hielt die BETA auf der Schulter und filmte. Vergessen das letzte Jahr, vergessen die Schmerzen. »Junge, Junge, Junge!« stöhnte er. Transparente, Transparente. Er nahm sie alle auf.

»Übersetz die Texte, bitte, Isabelle!«

Die junge Frau übersetzte ins Mikro, was auf den Transparenten stand: »Wir produzieren viertausend Tonnen Kaffee im Jahr!...

Wir halten tausend Rinder und fünfhundert Schweine – deshalb brauchen wir Energie!... Atomenergie nein – Wasserkraft ja!... Dieses Land gehört uns!... Brasilien den Brasilianern!«

Schwere Laster rollten an.

»Was ist das?« rief Marvin.

Isabelle las die Aufschriften. »Müllabfuhr... Laster der Müllabfuhr.«

»Wieso sind die für die Großgrundbesitzer? Wieso sind die für Electronorte?«

»Bekommen Geld dafür von denen«, sagte Bruno Gonzalos, und Isabelle übersetzte. »Auch die Gauchos und die anderen... alle bezahlt.«

»Da, auf diesem Transparent steht es gereimt«, sagte Isabelle, deren kleine, feste Brüste unter dem durchgeschwitzten T-Shirt jetzt so deutlich zu sehen waren, als sei sie wirklich nackt. Bolling starrte sie hinter angelaufenen Brillengläsern an. »Wir sind für Ökologie – mit Fortschritt und Energie!«

Marvin wiederholte die Worte, er war jetzt wieder vor der Kamera. »Das Ganze wird mehr und mehr ein Karneval«, sagte er. »Ein mörderischer Karneval... Die Gauchos schlagen auf Umweltschützer und Reporter ein...« Er trat zurück. Ekland nahm die Prügelszene auf. Dazu Marvins Stimme: »Die Reiter kommen näher... die Baumaschinen auch... Männer auf ihnen haben Fahrradketten und Eisenstangen...« Eine Sirene heulte auf. »Ambulanz... irgendwo... nicht zu sehen... wird nie durchkommen... Da rennen zwei Ärzte... einer wird zusammengeschlagen...«

Auf den Ladeflächen der Laster tanzten die Bewohner von Altamira, als sei wirklich Karneval. Viele waren betrunken. Schwüle, Hitze, Alkohol. Und immer die gleichen drei Worte, die im Chor gebrüllt wurden. Isabelle übersetzte keuchend: »Energie! Gringos raus!... Energie! Fremde raus!«

Nun war das Team von Einheimischen umringt. Haßverzerrte Gesichter, aufgerissene Münder, wüste Drohgebärden.

»Die Ärmsten der Armen vertreten die Interessen der Großgrundbesitzer und des Energiegiganten Electronorte«, sagte Marvin ins Mikrophon, hin und her gestoßen wie alle anderen. Nur den bulligen Ekland stieß keiner. »Prügeln auf die Umweltschützer ein... auf die Reporter... für eine Handvoll Cruzeiros...«

In unmittelbarer Nähe wollte ein amerikanischer Fotograf etwas wissen. Ein zerlumpter Riese brüllte ihn drohend an.

»Was sagt er?« fragte der Fotograf Isabelle.

»Sie sollen portugiesisch mit ihm reden!«

Der Zerlumpte schrie nun auf Marvin ein.

»Was will er... was sagt er, Isabelle?«

»Warum gönnt ihr uns keinen Fortschritt?« schrie Isabelle. »Warum gönnt ihr uns keinen Fortschritt?«

Ehe Marvin antworten konnte, schlug ihm ein Gaucho, der schnell herangekommen war, von seinem Pferd aus mit einem Hartholzknüppel über den Schädel. Marvin schrie auf, hielt sich den Kopf. Blut begann zu fließen. Ekland filmte ihn, wie er zu Boden sank. Bilder, dachte Ekland, Bilder, Bilder!

»Los, weg jetzt! Weg! Weg hier!« Dr. Gonzalos hatte das geschrien. Er und Gilles halfen Marvin auf die Beine. Dessen Gesicht, dessen Körper war rot von Blut. Die anderen packten in Eile alle Geräte. Sie waren in einen Pulk einander schlagender Menschen geraten. Immer noch explodierten Böller. Musik kam grell aus Lautsprecherwagen. Auf den Ladeflächen der Laster tanzten noch immer Menschen, sangen und brüllten: »Energie!... Energie!... Gringos raus!... Gringos raus!«

»Hinter mir, bleiben Sie dicht hinter mir! Halten Sie sich an meinem Gürtel fest!« schrie der sonst so sanfte Bruno Gonzalos.

Er senkte den Kopf und rammte sich und den anderen einen Weg durch die tobende, kreischende Menge, durch betrunkene, bekiffte, von der Hitze halb wahnsinnige Menschen. Schlug nach rechts und links. Die anderen folgten taumelnd. Marvins Blut tropfte in den Dreck der Straße. Schließlich erreichten sie, auf einem Ruinengrundstück, eine Erste-Hilfe-Station. Hier lagen etwa fünfzig Verwundete. Sanitäter bemühten sich um sie. Ekland sah Kollegen von ausländischen Fernsehstationen, Fotografen, Reporter, darunter mehrere Frauen.

Der Arzt, der Marvins Platzwunde desinfizierte und ihm dann einen Verband anlegte, sagte etwas auf portugiesisch.

Isabelle übersetzte, sie hatte sich zu Boden sinken lassen: »Was kommt ihr auch noch her? Habt ihr nicht schon genug angerichtet? Das halbe Land hat nichts zu fressen. Alles, alles, was wir schaffen, wird exportiert. Ihr habt zu verantworten, daß es jetzt hier so zugeht, daß der Regenwald zerstört wird für Wasserkraftwerke und Rinderfarmen und die Ausbeutung aller Bodenschätze! Wie schlau habt ihr es angefangen! Verschuldet sind wir, daß uns das erwürgt! Achtzehn Milliarden Dollar Zinsen im Jahr müssen wir zahlen für unsere Verschuldung! Achtzehn Milliarden Dollar allein Zinsen! Euer nobler Schutz der Natur! Der Indianer! Scheiße, alles Scheiße! Wer wird immer reicher und fetter und mächtiger? Die EG! Euere Banken! Euere Konzerne! Shell und BP! Texaco und Exxon! Schreien Sie nicht, Mann!«

Marvin biß seine Unterlippe blutig.

Bruno Gonzalos hatte sich zu Isabelle gesetzt. Während Böller und Schüsse krachten, Sirenen heulten, Menschen grölten, sangen und brüllten, sagte Gonzalos mit scheuem Lächeln: »Ich wollte es Ihnen schon die ganze Zeit erzählen. Meine Frau bekommt ein Baby.«

»Das ist schön, Doktor Gonzalos«, sagte Isabelle.

»Sie sagte es mir unmittelbar vor unserem Abflug. Zuerst war ich... nun ja, sehr verwirrt und hatte meine Zweifel, aber dann...«

Er verstummte, und ringsum heulten weiter Sirenen, peitschten weiter Schüsse, explodierten immer noch Böller, brüllten und sangen Menschen und schrien vor Schmerz. »Aber dann«, sagte Gonzalos, »und jetzt in diesem Chaos besonders... Es ist völlig verrückt, nicht wahr... ich meine... jetzt habe ich mich damit abgefunden, daß wir ein Kind haben werden...« Er lächelte wieder. »Mehr... jetzt freue ich mich darauf.« Damit erhob er sich und verschwand zwischen den Ruinen, als schäme er sich, seine so neuen Gefühle so deutlich gezeigt zu haben.

Marvin lag auf einer Pritsche in einer uralten Ambulanz, die durch die Stadt raste. Der Fahrer war betrunken und sang. Gonzalos und Bolling saßen neben ihm. Gilles und Isabelle hockten auf einer zweiten Pritsche und verhinderten, daß Marvin zu Boden rutschte. Der Arzt, der den Verband anlegte, hatte auf einer Untersuchung im Krankenhaus bestanden. Seither war Marvin wütend.

Er fühlte sich sehr schwindlig und hatte starke Schmerzen. Bernd und Katja fahren vor uns, dachte er, sie am Steuer. Er will die Stadt im Aufruhr filmen. In dem Landrover fahren sie. Haben wir aus

Belém mitgebracht, den Landrover. Landrover, dachte er. Landrover? Kann ich an nichts anderes denken, zum Teufel! Landrover. War schon mal in einem. Einem kleineren. So holprig wie in dieser Ambulanz. Keine Straße. Acker. Dann fiel es ihm ein, und erlöst schloß er die Augen. Der Landrover des Farmers Ray Evans war das gewesen, auf dem Feld mit den zum Teil verkrüppelten Rindern. Beim Atomreservat von Hanford im Bundesstaat Washington. Muß ich wieder hin, dachte er. Mensch, haben wir noch ein Pensum vor uns! Ja gerade erst angefangen. Müssen uns beeilen. Noch so viel. Noch so viel. Runter zu den Goldgräbern. Jesus, mach, daß die Schmerzen aufhören! Gibt keinen Jesus...

Der betrunkene Fahrer raste gerade an dem prächtigen Bischofssitz vorüber. Das einzig Prächtige hier, dachte Gonzalos. Ansonsten zwei Dutzend Hotels, die meisten schmierige Absteigen, manchmal nicht mehr als eine Liege oder gar nur zwei Haken für die Hängematte in den Löchern, die sie Zimmer nennen. Geschäfte mit Rollgittern und Tafeln mit der Aufschrift COMPRO SEU OURO – ICH KAUFE IHR GOLD. Zwei plüschige Bordelle. Jede Menge angereiste Huren. Eine Goldgräberstadt, wahrhaftig. Die Klinik bestimmt überfüllt und lebensgefährlich. Hier legen sie einen im Krankenbett um, mit der Maschinenpistole. Passiert dauernd und überall. Die Ermordung eines Bürgers von mittlerer Bedeutung, dachte Gonzalos, ist äußerst wohlfeil. Drüben in Kolumbien gibt es die besten Mörder. Und die billigsten. Kosten zwischen zweiunddreißig und vierundsechzig Dollar nach der neuesten Marktstudie der Polizei, die ich gelesen habe. Dieser Discountpreis ist darauf zurückzuführen, daß sie den Markt in Kolumbien durch ein Überangebot von Berufskillern ruiniert haben, hieß es in jener Studie. Die »Großartigen« oder die »Weißen Handschuhe«, die »Mönche«, die »Käsestückchen« oder die »Schlagsahne«, wie sich die Banden nennen, decken das Sicherheitsbedürfnis der Rauschgifthändler Kolumbiens, die ihre Einkünfte traditionell in Ländereien anlegen. Die Großgrundbesitzer hier holen sich ihre Sicherheitskräfte, ihre Leibwächter, ihre Killer fast immer aus Kolumbien, es sind die besten, ausgebildet in »Mörderschulen« und »Mordakademien«.[15]

Das »Motel Kiss Me« glitt vorbei, das feinere der beiden Bordelle – für jene, die vom Goldverkauf Bargeld hatten und sich ein paar schöne Stunden machen wollten, oder für ausländische Entwicklungshelfer. Die brauchten kein Gold zu verkaufen. Drei Dutzend prächtige Villen mit Fernsehüberwachung glitten draußen vorüber, ein paar tausend windschiefe Hütten. Kirche, Supermarkt, Pornoshop, Hotel, Hotel, Kirche, Kirche. Der Fahrer bremste, während Gonzalos dachte: Hoffentlich ist dieser Arzt Ernesto Geisel da, mit dem der Arzt auf dem Verbandsplatz über Funk gesprochen hat. Die Ambulanz hielt. Gonzalos kletterte ins Freie, der Fahrer auch. Sie standen vor dem Krankenhaus zum Herzen der heiligen Jungfrau Maria.

»Raus mit dem Gringo!« sagte der Fahrer zu Gonzalos. »Helfen Sie mir, *bomem*!«

Er riß die hinteren Türen auf. Isabelle und Gilles hoben Marvin eben auf eine Trage. Marvin fluchte. Während die anderen Männer die Trage aus dem Wagen zogen, half Gilles Isabelle. Er hob sie herab, und sein Herz schlug laut dabei, so zierlich war ihr Körper, so leicht, so leicht.


»Röntgen«, sagte der Mann in dem schmutzigen weißen Kittel, der im zweiten Stock des Hospitals auf einem schmutzigen Gang voller Verwundeter vor der Trage mit Markus Marvin stand. Inzwischen war auch Katja eingetroffen, während Ekland den Landrover zum Tanken brachte.

»Nicht ums Verrecken«, sagte Marvin. »Übersetz bitte, Isabelle!«

Isabelle übersetzte.

»Sagen Sie ihm, er soll kein Theater machen«, sagte der Röntgenarzt Dr. Ernesto Geisel. Er hatte einen Dreitagebart und gerötete Augen. »Der Senhor sieht ja, wie es bei uns zugeht. Dieser verfluchte Kongreß hat eben begonnen, und wir sind schon alle halb tot. Übersetzen Sie bitte, Senhora!«

Isabelle übersetzte.

»Kommt nicht in Frage«, sagte Marvin, und Isabelle übersetzte.

»Unter allen Umständen«, sagte Doktor Geisel, und Isabelle übersetzte.

»Nein«, sagte Marvin. »Ich will nicht. Ich habe gehört, bei euch werden die Patienten erschossen. Ich habe kein Vertrauen zum Herzen der heiligen Jungfrau von Altamira.«

»Er will wirklich nicht«, übersetzte Isabelle.

»Was hat er von der heiligen Jungfrau Maria gesagt?« erkundigte sich Dr. Geisel. Er war hager, sein Gesicht grau, er konnte sich kaum noch auf den Beinen halten vor Müdigkeit.

»Beim Herzen der heiligen Jungfrau Maria, er weigert sich«, sagte Isabelle.

»Dann soll er krepieren«, sagte Dr. Geisel. Unten heulten Sirenen auf, wurden sehr laut, starben ab. »Bitte«, sagte Geisel, »Nachschub. So geht es Tag und Nacht. Soll er krepieren.«

»Du mußt wirklich zum Röntgen«, sagte Isabelle zu Marvin. »Der Doktor hat recht. Viel zu gefährlich. Sei vernünftig, Markus! Wir bleiben doch bei dir.«

»Die legen mich um. Jetzt kennen sie mich. Sie haben auf mich gewartet in dieser Mörderklinik«, sagte Marvin. »Der Kerl da hat den Auftrag, mich umzubringen. Wo werden Leute leichter umgebracht als in einem Krankenhaus? Muß ja keine Empi sein. Luft in die Vene genügt. Das sind doch lauter Killer mit Hochschuldiplomen. Ich weiß alles, Gonzalos hat mir alles erzählt.«

»Was sagt er?« fragte der müde Arzt angewidert.

»Er hat Angst.«

»Angst, lächerlich.«

»Ich habe auch Angst«, sagte Isabelle.

»Ich gebe Ihnen mein Ehrenwort, es passiert ihm nichts. Ich bürge für seine Sicherheit. Übersetzen Sie das, Senhora, bitte!«

Isabelle übersetzte.

Marvin sah Geisel wütend an. »Sag ihm, wo er sich seine Sicherheit hinstecken kann!«

»Er hat Schmerzen«, übersetzte Isabelle.

»Eben.« Geisel setzte sich auf einen Hocker und stand sofort wieder auf. »Schlafe ein, wenn ich sitze«, sagte er. »Zum letztenmal: Der Mann wird geröntgt. Wir müssen wissen, ob das eine Gehirnblutung ist und ob sie zu erhöhtem Druck im Hirn führt, einem subduralen Hämatom, denn...« Er sprach weiter.

Isabelle wartete, dann übersetzte sie, diesmal richtig, und endete: »...denn wenn es eine solche Gehirnblutung ist, die zu erhöhtem Hirndruck führt, kann man blind oder taub oder blöd werden und elendig zugrunde gehen. Willst du das?«

»Ja«, sagte Marvin, dem wie allen anderen der Schweiß vom Körper rann. »Das will ich. Sag ihm das, aber diesmal wirklich! Sag ihm, es gibt nichts, was ich mehr ersehne, als blind und taub und blöd zu werden und unter grauenvollen Schmerzen zu krepieren. Ich hasse solche Idiotenfragen von Ärzten. Los, bringt mich rein!«

Also trugen Gonzalos und Bolling ihn in den Röntgenraum. Sie ließen Marvin nicht einen Moment allein. Das Gerät, mit dem sein Schädel geröntgt wurde, stammte von einer Firma namens Josef Hohenemser & Söhne, Mannheim, und war im Jahr 1937 gebaut worden, Isabelle las dies auf einer kleinen, mit Grünspan überzogenen Messingplatte.

Danach mußten sie in einem sehr großen Raum mit sehr vielen Menschen warten, bis die Aufnahmen entwickelt und ausgewertet waren. In dem sehr großen Saal stank es. Nachdem sie über eine Stunde gewartet hatten, erklärte Peter Bolling, er komme gleich wieder, er müsse sich nur rasch übergeben.

»Mir ist auch schlecht«, sagte Katja zu Isabelle. Sie folgte Bolling. Draußen war die Luft besser. Katja atmete tief. Dann sah sie verblüfft, wie Bolling, der sich doch übergeben wollte, eine große Freitreppe hinunter zur Telefonzentrale lief. Er schien es sehr eilig zu haben.

Was ist denn los? dachte Katja beunruhigt. Sie folgte dem Chemiker und paßte auf, daß er sie nicht bemerkte. Er drehte sich nicht ein einziges Mal um. In der Telefonzentrale arbeiteten drei Mädchen. Katja blieb hinter einem Pfeiler stehen und konnte hören, was Bolling sagte.

»*Speak English?*« fragte Bolling die drei Mädchen.

»*A little*«, sagte eines der Mädchen.

»Muß telefonieren«, sagte Bolling auf englisch. »Dringend. Blitz. Was Sie wollen. Mit Hamburg.«

»Was?«

»Hamburg. Große Stadt in Deutschland. Westdeutschland. Hamburgo.«

»Geht nur über Belém. Muß anmelden. Wird dauern.«

»So schnell wie möglich«, sagte Bolling und legte eine Zehn-Dollar-Note vor das Mädchen.

»Schnell wie möglich«, sagte das Mädchen und strahlte ihn an. »Nummer?«

Bolling nannte eine Nummer. Hinter der Säule notierte Katja sie. Das Mädchen setzte sich mit dem Amt in Belém in Verbindung.

»Fünf Minuten«, sagte sie dann. »Sie geben Geld im voraus. Hundert Dollar. Hierher legen. Vorschrift. Sonst nix telefonieren. Dann wir rechnen.«

Sechs Minuten später war die Verbindung hergestellt.

»Kabine drei«, sagte das Mädchen. »Eins und zwei kaputt.«

»Wo ist die Tür von der Kabine?«

»Gibt keine Türen. Also was ist? Ich habe Hamburgo. Sie sprechen oder Sie nicht sprechen?«

Bolling ging zu der Zelle ohne Tür, trat ein und nahm den Hörer von einem altmodischen Apparat an der Wand.

Katja neigte sich vor. Sie hörte, wie Bolling seinen Namen nannte und sagte: »Herrn Joschka Zinner! Schnell, Sie Trampel!«

Joschka Zinner, dachte Katja verblüfft. Unser Filmproduzent mit den Blitzideen! Wieso Joschka Zinner?

»Zinner?« Bolling redete gehetzt. »Wir sind in Altamira... in der Klinik... Marvin wurde geröntgt... Gehirnerschütterung wahrscheinlich... Also, wenn es irgendwo leicht ist, jemanden umzubringen, dann hier... Wir müssen ganz dringend...« In diesem Moment kamen zwei Ärzte angerannt. Der eine prallte neben der Säule mit Katja zusammen.

»Was machen Sie hier?«

»Ich will telefonieren.«

Katja sah, daß Bolling noch sprach, aber sie konnte nichts mehr verstehen.

»Telefon jetzt nur für Ärzte!« schrie der Arzt, der in Katja hineingerannt war.

Der zweite Arzt redete auf die Mädchen an der Zentrale ein.

»Und der da in der Zelle – ist das ein Arzt?« rief Katja.

»Das werden wir gleich haben«, sagte der erste Arzt. »Ihr verfluchten Gringos habt uns hier gerade noch gefehlt!«

Katja sah, wie der erste Arzt Bolling am Kragen packte und aus der Zelle zerrte. Bolling wehrte sich. Der zweite Arzt riß ihm den Hörer aus der Hand.

»Verschwinden Sie, oder ich rufe die Polizei!« schrie der erste Arzt.

»Wir brauchen das Telefon. Da oben werden sie gleich wie Fliegen

sterben, wenn der verfluchte Hubschrauber mit den neuen Sauer-
stoffflaschen nicht endlich kommt.«

Bolling stand nun auf dem Gang vor der Zelle. Der zweite Arzt
telefonierte. Während Bolling zur Zentrale ging, rannte Katja los,
die Treppe empor, zurück zu dem großen Saal, in dem Marvin lag.

Nach knappen weiteren zwei Stunden trat ein Arzt an Marvins
Trage.

»Ich heiße Banquero«, sagte er. »Doktor Jesus Banquero.«

»Wo ist Doktor Geisel?« fragte Bolling, der gleich nach Katja
zurückgekommen war.

Isabelle übersetzte.

»Operiert«, sagte Banquero. »Senhor Marvin hat großes Glück
gehabt. Nur leichte Gehirnerschütterung. Vier Tage strengste Bett-
ruhe. Ich komme jeden Tag gegen Abend zu ihm. Honorar später.«

»Wir wollen einen Pfleger«, sagte Gonzalos. »Nein, zwei Pfleger.
Tag und Nacht. Rund um die Uhr.«

»Ausgezeichnet«, sagte Peter Bolling. »Rund um die Uhr. So, wie
es hier zugeht.«

Nanu, dachte Katja. »Sie sind auch der Meinung?« fragte sie den
Chemiker, der Isabelle anstarrte.

»Absolut. Sofort. So lange wie möglich.«

»Blödsinn«, sagte Marvin wütend.

»Halt du den Mund«, sagte Bolling. »Du hast ja keine Ahnung.«
Ich auch nicht, dachte Katja verwirrt. Ich habe auch keine Ahnung.
Was geht hier vor? Was ist los mit Bolling? Was war das für ein
Gespräch mit Joschka Zinner in Hamburg? Was wird hier gespielt?

»Wir *bestehen* auf Pflegern«, sagte Bolling. Und zu Isabelle: »Bitte,
frag, was zwei Pfleger rund um die Uhr kosten!«

»Hat der gesagt, vier Tage im Bett?« jaulte Marvin auf.

»Ruhe!« sagte Bolling.

»Das kommt überhaupt nicht in Frage!« schrie Marvin. Gleich
darauf stöhnte er vor Schmerzen.

»Und wie das in Frage kommt«, sagte Bolling. »Bitte, Isabelle,
erkundige dich!«

Isabelle erkundigte sich.

»Fünfhundert«, sagte sie dann. »Für beide. Bewaffnet natürlich.«

»Unbedingt bewaffnet«, sagte Bolling. Er bemerkte, daß Gonzalos ihn anstarrte. »Warum starren Sie mich an?«

»Sie haben so schöne Augen«, sagte Gonzalos.

»Ach, lecken Sie mich...«

»Regen Sie sich nicht auf, seien Sie froh«, sagte Banquero. »Das ist hier nun mal so.«

»Klar«, sagte Gonzalos. »Aber fünfhundert Dollar sind zuviel.«

»Vier Tage!« sagte Dr. Banquero.

»Er ist verrückt«, sagte Bolling.

Isabelle übersetzte schnell hin und her: »Dann nicht, sagt er. Fünfhundert Dollar. Sein Honorar macht zweihundert Dollar.«

»Das Honorar ist in Ordnung, aber keine fünfhundert für die zwei Pfleger«, sagte Gonzalos.

»Dafür sind die Untersuchung und das Röntgen umsonst«, sagte Banquero. »Fünfhundert für zwei Pfleger. Spezialpreis. Weil Senhor Marvin Deutscher ist. Ich liebe Deutschland.«

»Zweihundert«, sagte Bolling.

Ich muß schleunigst mit Bernd sprechen, dachte Katja. Hier stinkt was.

»Vierhundert«, sagte Banquero.

»Zweihundertfünfzig«, sagte Bolling.

»Dreihundert. Sind Sie Jude?«

»Also nur hundertfünfzig«, sagte Bolling.

»Was denn, was denn? Ich fragte aus Sympathie. Ich liebe Juden«, sagte Dr. Jesus Banquero, steckte zwei Hundert-Dollar-Noten ein und verschwand. Nach einer Viertelstunde kam er mit einem riesenhaften Pfleger zurück.

»Das ist Santamaria«, sagte Banquero. »Der erste Pfleger. Fährt gleich mit Ihnen. Zwölf Stunden. Dann wird er abgelöst.«

»Wo ist seine Waffe?« fragte Bolling.

Isabelle übersetzte.

Santamaria hob grinsend sein durchgeschwitztes grünes Hemd. Im Hosenbund steckte eine Neun-Millimeter-Automatic. Aus den Hosentaschen holte Santamaria drei volle Magazine.

»Okay?« fragte er.

»Okay«, sagte Bolling.

Sie fuhren wieder durch den Ort und hörten Schüsse und Schreie. Santamaria saß vorne zwischen Katja und dem Fahrer.

»Müssen uns beeilen«, sagte Gonzalos, der mit Gilles, Isabelle und Bolling hinten neben der Pritsche saß, auf der Marvin lag. »Die Großgrundbesitzer haben sagen lassen, um achtzehn Uhr kommen viele Sicherheitsleute von ihnen.« Marvin wurde auf der Trage hin und her geworfen, obwohl Isabelle und Gilles ihn festhielten. Der neue Fahrer hatte es eilig. Scheint auch von den Sicherheitsleuten gehört zu haben, dachte Gonzalos. Katja drehte sich um und sah, wie Bolling leise auf Marvin einsprach. Diese beiden, dachte sie. Was ist los mit diesen beiden?

Die etwas besseren Hotels in Altamira waren überfüllt gewesen, als sie aus Belém ankamen. Sie hatten nur noch Zimmer in einer Absteige namens Paraíso gefunden. Dieses Paradies war eine große Absteige, zweiundsechzig Zimmer, in denen zu Stoßzeiten bis zu einhundertfünfzig Menschen schliefen. Sie hatten den Besitzer bestochen und Einzelzimmer erhalten. So gab es wenigstens richtige Betten und Duschen.

Die Ambulanz hielt vor dem Paraíso.

Santamaria und der Fahrer brachten Marvin auf einer Trage in die kleine Halle, wo ein kleiner Portier mit schmutzigem Hemd, schmutzigen Shorts und sehr viel Brillantine im schwarzen Haar sie mürrisch ansah. Am Ende der Halle war eine Bar. Deutsche Reporter grölten dort im Chor: »Frau Wirtin hatt' auch einen Floh...«

Der Portier sagte angeekelt etwas.

»Was sagt er?« fragte Bolling.

»Er haßt alle Gringos.«

»Ich liebe ihn«, sagte Gilles. »Ich werde ihn nachher küssen. Zuerst brauchen wir den Schlüssel von Senhor Marvins Zimmer. Zweihundertfünfzehn.«

»Nicht da. Muß oben sein«, übersetzte Isabelle.

Der Portier hatte sich hinter seine Theke gesetzt und betrachtete die Fotos in einem Pornoheft. Er ließ sich nicht weiter stören.

Santamaria und der Fahrer schleppten Marvin auf der Trage in den zweiten Stock hinauf und einen schmutzigen Gang entlang. Hinter einer Zimmertür schrie eine Frau »Ah! Ah! Ah! Du tötest mich! Du tötest mich! Weiter! Mach weiter!«

Niemand verlangte eine Übersetzung.

Sie erreichten das Zimmer 215.

»Schlüssel steckt«, sagte Bolling. »Zurück. Alle zurück. Vorsicht!«
Pfleger Santamaria griff unter sein Hemd und nahm die Neun-
Millimeter-Automatic aus dem Hosenbund. Er hob einen Fuß und
trat zu. Die Tür flog auf. Blitzschnell sprang Santamaria zur Seite.
Jetzt hielt er die schwere Pistole in beiden Händen, schußbereit.

Aus dem Zimmer trat ein schlankes junges Mädchen mit brünettem
Haar und grauen Augen. Sie trug die leichte Jacke und Hose eines
Tarnfarbenanzugs der US-Army.

Marvin starrte sie an.

Das schlanke Mädchen kniete neben ihm nieder.

»Vater«, sagte Susanne Marvin und küßte ihn auf die blutverkruste-
ten Lippen.

# 8

»Glauben Sie mir, Frau Doktor Goldstein, ich habe Markus geliebt.
Über alle Maßen. Und ich liebe ihn immer noch. Nein, das ist nicht
wahr. Ich kann begreifen, was er getan hat. Ich habe Mitleid mit
ihm. Ja, heute ist aus den Gefühlen von einst Mitleid über alle
Maßen geworden«, sagte Elisa Katharina Luise Hansen ernst, die
Spitzen der langen Finger aneinandergepreßt, die Lippen zu einem
wehmütigen Lächeln geschwungen. »Darum habe ich alles getan,
damit Hilmar, ich meine, mein Mann, seine Anzeige zurückzieht.
Noch eine Tasse Kaffee? Sie sagten am Telefon, am liebsten Kaffee.
Keine Milch, ich weiß. Zucker nehmen Sie selbst.«

Diese Worte wurden fast zur gleichen Zeit gesprochen, zu der,
Tausende Kilometer entfernt, Susanne Marvin im Hotel Paraíso in
der kleinen Stadt Altamira im Nordosten Brasiliens die blutverkru-
steten Lippen ihres Vaters küßte.

Elisa Hansen und Miriam Goldstein saßen unter einem blauen
Sonnensegel auf der großen Terrasse des kleinen Schlosses Arabella
nahe der Stadt Königstein im Taunus. Die zierliche Anwältin mit
dem locker und leicht frisierten weißen Haar und den großen

dunklen Augen in dem schmalen Gesicht trug ein weiß-schwarz gestreiftes Sommerkleid und weiß-schwarze Schuhe. Sie war, von Frankfurt kommend, mit einem Taxi hier heraufgefahren.

»Schönste Gegend«, hatte der Fahrer gesagt, »wohnt der Herr Doktor Hansen. Ich habe ja noch seinen Vater gekannt. Großer Mann, also wirklich. Wenn man bedenkt, alles hat der wieder aufgebaut, die ganzen Werke am Main, lag doch alles in Trümmern! Hut ab vor so was! Auch den Sohn fahre ich oft. Und Frau Hansen. Feine Leute, also wirklich. Jeden Groschen selbst erarbeitet. So jemandem gönne ich seinen Reichtum. Ehrlich. Kein Neid. Und wenn er dann auch noch Medikamente herstellt für kranke Menschen, Industrieprodukte, die der Umwelt nicht schaden... Bravo, sage ich, bravo! Hier muß ich leider stehenbleiben, gnädige Frau.« Er hatte ein Parktor erreicht, auf dem Miriam zwei kleine Fernsehkameras erblickte. »Gesperrt, der ganze Komplex. Verständlich, nicht wahr? Vor allem, wenn man bedenkt, was Herrn Doktor Hansen gerade passiert ist. Eine Sauerei. Also von mir aus bekäme dieser Marvin ja die höchste Strafe, die es gibt. Kommunist. Vom Osten gesteuert.«

»Wer sagt das?« fragte Miriam.

»Muß mir keiner sagen. Ist doch selbstverständlich. Wie das bei uns zugeht, wissen wir doch, nicht wahr? Fünfundvierzig zwanzig, bitte... Oh, sehr großzügig, herzlichen Dank, Madame, herzlichen Dank! Und einen schönen Tag noch!«

Während er den Wagen wendete, ging Miriam zu dem Parktor und klingelte. Gleich danach ertönte eine Männerstimme. »Ja bitte?«

»Mein Name ist Miriam Goldstein. Ich habe eine Verabredung mit Frau Hansen. Um fünfzehn Uhr. Es ist zwei Minuten vor fünfzehn Uhr.«

»Ich komme sofort«, sagte die Stimme.

Miriam stand in der brennenden Sonne auf dem großen Platz vor dem Tor. Der Boden war mit einer dicken Schicht weißem Marmorsplitt bedeckt, der blendete und leuchtete.

Plötzlich ertönte der gräßliche Schrei einer Männerstimme. Miriam fuhr zusammen. Um Himmels willen, dachte sie, entweder wird hier jemand auf grausamste Weise getötet – oder es tötet jemand auf grausamste Weise. Sie bebte vor Schreck.

Über den Kiesweg des Parks kam ein junger Mann. Er grüßte höflich und öffnete das Tor durch Eintippen eines Zahlencodes in einen seitlich angebrachten Apparat.

»Reiter«, sagte er. »Kriminalpolizei.« Das Tor schnappte zu. Aus einem Gartenhäuschen traten zwei weitere Männer.

»Frau Hansen hat Personenschutz«, sagte Reiter. »Ich kenne Sie, Frau Doktor Goldstein. Trotzdem: Ich muß Sie bitten, eine kurze Untersuchung über sich ergehen zu lassen – Vorschrift.«

»Natürlich«, sagte Miriam. Neben den zwei Männern war eine junge Frau erschienen.

»Im Häuschen, Frau Doktor. Die Kollegin erledigt das.«

Im Inneren des Gartenhäuschens, in dem Rasenmäher, Rasensprenger und vielerlei Gerät standen, tastete die Kriminalbeamtin mit einer Metallsonde Miriams Körper ab. Sie untersuchte auch den Inhalt der Handtasche. »In Ordnung, Frau Doktor. Nichts für ungut! Wir machen das nicht zu unserem Vergnügen.«

»Bestimmt nicht«, sagte Miriam und trat wieder ins Freie. Dabei bemerkte sie, daß noch andere Männer langsam durch den Park schlenderten.

Über den Kiesweg kam jetzt eine Frau in einem schwarzen, goldbestickten Kimono, auf flachen, schwarz-gold-bestickten Schuhen. Die Frau hatte breite Schultern, schmale Hüften und lange Beine. Ihr braunes Haar war zu einer Pagenfrisur geschnitten. Sie hatte einen vollen Mund und schöne braune Augen, und sie schritt voll Eleganz und Grazie.

Wieder ertönte der furchtbare Schrei. Wieder fuhr Miriam zusammen. Sie sah, daß die Frau lächelte. Die Stille währte kaum drei Sekunden, da kamen zwei Schreie nacheinander.

»Guten Tag, Frau Doktor Goldstein«, sagte die Frau in dem bestickten Kimono. »Ich bin Elisa Hansen.« Kühl und trocken war ihre Hand. »Ich freue mich, Sie kennenzulernen, Frau Doktor. Bitte, kommen Sie weiter. Kaffee habe ich auf der Terrasse servieren lassen, es ist Ihnen doch recht?«

»Selbstverständlich«, sagte Miriam. Sie sah viele große, alte, zum Teil exotische Bäume. In der Stille waren nur das Knirschen von Schuhen und Vogelgesang zu vernehmen. Dann, plötzlich, wieder ein grauenvoller Schrei.

»Damit ist gleich Schluß«, sagte Elisa Hansen lächelnd. »Dauert ohnedies schon zu lange. Täglich von zwei bis drei. Samstags, sonntags und an den Feiertagen überhaupt nicht.«

»Aber was ist das, großer Gott?«

»Oh, wissen Sie, am Ende des Parks, Sie können es von hier nicht sehen, etliche Meter tiefer, liegt ein Priesterseminar. Die jungen Herren üben.«

»Üben was?«

»Karate, Frau Goldstein, Karate. Bei dieser Kampfart stoßen die Kombattanten doch derartige Schreie aus. Wir hören es kaum noch. Es ist so wunderbar hier. Und junge Männer, die Karate beherrschen, hat man nicht ungern in Rufweite, wie?«

Die Stille hielt nun an.

»Sehen Sie, drei Uhr. Vorbei für heute. Um sechs werden sie singen. Das hört man aber nur, wenn der Wind in einer bestimmten Richtung steht. Verzeihen Sie die Leibesvisitation. Sehr unangenehm. Für Besucher – und auch für uns. Thomas, unser kleiner Sohn, wird täglich zur Schule gebracht und wieder abgeholt. Darf nicht mehr mit Freunden spielen, der arme Kerl. Versteht das alles nicht.«

»Verstehen Sie es, Frau Hansen?«

»Verstehe ich was?«

»Diese so außerordentlichen Sicherheitsmaßnahmen.«

»Gott, ja. Auch mein Mann im Bürgerhospital wird doch ... Nach allem, was so passiert ... all diese Schmähbriefe und Morddrohungen ... Man darf kein Risiko eingehen, sagen die Herren.«

»Hatten Sie so etwas schon früher?«

»Ach, alle paar Jahre gibt es diese Aufregungen ... Irgendwelche Fanatiker ... Neider ... Konkurrenten ... Gestörte ... Angeblich stellen wir gesundheitsschädliche Präparate her ... umweltschädigende ... Sie wissen ja, wie das ist.«

»Nein«, sagte Miriam. »Das weiß ich nicht. Wie ist das?«

»Ich werde es Ihnen erzählen. Ich werde Ihnen alles erzählen, Frau Doktor Goldstein. Auf der Terrasse. Danke, Herr Reiter.« Dies zu dem jungen Kriminalbeamten, der Miriam das Tor geöffnet hatte und nun hinter den beiden Frauen hergegangen war. Er blieb zurück.

Sie betraten das Schloß Arabella, das vor kurzem erst einen neuen Anstrich erhalten haben mußte. Das Weiß blendete wie der Marmorsplitt vor dem Eingangstor. Der kleine Bau aus dem neunzehnten Jahrhundert war von großer Schönheit. Breite, kunstvoll geschwungene Treppen führten zum ersten Stock empor und von dort weiter in den zweiten. Hier betrat Miriam mit Frau Hansen einen lichtdurchfluteten Raum, an dessen Wänden Bilder von Matisse, Degas und Liebermann hingen. Ein viele Millionen teures Privatmuseum, dachte Miriam. Das Licht kam durch die Milchglasdecke. Sie erreichten einen modern eingerichteten Wohnraum. Über dem weißen Marmorkamin hing in schwerem, vergoldetem Rahmen ein Porträt Elisa Hansens, die Augen verfolgten den Betrachter, wohin er ging. Eine Seite des Raums bestand aus Glasschiebewänden. Sie waren halb geöffnet. Dahinter lag eine große weiße Marmorterrasse. Hier standen unter einem blauen Sonnensegel eine Sitzgarnitur aus blauem Leinen und ein quadratischer Glastisch, der liebevoll gedeckt war.

Eine dunkelhaarige Dame erschien. Sie trug ein hochgeschlossenes weißes Leinenkleid.

»Das schaffen wir allein, Frau Therese«, sagte Frau Hansen. Die Dame lächelte freundlich und verschwand wieder. »Kommen Sie, meine liebe Frau Doktor. Es ist herrlich hier draußen, so kühl bei der Hitze.« Ganz dicht traten die Wipfel der alten Bäume an die Terrasse heran. Frau Hansen servierte Kaffee und Gebäck. Endlich lehnte sie sich lächelnd zurück. »Schön, nicht?«

»Kaum zu fassen«, sagte Miriam.

»Hier kann mein Mann sich erholen«, sagte Frau Hansen. »Drei solche Terrassen gibt es. Rund um das Haus. Wir können von früh bis spät mit der Sonne gehen. Doch dies ist Hilmars Lieblingsplatz. Darum habe ich ihn gewählt. Der Kaffee in Ordnung, meine Liebe?«

»Ja, Frau Hansen.«

»Nicht zu stark?«

»Nein, Frau Hansen.«

»Auch nicht zu schwach?«

»Genau richtig, Frau Hansen.«

»Sie müssen es mir sagen, meine Liebe, wirklich! Ich mache gerne frischen! Diesen habe ich vor ein paar Minuten aufgebrüht. Die Scheibe unter der Kanne hält ihn warm. Er ist wirklich in Ordnung?«

»Er ist ganz und gar köstlich«, sagte Miriam, ziemlich am Ende ihrer Beherrschung. »Ich danke, daß Sie mich so schnell empfangen haben, Frau Hansen. Sie wissen, ich vertrete Herrn Markus Marvin und...«

»Nicht möglich, das ist eine Nachtigall!« sagte Frau Hansen.

»Wie wunderbar. Erlauben Sie, daß ich Ihnen mein Mitgefühl ausspreche, Frau Hansen. Ich höre, Ihr Mann hat arge Schmerzen, immer noch.«

»Immer noch, leider, ja. Ein richtiges Vogelparadies haben wir da. Viele Nachtigallen. Nur – sonst singen sie ab Juni nicht mehr. Das muß an diesem heißen August liegen. Hilmar kennt jeden einzelnen Vogel an seinem Ruf, an seinem Gesang. Oft sitzt er stundenlang hier und lauscht... zu den Wochenenden nur, natürlich, der Arme kommt meist nicht vor Mitternacht aus dem Büro heim. Und all die Reisen... Da, eine zweite Nachtigall!«

Miriam Goldstein setzte energisch die Kaffeetasse nieder und neigte sich vor. »Ich will Sie nicht lange belästigen...«

»Belästigen! Was für ein Nonsens, meine Liebe! Ich bin glücklich, Sie hier zu haben, Ihnen alles erklären zu können... oder jedenfalls einiges... Nehmen Sie von diesem Mohnkuchen... Nein, nein, nein, Sie müssen, ich bestehe darauf, er ist köstlich!... Erlauben Sie, daß ich...« Sie schob eine Schnitte auf den Teller neben Miriams Tasse.

»Danke, Frau Hansen. Zu liebenswürdig. Weil Sie davon sprachen, daß Sie mir einiges erklären können...«

»Nun ja.« Frau Hansen lehnte sich zurück und sah zu dem wolkenlosen Himmel auf. »Sehen Sie, Hilmar, Markus und ich, wir kennen einander seit unserem sechzehnten Lebensjahr. Wir gingen in das gleiche Realgymnasium. Wir haben zur gleichen Zeit unser Abitur gemacht, zur gleichen Zeit studiert... Das ist ein Rotkehlchen, hören Sie?... Ja, seit sechsundzwanzig Jahren kennen wir einander. Wir sind gleich alt. Zweiundvierzig.«

»Erstaunlich«, sagte Miriam und dachte: Ihre Hände zittern, Elisa Hansens Hände zittern. Nicht sehr, aber doch. Leichter Tremor.

Sie hat gemerkt, daß ich es gemerkt habe, sie versteckt ihre Hände, wo es nur geht. Wenn es nicht geht, hält sie die Tischplatte fest. Verschränkt die Finger. Warum zittern Frau Hansens Hände? Warum ist sie so nervös? Natürlich kann sie krank sein. Aber sie muß nicht krank sein. Nein, das muß sie nicht.

»Ich... ich bin sehr froh, all dies einer Frau erzählen zu können und nicht einem Mann... dem Staatsanwalt Ritt zum Beispiel...« Frau Hansen lächelte kurz. »Ich spreche leichter zu einer Frau... Hilmar und Markus... Markus und Hilmar... beide so verschieden... und doch: beide für mich junges Ding faszinierend. Der zarte Hilmar, ganz Geist... und Markus, stark, groß, voll Kraft und so... so diesseitig. Nun, und zwischen den beiden ich. Beide verehrten mich... Es ist schön, von zwei Männern verehrt zu werden, wie?«

»Sicherlich, Frau Hansen.«

»Natürlich kennt man sich zuletzt selbst nicht mehr... Ich meine, wie oft kommt es zu einer Verwirrung der Gefühle... Die Mohnschnitte, um Gottes willen, essen Sie die Mohnschnitte, liebe Frau Doktor!... Ich schäme mich nicht... Es besteht kein Anlaß dazu... Ich war jung, ich war romantisch... Ich habe mich lange Zeit nicht entscheiden können zwischen diesen beiden Männern... Ich bin sogar anfangs... im Lauf der Jahre... der Jahre, ja... einmal die Geliebte Hilmars und danach auch die Geliebte von Markus gewesen... Ich sage das ohne Scheu, weil ich davon überzeugt bin, daß Sie als kluge Frau...«

»Ich verstehe Sie, Frau Hansen. Sie waren jung, und es ist immer schön, von zwei außerordentlichen Männern verehrt zu werden.« Warum zittern die Hände?

»Ich wußte, Sie würden es verstehen... Kaffee? Noch Kaffee? Sie bedienen sich selbst, bitte! Ich... was wollte... o ja! Natürlich darf so etwas nicht anhalten, nicht wahr? Man muß sich entscheiden, wie?... Ich habe mich entschieden zuletzt... für Markus. Wir haben geheiratet.«

»Wann, Frau Hansen?«

»1969. Am 21. Mai. In Starnberg bei München. Meine Eltern haben da ein Gut. Ich meine, wenigstens so viel Rücksicht mußten wir auf den armen Hilmar nehmen, nicht wahr? Keine Heirat in Frankfurt.«

»Natürlich nicht.«

»Er hat übrigens einen Selbstmordversuch begangen an diesem Tag.«

»Oh.«

»Pulsadern aufgeschnitten, ja. Kritische Situation, drei Tage lang. Dann hatten ihn die Ärzte gerettet. Wir erfuhren erst später davon, viel später. Armer Hilmar... Das ist eine Amsel.«

»Wirklich hervorragend, der Mohnkuchen«, sagte Miriam. Wenn du es so willst, kannst du es haben, dachte sie. »Und weiter, Frau Hansen?« fragte sie sanft. Warum zittern die Hände?

»Weiter?« Elisa Hansen räusperte sich. »Alles war zuerst wunderbar. Markus arbeitete am Institut für theoretische Physik, dann drehte er seine Dokumentarfilme. Verdiente natürlich sehr wenig. Zum Glück komme ich aus einer wohlhabenden Familie. Wir waren glücklich. So glücklich. 1970 wurde unsere Tochter Susanne geboren... Es war da schon... ein Schatten... ja, ich muß es wohl so nennen... Ein Schatten lag da schon über unserer Ehe.« Frau Hansen seufzte und hielt die Hände verborgen.

»Ein Schatten«, wiederholte Miriam.

»Ja... sehen Sie... nun kommen wir zu dem, was Sie wissen wollen, meine Liebe, was Sie wissen müssen... Ich sage, was ich sage, mit größter Behutsamkeit... Glauben Sie mir, liebe Frau Goldstein, ich habe Markus einmal geliebt. Über alle Maßen. Ich kann begreifen, was er getan hat, ich fühle es ihm nach, ich habe Mitleid mit ihm. Bitte, nehmen Sie noch Kaffee! Sie sagten doch am Telefon, Sie hätten am liebsten Kaffee!«

»Vielen Dank. Der Schatten über Ihrer Ehe...«

»Markus hatte sich verändert. Da erkannte ich es schon sehr deutlich. Was ich noch nicht erkannt hatte, war, daß Markus immer schon zu leiden schien... am Realgymnasium... wahrscheinlich bereits in der Kindheit... Solche Sachen entwickeln sich ja stets bereits von Kindheit an... Ja, er litt, und er litt immer mehr...«

»Worunter, Frau Hansen?«

Elisa Hansen richtete sich plötzlich auf. »Unter seiner Außenseiterposition«, sagte sie laut und hart. »Daraus resultierend: Unzufriedenheit, gekränkter Ehrgeiz, Minderwertigkeitsgefühle, die immer stärker wurden. Daraus wiederum folgend: zuerst Wunschdenken, dann Aggression, Neid, Pedanterie, Fanatismus, beständiges Besserwissen, Verbitterung, die immer größer wurde, und schließlich Ungerechtigkeit gegenüber jedermann, natürlich am meisten gegen jene, die ihm am nächsten standen – das Kind und ich –, und zuletzt Haß, ja, Haß...«

»Haß worauf?«

»Auf alles, meine Liebe. Am meisten natürlich auf Hilmar Hansen.«

»Auf seinen Jugendfreund?«

»Gerade auf seinen Jugendfreund. Überlegen Sie doch, liebe Frau Goldstein, wie das Leben der beiden verlief! Markus arbeitete am Institut. Sehr schön. Das Richtige für ihn. Ich wußte es. Er aber... er sah nur Hilmar... wie der sich entwickelte... wie der mit dem Vater die Werke ausbaute... zum Blühen brachte... die Produktion ankurbelte... wie Hilmar kreativ wurde... *kreativ* sage ich, Frau Doktor...«

»Hab's gehört.«

»Wie Hilmars Erfolg größer und größer wurde. Auszeichnungen, Preise, Ehrungen, die finanzielle Seite nicht zu vergessen. Auch das Internationale. Hilmar, dauernd in der Welt unterwegs, meine Liebe. Hielt an dieser Universität einen Vortrag, an jener... Ehrendoktorwürden, Diplome, Produktlizenzen in x Länder verkauft... ein ungeheueres Forschungsprogramm... Und Markus, mein Markus? Nachdem ihm auch die Dokumentarfilme keine Lorbeeren einbrachten, wechselte er über nach Wiesbaden zur Aufsichtsbehörde im Hessischen Umweltministerium. Mein Gott, er tat mir so leid, trotz all seiner Ungerechtigkeit, seiner Bosheit, seiner Art, mich zu verletzen, weil er doch sonst niemanden verletzen, weil er sich sonst doch nirgendwo abreagieren konnte!... Natürlich litt ich, weinte mich jede Nacht in den Schlaf. Aber ich verstand ihn, ich verstand seine Verzweiflung, hielt bei ihm aus, obwohl es immer schwerer und schwerer wurde...« Frau Hansen holte ein Spitzentaschentuch hervor, trocknete ihre Augen und schwieg. Diese Dame möchte mir als große Dulderin und Märtyrerin imponieren, dachte Miriam. »Sehen Sie, ich komme aus einer katholischen Familie. Entsprechend erzogen. Vielleicht ist das altmodisch, aber ich glaube aufrichtig und tief an Gott...«

Das tue ich auch, dachte Miriam. Allerdings in ganz anderer Weise.
»...und Marvin ist Atheist, war es immer. Naturwissenschaftler,
werden Sie sagen, liegt nahe. Obwohl es da sehr viele Gegenbeispiele gibt... den alternden Einstein... so viele große Gelehrte... Ich
hatte immer Verständnis für Markus, ich habe Verständnis für
Agnostiker und Atheisten... übrigens ist Hilmar, immerhin auch
Naturwissenschaftler, gläubiger Katholik... Ich habe Markus'
Atheismus nur erwähnt, weil er, je verbitterter er wurde, seinen
Nichtglauben desto zorniger verkündete... Unter anderem verwirrte und verstörte er damit unsere damals noch kleine Tochter...«

»Sie sagen, er war sehr unglücklich«, sagte Miriam leise.

»Verbittert, habe ich gesagt. Zornig. Und der Zorn schlug um in
Bösartigkeit. In seiner bescheidenen Position da bei der Umweltbehörde hatte er nun reichlich Gelegenheit, sie zu praktizieren, diese
aus Kummer über seine Erfolglosigkeit geborene Bösartigkeit. Er
machte zahllosen Pharma-, Chemie- und Kosmetikfirmen Schwierigkeiten. Immer wieder und vor allem natürlich Hilmar.«

»Ich dachte, das tat er erst in jüngster Zeit wegen der Paradichlorbenzolprodukte?«

»Ach, Liebste! Das geht seit vielen Jahren! Schikanen. Vorschriften. Anzeigen. Was Sie wollen. Immer wieder Überprüfung aller
Sicherheitsvorkehrungen... aller Maschinen... der Schornsteine... der Filter... Richtig manisch wurde Markus, Frau Miriam.
Er war doch mein Mann! Ich hatte ihn doch einmal so sehr geliebt!
Ihn geheiratet. Mehr geliebt also als Hilmar. Und absolut unerträglich wurde Markus zuletzt, glauben Sie mir! Betrug sich wie irre
manchmal. Verursachte Skandale... einen bei meinen armen Eltern... Vater hat zwei Herzinfarkte hinter sich...«

»Was geschah bei Ihren Eltern?«

»Wir waren – mit vielen anderen – zur Jagd geladen. Vater hat eine
Jagd in Oberbayern, wissen Sie. Jahrelang hatte sich Markus stets
unbändig gefreut, wenn wir gerufen wurden... Nun, und bei
diesem Mal mißlang ihm einfach alles. Er verfehlte drei Tiere aus
nächster Nähe, steigerte sich in krankhafte Wut, so sehr, daß er,
gräßlich fluchend, in den Himmel schoß, stellen Sie sich das vor.
Schießt in den Himmel, nachdem er laut Gott den Allmächtigen
verflucht hat – vor allen Leuten!«

»Und?« fragte Miriam. »Meinen Sie, daß er Chancen hatte, Gott den Allmächtigen zu treffen?«

»Frau Goldstein!« Elisa Hansen war pikiert. »Natürlich nicht.«

»Aber dann glaubt Herr Marvin ja mehr als Sie«, sagte Miriam. Frau Hansen überging das.

»Als er mich zum erstenmal schlug – blutig schlug, Frau Goldstein! –, da war es aus, da konnte ich nicht mehr. Da verließ ich ihn. Schweren Herzens, denn Susanne war damals erst sieben Jahre alt. Ich nahm sie zunächst mit mir. Mietete eine Wohnung. Reichte die Scheidung ein. Wurde geschieden. Und zog zu Hilmar Hansen, hierher, in dieses Haus.«

»Aber Susanne...«

»Wurde bei der Scheidung dem Vater zugesprochen«, sagte Frau Hansen, und nun weinte sie hemmungslos. »Ich habe alles falsch gemacht... Natürlich war ich schon vor der Scheidung häufig mit Hilmar zusammen... Ich brauchte doch Halt... irgendeinen Menschen... Das Kind verstand nicht, worum es ging, warum ich Markus verlassen habe...«

»Aber weshalb wurde Susanne Ihrem Exmann zugesprochen? Beruhigen Sie sich, bitte!« Miriam war aufgestanden und sah in den Park. Das Weinen verwandelte sich in Schluchzen. Das Schluchzen verstummte. Tränenverheert war das nicht mehr junge, immer noch schöne Gesicht Elisa Hansens. Ihre Hände bebten jetzt heftig, und sie verbarg sie nicht mehr.

»Fehler über Fehler habe ich gemacht in meiner Verzweiflung, Frau Goldstein... eine Arbeit angenommen... ich konnte einfach nicht mehr... ich war am Ende... Hilmar unterstützte mich mit Geld... viel Geld... Ich wurde aufgefordert, in die eheliche Gemeinschaft zurückzukehren... ich weigerte mich... Markus hetzte das Jugendamt auf... Natürlich kam Hilmar manchmal zu Besuch... Das Jugendamt befand, daß das Kind in einer gefährlichen Umgebung lebte... gefährlich für die normale Entwicklung... Ich... ich kann nicht über alles im einzelnen sprechen... Markus bekam jedenfalls das Sorgerecht... Ich hatte das Recht, Susanne in bestimmten Abständen zu mir zu nehmen... Das ging eine Weile... Dann weigerte sie sich, in dieses Haus zu kommen... Die Hetze des Vaters!... Das Kind war völlig verwirrt... landete bei extrem

Linken... Für sie war Hilmar ein ebensolcher Verbrecher wie für Markus, der damals noch mit Zähnen und Klauen die Atomenergie verteidigte... Darüber kam es dann letztlich zu dem großen Zerwürfnis zwischen Susanne und Markus... Sie wissen, daß sie wegen dieses Zwischenfalls im Kernkraftwerk Biblis ausgezogen und nie zurückgekehrt ist...«

»Ich weiß, Frau Hansen.«

»Er hat viel Schuld auf sich geladen, der arme Markus, glauben Sie mir, Frau Goldstein! Und er hat schwer gebüßt dafür. Sie sehen, wie die Bitterkeit, der Haß, der Zorn, die Einsamkeit – die selbstverschuldete – ihn zuletzt immer mehr zerstörten... immer aggressiver und ungerechter werden ließen... immer unlogischer... Eben noch kämpft er für die Kernkraft, nicht wahr, gleich darauf schließt er sich diesen militanten Umweltaposteln an... Entschuldigen Sie das ungerechte Wort! Frau Doktor Roth und Herr Bolling und alle Leute in dieser Lübecker Gesellschaft sind gewiß absolut integer... Aber mit Markus, es tut mir in der Seele weh, das sagen zu müssen, mit Markus ist ein menschliches Wrack bei ihnen gelandet... ein Mann, der sich nicht bezähmen und bescheiden kann und der damit nicht nur sein Leben zerstört hat, nein, nicht nur seines...« Frau Hansen schwieg lange. Wieder sang eine Nachtigall, doch diesmal wies sie nicht darauf hin. Zuletzt sagte sie: »Und doch! Als er in seinem Wahn meinen armen Hilmar, der so zart ist, so viel schwächer als er, zusammengeschlagen hat auf die brutalste Art, da empfand auch ich Haß. Gegen ihn. Nur kurze Zeit. Dann wich der Haß dem Verstehen. Und ich bat Hilmar, die Anzeige zurückzuziehen. Er tat es sofort. Er versteht Markus gut... Jetzt wissen Sie, wie das war, Frau Goldstein. Jetzt wissen Sie alles.«

»Danke, Frau Hansen«, sagte Miriam. »Ich möchte Sie nur noch eines fragen.«

»Fragen Sie!«

»Was, glauben Sie, kann wen bewogen haben, den Versuch zu unternehmen, meinen Klienten in der Untersuchungshaft umzubringen?«

Die Antwort kam sofort: »Wissen Sie, ich glaube, die Polizei, der Staatsanwalt, Sie alle sind einem Irrtum zum Opfer gefallen.«

»Inwiefern?«

»Markus sollte niemals umgebracht werden.«

Ein kleiner Junge kam auf die Terrasse, gefolgt von einem Mann in Zivil. Der Kriminalbeamte grüßte knapp und zog sich zurück.

Der kleine Junge war etwa neun Jahre alt. Er trug kurze Hosen und ein weißes Hemd.

»Guten Tag, Mami.«

»Guten Tag, Thomas.« Er küßte Elisa Hansen auf die Wange. Danach verneigte er sich vor Miriam.

»Das ist mein Sohn Thomas«, sagte Frau Hansen. »Thomas, das ist Frau Doktor Goldstein.«

Unglaublich, wie ähnlich der Junge seiner Mutter sieht, dachte Miriam. Die gleichen breiten Schultern und schmalen Hüften. Die langen Beine. Die braunen Augen. Der jetzt schon volle Mund.

»Guten Tag, Frau Doktor Goldstein.«

Little Lord Fauntleroy, dachte Miriam.

»Ich sehe, Herr Woller hat dich heimgebracht. War das Schwimmen schön?«

»Das Schwimmen schon«, sagte Thomas.

»Was heißt ›das Schwimmen schon‹?«

»Sie haben es wieder gesagt.« Thomas sah zu Boden.

»Mach dir nichts draus! Das sind sehr dumme Jungen.«

»Ja, schon. Aber warum sagen sie so etwas, Mami? Warum sagen sie es immer wieder? Es ist doch nicht wahr!«

»Natürlich ist es nicht wahr. Ich habe dir doch gesagt, sie sind von den Eltern aufgehetzt.«

»Und warum sagen es die Eltern, Mami?«

»Mein Gott...« Elisa Hansen hatte wieder Tränen in den Augen.

»Da sehen Sie, wie weit das geht, Frau Goldstein! Sag der Dame, was die Jungen sagen, Thomas!«

Thomas sah Miriam ernst an. »Dein Vater ist ein Verbrecher, sagen sie«, sagte er.

»Ist das nicht furchtbar?« rief Elisa Hansen. »Ein Kind, Frau Goldstein! Ein Kind muß das hören! Täglich!«

»Warum tun die Lehrer nichts dagegen?«

»Die Lehrer tun, was sie können... Sie sehen ja, mit welchem Erfolg...« Elisa Hansen führte das Taschentuch an die Augen.

»Ich hätte es dir nicht sagen dürfen, Mami. Und nicht stören«, sagte

Thomas. »Aber Herr Woller hat gesagt, er muß mich bis zu dir bringen.«

»Ja, das mußte er.«

»Alles sehr traurig«, sagte der traurige Junge, und es klang seltsam aus seinem Mund. Er verneigte sich vor Miriam. »Auf Wiedersehen, Frau Doktor.« Und zu seiner Mutter: »Ich gehe zur Thesi, Mami.« Mit hängenden Schultern verließ er die Terrasse.

Elisa Hansen begann, heftig zu weinen.

Miriam saß reglos und betrachtete sie.

Viele Vögel sangen im Park.

Einige Minuten später hatte Elisa Hansen sich beruhigt.

»Verzeihen Sie... aber es ist ein Elend... Wie soll das weitergehen, Frau Goldstein?«

»Ihre exponierte Stellung macht Schutz vorübergehend in verstärktem Ausmaß nötig«, sagte Miriam ernst. »Sie sagten vorhin, Markus Marvin sollte niemals umgebracht werden.«

»Sagte ich, ja.«

»Aber...«

»Ich weiß, was Sie erwidern wollen... Er verdankt sein Leben nur einem Zufall. Gewiß. Doch dieser Zufall hat nichts damit zu tun, daß es einfach keinen Grund gibt, weshalb irgend jemand Markus umbringen sollte. Der andere, dieser Waffenschieber Engelbrecht, der war ohne jeden Zweifel eine Gefahr für viele Leute... Mitwisser... Mittäter, die Angst hatten, er würde auspacken. Das sagt auch mein Mann. Und wir beide können und können nicht verstehen, daß sich niemand diese Version, die doch so einleuchtend ist, zu eigen gemacht hat und da nachforscht.«

»Es wird auch in dieser Richtung nachgeforscht, Frau Hansen. Selbstverständlich.«

»Nun, andernfalls wäre das ja auch grotesk. Ich meine: Ganz bestimmt wollte niemand Markus vergiften – wenn auch sein Tod ohne jenen Zufall, der ihn verhinderte, vielen sicherlich genehm gewesen wäre...«

»Genehm?«

»In dieser verhetzten Zeit, Frau Goldstein! Man wird immer Leute finden, die sagen, er sei der Pharmaindustrie, der chemischen

Industrie – wem weiß ich – ein Dorn im Auge gewesen als fanatischer Umweltschützer, als Aufdecker von Mißständen. Und man wird immer Leute finden, die das glauben... Nehmen Sie die Eltern von Thomas' Mitschülern... Die Feinde dieses Waffenschiebers Engelbrecht jedenfalls...«

»»...haben ihr Ziel erreicht. Er ist tot«, erklärte mir Frau Hansen. Bald danach verließ ich sie und kam direkt hierher«, sagte Miriam Goldstein eine knappe Stunde später zu Valerie Roth und dem Staatsanwalt Elmar Ritt.

Sie saßen im Salon von Miriams Appartement im Hotel Frankfurter Hof, in dem sie seit zwei Tagen wieder wohnte. Man hatte ihr das gleiche Appartement wie beim letztenmal gegeben, jenes im Neubau mit der in Schwarz und Weiß gehaltenen Einrichtung und dem Blick auf die riesigen Türme der Banken, die in der späten Nachmittagssonne blendeten.

»Also, Frau Hansen kann natürlich recht haben mit ihrer Überzeugung. Was sie sagte, ist absolut logisch. Wäre das eine Erklärung dafür, daß man Ihnen den Fall aus der Hand genommen hat, Herr Ritt?« fragte Miriam.

Der Staatsanwalt sah elend aus. Er hob die Schultern und ließ sie wieder fallen. »Natürlich. Wenn es aber so ist, wozu dann der Personenschutz für die Hansens?«

»Weil tatsächlich Morddrohungen eingelaufen sind«, sagte Valerie Roth. Sie trug ein Sommerkleid aus blauem Chiffon mit weißen Punkten und braune Contactlinsen. Die beiden anderen sahen sie an. »Absolut ernstzunehmende Morddrohungen, sagt man in Bonn«, fuhr sie fort. »Ich habe meine Beziehungen dort. Dank ihnen wurde uns – ich meine der Physikalischen Gesellschaft – schon oft geholfen. Frau Goldstein kann das bestätigen, Herr Ritt.«

»Ich bezweifle es gar nicht«, sagte der. »Sie werden mir nicht sagen, was das für Beziehungen sind?«

Valerie schüttelte energisch den Kopf.

»Ganz bestimmt nicht... Nur unter der Voraussetzung, daß ich keine Namen nenne, erhalte ich immer wieder Hinweise, Auskünfte, diskrete Hilfe... Zuletzt, als es auf der Kippe stand, ob Markus Deutschland verlassen darf. Ihre Erlaubnis genügte da nicht, wenn

Sie sich erinnern, Herr Ritt. Und dann genügte sie plötzlich doch.«
Valerie sah ihn an.

»Weshalb bedroht man die Hansens mit Mord? Wissen Sie darüber
etwas dank Ihrer Beziehungen?«

»Ja, Herr Ritt. An diesen Drohungen ist sozusagen der arme
Markus schuld... Wir alle sind daran schuld, die wir Hansen als
Umweltverbrecher so angegriffen haben. Die Öffentlichkeit ist sehr
erregt und empört über ihn – zu Recht, was immer Frau Hansen
Ihnen auch erzählt hat, Miriam. Er *stellt* gefährliche Produkte her.
Das hat aber damit nichts zu tun, daß dieser Waffenschieber ein ganz
übler Typ gewesen sein muß, der viele Feinde hatte. Reines Pech für
Sie, Herr Ritt, daß er Ihnen sozusagen über den Weg lief. Andernfalls wäre Ihnen der Fall Marvin/Hansen niemals aus den Händen
genommen worden. Sie werden morgen früh einen Brief in Ihrem
Büro vorfinden. Von der Oberstaatsanwaltschaft. Einen sehr höfli-
chen Brief, in dem man sich für ein Versehen entschuldigt. Bedauer-
liches menschliches Versagen, beruhend auf einem Mißverständnis.
Der Fall hätte Ihnen selbstverständlich niemals genommen werden
sollen. Ab sofort obliegt er wieder Ihnen.«

Ritt verzog den Mund. »Verehrte Frau Doktor Roth, es ist ja alles
mögliche vorstellbar in meinem Beruf – so etwas nicht.«

»Doch«, sagte Valerie. »So etwas auch, Herr Ritt. Sie haben recht,
innerhalb des deutschen Justizapparates ist es unvorstellbar. Es gibt
aber, wie Sie wissen, Vorbehaltsrechte der Alliierten. Frau Hansens
Überzeugung stimmt, ich sage es noch einmal.«

»Wer hat den Fall Engelbrecht an sich gezogen?« fragte Miriam.
»Die Amerikaner? Die Engländer? Die Franzosen? Was sagte man
Ihnen dazu, Valerie?«

»Man ging nicht ins Detail. Man sprach nur eben von Vorbehalts-
rechten.«

»Es wurde Ihnen bedeutet, die Waffenschiebereien dieses Engelbrecht seien für einen Alliierten – oder mehrere – von solchem
Interesse, daß man dieses Theater mit mir inszenierte?« fragte Ritt.

»Ja, das wurde mir bedeutet.«

»Waffenschiebung löst derartiges aus?«

»Es scheinen nicht nur Waffenschiebereien gewesen zu sein, Herr
Ritt.«

»Und wenn ich nun keine Ruhe gebe? Wenn ich unbedingt wissen will, warum man mir den Fall Marvin/Hansen wegnahm?«

»Sie haben den Fall ja schon wieder!«

»Also gut: Warum ich ihn zwei Tage nicht hatte«, sagte Ritt hartnäckig. »Wenn ich das unbedingt wissen will? Wenn ich unbedingt wissen will, warum Engelbrecht für irgendwelche Dienste von solchem Interesse war, daß sie – ich meine die Mächte, für die diese Dienste arbeiten – die Justizbehörden zu einem derartigen Schritt veranlaßten...«

»Baten«, sagte Valerie Roth.

»Bitte?«

»Die Justizbehörden *baten*, Herr Ritt. Deutete man mir an. Auch daß der Generalbundesanwalt informiert war.«

»Der Generalbundesanwalt?« Ritts Augen zuckten.

»Der Generalbundesanwalt!« sagte Valerie. »Gibt Ihnen das vielleicht eine Vorstellung von der Wichtigkeit der Sache Engelbrecht?«

»Das tut es allerdings. Und wenn ich gerade deshalb versuche, völlige Aufklärung zu erhalten?«

Valerie Roth neigte sich vor und sprach sehr eindringlich: »Sie werden überhaupt nichts erhalten. Sie werden allenfalls Erklärungen zu hören bekommen. Sie können aufgrund Ihrer Erfahrung natürlich die Vermutung äußern, daß sich die Alliierten brennend für Engelbrecht interessierten – für Engelbrechts Milieu, nicht für ihn allein. Sie werden selbstverständlich, und das wissen Sie bei Ihrer langjährigen Tätigkeit aus eigener Anschauung, Herr Ritt, auch damit nicht das geringste erreichen.«

»Das ist doch alles grotesk.«

»Natürlich ist es das. Darum bekommen Sie den Fall ja zurück, weil sich bei der Justiz zuletzt ›die Vernunft‹ durchsetzte. Aber wenn Sie so weit gehen, dies als Grund hören zu wollen, bringen Sie meine Informanten in akute Gefahr – und das wäre schlimm, nicht nur für sie. Auch für uns. Ein großer Verlust...«

»Ich bin Valeries Meinung«, sagte Miriam Goldstein.

»Ich bin es ja auch«, sagte Ritt, dessen Miene sich verdüstert hatte. »Aber das bedeutet nicht, daß ich mich nun nicht mehr für Engelbrecht interessieren werde, der mir, wie Sie es ausdrückten, über den Weg lief. Und bei meinem Freund, Hauptkommissar Dornhelm, ist es ganz bestimmt genauso. Der steht mitten in der Untersuchung des Mordfalles Engelbrecht. Moment mal! Warum hat man dem den Fall nicht abgenommen?«

»Man hat, Herr Ritt, man hat. Sie sind nicht auf dem laufenden. Herr Dornhelm mußte sich verpflichten, mit niemandem darüber zu reden, daß auch er für einige Tage den Mordfall nicht weiterbearbeiten durfte.«

»Und unter welchem Vorwand verbot man es ihm?«

»Ihr Freund Dornhelm hat einen Haussuchungsbefehl verlangt. Damit war er raus.«

»Augenblick!« sagte Miriam Goldstein. »Hat bei Engelbrecht eine Haussuchung stattgefunden?«

»Ja.«

»Sagte man Ihnen«, sagte Ritt.

»Sagte man mir.«

»Was sagte denn Frau Engelbrecht dazu?« fragte Ritt. »Mir und Dornhelm machte sie die Hölle heiß nach dem Tod ihres Mannes.«

»Die macht zur Zeit niemandem die Hölle heiß.«

»Was heißt das?«

»Frau Katharina Engelbrecht liegt im Tiefschlaf. Auf der Psychiatrie. Erlitt einen Nervenzusammenbruch. Vor zwei Tagen.«

»Was man so alles erfährt«, sagte Ritt. »In Bonn erfuhren Sie natürlich nicht, *wer* das Haus Engelbrecht durchsuchte.«

»Natürlich nicht.«

»Und natürlich auch nicht, ob etwas und, wenn ja, wieviel bei der Durchsuchung ans Licht kam.«

»Herr Ritt! Ich bitte Sie, was verlangen Sie von meinen Bekannten? Auch ihre Hilfe hat Grenzen. Ich sage es immer wieder: Sie vermögen uns nur unter der Bedingung zu unterstützen, daß ihre Identität absolut geheim bleibt. Können Sie das nicht verstehen?«

»O doch«, sagte Ritt. Er sah Miriam an. Diese schloß kurz die Augen. Sie wußte, daß Elmar Ritt an seinen Vater dachte. Miriam Goldstein dachte an ihren. Und beide dachten an die Gerechtigkeit.

Markus Marvins Zimmer im Hotel Paraíso in Altamira war erfüllt von Dunkelheit und schwüler Hitze. Er lag ausgestreckt auf dem alten Messingbett. Susanne saß an seiner Seite und wischte ihm von

Zeit zu Zeit Schweiß aus dem Gesicht und von den Schultern. Wenn auf der Straße Autos vorüberfuhren, warf das Licht ihrer Scheinwerfer durch die zerschlissenen Vorhänge phantastische Schatten an die schmutzige Zimmerdecke. Draußen, vor der Tür, saß der riesenhafte Pfleger Santamaria auf einem Hocker.

»Susanne«, sagte Marvin. »Ach, Susanne. Ich bin so glücklich. So sehr glücklich. Das alles ist absolut unwirklich. Ich habe, seit du ausgezogen bist, nie mehr etwas von dir gehört. Wie kommst du hierher?«

»Ich arbeite in Brasilien«, sagte sie und strich behutsam über seine zerschundene Wange. »Greenpeace-Leute haben mich mitgenommen. Wir sind seit Monaten hier im Nordosten. Bitte, Vater, verzeih mir! Ich war gemein und ungerecht zu dir.«

»Du hattest völlig recht«, sagte er. »Mit allem, was du sagtest. Ich habe viel erlebt seither.« Das Sirenengeheul einer Ambulanz wurde lauter. Marvin mußte die brüchige Stimme heben. »Schlimme Dinge. Die schlimmsten. Darum arbeite ich seit Monaten mit den Leuten von der Physikalischen Gesellschaft Lübeck. Ist dir ein Begriff, wie?«

»Natürlich.« Sie trocknete sein Gesicht, so gut es ging. Die Ambulanz raste vorbei. »Aber ich hatte doch keine Ahnung, Vater! Glaubst du, ich hätte dich nicht sofort angerufen, wenn ich die geringste Ahnung gehabt hätte? Ich habe es erst vor drei Tagen erfahren. Auch, daß du hierher nach Altamira kommen würdest. Großer Gott, war ich aufgeregt! Ich arbeitete gerade in Belém. Da ist unser Stützpunkt. Dort haben wir Schreibmaschinen, eine Bibliothek, einen Computer. Dort haben wir eine Druckerei. Wir geben Informationsmaterial heraus... Die meisten Menschen hier können nicht lesen, es ist sehr schwer... Man muß immer wieder jemanden finden, der vorlesen kann. An diesen Informationsbroschüren arbeitet ein Mann mit, den du unbedingt kennenlernen mußt, unbedingt! Chico Mendes heißt er. Kautschukzapfer. Lebt und arbeitet in einem kleinen Ort, Xapuri, im Bundesstaat Acre, tiefstes Amazonien.«

»Ja«, sagte Marvin, »ich habe schon von ihm gehört.«

»Er wird zu diesem Indianerkongreß kommen. Am letzten Tag. Du mußt ihn interviewen, Vater! Ich habe mit ihm telefoniert. Er ist im

Moment noch in São Paulo. Spricht dort jeden Abend vor Riesenpublikum. Mein Gott, wie ich mich freue!« Susanne umarmte Marvin plötzlich wild. Er stöhnte. Sie fuhr zurück. »Ich Idiotenweib! Entschuldige!«

»Umarme mich noch einmal, Susanne!«

»Aber es tut dir doch weh.«

»Es tut überhaupt nicht weh«, sagte er. »Es ist wunderbar. Ich war so unglücklich, Susanne. Und so allein. Und nun... Bitte, noch einmal!«

Sie umarmte und küßte ihn noch einmal, sehr vorsichtig und zart diesmal.

»Gottverflucht noch mal, was habe ich für Glück! Noch nie im Leben war ich so glücklich, meine Kleine.«

»Ich auch nicht, Vater...« Sie strich über seinen Arm. »Jetzt arbeiten wir gemeinsam, ja?«

»Ja, Susanne.«

»Du nimmst mich in das Team, wenn du gesund bist? Ich kann euch so viel zeigen und erklären!«

»Klar kommst du ins Team. Wir bleiben jetzt zusammen, Susanne. Für...« Er brach ab.

»Für?«

»Du weißt, was ich sagen will. Aber ich sage es nicht. Aus Aberglauben. Damit nichts passiert.«

»Es wird nichts passieren.«

»Das darfst du nicht sagen... Es passiert so viel... gerade hier... gerade bei dieser Arbeit...«

»Es wird nichts passieren«, sagte Susanne fest. »Und wenn, dann sind wir zusammen, Vater.« Sie streichelte seine schmutzige Hand und legte sie sich an die Wange.

Unten raste ein Laster vorbei. Auf seiner Ladefläche standen dicht gedrängt zerlumpte Menschen, die brüllten und sangen.

»Dieser Chico Mendes«, sagte Susanne, »vierundvierzig ist er und Präsident der örtlichen Landarbeitergewerkschaft. Die UNO hat ihm den Umweltpreis ›Global 500‹ gegeben.« Sie wurde immer eifriger. »Er kämpft gegen die Abholzung des Regenwaldes. Ganz sicher ist es ihm zu verdanken, daß die Weltbank einen Kredit über zweihundert Millionen Dollar für den Bau der Straße von Porto

Velho nach Rio Branco vorerst ausgesetzt hat. Du weißt, die Weltbank zögert auch bei diesem irrsinnigen Stauseeprojekt hier.« Er nickte. »Das Zögern wird nur nichts nützen. Auch nicht, wenn die Weltbank endgültig ablehnt. Gibt genug andere Banken, japanische, deutsche. Chico hat mit Gummizapfern und mit Waldläufern, mit Fischern und Flußhändlern gesprochen, immer wieder, immer wieder, hat erreicht, daß sie gemeinsam gegen den Bau der Straße protestieren. Denn mit so einer Straße kann man die Abholzung natürlich viel schneller erledigen...«

Er lächelte in der Dunkelheit. Sein Kopf schmerzte, als wolle er zerspringen, aber er lächelte und dachte: Was bin ich für ein glücklicher Hund, Susanne ist wieder bei mir, Susanne ist wieder bei dir, du glücklicher Hund!

»Im vergangenen September konnte Chico einen weiteren Teilsieg erringen«, fuhr Susanne fort. »Der Gouverneur von Acre erklärte das Zapfgebiet Cachoeira da bei Xapuri zum Sammelreservat. Weißt du, was das bedeutet?«

»Nein, ich weiß es nicht.«

»Es bedeutet«, sagte Susanne, »daß in diesem Reservat nicht mehr abgeholzt werden darf. Viehzucht ist verboten. Es werden weder Staudämme gebaut, noch dürfen Erze geschürft werden. Nur Sammelwirtschaft ist erlaubt – das Ernten von Paranüssen oder das Zapfen von Kautschuk etwa. Ist das nicht großartig, Vater? Das hat Chico erreicht. Und er wird noch viel mehr erreichen, wenn ihr vor der Kamera ein Gespräch führt, wenn die Filme dann ausgestrahlt werden. Wenn... ach Vater!« Und sie küßte wieder seine Lippen. Es klopfte.

Susanne stand auf und öffnete die Tür. Draußen stand Isabelle neben dem Pfleger Santamaria, der die Neun-Millimeter-Automatic schußbereit hielt. Sie trug einen Turban und einen Frotteebademantel.

»Ich bitte um Entschuldigung«, sagte sie. »Alle lassen durch mich fragen, wie es Ihrem Vater geht.«

»Danke«, sagte Susanne. »Schon viel besser. Wollen Sie nicht hereinkommen?«

»Keinesfalls«, sagte Isabelle. »Sie sind bei ihm. Sie haben sich viel zu erzählen. Wir freuen uns alle so sehr, daß Sie einander wiedergefunden haben.«

# 9

*Mittwoch, 31. August 1988: Als ich an G.s Zimmer vorbeikomme, höre ich Schreibmaschinengeklapper. Klopfe. G. an schmalem Tisch beim Fenster. Nur Shorts. Brille. Tippt sehr schnell. Auf der Straße Geschrei und Gesang, Motorenlärm, Schüsse. Wahnsinnig schwül. Nackte Glühlampe baumelt von der Decke über der Reiseschreibmaschine.*

*Er richtet sich auf. Nimmt Brille ab. – Er schreibt, sage ich. Der Gilles schreibt! Und ich habe schon einen Titel. – Er blinzelt. Titel? Was für einen Titel? – Fürs Buch. – Aha. Und wie heißt der Titel? –* »Im Frühling singt zum letztenmal die Lerche.« *– Gar nicht übel, sagt er. Wirklich. Wo hast du denn... Moment!* »The Last Word of a Bluebird«... *Hat das vielleicht damit zu tun? – Klar, sage ich. – Du kennst die Geschichte von Robert Frost? – Meine amerikanischen Lieblingsgedichte, sage ich. – So etwas! Meine auch. Schicksal mit uns beiden, sagt er. Können ihm nicht entkommen. Aber wieso »zum letztenmal«? Das heißt doch... eh...* »And perhaps in the spring he would come back and sing...« *– Vielleicht wird sie wiederkommen und singen. – Ja, aber Clarisse Gonzalos, mit der ich darüber gesprochen habe, hatte einen Gedanken, der rechtfertigt diese Änderung. Ich fand den Gedanken schön. Nämlich... – Nicht nötig, sagt er. Schon gekauft, Kollegin, wenn du ihn schön fandest. Vielleicht ein Team, wir zwei! Jetzt haben wir bereits eine Liebesgeschichte für das Buch und einen Titel. Wenn wir so weitermachen... Er wird ernst: Ich habe nun lange nachgedacht... über das, was du in Rio gesagt hast, deine Psycho-Historie... über alles, die Sprüche dieses Mannes von Electronorte, die Transparente der Großgrundbesitzer, dieses Wahnsinnsprojekt von einem Staudamm hier, darüber, daß Häuptling Paiakan gesagt hat: Nur etwa zwanzigtausend von zehn Millionen Indianern haben den Siegeszug der Zivilisation in Brasilien überlebt... Und keinen, keinen interessiert das alles! Ja, ich habe zu schreiben begonnen. Er lächelt verlegen. Ein Mittelding zwischen Horstmanns »Untier« und deiner Psycho-Historie ist das wohl. – Darf ich es lesen? – Bitte nicht! – Bitte doch! – Zuletzt darf ich natürlich...*

*Das ungefähr hat er schon geschrieben:*

Längst deuten alle Anzeichen darauf hin, daß wir einer der Milliarden Versuche geworden sind, mit denen das Leben den Raum der Möglichkeiten austastet, daß, aus der Schöpfungsperspektive gesehen, längst ein anderer Zweig am Baum des Lebens den Fortgang in die Zukunft übernommen hat. Kein Naturgesetz macht uns den Garaus, sondern ganz gewöhnliche Dummheit, wobei uns auch die Tatsache nicht hilft, daß wir vermutlich das Intelligenteste sind, was die Evolution je hervorgebracht hat. Im Gegenteil! Denn das ist die pikante Lektion, die wir aus unserem nahen Ende lernen können: Im Spiel der Evolution zählt Intelligenz nicht absolut, sondern nur im Verhältnis zur Macht. Herrschaft, Beherrschung könnte man quantitativ bestimmen als das Verhältnis zwischen Einsicht und Macht. Dieses Verhältnis unterschritt spätestens in dem Augenblick den kritischen Punkt, als uns die Spaltung des Atoms gelang. Seit dem erfolgreichen Eingriff ins Gen ist dieser »Beherrschungsfaktor« weit hinter eine Serie von Nullen rechts vom Komma gerutscht...

So etwa hat er geschrieben, und weiter:

Unser Verderben, unser Todesurteil ist die atemberaubende Geschwindigkeit, mit der wir die Welt verändern, und die den langsam mahlenden Mühlen der Evolution keine Chance läßt, ihren Einspruch geltend zu machen. Wie müßte die Intelligenz aussehen (das finde ich großartig), die nötig wäre, um das rasende Fortschreiten unserer Macht zur Veränderung im Gleichgewicht zu halten? In dem Augenblick, in dem wir anfangen, an der Datenbank der Evolution herumzufummeln, könnte das nur gutgehen, wenn wir die Milliardenerfahrung der Evolution zur Verfügung hätten. Das wäre das eine (naturgegebene) Heilmittel. Das andere wäre eine Machtergreifung der Vernunft: eine Absage an all die Dummheit, Gier und Eitelkeit, die uns alles machen lassen, was wir machen können, auch wenn wir von den Folgen keine Ahnung haben. Wir wissen um die Bedrohung unserer Lebensgrundlagen. Kein Tag vergeht, ohne daß die Zeitungen von einem Umweltskandal berichten. Politiker aller Parteien überbieten einander in Bekenntnissen zum Schutz der Natur und zur Verantwortung für unsere Mit- und Nachwelt. Warum also werden dann aber die Aussichten in demselben Maße düsterer, in dem sich diese Lippenbekenntnisse mehren?

Können *wir nicht in die Tat umsetzen, was wir als unbedingt nötig erkannt haben – oder wollen wir nicht? Daran, daß wir könnten, wenn wir wollten, besteht wohl kein Zweifel. Jedoch: Sind wir bereit, den Preis dafür zu bezahlen? An dieser Frage mißt sich die Beschaffenheit des Wollens. Es gibt offenbar noch eine Kategorie zwischen Können und Wollen, die unsere Sprache durch kein eigenes Verb abdeckt: nicht wirklich, ernsthaft, dringend wollen. Es ist das Wollen des Trinkers, des Rauchers, allgemein des Süchtigen, der ja auch in den meisten Fällen aufhören will – oder möchte. Der Schlüssel zu dem Unheil, in das wir sehenden Auges hineinrasen, ist der Mitläufer, jenes soziale Wesen, welches alles, was abläuft, geschehen läßt. Viele glauben immer noch an eine Lernfähigkeit der menschlichen Rasse. Dazu eine Testfrage: Was haben wir aus dem letzten (oder soll man sagen: aus dem vorletzten) Holocaust gelernt? Und die Frage ist nicht: Was haben wir an Fakten dazugelernt? Sondern: an sozialem Verhalten?*

So weit hatte Gilles bereits geschrieben, das letzte Blatt steckte noch in der Maschine. Als Isabelle alles gelesen hatte, sah sie ihn an.
»Stimmt«, sagte sie, »stimmt alles, Philip. Und?«
»Und? Und?« sagte er. »Vor einiger Zeit zeigte das ZDF einen ungewöhnlichen Film über das Alltagsleben im Dritten Reich... Mit zum Teil bekannten Dokumenten, vor allem aber mit nachempfundenen Spielszenen ging der Regisseur und Autor Erwin Leiser der Frage nach, wie in einem Kulturvolk der christlichen Welt im zwanzigsten Jahrhundert die blutigste Barbarei ausbrechen konnte. Das Beklemmende an diesem Film: nicht die Politverbrecher auf öffentlicher Bühne, nicht die Schlägertruppes der SA, auch nicht die KZ-Mörder und ihre Leichenberge, sondern der Familienvater, der am Feierabend seine Ruhe haben will, die Hausfrau, die an die nächste Mahlzeit, der Beamte, der an seine Pension, der Krämer, der an seinen Umsatz denkt und schweigend geschehen läßt, daß seinen jüdischen Nachbarn die Scheiben eingeschlagen werden, ihnen ein Stern an die Jacke geheftet wird – Menschen wie du und ich.«
Gilles starrte in die Dämmerung hinaus, nur die Papierseite leuchtete im Schein der nackten Birne. Er lauschte eine Weile dem Lärm

dieses betrunkenen, rebellischen und blutigen Tollhauses namens Altamira, weit fort mit seinen Gedanken.

»Einen Film ›Mitläufer – wer hat unsere Welt unbewohnbar gemacht?‹ drehen wir«, sagte er endlich. »Jetzt und hier und heute. Wir müssen das Material dazu nicht wie Erwin Leiser fünfzig Jahre danach mühsam aus Archiven zusammensuchen, und die Spielszenen der Mitläufer erhalten wir jeden Tag aufs neue, im Übermaß und nicht gestellt. Die Schlüsselfigur, die allen Katastrophen gemeinsam ist, die alles möglich machte – es ist der Mitläufer... Ich hatte einmal ein Gespräch mit einem großartigen Mann in München, Lothar Mayer, auch ein Konferenzdolmetscher übrigens. Er ist Mitarbeiter der Schuhmacher-Gesellschaft für Ökologie. Schrieb einen Artikel in der ›Süddeutschen Zeitung‹, der mich faszinierte.[16] Wir vereinbarten ein Treffen, redeten dann stundenlang miteinander, und er sagte so vieles, das so vieles erklärt... zum Beispiel, warum wir schweigen zu all dem, was mit dieser Welt passiert. Nun fiel es mir wieder ein. Und ich... heiliger Moses!« sagte Gilles, »ich habe tatsächlich zu schreiben begonnen! Teufel noch eins!«

»Weiter!« sagte sie. »Schreib weiter, Genosse! Ich gehe schon wieder.«

»Nein! Bitte, bleib!«

»Dann schreibst du nicht weiter!«

»Ich werde weiterschreiben. Bitte, bleib!« Gilles zog einen alten Korbstuhl heran. »Setz dich! Etwas Eiswasser... Ja doch, komm!«

»Aber was du gerade schreiben wolltest...«

»Ich erzähle es dir, dann schreibe ich es auf. Ich schwöre es...«

»Du und schwören!«

»Ja«, sagte er. »Ja. Ich und schwören.«

»Du glaubst doch an überhaupt nichts.«

»Doch«, sagte er plötzlich sehr ernst. »Ich glaube!«

»Woran?«

»An dich«, sagte Gilles.

Ein paar Sekunden sprach danach keiner. Apokalyptischer Höllenlärm draußen.

»Deine Augen«, sagte er. »Jetzt sind sie wieder ganz dunkel.«

Sie schwieg.

»Sag nichts! Du brauchst nichts zu sagen. Es ist meine Sache, nicht wahr? Verdammt noch mal, was geht es dich an, wenn ich dich... wenn ich an dich glaube?« Er lehnte sich zurück und sprach ruhig weiter: »Das Mitläufer-Grundgesetz. Lothar Mayers Gesetz Nummer eins. Die Voraussetzung für alle Umweltverbrechen. Für alle Naziverbrechen. Nur daß ein Urteil über uns, Zeitgenossen von heute, viele Male ärger ausfallen müßte als ein Urteil über die Menschen der dreißiger Jahre. Denn was könnten wir heute als Entschuldigung für uns finden? Wenn es Arbeitslosigkeit wäre, nackte Not... Damals gab es in Deutschland sechs Millionen Arbeitslose – niemals eine Entschuldigung, aber in den Augen vieler ein Milderungsgrund. Heute? Heute ist unser Problem nicht, wie wir satt werden, sondern wie wir in all dem Überfluß schlank bleiben können. All das schrieb Mayer... Was zwingt uns denn, radioaktive Abfälle zu produzieren für die nächsten Jahrtausende? Was zwingt uns, den Regenwald hier und überall zu vernichten und so viele Megatonnen an Kohle und Erdöl zu verbrennen, daß das Klima der Erde irreparabel geschädigt wird? Was zwingt uns, so viele chemische Grundstoffe und Schwermetalle in den Boden zu pflügen, daß er auf Jahrhunderte unfruchtbar wird?«

Er hatte sich in Rage geredet. Sie sahen einander an.

»Welche Verzweiflung, welches Elend«, fragte er, während sie nur seine Augen, seine grauen, so jungen Augen in dem zerfurchten Gesicht sah, »könnten wir als mildernden Umstand für uns geltend machen? Vielleicht das Elend in Afrika und anderen Ländern der Dritten Welt? Nein! Wer uns damit entlasten wollte, müßte äußerst naiv oder bodenlos zynisch sein. Unseren obszönen Wohlstand beziehen wir ja gerade aus einem Weltwirtschaftssystem, das mit seinen Gesetzen optimal darauf angelegt ist, die Ärmsten der Welt bis auf den letzten Blutstropfen auszusaugen.«

Isabelle nickte.

»Keine Frage«, fuhr er fort, »wir alle können alles wissen, was geschieht – immer noch Mayers Worte und Gedanken. Hunderte von Kilometern Dokumentarfilme gibt es darüber. Fast allabendlich zeigt man sie uns im Fernsehen. Wir alle können alles wissen über alle Umweltverbrechen, die geschehen. Und: Wenn die Nazis ihr Terrorsystem so perfektioniert hatten, daß es das Leben kostete, zu protestieren – wer hindert uns heute daran? Niemand. Warum protestieren dann so wenige? Warum entsetzen sich dann so wenige? Warum tun dann so wenige etwas gegen die so ungeheueren Verbrechen an dieser Erde?«

»Wir Mitläufer«, sagte sie.

»Wir Mitläufer der ökologischen Zerstörung«, sagte Gilles. »Wir Stummen. Immer. Damals. Heute. Heute noch tausendmal stummer als einst. Kein Joseph Goebbels hat uns je gefragt: ›Wollt ihr den totalen Krieg gegen die Natur?‹ Doch unser Ja!-Ja!-Ja!-Gebrüll dazu klingelt jeden Tag in den Kassen der Supermärkte und Kaufhäuser, wenn wir unsere Milch im Plastikbeutel, unser pestizidgepäppeltes Gemüse und die leuchtendroten Steaks bezahlen. Es ist unser ganzer, sich in Geld ausdrückender *way of life*, mit dem wir tagtäglich und in kleinsten Raten, damit's nicht so auffällt, unsere Zustimmung geben zur Verseuchung des Grundwassers und zur Zerstörung der Ozonschicht, zur Abholzung der Regenwälder und zur Vergiftung der Nordsee.«

Sie dachte: Wie hat dieser Mann sich verändert – in wie kurzer Zeit!

»Wir schweigen wieder«, sagte er. »Es ist das verschworene Schweigen der Mafia, aller, die mehr oder weniger vom organisierten Verbrechen profitieren. *You never had it so good*, heißt es. Stimmt! Aber wir möchten nicht mit der Nase darauf gestoßen werden, daß hinter diesem noch nie dagewesenen Wohlstand dunkle Geschäfte stehen, stehen müssen, von denen wir lieber nichts wissen wollen. Damals schwiegen wir, verschlossen Augen und Ohren – die Massengräber lagen ja nicht vor unserer Haustür, sondern irgendwo in Polen und Mähren. Heute liegen sie im Jahr 2000 oder etwas später.« Gilles stürzte ein Glas Wasser hinunter. »Und wieder schweigen wir. So korrupt sind wir, daß wir auch dann noch schweigen würden, wenn wir uns eingestehen müßten, daß das Heroin der Mafiabosse unseren Kindern auf dem Schulhof verkauft wird...«

Fasziniert war sie von diesem Mann und von dem, was er sagte.

»...Wir vernichten die Wälder, die unseren Kindern gehören. Wir hinterlassen ihnen vergifteten Boden, der, wenn überhaupt, nur noch vergiftete Früchte tragen wird. Wir verseuchen unseren Kindern das Grundwasser mit Nitraten. Wir geben ihnen Radioaktivität becquerelweise schon mit der Muttermilch. Und wir schweigen – weil es uns so gutgeht wie noch nie. Wir schweigen, obwohl heute keiner wegen Wehrkraftzersetzung ins Konzentrationslager oder als Dissident in ein Gefängnis kommt. Insofern geht es also bei uns ›menschlicher‹ zu, wir können unser System im Vergleich zu totalitären Regimes gut finden.«

Und da fragte sie ihn: »Welchen Sinn haben also die Filme, die wir drehen, welchen Sinn hat die ganze Arbeit, die wir uns aufhalsen? Doch überhaupt keinen! Ist nicht alles umsonst?«

»Meine Liebe...« Gilles stand auf und legte eine Hand auf ihre Schulter. »Sicher ist nichts umsonst, was man Anständiges tut – in einem höheren, privaten Sinn. Aber eine Gattung, die unfähig ist, aus der Vergangenheit zu lernen, hat keine Zukunft. Hat keine Zukunft *verdient*!«

»Nein!« sagte sie, plötzlich empört über ihn. »Nein, nein, nein! Ich habe dir in Rio meine Ansicht erklärt. Niemals können wir die Lage aus der Zeit heraus, in der wir leben, beurteilen.«

»Das eben«, erwiderte er, »hat auf mich ungeheuren Eindruck gemacht.« Nun standen sie so nahe voreinander, daß einer des anderen Atem spürte. »Ich habe heute«, fuhr er fort, »nur darüber nachgedacht, warum die Menschen schweigen zu dem, was geschieht. Aufgeben? Niemals darfst du aufgeben, niemals! Auch mich, trotz allem Pessimismus, hat dieses Projekt zu faszinieren begonnen – insbesondere nachdem ich dich kennengelernt habe, Isabelle! Ich sehe jetzt, wie ungeheuer wichtig es ist, daß wir diese Filme machen. Denn: Es hat in der Geschichte immer wieder Aufschwünge der Vernunft gegeben, dank kleinerer Gruppen zuerst, dann als kollektiver Aufschwung...«

Es klopfte.

»Ja?«

»Senhora Delamare da, Senhor Gilles?«

Er ging zur Tür und öffnete. Draußen stand der zweite Concierge des Hotels Paraíso, ein kleiner, verkrüppelter Mann mit traurigen Augen.

»*Perdão!* Telefon für Senhora«, sagte er. »Paris!« Dann sah er Isabelle und sprach nun portugiesisch: »Sie müssen hinunterkommen, Senhora! Die Zelle ist in der Halle.«

Sie lief aus dem Zimmer, die Treppe hinab. In der schmutzigen Halle hielt der Concierge eine Zellentür auf. An der Bar grölten noch immer Reporter und Fernsehleute. Sie sangen gerade »*Non, je ne regrette rien*« mit einem obszönen Text.

»Hallo?« Isabelle hatte den Hörer genommen.

»Senhora Isabelle Delamare?« fragte eine Mädchenstimme.

»Ja.«

»Hier ist das Fernamt in Belém. Wir haben ein Gespräch aus Paris für Sie. Bitte, sprechen!«

»Hallo!« rief Isabelle. »Hallo!«

Es rauschte und knisterte in der offenen Verbindung.

»*Isabelle, ma petite!* Hier ist Gerard!«

»Mein Gott, Gerard! Welche Freude! Wie hast du mich gefunden?«

»Monique und ich hörten so lange nichts von euch. Begannen, uns Sorgen zu machen – um dich natürlich vor allem. Rief ich in Rio an. Clarisse Gonzalos sagte, daß ihr nach Altamira geflogen seid, zu einem Indianer-Protestkongreß. Aber sie wußte nicht, wo ihr wohnt. Da versuchte ich es bei diesem verrückten Produzenten in Hamburg, Monsieur Zinner. Der sagte, Hotel Paraíso. Gab mir die Nummer. Ordentliches Hotel?«

»Na, was! Fünf Sterne!«

»Geht es dir gut, *ma petite?*«

»Sehr gut«, sagte sie und fühlte, wie plötzliche Hitze ihr Gesicht überflutete.

»Allen anderen auch?«

»Marvin ist heute zusammengeschlagen worden...« Sie erzählte ihm Einzelheiten. »Was gibt es, Gerard?«

»Gestern kam hier ein Mann ins Institut, Amerikaner... Jedenfalls sprach er so und sagte, er sei einer. Fragte und fragte und fragte... Vielleicht wird dieses Gespräch abgehört. *Tant pis!* Der Mann wollte wissen, was ihr macht, was das für Filme werden sollen, wer alles finanziert – und immer wieder fragte er nach Markus Marvin. Wollte alles über ihn wissen. Seine Vergangenheit. Sein Privatleben...«

»Und?«

»Na ja, und Monique und ich sagten nur, wir seien alte Freunde.«

»Habt ihr den Mann nicht gefragt, warum er das alles wissen will?«

»Doch, natürlich.«

»Und?«

»Angeblich für eine Auskunftei, sammelt Informationen im Auftrag eines Klienten. Also habe ich ihn hinausgeworfen. Wer immer da mithört – genauso war es.«

»Seltsam.«

»Darum sag es ihm! Er muß es wissen!«

»Ich sag's ihm, Gerard.«

In der Bar sangen sie jetzt *La vie en rose*, auch mit schmutzigem Text.

»Wie lange bleibt ihr noch in Brasilien?«

»Weiß es nicht genau. Zwei Wochen etwa. Morgen fahren wir zu den Goldgräbern.«

»Ich frage, weil ich drei erstklassige Leute für Marvin habe. Der eine sagt euch alles über die Skandale mit Dioxin, das praktisch bereits die ganze Welt vergiftet hat. Seinen Namen kann ich am Telefon nicht nennen. Der andere weiß alles über Müllverbrennungsanlagen und Abfallschiebereien – Doktor Michael Braungart heißt der, phantastischer Mann, arbeitet in Hamburg. Und dann ist da ein Sonnenenergieexperte. Einer der besten. Alter Freund von mir. Doktor Wolf Loder. Deutscher wie Braungart. Hat eine tolle Erfindung gemacht. In den Filmen werdet ihr ja wohl nicht nur den Untergang dokumentieren wollen, sondern auch zeigen, was immer noch gegen ihn getan werden kann und getan wird, wie? Ich schlage vor, ihr nehmt zuerst den Informanten über die Dioxinsauereien, dann kommt ihr zu uns nach Paris, Loder ist gerade hier, da lernt ihr ihn kennen, und wir können auch über Energieverschwendung reden. Und schließlich fliegt ihr zu Braungart.«

»*D'accord*, Gerard. Ich rufe rechtzeitig vor unserem Abflug an, dann kannst du schon Termine vereinbaren.«

Sie starrte die vollgeschmierte Wand der Zelle an.

»*Ma petite!*« Über Berge, Wälder und ein Weltmeer drang Gerard Vitrans Stimme an ihr Ohr. »Und du? Was treibst du, *ma petite*?«

Sie erzählte, was sie gerade mit Gilles besprochen hatte, daß sie zusammen essen waren, wieviel sie miteinander lachten. Die ganze Emenaro-Geschichte. Wie nett er war...

*Monique! brüllt Gerard. Unsere Kleine hat sich verliebt! – Kurzer*
*Kampf um den Telefonhörer, danach Monique am Apparat:* Mon
petit chou, *hast du dich wirklich verliebt? – Scheint so... – Wie*
*schön! Ich habe ihn immer sehr sympathisch gefunden.* Félicita-
tions! *– Von wem redest du eigentlich? – Na, von Markus Marvin*
*natürlich! – Ach, der... Ich bin eine dumme Gans. Warum habe ich*
*es überhaupt zugegeben? Weil die beiden meine besten Freunde*
*sind. Weil ich es einfach jemandem sagen muß. Völlig durcheinan-*
*der bin ich. – Was heißt, ach der? fragte Monique. Nicht er? – Nein.*
*– Wer dann? – Philip Gilles. – Schweigen. – Der Schriftsteller? fragt*
*Monique schließlich. – Ja, Monique. – Und er? – Ich glaube, er mag*
*mich auch. – Hat er das gesagt? – Nein. – Hör mal... Ihr sprecht*
*nicht darüber? – Noch nicht. – Er ist sicherlich ein großartiger*
*Mann, sagt Monique. Lebenssoffen, welterfahren. Aber nicht ein*
*bißchen alt für dich, Isabelle? – Gerards Stimme dazwischen:* Du
machst es schon richtig, ma petite! *Wir umarmen dich, und wir*
*wünschen euch beiden Glück, Glück, Glück!*
*Danke, sage ich.*
*Als ich aus der Zelle trete, bin ich wieder schweißüberströmt.*
*Glück. Ja, Glück wünsche ich uns auch, ihm und mir. Wir werden*
*es brauchen.*

# 10

Am nächsten Tag war es noch heißer und noch schwüler. Sie hatten
ein Schnellboot mit Steuermann gemietet und fuhren den Xingú
flußabwärts – Gonzalos, Ekland, Katja, Bolling, Isabelle und Gilles.
Susanne war bei ihrem Vater geblieben.
Isabelle trug eine weiße Leinenhose und ein blaues Hemd. Ihr Haar
flog im Wind, Gischt sprühte sie voll. Das Boot fuhr sehr schnell.
Gilles, der neben Isabelle saß, hielt einen Arm um ihre Schulter.
Bolling betrachtete beide unablässig.
Hinten im Boot war die schwere Kameraausrüstung untergebracht.
Bernd sieht elend aus heute, dachte Katja mit den fröhlichen Augen.
»Große Schmerzen?« fragte sie, die Lippen an seinem Ohr, denn

der Motor des Bootes dröhnte. Er nickte. »Tabletten helfen nicht?«
Er schüttelte den Kopf. »Es ist eine solche Gemeinheit«, sagte
Katja. »Versprich mir, daß du nie mehr die verfluchte BETA allein
heben wirst! Versprich, daß du das immer mit mir zusammen tust!«
Er nickte und hob die rechte Hand. Sie küßte ihn auf die Wange,
schmiegte sich an ihn und lachte.

Nach zwei Stunden ging der Steuermann mit dem Tempo herab.
Sie hatten den nächstgelegenen *garimpo*, einen Goldgräberort, erreicht. Der Steuermann sagte, der Ort heiße Ressaca.[17] Sie hatten
ihn schon von weitem gesehen, die *garimpeiros* arbeiteten mit schwerem Gerät.

Als sie an Land waren, hob Katja gemeinsam mit Ekland die BETA
auf ein Stativ. Sie filmten Ort und Landschaft von einem Hügel aus.
Der Steuermann – er sagte, sie sollten ihn Pedro nennen – erklärte
die Situation, Isabelle übersetzte in ein Mikro. Gilles hatte seinen
Recorder eingeschaltet...

»...das sind Hochdruckpumpen, mit denen die Männer arbeiten.
Zuerst brennen sie alle Hügel kahl, dann waschen sie sie mit den
Pumpen buchstäblich weg.« Ekland filmte, was Isabelle beschrieb:
»Über ein System aus verschiedenen Sieben fließen Lehm und
Wasser ab... rote Erde bleibt verkarstet zurück, ein sicheres Zei-
chen, daß kein Gold mehr zu finden ist – aber auch, daß hier niemals
mehr ein Baum, ein Strauch, ein Grashalm wachsen wird.«
Riesengroß waren die kahlen Flächen.

»Am besten, ihr geht zuerst zu Anselmo«, sagte Pedro. »Der kann
euch was erzählen. Er ist ein Schlauer...« Pedro lief barfuß, sein
Hemd hing zerschlissen über grünliche Unterhosen. Auf dem Kopf
trug er einen alten Strohhut. Hüte und Mützen jeglicher Art trugen
alle wegen der sengenden Sonne.

Gemeinsam schleppten sie die BETA bis zu einer Bretterbude, die
sich als Kaufladen erwies. Er gehörte dem schlauen Anselmo.
Wieder wuchteten Katja und Ekland die Kamera gemeinsam auf das
Stativ, um ein Gespräch des Kaufmanns mit Bolling aufzunehmen.
Anselmo Almeida war, wie er sagte, siebenundzwanzig Jahre alt.
Vor sieben Jahren war er aus der Industriemetropole São Paulo hier
heraufgekommen. Zuerst hatte er nach Gold gesucht, aber schon
bald...

»...habe ich kapiert, daß das idiotisch ist. Du arbeitest dich fix und fertig, nach spätestens drei Jahren krepierst du. Also habe ich die Hütte hier gebaut und Lebensmitteldosen und Geschirr und Gewehre und Munition gekauft – zuerst alles auf Kredit. Jetzt läuft der Laden. Ich verdiene jedenfalls mehr als die Kerle, die hier Gold suchen.« Er grinste, während er weitersprach und Isabelle übersetzte: »Okay, okay, ich bin ein bißchen teurer als die in Altamira.«

»Wieviel teurer?« fragte Bolling.

»Etwa drei- bis viermal so teuer«, sagte Anselmo. Na und? Er könne verlangen, was er wolle. Hier gebe es keine Konkurrenz. »Immerhin, heute sind ständig an die zweitausend Mann hier. 1974, sagen sie, haben hier nur zwei alte Männer gelebt.«

»Was können diese *garimpeiros* in Ressaca an Gold erwarten?« fragte Bolling.

Anselmo hob die Schultern. »Zwanzig Gramm, fünfzig Gramm, hundert Gramm – fünfhundert Gramm, aber das kommt ganz selten vor.«

»Und dafür riskieren sie ihr Leben?«

»Sehen Sie ja.«

»Wie viele *garimpeiros* leben wohl im Bundesstaat Para?«

»Genau weiß man das nie. Schätzungsweise dreihundertfünfzigtausend.«

»So viele?«

»Manchmal hat einer Glück und findet einen Haufen Gold, nicht? Sie nennen es ›gelbes Glück‹. Manchmal findet einer viel ›gelbes Glück‹. Das macht dann für Jahre alle anderen verrückt.«

»Dreihundertfünfzigtausend Menschen – würden Sie sagen, daß die Goldsuche eine richtige Wirtschaftsbranche geworden ist, Anselmo?«

»Madonna, ja. Die größte! Und die zerstörerischste! Wenn die *garimpeiros* eine Stätte kahlgewaschen haben, ziehen sie zur nächsten. Hier wird bald Schluß sein. Ich ziehe dann auch weiter.«

Bolling sah unentwegt Isabelle an. Unter einem weißen Segeltuchhut lugte ihr blondes Haar hervor.

Während des Interviews biß sich Ekland, über die BETA geneigt, von Zeit zu Zeit vor Schmerz auf die Lippen, Katja beobachtete ihn mit fröhlichem Gesicht und größter Sorge.

»Am meisten«, sagte Anselmo, »verdienen die Grundbesitzer. Zehn Prozent des Goldes müssen die *garimpeiros* ihnen geben. Dafür läßt so ein Grundbesitzer den *garimpeiro* abholzen, Hütten bauen und Gold waschen, wie er will – natürlich mit Quecksilber.«

»Mit Quecksilber?«

»Das trennt Gold besonders schnell von Lehm und Sand.«

»Und so geht das Quecksilber in diesen Fluß und viele andere Flüsse.«

»Klar«, sagte Anselmo.

»Hier am Amazonas ist Fisch das Hauptnahrungsmittel. Das Quecksilber muß sich doch konzentrieren in den Fischen.«

»Klar«, sagte Anselmo. »Und dann konzentriert es sich in den Fischessern. Hat Untersuchungen gegeben. Sehr viel Quecksilber in sehr vielen Fischessern.«

»Wir haben gehört, es gibt ein Quecksilberverbot.«

Anselmo grinste wieder. »Das haben wir auch schon gehört.«

»Na und?«

»Madonna, *homem*! Von der Regierung kommt nie einer her. Und ohne Quecksilber ist es viel schwerer, das Gold zu reinigen.«


Katja hatte um eine Pause gebeten, bevor Ekland die BETA auf die Schulter nehmen und dann Großaufnahmen machen sollte: von den fast nackten Elendsgestalten an den Pumpen und Sieben, ihren Gesichtern, ihren Händen, ihren Augen, der toten roten Erde, dem vergifteten Wasser. Während dieser Pause zog Peter Bolling Gonzalos, Isabelle und Katja beiseite.

»Du hast Markus von deinem Telefongespräch mit Vitran erzählt, Isabelle?«

»Ihm und Philip. Auch Susanne weiß, daß dieser Amerikaner, oder was er war, bei den Vitrans auftauchte und sich nach Markus erkundigte.«

Und Miriam Goldstein weiß es auch, dachte Katja. Ich habe sie angerufen und ihr davon und von Bollings Telefongespräch mit Joschka Zinner erzählt.

»Etwas geht vor«, sagte Bolling. »Ich habe mit Markus geredet. Etwas geht vor. Wir wissen nicht, was. Fragt sich sehr, ob das Zufall war, daß er niedergeschlagen wurde vor der Stadthalle, oder ob er nicht nur niedergeschlagen, sondern ermordet werden sollte.«

»Warum ermordet?« fragte Isabelle.

»Hör mal!« Bollings Stimme wurde laut. »Alles, was wir tun, besonders alles, was wir *jetzt* tun, gefällt vielen Leuten nicht. Kann ihnen nicht gefallen. Die Filmerei schon gar nicht. Muß viele Leute ungemein stören. Noch nie daran gedacht?«

»Doch, Peter, natürlich«, sagte Isabelle. »Joschka hat uns da auf eine *tour de cochon* geschickt.«

»Auf eine was?« fragte Katja.

»Eine Schweinetour«, erklärte Isabelle. Es war ihr peinlich, wie Bolling sie ansah. Am besten, ich tue so, als bemerkte ich es überhaupt nicht, dachte sie. »Das ist eine französische Redewendung, stammt aus dem Ersten Weltkrieg. Damals schickten die Franzosen Schweine in von den Deutschen verminte Felder. Die Schweine schnüffelten nach Trüffeln. So berührten sie viele der Minen, die explodierten und die Schweine zerrissen. Danach konnten französische Soldaten vorgehen. Uns hat man auch auf eine solche Schweinetour geschickt.«

»Wir finden jede Menge Trüffeln«, sagte Katja. »Große Trüffeln, nicht wahr? Prima für die Filme. Prima für das, was wir vorhaben – wenn wir überleben.« Sie sah Bolling an.

Nichts regte sich in dessen Gesicht. »Ich habe mal einen Film gesehen«, sagte er. »Amerikanischen. ›Salvador‹. Geschichte von Reportern, die die Wahrheit über ganz üble politische Intrigen rauskriegen wollen. Ausgezeichnete Schauspieler. Feiner Dialog. Ich erinnere mich an eine Stelle, da sagt so ein Reporter: ›Die Wahrheit! Um die Wahrheit zu finden, mußt du ganz nah rangehen. Wenn du ganz nah rangehst, gehst du drauf!‹« Er hustete. »Wir sind auch hinter der Wahrheit her. Wir wollen sie filmen und Millionen zeigen. Vielen Millionen. Wird peinlich sein für sehr viele in Industrie und Politik und Wirtschaft. Sehr peinlich.«

Er war immer kurzatmiger geworden und hatte sein Sprayfläschchen aus der Hosentasche geholt. Nun setzte er sich auf die rote Erde, öffnete weit den Mund und sprühte gegen einen drohenden Asthmaanfall Corticoide in seinen Rachen. Gilles und Isabelle standen stumm vor ihm. Er rang nach Luft und sprühte wieder. Nach einigen Minuten kehrte in sein bleich gewordenes Gesicht Farbe zurück.

»Schon vorbei«, sagte er geniert. »Alles in Ordnung. Ja, sehr peinlich werden diese Filme sein für sehr viele sehr Reiche und sehr Große und sehr Mächtige. Gut so! Wollen wir ja! Seit Jahren arbeiten wir dafür, allerdings noch nie so massiv, so aggressiv, so exponiert. Wir gehen ganz nah ran. Aber, wenn möglich, wollen wir nicht draufgehen, was? Keiner von uns. Markus Marvin ist am gefährdetsten.«

»Wieso Markus Marvin?« fragte Gonzalos. Was will, was denkt dieser Mensch wirklich? dachte er. Macht er Theater? Welche Rolle spielt er? Welche Rolle spielt Marvin? Wer tut hier was für wen?

»Markus leitet dieses Unternehmen«, sagte Bolling. »Weiß am meisten. Kann am meisten. Ist am bekanntesten. Auf ihn haben sie es ganz bestimmt zuerst abgesehen, davon bin ich überzeugt.« Ja, dachte Gonzalos, bist du das? »Er braucht unbedingt so viel Schutz, wie er nur kriegen kann«, sagte Bolling, nahm die Brille ab und stand auf. »Wir alle brauchen Schutz. Markus am meisten. Ich bin Ihnen so dankbar dafür, Herr Gonzalos, daß Sie im Hospital Pfleger verlangt haben, die ihn jetzt rund um die Uhr bewachen.«

»Ja«, sagte Gonzalos. »Das tun sie.«

»Ein paar Tage lang hat Markus jetzt also Schutz«, sagte Bolling. »Hoffentlich besticht keiner die Pfleger. Hier muß man mit allem rechnen. Darum habe ich – noch im Hospital – Joschka Zinner angerufen.«

Entweder, dachte Katja, ist das ein Fall von unerhörter Frechheit, oder ich habe diesen Menschen zu Unrecht verdächtigt. »Sie haben Joschka Zinner angerufen?« Katja gab sich Mühe, erstaunt zu wirken.

»Ja.«

»Aber warum?« fragte Isabelle.

»Weil Markus Schutz braucht. Die Pfleger sind eine Notlösung. Wir müssen Profis haben.«

»Und darum riefen Sie Joschka Zinner an?« fragte Katja.

»Ja«, sagte Bolling. »Der hat nämlich einen Cousin in Bogotá. Sie arbeiten doch schon lange für Zinner. Wußten Sie das nicht?«

»Nein, das wußte ich nicht«, sagte Katja. »Was hat Joschkas Cousin mit uns zu tun?«

»Bogotá ist die Hauptstadt von Kolumbien«, sagte Bolling. »Kolumbien grenzt hier im Westen an Brasilien. Der Cousin kümmert sich um ein paar Profis, die schnellstens herkommen.«

Trotz des Regens schob sich die Prozession der Krüppel mit ihren Prothesen, Wägelchen und Krücken, ihren Stöcken, Blindenarmbinden, Augenklappen und Armen oder Beinen aus Leder durch den Park und vorbei an der großen Kirche auf dem Berg Monserrate im Osten von Bogotá.

Diese Prozession wiederholte sich täglich. Sie führte die Calle del Candelero, eine nachgebaute Straße aus der Kolonialzeit, hinab zu einer umgebauten Einsiedelei und dem dort in einem Glasschrein untergebrachten »Gefallenen Christus«. Hier erflehten die Krüppel Erlösung von ihren Gebrechen, lamentierend küßten sie das schützende Glas. Vormittags und nachmittags kamen sie. Am Nachmittag regnete es fast immer in Bogotá.

In einem Säulengang der Kirche standen zwei Männer und betrachteten die Prozession.

»Also zwei Bravos«, sagte der eine, ein großer Mestize, der aussah und gekleidet war wie ein Staranwalt. Er trug gleich dem anderen einen Regenmantel, war in der Tat Anwalt des Rechts und hieß Ignacio Nigra. »Schnellstens. Nach Altamira. Erstklassige natürlich. Ich will mir alle Mühe geben, Señor Machado. Obwohl sich viele Bravos angesichts schwankender Rentabilität der Mordwirtschaft durch Marktübersättigung auf alltägliche Kriminalität verlegt haben. Viele der besten.«

In der Calle del Candelero versuchten fliegende Händler, Waren an die Krüppel zu verkaufen. Laut priesen sie die Güte ihrer Schätze. Die Krüppel sangen: »In tiefer Not schreien wir zu Dir, Herr Gott, erhör das Rufen...«

»Herrliche Butterküchelchen! Erstklassige Mandelküchelchen! Feinste Apfeltörtchen! Noch warme Ananastörtchen...«

»...Jesus, Jesus, laß uns mit gerührtem Herzen denken Deiner Leiden, Schmerzen...«

»Wundertee mit Rum gegen die Feuchtigkeit! Köstlicher Cognac! Heißer Kaffee! Kaschmirschals gegen die Kälte! Wollhandschuhe! Mützen! Ohrenwärmer! Alles aus dem fernen Paris!«

Der zweite Herr, ebenso elegant, war Importkaufmann. Achille

Machado, Cousin des Hamburger Filmproduzenten Joschka Zinner, sagte: »Vor allem braucht mein Mandant Schutz, Doktor Nigra. So schnell wie möglich. So perfekt wie möglich. Die fähigsten Leibwächter.«

»Nun ja«, sagte der Anwalt, »da empfehlen sich natürlich Bravos. Sehen Sie, die Herrschaften, die hier mit Rauschgift handeln und ihre Einkünfte traditionellerweise in Landbesitz anlegen – ebenso die Smaragdhändler –, benötigen auch Schutz. Die fähigsten Bravos sind allesamt Absolventen von Mordakademien. Denn was heißt das: Schutz? Schutz heißt, daß man jeden Angreifer schnellstens eliminiert, nicht wahr?«

»Das ist richtig«, sagte Joschka Zinners Cousin. Er sah auf die Stadt Bogotá hinab, ein ausferndes Meer von flachen, rotgedeckten Häusern, dazwischen grüne Parks und graue Klumpen unansehnlicher Büro- und Wohnhochhäuser, durchzogen von baumbestandenen Alleen. Hypermoderne Betontürme ragten an vielen Stellen in den Regenhimmel. Rings um den Stadtkern lag ein Gürtel von locker verteilten Villenvierteln der Reichen und buntscheckig zusammengeballten Elendsquartieren der Ärmsten. Rechtwinklig waren die Straßen angelegt.

»...Dein gnädiges Ohr kehr Du zu mir, und meiner Bitt' es öffne...«, sangen die Krüppel.

»Amerikanische Zigaretten! Kubanische Zigarren! Kaugummi aus Hollywood! Geweihte Augentropfen! Geweihte Stumpfsalben! Bonbons aus dem schönen Wien!« priesen die fliegenden Händler.

»Die Jugend«, sagte Anwalt Nigra, sentimental die Stadt Bogotá betrachtend, die auf dem Hochplateau La Sabana in zweitausendsechshundert Meter Höhe lag, dieweilen er und Joschka Zinners Cousin sich auf dem Monserrate sogar dreitausendeinhundertfünfundzwanzig Meter über dem Meer befanden, »ist besessen von dem Gedanken einer schnellen Bereicherung und daher für die Kunst des Mordens zum Zweck der Verbesserung ihres Lebensstandards höchst anfällig. Junge Bravos sind am meisten gefragt. Ich werde mich bemühen, Señor Machado, ich werde mich wirklich bemühen – schon angesichts unserer so erfolgreichen geschäftlichen Kooperation. Darüber hinaus natürlich auch auf Grund der wahrhaft freundschaftlichen Gefühle, die ich Ihnen entgegenbringe.«

»Das«, sagte Machado, »beruht absolut auf Gegenseitigkeit, verehrter Doktor.« Sie waren unabhängig voneinander mit der Seilbahn hier heraufgekommen. Drei schwindelerregende Minuten lang hatten Gondeln sie entlang der einundachtzig Grad steilen Flanke zum Gipfel des Monserrate getragen.

»In diesem Falle«, sagte Doktor Nigra – die Herren unterhielten sich in gepflegtem Spanisch – »will ich versuchen, zwei Bravos der ›Aprikosen‹ aus Medellin zu bekommen. Sie ragen wirklich unter all den anderen Organisationen hervor, lieber Señor Machado. Beispielsweise sind sie verantwortlich für die Ermordung des Justizministers Rodrigo Lara Bonillas, des Höchstrichters Hernando Baquero und des Besitzers der Tageszeitung ›El Espectador‹, Guillermo Cano. Etwas Besseres finden Sie nicht.«

»...laß uns alle Leiden Dein Trost in unserm Leiden sein...«

»...die herrlichsten Transistorradios aus Japan für die schönste Musik! Französische Pornohefte zur wohligen Entspannung!...«

»Und diese Besten der Besten sind – dank der Tatsache, daß der Markt durch das Überangebot von Berufskillern darniederliegt – trotzdem immer noch äußerst preiswert, verehrter Señor Machado.«

»Das ist gut zu hören, Doktor Nigra. Indessen spielt Geld in diesem Falle keine Rolle. Schutz spielt die Hauptrolle – auch wenn er nicht so billig ist.«

»Er *ist* billig, Señor Machado. Sie werden es sehen. Selbst bei den ›Aprikosen‹! Nur gute Erfahrungen habe ich mit ihnen gemacht.«

»Aber so schnell wie möglich, Verehrter!«

»So schnell wie möglich, gewiß. Und nur das Vorzüglichste, was zu bekommen ist.«

»...erbarme Dich, erbarme Dich! Wir flehn in unsern Schmerzen: Gib Reue unsern Herzen!«


Auch den 3. September mußte Markus Marvin noch im Bett verbringen, die Ärzte bestanden darauf. Er war folgsam, denn er wollte unbedingt wiederhergestellt sein, wenn er mit dem Umweltschützer Chico Mendes zusammentraf, von dem seine Tochter so viel erzählte.

Susanne hatte in der Stadt einen großen Ventilator aufgetrieben, der nun in dem Hotelzimmer lief. Er kühlte die heiß-feuchte Luft zwar nicht, aber er bewegte sie wenigstens, und das war schon eine Wohltat.

Am Abend versammelte sich das Team in Marvins Zimmer. Sie hatten viel gearbeitet, und dank der BETA-Aufnahmetechnik konnten sie ihre Filme über einen Monitor abspielen wie Videokassetten auf einem Fernsehschirm. So saßen sie um Marvins Bett – Bernd Ekland, Katja Raal, Dr. Gonzalos, Susanne, Bolling, Gilles und Isabelle. Der Ventilator, dessen Rotor hin und her schwenkte, vermittelte die Illusion von Kühlung. Isabelle hatte zunächst neben Bolling gesessen. Als der immer wieder seine Hände auf ihre Schenkel legte, war sie aufgestanden, um sich neben Susanne zu setzen.

Das erste Interview, das über den Monitor lief, hatten sie nahe Altamira mit einem jungen Mann namens Flavio Frossard geführt. Zuerst kamen Eklands Aufnahmen von zwei riesigen Farmen, die Flavio als Teil des Familienbesitzes hier verwaltete, danach folgte das Interview mit ihm. Bolling hatte es geführt.

»Vor fünfzehn Jahren«, sagte Flavio, »gab es statt der Weiden und Felder hier nur Wald. Unsere *fazendas* machen mir Spaß. Sie sind die Zukunft! Sehen Sie doch, wir züchten Rinder, wir pflanzen Kaffee und soviel anderes.«

»Mehr als genug Arbeiter, was?« fragte Bolling.

»Kann gar nicht so viele beschäftigen«, sagte Flavio. »Aber es ist ein mieses Pack.« Seine Stimme klang hochmütig. Er war ein hübscher, überheblicher Junge, früher Hubschrauberpilot, hatte er erzählt. »Wenn ich nicht mit dem Gewehr hinter ihnen stehe, hören sie sofort auf zu arbeiten.«

»Woher kommen sie alle?«

»Aus dem Süden. Verstehen nichts von Tieren, verstehen nichts von Ackerbau, das ärgste Gesindel!«

»Halt mal an, Bernd«, sagte Bolling. Der stoppte den Film.

»Über die Luftaufnahmen des zerstörten Regenwaldes, die wir haben, können wir sehr viel Kommentar legen, Markus. Zum Beispiel müssen wir sagen, daß es sich hier um fünf oder sechs Millionen Menschen handelt – eine genaue Zahl weiß niemand –, die im Süden einfach keine Arbeit mehr fanden und deshalb hier heraufgezogen sind. Und es kommen immer neue Ströme, und deshalb werden sie alle Bemühungen der Umweltschützer zunichte machen.«

»Die katholische Kirche«, sagte Dr. Gonzalos, »hat unsere Menschen seit eh und je zu Kinderreichtum ermuntert. Mit nichts als ihren Kleidern ziehen die Familien in die Wälder des Amazonas. Fünf Jahre höchstens können sich jene, die nicht auf *fazendas* beschäftigt sind, auf so einem Stück Land, das ihnen die Großgrundbesitzer erst zum Baumfällen und dann zum Brandroden gegeben haben, halten. Danach ist der Boden ausgelaugt und die Muttererde, die nun kein Baum mehr schützt, vom Tropenregen weggewaschen. Also beginnt die Wanderschaft der Millionen von neuem. Ich habe mich einmal mit dem Leiter des Museu Goeldi, eines hervorragenden Forschungsinstituts in Belém, unterhalten – da müßten Sie eigentlich auch noch hin! ›Was soll man gegen diese Menschen tun?‹ fragte er mich. ›Ihnen den Krieg erklären? Und überhaupt: Wie kann ich jemandem, der von einem Grundbesitzer zwei Dollar pro gefällten Baum bekommt, erklären, daß diese Erde ohne Umweltschutz vor die Hunde geht und er deshalb den Baum nicht fällen darf?‹«

»Zwei Dollar«, sagte Susanne bitter. »Das genügt für eine ausgiebige Mahlzeit – aber fast auch schon, um einen erstklassigen Mörder zu bezahlen. Brasilien gehört zu den zehn größten Industrienationen der Welt, doch die Hälfte der Bevölkerung lebt in Armut. Und sie wächst jährlich um mehr als zwei Prozent. Solange die soziale Misere nicht gelöst ist, wird man Amazonien brauchen, wegen der Rohstoffe, wegen der Energiequellen – und als inneres Ventil. Solange sich hier politisch nichts grundlegend ändert, solange so unendlich viel Land ein paar Dutzend Großgrundbesitzern gehört, hat der Regenwald keine Chance.«

»Laß weiterlaufen, Bernd!« sagte Marvin.

Der hübsche Flavio Frossard sprach auf dem Monitor: »Die Kerle, die hierherkommen, sind Banditen. Lauter Banditen. Haben was ausgefressen im Süden.« Immer hochmütiger und schneidender wurde die Stimme des smarten jungen Herrn im Khakianzug, und Isabelles Übersetzerstimme ahmte seinen Tonfall nach. »Haben wen ermordet. Haben gestohlen. Haben betrogen. Verbrecher, alles Verbrecher – wie der Polizeichef von Altamira. Der kassiert am Morgen seine Schmiergelder für Aufenthaltsgenehmigungen und Arbeitsgenehmigungen ab, zu Mittag legt er einen um, am Nachmittag sitzt er in der Bar und säuft. Niemand zahlt hier Steuern. Jeder stiehlt. Der frühere Bürgermeister klaute sogar die Möbel und die Klimaanlage der Präfektur, als er auszog.«

Alle sahen auf den flimmernden Monitor, nur Bolling starrte Isabelle an. Im Film stand er Flavio gegenüber, seine Stimme ertönte: »Wie ist das mit dem Gesetz, daß nur die Hälfte eines Grundstücks gerodet werden darf?«

Der jugendliche Großgrundbesitzer grinste. »Das ist ganz einfach, Senhor! Sie verkaufen die ungesäuberte Hälfte. Der Mann, der kauft, fällt die Bäume der Hälfte der Hälfte und brandrodet diese. Den bewaldeten anderen Teil verkauft er. Der dritte Besitzer tut das gleiche und so weiter und so weiter – und wenn das ganze Land frei von Wald ist, kaufen Sie es zurück.« Er lachte, entzückt über den Trick.

»Das ist ja ein Schatz!« sagte Marvin.

»Gibt noch viel Schlimmere«, sagte Susanne.

Auf dem Monitor fragte Bolling: »Und was ist mit dem Exportverbot für unbearbeitete Edelhölzer?«

Flavio Frossard erlag einem Heiterkeitsanfall. Ekland war mit der Kamera groß auf sein Gesicht gegangen, das jetzt die Bildfläche füllte.

»Schauen Sie sich mal die Bucht von Marajo an!« sagte Flavio, sobald er sich etwas erholt hatte und wieder sprechen konnte.

»Wir waren dort«, sagte Katja hastig. »Bernd und ich. Im Hubschrauber. Phantastische Aufnahmen. Können wir hier reinschneiden.«

»Die Bucht liegt im Mündungsgebiet des Amazonas«, fuhr Flavio auf dem Bildschirm fort. »Nahe Belém. Viele kilometerlange Baumstammflöße werden dort zu den Frachtschiffen geschleppt...«

»Haben wir auch aufgenommen«, sagte Katja, schnell wie zuvor. »Aus der Luft...«

»Wer fragt danach«, sagte Flavio grinsend auf dem Monitorschirm, »ob die Stämme in brasilianischen oder europäischen oder japanischen Fabriken landen? Die Waldbehörde, die hier ein Gebiet kontrolliert, das größer ist als Westeuropa, hat nicht einmal dreihundert Beamte. Wissen Sie, Senhor Bolling, einzelne Grundbesitzer hier sind Idealisten aus Interesse am Fortbestand des Waldes, von dem sie leben und den sie wieder aufforsten wollen. Deshalb lassen sie auf einem Gebiet nur eine bestimmte Zahl von Stämmen fällen. Aber über die Stichstraßen durch den Urwald, die es nun gibt, folgen Hunderttausende von Banditen, das ganze Lumpenpack, und die kriegen von den Grundbesitzern ein Stück Land, damit sie *alle* Bäume fällen, und das tun sie natürlich, sie fällen alle Bäume, denn sonst können sie ja nicht brandroden, sonst haben sie ja keinen Boden, der sie eine Weile ernährt, nicht wahr? Und darum sind diese Idealisten aus Interesse Idioten. Sie merken es schon selber.« Der junge Herr lachte wieder schallend.

»Das war's«, sagte Katja. Sie wechselte die Kassetten. »Was jetzt kommt, ist die Hochebene von Carajás...« Sie setzte die neue Kassette in Gang.

Die ersten Bilder waren von einem Eisenbahnwaggon aus aufgenommen, der mit fünfzig anderen durch den Urwald rollte. Die Kamera zeigte einen hageren, braunhäutigen Mann und schwenkte später auf den Urwald. Der Mann sprach, und Isabelles Stimme übersetzte: »Mein Name ist Luis Carlos. Ich bin Leiter der Umweltabteilung des brasilianischen Staatskonzerns Companhia Vale do Rio Doce – CVRD. Unser Konzern betreibt sowohl den Abbau von Eisenerz wie auch Eisenbahngesellschaften. Der Lärm der rollenden Erzzüge, auch wenn er wie Kanonendonner klingt, bringt den Regenwald nicht um. Aber wenn am Rand dieser neunhundert Kilometer langen Bahnlinie, auf der wir jetzt fahren und die von Serra dos Carajás bis nach São Luis am Südatlantik verläuft, erst einmal dreißig Hüttenwerke betrieben werden, dann versetzt das der Region den Todesstoß...«

Unvermittelt wechselte das Bild. Der Dschungel wich zurück. Eine gigantische Industrielandschaft tauchte auf, gefilmt vom fahrenden Waggon aus. Bollings Stimme ertönte: »Dies ist Serra dos Carajás, und was hier in den letzten zwanzig Jahren entstand, nennt man das ›brasilianische Ruhrgebiet‹. Hier liegt Ferro Carajás, das weltweit größte integrierte Entwicklungsprogramm...«

Der Film zeigte das Industriegebiet in überwältigenden Bildern.

Förderschacht neben Förderschacht, Fabriken. Bahnen, Loren, Schienengewirr. Frachtbahnhöfe, Kräne, Arbeitermassen.

Nun ertönte wieder die Stimme von Luis Carlos, darüber jene Isabelles: »1967 entdeckten nordamerikanisch-brasilianische Geologenteams die ›Berge aus Eisen‹ auf dieser Hochebene im Amazonas-Urwald. Neben riesigen Lagerstätten von Mangan, Chrom, Bauxit, Nickel, Kupfer, Zinn, Gold, Molybdän und Wolfram liegen hier nach Schätzungen Eisenerzreserven für fünfhundert Jahre – achtzehn Milliarden Tonnen – unter einer dünnen Erdschicht. 1985 wurde die Eisenproduktion aufgenommen. Das Ziel: eine jährliche Erzförderung von fünfunddreißig bis fünfzig Millionen Tonnen.«

Vor dem Hintergrund der phantastischen Industrieanlagen erschien Bolling auf dem Monitorschirm. Er sagte: »Die westlichen Industrieländer beteiligten sich am Aufbau von Ferro Carajás: Über das europäische Kohle- und Stahlabkommen steuerte die EG sechshundert Millionen Dollar bei. Als Gegenleistung wurde ihr fünfzehn Jahre lang ein Drittel der Jahresproduktion zugesichert – zu den Preisen von 1982. Die Weltbank übernahm mit dreihundert Millionen Dollar einen Teil der Finanzierung. Aus Japan und den Vereinigten Staaten flossen Kredite in das vier Komma neun Milliarden teure Projekt. Auch die Frankfurter Kreditanstalt für Wiederaufbau gehört zu den Gläubigern. Die Bundesrepublik kauft schon seit Jahren brasilianisches Eisenerz. Seit 1985 liefert der brasilianische Staatskonzern das Erz für die Hochöfen von Salzgitter, Thyssen, Mannesmann, Klöckner, Korf und Dilligen. Inzwischen sollen bereits vierzig Prozent des in der Bundesrepublik verarbeiteten Erzes aus Brasilien stammen. Den größten Teil, rund sechsundfünfzig Prozent, kauft die japanische Stahlindustrie...«[18]

Auf dem Monitorschirm folgten einander nun in einer gewaltigen Folge atemberaubende Aufnahmen des monströsen »brasilianischen Ruhrgebiets«. Noch nie hatte Bernd Ekland in so kurzer Zeit so viel gefilmt.

Isabelles Stimme überlagerte die von Luis Carlos: »Um die Mine zu betreiben, ließ die Companhia Vale do Rio Doce eine Retortenstadt für neuntausend Menschen bauen... aber zweiunddreißigtausend Arbeiter rückten an...«

»Was sind das für Aufnahmen?« fragte Marvin.

»Archiv. Haben wir vom Konzern bekommen. Überspielt. Schlechte Qualität«, sagte Ekland, dem sein Arm so weh tat, daß er Tränen in den Augen hatte. »Aber gerade so was unterstreicht das Authentische, wie?«

»Prima, Bernd«, sagte Marvin. »Auch du bist prima, Katja. Alle seid ihr prima, also wirklich!«

Es folgten weitere Archivaufnahmen. »... vierhunderttausend Hektar Wald wurden für Förderanlagen im Gebirge und für die Bahnlinie gerodet.« Tausende Baumriesen krachen zu Boden. »Schienen lieferte die U. S. Steel, Signalanlagen die brasilianische Tochter der deutschen AEG...« Männer beim Bau der Eisenbahnlinie, die Bilder nun flackernd, zittrig, im Kontrast zu den anderen Aufnahmen durch ihre technische Mangelhaftigkeit besonders erschreckend. »In der Hafenstadt São Luis ließ die Regierung zwanzigtausend Menschen zwangsweise umsiedeln...« Soldaten treiben Menschen zu Zügen. Die Waggons sind überfüllt. Kinder, alte Menschen werden niedergetrampelt. Häuserzeilen fliegen in die Luft. Immer neue Menschenmassen, die in Waggons, auf Laster geprügelt werden. Eine zerbrochene Puppe. Ein Soldat, der eine Frau mit dem Gewehrkolben zusammenschlägt. Noch eine Häuserreihe fliegt in die Luft. Ein kleines Mädchen sitzt auf einem Betonbrocken und weint. »Hier entstand dann ein riesiger Tiefwasserhafen für die Erzfrachter...«

Weitere Bilder in krassem Wechsel und jagendem Tempo, aufgenommen aus fahrenden Wagen, Helikoptern, mit stehender Kamera. Dazu die Stimme Bollings: »Aber in Carajás geht es nicht nur um Eisenerz und andere Rohstoffe. Das Entwicklungsprogramm Grande Vařajas umfaßt mehr als achthunderttausend Quadratkilometer. Zum Vergleich: Die Bundesrepublik bedeckt ein Gebiet von zweihundertachtundvierzigtausend Quadratkilometern. Zehn Prozent der Bodenfläche Brasiliens benötigt Grande Varajas. Kraftwerke gehören ebenso dazu wie Hüttenwerke, Viehfarmen, Großplantagen für Soja und Mais, Straßen, Schienen, der Ausbau von Wasserwegen... Weiter geht der Ausbau..., weiter... immer weiter... Ohne Wissen um ökologische Zusammenhänge. Ohne Rücksicht auf die katastrophalen Folgen dieses Raubbaus für Brasilien, für die ganze Welt. Milliarden werden investiert. Milliarden werden verdient – von wenigen, so wenigen. Und diese wenigen *wissen*, daß sie durch die Zerstörung des Regenwaldes zur Vernichtung der Welt beitragen. Sie haben Kinder wie Milliarden anderer Menschen. Kinder, die sterben werden, wenn die Luft zu vergiftet zum Atmen ist. Denken jene, die den Regenwald zerstören, nicht daran, daß sie die Mörder ihrer Kinder sind? Was geht vor in den Gehirnen dieser Politiker, dieser Bankiers, dieser Industriellen? Sie wollen Erfolg. Sie wollen Gewinn. Sie wollen noch größeren Reichtum. Sie müssen wahnsinnig sein. Denn sie denken: Wenn es keine atembare Luft mehr gibt, dann werden wir atembare Luft eben *kaufen*.«

Wenn alle Geschichten erzählt sein werden, die großen und tragischen, die melodramatischen und grotesken, wenn von allen Geschehnissen auf dieser am Ende des zweiten Jahrtausends christlicher Zeitrechnung dem Untergang entgegentaumelnden Erde berichtet sein wird, dann wird man sich, für den Fall, daß wir noch einmal davonkommen, an die Geschichten und Schicksale jener Menschen erinnern, die alles getan haben, um unsere Welt zu vernichten.

Als sie das Interview Marvins mit Chico Mendes besprachen, das am nächsten Tag gefilmt werden sollte, klopfte es.
Susanne ging zur Tür und öffnete.
Der Pfleger Santamaria hatte Dienst. Neben ihm standen zwei junge Männer in beigefarbenen Tropenanzügen. Beide wirkten äußerst seriös und gepflegt.
Der erste junge Mann sagte in gutem Englisch zu Susanne: »Guten Tag, Miss. Mein Name ist Sergio Cammaro. Dies ist mein Kollege Marcio Sousa. Wir kommen aus Bogotá. Mister Achille Machado, der Cousin des deutschen Filmproduzenten Mister Zinner aus Hamburg in Westdeutschland, hat Personenschutz für Mister Markus Marvin erbeten. Wir wurden von unserer Zentrale angewiesen, schnellstens hierherzukommen.«
»Haben Sie Ausweise?« fragte Susanne.
Die beiden wiesen Pässe vor.
»Bitte notieren Sie die Paßnummern, das Ausstellungsdatum und den Ausstellungsort, Miss«, sagte der zweite junge Mann, der

Marcio Sousa hieß. »Hier ist ein Empfehlungsschreiben von Mister Machado und eines von Rechtsanwalt Doktor Nigra, der die Vermittlung übernommen hat.« Er hielt zwei Kuverts und seinen Paß hin.

Susanne las die beiden Briefe, an welche Fotografien der Männer geheftet waren. Sie verglich sie mit den Fotografien in den Pässen.

»Einen Moment, bitte!«

»Selbstverständlich, Miss...«

»...Marvin. Ich bin die Tochter.«

»Unsere Verehrung, Miss Marvin.«

Susanne kam mit einem Schreibblock zur Tür zurück und sah noch einmal in die Pässe.

»Stimmt«, sagte sie dann. »Wir haben einen Anruf von Herrn Zinner erhalten. Aus Hamburg. Gestern abend. Er gab uns all Ihre Daten durch und sagte auch, daß Sie heute kommen würden. Die Daten stimmen. Bitte, treten Sie ein!«

Sie ging voraus in das Zimmer. Die jungen Männer folgten. Jeder trug zu dem beigefarbenen Tropenanzug ein weißes Hemd, eine hellbraune Krawatte und ein hellbraunes Einstecktüchlein in der Brusttasche. Die Hitze schien ihnen nicht das geringste anzuhaben. Sie sehen aus wie Models, dachte Isabelle, während Susanne die beiden den Versammelten vorstellte. Wie Dressmen sehen sie aus, wahrhaftig.

»Es ist uns eine Ehre, für Ihre Sicherheit sorgen zu dürfen, Mister Marvin«, sagte Sergio Cammaro.

»Und für die der anderen Herrschaften natürlich auch«, sagte der etwas jüngere Marcio Sousa. Unter dem linken Auge hatte er in der olivfarbenen Gesichtshaut eine etwa zwei Zentimeter lange Narbe.

»Gott sei Dank, daß Sie da sind«, sagte Bolling. Er schüttelte beiden kräftig die Hand.

»Wir können sofort anfangen?« fragte Sousa.

»Meinetwegen. Obwohl noch Santamaria Dienst hat«, sagte Marvin.

»Wir schicken ihn fort«, sagte Cammaro. »Seien Sie ohne Sorge! Wir werden sowenig wie möglich stören.«

»Wer bezahlt Sie eigentlich?« fragte Marvin.

»Mister Machado, der Cousin von Mister Zinner, hat das über den

Anwalt Nigra mit unserer Zentrale geregelt. Er bezahlte Vorschuß. Dann gibt es eine Schlußabrechnung. So wird das immer gemacht.« Cammaro lächelte und zeigte wunderbare Zähne.

»Sie wohnen im Hotel?« fragte Susanne.

»Natürlich, Miss Marvin.«

»Aber das ist doch ausgebucht!« sagte Bolling.

»Für uns fanden sich noch Zimmer«, sagte Cammaro und lächelte wieder. »Kein Problem. Wir arbeiten abwechselnd. Wenn Sie diesen Raum verlassen, Mister Marvin, sind wir natürlich stets beide bei Ihnen. Zimmer dreihundertelf und dreihundertvierzehn, da wohnen wir.«

»Unsere Ausrüstung«, sagte Sousa, »ist noch im Gepäck. Im Moment tragen wir nur Pistolen.« Er öffnete sein Jackett und zeigte eine Waffe, die in einem Holster unter der linken Achselhöhle steckte. »Ich werde als erster vor Ihrer Tür Platz nehmen, Mister Marvin, wenn Sie gestatten. Mit einer Maschinenpistole.«

Isabelle stand unter der alten, verrosteten Dusche, die hinter einem Plastikvorhang in der Ecke ihres Zimmers eingerichtet war. Das Wasser kam lauwarm und wurde nicht kälter. Sie ließ es über die Haut fließen und drehte sich langsam dabei. Zum zweitenmal schon duschte sie in dieser Nacht. Die Schwüle war noch ärger geworden. Das Wasser brachte wenigstens für kurze Zeit Erleichterung. Isabelle dachte an die frühen Stunden des Morgens. Da würde es vielleicht kühler werden. Vielleicht...

Hände packten sie, rissen sie unter der Dusche fort. Isabelle schrie auf. Dann sah sie Bolling. Er trug nur eine Pyjamahose, und sein Gesicht hatte einen gehetzten, irren Ausdruck.

»Peter!« schrie Isabelle. »Laß mich sofort los!«

Sein Atem ging rasselnd. »Du machst mich verrückt... Du hast mich von Anfang an verrückt gemacht...«

»Verschwinde!« schrie Isabelle.

Er legte eine Hand auf ihren Mund, zog sie mit sich, warf sie auf das Bett, fiel über sie her. Er war sehr stark. Isabelle geriet in Panik. Er packte ihre Armgelenke. Schwer lag er auf der jungen Frau. Seine Lippen preßten sich auf ihre. Wild warf sie den Kopf von einer Seite zur anderen. Dunkelrot vor Erregung war Bollings brillenloses

Gesicht. Stoßweise kam sein Atem nun. Mit aller Kraftanstrengung gelang es Isabelle, ein Knie hochzureißen. Sie traf Bolling im Unterleib. Er schrie auf vor Schmerz, rollte seitlich, fiel vom Bett. Keuchend blieb er auf dem schmutzigen Boden liegen. Sie erhob sich. Er bewegte die Arme.

»Hände weg!« schrie Isabelle.

Die Arme sanken herab.

Sie griff nach einem Badetuch und wand es um den Körper.

Bolling stammelte: »Verzeih mir ... bitte, verzeih mir ... Du bist so schön ... Ich weiß nicht, was über mich ...« Er sprach den Satz nicht zu Ende. Stöhnend griff er mit beiden Händen an die Kehle, würgte und rollte mit zuckenden Gliedern auf dem Boden hin und her. Todesangst stand jetzt in seinen Augen.

»Errr ... errrrr ... errrrr ...«

Isabelle kniete neben ihm nieder, riß seinen Oberkörper hoch, lehnte ihn gegen eine Wand. Wenn er liegt, erstickt er, dachte sie.

»Arrr ... arrrr ... arrrr ...«

Aus der Dusche schoß weiter Wasser und überschwemmte den Zimmerboden.

Isabelle rannte auf den Gang hinaus und schlug mit den Fäusten an die Nebentür.

»Philip!« schrie sie. »Philip!«

»Ja«, ertönte seine Stimme. »Moment.« Die Tür flog auf. Da stand er, in einem blauen Pyjama, das graue Haar verwirrt, die verschlafenen Augen zusammengekniffen.

»Peter ...« Isabelle keuchte.

»Was ist mit ihm?«

»Asthmaanfall ... in meinem Zimmer ...«

»Und sein Spray?«

»Hat er nicht bei sich ...«

»Ich hole ihn aus seinem Zimmer ...« Im Vorüberrennen rief er ihr zu: »Bin gleich da! Und beruhige dich! So schnell stirbt man nicht!«

Sie sah ihm nach, dann ging sie in ihr Zimmer zurück. Bolling war seitlich gerutscht. Nun lag er auf dem Bauch, Gesicht nach unten. Sie rollte ihn zur Seite und wuchtete seinen Oberkörper wieder hoch. Sein Mund stand offen, die Zunge hing in einem Winkel.

Total verdreht waren seine Augen. Die Glieder zuckten kaum noch. Er rutschte wieder zu Boden.

Gilles kam ins Zimmer gerannt. Er hielt die kleine Flasche mit der Corticoid-Tröpfchenlösung in der Hand.

»Wie geht's ihm?«

»Weiß nicht... erstickt...«

»Unsinn!« Gilles versuchte, das Medikament in Bollings offenen Mund zu sprühen. Dessen Kopf fiel seitlich. »Halte den Kopf! So, jetzt!« Diesmal traf der Spray aus dem Fläschchen in Bollings Mund. Und noch einmal. Und noch einmal. Keine Reaktion. »Darf nicht liegen«, sagte Gilles. »Nimm das Fläschchen!« Er glitt hinter Bolling, packte ihn unter den Armen und zog ihn hoch. »Noch einmal«, sagte er, mit einer Hand Bollings Kopf haltend. Isabelle sprühte das Medikament in Bollings Rachen.

»Nichts«, stammelte sie.

»So schnell geht das nicht«, sagte Gilles. »Weiter! Noch einmal!« Noch einmal drückte Isabelle auf den Verschluß des Fläschchens. In Bollings Augen kam Leben. Er starrte Isabelle an.

»Ich...«

»Nicht reden!« sagte sie.

»Bitte...«

»Nicht reden!«

Sie sprang auf, rannte zur Dusche und stellte das Wasser ab. Dann kam sie wieder zu den beiden Männern. Bollings Atem ging nun schon fast wieder normal. Er erhob sich unsicher und griff nach dem Fläschchen.

Ohne ein einziges Wort torkelte er aus dem Zimmer.

Stille folge.

Isabelle sagte kein Wort, Gilles fragte nicht.

»Das wäre also dies«, sagte er schließlich. »Wenn noch etwas Unangenehmes passieren sollte, wenn du Hilfe brauchst, klopf einfach an die Wand! Ich komme sofort. Vierundzwanzig-Stunden-Service für dich.«

»Danke, Philip«, sagte sie.

»Keine Ursache. Sperr die Tür hinter mir zu! Versuch zu schlafen! Wenn es unerträglich wird, dusche wieder! Ich werde das auch tun.« Er ging zur Tür. »Das Eau de toilette auf dem Nachttisch.

Reib den Körper ein! Macht frisch. Emenaro. Gibt nichts Besseres.«
»Philip...«
»Hm?«
»Du bist schon ein Typ.«
»Mhm.«
»Wirklich«, sagte Isabelle. »Ein prima Typ.« Sie sprachen französisch. *Un chic type*«, sagte Isabelle.
»Ich weiß«, sagte Gilles. »Alle Frauen sind verrückt nach mir.«

# 11

Und es begab sich in jenen Tagen...

In einer Dokumentation über Gefahren der Plutoniumindustrie berichtete die ARD von Problemen mit einer Leiche. Es handelte sich um die eines ehemaligen Laborreinigers aus der Türkei, die wegen ihrer hohen Strahlenwerte weder verbrannt noch erdbestattet, noch in die Türkei heimgeschickt werden durfte.[19]

Tunesien beginnt immer rascher zu verwüsten. Noch vor zwanzig Jahren war das Land in der Lage, mehr als zehn Millionen Menschen zu versorgen. Heute ist Tunesien viertgrößter Nahrungsmittelimporteur der Dritten Welt. Der Prozeß der Verwüstung betrifft bereits die Hälfte des tunesischen Territoriums. Seit drei Jahren nimmt der Regen ab. Zehntausend Hektar landwirtschaftlicher Boden gehen jährlich verloren.

PROSTI, ARAL! Verzeih, Aral! steht auf dem dunklen Rumpf eines verrottenden Fischerbootes am Aralsee. Doch diese Bitte, so dpa, macht eine der verheerendsten Naturkatastrophen in der Sowjetunion nicht rückgängig. Vielmehr drohe ein Desaster »unvorstellbaren Ausmaßes«, befürchten sowjetische Umweltschützer. Ihre Sorge gilt dem einst viertgrößten Binnenmeer der Erde, das noch vor dreißig Jahren mehr als doppelt so groß war wie Belgien. Denn der

Aralsee, einst berühmt wegen seines Fischreichtums, trocknet aus. Gigantische Bewässerungsprojekte für die riesigen Baumwollfelder der mittelasiatischen Sowjetrepubliken schneiden dem See die Lebensadern ab. Die Flüsse Amur-Darja und Syr-Darja wurden umgeleitet und fließen nur noch auf Landkarten durch den Aral. Anfang der sechziger Jahre war der See mehr als sechsundsechzigtausend Quadratkilometer groß, heute beträgt seine Fläche weniger als ein Drittel davon. Der einst schwach salzhaltige See wird allmählich zu einer Salzlake: Sein Wasserspiegel sinkt jährlich um rund neunzig Zentimeter. Der ausgetrocknete Seegrund wurde zur Wüste. Experten schätzen, daß in jedem Jahr rund fünfundsechzig Millionen Tonnen schädlichen Salzstaubs vom früheren Seeboden in die Atmosphäre aufsteigen. Aus dem Weltall sahen Kosmonauten eine bis zu vierhundert Kilometer lange und vierzig Kilometer breite Staubschleppe. Die Eingriffe am Aralsee gefährden nach Ansicht von Fachleuten Gesundheit und Leben von fast drei Millionen Menschen. Die Lage wird durch »übermäßige Chemisierung in der Landwirtschaft« noch verschärft. Heute sterben in Karakalpakien südlich des Sees fast sechsmal soviel Neugeborene wie im Durchschnitt in der UdSSR.[20]

In einem »Zugbegleiter« des Eurocity Hamburg–Chur standen einander diese zwei Inserate gegenüber:[21]

ABFALL NORDSEE
OZONLOCH RHEIN
Information zu diesen und anderen Umweltthemen erhalten Sie kostenlos.
Schreiben Sie uns!
Der Bundesminister für Umwelt, Naturschutz und Reaktorsicherheit
Referat Öffentlichkeitsarbeit
Postfach 12 06 29
5300 Bonn 1

QUO VADIS
(Wohin gehst du?) Jesus sagt: Ich bin der Weg, die Wahrheit und das Leben; niemand kommt zu Gott, dem Vater, denn durch mich. (Johannes 14, 6)
Wohin gehst du?
Wenn Sie Fragen haben, wenden Sie sich an das
Lebenszentrum Adelshofen
7519 Eppingen 2
Tel. 07262/5077

Jede dritte Pflanzenart in der Bundesrepublik ist vom Aussterben bedroht, meldete der Bund für Umwelt- und Naturschutz.

Dünger, Biozide und Beton töten immer mehr Schmetterlinge, berichtete der Schweizer Umweltschutzverband. Aus ähnlichen Gründen ist die Biene vom Aussterben bedroht. Diese Insekten seien hervorragende Indikatoren für den Zustand unserer Umwelt: Ihr Verschwinden geht einher mit einer atemberaubend schnellen Verarmung der Pflanzen- und Tierwelt.

Der amerikanische Wissenschaftler Noel Brown von der Umweltbehörde der Vereinten Nationen erklärte: »Wenn in den nächsten zehn Jahren die Erwärmung der Erdatmosphäre nicht zu stoppen ist, müssen wir mit einem Abschmelzen der polaren Eiskappen und einer Erhöhung des Meeresspiegels um einen Meter rechnen. Möglicherweise ist es heute bereits zu spät, um diese Entwicklung aufzuhalten. Sollte der Trend zur Erwärmung nicht gestoppt werden können, werden weite Küstengebiete im Wasser versinken. Neben der großen Flut droht dann Dürre in vielen Anbaugebieten, die Staubwüsten sein werden. Die Überflutungen werden gewaltige Flüchtlingsströme auslösen.«

Einer der weltweit erfolgreichsten Schlager des Jahres 1988: *»Don't worry, be happy!«*

# 12

»Zum Schluß«, sagte der kleine Mann mit dem schwarzen Haar und dem schwarzen Schnurrbart in der überfüllten Stadthalle von Altamira, »möchte ich noch eine persönliche Erklärung abgeben.« Der Kautschukzapfer und Umweltschützer Francisco »Chico« Alves Mendes Filho hatte vor Indianern, Politikern, Industriemanagern und Reportern eine kluge und mutige Rede mit sehr vielen überzeugenden Argumenten gegen den »Plan 2010« und den Bau des Staudamms gehalten. Die Kameras aller Fernsehteams liefen. Markus Marvin, der mit Chico Mendes verabredet war, stand neben Susanne. Sein kleines Team, das seit einiger Zeit so intensiv zusammenarbeitete, war komplett gekommen – nur Peter Bolling fehlte. Er war am Morgen verschwunden und nicht auffindbar gewesen.

Dicht bei Marvin standen die beiden kolumbianischen Leibwächter Sergio Cammaro und Marcio Sousa. Sie trugen auch heute, trotz der gräßlichen Hitze, Tropenanzug, Hemd und Krawatte. Jeder hielt einen Geigenkasten.

»Dies ist die Erklärung«, sagte Chico Mendes, in weißem Hemd, kurzer weißer Hose und Sandalen. »Zwei Großgrundbesitzer haben vor längerer Zeit bereits berufsmäßigen Mördern den Auftrag erteilt, mich umzubringen. Viele von Ihnen werden die Namen der beiden Herren kennen, denn sie hatten, bevor sie untertauchten, ihren Wohnsitz ganz in der Nähe. Ich habe vor sieben Wochen der Polizei ihre Namen genannt. Ich nenne sie jetzt noch einmal, weil sich hier so viele Journalisten und Reporter der in- und ausländischen Medien befinden. Es handelt sich um Darly Alves und seinen Bruder Alvarinho Alves. Gegen beide«, sagte der kleine Mann mit ruhiger, starker Stimme, »besteht seit zwölf Jahren Haftbefehl wegen eines Doppelmordes, ohne daß sich die Behörden ernsthaft bemüht hätten.« Er machte eine Pause. Staubwölkchen tanzten in den Lichtbahnen der Scheinwerfer ein zierliches Ballett. »Sieben Anschläge auf mein Leben habe ich hinter mir«, fuhr Mendes fort. »Wenn vom Himmel ein Gesandter auf die Erde herunterkäme und mir garantieren würde, daß mein Tod zur Verstärkung unseres Kampfes beitragen könnte, würde es sich vielleicht lohnen zu sterben. Aber die Erfahrung lehrt uns das Gegenteil. Leichenzüge werden den Amazonas-Regenwald nicht retten. Ich will leben.« Wieder eine Pause. »Damit, meine Freunde, meine Feinde, erkläre ich diesen Kongreß für beendet. Gott schütze euch alle und jeden besonders!«[22]

Minutenlang klatschten und schrien danach Indianer, Mischlinge jeder Art, weiße und dunkle Brasilianer und Angehörige vieler Nationen, Reporter, Fotografen, Kameraleute und Techniker. Chico Mendes verneigte sich. Dann stieg er die Stufen, die vom Podium in die Halle führten, hinunter und verschwand in einem angrenzenden Nebenraum.

Die Halle leerte sich langsam. Die Fernsehteams packten ihre Geräte ein, alle bis auf Bernd Ekland und Katja Raal. Isabelle, die Mendes' Worte übersetzt hatte, fragte Marvin: »Was jetzt?«

»Wir warten, bis die Kollegen weg sind«, sagte Marvin, der noch sehr bleich aussah. »Das Gespräch werden wir hier führen. Katja, leg bitte eine neue Kassette ein!« Katja nickte. Bernd Ekland half ihr. An diesem Vormittag des 4. September fühlte er sich großartig. Mein Arm tut überhaupt nicht weh, dachte er. Seit dem Aufwachen nicht. Und ich habe noch keine einzige Tablette genommen. Er hatte das Katja gesagt, und Katja war glücklich. Die beiden sahen einander immer wieder an und lächelten über ihr Geheimnis.

Es dauerte fast eine halbe Stunde, bis sich die Halle geleert hatte. Nur ein paar Indianer blieben zurück, sie wußten von dem Gespräch, das nun stattfinden sollte, weil sie während des Kongresses als Ordner gearbeitet hatten.

»Wo drehen wir?« fragte Ekland.

»Beim Podium«, sagte Marvin. »Da können wir die Scheinwerfer der Halle verwenden.« Sie schleppten gemeinsam die Teile der BETA-Ausrüstung nach vorn. Katja half Bernd, die Kamera wieder auf das Stativ zu montieren.

Die beiden Leibwächter waren ständig in Marvins Nähe. Vier Polizisten hatten die Halle betreten.

»Paß auf«, sagte Marvin zu Ekland, »Doktor Gonzalos holt jetzt Chico Mendes. Er soll allein aus der Tür da treten. Susanne und ich werden ihm entgegengehen und ihn begrüßen. Dann kommen wir alle drei auf die Kamera zu und bleiben etwa hier stehen...« Er zeigte mit einer Schuhspitze auf die Stelle.

»Okay«, sagte Ekland. Nicht das geringste Schmerzgefühl.

»Seid ihr soweit?«

»Ton?« fragte Ekland.

»Okay«, sagte Katja.

»Isabelle, bitte wie immer so weit wie möglich weg, damit wir keinen Stimmensalat bekommen«, sagte Ekland. Isabelle nickte. Mit dem Übertragungsknopf im Ohr und dem kleinen Mikro in der Hand ging sie zum äußersten Platz der ersten Bankreihe und setzte sich. Gilles folgte ihr mit seinem Recorder.

»Die beiden Leibwächter – sollen die ins Bild, Markus?«

»Nein.«

Sergio Cammaro und Marcio Sousa zogen sich bereits höflich zurück.

»Kamera läuft!«

Katja hielt ein Stück Pappe vor die BETA. Mit Fettschrift hatte sie darauf geschrieben: ALTAMIRA/INTERVIEW CHICO MENDES.

»Doktor Gonzalos, bitte!« sagte Marvin.

Der Meteorologe nickte, ging zu der Tür, die in den Nebenraum führte, und verschwand. Die Tür schloß sich hinter ihm. Gleich darauf ging sie wieder auf. Chico Mendes erschien. Er lächelte schüchtern und trat auf Marvin und Susanne zu, die ihm die Hand schüttelten. Susanne umarmte den kleinen Mann.

»Tag, Chico!« sagte sie lächelnd auf portugiesisch, während Isabelle zu übersetzen begann. »Das ist mein Vater. Ich habe ihm schon alles über dich erzählt und...«

Weiter kam sie nicht. Sergio Cammaro und Marcio Sousa, die sich zum Eingang der Halle zurückgezogen hatten, feuerten aus Maschinenpistolen, die sie den Geigenkästen entnommen hatten.

Chico Mendes knallte auf den Boden.

Susanne hatte sich blitzschnell fallen lassen, desgleichen ihr Vater, der seitlich rollte. Gilles zerrte Isabelle von der Bank und warf sich schützend über sie. Im Stürzen sah er die beiden Leibwächter aus der Halle rennen, dabei wild um sich schießend. Die Polizisten schossen gleichfalls. Die Indianer schrien wild durcheinander.

Dann war es plötzlich gespenstisch still. Als sei nichts geschehen, stand Ekland hinter der Kamera, die immer weiter aufnahm. Katja stand neben ihm. Die Bilder! Die Bilder! Beide waren fasziniert, wie Fernsehreporter in der ganzen Welt es längst geworden sind im Anblick von Grauen. Was für Bilder...

Weitere Polizisten und ein Mann in weißem Kittel kamen in die Halle gerannt. Unter dem Podium kroch, unverletzt, Chico Mendes hervor.

Einer der Polizisten starrte ihn an, bekreuzigte sich und stammelte: »Ein Wunder... Ein Wunder...«

Mendes war sehr blaß im Gesicht, aber er grinste schwach. »Ja«, sagte er, »das achte Wunder schon.«

Immer weiter filmte Bernd Ekland.

Markus Marvin war aufgestanden und zu seiner Tochter gelaufen, die auf dem Rücken lag. Sie lächelte. Er sprach auf sie ein: »Susanne... Susanne... Ich bin es, dein Vater... Kannst nicht reden, klar... der Schock... Alles ist gut... Es ist schon ein Arzt da...«
Draußen hörte man das Heulen einer Sirene, das abstarb. »Auch eine Ambulanz... Sie bringen dich ins Krankenhaus... mein Liebling, habe keine Angst...«

Der Arzt war herangetreten.

»Verzeihen Sie...« Er sprach englisch.

Marvin nickte. Schwer benommen rutschte er auf den Knien zur Seite. Der Arzt neigte sich über Susanne.

»Was ist mit ihr?« fragte Marvin, während der Arzt sein Ohr an Susannes Brust legte, ihren Puls fühlte und die Polizisten, nun Maschinenpistolen im Anschlag, einen sichernden Kreis um sie bildeten.

Auch Isabelle und Gilles hatten sich erhoben. In Isabelles Ohr saß noch immer der Übertragungsknopf. Sie hörte Marvin sprechen.

»Ich glaube, es ist nur der Schock, Doktor, wie?... Aber vielleicht wurde sie auch getroffen... nicht schwer... nur leicht... Der Schock...« Er sagte immer dasselbe.

Die Kamera lief.

»Nicht schwer, was?... Ich sehe kein Blut... Ich sehe überhaupt kein Blut...«

Der Arzt öffnete schweigend die Bluse des amerikanischen Tarnfarbenanzugs, den Susanne trug. Das Hemd darunter war blutdurchtränkt.

»Das sind Fleischwunden... Das ist nichts Arges... Das sind nur Fleischwunden...«

»Hören Sie auf!« sagte der Arzt. Es klang fast flehend. »Hören Sie endlich auf! Großer Gott im Himmel, sehen Sie denn nicht, daß diese Frau tot ist?«

# Drittes Buch

»Dieses Land erstickt am Zynismus
seiner Wirtschafts- und Politmanager.«

*Ein Mitglied der Bundesregierung
in einem Gespräch mit dem Autor*

# 1

*Natürlich hast du Angst. Und natürlich zeigst du nicht, daß du Angst hast. Du lachst ein wenig zu laut, du stemmst die Fäuste in die Hüften, während du zuschaust, wie das Gebläse die riesige Ballonhaut mit heißer Luft füllt und der Ballon Form gewinnt und sich aufrichtet, rund und glatt und so hübsch bemalt. Wie viele sind schon geflogen in so einem Ballon, über dem belagerten Paris, über Bergen und Meeren in aller Welt! Und gesagt hat man dir auch, es ist ganz ungefährlich, Mademoiselle, also warum soll gerade dir ein Unglück passieren?...*

Diese Eintragung findet sich unter dem Datum des 11. September 1988 in Isabelles Tagebuch. Was nach der Ermordung von Susanne Marvin in Altamira und anderswo geschah, hat sie vor jenem Datum vermerkt. Bald soll in diesem Bericht davon die Rede sein.

*... Andererseits ist da die offene Flamme direkt über deinem Kopf, und die Haut des Ballons ist so dünn und zerreißbar. Sie würde, einmal entzündet, binnen Sekunden verkohlt sein, und du in deinem Körbchen würdest zur Erde stürzen, plumps und weg, ein weiblicher Ikarus. Warum mußt du das also machen, was hat dich gejuckt, um Gottes willen, was mußt du dir eigentlich beweisen, dir oder G. oder diesem liebenswürdigen Engländer in eurer Begleitung?*
*Und dann hebt das Ding ab, und du spürst es gar nicht, so lautlos geschieht das und ohne Ruck und Erschütterung, und da schwebst du bereits, dicht noch über der Wiese, und steigst unmerklich und doch, wenn du hinüberschaust zu den nahen Hügeln, überraschend*

schnell, höher und höher. Die Perspektive der Berge verschiebt sich, Häuser, Straßen, Autos werden zu Spielzeug, nur du bleibst groß wie in natura, und der Pilot, und G. an deiner Seite, so nah, so nah, ihr könnt euch kaum rühren im Korb wegen der Propangasflaschen dicht bei euern Füßen.

Du sagst kein Wort. Du siehst ihn nicht an. Dabei wäre es in dieser Schwerelosigkeit, in diesem Schweben so leicht, ihm so viele Dinge zu sagen, so viele... Wenn du noch gezögert hast, wenn du dir noch nicht ganz sicher warst, jetzt bist du es. Jetzt weißt du es. Mit absoluter Sicherheit. Und du weißt, daß er genauso empfindet – genauso. Aber du sagst nichts, kein Wort.

Deine Zurückhaltung, deine ewige Zurückhaltung, da ist sie wieder!

Wenigstens legst du deine Hand auf seine. Und er hält sie fest. Es ist unsere Liebe. Niemanden geht sie etwas an. Monique und Gerard hast du von ihr erzählt. Das sind deine besten Freunde. Und Gordon Trevor und Monsieur Oltramare hier in Château-d'Oex, G.s Freunde, sie dürfen auch davon wissen. Sie erkannten es übrigens sofort, als wir vor zwei Tagen hier ankamen. Man mußte ihnen kein Wort sagen. Sie kennen G. so gut. Sie haben gleich gesehen, was mit ihm passiert ist. So freundlich sind sie zu uns. Alles tun sie, damit wir für eine kurze Weile eine ruhige Zeit haben nach all dem, was geschehen ist. Heute hat Gordon uns zu dieser Ballonfahrt eingeladen.

Die große Stille jetzt, während du dahinschwebst gegen den blauen Sommerhimmel, in den die Kuppen der Berge eingeschnitten sind wie Spitzenwerk am Kleid einer Riesin und der sich bereits rötlich färbt im Westen. Gelegentlich, wenn du über eine der niederen Kuppen gleitest, nähern sich die Wipfel der Bäume dem Korb. Dann zischt die Apparatur über dir, die Flamme schießt steil auf, der Ballon hebt sich, die Landschaft rutscht unter dir weg, und das Tal liegt da mit der Straße, auf der, wie Insekten, die Autos entlangkriechen, auch jenes alte mit dem Anhänger, das den Ballon später aufnehmen soll.

Gordon Trevor spuckt über die Seite des Korbes, beobachtet mit sorglichem Auge die leichte Abweichung von der Senkrechten, die das Klümpchen Spucke beschreibt: So erkennt er den Wind, dessen

Richtung von Schicht zu Schicht differiert und der es ihm erlaubt, durch Adjustierung der Flughöhe die bunte Kugel zu steuern, die uns trägt. Und tatsächlich bringt der leise, sanfte Mann es fertig, uns zu genau dem Punkt da unten abzusenken, an dem sein Helfer, der junge Schweizer, auf uns wartet – zum Rand einer Kuhwiese neben einer Scheune –, und er setzt den Korb auf den Boden fast auf den Meter genau neben den Anhänger des alten, schmutzigen Rover. Und sein häßlicher Hund, der mitgekommen ist im Auto, springt an ihm hoch und jault vor Glück.

Der Rest ist Schwerarbeit für Trevor und den Jungen. Der Korb wird abgekoppelt vom Ballon, aus dem die Heißluft entweicht. Korb und Ballonhülle, diese kunstvoll gefaltet, werden auf den Anhänger gehievt. Wir kriechen in das alte, verschmutzte Auto zur Rückfahrt. Kein Wort wurde gesprochen. Noch immer halten wir einander an den Händen.

> »Summertime – an' the livin' is easy,
> Fish are jumpin' an' the cotton is high.
> Oh yo' daddy's rich an' yo' ma is goodlookin',
> So hush little baby, don't you cry...«

»Summertime«. Mein Lieblingslied. »Summertime«. Als ich nach dem Abendessen mit Gordon Trevor und Monsieur Oltramare (er selbst hat gekocht) G.s altes Haus Le Forgeron betrete, ertönt dieses Lied aus Gershwins »Porgy and Bess«. G. hat die Stereoanlage eingeschaltet. Er lächelt, als er sich mir gegenübersetzt. Ich bin überwältigt. Denn dieses Lied... Aber das ist schon lange her, so lange vorbei, obwohl ich noch immer das Kettchen mit der Münze trage... G. strahlt mich an. Damals in Rio hat er nach meinem Lieblingslied gefragt und den Pianisten gebeten, es zu spielen... Und später hat er Gordon angerufen, und Gordon ist nach Genf gefahren und hat die CD gekauft, damit sie auch ganz bestimmt da ist, wenn wir kommen. Damit ich es hören kann, mein Lieblingslied...

> »One of these mornin's you goin' to rise up singin',
> Then you'll spread yo' wings an' you'll take the sky...«

*Clarisse!* The Blue Bird! *Die Lerche! denke ich. Und eines Morgens... nein, und morgen wird sie aufwachen, singen und ihre Flügel schwingen, und der Himmel wird ihr gehören. Singen wird sie, die Lerche, und schön wird das Leben sein...*

> *»But till that mornin' there's a nothin' can harm you*
> *With daddy an' mammy standin' by...«*

*Ich muß für einen Moment die Augen schließen. Das ist Diana Ross, die singt. Geigen, das Klavier, die grandiose Woge, die immer wieder anrollt, diese Melodie aus dem tiefen, goldenen Sommer. Was für ein Genie war Gershwin. Und tot mit neununddreißig Jahren...* »Summertime«...

»Ach Philip, ich...«
»Ja, Isabelle, ich auch. Es ist ganz und gar entsetzlich«, sagte er. »Es ist Wahnsinn.«
»Süßer Wahnsinn«, sagte sie, und das Lied klang fort. *Jetzt* kann ich sprechen, dachte sie. Mit aller Erdenschwere. Da im Ballon, in der Schwerelosigkeit, in der Schwebe konnte ich es nicht. Meine Zurückhaltung. Meine ewige Hemmung, ganz aus mir herauszugehen.
»Süß, na, ich weiß nicht«, sagte er. »Hier liegt doch ein schwerer Hauch von Lolita in der Luft, wenn du verstehst, was ich meine.«
»Hör auf, Philip!«
»Ich höre schon auf. Ich kann dir genau sagen, was du mir alles bedeutest. Aber ich? Was kann ein alter Mann dir bedeuten?«
Sie saßen ganz still, der »Sinnende« stand neben ihnen. Durch die offene Tür drang der Geruch von Blumen und Heu.
»Das Buch«, sagte er nach einer Weile. »Das Buch, das ich vielleicht schreiben werde über diese Expedition, über das kleine Team. Wenn ich da auch Leute wie uns erwähne – alter Mann, junge Frau –, was würdest du vorschlagen, damit es glaubhaft wirkt? Was kann eine junge Frau an einem alten Mann wirklich so anziehend finden, daß sie ihn zu lieben beginnt?«
Sie lachte.
»Ach, wenn du lachst«, sagte er. »Die Sonne geht auf!«
»Du willst also, daß wir probeagieren, Philip.«

»Daß wir bitte was?«

»Probeagieren.«

»Das ist aber eine hübsche Umschreibung«, sagte er. »Nein, also wirklich! Ach ja, bitte! Bitte, laß uns probeagieren, meine Schöne!«

»Also, dann gleich mal los!« sagte sie. »Humor. Damit fängt es an. Humor muß er haben, der Mann im Buch. Humor. Das A und O jeder Beziehung, jung oder alt. Und weiter, Philip, wie alt soll sie sein, deine Romanfrau?«

»Vielleicht so zweiunddreißig.«

»Nicht gerade sehr alt«, sagte sie. »Aber sie weiß schon, was sie kann, was sie will, deine Romanfrau, schlage ich vor, Philip. Sie ist dem Aussehen nach vielleicht sogar jünger, aber für alle gleichaltrigen Männer und gar jüngere – Schreck, laß nach! – wegen ihres Wesens zu alt. Willst du dir nicht Notizen machen, den Recorder laufen lassen?«

»Nein«, sagte er, »ich merke mir alles auch so. Weiter, Isabelle!«

»Weiter«, sagte sie. »Die Person im Roman hat gemerkt, daß Gleichaltrige für sie nicht in Frage kommen. Schmerzliche Erfahrungen. Ich meine, eine mit zweiunddreißig, die hat schon ein paar Affären gehabt, nicht? Die weiß, was sie sich ersehnt. Na ja, und da ist also einer mit dreiundsechzig, der bietet eine Art von Beziehung an, die ihr zusagt – *und*, das ist ganz wichtig, Philip –, der zeigt keine Unsicherheit, der zeigt Selbstverständnis, was für eine Frau dieser Art enorm attraktiv ist.«

»Hm, hm«, machte er. »Ich verstehe. So kann man schon viel leichter glaubhaft über ein derart seltsames Paar schreiben.«

»Fein«, sagte sie. »Das freut mich.« Spiele der Erwachsenen, dachte sie, warum nicht?

»Ich denke gerade an den alten Kerl, den Romanmann«, sagte er. »Warum der die junge Frau liebt, das weiß ich.«

»Das weißt du?«

»Ganz genau.«

»Nämlich warum, Philip?«

»Nämlich weil ich die junge Frau so schildern werde, wie du bist, Isabelle! Mit allen Eigenschaften, die du hast und die man an dir lieben kann.«

»Nämlich welche, Philip?«

»Abgesehen vom Humor«, sagte er, »bist du tapfer. Du bist klug. Du bist aufrichtig. Du bist schön in einem Sinn wie keine andere Frau. Mut gibst du, Kraft. Dem Romanmann die Kraft, etwas zu tun, was er nie wieder tun wollte, weil er glaubte, es nie wieder tun zu können: Er schreibt! Das hat die Romanfrau bewirkt. Weil es ihn so beeindruckt, wie hingebungsvoll die arbeitet. Wie beharrlich, ohne Launen, ohne aufzugeben, ohne je die Überforderung, die Erschöpfung zu zeigen. Also hat die Person ihn aus seiner Lethargie gerissen.«

»Das alles sind natürlich sehr starke Gründe«, sagte sie. »Wir machen Fortschritte, Philip. Das Vorbild für deine weibliche Figur wäre also ich. Die hat dann all das, was du an mir liebst, wie du sagst.«

»Schon, schon, aber das ist doch nur ein Grund für den Romanmann, die Romanfrau zu lieben, nicht dafür, daß die Romanfrau den Romanmann liebt.«

»Aber wieso denn, Philip? Was heißt denn das? Ich meine: Wer kommt für so eine Person in Frage zum Lieben? Prima Ski fahren zu können allein ist ein bißchen zu wenig. Also wirklich! In Frage kommt – bitte, bitte! – ein Mann, der eine Persönlichkeit ist. Der viel erlebt hat. *Das* wünscht sich deine Romanfrau! Einen, mit dem sie reden kann. Der zuhört. Der Zeit hat. Es hat doch kein Mann mehr Zeit! Ein Schriftsteller könnte er zum Beispiel sein, der Mann im Roman, wie?«

»Mhm, doch, doch, könnte er.«

»Also! Ein Schriftsteller lebt davon, daß er Zeit hat, zuzuhören, sich für andere zu interessieren, herauszufinden, *what makes them tick*. Wieder ein Pluspunkt! Ich meine – mit einem Chirurgen würde das nie funktionieren.«

»Wird wirklich gut sein, wenn er Schriftsteller ist, der Mann im Roman. Das leuchtet ein«, sagte er.

»Dann schlage ich vor, die Romanfrau ist Simultandolmetscherin. Erkläre dir sofort, warum. Nämlich: Mein Vater war Simultandolmetscher. Und meine Mutter war Simultandolmetscherin. Nein! Nicht lachen! Ernste Sache. Sie haben mich mitgeschleppt in weiß Gott wie viele Länder. Wie oft war ich, wenn Mama und Papa arbeiteten, dabei auf Kongressen, bei Konferenzen. Ich habe das alles geliebt. Nicht umsonst bin ich auch Dolmetscherin geworden. Nicht umsonst ist es mir so leichtgefallen, Sprachen zu lernen in einer solchen Umgebung. Und nun... nun komme ich auf so viele Gesellschaften. Sitze am Tisch oft neben sehr passablen Männern. Was geschieht, immer und immer wieder? Kaum hat man gedacht, der ist vielleicht was – und sag jetzt bloß nicht, daß ich nicht suchen muß, ich *muß* suchen –, kaum hat man also gedacht, das wäre vielleicht einer, da sagt der dann: ›Gott, sind Sie intellektuell! Muß man Angst haben vor Ihnen?‹ Also, weißt du, Philip, wenn einer schon Angst hat, daß er vor mir Angst haben muß! Nein, wirklich, danke! Oder einer schiebt dir einen Zettel zu, daß er dich wiedersehen muß, unbedingt, und dann stellt sich heraus, er ist derart fasziniert von dir, weil du ihm so sicher und stark erscheinst und er solche Komplexe hat als Folge schrecklicher Erfahrungen mit Frauen. Jetzt hat er endlich die richtige. Zum erstenmal im Leben. Denn schon als Kind ist er immer auf die falschen geflogen. Seine Mutter nahm ihn mit ins Kindertheater zu ›Schneewittchen‹. Haben sich alle Jungen sofort in Schneewittchen verliebt. Er sich sofort in die böse Königin. Und dann solche, die dich, am besten noch im Bett, fragen, ob du ihnen nicht helfen kannst, einen Dolmetscherjob bei der UNO zu bekommen. Du hast doch so viele Beziehungen, sie haben gar keine. Immer nur Pech im Leben haben sie, von der traurigen Kindheit an. Vater ist ihnen natürlich auf ihr Spielzeug getreten... Ja, ja, Philip. *So* sind die Männer! Du mußt dich mal richtig in die Situation deiner Romanfrau hineindenken! Derartig viele Gillesse laufen nicht herum. Und wenn so eine Isabelle mal einen trifft, dann ist es ihr vollkommen egal, ob der älter ist als sie, absolut egal ist es ihr, denn so ein Gilles, das ist einer, bei dem sie den Altersunterschied überhaupt nicht bemerkt. In Klammern: Frauen sind stets viel reifer als Männer, nicht wahr?«

»Klar«, sagte er. »Weiß jedes Kind.«

»Die Romanfrau nimmt zur Kenntnis, daß er älter ist, aber sie fühlt es nicht.«

»Im Moment nicht«, sagte er sehr ernst. »Eine Weile nicht. Eine lange Weile lang hoffentlich nicht. Trotzdem! Dieser Mann ist dreiundsechzig. Da kann es ihm jeden Tag, jede Sekunde passieren, daß er aus dem Nichts emportaucht und sich auf einer Intensivstation findet – nach einem schweren Herzinfarkt.«

»Kann jedem Menschen passieren, Herzinfarkt, auch mit zwanzig«, sagte sie.

»Aber mit dreiundsechzig ist es wahrscheinlicher. Und deshalb ist das keine Septemberaffäre mehr, Isabelle. Deshalb ist das eine Oktober-, nein, eine Novemberaffäre.«

»Es kann«, sagte sie, »sehr wohl auch eine Maiaffäre sein für die beiden – im Roman natürlich –, wenn einer sich über den anderen vollkommen klar ist.« Und das meine ich auch, dachte sie. Die Liebe ist doch etwas Schönes, Heiteres, Fröhliches! Und so wird sie mit Philip sein, ich weiß es! Und sie sagte: »Mir fällt noch ein Argument ein.«

»Nämlich?«

»Nämlich«, sagte sie, »ein älterer Mann kann die Eigenheiten einer Frau akzeptieren, wie diese Isabelle-Frau sie hat. Damit kommt sie ja dauernd bei Jüngeren und Gleichaltrigen in Schwierigkeiten. Denn entweder haben diese Männer noch keine Persönlichkeit oder eine so schwache, daß sie eine Frau mit eigenen Ideen und Vorstellungen nicht ertragen. Und dann fängt der Kampf an, der widerliche. Hingegen ein Mann mit Erfahrung, Philip, der wird so eine Frau sehr gut ertragen, mehr, er kann ihr helfen! Das, Philip, ist für deine Romanfrau etwas, das sie als schön empfinden kann, als wunderbar. Das, Philip, macht Liebe aus! Wenn mich ein Mann so akzeptiert, wie ich bin. All dies gilt natürlich für die Romanfrau.«

»Natürlich, Isabelle, natürlich«, sagte er.

»Wenn ein Mann Verständnis für alles hat«, sagte sie, »einfach für alles. Dafür, daß sie gerne ausgiebig duscht...«

»Mit Emenaro Shower Bath«, sagte er.

»Ja, ja, für ihren ganzen Emenaro-Tick. Für ihre Kleider. Oder daß sie manchmal gerne allein ist, ohne daß es gleich einen anderen Mann geben muß, eben gerne allein. Mit allen ihren kleinen und großen Eigenarten eben. Der Mann in deinem Buch, Philip, der freut sich mit ihr über all das. Und da soll sie ihn nicht lieben? Natürlich nur Ratschläge, Philip. Aber eine Frau von zweiunddreißig weiß, wovon sie spricht. Also kannst du meine Ratschläge ruhig ernst nehmen. Dieser Mann, den du für deine Liebesgeschichte brauchst, hat die Großzügigkeit, all das Lustige und Meschuggene, all die Eigenheiten dieser Frau zu verstehen. Und es läuft nicht gleich alles auf einen Machtkampf hinaus. Der Schriftsteller in deinem Buch, der kann sagen: ›Ich habe was geleistet, ich war okay in meinem Beruf.‹«

»Das«, sagte er, »kann die Romanfrau aber auch sagen. Diese Romandolmetscherin. Die darf sagen: ›Ich tue mein Bestes. Ich arbeite gern. Trotzdem bin ich eine Frau, die nichts gegen Luxus hat.‹«

»Überhaupt nichts hat sie gegen Luxus«, sagte sie.

*Und jetzt wird dieses Probeagieren völlig verrückt, jetzt spielen wir uns herum damit. – Überhaupt nichts hat sie gegen Luxus! – Eben, sagt wieder G., obwohl das eigentlich meine Dialogzeile wäre. – Eben, denn sie arbeitet ja hart für alles, was sie will: Eine schöne Wohnung will sie. Schöne Kleider. In schönen Hotels wohnen. Das genau ist sie. Daß sie arbeitet, weil sie nicht leben könnte, ohne zu arbeiten. Deshalb hat sie aber auch das Recht, mit ihrem Geld zu machen, was sie will. – Genau wie der ältere Mann, sage wiederum ich. Und zwei solche Typen treffen einander. Und da soll sie nicht angezogen von ihm sein? Weder muß sie eine bestehende Beziehung stören, noch wird ihr da einer zugetrieben, der allein ist und einfach eine Frau braucht, egal welche, nur schön muß sie sein, gebildet muß sie sein, benehmen können muß sie sich. Geld hat er die Hülle und die Fülle – und einen Pygmalion-Komplex dazu. Jaaaaaa, aber der Mann in deinem Buch, der ist eben ganz anders. Gut ist er für sie, glücklich macht er sie! Wie ist das also, Philip? Meinst du, daß du – mit meiner beständigen Unterstützung – so eine Liebesgeschichte richtig schön hinkriegen wirst? – Ich denke schon, sagt er und lächelt, und ich lächle auch, und er sagt: Wird natürlich wieder Kritiker geben, die schreiben, da hat der Kerl den Untergang der Welt mit einer Liebesgeschichte garniert! – Der Untergang der Welt, sage ich, wird immer mit einer Liebesgeschichte garniert sein.*

# 2

Am 9. September 1988, einem Freitag, fuhr ein Mercedes, vom Friedhof an der Flandernstraße kommend, gegen siebzehn Uhr über den stillen Heideweg auf dem Sonnenberg in Wiesbaden. Ihm folgte ein großer BMW. Am Steuer des Mercedes saß Valerie Roth, neben ihr Markus Marvin. Beide trugen Trauerkleidung. Der Mercedes hielt vor dem Haus 135 a, in dem Marvin nach dem Verkauf seiner nahegelegenen Villa eine Wohnung gemietet hatte. Der BMW stoppte etwa zwanzig Meter dahinter. Marvin stieg aus. Es war drückend heiß und schwül an diesem Tag. Er ging zu dem BMW, in dem zwei Männer saßen, die ihre Jacken ausgezogen hatten.

Der am Steuer sah durch das heruntergekurbelte Fenster. »Ja, Herr Marvin?«

»Herr Inspektor Worm«, sagte dieser, »ich weiß sehr wohl, daß Sie und Ihr Kollege Neumaier und die anderen Herren tun müssen, was Hauptkommissar Dornhelm angeordnet hat. In seinem Auftrag werde ich seit meiner Rückkehr aus Brasilien rund um die Uhr bewacht. Ich bitte Sie, diese Bewachung sofort abzubrechen.«

»Das dürfen wir nicht, Herr Marvin«, sagte der junge Kriminalbeamte namens Worm.

»Rufen Sie Herrn Dornhelm über Ihr Autotelefon! Er soll seine Anordnung augenblicklich zurückziehen. Daß Sie auf dem Friedhof mit am Grab standen, hat mir genügt. Jetzt ist Schluß.«

»Sie haben Personenschutz, Herr Marvin. Sie können ihn nicht ablehnen.«

»Ich kann«, sagte Marvin, dem Schweiß in den Hemdkragen lief. »Ich bin Privatmann. Nicht mehr beim Hessischen Umweltministerium. Als gewöhnlicher Bürger habe ich nach dem Grundgesetz das Recht, Personenschutz abzulehnen. Das wissen Sie, Herr Worm.«

»Sie sind aber doch wirklich in Gefahr! Sie brauchen Schutz!«

»In Altamira hatte ich Schutz«, sagte Marvin.

Worm sah ihn lange an. Dann sagte er zu seinem Kollegen: »Versuche, den Hauptkommissar zu erreichen.«

Neumaier nahm den Telefonhörer und meldete sich. »Zero zwo hier... Bitte dringend Mordkommission, Hauptkommissar Dorn-

helm...« Er lauschte und sah Marvin an. »Er ist in seinem Büro...
einen Moment...«

Marvin nickte und lehnte sich gegen den Wagen. Das Blech war
glühend heiß. Er fuhr zurück.

Nach kurzer Zeit begann Neumaier zu sprechen. Als er den Hörer
wieder in die Halterung legte, sagte er: »Herr Dornhelm verlangt
eine schriftliche Erklärung von Ihnen. Hier ist ein Block.« Er reichte
ihn über Worm hinweg. Marvin trat in den Schatten eines Baumes,
unter dem eine Bank stand, setzte sich und schrieb. Dann gab er den
Block zurück.

»Genügt das?«

»Ja«, sagte Worm, nachdem er gelesen hatte. »Sie sind ganz sicher,
daß Sie wissen, was Sie tun.«

»Ganz sicher. Ich danke Ihnen. Guten Tag!«

Der BMW fuhr an. Marvin sah ihm nach. Dann ging er zu Valerie
Roth, die ausgestiegen war. Plötzlich drehte sich alles um ihn.

»Halt mich«, rief er. »Schnell! Halt mich fest, ich falle!«


Eine Stunde später ging es ihm besser. Er saß in dem kühlen,
dämmrigen Arbeitszimmer der Mietwohnung. Alle Jalousien waren
herabgelassen.

»Willst du wirklich ohne jeden Schutz bleiben?« fragte Valerie.

»Ja«, sagte Marvin. »Das Untersuchungsgefängnis. Altamira. Du
wirst keinen Menschen finden, der nicht seine Stunde hätte. Meine
ist noch nicht gekommen. Ich habe vorher etwas zu erledigen.«

»Dieser Terror«, sagte Valerie. »Ja, viele sind zornig über uns und
unsere Arbeit. Aber daß das bis zum Mord geht... zum Anschlag
auf dich in der U-Haft, zum Attentat in Altamira... Allmächtiger
Gott, warum dieser tödliche Haß, Markus, warum?«

»Ich kann es mir nur so erklären«, sagte er, »daß etwas Ungeheuerli-
ches geschieht oder schon geschehen ist und jene, die dieses Ungeheuerliche zu verantworten haben, fürchten, ich könnte ihnen auf
die Spur kommen.«

»Wieso gerade du?«

»Das weiß ich nicht.«

»Und was kann das Ungeheuerliche sein?«

»Das weiß ich auch nicht. Ich weiß nur eines, Valerie: Wir müssen

weiterarbeiten. Die Filme müssen gedreht werden. Um... für...«
Er wandte den Kopf zur Seite. »Für Susanne. Um Susannes willen.
Sie hat sich so darauf gefreut, mitzuarbeiten. Vielleicht wollten sie
Chico Mendes und mich erschießen da in Altamira und trafen
Susanne aus Versehen, obwohl ich das nicht glaube. Die feuerten
einfach drauflos. Wir sollten alle tot sein, denke ich, alle drei. Nein,
ich habe keine Tränen mehr. Zornig bin ich, maßlos zornig. Wir
werden die Filme drehen. Wir werden anklagen. Und wir werden
herausfinden, was hier noch vor sich geht.«
»Du bist großartig.«
»Ich bin total verzweifelt«, sagte er. »Paradoxerweise gibt mir das
Kraft. Wir werden weiter recherchieren. Zuerst über den Dioxin-
skandal. Dann in Paris bei den Vitrans und diesem Sonnenenergie-
experten.«
Das Telefon läutete.
Er hob ab und nannte seinen Namen.
»Hier ist Hilmar, Markus.«
»Guten Tag, Hilmar.«
»Ich sitze neben Elisa im Bürgerhospital. Wir sind mit all unseren
Gedanken bei dir. Elisa wollte dich in deiner Trauer nicht stören.
Deshalb kam sie nicht ans Grab. Die weißen Rosen sind von uns.
Susannes Lieblingsblumen.«
»Ja«, sagte er. »Susannes Lieblingsblumen.«
»Was immer uns trennte, Elisa, dich und mich, es existiert nicht
mehr. Du sollst deinen Weg gehen. Du mußt deinen Weg gehen.
Elisa und ich wünschen dir Glück. Ich gebe sie dir.«
Dann hörte Marvin ihre Stimme: »In einer solchen Situation sind
alle Worte des Trostes eitel, Markus. Du sollst aber wissen, daß ich
mit dir fühle. Susanne war auch mein Kind, Markus.«
»Ja, Elisa«, sagte er, verabschiedete sich kurz und legte auf. »Bitte,
gib mir mein Telefonbuch, Valerie!« sagte er. »Ich will einen
Termin vereinbaren mit den Vitrans. Und das Team zusammenru-
fen. Die Arbeit muß...« Er fiel mit dem Kopf auf die Tischplatte
und blieb liegen und weinte so heftig, daß sein ganzer Körper bebte.

Miriam Goldstein saß neben der blinden Mutter in dem wilden
Garten ihres Hauses in Lübeck. Sie hatte ihr alles erzählt, was
geschehen war. Nun schwieg sie.

Viele Vögel sangen, Sarah Goldstein konnte sie hören. Miriam dachte an den Nachmittag bei Frau Hansen und an die Vogelstimmen im Park. Viele Blumen blühten, Sarah Goldstein konnte sie nicht sehen, manche konnte sie riechen.

»Miriam«, sagte die alte Frau in ihrem Korbstuhl.

Miriam sah in die toten Augen. »Ja, Mama?«

Ein reifer Apfel fiel vom Baum und rollte über die Wiese abwärts zu einem kleinen Bach.

»Ich habe Angst, Miriam«, sagte die alte Frau.

»Du mußt keine Angst haben, Mama. Wir haben so viel überlebt, daß du keine Angst haben mußt.«

»O doch, Miriam«, sagte Sarah Goldstein. »Ich muß wohl Angst haben. Um dich. Um mich. Um alle Menschen. Ach, weh ist mir.«

3

»Oh, welche Misere, welche große Misere!« sagte der Anwalt Ignacio Nigra und schüttelte gramerfüllt den edel geformten Schädel mit dem angegrauten Haar. »Welch Verbrechen, welch ruchloses Verbrechen. Welch grausamer, entsetzlicher Schmerz für den armen Vater. Wo ist der Unglückselige?«

»In Wiesbaden«, sagte der Staatsanwalt Elmar Ritt.

»Ich bitte sehr, wo?«

»In Wiesbaden«, sagte Miriam Goldstein. »Stadt in der Bundesrepublik Deutschland. Er ist mit der Leiche seiner Tochter dorthin geflogen, nachdem die Polizei sie freigegeben hat. Am siebten September war das. Am neunten fand das Begräbnis in Wiesbaden statt. Heute haben wir den zwölften September.«

»Das ist mir wohl bekannt, hochverehrte Frau Kollegin. Und Sie sagen, die Dreharbeiten an diesen... diesen Dokumentarfilmen wurden unterbrochen?«

»Vorübergehend, Herr Kollege, nur vorübergehend. Nach der Ermordung seiner Tochter bat Herr Marvin um Verständnis dafür, daß er nicht in der Lage war, sofort weiterzuarbeiten. Er äußerte auch den Wunsch, allein zu sein. Das verstanden alle. Seine Mitarbeiter flogen vor ihm nach Deutschland zurück. Machen ein wenig Urlaub. Aber Herr Marvin wird, so sagte er mir am Telefon, die Filme unter allen Umständen zu Ende drehen. Nun erst recht, es ist so etwas wie ein Vermächtnis seiner Tochter. Sie verstehen gewiß.«

»Nur zu gut, verehrte Frau Kollegin, nur zu gut.« Dr. Nigra strich über seine schöne Krawatte. Die Krawatte paßte hervorragend zu dem schönen Anzug, den er trug. Der Anzug wiederum korrespondierte auf das bemerkenswerteste mit Tapeten und Möbeln im Konferenzraum seiner Kanzlei, die in einem alten, prunkvollen Haus am Rande der Plaza Bolivar im Herzen von Bogotá lag. Es war Nachmittag, und es regnete in Bogotá. Es regnete fast jeden Nachmittag in Bogotá.

»Señor Nigra«, sagte ein großer Mann mit Glatze und sehr traurigen Augen, der erst zweiundvierzig Jahre alt war, aber aussah wie siebzig und ohne Hoffnung, absolut ohne Hoffnung.

»Herr Kommissar?« fragte Nigra.

Der Kommissar Henrique Galuzzi arbeitete in der Sicherheitsverwaltung der Republik Kolumbien, auf spanisch abgekürzt DAS, und keinen, der das wußte, wunderte es, daß Galuzzi so traurig war.

»Diese Dame und diese Herren«, sagte der hagere Kommissar, »die den weiten Flug aus Deutschland hierher angetreten haben, sind seit zwei Tagen in Bogotá. Sie sprachen mit meinen Beamten und mit mir. Sie äußerten den Wunsch, sich auch mit Ihnen zu unterhalten. Einen verständlichen Wunsch, nicht wahr?«

»Einen mehr als verständlichen, verehrte Frau Kollegin, meine verehrten Herren«, sagte Nigra und verneigte sich im Sitzen. Es regnete seit Stunden in feinen grauen Schlieren, die kalter Wind vor sich hertrieb.

»Die Herrschaften«, sagte der traurige Mann von der DAS, »möchten aus Ihrem Mund hören, welche Rolle Sie bei der Anwerbung jener beiden Leibwächter gespielt haben, die dann Señorita Marvin erschossen. Des weiteren möchten die Herrschaften aus dem Mund von Señor Machado«, er verbeugte sich vor dem Importkaufmann, »erfahren, was er mit Ihnen besprochen hat, Herr Anwalt. Señor Machado, Ihr Cousin, der Filmproduzent Herr Joschka Zinner, ist aus Hamburg gekommen und gewiß ebenso bewegt von dem Wiedersehen mit einem Verwandten, den er so lange Zeit nicht gesehen hat, wie Sie.« Es klang ironisch, aber auch die Ironie war traurig.

»Zumindest ebenso«, sagte Achille Machado.

Er legte dem außerordentlich kleinen Joschka Zinner eine Hand auf die Schulter, während er ihm seelenvoll in die Augen zu sehen bemüht war. Zinner bemühte sich ebenso. Es fand etwas wie ein kurzer Wettkampf um die Goldene Palme für gerührte Bewegtheit zwischen den beiden statt.

»Familienbande, das sind Blutsbande«, sagte Machado.

»Ein wunderbares Wort«, sagte der Anwalt Ignacio Nigra.

»Vielleicht können wir endlich zur Sache kommen«, sagte Elmar Ritt. Er fror. Sie waren alle im Tequendama, einem der drei besten Hotels der Stadt, abgestiegen, und die Regenkälte des Nachmittags sowie die dünne Luft machten dem Staatsanwalt zu schaffen. Natürlich halten diese zwei Kerle zusammen, dachte er. Und dieser Galuzzi selbstverständlich dazu. Ich werde herausfinden, was hier vorgeht, und wenn ich verrecke dabei. Ich werde die Wahrheit finden, sagte er sich, ich muß sie finden, und er dachte an seinen Vater. Er bemerkte, daß Miriams Blick auf ihm ruhte. Er lächelte. Sie lächelte gleichfalls. Sechstausend Jahre Verfolgung lächelten Elmar Ritt an.

»Also«, sagte der von leichter Atemnot und feuchter Kälte geplagte Staatsanwalt – alle sprachen englisch – zu Joschka Zinner: »Sie haben Ihren Cousin am zweiten September aus Hamburg hier angerufen und ihn ersucht, schnellstens Leibwächter für Markus Marvin zu rekrutieren, stimmt das?«

»Hab' ich Ihnen schon dreimal gesagt. Zweimal im Flugzeug, einmal im Hotel. Das ist das vierte Mal. Wissen Sie, daß zwei Großproduktionen stehen, einfach stillstehen, eine in Berlin, die andere in Tel Aviv, weil ich nicht da bin? Wissen Sie, was das kostet am Tag? Ausfallversicherung, werden Sie erwidern. Ausfallversicherung! Die Lumpen wollen nicht zahlen. Sagen, ich muß nicht anwesend sein. Ich *muß*! Geht nicht ohne mich. Ging nie ohne mich. Hunderttausende kostet mich das. Hunderttausende.«

»Aber die Blutsbande«, sagte Ritt. »Aber die Sorge um Ihren Cousin. Die Sorge, er könnte nun in Schwierigkeiten kommen.«

»Bin ich mit Ihnen geflogen, oder bin ich nicht mit Ihnen geflogen?« schrie Joschka Zinner wütend.

»Meine Herren, meine Herren!« sagte der hagere Kommissar Galuzzi von der DAS.

»Dieser Mensch haßt mich«, sagte Zinner.

»Unsinn«, sagte Galuzzi.

»Und wie er mich haßt«, sagte Zinner. »Keine Ahnung, warum. Hab' ihm nie was getan. Hab' ihn nie gesehen. Haßt mich, der Mensch, das ist nicht zu fassen. Und zwei Riesenproduktionen stehen. Gott straft mich hart. Hunderttausende.«

»Herr Anwalt«, sagte Ritt, Zinners Klage unterbrechend, »Sie haben sich am zweiten September mit Herrn Achille Machado, dem Cousin von Herrn Zinner, hier getroffen.«

»Nicht hier natürlich«, sagte Ignacio Nigra, wobei er zärtlich die weiße Nelke im Knopfloch des linken Jackenrevers berührte. »Oben auf dem Monserrate, in einem Säulengang der Kirche. Da hatten wir uns verabredet.«

»Warum nicht hier?« fragte Miriam.

»Verehrte Frau Kollegin.« Nigra schüttelte den Kopf. »Also wirklich!«

»Also wirklich was?«

»Gnädige Frau, liebste Kollegin, was wir zu besprechen hatten, bewegte sich zwar absolut innerhalb der Legalität, so ist es doch, Señor Galuzzi, so ist es doch, wie?«

Der Kommissar nickte trübe.

»Indessen ist es unüblich, derlei in einer Kanzlei zu besprechen. Wände haben Ohren. Ich liebe dieses Land. Aber man muß achtsam sein in diesem Land, in meinem schönen, ruhmbedeckten Vaterland. Vielleicht erklären am besten Sie, Kommissar Galuzzi, was ich damit meine.«

Galuzzi seufzte. »Es ist ein schwieriges Vaterland«, sagte er. »Die DAS kämpft an vielen Fronten. Das größte Problem für uns ist natürlich der bewaffnete Untergrund der Armen. Weil dieser ständig wächst, wächst ständig das Sicherheitsbedürfnis der Reichen, also das Bedürfnis nach Leibwächtern. Das schaukelt sich gegenseitig derart auf, daß es unser gesamtes System bedroht. Vielleicht darf ich Ihnen, damit Sie eine Vorstellung von der Schwierigkeit unserer Arbeit und der Explosivität der Lage bekommen, noch mitteilen, daß es außer diesen Zentralen, welche Leibwächter vermieten – natürlich sind da immer auch potentielle Mörder darunter –, hier etwa einhundertvierzig rechtsextreme paramilitärische Gruppen gibt sowie sechs linksorientierte Guerillagruppen. Wie Kolumbien unter solchen Umständen als Staat überhaupt noch existieren kann, ist eigentlich nicht zu erklären. Fahren Sie bitte mit Ihrer Befragung fort«, sagte Henrique Galuzzi leise. Er sah unglücklich aus.

»Was haben Sie in diesem Säulengang besprochen?« fragte Miriam. Auch sie hatte sich noch nicht an die dünne Luft gewöhnt und litt unter Kopfschmerzen. Hinzu kam die gleiche Erkenntnis wie bei Ritt, daß alles, was hier gesagt und getan wurde, wertlos und sinnlos war. Aber ich gebe nicht auf, dachte auch sie, sowenig wie Ritt. Gerechtigkeit ist nicht nur ein Wort, und die Wahrheit ist konkret. Wir werden sie finden. Ritt und ich, ganz bestimmt, Vater.

»Señor Machado, mein alter Freund, bat mich im Auftrag seines Cousins, des Herrn Joschka Zinner, schnellstens zwei erstklassige Leibwächter für Herrn Markus Marvin in Altamira aufzutreiben. Das wissen Sie doch längst«, sagte Nigra.

»Weiter«, sagte Ritt.

»Weiter... Ich habe den Wunsch meines Freundes Señor Machado erfüllt.« Nigra wirkte gelangweilt. »Ich habe mich mit Señor Filippi Terzi in Verbindung gesetzt. Das ist ein Mann, der solche Bestellungen entgegennimmt. Er hat sie an eine dieser Gesellschaften weitergeleitet.«

»Woher wissen Sie das?« fragte Miriam.

»Weil er es mir gesagt hat.«

»Wann?«

»Am späten Abend dieses zweiten September. Er rief an. Als Susanne Marvin ermordet wurde, habe ich mich sofort bei der Polizei gemeldet und alles mitgeteilt, was ich in diesem Zusammenhang wußte. Stimmt das, Herr Kommissar?«

Der traurige Galuzzi nickte. »Es stimmt. Und Filippi Terzi ist seither verschwunden und wird im ganzen Land gesucht. Völlig sinnloserweise«, fügte der Mann von der Sicherheitsverwaltung resigniert hinzu. »Man wird ihn nie finden. Einen Mann, der in Geschäftsverbindung zu den ›Aprikosen‹ steht!«

»Geschäftsverbindung zu wem?«

»Den ›Aprikosen‹. Berühmteste Gesellschaft, die Leibwächter und Mörder schult. Hat ihren Sitz in Medellin.«

»Ah, Medellin!« Anwalt Nigra hob den Blick seiner seelenvollen

Augen träumerisch zur Decke. »Welthauptstadt der Orchideen! Der wundervollste Exportartikel Medellins...«

»Der allerwundervollste sind besonders zuverlässige Mörder, von denen Sie zwei angeheuert haben«, sagte Ritt.

»Ich?« Der Anwalt erhob sich. »Muß ich mir das gefallen lassen, Herr Kommissar?«

»Nein, das müssen Sie nicht«, sagte Henrique Galuzzi seufzend. Und zu Ritt: »Herr Nigra erklärt, er habe bei dem verschwundenen Herrn Filippi Terzi zwei Leibwächter für Herrn Markus Marvin bestellt. Das ist nicht ungesetzlich. Jeder darf Leibwächter engagieren. Die Leibwächter dürfen allerdings nicht morden.«

»Aber sie tun es, Herr Kommissar.«

»Leider, Herr Staatsanwalt.«

»Dann entschuldige ich mich natürlich.«

»Ich nehme die Entschuldigung an«, sagte Nigra würdevoll. Jetzt strich er wieder über seine Krawatte. »Und mehr weiß ich nicht, Herr Staatsanwalt.«

»Vielleicht weiß Herr Machado mehr«, sagte Miriam leise.

»Nun ja«, sagte Achille Machado. »Am dritten September rief Señor Terzi mich an und sagte, ein Bote würde mir Fotos und alle Daten über die beiden angeheuerten Leibwächter bringen. Sie erinnern sich vielleicht daran, daß dies ein außerordentlich eiliger Auftrag war. Bei den Leibwächtern handelte es sich um Sergio Cammaro und Marcio Sousa. Ich steckte alle Unterlagen in einen großen Umschlag, versiegelte diesen und schickte ihn mit einem Kurier – man kann bei uns Kuriere mieten, bei Ihnen in Deutschland gewiß auch, Madame – im Flugzeug nach Altamira ins Hotel Paraíso, wo – so hörte ich von der brasilianischen Polizei – das Kuvert Herrn Marvin oder dessen Tochter übergeben wurde, damit die Herrschaften beim Eintreffen der Leibwächter ganz sicher sein konnten, daß niemand anderer kam.«

»Und damit sie noch sicherer sein konnten, riefen Sie zudem Ihren Cousin in Hamburg an und gaben diesem alle Daten über die Leibwächter bekannt.«

»In der Tat.«

»Warum riefen Sie auch noch Herrn Joschka Zinner an?«

»Weil Joschka mich um diese doppelte Sicherung gebeten hatte.

Joschka wünschte bestmöglichen Schutz für einen Mitarbeiter. Den habe ich besorgt.«

»Weiß Gott«, sagte Ritt.

»Nicht! Das hat keinen Sinn«, sagte Miriam leise.

»Ich will das überhört haben«, sagte Machado milde. »Aber bitte keine zweite Unverschämtheit! Ich habe meinem lieben Cousin Joschka geholfen, das war doch nur selbstverständlich, wie?«

»Und Señor Nigra hat Ihnen geholfen, und der verschwundene Señor Filippi Terzi hat Señor Nigra geholfen, und das war auch nur selbstverständlich.«

»Sie fangen schon wieder an«, klagte der Anwalt. »Herr Kommissar!«

»Bitte, Herr Ritt«, sagte der hoffnungslose Kommissar, »lassen Sie das! Es führt zu nichts.«

»Was führt hier eigentlich zu etwas?« fragte Ritt.

»Das ist eine gute Frage«, sagte der Kommissar. »Ich stelle sie mir oft.«

Der Regen trommelte gegen die Fensterscheiben.

»Herr Zinner«, sagte Ritt, »Sie haben – doppelte Sicherung – die Marvins in Altamira angerufen, Ihnen alle Daten gegeben und so dafür gesorgt, daß die Mörder unter allen Umständen ein reibungsloses Entree hatten.«

Joschka Zinner sprang hoch und hüpfte ein paarmal auf und ab wie ein Gummiball.

»Und das habe ich getan«, schrie er, »damit die Tochter des wichtigsten Mannes meines Filmprojekts reibungslos ermordet werden konnte! Wobei vermutlich nicht die Tochter, sondern Chico Mendes ermordet werden sollte. Habe ich das nicht prima gemacht? Beglückwünscht mich niemand dazu, wie raffiniert ich das angefangen habe? Ich, ich, ich bin an allem schuld, jetzt sind wir endlich soweit!«

»Setzen Sie sich hin, und halten Sie den Mund!« sagte Ritt.

»So redet niemand mit mir!« schrie der kleine Mann. »Niemand! Das lasse ich mir nicht bieten. Das nehmen Sie zurück, sofort, auf der Stelle!«

»Ich nehme es zurück, wenn Sie sich setzen und ruhig sind.«

»Ich setze mich erst und bin ruhig, wenn Sie es zurückgenommen haben.«

Kindergarten, dachte Ritt. Mörderischer Kindergarten.

»Ich nehme es zurück.«

Prompt setzte sich Joschka Zinner.

»Ich hatte noch einen anderen Grund, meinen Cousin anzurufen«, sagte Machado.

»Welchen anderen Grund?« fragte Miriam. Sie fühlte sich nun sehr schlecht.

»Ein Amerikaner kam zu mir«, sagte Machado. »Sagte, er heiße Robert Lee. Wollte Auskünfte. Über Markus Marvin.«

»Was für Auskünfte?«

»Viele. Für wen der arbeite. In welchem Zusammenhang. Für wen die Filme produziert würden. Warum. Wer sie ausstrahlen wolle. Wann. Viele Fragen.«

Ritt sah Miriam Goldstein an.

»Auch in Paris hat sich offensichtlich ein Amerikaner nach allem, was mit Markus Marvin zusammenhängt, erkundigt«, sagte Miriam. »Mademoiselle Isabelle Delamare rief mich aus Altamira an, um mir das zu sagen. Ich habe es Herrn Ritt berichtet. Sie haben es Ihrem Cousin mitgeteilt, Herr Machado?«

»Wie ich eben erklärte...«

»Und warum, Herr Zinner, haben *Sie* es weder Frau Goldstein noch mir gesagt?« fragte Ritt.

»Ich wollte niemanden beunruhigen.«

»Niemanden beunruhigen durch die Mitteilung, daß ein Amerikaner hier in Bogotá auf höchst seltsame Weise alles über den wichtigsten Mann dieser Produktion erfahren wollte?« fragte Miriam.

»Jawohl! Niemanden beunruhigen wollte ich!«

»Nicht schreien, Herr Zinner!«

»Ich schreie, wenn mir danach ist, Herr Staatsanwalt. Jetzt ist mir danach.«

Miriam sah wieder Elmar Ritt an und schüttelte den Kopf.

»Vielen Dank, Herr Zinner«, sagte Ritt.

»Wenn Sie mir unterstellen...«

»Ich unterstelle Ihnen nichts, Herr Zinner.«

Der bleiche, unglücklich wirkende Kommissar Galuzzi von der DAS sagte: »Jetzt haben Sie einen Begriff, wie wir hier arbeiten müssen. Sie werden die Wahrheit niemals finden, Frau Rechtsanwalt, Herr Staatsanwalt.«

»O doch«, sagte Miriam und lächelte. »O doch, wir werden sie finden, Herr Kommissar. Es wird vielleicht lange dauern, aber wir werden sie finden. Wir werden aufdecken, warum all dies geschah und anderes weiter geschieht. Wir . . .« Sie sah Ritt kurz an. ». . . wir beide werden nicht aufhören, die Wahrheit zu suchen in dieser Welt der korrupten Richter und der entmutigten Zeugen. Wir geben niemals auf, nicht wahr, Herr Ritt?«

»Niemals«, sagte der. »Sehr pathetisch, wie?«

»O nein. Durchaus nicht«, sagte Kommissar Galuzzi. »Ich wünsche Ihnen viel Glück.«

»Danke«, sagte Ritt. »Der Rest dieser Geschichte ist bekannt. Die Mörder von Susanne Marvin haben sich einen Tag nach der Tat der brasilianischen Polizei gestellt. Die brasilianischen Behörden gaben bekannt, daß beide der rechtsextremen Großgrundbesitzervereinigung Demokratische Landunion, abgekürzt UDR, angehören und der Anschlag Chico Mendes gegolten hat.«

»Warum sehen Sie dabei mich an?« fragte Joschka Zinner.

»Weil ich mit Ihnen spreche«, sagte Ritt. »Ich pflege Menschen, mit denen ich spreche, anzusehen, Herr Zinner.«

»Sie sind ja wahnsinnig!« sagte der. »Ich hatte überhaupt keine Ahnung von diesem Chico, wie immer er heißt. Und wenn ich eine gehabt hätte. *Ich* habe diese Filme doch veranlaßt! *Ich* stehe doch auf der Seite von Leuten wie diesem Chico und nicht auf der Seite der Mörder!«

»Herr Zinner«, sagte Miriam Goldstein, »wir wissen, daß Sie diese Filme produzieren. Sie haben uns seinerzeit, als Sie mich in Frankfurt im Hotel aufsuchten, Ihre Absichten genau erklärt. Herr Ritt erwähnte, daß dies ein Anschlag auf Chico Mendes gewesen sein soll. Das muß Sie doch eigentlich interessieren.«

»Es interessiert mich durchaus«, sagte Joschka Zinner mit normaler Stimme. »Aber Herr Ritt hat mich dauernd so angesehen. Dagegen habe ich mich gewehrt. Weil der Herr Staatsanwalt eine vorgefaßte Meinung über mich hat.«

»Ich habe keine Meinung über Sie, Herr Zinner«, sagte Ritt. »Noch nicht . . .«

In seine letzten Worte hinein erklang Militärmusik. Miriam Goldstein erhob sich. Sie sagte stockend: »Der ›Badenweiler Marsch‹ . . .«

»Bitte?« fragte Ritt.

»Das ist der ›Badenweiler Marsch‹«, wiederholte sie mit klangloser Stimme. »Er wurde immer gespielt, wenn Hitler bei einer Massenkundgebung erschien.«

»Was bedeutet das?« fragte Ritt.

»Es ist genau fünf Uhr«, sagte der Anwalt Nigra.

»Und?«

»Und Punkt fünf Uhr findet täglich vor dem Palacio Presidencial, dem Amtssitz des Präsidenten, die Wachablösung statt – nach altem, exakt preußischem Vorbild. Kommen Sie, schauen Sie sich das an! Der Palacio befindet sich direkt gegenüber.« Damit trat der Anwalt an eines der Fenster seiner Kanzlei. Die anderen folgten ihm.

Auf der großen Plaza de Bolivar stand, in heroischer Pose, der Befreier Südamerikas. Ignacio Nigra betätigte sich als stolzer Fremdenführer: »Bitte sehr! Die Bronzegestalt Simon Bolivars wurde von dem italienischen Bildhauer Tenerani geschaffen.« Immer noch dröhnte Hitlers Lieblingsmarsch, den eine Militärkapelle vor dem Präsidentenpalast spielte. Hinter Absperrungen drängten sich Menschen im Regen. Touristen hielten Fotoapparate hoch, ließen Kameras laufen, um die Wachablösung aufzunehmen. Operettenuniformen trugen die Soldaten, die da im Stechschritt marschierten, salutierten und Gewehre präsentierten. »Jeden Nachmittag kommt wegen des Publikumsandrangs hier der Verkehr zum Erliegen«, sagte Nigra. »Wirklich ein herrlicher Platz! Das Prunkstück bildet die Kathedrale da drüben. Bester klassizistischer Stil. Bau 1823 beendet genau an dem Ort, an dem 1538 das erste Kirchlein der kleinen Siedlung stand, aus der unser herrliches Bogotá geworden ist.«

Hitlers Lieblingsmarsch dröhnte weiter.

Ritt legte Miriam Goldstein eine Hand auf die Schulter.

Nigra schwärmte: »Ah, diese wunderbare Kathedrale! Sie müssen sie unbedingt besichtigen, meine Herrschaften! Die kostbar geschmückte Kapelle der heiligen Elisabeth von Ungarn darin! Das Grab des Stadtgründers Quezada! Das Grab von Gregorio Vasquez de Arce y Ceballos!«

»Wer war das?« fragte Joschka Zinner. Es klang echt interessiert.

»Kolumbiens größter Maler«, sagte sein Cousin.

»Ah«, sagte Zinner.

»Neben der Kathedrale der Kardinalspalast mit seinen riesigen Bronzetüren«, fuhr der Anwalt begeistert fort, »und das Haus von Manuela Sáenz...«

»Und wer war das?« fragte Zinner, während der Anwalt schon weitergesprochen hatte.

»...der heißblütigen Geliebten Simon Bolivars, die ihm das Leben rettete.«

»Wie hat sie...« begann Zinner.

»Indem sie ihn aus dem Fenster warf. Ihr Haus ist heute Sitz des Präsidenten. Sehen Sie doch die Soldaten! Hören Sie die Marschmusik! Feierlich, wie?«

Fester legte Ritt seine Hand auf Miriams Schulter.

»Überwältigendes Schauspiel!« rief Nigra. »Jeden Nachmittag um fünf. Touristen aus der ganzen Welt. Sehen Sie doch! Hören Sie doch! Grandios, nicht wahr?«

»Warum hat diese... diese Dings Bolivar aus dem Fenster geworfen?« fragte Joschka Zinner.

»Sie war verheiratet, mein Gott. Ihr Mann kam heim. Unser Nationalheld war bei ihr. Was sollte sie tun? Er brach sich nur die Beine. Eine Marmorplakette kündet unter dem betreffenden Fenster im ersten Stock noch heute von dieser beherzten Liebestat. Trotz des sündigen Verhältnisses ist Manuela Sáenz seither eine Heldin für das kolumbianische Volk.«

»Da steht er«, sagte Achille Machado.

»Steht wer?« fragte Zinner.

»Der Amerikaner!« Machado wies mit einer Hand.

»Was für ein Amerikaner?« fragte Nigra.

»Herrgott, der bei mir war. Der alles über Markus Marvin wissen wollte.«

»Wo? Wo ist er?« Joschka Zinner drängte sich vor.

»Dort rennt er... Du kannst ihn nicht mehr sehen, Joschka... Er muß die ganze Zeit zu uns heraufgesehen haben... Ich Idiot habe mit der Hand auf ihn gezeigt. Das hat er natürlich gesehen und ist abgehauen...«

»Sind Sie ganz sicher, daß das Ihr Amerikaner war?« fragte der traurige Kommissar Galuzzi von der DAS.

»Absolut sicher. Ich kann es beschwören. Bei meiner ewigen Selig-
keit, das war er.«
Der Lieblingsmarsch Adolf Hitlers dröhnte noch immer.
Es regnete nun heftiger. Es regnete fast jeden Nachmittag in Bogotá.

# 4

»Das giftigste aller je von Menschenhand geschaffenen Gifte heißt
2-3-7-8-TCDD. Seit dem weltbekannten Industrieunfall von 1976
nennt man es Seveso-Dioxin. Hier eine Charakteristik dieses Super-
giftes: krebserzeugend, erbgutschädigend, mißbildungsverursachend. Zehntausendmal so giftig wie Zyankali, sechzigtausendmal
so mißbildungsverursachend wie Contergan...« Valerie Roths
Stimme erklingt über den Lautsprecher[23].
Der Monitor der BETA-Ausrüstung stand auf dem Boden des
kleinen Pensionszimmers. Über einen Recorder liefen auf seiner
Mattscheibe alle elektronischen Aufzeichnungen zu einer weiteren
Folge der Umweltserie ab, welche Marvin mit dem Team bereits
gemacht hatte. Die Pension lag an der Peripherié einer deutschen
Großstadt. Bernd Ekland und Katja wohnten vorübergehend hier,
die anderen in einem Hotel. Der Kameramann, sein »Techniker«,
Markus Marvin und Valerie Roth wollten noch am späten Abend
dieses 13. September, bevor sie abreisten, die Qualität der bisherigen elektronischen Aufzeichnungen überprüfen.
Der Bildschirm zeigt Valerie, ein Stabmikrophon in der Hand, vor
einer Art riesigem Stammbaum, der aus sehr komplizierten chemischen Formeln besteht. Er bedeckt eine ganze Laborwand.
Valeries Stimme fährt fort: »Durch den Unglücksfall in Seveso ist
Dioxin 2-3-7-8-TCDD – das steht für Tetrachlordibenzodioxin –
weltberühmt, besser: weltberüchtigt geworden. Aber das TCDD
ist nur *ein* Vertreter aus einer großen Familie von fünfundsiebzig
verschiedenen Dioxinen. Und dann gibt es noch eine überaus
zahlreiche und zum Teil nicht weniger giftige Verwandtschaft. Das
sind einhundertfünfunddreißig sogenannte chlorierte Dibenzofura-
ne. Wenn wir hier also von den Dioxinen sprechen, dann meinen wir

damit die insgesamt zweihundertundzehn Vertreter dieser ehrenwerten Familie, nicht nur das in Seveso freigesetzte 2-3-7-8-TCDD.«

Die Kamera zeigt das Bundesinnenministerium in Bonn. Dazu Marvins Stimme: »Der Bundesregierung in Bonn, genauer gesagt: dem damals für Umweltschutz zuständigen Innenminister Zimmermann – wurde schon 1983 – schon 1983! – ein ›Steckbrief‹ der Dioxinfamilie vorgelegt. Es ist wahrscheinlich, daß in späteren Jahren weitere ›Steckbriefe‹ dazukamen, als es ein Bundesumweltministerium und einen Bundesumweltminister gab. Wir haben nur den Bericht von 1983, und auch in seinen Besitz gerieten wir bloß, weil einen Beamten die Sorge um diese Welt nicht mehr schlafen ließ. Er hat uns eine Fotokopie zukommen lassen. Bei der großen Zahl von Beamten und Mitarbeitern im Ministerium ist es unmöglich, den Mann zu finden, der uns dieses geheime Material übergab...«

»Hoffentlich«, sagte Marvin und klopfte dreimal auf das Holz des Pensionszimmertisches.

»Kannst beruhigt sein«, sagte Valerie. »Das hat Philip sehr gut formuliert. Ihr wißt, daß unser Mann aus einer ganz anderen Ecke kommt.«

Am Bildschirm jetzt ein dicker Bericht.

Stimme Marvins: »Dieses Dokument trägt den Titel: ›Sachstand Dioxine‹ und wurde im Bundesamt Berlin erstellt. Anlaß war die erregte öffentliche Diskussion im Frühjahr 1983 über den Verbleib von einundvierzig Fässern mit dioxinhaltigen Abfällen aus der Unglücksfabrik in Seveso.«

Valeries Stimme: »Das Dokument lag dem Minister bereits im Mai 1983 vor. Es hat das Aktenzeichen (man sieht es im Bild) römisch eins, arabisch vier, Strich neun-sieben-null-sechs-eins, Schrägstrich einundsechzig und den Stempel (Kamera fährt auf ihn zu): VS.«

Marvins Stimme: »VS – das heißt: Verschlußsache. Nur für den Dienstgebrauch.«

Valerie Roth – braune Contactlinsen trug sie an diesem Abend – bat Ekland: »Halt mal an!« Er stoppte die Kassette. »Sind Philips Texte okay für euch?«

»Völlig«, sagte Marvin. »Das mit den wechselnden Stimmen auch.

Klingt jetzt schon prima. Wir haben ja nur provisorisch deine und meine Stimme draufgelegt. Später sprechen das Profis... Laß weiterlaufen, Bernd!«

Dieser setzte die Kassette wieder in Gang. Von der Straße herauf ertönte die gehetzte Sirene einer Ambulanz, wurde sehr laut, verklang...

Valeries Stimme: »Sehen wir uns also an, welches geheime Wissen dem obersten Umweltschützer von 1983 über die Familie der Dioxine schon vor fünf Jahren zur Verfügung stand.«

Stimme Marvins: »Am meisten schockiert die Aussage, daß Dioxine mittlerweile ubiquitär, das heißt allgegenwärtig geworden sind – also auch in unseren Nahrungsmitteln, in unserer Atemluft. Und das ist der Bundesregierung seit Jahren bekannt!«

Valeries Stimme: »Im Bericht heißt es beschwichtigend: ›Bei den in der Nahrungskette und in der Umwelt ubiquitär vorkommenden TCDD-Konzentrationen muß eine Gefährdung des Menschen nicht in Betracht gezogen werden.‹ Und ganz alarmierend ist folgendes Zitat: ›Normalbürger können Dioxine nur über Lebensmittel oder die Atemluft aufnehmen. Von den Lebensmitteln sind dabei in erster Linie fetthaltiges Fleisch, Milchprodukte von Rindern wie Fleisch von Fischen zu berücksichtigen.‹«

Marvins Stimme: »Wir können Dioxine nur über Lebensmittel oder die Atemluft aufnehmen! Soll das ein Witz sein? Wie denn *noch*? In Tablettenform oder als Badezusatz?«

Valeries Stimme: »An anderer Stelle lesen wir, Süßwasserfische in bestimmten Gewässern seien bereits derart hoch mit Dioxinen belastet, daß der regelmäßige Verzehr von nur zweihundert Gramm pro Woche einen Menschen der Gefahr aussetzt, krebskrank zu werden, oder über die Schädigung des Erbgutes oder des Embryos Mißbildungen bei Babys zu erzeugen. Wohlgemerkt: Der Verzehr von nur zweihundert Gramm Süßwasserfisch pro Woche, ungeachtet weiterer Dioxinzufuhr über die Atemluft oder sonstige Nahrungsmittel.«

Woher diese Allgegenwart der Dioxine? fragten die Filmemacher. Wie kam es, daß diese ultragiftigen Stoffe sich überallhin ausbreiten konnten?

Und in ihrem Report, der da als erste Rohfassung im Zimmer einer kleinen Pension in einer großen deutschen Stadt ablief, beantworteten sie ihre Frage...

»...Während ganz Europa den Atem anhielt, als Politiker und Massenmedien 1983 eine spektakuläre Hatz auf einundvierzig Seveso-Fässer mit insgesamt nur zweihundert Gramm TCDD inszenierten, erzeugten Industrieanlagen an praktisch allen Standorten der Großchemie seelenruhig weiter unbekannte Mengen von Dioxinen. Rund um die Uhr. Tagein, tagaus. Zweiundfünfzig Wochen im Jahr...«

Dioxine, so der Film in immer neuen Bildern und Statements von Fachleuten, entstehen als Nebenprodukte, und zwar: 1. bei industriellen Produktionsverfahren, 2. bei thermischen Prozessen und 3. durch fotochemische Prozesse. Mit anderen Worten: Überall, wo sich chlorierte Kohlenwasserstoffe finden, existiert die Gefahr, daß Dioxine entstehen.

In Seveso beispielsweise kam es bei der Herstellung von Hexachlorophen zur Katastrophe. Da bildete sich höchst unerwünscht das furchtbare Nebenprodukt 2-3-7-8-TCDD. Hexachlorophen war damals ein äußerst wirksames, Bakterien tötendes Mittel, das man bei der Produktion von Seifen, Lippenstiften, Babypuder, Deodorants, ja Intimsprays verwendete. Heute tut man das nicht mehr.

Indessen: In der Bundesrepublik allein werden jährlich 3,5 Millionen Tonnen chlorierte Kohlenwasserstoffe hergestellt, weltweit jährlich vierzig bis fünfzig Millionen Tonnen. Bei Feuereinwirkung, also jeder Art von Bränden oder bei »unsachgemäßer« Verbrennung in Müllverbrennungsanlagen, werden aus diesen riesigen Mengen nicht nur schon vorhandene Dioxine freigesetzt, sondern es entstehen auch noch neue Dioxinmengen durch chemische Reaktionen verschiedener Stoffe miteinander.

»Unsachgemäß« bedeutet: bei Temperaturen unter zirka 1100 Grad Celsius. Dioxine sind nämlich sehr widerstandsfähige Stoffe, die unterhalb dieser Temperaturmarke unbeschädigt entweichen. Erst mehr Hitze zerstört sie. Sehr viele Müllverbrennungsanlagen erreichen diese höheren Hitzegrade jedoch nicht.

»Ich hätte einen neuen Titel für die Serie«, sagte Marvin. »›Eine perverse Welt‹.«

»Ich hätte einen besseren«, sagte Valerie Roth. »›Die Welt ist nur ein Traum der Hölle‹.«

Der Film lief weiter.

Valeries Stimme: »Eine amerikanische Studie ergab schon 1980, daß Dioxin bereits bei der unvorstellbar geringen Konzentration von fünf Trillionstel Gewichtsanteilen in der Nahrung krebserregend ist. Der zitierte Süßwasserfisch weist das Fünfzigfache dieses Wertes auf! Einmal abgesehen vom Fisch – ist die schon 1983 festgestellte Ubiquität, die Allgegenwart von Dioxinen, nicht eine Gefahr, deren Quellen man schleunigst verstopfen müßte? Kein Wort davon im Report. Um dieser Frage nachzugehen, begaben wir uns ins Bundesumweltamt...«

Katja stoppte die Kassette und sagte: »Das haben wir noch nicht, da müssen wir noch hin.«

»Ich habe eine Theorie«, sagte Marvin. »Schaut mal, jeden Tag erzählen uns die Politiker, daß wir noch nie so lange Zeit Frieden in Europa gehabt haben. Warum? Wegen der Atomwaffen. Wegen der atomaren Abschreckung. Wegen des Gleichgewichts des Schreckens. Und genauso denkt die chemische Industrie. Dort sagen die Bosse: Noch nie ging es uns so gut. Warum? Weil das wichtigste die Chlorverbindungen sind. Wenn wir die nicht hätten, bräche alles zusammen. Wäre alles aus. Frieden und Wohlstand durch Chlorverbindungen!« Er sah Katja an. »Wann haben wir die Verabredung beim Bundesumweltminister?«

»Am siebzehnten Oktober.«

»Dann drehen wir kurz zuvor das Interview mit Braungart in Hamburg über Müllverbrennungsanlagen und fliegen jetzt zu den Vitrans und diesem Sonnenenergieexperten nach Paris.«

# 5

Der Physiker Professor Werner Loder arbeitete von 1942 an in der Raketenversuchsstation Peenemünde mit vielen anderen Wissenschaftlern unter Wernher von Braun. Er konstruierte Steuerungssysteme. 1944 wurde sein Sohn Wolf geboren. Nach dem Krieg holten die Franzosen Professor Loder und danach die Ägypter, weil auch Präsident Nasser unbedingt Weltraumraketen besitzen wollte. Sohn Wolf studierte Physik.

1970 wurde Werner Loder von nun in den Staaten lebenden ehemaligen Kollegen aus Peenemünde zu einer Wiedersehensfeier in den Raumfahrtbahnhof von Cape Canaveral eingeladen. Er nahm Wolf mit. Bei dem Fest hörten sie, wie jemand Wernher von Braun mit dem Satz zitierte: »Das 21. Jahrhundert wird nicht das Jahrhundert der Raumflüge, sondern das der Sonnenenergie sein.«

Dieser Satz beeindruckte Werner und Wolf Loder über alle Maßen, denn sie hatten vor einiger Zeit in Binzen, einer kleinen Stadt an der Deutsch-Schweizer Grenze, mit dem Bau von Solaranlagen begonnen.

Abends, im Hotel, sagte Wolf: »Das ist wirklich nicht gegen dich gerichtet, Vater, du hast damals in Peenemünde arbeiten müssen. Aber ich werde mich niemals an Entwicklungen beteiligen, die für den Krieg, für den Kampf von Menschen gegen Menschen verwendet werden können. Wenn schon Kampf, dann einer gegen Bedrohungen der Natur – *für* die Menschen. Wir sind auf dem richtigen Weg, Vater. Laß uns weiter Solaranlagen bauen!«

»Ja, mein Junge«, sagte damals der Vater.

Am Abend des 14. September 1988, einem Mittwoch, stieg der schlanke, große Physiker Dr. Wolf Loder an der Haltestelle Place d'Anvers aus einem Autobus und ging den Boulevard Rochechouart entlang bis zu der links abzweigenden Rue de Steinkerque. Loder hatte dunkelblondes Haar, ein schmalgeschnittenes Gesicht und seltsam leuchtendblaue Augen. Nun erreichte er den Square Saint-Pierre, der zu Füßen der Butte Montmartre und der sie krönenden gewaltigen Basilique du Sacré-Cœur lag. Loder ging durch eine steile, schöne Parkanlage. Zur Linken sah er die Wägelchen eines *funiculaire*, einer Standseilbahn, den viele Menschen benützten, um auf die Butte zu gelangen. Ein paarmal blieb der Mann mit den Augen, die an jene eines alttestamentarischen Propheten erinnerten, stehen, sah hinab auf Paris und fühlte sein Herz klopfen wie immer, wenn er diese Stadt sah, die Hemingway »ein Fest fürs Leben« genannt hatte.

Langsam schritt er weiter empor zur Butte Montmartre, dem höchsten Hügel von Paris. Die letzte Straße vor dem Kirchenplatz war alt und schmal und hieß Rue du Cardinal Dubois. Loder betrachtete voll Wehmut und Liebe, denn er liebte Paris, die Häuser mit ihren fleckigen Mauern, das Kopfsteinpflaster, die kaum einen halben Meter breiten Gehsteige und immer wieder den blaßblauen Himmel.

Die Umgebung erinnerte an eine verschlafene Kleinstadt. Zwei alte Frauen unterhielten sich, die eine stand auf dem Trottoir, die andere neigte sich aus einem ebenerdigen Fenster. Ein Mann in Pantoffeln, die schwarze Baskenmütze auf dem Kopf, führte einen kleinen Hund spazieren. Mehr Menschen sah Loder nicht. Autos parkten zu beiden Seiten der Straße. Es roch nach vielerlei Abendessen, die zubereitet wurden, und wie immer, wenn er hierherkam, dachte der Vierundvierzigjährige an den letzten Satz des Buches, das Hemingway über diese Stadt geschrieben hatte: »So war das Paris unserer ersten Jahre, als wir sehr arm und sehr glücklich waren.«

Er trat an die hohe, alte Holztür von Nummer 50 a und drückte wie schon oft den richtigen Klingelknopf der abgesplitterten, nun bereits seit Jahrzehnten verrosteten Emailleplatte. Gleichfalls mechanisch trat er einen Schritt zurück. Das Haus hatte fünf Stockwerke. Aus einem Fenster im vierten Stock neigte sich Gerard Vitran.

»Ich komm' runter!« rief er.

»In Ordnung!« Loder wartete. Der Mann mit dem kleinen Hund ging an ihm vorbei und grüßte. Weil das kleine Tier gerade ein Bein hob, blieb er stehen. Es war ein sehr alter Mann mit vielen Pigmentflecken im Gesicht und auf den abgezehrten Händen.

»'soir, Monsieur.«

Auch Loder grüßte. Er sprach gut Französisch.

»Schönes Wetter, wie?«

»Sehr schön«, sagte Loder.

»Heiß«, sagte der alte Mann, der interessiert zusah, wie der kleine Hund pinkelte.

»Heiß, ja.«

»Aber nicht zu heiß.«

»Nein, das nicht. Nicht zu heiß.«

»Man wird wieder schlafen können, Gott sei Dank!«

»Gott sei Dank!«

»'soir, Monsieur.« Der Hund hatte ausgepinkelt und zog seinen Herrn weiter.

»'soir, Monsieur«, sagte Loder. Der alte Mann hob grüßend eine Hand und drehte sich um. Verloren sagte er: »Sind alles Verbrecher.«

»Wer?«

»Haben Sie nicht die Nachrichten gehört? Die Politiker sind alle Verbrecher. Nehmen Sie, wen Sie wollen.«

»Da haben Sie recht, Monsieur.«

»Verfluchte Verbrecher«, sagte der alte Mann zu seinem Hund. »Du weißt es auch, Coco, du weißt es auch. Laß dir Zeit! Wir haben keine Eile. Alles Verbrecher. Auf der ganzen Welt.«

Die verwitterte Haustür wurde aufgesperrt. Sie quietschte laut auf schiefen Angeln. In Hemd und Hose stand Gerard Vitran vor seinem Freund Wolf Loder. Sie umarmten einander.

»Wolf, mein Guter! Ich freue mich so!«

»Und ich mich, Gerard. Wieder bei euch zu sein! In dieser Stadt!«

»Die anderen sind schon da«, sagte Gerard. »Monique und Isabelle in der Küche, der Rest im Büro. Gute Leute. Du wirst sie mögen. Monique und Isabelle machen *gigot*.«

»Ah«, sagte Loder.

»Mit Beilagen und Salat.«

»Großartig!«

»Vorher gibt es Tomatensuppe.«

»Prima.«

»*Gigot*, weil du so gern *gigot* hast.«

*Gigot* heißt auf deutsch Hammelkeule, aber Wolf Loder wußte, daß das, was ihn da aus Monique Vitrans Küche erwartete, eine ganz und gar unwahrscheinliche, eine absolut phantastische Hammelkeule war, die einen aristokratischeren Namen verdiente. Hinter Gerard stieg er die sehr hohen ausgetretenen Steinstufen der schmalen Treppe empor.

Diese Steinstufen, dachte er. Er hatte schon von ihnen geträumt. In jedem Stock gab es einen kleinen Absatz und eine grüngestrichene Holztür, von der die Farbe blätterte – vermutlich seit dem Ende des Ersten Weltkriegs, dachte Loder. Die Türen rochen so, wie es in alten Buchhandlungen riecht. Auch von diesem wunderbaren Geruch hatte er schon geträumt. Im vierten Stock stand auf einer Tafel an der grünen Tür: ENERGY SYSTEMS INTERNATIONAL – ESI.

Loder folgte seinem Freund in die Wohnung. Sie war zweistöckig, sehr groß, sehr verwinkelt, und überall herrschte grandiose Unordnung. Zeitschriften und Bücher türmten sich in den engen Gängen zu Bergen. Alle Wände waren verdeckt von wackeligen Regalen voller Bücher, Dokumente und Mappen. Die Dielen des Holzbodens seufzten und ächzten bei jedem Schritt. In seinem Arbeitsraum stellte Gerard dann die anderen vor: Markus Marvin, Philip Gilles, Bernd Ekland und Katja Raal. Sie standen zwischen großen Tischen, auf denen sich gleichfalls Bücher und Broschüren, Zeitungen und Magazine bedrohlich häuften, zwischen einem uralten Fotokopierapparat, der noch feuchte Kopien herstellte, und einer elektrischen Schreibmaschine, mehreren Computerterminals und gestapelten Schachteln voller Archivkarten. Auf einem Tischchen stand ein billiger Telefaxapparat, der Barwagen daneben präsentierte auf drei Etagen viele Flaschen. Zwei alte Schaukelstühle sah Loder wieder und auch den Puppenmann. Er war von natürlicher Größe, trug einen Smoking (zerschlissen, schmutzig) und wandte dem Eintretenden den Rücken zu. Man sah, daß er in der abgewinkelten Hand eine Zigarette hielt. Wenn man ihn auf seinem Schraubstuhl umdrehte, zeigte er das Gesicht einer Wasserleiche. Loder legte der großen Puppe eine Hand auf die Schulter. Das bringe Glück, hatte Monique ihm bei seinem ersten Besuch erklärt. Sie erklärte es jedem Besucher, und jeder Besucher legte eine Hand auf die Schulter der Wasserleiche, die Monique vor Jahren auf einem Trödelmarkt gefunden hatte. Hinter der Puppe kam das Licht durch eine schräge Fensterwand wie in einem Maleratelier. Auch von ihr hatte Loder schon geträumt. Nun sah er über Kirchen und Paläste hinweg, Krankenhäuser und den Eiffelturm, über hunderttausend Häuser und Dächer der Stadt. Ein Glas Ricard (milchig, weil mit viel Wasser versetzt) in der Hand, dachte er, daß er wieder einmal glücklich, sehr glücklich war, heimgekehrt nach Paris und zu seinen guten Freunden Monique und Gerard Vitran.

Schweigend löffelten sie die Tomatensuppe. Danach erst kam ein Gespräch in Gang. Monique und Isabelle liefen hin und her, schleppten Töpfe, brachten neue Teller. Gerard zerteilte die Keule. Nun saßen alle um einen langen Tisch in der Küche, dem größten

Raum der Wohnung. Sie befand sich unter dem Dach, man mußte eine Wendeltreppe hinaufsteigen. Viele Kacheln des Bodens waren gesprungen. An der Herdwand hingen Pfannen, Schöpflöffel und Töpfe. Dazwischen waren Knoblauchbüschel, Paprikaschoten und Maiskolben angebracht. An dieser Tafel glich kein Stuhl dem anderen. Es gab primitive, weiße Hocker, und es gab Sessel mit Lehnen und Rückenlehnen aus rotem, verblichenem Samt. Ein rot-weiß-gewürfeltes Tuch bedeckte den Tisch. Auch von diesem Raum konnte man durch ein wandfüllendes Fenster auf Paris hinabsehen. Es war heiß. Sie hatten einen Teil der Fensterwand geöffnet. Die Männer saßen im Hemd, die Frauen trugen leichte Kleider. Sie aßen fast eine Stunde, bis sie zur Käseplatte kamen. Die beiden Frauen nahmen Komplimente für den *gigot*, den köstlichen Salat und den herrlichen Wein entgegen, den Monique so günstig gekauft hatte. Viele Flaschen davon lagerten unten im Keller, sagte sie. Loder lobte die knusprigen weißen Stangenbrote, die *bâtard* heißen, Bastard, breite Stangen, nicht schmale. Die nennt man *baguette* oder *flûte*, wie Loder wußte. Gilles sah lächelnd Isabelle an, die erhitzt vom Servieren war, und sie erwiderte sein Lächeln, während Katja für Bernd Ekland das Hammelfleisch auf dem Teller kleinschnitt, aber sehr diskret, niemand bemerkte es. Ekland konnte seit ein paar Tagen nichts schneiden, nicht einmal ein Brötchen. Katja strahlte ihn an. Sie war bei ihm. Nie mehr würde er eine BETA allein hochheben. So saßen sie und aßen und tranken, und ein jeder hatte das Gefühl, alle anderen schon seit vielen, vielen Jahren zu kennen und einem jeden verbunden zu sein in Vertrauen und Sympathie.

Beim Käse begann dann das Gespräch – auf englisch, denn alle beherrschten diese Sprache. Natürlich wußten Monique und Gerard Vitran, worüber Loder nun sprach, doch die anderen sollten eine Vorstellung von dem Gebiet bekommen, das als nächstes an der Reihe war.

»Also, Sonnenenergie!« sagte der junge Deutsche mit dem schmalen Gesicht, dessen Vater noch Steuerungsanlagen für die V-1 und die V-2 der Nazis gebaut hatte. »Die Sonnenenergie, die auf die Erde trifft, könnte theoretisch fünfzehntausendmal den menschlichen Bedarf an Primärenergie decken. Tatsächlich ist *alle* vom Menschen genutzte Energie umgewandelte Sonnenenergie: der Wind und das Wasser, Erdöl, Kohle, Brennholz. Nur verfeuert die Menschheit derzeit pro Jahr so viel Kohle und Erdöl, wie sich in jeweils hunderttausend Jahren Erdgeschichte als konzentrierte Sonnenenergie angesammelt hat. Die fossilen Geschenke aus urweltlicher Zeit werden deshalb bald aufgezehrt sein, das Erdöl schon in dreißig Jahren. Hohe Zeit also, sollte man meinen, sich mit der Sonnenkonstante zu arrangieren, die dünne Sonnenenergie geschickt zu verdichten und die Kraft der Sonne zu nutzen – Tag und Nacht. Bevor das geschieht, muß die Menschheit allerdings schnellstens mit ihrem Energieverbrauch runter, radikal runter. Das ist das Problem, das Monique und Gerard beschäftigt. Damit fängt überhaupt alles an, wenn wir eine Zukunft haben wollen. Das müssen Sie herausstellen.« Loder sah Marvin an. Der nickte. Alle wußten, welcher Schmerz ihm widerfahren war, aber er hatte darum gebeten, daß niemand ein Wort der Kondolation sprach.

»Zu *unserer* Arbeit kommen wir noch, Wolf«, sagte Monique. »Heute bist *du* dran. Welcher Käse?«

»Camembert und Roquefort und von diesem Ziegending«, sagte er. »Ich fresse mich tot, na und? Monique, Isabelle, ich liebe euch!«

»Wir dich auch, süßer *boche*«, sagte Monique.

»Wie kann man nun Sonnenenergie vernünftigerweise sammeln, speichern, weiterleiten?« sprach Loder mit vollem Mund weiter. »Pardon.« Er kaute und schluckte. »Wie kann man sie verdichten, überall verfügbar halten, an Regentagen, bei Nacht, unter der Erde? Na, wie? Am besten durch Umwandlung in eine speicherbare und gut transportable Energieform – in ein Gas, in Wasserstoff, den idealen sekundären Energieträger.«

Ganz langsam sank die Sonne tiefer über der Riesenstadt. Millionen Fenster begannen golden zu leuchten, stärker, immer stärker.

»Und wie entsteht also aus der Sonnenenergie Wasserstoffenergie?« fragte Ekland.

»Da gibt es die verschiedensten Systeme«, sagte Loder. »Viele arbeiten bereits hervorragend. Wir in Binzen haben etwas ganz Besonderes entwickelt. Das Problem bei allen Systemen ist, daß sie nur funktionieren, solange es Sonne gibt, nicht wahr? Wenn es regnet oder in der Nacht ist Schluß. Unser System arbeitet Tag und Nacht! Mit Sonne und ohne Sonne. Das ist eine Erfindung, da müßt ihr zu uns kommen! Ihr seid die ersten, die das filmen dürfen. Wasserstoff«, sagte er träumerisch. »Wenn es gutgeht, wird das flüchtige Element einem ganzen Jahrhundert seinen Namen geben. Nicht umsonst sagte Ludwig Bölkow: ›Das einundzwanzigste Jahrhundert wird das Zeitalter des solaren Wasserstoffs sein. Wenn nicht, dann gute Nacht, Erde!‹«

»Wasserstoff«, sagte Gerard Vitran, »ist das häufigste Element im Weltall. Ein Kilogramm Wasserstoff setzt bei seiner Verbrennung dreiunddreißig Kilowattstunden Energie frei, dreimal soviel wie Benzin! Aus Wasserstoff lassen sich mühelos Kraft, Wärme und Strom herstellen.«

Danach war es lange still in der großen Küche, und alle sahen aus dem Fenster auf dieses »Fest fürs Leben«, diese wunderbare Stadt Paris, die nun im Licht der untergehenden Sonne zu brennen schien.

»Meist«, sagte Wolf Loder schließlich, »sind es die alten Männer, die weit in die Zukunft schauen. Das ferne Leben, das für sie unerreichbar ist, scheint diese Männer zu faszinieren. Vielleicht wollen sie auch gutmachen, was sie in früheren Jahren ihren Mitmenschen und der Erde angetan haben. Manche könnten von den Zinsen ihres Vermögens herrlich leben, statt dessen trommeln sie die neue Zeit herbei. Mein Vater ist jeden Morgen schon vor sieben in unserem Werk in Binzen.«

»Carl Friedrich von Weizsäcker«, sagte Marvin, »der Bruder des Bundespräsidenten, sechsundsiebzig Jahre ist er alt, Atomphysiker und Philosoph, wünscht sich ›die Sonne als Hauptenergiequelle des nächsten Jahrhunderts‹. Und der fünfundsiebzigjährige Robert Jungk schreibt: ›Das Herbeiführen des Sonnenzeitalters ist die Schicksalsfrage für die Zukunft des Menschen.‹«

»Wir haben tatsächlich keine Zeit mehr«, sagte Loder. »Die Kohle hat hundert Jahre gebraucht, um das Feuerholz zurückzudrängen. Dreißig Jahre dauerte der Vormarsch des Öls – und so etwas wie Öl gibt es in der Geschichte der Menschheit nie wieder. Seit zwanzig Jahren drückt die Kernenergie in den deutschen Markt. Erfolg: Ganze zehn Prozent der Primärenergie, rund dreißig Prozent des

Strombedarfs werden durch AKWs gedeckt. Die Industrie kann alles. Die Menschen müssen nur wollen.«

»Und sie wollen nicht?« fragte Katja.

»Die Menschen schon«, sagte Loder. »Der Verbund will wohl nicht.«

»Wer ist der Verbund?« fragte Ekland.

»Bei uns in Deutschland eine der mächtigsten Interessengruppen der Wirtschaft. Ein Zusammenschluß von acht Energiekonzernen. Unermeßlich reich, stark und einflußreich. Ich werde Ihnen mehr erzählen über diesen Megawatt-Clan. Wir schaffen es trotz ihm. Es muß nur rasch gehen jetzt, sehr rasch! Solarenergie, das bedeutet: Frieden zwischen den Menschen und der Mutter Erde, denn die Natur wird nicht weiter global zerstört und vergiftet. Es bedeutet: Frieden im Land, weil Solarenergie weder Polizei noch Staatsschützer braucht. Und es bedeutet: Frieden zwischen den Generationen, uns und denen, die nach uns kommen.«

»Der Solarforscher Dahlberg«, sagte Vitran, »hat recht, wenn er meint, die Solarenergie und der Wasserstoff würden das erfüllen, was die Kernenergie versprochen und nicht gehalten habe.«

»Wir haben unsere Modelle«, sagte Loder. »Andere haben andere. Wir brauchen verschiedene – für verschiedene Gegenden und Anwendungsarten. Was uns fehlt, ist Geld. Wir haben nicht genug Geld. Für die Forschung erhalten wir einiges, doch wenn wir dann in die Produktion gehen wollen, beginnen die Schwierigkeiten. Daß *kleine* Betriebe sich auch die Voraussetzungen für das Solarzeitalter schaffen, daß unsere Erfindungen Atomkraftwerke ersetzen, scheint wohl ein unerträglicher Gedanke für den Megawatt-Clan in unserem Land zu sein, für die Stromer, für die Allmächtigen der Energieversorgung. Der Verbund hat Milliarden und Abermilliarden. Der Verbund interessiert sich natürlich auch für Sonnenenergie. Natürlich forschen auch die Stromer, haben ihre Modelle in der Schublade. Soviel Geld, Intelligenz, Enthusiasmus wurde in die Atomenergie investiert, *noch* geht es mit ihr. Warum sollte man aussteigen, solange es noch geht? Einmal wird es *nicht* mehr gehen, na schön. Aber dann sollte der Megawatt-Clan, sollten die Stromer, das absolute Monopol auf Solarenergie haben – wie jetzt auf Atomenergie und alle anderen Arten von Energie. Verdienen wollen sie wohl weiter wie bisher. Und wohl auch befehlen, was geschieht. Und alle abhängig machen von sich wie bisher. Die Stromer! Niemand anderer... Zwei Milliarden Mark kostete die Entwicklung des VW-Dieselmotors – nicht etwa die Erfindung des Aggregats. Mehr als ein Dutzend Milliarden Mark gaben die acht großen deutschen Stromkonzerne bislang jährlich für die Nachrüstung ihrer Kraftwerke aus. Wir, die wir die Sonnenenergie vorbereiten, müssen um jeden Tausendmarkschein kämpfen. Die Stromer hingegen haben Milliarden für die Nachrüstung der AKWs und weitere Milliarden für Sonnenenergieprojekte – sie bekommen ihr Geld durch vollautomatische Abbuchungen der Stromrechnungen von jedermanns Konto.«

Katja schüttelte den Kopf. »Können diese Großen denn einfach *alles* tun? Über *alles* bestimmen?«

»Ja, Frau Raal!«

»Wieso? Wie ist das möglich?«

»Durch Adolf Hitler«, sagte Loder. »1935, als er schon den Krieg vorbereitete, gab er seinem Reichsbankpräsidenten Hjalmar Schacht den Auftrag, dafür zu sorgen, daß die Rüstungsindustrie immer und zu allen Zeiten genügend Energie zur Verfügung stellen konnte, Tag und Nacht, Monat für Monat, Jahr für Jahr. Nun, Schacht hatte seine Freunde in der Großindustrie, nicht wahr? Seine guten Freunde waren sehr erfreut, als Schacht dann 1935 das ›Gesetz zur Wehrhaftmachung der deutschen Energieversorgung‹ schuf. Die Stromer durften – nein, sie hatten von nun an die Pflicht – Strom, Strom, Strom zu erzeugen. In riesigen Mengen. Für den Krieg. Den Krieg verloren wir 1945. Hitler brachte sich um. Aber das Gesetz von 1935, das Gesetz, das den Großen das Recht gibt, Strom zu erzeugen und zu verkaufen, ganz wie es ihnen gefällt, dieses Gesetz gilt in seiner Struktur noch heute!«

»Nein!« sagte Katja.

»Aber ja«, sagte Loder. »In allen Bundesländern ist 1988 immer noch das Nazigesetz von 1935 Richtschnur. Der Verbund, der Zusammenschluß der acht großen Strommonopolisten, schlägt vor, wieviel Strom erzeugt wird, was er kostet, heute noch! Niemand wagt, etwas dagegen zu tun. Niemand verhindert, daß die großen acht im Verbund etwaige Verluste mit dem Geld ihrer Kunden, also der Steuerzahler, begleichen und alle Gewinne ungeschmälert einstreichen. Was sollen die Menschen, die Strom brauchen, denn tun? Sobald sie einen Schalter anknipsen, sobald sie einen Stecker in eine Steckdose drücken, hängen sie am Verbund. Dieses Stromdiktat stellt ein einmaliges Phänomen in der westlichen Welt dar.«

»Aber das ist doch ein Skandal, der zum Himmel schreit!« rief Katja.

»Nein, Frau Raal«, sagte Wolf Loder. »Das ist kein Skandal, der zum Himmel schreit. Das ist deutsches Rechtsverständnis.«


Im nächsten Moment stöhnte Bernd Ekland.

»Was ist?« Katja sah ihn entsetzt an. »Schmerzen?«

Er nickte und preßte die Lippen aufeinander.

Katja sagte zu den anderen: »Er hat sich mit der BETA verhoben, wissen Sie. Vor ein paar Tagen. Und seither... Ist es sehr arg, Bernd?« Er nickte. »Sollen wir einen Arzt vom Nachtdienst rufen?«

»Nein«, sagte Ekland. »Auf keinen Fall. Es ist nur die Hitze. Darum tut es so gemein weh. Ich will den Abend nicht stören. Alles ist großartig, das Essen, die Freundschaft, wirklich, ich danke für alles – und bitte, es soll niemand böse sein, wenn ich jetzt verschwinde. Ich muß mich einfach hinlegen.«

»Na, aber selbstverständlich«, sagte Monique Vitran. »Warum haben Sie das nicht früher gesagt? Warten Sie, ich rufe sofort ein Taxi!«

Zehn Minuten später fuhren Bernd und Katja in einem alten Citroën zu einer kleinen Pension nahe der Gare de l'Est. Das Pariser Büro des Frankfurter Fernsehens hatte ein Hotel für Mitarbeiter und Besucher angemietet. Marvin, Isabelle und Gilles wohnten dort. Eklands Tick waren kleine, vergammelte Pensionen – wohin immer er kam. Da fühlte er sich wohl. Und natürlich wohnte Katja stets, wo er wohnte.

Im Taxi sagte Ekland: »Gar nicht so schlimm.«

»Was ist gar nicht so schlimm?«

»Mein Arm. Ich wollte nur weg, verstehst du?«

»Kein Wort. Was hat dich denn gestört? Das war doch unheimlich interessant.«

»Eben«, sagte Ekland.

»Eben was?«

»Ah«, sagte der Chauffeur, ein älterer Mann, auf deutsch, »Sie sind Deutsche?«

»Ja«, sagte Ekland. »Und?«

»Und ich liebe Deutschland«, sagte der Taxichauffeur. »Wunderbares Land. Hab' dort die schönsten Jahre meines Lebens verbracht.«

»Tatsächlich?« fragte Ekland.

»Tatsächlich.« Der Wagen schleuderte und krachte wieder aufs Pflaster. »Das war eine Katze.«

»Was war eine Katze?«

»Was ich überfahren habe. In dieser Gegend gibt es sie nachts in Rudeln. Ich habe nichts gegen Katzen. Wirklich nicht. Die da ist mir direkt reingerannt. Kam gerade vom Rammeln. Pardon, Mademoiselle.«

»Woher wissen Sie das?« fragte Katja.

»Oder rannte gerade hin. Reiner Wahnsinn hier um den Bahnhof. Jede Nacht. Können Sie alle Kollegen fragen. Gare de l'Est. Berühmt dafür. Ach Deutschland! Ein Traum war das.«

»Wann denn?« fragte Katja.

Es gab tatsächlich sehr viele Katzen auf der Straße.

»1940 bis '45. Kriegsgefangener. Bauernhof im Schwarzwald. Villingen. Kennen Sie Villingen? Auch ein Traum! Und die Mädchen! Die schönsten Mädchen, die ich je... Na ja, und Gertrude ist dann mit mir gegangen, nach Paris. Inzwischen sind wir alte Leute. Unsere Kinder groß und weggezogen. Aber ich, ich hab' immer noch meinen Traum. Villingen. Schönster Platz auf der Welt. Nächstes Jahr höre ich zu arbeiten auf, dann gehen wir...«

»Nach Villingen«, sagte Katja.

»Nach Villingen«, sagte der Taxichauffeur. »Und bleiben dort. Den ganzen Lebensabend lang. Und wenn's uns erwischt, dann wollen wir da begraben werden. So was von einem Friedhof haben Sie noch nicht gesehen. Einfach wundervoll. Gott, werde ich froh sein, wenn ich aus Paris raus bin! Kann's kaum erwarten. Da wären wir, Herrschaften. Ich rede zuviel, ich weiß. Doch, doch. Nicht widersprechen! Ich quaßle und quaßle. Sagt Gertrude auch immer.

Das macht... oh, tausend Dank, Monsieur! Herzlichen Dank! Und viel Vergnügen! Pardon. Man wird hier noch verrückt. Schauen Sie sich bloß die Katzen an...«

»Also, was ist los?« fragte Katja, als sie in ihr Pensionszimmer kamen. Es war klein, aber mit hübschen alten Möbeln eingerichtet wie das ganze Haus, Ekland liebte diese Art von Unterkünften so sehr, wie er das vornehme Getue in den Fünf-Sterne-Hotels haßte und das gemeinsame Wohnen mit Leuten, die den ganzen Tag bei der Arbeit um ihn waren. Diesmal hatte er nur noch ein Zimmer in dieser Pension gefunden, wo man die Züge rollen und den ganzen Bahnhofslärm hören konnte. Das war ihm so gleichgültig wie der Umstand, daß die Zimmer hier dünne Wände besaßen. Von nebenan erklang gerade die Stimme eines Mannes.

»Na ja«, sagte Ekland, »es war so interessant, was da erzählt wurde. Von dem Nazigesetz, das heute noch gilt, nicht?«

»Ja. Und?«

»Alles ist da so interessant«, sagte er. »Von Anfang an. Daß die eigenen Leibwächter Marvins Tochter erschossen haben. Und Chico Mendes mit knapper Not dem Anschlag entging. Daß Bolling spurlos verschwunden ist. Daß in unserem Team keiner keinem traut, vermutlich zu Recht. Und jetzt auch noch das Nazigesetz! Hör zu, Katja, wir müssen uns da raushalten! Diese ganze Geschichte ist mehr als dreckig. Du hast's ja selber erlebt da in Altamira, als Bolling mit diesem Joschka Zinner telefonierte. Stinkt zum Himmel, das Ganze, sage ich dir. Stinkt zum Himmel. Du und ich, wir haben damit nichts zu tun. Ich will meinen Frieden. Und deinen. Du bist zu neugierig.«

»Das ist nicht wahr! Ich bin durch reinen Zufall da reingerasselt.«

»Meinetwegen. Aber jetzt mußt du wieder rausrasseln, und zwar schnell. Wir tun unseren Job. Je früher wir fertig sind, um so besser. Eine obermiese Geschichte ist das. Glaub mir. Ich hab' eine Nase für so was. Weißt du doch. Noch nie war das meiner Nase so klar wie diesmal. Ich will nicht verrecken wie die arme Susanne. Und dir, dir darf schon gar nichts passieren. Darum, als die nun auch noch mit einem Nazigesetz kamen, das heute noch gilt in Deutschland, diesem Deutschland, das der Taxichauffeur so liebt, hab' ich gesagt, ich will weg, verstehst du? Wir dürfen von nichts wissen! Nur so kommen wir raus aus der Sache. Nur so bleiben wir heil. Und zusammen.«

»Ach, Bernd!« Sie fing an zu weinen.

»Was ist jetzt los? Warum heulst du?«

»Weil du gesagt hast, wir bleiben zusammen. Das willst du wirklich?«

»Klar will ich das.« Er ließ sich auf das alte Messingbett fallen. Die Federn quietschten. Eine Lokomotive pfiff. Dann rollten viele Räder. »Nun hör schon auf! Nimm ein Taschentuch!«

»Ich ha... habe kei... keines.«

»Da ist meines.«

Sie blies hinein. »Danke, Bernd. Ich tu alles, was du willst. Du hast ja ganz recht. Wenn dir was passiert...«

»Oder dir.«

»Mir ist nicht so schlimm. Aber dir. Dann bin ich allein.«

»Und wenn's dir passiert, ich.«

»Ach Bernd! Aber meine scheußliche Akne.«

»Katja! Ich liebe dich *mit* deiner Akne. Das weißt du doch! Aber paß auf, da hat mir einer erzählt, in Hamburg gibt's einen Professor, der wird mit der ärgsten Akne von der Welt fertig. Da fahren wir hin, wenn wir fertig sind mit dieser Arbeit.«

»Ich war doch überall! Mit meiner Akne wird keiner fertig.«

»Der schon! Der arbeitet mit Röntgenstrahlen.«

»Hab' ich längst gekriegt.«

»Aber nicht die ganz weichen, langwelligen«, sagte er. »Zehn bis zwölf mal drei Minuten, und du hast eine Haut wie Ornella Muti.«

»Bernd... Bernd... sei nicht böse, bitte... Ich muß schon wieder heulen...«

»Heul ruhig«, sagte er. »Sieht ja keiner.«

»Lieber Gott, lieber Gott«, sagte Katja erstickt.

»Was lieber Gott, lieber Gott?«

»Weißt du, heute früh war ich in der Kirche da beim Bahnhof, Bernd.«

»Teufel, Teufel«, sagte er. »In der Kirche? Was hast du denn da gemacht?«

»Zuerst hab' ich zehn Kerzen gekauft...«

»Also hör mal, Geld schmeißt du raus!«

»...und sie auf dieses Gestell gesteckt, und dann hab' ich gebetet, daß heute noch etwas ganz Schönes passiert. Und den lieben Gott habe ich gebetet, daß er mir ein Zeichen gibt.«

»Was für ein Zeichen?«

»Wenn ich nach dem Beten mit *einem* Streichholz alle zehn Kerzen anzünden kann, dann wird was Schönes passieren. Heute noch. Und ich hab' alle zehn angezündet mit einem Streichholz.«

»Alle zehn? Donnerwetter!«

»Ja, und siehst du, es war wirklich ein Zeichen. Denn jetzt kommst du mit diesem Professor und seinen ganz weichen, langweiligen Röntgenstrahlen. Bitte! Das ganz Schöne, noch heute abend!«

Durch die Wand klang die Stimme des Mannes plötzlich laut und deutlich verständlich. Er sprach englisch.

»Ami«, sagte Ekland.

»Meine Sachen sind erste Klasse, Mister Mason«, sagte der Ami. Eine zweite Stimme antwortete, ebenfalls englisch: »Ihre Sachen sind beschissen, Mister Burkett.«

»So haben wir's gern«, sagte der erste Ami. »Wenn ich Jude wäre oder 'ne Schwuchtel oder 'n Linker oder 'n Schwarzer, dann wär' schon alles gelaufen, Mann. Dann wär' ich längst in.«

»Ich hatte gestern einen schwarzen Autor hier«, sagte der zweite Ami. »Der sagte zu mir: Wenn ich 'ne weiße Hautfarbe hätte, wär' ich heute schon Millionär.«

»Na schön«, sagte der erste Ami, »und was ist mit den Schwuchteln?«

»Gibt Schwuchteln, die schreiben großartige Sachen«, sagte der zweite Ami.

»Zum Beispiel Genet, was?« sagte der erste.

»Zum Beispiel Genet«, sagte der zweite.

»O Gott«, sagte Katja. »Was ist mit den beiden los?«

»Sei ruhig«, sagte Ekland. »Alles in Ordnung. Die lesen eine Geschichte von Bukowski. Mit verteilten Rollen.«

»Geschichte von wem?«

»Dann soll ich mich vielleicht aufs Schwanzlutschen verlegen, was?« sagte der erste Ami durch die Wand.

»Charles Bukowski. Kennst du nicht, Katja?«

»Nee.«

»Mußt du aber! Phantastischer Schreiber. Ich hab' alles von ihm. Muß ich dir geben. Das, was die da lesen, ist eine Geschichte, die heißt ›Lauter große Schriftsteller‹. Lieblingsgeschichte von mir. Ach, bei Bukowski hab' ich nur Lieblingsgeschichten! Eine besser als die andere. Einfach großartig, der Mann!«

»Ich soll nur noch von Schwanzlutschen schreiben, wie?« sagte der erste Ami.

»Das habe ich nicht gesagt«, sagte der zweite Ami.

»O Gott, o Gott«, sagte Katja. »Warum lesen die das mit verteilten Rollen?«

»Weiß ich nicht«, sagte Ekland. »Besoffen. Verrückt. Beides. Wir sind alle verrückt. Einfach grandios, dieser Bukowski.«

»Hören Sie mal, Mister Burkett«, las der zweite Ami. »Wir sind hier ein Unternehmen. Wenn wir jeden Autor verlegen würden, der uns bekniet, weil sein Zeug angeblich so großartig ist, wären wir nicht mehr lange hier. Wir müssen also schon ein bißchen sieben. Und wenn wir uns dabei zu oft irren, sind wir erledigt. So einfach ist das. Wir verlegen gute Autoren, die Umsatz machen, und wir verlegen schlechte Autoren, die Umsatz machen. Wir wollen was *verkaufen*.«

»Hören Sie mal, Sie drucken Bukowski«, sagte der erste Ami. »Und der hat abgewirtschaftet. Sie wissen es genau.«

»Na schön«, sagte der zweite, »dann hat er eben abgewirtschaftet.«

»Der schreibt Scheiße«, sagte der erste.

»Wenn mit Scheiße Umsatz zu machen ist«, sagte der zweite, »verkaufen wir auch Scheiße.«

Danach lachten die beiden Männer.

Ekland lachte auch.

»Hör zu, Bernd«, sagte Katja, während die Lesung nebenan weiterging, »ich versprech' dir, ich halt' mich raus. Aus allem. Ich tu, was du sagst. Alles. Aber du mußt auch tun, was *ich* sage.«

»Nämlich?« fragte Ekland, der versuchte, gleichzeitig ihr und den beiden Amis nebenan zuzuhören, die weiter mit verteilten Rollen Bukowski lasen.

»Nämlich wieder auf Cortison umsteigen.«

»Was?«

»Drei Cortisonspritzen in der Woche«, sagte Katja. »Wie früher.

Oder vier. Ich mach' sie dir. Wie früher. Ich hab' noch einen großen Vorrat. Der Arzt, der sagte, das Cortison abstellen, das war ein blöder Hund. Bis dahin ging es prima. Ohne Cortison geht's immer schlechter. Heute abend habe ich dir das Fleisch auf dem Teller kleingeschnitten. Wenn du morgen drehen müßtest, könntest du es nicht. Zum Glück haben wir ein paar Tage frei, bis die sich über die Sonnenenergie im klaren sind. Wir fangen mit den Spritzen noch heute an. Bitte, Bernd! Sonst ist alles aus.«

»Ich will kein Cortison mehr.«

»Auch nicht, wenn dann alles aus ist?«

»Auch dann nicht. Ach was, verflucht noch mal! Okay, versuchen wir's! Vielleicht wird's besser.«

Sie lief glücklich zu dem alten Schrank und brachte eine verchromte Metallschachtel.

»Ach Bernd, was bin ich froh, daß du mich machen läßt! Wirst sehen, es hilft ganz schnell.« Sie hatte die Schachtel auf einen wackligen Tisch gestellt und geöffnet. Nun nahm sie eine Ampulle und sägte mit einer kleinen Feile die Spitze ab. »Zieh das Hemd aus!« Sie hielt jetzt eine Injektionsspritze in der Hand und saugte den Inhalt der Ampulle hoch. Dann legte sie die Spritze auf einen Stapel Gazetücher und reinigte eine Hautstelle an Eklands rechter Schulter mit Watte und Wundalkohol.

»Muskeln ganz locker lassen! Jetzt kommt's.«

Sie stach in seine Schulter. Er zuckte ein wenig. Langsam drückte Katja den Kolben der Spritze herab.

»Jesus, wenn der Schmerz weggeht, dann haben sie mir gleich zweimal ganz Schönes gebracht, meine zehn Kerzen«, sagte sie leise.

»Ja«, sagte Ekland, »fünf für deine Akne, fünf für meine Schulter.«

Vom Gare de l'Est klang eine heisere Lautsprecherstimme herüber, und wieder ertönte der Pfiff einer Lokomotive und immer weiter das Rollen von Rädern. Und dann kam von nebenan wieder die Stimme des ersten Amis: »Nun hör dir das an, Jack! Also, das haut mich um.«

»Nun lies schon!« sagte der zweite Ami.

Und der erste las: »Ein Grabstein für den ganzen Schlamassel, und darauf gehört die Inschrift: MENSCHHEIT, DU HATTEST VON ANFANG AN NICHT DAS ZEUG DAZU.«

»Ich komme einfach nicht ohne den Kerl aus«, sagte Adolf Hitler am 22. April 1942 beim Mittagessen. »Er ist unverschämt und anmaßend. Er wagt, mir Briefe mit der Anrede ›Sehr geehrter Herr Hitler‹ zu schreiben, und er hat den Nerv, nicht mit ›Heil Hitler‹ oder wenigstens ›Mit deutschem Gruß‹ zu unterzeichnen, sondern, ich schwöre Ihnen, das ist die reine Wahrheit, so was erlaubt dieser Kerl sich, sondern stets: ›Mit bestem Gruß, Ihr ergebener Schacht!‹ Ja, aber er hat zum Beispiel sofort begriffen, daß ohne Milliardenbeträge jeder Versuch einer deutschen Aufrüstung lächerlich ist! Er hat nicht mit der Wimper gezuckt, als ich ihm erklärte, für die erste Stufe der Aufrüstung acht Milliarden zu benötigen und darüber hinaus dann mindestens weitere zwölf Milliarden. Er ist ein unerhört intelligenter Mensch und ebendeshalb einfach nicht zu entbehren.«

Isabelle legte den Band mit Hitlers »Tischgesprächen«, aus dem sie übersetzt hatte, auf den Tisch. Das Buch stammte aus Gerards Bibliothek. Sie saßen noch immer in der großen Küche im obersten Stockwerk des alten Hauses in der schmalen Rue du Cardinal Dubois. Nun war die Nacht gekommen. Durch das große Fenster sah man hinab auf Millionen Lichter der Stadt Paris. Isabelle ging zum Herd, an dem Monique arbeitete.

»Horace Greely Hjalmar Schacht«, sagte der schlanke, große Solarenergieexperte Loder, an Gilles gewandt, deutsch, »wurde 1877 geboren und starb 1970. Was für ein Leben! 1916 Direktor der Nationalbank, die er 1922 mit der Darmstädter Bank vereinigte. 1923 gelang es ihm durch einen genialen Trick, die wahnwitzige Inflation in Deutschland zu stoppen.«

»Er hört Loder zu, aber er sieht ihn nicht an«, sagte Monique zu Isabelle. Die beiden bereiteten Kaffee vor. »Nur dich sieht er an.«

»Hm.«

»Unentwegt.«

»Hm.«

»Gefällt mir. Die Tassen stehen rechts unten im Schrank. Ausgezeichnet gefällt er mir. Gescheiter Typ. Gutes Gesicht.«

»Mhm.«

»Wirkt sehr sympathisch. Wie alt ist er?«

»Und die Milch?«

»Im Kühlschrank. Liebt dich. Merkt man sofort.«

»Hm.«

»Ach, tu nicht so! Du liebst ihn doch auch!«

»Wo ist der Zucker?«

»Von 1924 bis 1939 war er Reichsbankpräsident«, sagte Loder. »Von 1934 bis 1937 zugleich Wirtschaftsminister. Weitere geniale Tricks zur Beschaffung von Devisen für die Nazis. Finanzierte Hitler, den er verachtete, den Zweiten Weltkrieg. Blieb immer seinen Freunden von der Großindustrie treu. Brachte sie auf eine Linie hinter Hitler. Der Industrie, soll Schacht gesagt haben, kann es grundsätzlich egal sein, wer glaubt, die wirkliche Macht zu haben – Stahlhelm oder Zylinder. Aber taktvollerweise sollte man einer Seite schon Sympathie ausdrücken.«

Gilles lachte.

»Wirkt noch jünger, wenn er lacht«, sagte Monique am Herd leise zu Isabelle. »Ihr beide lacht viel miteinander, wie?«

»Mhm.«

»Als Schacht dann später versuchte, die drohende Inflation durch immer weitere Kriegskredite zu verhindern, zog Hitler nicht mit«, sagte Loder. »Schacht stellte sich daraufhin gegen ihn. Hitler steckte Schacht 1944 in ein Konzentrationslager. Wegen ›oppositioneller Haltung‹ wurde der Bankier dann im Nürnberger Prozeß freigesprochen. Freigesprochen! Von 1953 an war er Mitinhaber eines Düsseldorfer Privatbankhauses. Na ja! Am dreizehnten Dezember 1935 jedenfalls unterschrieb Hitler Schachts phantastisch ausgetüfteltes Energiewirtschaftsgesetz. Es ist seinem Schöpfer so vortrefflich gelungen, daß es Krieg, Kapitulation, Wiederaufbau, Wirtschaftswunder und Waldsterben überlebt hat.«

»Isabelle, *chérie*!« rief Vitran.

»Ja?«

»Laß Monique allein den Kaffee machen! Komm her und übersetze für mich! Ich verstehe nur jedes zehnte Wort. Nun komm schon!« Sie setzte sich neben Gilles. Er lächelte. Sie lächelte gleichfalls.

»Jetzt also weiter, bitte!« sagte Vitran. »Die Nazis, Monsieur Gilles, waren ursprünglich erbittert gegen ein solches Gesetz gewesen, das den Energiekonzernen praktisch alle Macht übertrug. Ich habe ungefähr mitgekriegt, was Monsieur Loder erzählt hat. Die Nazis wollten diese Konzerne anfangs zerschlagen, aber gegen einen Mann wie Schacht hatten sie keine Chance. Und Hitler kapierte nie, daß er reingelegt wurde, daß Schacht dieses Gesetz für seine Freunde in der Industrie – diesmal in der Elektrizitätsindustrie – geschaffen hatte. Schacht war so schlau, in den Paragraphen drei oder vier scheinbar so etwas wie eine Kontrolle des Staates über die Stromwirtschaft einzubauen.« Vitran schlug ein anderes Buch auf und reichte es Isabelle. Sein Titel lautete »Der Stromstaat«, und sein Autor war Günter Karweina[24].

»Lies einmal die Präambel vor, Isabelle, *chérie*«, sagte Vitran.

Isabelle übersetzte: »›Dieses Gesetz ist beschlossen worden, um die Energiewirtschaft als wichtige Grundlage des wirtschaftlichen und sozialen Lebens im Zusammenwirken aller beteiligten Kräfte der Wirtschaft und der öffentlichen Gebietskörperschaften einheitlich zu führen und im Interesse des Gemeinwohls die Energiearten wirtschaftlich einzusetzen, den notwendigen öffentlichen Einfluß in allen Angelegenheiten der Energieversorgung zu sichern, volkswirtschaftlich schädliche Auswirkungen des Wettbewerbs zu verhindern, einen zweckmäßigen Ausgleich durch Verbundwirtschaft zu fördern und durch all dies die Energieversorgung so sicher und billig wie möglich zu gestalten.‹ Puh, was für ein Satz!«

Gilles sah sie mitfühlend an.

»Das«, sagte sie, »schreibt der Autor Günter Karweina, ist eine – Zitat – ›Sammlung von folgenlosen Absichtserklärungen und auslegungsfähigen, unpräzisen Formulierungen‹. Aber gerade deshalb ist der Hinweis auf die verpflichtende Präambel des Energiewirtschaftsgesetzes *heute* der Hammer bei jeder Diskussion mit Reformern und Alternativen: Ganz gleich, was diese vorschlagen – für die Konzerne ist es entweder nicht sicher genug oder nicht billig genug und auf keinen Fall ›so sicher und billig wie möglich‹... Daß die deutsche Energiewirtschaft einer solchen Aufsicht durch den Reichswirtschaftsminister unterstellt wurde, war das eigentlich Neue an diesem Gesetz. Alle vorhergehenden Versuche einer reichseinheitlichen Regelung waren nämlich am Einspruch der Länder gescheitert. Von entscheidender Bedeutung war natürlich, *wie* diese Kontrolle des Staates funktionieren sollte. Da heißt es in Paragraph drei, der Reichswirtschaftsminister könne von den Elektrizitätsversorgungsunternehmen jede Auskunft über ihre technischen und wirtschaftlichen Verhältnisse verlangen, soweit der Zweck dieses Gesetzes es erfordert. Nach Paragraph vier sind die Unternehmen zudem verpflichtet, vor dem Bau von Kraftwerken, deren Erneuerung, Erweiterung oder Stillegung ihre Pläne dem Ministerium mitzuteilen, das die Vorhaben dann entweder hinnehmen, beanstanden oder auch untersagen kann, wenn Gründe des Gemeinwohles es erfordern.«

»Ja, aber das bedeutet doch...«, begann Gilles.

»Warte!« sagte Isabelle. »›Die Informationspflicht des Paragraphen drei‹, so schreibt Karweina, ›gekoppelt mit der Investitionsaufsicht nach Paragraph vier, hätten dem Staat bei konsequentem Vorgehen die Möglichkeit geboten, lenkend in die Entwicklung der deutschen Stromversorgung einzugreifen.‹ Doch das wollte Schacht gerade verhindern. In der ›amtlichen Begründung zum Gesetz‹ heißt es daher: ›Das Gesetz geht davon aus, daß die energiewirtschaftlichen Unternehmen in erster Linie *selbst* dazu berufen sind, die Aufgaben aus *eigener* Kraft zu lösen.‹«

»Na bitte!« rief Vitran. »Dieser geniale Schacht!«

»›Der Reichswirtschaftsminister‹, übersetzte Isabelle, ›will sich grundsätzlich darauf beschränken, nur da einzugreifen, wo die Wirtschaft selbst die gestellte Aufgabe nicht zu meistern vermag.‹ Aus diesem Grund sind die Stillegung und der Bau der Energieanlagen nicht genehmigungspflichtig gemacht, sondern nur einem Untersagungsrecht vorbehalten worden. Die Vorbereitung der erforderlichen Maßnahmen soll soweit wie möglich von der Wirtschaft selbst getroffen werden. ›Dem Geist und Buchstaben dieser Erläuterung folgend‹, schreibt Karweina, ›übertrug Schacht die Befugnisse aus den Paragraphen drei und vier der Reichsgruppe Energiewirtschaft...‹«

»Und in der saßen nur Leute aus dem Verbund«, sagte Vitran. »Mit anderen Worten also: Die ganze sogenannte Kontrolle lag bei den Repräsentanten der Stromindustrie!«

»Genau das schreibt hier Karweina«, sagte Isabelle. »›Unterzeichnet haben dieses Gesetz übrigens neben dem Führer und Reichskanzler und den Ressortchefs für Wirtschaft und Inneres auch der Reichsminister und Oberbefehlshaber der Wehrmacht. Es ging schließlich um die Wehrhaftmachung der deutschen Energieversorgung.‹«

»Kaffee!« rief Monique. »Jede Menge guten, starken Kaffee, Messieurs, 'dames!« Sie trat mit einem großen Tablett an den Tisch. Isabelle stand auf, um ihr beim Verteilen der Tassen zu helfen. Vitran holte eine Flasche Cognac und große Schwenkgläser.

Als alle wieder saßen, sagte Gilles leise zu Isabelle: »Der Mann in meinem Buch, der Mann, den wir uns da zurechtgelegt haben, wäre sehr stolz auf die junge Frau, die wir uns da zurechtgelegt haben und die er liebt. Klug ist sie, übersetzt ganz und gar souverän und bleibt dabei ganz und gar reizend, voller Grazie und Charme – leider Gottes ist sie nur bei ihrer Arbeit völlig frei und ungehemmt.«

»Philip! Es geht um das Strommonopol!«

»Mich lenkt dauernd der Strom ab, der von meiner Romanfrau ausgeht.«

»Hör sofort auf!«

»Kein Probeagieren heute abend?«

»Dazu«, flüsterte Isabelle, »ist die Situation in jeder Hinsicht zu ernst.«

»Der Verbund«, sagte Loder, und Isabelle übersetzte, »hatte also hundertprozentig über Hitler gesiegt – wie zuvor über Weimar und noch früher über den Kaiser. Nun gab es das Paradies auf Erden. Bis 1939 erzielte der Verbund einen Stromzuwachs von mehr als einhundertdreiundsechzig Prozent. Sie können sich vorstellen, was damals schon verdient wurde.«

Gilles fragte: »Wie ist dieser Verbund eigentlich entstanden?«

»Da gab es zwei andere geniale Männer«, sagte Loder. »Der eine hieß Hugo Stinnes. Als Jungunternehmer und Zechenbesitzer hörte er im Jahr 1898, daß in Essen ein Elektrizitätswerk gebaut werden sollte. Er informierte sich kurz und verkündete dann seinen Mitarbeitern: ›Man kann Kohle auch über Draht verkaufen.‹«

»Soviel«, sagte Vitran, »verstand der damals achtundzwanzigjährige Stinnes immerhin von der neuen Technologie, daß die Generatoren für die Stromerzeugung mit Dampfmaschinen angetrieben wurden, die große Mengen von Kohle verbrauchten. Elektrizitätswerke waren also für einen, der Kohlezechen besaß, die besten Dauerkunden, nicht wahr? Der junge Herr fand auch einen Weg, sein großes Geschäft zu machen, ohne den Vertrag zu verletzen, nach dem Kohle nur über das Syndikat abgesetzt werden durfte. Er verkaufte dem auf der Grenze zu seiner Zeche ›Viktoria Mathias‹ errichteten Kraftwerk keine Kohlen, sondern preiswerten Dampf aus dem Kesselhaus der Zeche. So konnte diese Gesellschaft, das Rheinisch-Westfälische Elektrizitätswerk, schon beim Start Strom wesentlich billiger produzieren als alle anderen.«

»Hut ab«, sagte Isabelle.

»Kein winziges bißchen Probeagieren *ce soir*?« flüsterte Gilles.

»Pscht!« machte sie.

»Die Elektrizitätswerkleute waren von Stinnes derart entzückt«, fuhr Vitran fort, »daß sie ihn 1898 in den Aufsichtsrat wählten, obwohl er keine einzige Aktie ihres Unternehmens besaß. Stinnes begann sofort, Einfluß auf die Gesellschaft zu nehmen, und als im Frühjahr 1902 eine Krise in der Elektroindustrie ausbrach, nutzte er die Chance. Gemeinsam mit seinem achtundzwanzig Jahre älteren Geschäftspartner August Thyssen, dem Stahlkönig, kaufte er die sechsundachtzigprozentige Aktienmehrheit des RWE, übernahm den Vorsitz im Aufsichtsrat und gab ihn bis zu seinem Tod nicht mehr ab.«

»Zwei unterschiedlichere Typen als diese beiden Männer aus Mülheim an der Ruhr«, sagte Loder, »kann man sich nicht vorstellen. Hugo Stinnes: prüder Protestant, treusorgender Familienvater für Frau und sieben Kinder. August Thyssen: geschiedener Katholik, nur einsvierundfünfzig groß, mit den Söhnen zerstritten, Liebhaber draller Damen und derber Witze. Während Stinnes dank seiner Frau Cläre immer korrekt in dunkles Tuch gekleidet war, trug Thyssen zu allen Gelegenheiten einen abgewetzten Bratenrock. Doch so skurril sie bei gemeinsamen Auftritten gewirkt haben mögen – sie waren Zwillingsbrüder im Geiste Schachts, als Bankiers, Industrielle und zugleich Spitzentechniker, Konzernbauer, Finanzakrobaten und besessene Arbeiter. Thyssen schrieb seinen Direktoren beispielsweise: ›Ich bitte die Herren, zur Sitzung einige Butterbrote mitzubringen, damit wir durch das Mittagessen keine Zeit verlieren.‹«

»Thyssen und sein kongenialer Partner Stinnes«, sagte Vitran, »hatten ihr Verbundimperium schon gigantisch ausgebaut, als der Erste Weltkrieg begann. Man versuchte im Kaiserreich alles, um den beiden ihre Machtfülle zu nehmen – vergebens. Vergebens versuchte man auch nach dem Krieg in der Weimarer Republik alles, ihren Einfluß einzuschränken. Als die Nazis kamen, versuchten sie wiederum, den Verbund zu zerschlagen – und wiederum, nicht zuletzt dank Schacht, vergebens. 1945 war der Verbund so reich und mächtig wie nie zuvor. Zwölf Jahre nachdem Hitler im Berliner Sportpalast das Vaterunser blasphemisch verändert und den Deutschen ›das neue Reich der Größe und Ehre und der Kraft und der Herrlichkeit und der Gerechtigkeit, Amen‹ verkündet hatte, kapitulierten seine vernichtend geschlagenen Generäle und Admiräle. Er selbst war nicht, wie früher für den Fall des Versagens angekündigt, ›ins Glied zurückgetreten‹, sondern hatte bis zum letztmöglichen Augenblick in seinem sicheren Bunker gelebt, Vierzehnjährige in den Tod geschickt, noch schnell gefreit und sich dann aus dem Leben und der Verantwortung davongestohlen. Bezahlen mußte der Rest der Deutschen – die große Mehrheit, die bis zuletzt an ihn geglaubt hatte, und die wenigen Gegner, die ihn überlebten.«

»Und mit ihnen«, sagte Loder, nachdem Isabelle übersetzt hatte, »überlebten bis heute der Verbund *und* das Nazigesetz von 1935, mit dessen Hilfe ebendieser Verbund heute in Deutschland praktisch tun und lassen kann, was er will.«

»Dank diesem Gesetz«, schloß Vitran, »schlagen die acht Großen vor, auf welche Weise in der Bundesrepublik Strom erzeugt und verkauft wird, wieviel und zu welchem Preis. Sie verpesten die Umwelt. Kaum jemand kontrolliert sie wohl wirklich. Als Selbstverständlichkeit betrachten sie, daß Verluste von ihren Kunden oder vom Steuerzahler getragen werden – Gewinne behalten sie bis zum letzten Pfennig, und bis zu dieser Stunde hat niemand gewagt, die Macht des Verbunds zu brechen.«

## 7

»Tot«, sagte Dr. Heinrich Brelo. Er hob einen Arm der Frau im Bett und ließ ihn wieder fallen. Der Arm klatschte auf das Leintuch. »Da sehen Sie's. Mausetot. Sehen Sie's?«

»Wir sehen es, Doktor.« Der Hauptkommissar Robert Dornhelm nickte Brelo freundlich zu. »Tot. Keinerlei Zweifel.«

»Und keinerlei Hinweis auf die Todesursache«, sagte Brelo. »Nicht der klitzekleinste. Darum habe ich Sie gerufen.«

»Absolut korrekt von Ihnen«, sagte der achtundfünfzigjährige, große und schwere Chef der Mordkommission mit den stets violetten Lippen, die viele Menschen annehmen ließen, er wäre herzkrank. »Wir danken auch schön.«

»Kann sein, Katharina Engelbrecht ist ermordet worden«, sagte Brelo. »Herbert Engelbrecht, ihr Mann, ist auch ermordet worden. Mit Zyankali.«

»Richtig«, sagte der dicke Dornhelm, der wie immer ungeheure Bierruhe ausstrahlte.

»Katharina Engelbrecht ist nicht mit Zyankali vergiftet worden«, sagte Brelo, »das würden wir riechen. Riechen Sie etwas, Herr Dornhelm?«

»Nicht das geringste«, sagte der. Träumerisch fügte er hinzu: »Gibt viele Arten, einen Menschen zu ermorden...«

»Hört endlich auf mit dem Geschwätz!« sagte der Staatsanwalt Elmar Ritt wütend. Er wischte sich den Schweiß mit einem Taschentuch von der Stirn. Zu der Hitze war seit Tagen eine fast unerträgliche Schwüle gekommen. »Der Waffenschieber Herbert Engelbrecht ist im Untersuchungsgefängnis Preungesheim vergiftet worden. Das Zyankali war im Essen. Um ein Haar wäre auch Markus Marvin vergiftet worden, der in der gleichen Zelle saß. Frau Katharina Engelbrecht erlitt nach dem Tod ihres Mannes einen Nervenzusammenbruch und wurde am achtundzwanzigsten August in dieses Sanatorium eingeliefert. Hier versetzte man sie in Tiefschlaf. Aus dem erwachte sie am Dienstag, dem sechsten September, lese ich in der Krankengeschichte. Sie wurde weiterbehandelt und erholte sich schnell. Ein Check-up ergab, daß sie körperlich und seelisch wieder vollkommen gesund war. Heute, am dreizehnten September, kamen Sie, Doktor Brelo, gegen neunzehn Uhr bei der Abendvisite in dieses Zimmer und fanden Frau Engelbrecht tot in ihrem Bett. Sie haben bei solchen Fällen eine Bescheinigung auszustellen. Und zwar mit der Klassifizierung ›natürlicher‹ oder ›unnatürlicher Tod‹. Wenn Sie auf ›unnatürlichen Tod‹ erkennen, ist es Ihre Pflicht, die Staatsanwaltschaft zu verständigen. Das haben Sie getan. Wie, verflucht noch mal, ist es möglich, daß ein Mann in einer Gefängniszelle umgebracht wird und seine Frau bald darauf im Zimmer eines Sanatoriums, wenn sie rund um die Uhr bewacht wird? Daß sie bewacht wird, hast du angeordnet!« Er sah Dornhelm an.

»Schon wieder!« sagte der klagend.

»Was schon wieder?«

»Schon wieder regst du dich so auf. Schon wieder schwitzt du so. Hundertmal habe ich dir gesagt, du sollst dich nicht immer gleich so aufregen, Burschi! Ein Staatsanwalt und einer von der Mordkommission dürfen sich einfach nicht immer wieder aufregen. Du und ich, wir müssen uns immer vor Augen halten: An die ganz großen Schweine kommen wir doch nie heran. Also, nimm dir ein Beispiel an mir! Schwitze ich? Nicht die Spur schwitze ich. Warum schwitze ich nicht die Spur? Weil ich Bescheid weiß. Weil ich mich längst nicht mehr aufrege. Das wird noch einmal dein Tod sein. Du darfst dich einfach nicht immer gleich so aufregen. Du mußt...«

»Robert?« sagte Ritt.

»Ja, Burschi?«

»Halt's Maul!«

Dornhelm strich ihm zärtlich über die Wange. »Meinetwegen«, sagte er. »Renn ins Verderben, Burschi!«

»Laß das sein, verflucht!« schrie Ritt.

»Nicht schreien, Burschi!« sagte Dornhelm.

»Du...« Ritt brach ab. Er beherrschte sich mühsam. Schweiß stand nun in dicken Tropfen auf seiner Stirn. Er wandte sich an den Arzt: »Der Kriminalbeamte draußen auf dem Gang sagt, daß Frau Engelbrecht heute nachmittag Besuch bekommen hat, von ihrem Bruder. Einem Mister Charles Wander. Wander war der Mädchenname von Frau Engelbrecht. Der Bruder lebt in New York. Kam eigens herüber, um seine Schwester zu besuchen. Wies sich mit

einem amerikanischen Paß aus und zeigte ein Schreiben der Staatsanwaltschaft mit meiner Unterschrift, dem zufolge ich ihm die
Erlaubnis erteilte, seine Schwester zu besuchen.«

»So ist es«, sagte Dr. Brelo.

»Woher wissen *Sie* das?« fragte Ritt.

»Er hat es mir gezeigt, Herr Staatsanwalt. Wir haben uns kurz
miteinander unterhalten. Er wollte hören, wie lange seine Schwester noch hierbleiben müsse. Um sie danach in die Staaten mitzu-
nehmen. Sehr angenehmer Mensch. Sie kennen ihn ja, denke ich.«

»Warum denken Sie das, Doktor?«

»Nun, er war doch wohl bei Ihnen, um sich die Besuchserlaubnis zu
holen.«

»Nun«, sagte Ritt, »ich kenne ihn nicht. Er war nicht bei mir. Ich
habe einem Mister Charles Wander, diesem angeblichen Bruder von
Frau Engelbrecht, niemals eine Besuchserlaubnis gegeben.«

»Sie haben...« Brelo sah Ritt entsetzt an.

»Niemals«, sagte der.

»Aber der Beamte sagt, es war ein richtiger Vordruck mit deiner
Unterschrift. Er kennt deine Unterschrift, Burschi«, sagte Dornhelm.

»Dann war sie gefälscht.«

»Und der Vordruck?«

»Gestohlen.«

»Bißchen viel auf einmal«, sagte Dornhelm.

»Das kann man wohl sagen«, erwiderte Ritt. »In dieser gottverfluchten Geschichte ist alles ein bißchen zuviel. Ein bißchen sehr
zuviel. Wie sah der Mann aus, der sich als Bruder von Frau
Engelbrecht legitimierte, Doktor?«

Brelo zögerte. »Wie er aussah...«

»Ja!« schnauzte Ritt den Arzt an. »Wie sah er aus, Doktor? Sie
haben sich doch mit ihm unterhalten! War er alt? War er jung? Dick?
Dünn? Glatze? Schnurrbart?«

Brelo war beleidigt. »Sie müssen Ihre Wut nicht an mir auslassen,
Herr Staatsanwalt. Ich kann weiß Gott nichts dafür. Im Gegenteil.
Ich habe Sie augenblicklich verständigt, nachdem...«

»Ja, ja, ja. Sie haben hervorragend reagiert. Wie sah der Mann aus?«

»Wie sah er aus... Etwa fünfunddreißig, vierzig...« Brelo sprach zögernd. »Vielleicht einsfünfundsiebzig groß, schlank. Das schwarze Haar ganz kurz geschnitten. Machte einen scheuen Eindruck. Sprach leise, zurückhaltend. Ach ja, seine Finger...«

»Was war mit seinen Fingern?«

»Ganz verätzt waren die... gelblich verfärbt wie von Säuren und Laugen... Mister Wander bemerkte, daß ich seine Hände ansah... Er sei Chemiker, sagte er...«

In Gerard Vitrans Arbeitsraum telefonierte Markus Marvin mit Staatsanwalt Ritt, dem er Anschrift und Telefonnummer der Vitrans hinterlassen hatte. Ein Stockwerk höher, in der großen Küche, fragte Gilles den Physiker Wolf Loder: »Wie ist es möglich, daß ein Nazigesetz von 1935 in der Bundesrepublik heute noch Gültigkeit hat?«

»Zunächst einmal«, sagte Loder, »verursachte der ganze Bombenkrieg bei der Industrie – selbst bei der Rüstungsindustrie – die geringste Wirkung. Nur zehn Prozent ihrer Maschinen und Anlagen waren völlig zerstört, alles andere konnte schnell repariert werden. Die Elektrizitätswirtschaft, dieser Riesenkriegsgewinnler, kam auf dem Gebiet der Bundesrepublik sogar stärker aus dem Krieg heraus, als sie in die NS-Zeit hineingegangen war. 1947 hatte sie bereits wieder den Stand von 1942 erreicht. Daß es trotzdem Engpässe und Sperrstunden gab, lag an den Zeitumständen. Große Strommengen mußten nach Frankreich und in die Beneluxländer geliefert werden. Und Kohle stand obenan auf der Liste der Reparationsgüter. Davon abgesehen, war der westdeutsche Verbund bester Laune. Im Oktober 1945 bereits trafen sich die Aufsichtsräte des RWE außerhalb der Trümmerzone Essens im Restaurant Ruhrstein, um einen neuen Vorsitzenden zu wählen. Dabei besaß ein Altaufsichtsrat die mächtigste Stimme: Konrad Adenauer. Der setzte einen guten Freund, Wilhelm Wehrhahn, den Senior des Wehrhahn-Clans, durch.«

»Ich dachte, den Bankier Abs«, sagte Monique Vitran.

»Abs kam erst 1957 auf diesen Posten«, sagte Loder. »Aber 1945 war er bereits mit von der Partie. Dazu aus der Nazizeit Ernst Henke. Und noch ein dritter Mann, Heinrich Schöller. Henke und Schöller brachten es zuwege, daß die Struktur des Gesetzes von 1935 weiter verbindlich war.«

»Aber wie? Wie?« fragte Gilles.

»Sehen Sie«, sagte Loder, »nach dem Krieg gab es eine große Rangelei um die ›Überführung in Gemeineigentum‹, wie man damals Sozialisierung oder Verstaatlichung nannte. Diese Gefahr drohte natürlich auch dem Verbund... Günter Karweina beschreibt das ganz ausgezeichnet in seinem ›Stromstaat‹.«[25] Loder griff nach dem Buch, blätterte und fand die Stelle, die er suchte. »Hier: ›Sozialisierung, sagten die Verbundleute, ist nicht nur überflüssig, sondern widerspricht geltendem Recht... Der schaffende Mensch darf nicht zugunsten von Kapitalisten ausgebeutet werden. Dies soll erreicht werden, indem das Eigentum aus dem Besitz des einzelnen in das Eigentum des Staates, also der Allgemeinheit, übergeht. Nun ist man aber wohl allgemein zu der Ansicht gekommen, daß es mit dieser Überführung des Eigentums allein nicht getan sein kann, da auch die im Gemeineigentum befindlichen Betriebe nicht mit dem Ziel möglichst billiger‹ – merken Sie etwas? Schlau, wie? Und eine Unverschämtheit sondergleichen! –, ›nicht mit dem Ziel möglichst billiger Bedarfsdeckung zu arbeiten brauchen... Bei Sozialisierung denkt man daher heute an eine planvolle Lenkung der Wirtschaft zur Bedarfsdeckung, so daß unter Vermeidung von Fehlinvestitionen und Krisen das bestmögliche Ergebnis für die Allgemeinheit erreicht wird. Dafür aber braucht man kein Sozialisierungsgesetz, denn‹ – Achtung, jetzt kommt's, es ist nicht zu fassen, aber so einfach ging das! –, ›denn das Energiewirtschaftsgesetz gewährt als Lenkungsgesetz in weitgehendem Maße die Möglichkeit, die mit einer Sozialisierung für die Allgemeinheit erstrebten Ziele zu erreichen.‹«

»Wirklich nicht zu fassen!« sagte Gilles.

»Stolze Leistung, was?« fragte Loder. »Und so hieß das dann weiter: ›Es ist herrschende Meinung, daß nicht nur das Reich noch existiert‹ – 1945 wurde das gesagt, 1945 wagten die Herren das zu sagen, und keiner widersprach, keiner der alliierten Hohen Kommissare, niemand! –, ›das Reich noch existiert, obwohl ihm die Exekutive zur Zeit fehlt, so daß vor allem die Reichsgesetze, insbesondere das Energiewirtschaftsgesetz, noch in Kraft sind.‹« Loder sah auf. »Damals gab es ja keine Bundesregierung. Damals gab es Militärregierungen, und die hatten ausdrücklich gesagt, daß sie alle

Gesetzes- und etwaige Sozialisierungsfragen einer westdeutschen Zentralregierung überlassen wollten. Damit hatte der Verbund zunächst Ruhe. Aber auch später, nach 1948, waren alle Experten und liberalen Juristen von dieser Beweisführung der Herren Henke und Schöller ungeheuer angetan.«

»Wie ich von dir«, flüsterte Gilles Isabelle zu.

Diese bedachte ihn mit einem vernichtenden Augenzwinkern.

»Jetzt siehst du genauso aus wie Romy Schneider in ihren schönsten Momenten.«

»So«, flüsterte Isabelle, »und nun ist endgültig Schluß, Philip! Ich bin weder ein Filmstar noch eine Romanfigur.«

»Besonders gelungen«, sagte Loder, »erschien die Gleichsetzung von Sozialismus mit kapitalistischer Produktionslenkung plus Verbraucherschutz. Daß die Sozialisierung vor allem und zuerst dem Kapital die Macht über die Produktionsmittel nehmen will, erwähnten die Herren Henke und Schöller natürlich nicht. Wozu auch? *Das* wußten sie und ihre Freunde.« Loder lachte grimmig. »Die Verbundleute dachten sich noch etwas besonders Feines aus. Es gab ja kein Drittes Reich mehr, nicht wahr? Also hatte und hat der Verbund es mit den Bundesländern und Kommunen zu tun. Die Gummiartikel drei und vier des Gesetzes von 1935 behielten ihre Gültigkeit. Unter den Nazis gab es da nie Schwierigkeiten. Jetzt gab es auch keine. In seiner unendlichen Großmut überließ der Verbund den Kommunen sogar die Stimmenmajorität dafür, daß sie im Gegenzug die Eigenständigkeit ihrer Stromwerke preisgaben. Dazu zahlt der Verbund aus seinen Monstergewinnen jährlich an die Länder gewaltige Konzessionssummen, mit denen diese ihre Verluste auf anderen Gebieten – zum Beispiel dem öffentlichen Nahverkehr – decken können. Und der Verbund schlug die Bestallung von Kommunalvertretern zu sogenannten Beiräten vor, die natürlich sehr hoch bezahlt werden.« Loder hob das Buch und blätterte. »Und so, hier kann man es nachlesen, wurde schon 1948 beschlossen: ›Da die Deutsche Verbundgesellschaft in ihren Ausschüssen den Ausbau von Kraftwerkskapazität und der Höchstspannungsleitungen plant und die Deckung der zu erwartenden Verkaufsquoten reguliert, handelt es sich der Form nach um ein Kartell, in dem Wettbewerb ausgeschlossen ist… Da die Verbundmitglieder weiterhin Besitzer ihrer Netze einschließlich der auf sie entfallenden Höchstspannungsleitungen bleiben, waren und sind sie Anteilseigner eines Fernleitungsmonopols für Elektrizität. Stromtransporte über größere Strecken innerhalb der Bundesrepublik sowie Stromaustausch mit dem Ausland kann *nur* die Deutsche Verbundgesellschaft ausführen.‹ Ihre heutigen Mitglieder sind: Badenwerk, Bayernwerk, Berliner Kraft und Licht, Energie-Versorgung Schwaben, Hamburgische Elektricitäts-Werke, PreußenElektra, Rheinisch-Westfälisches Elektrizitätswerk und Vereinigte Elektrizitätswerke Westfalen. ›Die rechts von der damals noch sozialisierungswilligen SPD stehenden Politiker‹, schreibt Karweina, ›ließen sich von den acht Großen nun leicht überzeugen; daß sie bereits freiwillig jenen technisch und wirtschaftlich zentral planenden Apparat geschaffen hatten, der den Sozialisten vorschwebte, daß ihre Organisation aber von einem freien Unternehmertum getragen wurde und durch den föderalistischen Aufbau mit der Unterstützung der Länder rechnen konnte, wogegen eine zentralistische Staatsplanung mit Sicherheit am Veto der Länder scheitern würde. Der Verbund hatte wieder auf der ganzen Linie gesiegt!‹« Loder sah auf. »Und das Nazigesetz aus dem Jahr 1935 behielt seine Gültigkeit. So einfach war das.«

Isabelle sagte: »Aber die Kommunen verfügen über Stimmajorität...«

»Richtig«, sagte Loder.

»Dann haben die Kommunen, dann hat der Staat doch Kontrollmöglichkeiten, wenn es hart auf hart geht.«

»Hat er, richtig«, sagte Loder. »Zum Beispiel über die Tarifaufsicht. So müssen Tariferhöhungen in Nordrhein-Westfalen, also im RWE-Gebiet, durch den Düsseldorfer Wirtschaftsminister auf ihre Berechtigung hin überprüft und genehmigt werden.«

»Na also!« rief Gilles.

»Na also«, wiederholte Loder grinsend. »Und nun stellen Sie sich einmal vor, daß zum Beispiel in Westfalen auf Grund strengerer Tarifkontrollen die vom Verbund abkassierte Geldmenge verringert wird.«

»Stelle ich mir vor«, sagte Gilles. »Und?«

»Und was geschieht dann?«

»Was geschieht dann?«

»Dann«, sagte Loder, immer noch grinsend, »fallen aber auch die Konzessionszahlungen an die Kommunen geringer aus. Wollen die Kommunen das? Wären sie darüber glücklich? Sehr unglücklich wären sie darüber. Und deshalb hat es auch noch nie eine Herabsetzung der Stromtarife gegeben.«

Unten, in Gerard Vitrans Arbeitsraum, telefonierte Markus Marvin noch immer mit dem Staatsanwalt Ritt.

Der Staatsanwalt Elmar Ritt und ein Amerikaner namens Walter Coldwell saßen am späten Abend des 15. September, einen Tag, nachdem Katharina Engelbrecht tot aufgefunden worden war, im Büro des Hauptkommissars Dornhelm. Sie warteten darauf, daß der Chef der Mordkommission mit dem Obduktionsbefund eintraf. Ritt hatte eine Untersuchung der Leiche durch Pathologen des Gerichtsmedizinischen Instituts und eine Fahndung nach dem Chemiker Peter Bolling angeordnet, der nun wegen dringenden Mordverdachts gesucht wurde. Seine Beschreibung und ein Foto aus jüngster Zeit waren bereits vor zwanzig Stunden per Bildfunk an alle Flug- und Seehäfen, Polizei- und Grenzstationen hinausgegangen, nicht nur in der Bundesrepublik, sondern weltweit über Interpol Paris. Das Foto hatten Kriminalbeamte von Valerie Roth in Lübeck erhalten. Ein Verhör mit ihr war erfolglos geblieben. Sie hatte sich, meldeten die Beamten Dornhelm und Ritt, völlig fassungslos gezeigt, als man ihr mitteilte, warum Bolling gesucht wurde, und nur immer wieder erklärt, daß es sich um einen monströsen, ohne Zweifel konstruierten Irrtum handeln müsse. Allerdings, so sagte sie, war Bolling bereits am 4. September in Altamira im brasilianischen Urwald verschwunden, dem Tag, da Susanne Marvin erschossen wurde. Das Team habe die Befürchtung gehabt, dem Chemiker könne etwas zugestoßen sein.

Es war feucht-schwül in Dornhelms Büro. Ein schweres Gewitter zog auf. Unablässig zuckten grelle Blitze, krachten Donnerschläge. Noch regnete es nicht. Solche Gewitter waren in jenen Tagen häufig. Sie brachten keine Abkühlung.

Der Amerikaner mit Namen Walter Coldwell war etwa fünfzig Jahre alt, mittelgroß, beleibt, um nicht zu sagen fett, und hatte ein breites, teigiges Gesicht mit einem kleinen Mund und beständig müde wirkenden Augen. Das fahlbraune Haar war schütter. Der häßliche Mann achtete stets darauf, exquisit gekleidet zu sein. Seine Anzüge fertigte ein Schneider in der Londoner Bond Street an, seine Hemden ein anderer in Hamburg, die Maßschuhe kamen aus Florenz. All diese Liebesmüh war indessen vergebens. Coldwell machte einen leicht grotesken und traurigen Eindruck.

Seine Eltern stammten aus Deutschland, was dem Sohn im Beruf sehr zustatten kam: Er sprach akzentfrei deutsch. Den Familiennamen Kaltbrunn hatte er durch Coldwell ersetzt, als er vor einem Vierteljahrhundert in den Dienst der National Security Agency getreten war, für die er seither ausschließlich in der Bundesrepublik Deutschland arbeitete.

Die NSA war Amerikas modernster und effizientester Geheimdienst. Von Sonderrechten der Alliierten ermächtigt und durch Sondergesetze in den USA und den meisten anderen Teilen der westlichen Welt geschützt, von allzeit schußbereiten Sicherheitskräften bewacht, von kamerabestückten Stacheldrahtzäunen und elektronischen Schutzschilden umhüllt, hatte sich die NSA zu einer Monsterorganisation entwickelt, die in einem politischen Vakuum weitgehend nach eigenem Gutdünken operierte – ein globaler Skandal, der Politikern wie Wirtschaftlern gleichermaßen bekannt war.

Niemals zuvor in der Geschichte der Menschheit hatte irgendeine Macht der Welt Vergleichbares zustande gebracht – Lauschangriffe rund um den Erdball. Was Präsidenten oder Minister in Kabinettssitzungen redeten, was in Königshäusern oder auf Vorstandsetagen gesprochen wurde, ob Generäle soffen oder Botschafter im Bordell keuchten, alles brachten die zehntausend großen Ohren der NSA auf Band[26]. Die USA gaben jährlich viele Milliarden Dollar aus, um, wie der ehemalige Verteidigungsminister Harold Brown die Ausmaße des Apparates beschrieb, »das am besten ausgeklügelte und fähigste Spionagesystem aufrechtzuerhalten, das die Welt jemals gesehen hat«.

Ritt und Coldwell hatten der Schwüle wegen ihre Jacken ausgezogen und die Krawatten abgelegt. Sie schwiegen und verfolgten das immer heftiger werdende Gewitter.

Schließlich fragte der Staatsanwalt: »Sie sind ganz sicher?«

»Absolut sicher«, sagte Coldwell. Er sah krank und älter aus, als er war. »Ihr habt das Baby.«

»Ich kann es nicht glauben.«

»Warten Sie, bis Sie die Bänder hören. Ihr habt das Baby. Braucht es nur noch zusammenzuschrauben.«

»Aber ausgerechnet Marvin...«

Coldwell hob müde die Schultern und ließ sie wieder fallen. Das Gewitter tobte jetzt direkt über der City. Noch immer regnete es nicht.

»Warum nicht ausgerechnet Marvin? Erstklassiger Physiker! So viele Jahre bei der Aufsichtsbehörde im Hessischen Umweltministerium!«

»Die haben ihn rausgeschmissen.«

»Das stimmt nicht! Marvin legte es darauf an, rausgeschmissen zu werden, wenn ich Sie erinnern darf.« Coldwell betrachtete seine teuren Wildlederschuhe und sagte melancholisch: »Glauben Sie, wir observieren ihn erst, seit er in Brasilien war? Seit Jahren hören wir ihn ab. Sie haben keine Angst vor Gewittern?«

»Nein. Sie?«

»Schreckliche. Hatte sie schon als Kind. Idiotisch, ich weiß. Aber mir ist dann immer ganz elend. Ich schwöre Ihnen, ihr habt das Baby.«

»Das«, sagte Ritt, »wäre ein monströser Skandal.«

»Ach Gott«, sagte Coldwell und kontrollierte seine frisch manikürten Fingernägel.

»Was heißt ach Gott?«

»Ach Gott, es gibt viele monströse Skandale bei euch. Nicht nur bei euch. Überall. In dem hängt eben Marvin drin.«

»Sie sagten, die NSA arbeitet in diesem Fall mit der CIA zusammen?«

»Ja.«

»Außer dem Waffenschieber Engelbrecht wurde noch der ganz gewiß unschuldige Kalfaktor Traugott Mohnhaupt getötet.«

»Ja.«

»Reiner Zufall, daß es an seiner Stelle nicht Marvin war.«

»Ja.«

»Solche Risiken nehmen Sie in Kauf?«

»Ja.«

»Einfach in Kauf?«

»Ja«, sagte Coldwell zum fünftenmal.

»Sehr feinfühlig.«

»Auch sehr feinfühlig, daß Bonn alle Verträge und Gesetze gebrochen hat und ihr deshalb heute das Baby habt.«

»Und wenn Marvin nichts zu tun hatte mit den Schweinereien dieses Waffenschiebers Engelbrecht?«

Coldwell schloß die Augen und drehte seinen Sessel so, daß er nicht zum Fenster sehen mußte, vor dem es durch die ständigen Blitze taghell war.

»Wissen Sie, wir mußten einfach hören, was die beiden miteinander sprachen.«

»Und was kam dabei heraus?«

»Nichts. Die beiden sprachen kaum miteinander.«

»Gratuliere.«

»Ach, hören Sie auf! Die waren bloß zu schlau. Hatten schon mal was von uns gehört.«

»Dann war es aber doch ziemlich idiotisch, zu erwarten, daß sie über für Sie Wissenswertes miteinander sprechen würden.«

»Das kann man so nicht sagen, Herr Ritt. Menschen sind... nicht berechenbar. Nie ganz zu durchschauen. ›Feinfühlig!‹ Finden Sie, dies ist die Zeit, sehr feinfühlig zu sein mit Dreckskerlen wie diesem Engelbrecht? Der steckte doch bis über beide Ohren in der Geschichte, das wußten wir. Dafür haben wir mehr als genug Beweise.«

»Bei Marvin haben Sie keine.«

»Nicht genug«, sagte Coldwell. »*Noch* nicht genug«, fügte er hinzu. »Immerhin sind da die Telefonate, nicht wahr? Und die Gespräche. Und immerhin ist Marvin mit Bolling befreundet.«

»Das beweist nichts«, sagte Ritt. »Das beweist überhaupt nichts.«

»Jetzt wird es sich ja herausstellen«, sagte Coldwell.

»Noch einmal ›feinfühlig‹«, sagte Ritt. »Es waren also CIA und NSA, die deutsche Stellen veranlaßten, mir den Fall Marvin/Hansen für ein paar Tage aus den Händen zu nehmen.«

»Nun, natürlich«, sagte Coldwell.

Im nächsten Augenblick erhellte ein sehr starker Blitz das Büro. Der Donnerschlag folgte sofort. Und danach begann endlich Regen herabzustürzen.

Auf der linken Wange hatte NSA-Agent Walter Coldwell eine Narbe. Es war eine alte Narbe. Sie stammte von der Messingschnalle am Gürtel seines Vaters. Coldwells Vater, seit langem tot, war Buchhalter und fanatischer Anhänger einer ehemals katholischen Sekte gewesen, deren Gründer gelehrt hatte, daß man jene, die man liebte, für ihre Sünden gar nicht genug züchtigen konnte, auf daß sie nicht weiter sündigten, sondern rein und geläutert wurden, dem Herrn zum Wohlgefallen, gelobt sei Sein Name in Ewigkeit, Amen. Coldwells Vater schlug seine Frau fast täglich und sehr oft blutig für die vielen Sünden, die sie beging. Er schlug sie mit Peitschen, Holzscheiten, Schürhaken, Stöcken, den Fäusten und dem Gürtel mit der Messingschnalle, und er weinte dabei vor Gram darüber, daß er eine so außerordentlich große und hartnäckige Sünderin zur Frau hatte.
Coldwells Mutter lief fort, als der Junge sieben Jahre alt war. Nun begann der Vater, den Jungen zu schlagen, auch ihn fast täglich. Er schlug, wohin und womit man schlagen kann, und wiederum weinte er dabei vor Gram ob soviel Scham und Schande, die ihm sein eigen Fleisch und Blut bereitete, ob dieser schier endlosen Sündenflut: den Namen des Herrn lästerlich gebraucht, die sechs täglichen Gebete nicht oder nicht mit genügender Inbrunst gesprochen, im Drugstore Drops gestohlen, sich unzüchtig berührt, schmutzige Fotos betrachtet und dies mit Wollust, abgeschrieben in der Schule, den nachmittäglichen Chorgesang geschwänzt, eine Hure auf der Straße angestarrt, ihre Beine und ihre großen Brüste, einen nächtlichen Erguß gehabt, wegen Kälte Kohle vergeudet, ein Stück Brot weggeworfen, vor dem Geistlichen nicht die Mütze gezogen, des Werktags Sonntagsgewand getragen, um Eindruck zu machen auf Mädchen, sich im Schulklosett eingeschlossen und daselbst Hand an sich gelegt, der fünfzehnjährigen Annie Upright, dieser großen Sünderin, brennen würde sie in Ewigkeit, fünfzig Cent gegeben, damit sie den Rock hob und zeigte, wie sie da unten aussah, und dies nicht etwa vor Walter allein, sondern gleichzeitig vor sechs weiteren

Jungen für je fünfzig Cent, den Namen des Herrn lästerlich gebraucht, immer und immer wieder, und Seine Gebote gebrochen, dies alles nicht oder nur zum Teil gebeichtet und ohne wirkliche Reue, die auferlegte Buße von zahlreichen Gegrüßet-seist-du-Maria, Rosenkränzen und Vaterunsern nicht inbrünstig genug gesprochen, seinen ihm vom Herrn geschenkten Körper vernachlässigt, nicht so gründlich mit Wurzelbürste, Kernseife und kaltem Wasser gesäubert, wie der Vater dies tat, Annie Upright, sich selbst befleckt, das besudelte Taschentuch versteckt, das Hemd befleckt, die Bettdecke, die Unterhose, die Hose.

Zum größten Teil bestanden die Sünden in Selbstbefriedigung und unzüchtigen Gedanken, und häufig hatte der Junge diese Sünden gar nicht begangen, die Versuchung quälte vielmehr den Vater, der, ohne Frau, von Zeit zu Zeit angewiesen war auf ebenjene Hure mit den großen Brüsten, auf schmutzige Fotos und schmutzige Zeichnungen, wollüstige Gedanken, Selbstbefleckung auch, wenn keine Hure da war oder kein Geld, um eine solche zu bezahlen. Auch den Vater verlangte es nach Strafe für seine Sünden, und so schlug er dann stets den Sohn mit der Peitsche, dem Gürtel, quetschte dessen Fingernägel im Türspalt, bis Walter vor Schmerz schrie und der Vater bitterlich weinte. Nein, er schonte sich nicht, er mußte dafür sorgen, daß der Sohn nicht so sündigte, wie er es tat, es ging auch um Walters Gesundheit (Folgen der Onanie: Rückenmarkschwindsucht, Blindheit, Wahnsinn), es ging ums Seelenheil und vor allem darum, dem Herrn wohlgefällig zu sein.

In Panik vor dem Vater betete und beichtete, beichtete und betete Walter, gestand dem Priester erfundene Sünden in der Hoffnung, dies würde die Prügel verringern, doch vergebens die Hoffnung, vergebens. Er war es nun schon so gewohnt, geschlagen zu werden, daß er bereits im Flur des armseligen Hauses, in dem sie wohnten, die Hosen herunterzog, wenn er heimkam.

Dann legte der Vater ihn über einen Stuhl und begann zu prügeln. Und Walter schrie und fiel vom Stuhl, und der Vater trat und schlug ihn einfach überallhin, bis Walter keine Kraft mehr zum Schreien hatte. Und der Vater sagte auch, daß er den Sohn umbringen würde, wenn dieser etwa zur Jugendbehörde gehen oder irgend jemandem erzählen wolle, was der Vater tat, nur um dem Herrn zu dienen, gepriesen sei Sein Name.

Der glücklichste Tag in Walter Coldwells Leben war jener, an dem sein Vater starb. Da war er fünfzehn Jahre alt und drückte sich heimlich in ein Kino und sah den Film »Tote schlafen fest« mit Humphrey Bogart viermal nacheinander, bevor ein Platzanweiser ihn entdeckte und rauswarf. Bis zu seinem achtzehnten Lebensjahr kam Walter Coldwell in ein staatliches Heim für Waisen.

Er wurde Polizist, denn er hielt dies für den wichtigsten Beruf, den es gab. Polizisten sorgten dafür, daß kein Unrecht geschah, und wenn dennoch eines geschah, dafür, daß jene, die Unrecht taten, bestraft wurden, auch solche, die Kinder so lange schlugen, bis diese keine Kraft mehr zum Schreien hatten.

Walter Coldwell machte schnell Karriere und landete zuletzt – mit einem Intelligenzquotienten von einhundertneunundzwanzig und aus patriotischem, streng religiösem Elternhaus stammend – bei der National Security Agency, der größten Geheimdienstorganisation, welche jemals geschaffen wurde.

Die Tür flog auf, und Robert Dornhelm trat in den Raum. Er war korrekt wie immer gekleidet, zeigte keinerlei Reaktion auf die fast unerträglich schwüle Hitze und hielt eine schmale Mappe in der Hand.

»Tut mir leid, daß ihr warten mußtet. Ich komme direkt aus dem Leichenkeller. Professor Willbrandt hat so schnell gearbeitet, wie er konnte. Lungenembolie.«

»Was?« fragte Coldwell.

Der Chef der Mordkommission I ließ sich in seinen Stuhl hinter dem Schreibtisch fallen. »Katharina Engelbrecht starb an einer Lungenembolie.« Er öffnete die Mappe und entnahm ihr zwei vollgetippte Schreibmaschinenbogen und eine Reihe großer Fotografien. Er breitete sie vor sich aus. »Willbrandt fand den Einstich einer Injektionsnadel in der rechten Armbeuge der Frau.« Er wies auf ein Foto. »Da, bei der dicken Vene. Muß eine große Spritze gewesen sein, sagt er. Die Engelbrecht kriegte eine Menge Luft rein.« Während er sprach, blätterte er in Papieren, schob Fotos hin und her und hob die Stimme, denn der Regen trommelte nun sehr laut gegen die Fensterscheiben, und das Donnergetöse riß nicht mehr ab. »Die Luft kam über den Kreislauf in die Lunge. Hier!« Er schob neue

Fotos vor. »Da verteilte sie sich auf die vielen feinen Gefäße. Man kann es deutlich sehen am Grad der Verfärbung. Willbrandt hat Schnitte präpariert. Hier und hier und hier. Mächtig verfärbt, wie? Da sieht man, wieviel Luft sie abgekriegt hat. Siehst du's, Burschi?«

»Ja«, sagte Ritt. »Hinweise darauf, daß sie sich gewehrt hat?«

»Keine.«

»Wieso keine?«

»Konnte sich nicht wehren. Äther. Der Mörder hat sie betäubt. Willbrandt fand Ätherspuren im Rachenraum. Die Engelbrecht wurde nur wenig betäubt. Nach dem Einstich ging alles sehr schnell. Zehn Sekunden höchstens, sagt Willbrandt. Dann war sie tot. Man weiß, wie schnell der Kreislauf das Blut befördert. Sechs Meter in der Sekunde, glaube ich. Die war gleich hops.«

»Warum ist sie umgebracht worden?« fragte Ritt.

»Damit sie nicht quatscht, natürlich«, sagte Coldwell.

»Worüber?« fragte Dornhelm.

»Über euer Baby.«

»Und wenn sie nichts über das Baby zu quatschen hatte?« fragte Ritt.

»Hören Sie auf!« sagte Coldwell. »Das ist stupide. Wir wissen es nicht. Bald werden wir es wissen. Sie haben doch eine Vereinbarung mit diesem Marvin. Muß sich zu Ihrer Verfügung halten und sofort herkommen, wenn Sie ihn brauchen, nicht?«

»Ja«, sagte Ritt.

»Wissen Sie, wo er ist?«

»Ja.«

»Also dann«, sagte Coldwell. »Rufen Sie ihn an. Sofort! Verlangen Sie, daß er schnellstens herkommt!«

Die Blitze folgten einander noch immer unablässig, ebenso wie die Donnerschläge, der Regen prasselte, und während Ritt in seinem kleinen Telefonbuch die Nummer von Gerard Vitran suchte, dachte er, daß in diesem Büro mit der schlechten Luft und der schmutzigen Standardeinrichtung zumindest zwei Männer saßen, die ihre Arbeit versahen, weil sie wünschten, es möge Gerechtigkeit herrschen und nicht Ungerechtigkeit. Oder wenigstens mehr Gerechtigkeit und weniger Ungerechtigkeit. Ritt erinnerte sich, daß Miriam Goldstein vor einigen Tagen zu ihm gesagt hatte, in einem alten

Buch würde von den drei Dingen, auf denen die Welt beruht, als erstes die Gerechtigkeit genannt. Aber, dachte Elmar Ritt, plötzlich sehr beklommen und mutlos, es ist wirklich ein *sehr* altes Buch: der Talmud.

In der großen Küche der Vitrans war, während Marvin mit Ritt telefonierte, das Gespräch weitergegangen.

»Wir kommen jetzt zu dem, worüber ich unbedingt sprechen will: zu der ungeheuren Verschwendung von Energie«, sagte Wolf Loder. »Elektrizität kann nicht gespeichert werden, also muß man dauernd neue Verbrauchsmöglichkeiten suchen. Das eben hat der Verbund lange Zeit hindurch mit Erfolg getan. Denken Sie daran, wie die elektrische Heizung angepriesen wurde, denken Sie an den verbilligten Nachtstrom für die Industrie! Denken Sie an die Computermodelle der Stromer, denen zufolge steigendes Wirtschaftswachstum linear, also gleichmäßig, mit steigenden Strommengen verbunden war. Und denken Sie schließlich an die pseudopsychologischen Argumente: Die Manager verstanden es, den Politikern einzureden, daß ein florierender Verbund gleichzusetzen sei mit florierender Wirtschaft und diese wieder mit immer noch mehr Gemeinwohl. Na ja, und also produzierten die Stromer irrsinnige Überkapazitäten an Elektrizität – und alle waren zufrieden.«

»Und die, die nicht zufrieden waren«, sagte Vitran, »wurden vom Verbund durch die Computervoraussagen erpreßt: Wenn es bei steigendem Wirtschaftswachstum einmal nicht genügend Energie gebe, wäre die Katastrophe da – und wer wollte das verantworten? Also steckten die Politiker immer neue Milliarden in den Ausbau der Atomkraftwerke und aller Anlagen des Verbundes. Bei uns in Frankreich lief das genauso.«

»Inzwischen hat sich herausgestellt, wie sehr wir beschissen wurden«, sagte Loder. »Längst weiß man: Alle Computermodelle waren falsch. Die benötigten Strommengen bleiben weit hinter dem Wirtschaftswachstum zurück. Die Entwicklung verläuft mitnichten linear. In diesem Jahr wird sich die Stromabnahme beim Verbund nur noch ganz leicht erhöhen – auch wenn das Bruttosozialprodukt doppelt so stark zunimmt. Nachdem der Verbund über Jahrzehnte Milliarden und Milliarden abgesahnt hat mit hohen Strompreisen für den Normalbürger, der – als Steuerzahler – auch für die Milliarden an Fehlinvestitionen geradezustehen hatte, erheben sich nun doch immer mehr Stimmen, die sagen, daß das eine Frechheit ist – auch hinsichtlich der Zerstörung unserer Umwelt.«

»Und da«, sagte Monique, »zucken die Stromer nur gelangweilt mit der Schulter und sagen: ›Bitte sehr, wenn ihr nicht wollt, uns soll's recht sein. Irren ist menschlich. Okay, wir haben uns geirrt mit unseren Computermodellen. Ihr wollt nicht mehr soviel Strom. Gut, erzeugen wir weniger. Ihr sagt, Wiederaufbereitungsanlagen wie Wackersdorf sind euch viel zu teuer. Schön, stellen wir den Bau von Wackersdorf ein. Dann können wir die abgebrannten Brennstäbe aber nicht wiederaufbereiten, wie es das Atomgesetz vorschreibt. Bitte sehr, geben wir die Atomkraftwerke auf. Das wollt ihr nicht? Na, dann sagt uns doch, *wo* wir entsorgen sollen!‹«

»In La Hague«, sagte Vitran.

»Richtig«, sagte Loder. »Da am Ärmelkanal in der Normandie gibt es diese riesige französische Wiederaufbereitungsanlage. Jetzt wird man also deutsche Brennelemente nach La Hague schicken. Dort sollen sie wiederaufbereitet und dann zurückgeschickt werden. Dagegen protestierten die SPD-regierten Bundesländer. Sie sehen die gesamte bisherige Entsorgung als gescheitert an.«

»Moment«, sagte Gilles. »Wenn ich darüber schreiben soll, muß man es mir als Laien erklären. Hier sitzen lauter Fachleute – bis auf Isabelle, und die ist Fachfrau fürs Übersetzen.«

Gelächter.

»Das deutsche Atomgesetz«, sagte Loder, »schreibt vor, daß die abgebrannten Brennstäbe aus den Atomkraftwerken entweder wiederaufbereitet oder endgelagert, auf alle Fälle entsorgt werden müssen. Endgelagert heißt, nach entsprechender Vorbehandlung so tief und so gut verbuddelt, daß die Strahlung keinen Schaden anrichten kann. Ein derartiges Lager haben wir nicht, ein derartiges Lager gibt es auf der ganzen Welt nicht. Nur ein sogenanntes Zwischenlager haben wir: Gorleben. Also bleibt nur die Wiederaufbereitung in La Hague. Der Transport der Stäbe dorthin ist ungeheuer gefährlich. Egal, nur weg mit dem Zeug! Die Idee bei der Wiederaufbereitung ist ein Kreislauf: Aus den abgebrannten Brennstäben gewinnt man fünfundneunzig Prozent Uran zurück, zwei

Prozent Plutonium und drei Prozent Mischmasse. Mit dem Uran produziert man neue Brennstäbe, läßt sie arbeiten, bis sie abgebrannt sind, bereitet sie wieder auf und so weiter. Ein Kreislauf eben. Nur daß er nie funktionieren kann, weil die Sache viel zu gefährlich und viel zu teuer ist. Wackersdorf war also von Anfang an ein Wahnsinnsprojekt, an dem, glaube ich, nur der Anlagenbauer Siemens-Lurgi Interesse haben konnte – der Auftragswert wurde auf möglicherweise über zwölf Milliarden Mark geschätzt – und dazu natürlich die Leute, die Plutonium für Atomwaffen haben wollten.«

»Was geschah denn bisher mit den abgebrannten Brennstäben?« fragte Gilles.

»Die AKW-Betreiber haben das Uran chemisch in nicht strahlendes Urannitrat verwandelt und aufgehoben. Und es gibt eine kleine Aufbereitungsanlage in Karlsruhe. Wackersdorf wäre unbezahlbar teuer geworden, denn man hätte noch und noch Strahlenschutzeinrichtungen dazubauen müssen. Also kam man auf die Idee, die Wiederaufbereitung in La Hague vornehmen zu lassen.«

»Dabei«, sagte Vitran, »weiß natürlich jedermann genau, daß auch La Hague keinen Entsorgungsnachweis in dem vom Atomgesetz geforderten Sinn bringt, sondern nur einen ökologisch und ökonomisch wahnwitzigen Umweg darstellt, der mit dem anfallenden Plutonium noch zusätzliche Gesundheits- und Sicherheitsprobleme schafft.«

»Die Regierung aber«, sagte Loder, »hält an diesem wahnwitzigen Entsorgungsumweg fest, weil eine tatsächliche, solide Entsorgung einfach nicht verfügbar ist. Nuklearer Abfalltourismus also als letzter Ausweg aus der Entsorgungsmisere der deutschen Atomwirtschaft! Jahr für Jahr sollen bis zu dreihundert Kubikmeter Reaktorabfall über die Grenze nach La Hague gehen. Bei vielen der einundzwanzig Atommeiler zwischen Brokdorf und München sind die Lagerbecken nahezu voll, in denen die abgebrannten Elemente auskühlen müssen. Wenn sie nicht schnellstens woandershin gebracht werden, droht mindestens acht Kernkraftwerken die Stillegung. Also nach La Hague mit dem Zeug!«

»Was aber«, sagte Vitran, »dort als angeblich schadlose Verwertung angeboten wird, ist in Wahrheit etwas ganz anderes, nämlich die Produktion von wesentlich mehr giftigem Atommüll.«

361

»Wieso?« fragten Gilles und Isabelle gleichzeitig.

»Nach dem Konzept der Wiederaufbereitung soll das Uran aus den abgebrannten Reaktorelementen doch fast vollständig wiedergewonnen und in neuen Brennstäben neu genutzt werden – der berühmte Kreislauf, nicht wahr?« sagte Vitran. »In La Hague fällt das wiedergewonnene Uran aber in derart strahlenverseuchter Form an, daß es praktisch nur noch radioaktiver Müll ist.«

»Aber wie ist das möglich?« fragte Gilles.

»Beim Zerkleinern und bei der chemischen Bearbeitung der abgebrannten Reaktorelemente wird in La Hague so viel Material verseucht, daß sich der radioaktive Abfall stark vermehrt: Statt einer Lösung also eine Vergrößerung des Entsorgungsproblems.«

»Und was geschieht dann mit diesem strahlenden Müll?« fragte Gilles.

»Nach den bisherigen Planungen der Bundesregierung soll er in den Schacht Konrad und in die Stollen des Salzstocks Gorleben kommen. Aber niemand weiß, ob der ungeheuer gefährliche Abfall hier wirklich sicher für Hunderttausende von Jahren gelagert werden kann. Fazit: Es gibt für unseren Atommüll kein Endlager, und von einer schadlosen Verwertung der Brennelemente, wie sie das Atomgesetz verlangt, kann keine Rede sein.« Loder lehnte sich in seinem Sessel zurück.

»Aber noch von einer besonders hirnrissigen Episode aus diesem Tollhaus«, sagte Vitran. »Als wäre strahlender Atommüll Mangelware, ließ Ihr deutscher Forschungsminister Heinz Riesenhuber seine Experten in Amerika nach hochgiftigem Atommüll fahnden. Im Bundesstaat Washington wurden die Herren fündig und schlossen namens ihres Chefs einen Vertrag über den Ankauf mehrerer Tonnen dieses Mülls für die Bundesrepublik, die ohnedies nicht mehr weiß, wohin sie die Hinterlassenschaft der Nuklearindustrie stopfen soll.«[27]

»Warum, um Himmels willen?« fragte Gilles.

»Weil Riesenhuber eine grandiose Idee hatte. Mit dem amerikanischen Atommüll will er testen lassen, ob sich westdeutsche Salzstöcke wie in Gorleben zur Endlagerung von Atommüll eignen. Für Erwerb, Transport und Versuchsdurchführung werden insgesamt über einhundertsiebenundachtzig Millionen Mark veranschlagt.

Gelagert werden soll das strahlende Gift in dem Salzbergwerk Asse II bei Wolfenbüttel.«

»Natürlich«, sagte Loder böse, »ist auch das hirnrissig. Denn in Asse II hat der Salzstock möglicherweise eine ganz andere Struktur als in Gorleben. Testergebnisse lassen sich einfach nicht übertragen.«

»Und zudem«, sagte Vitran, »hat der Geomorphologe Eckhard Grimmel von der Universität Hamburg erklärt, ist es längst erwiesen, daß Salz wegen seiner geringen physikalischen und chemischen Stabilität als Lagerstätte niemals ernstlich in Frage kommt. Mehr noch: Eine Lagerung in Salz kann zu ungeheuerlichen Katastrophen führen.«

»Und wo ist der amerikanische Atommüll?« fragte Gilles.

»Noch in Amerika«, sagte Loder wütend. »Dort haben nämlich ein paar Gouverneure von der Sache gehört und gesagt, der Transport durch die Staaten bis zum Schiff sei viel zu gefährlich, und man solle den Quatsch gefälligst lassen. Aber das Zeug kommt schon noch zu uns, es ist ja schließlich bereits gekauft!«

»Aberwitzig«, sagte Vitran. »Einfach aberwitzig! Selbst *wenn* es in Asse II zu keinem Zwischenfall kommt, beweist das niemals die sichere Endlagerung für Jahrtausende in Gorleben. Und *sollte* etwas passieren – nun, diese Erfahrung ist Monsieur Riesenhuber wohl das Risiko und die Kosten wert.«

»Über einhundertsiebenundachtzig Millionen allein für diesen Test!« sagte Loder bitter. »Dem gleichen Minister ist die Förderung alternativer Energiequellen – wie der Solarenergie – in einem ganzen Jahr nur zweihundertfünfzig Millionen Mark wert!«

»Oh«, sagte Vitran, »sei nicht ungerecht, Wolf! Steuergelder werden auch in La Hague sehr ordentlich verschleudert für den bloßen Schein einer Entsorgung, die wahrhaftig keine ist.«

»Das stimmt«, sagte Loder. »Jährlich über eine Milliarde D-Mark zahlen die Strommanager an La Hague, das Geld der vielen Millionen Bürger, die Strom verbrauchen – und bezahlen.«

»Aber wieso hat das alles der kleine Mann, der Strom braucht, zu bezahlen?« fragte Vitran.

»Wie Sie wissen: Wir müssen stets sehr viel Verständnis für die sehr Reichen und die sehr Mächtigen haben«, sagte Loder. »Sehen Sie,

Herr Gilles, die meisten Betreiberfirmen des Verbundes sind ›Gesellschaften mit beschränkter Haftung‹. Geht so eine Betreibergesellschaft pleite, ist eine ›Durchgriffshaftung‹ auf die hinter ihr stehende Muttergesellschaft, auf den Verbund also, sehr schwierig. Stillegungs- und Abbrucharbeiten werden dann wohl vom Staat, mithin von jedem Bürger, bezahlt.«

»Das ist aber doch eine Gemeinheit«, sagte Gilles.

»Ach«, erwiderte Loder, »da gibt es noch viel größere Gemeinheiten! Zum Beispiel: Der Hochtemperaturreaktor THTR-300 in Hamm-Uentrop wird abgeschaltet. Kommt nie mehr ans Netz. Schön, sagt der Verbund, dann reißt das Ding halt ab! Bei dem Reaktor, der schon ein paar Monate in Betrieb war, ist das aber gar nicht so einfach! Dann laßt die Ruinen halt stehen, sagen die Stromer. *Ihr* wollt ja solche AKWs nicht mehr!«

»Aber nach dem Atomgesetz müssen die Betreiber doch Milliardenbeträge für die Reaktorentsorgung zurücklegen!« rief Gilles.

»So ist es«, sagte Loder. »Und das haben die Firmen getan. Das muß jede Betreibergesellschaft tun – auch in Amerika zum Beispiel. Aber in Amerika darf so eine Firma diese Beträge bei der Versteuerung erst dann geltend machen, wenn sie die Milliarden wirklich eingesetzt hat. Bei uns darf man sie schon von der Steuer abschreiben, sobald man sie zurückgelegt hat. Da ist also erstens die gigantische Steuerabschreibung. Zweitens: Geld für Umweltschutz und Entsorgung floß von Anfang an mit jeder Stromrechnung von Millionen kleiner Leute an den Verbund zurück. Und drittens: Jetzt brauchen die Reaktorbetreiber weniger Geld für Wiederaufbereitung und Entsorgung – bald ›entsorgt‹ ja alles La Hague!«

»Und was tun die Großen?« fragte Gilles.

»Sie sagen: Jeder der acht Stromkonzerne ist fortan ein Konzern, der unter anderem Strom erzeugt, unter anderem! Die Aufsichtsräte sind damit einverstanden, daß alle Geschäftsgebiete gleichrangig unter das Dach einer Holding gestellt werden.«

»Was heißt ›alle Geschäftsgebiete‹?« fragte Isabelle. »Und was heißt ›Holding‹?«

»Zunächst«, sagte Loder, »eine Holding ist etwas ganz Wunderbares, eine Gesellschaft, die Beteiligung an rechtlich selbständigen Unternehmungen hält – *to hold* –, und in der Regel als Konzernobergesellschaft das Sagen hat. Die Bedeutung dieser Umstrukturierung der Verbundkonzerne geht aber wohl weit über den technisch-organisatorischen Bereich hinaus. Sie dokumentiert für mich, daß sich das Kapital von der Elektrizität abzuwenden beginnt. Diese Wiese ist gemäht, die Ernte gesichert. Man könnte sich ja nun immerhin auf den Standpunkt stellen, die vielen Milliarden aus den überfließenden Geldtöpfen seien an die Stromverbraucher beziehungsweise Stromtarifzahler zurückzugeben, von denen sie stammen. Man könnte des weiteren auch die Strompreise drastisch senken, nicht wahr? Für die Millionen, welche die Steckdose einfach benützen und dafür weit über Gebühr blechen müssen. Wäre immerhin auch denkbar, wie? Aber abgesehen von symbolischen Tarifnachlässen ist davon natürlich keine Rede. So bescheuert darf einfach keiner sein! Und ist es auch nicht.«

»Das heißt, die großen Energiekonzerne wenden sich anderen Geschäftsgebieten zu?« sagte Gilles.

»So ist es!« Loder grinste schief. »Die VEBA beispielsweise, in ihrer Eigenschaft als Holding unter anderem auch die Mutter der PreußenElektra, kaufte rund sechshundert Firmen. Vom Binnenschiff bis zum Rohöl, vom Benzin bis zum Silicium für die Chipproduktion fehlt da nichts. Der Strom bei VEBA trägt nicht einmal mehr ein Viertel zum Konzernumsatz von über vierundvierzig Milliarden Mark jährlich bei. Nachbar RWE hält rund einhundertfünfzig Beteiligungen und ist mittlerweile Eigentümer des hinter Aral zweitgrößten bundesdeutschen Tankstellennetzes DEA. Der größte Schlager sind zur Zeit Müllentsorgungsanlagen. Solche bieten die acht Großen allen Kommunen an. Da stecken viele, viele Milliarden neuer Gewinne drin, denn die Kommunen brauchen Müllentsorgungsanlagen dringend.«

Loder war aufgestanden und an das große Fenster getreten, während er sprach. Über die Dächer vieler Häuser sah er zum Cimetière Montmartre und dachte kurz an die vielen berühmten und großen Menschen, die dort begraben liegen: Berlioz, Stendhal, Zola, die Brüder Goncourt, Alexandre Dumas und Marie Duplessis, die Heldin seines Romans »Die Kameliendame«, Jacques Offenbach, Heinrich Heine... Loders Blick glitt von der Höhe hinab zum Boulevard Clichy, an dem das Moulin Rouge steht, bekannt geworden um die Jahrhundertwende durch die Zeichnungen Toulouse-Lautrecs, und endlich sah er unter sich die Millionen Lichter des nächtlichen Paris.

»Was für eine wunderbare Stadt!« sagte er. »Und was für eine dreckige Welt!«

Marvin kam die Wendeltreppe herauf. Er sah bleich aus.

»Was ist, Markus?« fragte Monique.

»Das war Staatsanwalt Ritt«, sagte Marvin mit klangloser Stimme. »Hat eine Menge erzählt. Will mich schnellstens in Frankfurt sprechen. Übermorgen früh muß ich dort sein.«

»Wegen Bolling?« fragte Gilles.

»Ja«, sagte Marvin. »Aber nicht nur. Er hat auch Doktor Gonzalos gebeten, sofort nach Frankfurt zu kommen. Und daß er uns *bittet*, ist reine Höflichkeit. Wenn wir übermorgen früh nicht bei ihm sind, läßt er uns beide verhaften.«

»Aber was ist passiert?« rief Vitran. »Hat es mit... Karlsruhe zu tun?«

»Ja«, sagte Marvin heiser. Er war noch bleicher geworden, und seine Hände zitterten.

»Was heißt, mit Karlsruhe zu tun?« fragte Gilles.

Er bekam keine Antwort. Marvin und Vitran schüttelten stumm den Kopf.


»Und der erste Engel posaunete: und es war ein Hagel und Feuer, mit Blut gemenget, und fiel auf die Erde; und der dritte Teil der Bäume verbrannte, und alles grüne Gras verbrannte. Und der zweite Engel posaunete: und es fuhr wie ein großer Berg mit Feuer brennend ins Meer, und der dritte Teil des Meeres ward Blut, und der dritte Teil der lebendigen Kreaturen im Meer starben, und der dritte Teil der Schiffe wurden verderbet... *et le tiers des créatures qui étaient dans la mer et qui avaient vie mourut, et le tiers des navires périt...*«

Gerard Vitran lag im Bett und las in der Apokalypse. Monique kam aus dem Badezimmer, streifte den Morgenmantel ab und legte sich neben ihn.

»Was liest du, *chéri?*«

»Ach nichts«, sagte Vitran.

»Was ist das für ein Buch?«

Er versuchte, es auf die Erde gleiten zu lassen. Sie griff danach.

»Du hast in der Bibel gelesen?«

»Ja.«

»Also wirklich, Gerard! Und in der Apokalypse... Warum?«

»Nur so«, sagte er.

Monique nahm eine Lesebrille vom Nachttisch, setzte sie auf und las laut: »›Ich sah einen Engel fliegen mitten durch den Himmel und sagen mit großer Stimme: Wehe, wehe, wehe denen, die auf Erden wohnen...‹« Sie brach ab. »Was ist los, Gerard? Was hast du? Dich bedrückt wohl, worüber heute abend gesprochen wurde?«

»Es ist alles noch viel schlimmer«, sagte er heiser.

»Noch viel schlimmer? Wieso? Sag es mir, Gerard!«

Er sagte es ihr.

# 8

Der Komplex in der Frankfurter Gerichtstraße wurde noch immer umgebaut. Baumaschinen ratterten. Über allem lag Staub. Am Vormittag des 16. September 1988, einem Freitag, erschienen in der Eingangshalle zwei Männer. Sie nannten dem Pförtner ihre Namen und sagten, sie würden vom Staatsanwalt Elmar Ritt erwartet.

Der Pförtner telefonierte: »Die Herren Doktor Markus Marvin und Doktor Bruno Gonzales...«

»Gonzalos«, sagte Gonzalos.

»...Verzeihung, Gonzalos sind hier... Jawohl, er wird sie zu Ihnen bringen, Herr Staatsanwalt.« Der Pförtner legte auf und rief: »Franz!«

Aus einem kleinen Zimmer trat der Strafvollzugsbeamte Franz Kulicke. »Ja?«

»Die Herren für Herrn Staatsanwalt Ritt. Bring sie rauf, Franz!«

»Oh, guten Tag, meine Herren!« Kulicke dienerte. »Schon erwartet. Darf ich bitten...«

»Wir finden den Weg allein«, sagte Marvin.

»Eben nicht!« Kulicke dienerte noch immer. »Nie im Leben! Sie haben ja keine Ahnung, wie es zugeht bei uns, seit der Umbau angefangen hat! Halb verrückt sind wir schon von dem Krach und dem Dreck. Aufzüge gehen wieder mal nicht. Darf ich bitten?« Er schritt vor den beiden Männern her einen langen Gang hinab, redete sofort los und lieferte den eindrucksvollen Beweis dafür, wie schnell Menschen im Fall persönlicher Betroffenheit ihre Ansichten ändern.

»Herr Marvin... Mein Gott, wenn ich denke, was man Ihnen angetan hat!«

»Was hat man mir angetan?«

»Nicht doch, Herr Marvin! Ich weiß Bescheid. In Preungesheim haben Sie gesessen, bloß weil Sie dem verfluchten Umweltverderber, dem Hansen, ein paar gescheuert haben. Bravo! sage ich. In einem anständigen Land hätten Sie einen Orden gekriegt dafür. Bei uns... Ein einziger Saustall! Wenn die Kerle so weitermachen, ist die Welt in vierzig Jahren im Arsch – 'tschuldigung! Sie wissen es am besten, Herr Marvin, Sie haben das studiert, Sie haben es immer gesagt. Keine Gnade mit den Schweinen, die die Ozonschicht kaputtmachen und schuld sind am Klimaschock und am Regenwald und allem! Ich bin nur ein kleiner Mann, Herr Marvin. Mit uns Kleinen können sie es ja machen. Wie sollen wir uns wehren? Scheißregierung, was wir haben. Darum ist der Schönhuber ja die einzige Hoffnung. Der räumt auf, da können Sie Gift drauf nehmen! Aber bis der drankommt... Weinen könnte ich, stundenlang weinen, wenn ich sehe, wie diese raffgierigen Hunde unsere schöne Welt zerstören – für immer. Jetzt rechts, bitte sehr. Und all die neuen Krankheiten! Der Hautkrebs, weil das UV-Licht – ich weiß ja nicht, was das ist, was Tödliches ist es – durch das Loch in der Ozonschicht runterkommt direkt auf uns. Nicht in der Sonne liegen, sagen sie: Nicht sonnenbaden. Scheiße! Ich hab' nie in der Sonne gebadet. Und trotzdem hat's mich erwischt. Da, schauen Sie sich den kleinen schwarzen Fleck an auf meiner Stirn! Darüber ist noch einer. Bin ich glücklich soweit. Hautkrebs. Ich! Der ich nie in die Sonne gehe. Ganz ehrlich, meine Herren: Ich bin total verzweifelt. Ich will nicht sterben! Aber wenn es ein Me... ein Ma... ein Mo...«

»Melanom?« fragte Marvin hilfreich.

»Ja. Also, wenn es ein Melanom ist, bin ich in zwei Monaten tot.

Steht in allen Illustrierten. Melanom, schlimmster Hautkrebs, den's gibt. Womit habe ich das verdient, Herr Marvin? Bloß weil so eine Sau wie dieser Hansen auch noch seinen Profit macht mit all dem Gift und dem Unglück?... Sie kämpfen gegen die Brut, ich verehre Sie, Herr Marvin. Aber wenn es ein Melanom ist...«

»Ist der Fleck größer geworden? Näßt er? Blutet er?«

»Das nicht. Aber...«

»Ich würde mal zum Hautarzt gehen, Herr...«

»Kulicke, Herr Marvin, Franz Kulicke. Das hat der Doktor Bennauer, mein Hausarzt, auch gesagt. Zum Hautarzt, Herr Kulicke, hat er gesagt. Zweimal war ich schon angemeldet in der Uniklinik. Aber hingegangen bin ich nicht.«

»Warum nicht?«

»Weil ich mich nicht traue, Herr Marvin. Denn wenn die wirklich sagen, es ist Krebs? Also, wenn's nach mir geht, Todesstrafe für alle Umweltverbrecher! Sofort! Todesstrafe! Wenn der Schönhuber rankommt... Aber was nützt das mir noch, mein Gott, was nützt das mir noch? Ich weiß doch auch ohne Uniklinik, was das ist. Ganz schwarz. Typisch Melanom. Mich hat's erwischt, mir kann keiner mehr helfen. In zwei Monaten... Jetzt bitte die Treppe rauf, meine Herren... in zwei Monaten spätestens bin ich eine tote Leiche...«

»Im Jahr 1870«, sagte zur gleichen Zeit der vierundvierzigjährige Physiker Loder mit den leuchtendblauen Augen, »erschien Jules Vernes Zukunftsroman ›Die geheimnisvolle Insel‹. Nach einem Ballonflug landen fünf amerikanische Nordstaatler auf einer einsamen Pazifikinsel, auf der sie eines Tages bei bitterer Kälte über das Energieproblem der Menschheit sprechen.« Er stand vor einer großen Schultafel im Konferenzraum seiner Firma. Ihm gegenüber saßen Philip Gilles, Isabelle Delamare, der Kameramann Bernd Ekland, sein »Techniker« Katja Raal und Dr. Valerie Roth. Kurzfristig war beschlossen worden, daß sie im Team den Platz des verschwundenen Peter Bolling einnehmen sollte.

»Die Forscher im Roman rechnen damit, daß die Kohlevorräte noch zweihundertfünfzig bis dreihundert Jahre reichen«, erzählte Loder. »Wie soll es dann weitergehen? Der Ingenieur Cyrus Smith sagt: ›Dann wird man Wasser verwenden, das durch elektrischen Strom zerlegt worden ist. In jener Zeit wird die Elektroenergie ungeahnte Möglichkeiten eröffnet haben... Die zerlegten Elemente des Wassers, Wasserstoff und Sauerstoff, werden auf unabsehbare Zeiten hinaus die Energieversorgung der Erde sichern. Eines Tages werden Dampfer und Lokomotiven keine Kohlebunker mehr führen, sondern Gastanks, aus denen komprimierte Gase durch Rohre in die Heizkessel strömen! Das Wasser ist die Kohle der Zukunft!‹ Das schrieb Jules Verne 1870, bedenken Sie, 1870, vor mehr als hundert Jahren!«

Das Unternehmen am Ortsrand von Binzen nahe der Schweizer Grenze bei Basel bestand aus zahlreichen ebenerdigen Gebäuden, Werkstätten und einer Vielzahl von Solargeräten, die auf einer großen Rasenfläche installiert waren.

»Diese Vision Jules Vernes wird heute Wirklichkeit«, sagte Loder. »Mit Hilfe der direkten Sonnenenergie – und auch der indirekten wie Wasserkraft, Windkraft und Gezeiten – gewinnen wir Strom und nutzen diesen über die Elektrolyse zur Gewinnung von Wasserstoff.«

»O Gott, Wasserstoff!« sagte Isabelle.

»Wieso ›o Gott‹?«

»Für einen Laien ist das ein verdächtiges Wort«, sagte sie. »Er denkt sofort an die Wasserstoffbombe.«

»Da können Sie beruhigt sein, meine Liebe«, sagte Valerie Roth. »Solare Wasserstofferzeugung hat mit der Herstellung der Wasserstoffbombe nicht das geringste zu tun.« Sie machte wie immer einen sehr gepflegten, aber auch sehr nervösen Eindruck, was kein Wunder war – so lange Zeit hatte sie mit Bolling zusammengearbeitet. Der hohe Grad ihrer Nervosität ließ sich daran erkennen, daß sie an diesem Vormittag zwei verschiedenfarbige Contactlinsen trug, ein Auge war braun, das andere blau. Alle sahen es, niemand erwähnte es.

»Wasserstoff«, sagte Loder, »der mit Hilfe solaren Stroms erzeugt wird, ist gespeicherte Sonnenenergie – für den gesamten Energiebedarf. Also nicht nur zur Stromerzeugung, sondern auch als Treibstoff, als Haus- und Industriewärme. Solarer Wasserstoff eröffnet uns die stete Verfügbarkeit und universelle Verwendung der Sonnenenergie. Dieses Potential genügt für den *gesamten* Energiebedarf auch einer wachsenden Weltbevölkerung. Es versetzt uns in die Lage, auf Kernkraft, Öl- und Kohleverbrennung zu verzichten. Stellen Sie sich das vor! Die Sonne ist obendrein gratis. Sie liefert uns vielhunderttausendmal mehr Energie, als wir jemals brauchen werden. Auch das Wasser ist gratis. Die Freisetzung des Wasserstoffs im Wasser mittels Elektrolyse ist längst entwickelt und leicht anwendbar. Die Technik ist sauber, der Rohstoff im Übermaß vorhanden, beim Betrieb entstehen keine Schadstoffe, die wissenschaftlichen Grundlagen sind erforscht.«

»Elektrolyse«, sagte Valerie, »ist, für Herrn Gilles ganz einfach erklärt, die Trennung der Bestandteile von Wasser. Wasser hat die chemische Formel $H_2O$: H für Wasserstoff, O für Sauerstoff. In einem elektrischen Spannungsfeld zwischen Plus- und Minuspol zersetzt sich $H_2O$ in seine Bestandteile H und O. Das nennt man Elektrolyse. Großtechnisch verflüssigt man Wasserstoff durch Kühlung und Druck, der freigesetzte Sauerstoff entweicht in die Luft.«

»Und wie wird also aus Sonnenenergie Wasserstoffenergie?« fragte Gilles.

»Da gibt es die verschiedensten Modelle«, antwortete Loder. »Ich muß überhaupt gleich zu Beginn unbedingt dies sagen· Wir sind hier nur ein paar Menschen von sehr vielen, die sich mit Sonnenenergie beschäftigen. Und Sonnenenergie ist nur eine von sehr vielen Voraussetzungen dafür, daß diese Welt noch eine Überlebenschance hat.« Er räusperte sich. »Ja, das mußte ich gleich am Anfang sagen – und nun zu Ihrer Frage, Herr Gilles. Nehmen wir zum Beispiel das Aufwindkraftwerk!«

»Das läuft wie?« fragte Ekland.

»Stellen Sie sich vor: In einem sonnenreichen Gebiet wird eine große Bodenfläche – mehrere Fußballfelder – mannshoch mit Kunststoffplanen überspannt. Die Luft unter der Plane heizt sich auf und strömt zu einem etwa zweihundert Meter hohen Kamin. Der durch den Schlot entweichende heiße Aufwind treibt eine Turbine. Die Turbine erzeugt Strom. Den Strom verwendet man zur Elektrolyse. Durch die Elektrolyse bekommt man Wasserstoff. Eine solche Anlage steht auf der Hochebene von La Mancha in Spanien.«

»Werden wir hinfliegen«, sagte Ekland. Katja strahlte ihn an. Er hatte ihr gesagt, daß die Schmerzen schon nach den ersten Cortison-spritzen schwächer geworden waren.

»Oder«, sagte Loder, »stellen Sie sich dies vor: Einige hundert Spiegel lenken das Sonnenlicht konzentriert auf einen Empfänger – wir nennen ihn Receiver – an der Spitze eines rund achtzig Meter hohen Turms. Am Receiver entstehen etwa eintausend Grad Hitze. Diese eintausend Grad werden auf ein wärmeleitendes Medium, zum Beispiel Natrium, übertragen und danach zur Erzeugung von Wasserdampf benützt, der einen Stromgenerator treibt. Der Strom aus dem Generator wird zur Elektrolyse eingesetzt. Die Elektrolyse wiederum bringt den Wasserstoff. Eine solche Anlage arbeitet in Kalifornien.«

»Müssen wir auch hin«, sagte Ekland, und Katjas Herz klopfte laut vor Glück.

»Weiter!« sagte Loder. »Ein schüsselförmiger Spiegel – Parabol-spiegel nennt man so etwas –, der automatisch dem Weg der Sonne folgt, konzentriert die Sonnenenergie auf den Brennpunkt. Dort ist ein Heißluftmotor angebracht, der einen stromerzeugenden Gene-rator antreibt. Modellanlage in Saudi-Arabien... Grundsätzlich könnte man flüssigen Wasserstoff als idealen Energieträger wie Benzin in sonnenreichen Ländern, also Spanien oder Nordafrika, in Spezialtanks lagern und durch Pipelines ganz Europa beliefern. Solaranlagen auf einem Areal von einhundertfünfzig mal zweihun-dert Kilometern in der Sahara würden ausreichen, um den Energie-bedarf der Bundesrepublik zu decken – und das ist *nicht* Science-fiction! Die besten dieser Systeme verwandeln heute schon, obwohl es noch keine Großproduktion gibt, mehr als dreißig Prozent der Primärenergie in Strom. Zum Vergleich: Bei AKWs sind es höch-stens achtundzwanzig Prozent. Aber«, sagte Loder grinsend, »Sie brauchen deshalb nicht nach Saudi-Arabien. So etwas gibt es auch bei uns in Binzen. Besser. Viel besser. Wir haben da etwas gebastelt, das wird Ihnen gefallen.«

Zur gleichen Zeit machte in Frankfurt am Main in seinem Büro Staatsanwalt Ritt drei Männer miteinander bekannt: »Doktor Mar-kus Marvin und Doktor Bruno Gonzalos – vielen Dank, daß Sie so pünktlich gekommen sind –, das ist Hauptkommissar Robert Dorn-helm von der Mordkommission I.«

»Sehr erfreut«, sagte Dornhelm.

»Wie geht es Hansen?« fragte Marvin.

»Gut«, sagte Ritt. Sie sprachen englisch miteinander, Gonzalos' wegen.

»Ist er noch im Krankenhaus?«

»Wie? O ja, gewiß. Noch im Krankenhaus. Sie haben ihn hübsch zugerichtet. Warum fragen Sie?«

»Aus Mitgefühl«, sagte Dornhelm heiter. »Gewiß tut es Herrn Doktor Marvin leid, was er getan hat. Wo die beiden Herren einander so lange kennen. Und mit der gleichen Dame so lange Zeit so freundschaftlich verbunden waren.«

»Das ist eine Unverschämtheit!« sagte Marvin wütend. Sie mußten alle sehr laut reden wegen des Baulärms draußen.

»Traurig, traurig«, sagte Dornhelm.

»Was ist traurig?«

»Wie schlimm es um Ihre Nerven steht.«

»Mit meinen Nerven ist alles in Ordnung, Herr...«

»Dornhelm.«

»...Herr Dornhelm.«

»Da bin ich aber beruhigt, Herr Marvin.«

»Schluß jetzt!« sagte Ritt scharf. »Hör auf, Robert! Du bist taktlos. Herr Marvin hat seine Tochter verloren. Es wäre unmenschlich, wenn er nicht mit den Nerven runter wäre. Mein aufrichtiges Beileid, Herr Marvin.«

»Auch das meine«, sagte Dornhelm. »Wirklich.«

Marvin sagte nichts.

»Meine Herren, wie Sie wissen, haben wir Sie hergebeten, weil wir Ihre Hilfe und Mitarbeit benötigen«, sagte Ritt und wischte sich Schweiß von der Stirn, denn die Sonne brannte in das kleine Büro. »Zunächst möchten wir Ihnen zwei Tonbandaufzeichnungen vorspielen.«

»Was für Tonbandaufzeichnungen?« fragte Marvin.

»Nun seien Sie um Gottes willen nicht so fickrig, Herr Doktor Marvin!« sagte Dornhelm. »Tonbandaufzeichnungen eben. Hier geht das nicht. Viel zuviel Krach. Gibt da einen kleinen Vorführraum ganz in der Nähe. Dort ist es still. Wenn Sie mir folgen wollen...«

Ritt drückte im Vorübergehen einen Klingelknopf auf seinem Schreibtisch.

In der Projektionskabine neben dem kleinen Vorführraum ertönte ein Summer. Walter Coldwell, der hier in Hemdsärmeln gewartet hatte, neigte sich über einen großen, geöffneten Tonbandkoffer mit einer äußerst komplizierten Apparatur und machte diese startbereit. Das Gerät war an die Lautsprecher angeschlossen, die sich rechts und links neben der Leinwand an der Stirnseite des fensterlosen Vorführraums befanden. Wie in der Kabine war es auch hier still und kühl. Beide Räume erhellte künstliches Licht.

Der Filmleinwand gegenüber, an der zweiten Schmalseite des mit dunkelgrünem Stoff bespannten Vorführraums, war unter der Projektionsöffnung eine Garderobe installiert mit Messinghaken, Kleiderbügeln, einem Schirmständer und einem großen Spiegel. Wenn man im Vorführraum stand, war der Spiegel ein Spiegel, stand man in der Projektionskabine, war der Spiegel ein Fenster. Walter Coldwell, exquisit, aber zu jugendlich gekleideter und zu Fettleibigkeit neigender Agent der National Security Agency, Amerikas geheimsten Geheimdienst, sah mit müden Augen durch diesen Spiegel auf die leere Filmleinwand, deren Silberweiß schmutziggrau wirkte.

1952 war die NSA gegründet worden. Jährlich sammelte sie inzwischen vierundzwanzigtausend Tonnen streng geheimes Material, von dem der größere Teil vernichtet, der kleinere aufbewahrt wurde. Die Ohren der NSA befanden sich rund um die Welt auf riesigen Bodenstationen, in Flugzeugen und Schiffen. Es gab für die Organisation, wie ihre Agenten voll Selbstgefühl wußten, keine unlösbaren Fälle. Mit Hilfe von bester Hochtechnologie konnten sie jedes Gespräch mithören, auch wenn es hinter dicksten Stahlwänden stattfand oder nach modernsten Methoden verschlüsselt war.

Vier Männer betraten den Vorführraum.

Coldwell sah sie durch den Einwegspiegel und hörte, was sie sprachen, über neben der Leinwand angebrachte Mikrophone, die an ein zweites Gerät angeschlossen waren. Marvin beklagte die stickige Luft, zog seine Jacke aus und hängte sie an einen Bügel der Garderobe. Danach trat er vor den Spiegel und taxierte nervös sein

Gesicht. Er blickte dabei direkt in die traurigen Augen Coldwells, die er nicht sehen konnte. Der Agent stand Marvin in einer Entfernung von knapp vierzig Zentimetern gegenüber. Auch er war nervös und erinnerte sich wieder einmal daran, daß er für eine gute Sache arbeitete, für eine der notwendigsten überhaupt, die Verhinderung von Verbrechen oder wenigstens deren Verfolgung und Bestrafung. Er seufzte, während er dachte, was er in solchen Momenten stets dachte: Jemand muß diese Arbeit tun, auch wenn hin und wieder ein Unschuldiger dabei zu Schaden kommt. Bei dieser Mission, dachte er weiter, geht es um so ungeheuer viel, und dieser Marvin ist schuldig, da bin ich absolut sicher, diesmal kann nichts schiefgehen, nein, ich brauche keine Angst zu haben. O Gott, dachte Coldwell, ich wünschte, ich müßte keine Angst haben, denn absolut sicher kann doch kein Mensch jemals sein.

Er schaltete ein zweites Gerät ein, das alles aufnahm, was nebenan gesprochen wurde.

Im Vorführraum sagte Ritt: »Bitte, nehmen Sie Platz, meine Herren! Sie werden jetzt die Tonbandaufzeichnung eines Gespräches zweier Männer hören. Danach bitte ich, uns zu sagen, ob Sie die beiden Männer oder einen von ihnen an der Stimme erkannt haben.«

»Gern«, sagte Gonzalos.

»Moment!« sagte Marvin. »Langsam! Wer hat dieses Gespräch aufgezeichnet?«

»Das tut im Moment nichts zur Sache«, sagte Dornhelm.

»Und ob es das tut!« sagte Marvin. »Wenn ich nicht erfahre, wer das Gespräch aufgenommen hat, bin ich nicht bereit, es mir anzuhören.«

»Es geht, wie ich Ihnen am Telefon sagte, um die Klärung von äußerst gravierenden Ereignissen«, sagte Ritt, bemüht, ruhig zu sprechen. »Wir bitten um Ihre Mitarbeit.«

»Aber Sie behandeln uns nicht wie Mitarbeiter!« rief Marvin. »Als Mitarbeiter haben wir ein Recht darauf zu erfahren, wer dieses Gespräch aufgenommen hat.«

»Keineswegs«, sagte Dornhelm unfreundlich.

Marvin stand auf und ging zur Garderobe.

»Was soll das?«

»Ich hole meine Jacke. Danach gehe ich und setze mich mit Frau Doktor Goldstein in Verbindung, meinem Anwalt. Ohne sie sage ich kein Wort mehr. Ihr Verhalten ist einigermaßen seltsam, Herr Staatsanwalt.«

»Das Ihre!« sagte Ritt erregt. »Das Ihre ist es. Warum wollen Sie unbedingt wissen, wer dieses Gespräch aufgenommen hat? Sie wissen doch noch nicht einmal, wer es geführt hat.«

»Mich interessiert zunächst, wer es aufgenommen hat«, sagte Marvin und blickte Coldwell, ohne ihn zu sehen, durch den Spiegel wieder direkt in die Augen. »Ich will Ihnen auch sagen, weshalb. Seit längerer Zeit wieseln Amerikaner herum, die sich bei verschiedenen Leuten nach mir erkundigen. Ich habe keine Ahnung, warum…«

Nein, hast du nicht? dachte Coldwell.

»…aber ich fürchte, daß jemand versucht, mich da in eine dreckige Sache reinzuziehen, Stück für Stück. Jetzt zum Beispiel mit dieser Tonbandgeschichte.«

Ganz schön unverschämt, dachte Coldwell. Auf der anderen Seite: Wenn dieser Mann nun wider alle Erwartung wirklich nichts getan hat… Nein! dachte er, schwer atmend. Nicht! Nicht daran denken! Dieser Marvin *hat* schuld! *Hat* schuld. Hat er schuld, mein Gott?

»Deshalb, wenn Sie es schon nicht sagen wollen, Herr Staatsanwalt, sage ich es: Amerikaner, irgendeine amerikanische Dienststelle, irgendeiner von ihren Geheimdiensten hat das Gespräch aufgezeichnet. Es genügt, wenn Sie nicken. Dann sehe ich, daß das alles zum gleichen Komplex gehört. Dann höre ich mir das Band auch an.«

Nun nick schon! dachte Coldwell. Ist dieser Marvin wirklich so naiv, oder tut er bloß so? Die Amerikaner, die sich nach ihm erkundigten, waren natürlich keine. Deutsche waren das natürlich. Die machten auf Amerikaner. Marvin kann doch nicht im Ernst glauben, daß wir so dämlich sind, öffentlich als Amerikaner über ihn Informationen einzuholen. Oder glaubt er das tatsächlich? Kennen die Deutschen ihn besser? Konnten die sicher sein, daß er auf etwas so Idiotisches hereinfallen würde? Nun nick schon endlich, Mensch! dachte er, plötzlich wütend.

Ritt nickte prompt wie durch Gedankenübertragung.

»Na also«, sagte Marvin. »Warum nicht gleich? Ein amerikanischer Dienst hat Ihnen das Band angedient.«

»Wir arbeiten in diesem Fall zusammen«, sagte Ritt, obwohl er doch wußte, daß NSA und CIA ihn von dem Fall Marvin/Hansen hatten suspendieren lassen, damit sie ungestört die Haussuchung bei Engelbrecht durchführen konnten, von der Dornhelm und er nicht einmal wußten, was sie ergeben hatte.

»Also sind Sie nun zufrieden?« fragte er Marvin.

»Natürlich nicht«, sagte der. »Ich finde, das Ganze ist eine einzige Zumutung, Herr Staatsanwalt. Allein diese Geheimnistuerei! Warum dürfen wir den Ami nicht sehen, der da ohne Zweifel in der Projektionskabine steht und uns das Band vorspielen wird?«

»Seien Sie nicht kindisch!« sagte Dornhelm. »Glauben Sie wirklich, daß Agenten sich vorstellen?«

»Ach, scheiß drauf!« Marvin setzte sich. »Lassen Sie das Band laufen!«

Entwürdigend! dachte Coldwell melancholisch, während Ritt das komplizierte Koffergerät per Fernbedienung in Gang setzte. Die Spulen kreisten. Durch elektronische Filtriermethoden von Nebengeräuschen befreit, ertönte eine Männerstimme. Sie sprach Englisch mit starkem Akzent, aber fließend und gereizt: »...deutsch-brasilianischer Vertrag von 1975! Hören Sie bloß damit auf! Ja, ja, ja, wir *wollten* Atomkraftwerke von euch! Aber ihr habt uns viel zu viele angedreht.«

»Das ist General Calera«, sagte Gonzalos.

Ritt schaltete das Gerät ab. »Bitte?« fragte er.

»Das ist der General Eduardo Calera«, sagte Gonzalos. »In der Militärregierung von João Figueiredo – 1979 bis 1984 – war er Minister.«

»Sie sind sicher?«

»Absolut sicher. Ich kenne ihn persönlich. Habe seine Stimme sofort erkannt. Wann wurde das aufgenommen? Oder dürfen Sie das nicht sagen?«

»Ich darf«, sagte Ritt. »Das Gespräch wurde aufgenommen im Haus von Herrn Calera in Brasilia, Doktor Gonzalos. Und zwar am neunten September, also vor etwa einer Woche.«

»Wie, das dürfen Sie uns natürlich nicht sagen«, sagte Marvin.

»Natürlich nicht.«

Würdest du gerne wissen, dachte Coldwell hinter dem Einwegspiegel. Plötzlich erfüllte Stolz den übergewichtigen Mann, den sein Vater dereinst als Jungen halb totgeschlagen hatte, der Name des Herrn sei gelobt. Das ganze Haus Caleras war verwanzt worden von seinen Leuten. Alle Ministerien in Brasilia wurden verwanzt. Nicht nur Ministerien, beileibe nicht! Die Wanze in Caleras Bibliothek und die in den anderen Räumen seines Hauses hatten die Jungs mit der Telefonleitung verbunden. Alle Nummern aller Leute, die uns interessieren, dachte Coldwell, die Nummern aller Ministerien, auch die der Nebenstellenapparate sind in unseren Hauptlauschcomputer eingegeben. Und in den Computer, der zum Abhören dieses Gesprächs eingesetzt war. Er befindet sich in einem Aufklärungsschiff, das letzte Woche vor Recife kreuzte. Computer dieser Art tasten über Parabolantennen ständig die Telefonleitungen aller Ministerien und vieler Privathäuser in Brasilia ab. Anderswo tasten andere ungezählte andere Leitungen ab. Jeder einzelne Telefonanschluß ist mit seinem Besitzer sozusagen als Huckepacksignal gespeichert. Derart kann jeder Lauschcomputer aus Zehntausenden von Leitungen sofort die gewünschte herausfischen und ein über sie geführtes Gespräch aufzeichnen. So einfach ist das. Kostet viele Milliarden Dollar im Jahr, unser großes Ohr.

Ritt ließ das Band weiterlaufen...

ERSTE STIMME: »Man kann den Eifer Ihrer Regierung gut verstehen. Besonders wenn man daran denkt, daß es damals bei Ihnen eine erste Krise der Atomwirtschaft gegeben hat und die Manager schon mit Massenentlassungen drohten, wenn es nicht zügig so weitergehe wie bisher. Da kamen wir gerade recht. Das ›Jahrhundertgeschäft‹ habt ihr den *deal* damals genannt...«[28]

ZWEITE STIMME (scharf): »Stop! Glauben Sie, ich komme aus Bonn nach Brasilia, um mir Vorwürfe anzuhören? Sie haben offensichtlich noch immer nicht begriffen, worum es geht. Ich sage es Ihnen ein letztes Mal. Seit diesem Frühjahr arbeitet bei uns ein Untersuchungsausschuß, der illegale Praktiken der deutschen Atomindustrie durchleuchten soll. Dies geschieht auch auf Drängen der Amerikaner, die nicht nur vermuten, sondern behaupten, daß es auf diesem Gebiet in der Bundesrepublik mehr als abenteuerlich zugeht. Ich bin hier, um eine gemeinsame Sprachregelung mit Ihnen zu vereinbaren. Also: Zunächst einmal wurden Ihnen die Reaktoren nicht von der Regierung der Bundesrepublik geliefert, sondern von der Siemens-Kraftwerk-Union.«

ERSTE STIMME: »Okay. Nicht von der Bundesregierung. Von Siemens.«

ZWEITE STIMME: »Sie werden alle, die mit der Sache zu tun hatten, entsprechend instruieren. Weiter: Den Vertrag über die Lieferung von Reaktoren des Biblis-B-Typs schlossen Vertreter Ihrer und meiner Regierung.«

ERSTE STIMME: »Sie wissen aber so gut wie ich, daß die gelieferten Reaktoren auch Material produzieren, das unschwer von uns zur Urananreicherung und Wiederaufbereitung verwendet werden kann.«

ZWEITE STIMME: »Das ist wohl leider nicht zu verhindern. Der Vertrag liegt dem Untersuchungsausschuß vor. Wir müssen das Beste daraus machen. Im deutsch-brasilianischen Programm ist immerhin auch vertraglich ausgehandelt worden, daß die aus der Bundesrepublik gelieferten Anlagen und Kenntnisse der internationalen Kontrolle unterliegen sollen, nämlich der Internationalen Atomenergieorganisation in Wien.«

ERSTE STIMME: »Mit Dekret vom einunddreißigsten August 1988 – also vor zehn Tagen – hat die neue Regierung das zivile Programm mit ihrem militärischen verschmolzen.«

ZWEITE STIMME: »Das Dekret liegt dem Ausschuß vor.«

ERSTE STIMME: »Dann muß dieser Ausschuß aber auch wissen, daß die zivile, neue Regierung am ersten September alle deutsch-brasilianischen Kooperationsfirmen liquidiert und alle deutschen Techniker aus leitenden Funktionen entlassen hat.«

ZWEITE STIMME: »Ausgezeichnet. So wird das gehen. Weiter. *Sie* wünschten – unter uns – dringend militärisch bewährte Verfahren für die Urananreicherung zu bekommen. *Sie* wollten das Zentrifugalverfahren, obwohl Sie wußten, daß eine Weitergabe dieser Erfindung nach dem URENCO-Vertrag strengstens verboten ist.«

ERSTE STIMME: »Und es wurde uns natürlich dennoch geliefert – ganz unter uns.«

ZWEITE STIMME: »Eben nicht von uns. Das Zentrifugalverfahren wurde Ihnen nicht von uns geliefert, sondern von dem Waffenhändler Herbert Engelbrecht. Der brachte Ihnen oft, was Sie wollten, und er hat – sein größtes Verdienst...«

ERSTE STIMME (lachend): »Das Zeitliche gesegnet. Klar, Engelbrecht war es. Engelbrecht. Die Erde werde ihm leicht!«

ZWEITE STIMME: »Dabei muß es unter allen Umständen bleiben: Das Zentrifugalverfahren haben Sie von Engelbrecht erhalten.«

ERSTE STIMME (herzlich lachend): »Natürlich. Von wem sonst?«

ZWEITE STIMME: »Es hätte auch für die Regierung der Bundesrepublik politische Folgen, wenn etwas anderes behauptet würde. Ich sagte Ihnen schon, daß die Amerikaner uns anklagen, wir würden mit atomaren Anlagen verbotenerweise auch Gebrauchsanleitungen für eine militärische Nutzung des gelieferten Materials verkaufen. Können Sie schwören, daß es bei Ihnen keine undichte Stelle gibt, die Unsinn redet?«

ERSTE STIMME: »Kann ich.«

ZWEITE STIMME: »Wie steht es mit Ihren Atomkraftgegnern? Leuten aus Ihrer Friedensbewegung? Umweltschützern? Sie kennen Doktor Bruno Gonzalos.«

ERSTE STIMME: »Was soll sein mit Gonzalos?«

ZWEITE STIMME: »Das frage ich *Sie*! Er hat für die brasilianische Regierung gearbeitet.«

ERSTE STIMME: »Im Umweltministerium. Kurze Zeit.«

ZWEITE STIMME: »Gonzalos erscheint uns einigermaßen undurchsichtig. Weiß er über Einzelheiten des Vertrags Bescheid?«

ERSTE STIMME: »Nein.«

ZWEITE STIMME: »Sind Sie *ganz* sicher?«

ERSTE STIMME: »Ich... eh... halte es für ausgeschlossen. Unsere Leute haben damals die Lieferung unter die höchste Geheimhaltungsstufe gestellt. Möglicherweise vermutet Gonzalos etwas. Vermuten kann er, was er lustig ist. Beweise? Hat er keine. Ausgeschlossen!«

ZWEITE STIMME: »Und wenn doch?«

ERSTE STIMME: »Unsere Leute behielten ihn von Anfang an im Auge. Der kam an nichts heran.«

ZWEITE STIMME: »Und wenn doch?«

ERSTE STIMME: »Beim geringsten Hinweis darauf, daß er doch...

beim Schatten eines solchen Hinweises... wird er sofort beseitigt. Auf der Stelle. Aber er weiß nichts. Da können wir absolut ruhig sein.«

Ritt schaltete das Band wieder ab. Das zweite Gerät hinter dem Einwegspiegel, das die Gespräche im Vorführraum aufzeichnete, lief immer weiter.

»Nun?« fragte Ritt und sah von Marvin zu Gonzalos. »Und die zweite Stimme? Haben Sie die erkannt?«

»Bolling«, sagte Gonzalos, der verstört wirkte. »Das war Peter Bolling.«

»Herr Marvin?«

»*Klang* wie Peter Bolling«, sagte der.

»Was heißt das?« fragte Dornhelm sanft. »War es Bolling, oder war es nicht Bolling?«

»Ja«, sagte Gonzalos. Er war bleich geworden und von nun an sehr unruhig.

»Herr Marvin!« sagte Dornhelm. »Doktor Gonzalos ist sich sicher. Sie scheinen sich nicht sicher zu sein.«

»Nein«, sagte Marvin. »Ich kann es nicht mit Bestimmtheit sagen. Klingt verflucht wie Bolling. Und doch...«

»Und doch?«

Du Schweinekerl! dachte Coldwell hinter dem Spiegel.

»Und doch... Ich... ich kann es nicht beschwören. Das war seine Stimme, ja. Aber irgend etwas war... war anders. Ich kann nicht sagen, was.«

»Wollen Sie das Band noch einmal hören?«

»Ist das schon alles?«

»Nein. Geht weiter.«

»Ich... ich kann nicht erklären, weshalb ich nicht mit Gewißheit sagen kann: das ist Bollings Stimme. Ich würde es sofort tun, wenn ich ganz sicher wäre.«

»Ja, würden Sie?« fragte Dornhelm und lächelte.

»So wie die Dinge liegen – was hätte es für einen Sinn zu lügen? Daß bei dieser Lieferung Gesetze verbogen wurden, weiß ich längst.«

»Das wissen Sie längst?«

»Hören Sie! Ich war es, der das Bolling sagte. Es regte ihn furchtbar auf... wie mich... Wir wollten gemeinsam...« Marvin brach ab.

»Sie wollten gemeinsam was?« fragte Ritt.

»Den endgültigen Nachweis erbringen für diesen Skandal. So wie wir im Moment andere Skandale dokumentieren, um möglichst viele Menschen zu informieren. Das war auch als ein Thema für die Dokumentarfilmreihe vorgesehen... Jetzt ist Bolling verschwunden. Warum? Ich weiß es nicht. Niemand von uns weiß es.«

»Vielleicht wollte er in eigener Regie weiterarbeiten«, sagte Dornhelm fröhlich.

»Wirklich kein Anlaß für Heiterkeit«, sagte Marvin wütend, »wenn man bedenkt, daß er wahrscheinlich nicht mehr lebt. Daß man ihn umgebracht hat, weil er zuviel wußte.«

»Kein Melo, bitte!« sagte Dornhelm.

Marvin sah ihn fast haßerfüllt an. »Das ist kein Melodram, Herr Hauptkommissar. Es *sind* schon Menschen umgebracht worden, weil sie zuviel wußten, nicht wahr? Ich um ein Haar. Ein unschuldiger Kalfaktor. Und meine...« Er brach ab, sah in den Spiegel, wandte sich an den Unsichtbaren. »...und meine Tochter«, schrie er. »Meine Tochter! Der habe ich auch davon erzählt. Ich sollte ebenso erledigt werden wie sie in Altamira, da bin ich jetzt sicher. Ging daneben. Zum zweitenmal daneben. Ich bin ein Toter auf Urlaub. Das nächste Mal müßte es klappen. Soviel Pech können die nicht haben. Das gibt es nicht.«

»Herr Marvin«, sagte Ritt. »Wir stehen erst am Anfang dieser Geschichte. Ich achte Ihren Zorn und Ihre Trauer. Wir alle tun das. Noch einmal, bevor wir weitergehen: War das Bollings Stimme?«

»Sie klang so«, sagte Marvin. »Ob sie es wirklich war... Ich bin einfach nicht ganz sicher.«

»*Sie* sind ganz sicher, Doktor Gonzalos?«

»Ich bin ganz sicher, Herr Ritt.«

»Dann die andere Frage: Wußten Sie, daß eine brasilianische Atombombe gebaut wurde?«

Gonzalos antwortete nicht. Trotz der olivfarbenen Haut sah sein Gesicht leichenblaß aus.

»Haben Sie es gewußt, Doktor Gonzalos?« fragte Dornhelm.

Schweigen.

»Doktor Gonzalos!«

»Nein«, sagte der.

»Doktor Gonzalos«, sagte Dornhelm sehr langsam und sehr ruhig, »ich frage Sie noch einmal: Wissen Sie, daß die brasilianische Regierung die Bombe gebaut hat?«

Eine lange Stille folgte.

»Ja«, sagte Gonzalos danach.

»Sie wissen es?« fragte Ritt.

»Ja.«

»Sie sagten zuerst, Sie wüßten nichts.«

»Da ... habe ich gelogen.«

»Warum haben Sie gelogen?«

»Aus Angst.«

»Angst?«

»Ja, Angst! Sie haben gehört, was Calera sagte: Ich sterbe sofort, wenn sich nur die Spur eines Hinweises darauf ergibt, daß ich etwas weiß. Und was geschieht mit meiner Frau und dem Baby?«

»Niemand erfährt etwas«, sagte Ritt. »Beruhigen Sie sich, Doktor!«

Hinter dem Spiegel biß Coldwell sich auf die Lippe. Ich habe jedes Wort auf Band, dachte er. Ich muß das Band weitergeben. Es wird natürlich als Beweismittel gegen Bonn verwendet werden. Wird man Gonzalos dabei schützen? Man könnte es tun. Wird man es tun? Er ist unschuldig. Ist er unschuldig? Wer kennt die Wahrheit über Gonzalos und seine Frau? ... Kommt da wieder eine dieser Sachen auf mich zu, vor denen ich solche Furcht empfinde?

Mit gesenktem Kopf saß Gonzalos reglos da. Nur seine Lippen bewegten sich. Marvin starrte Ritt an. Der erwiderte den Blick nicht. Dornhelm betrachtete seine Fingernägel. Sie schienen ihm zu gefallen.

Und hinter dem Einwegspiegel betete Walter Coldwell: Mach, Gott, daß ich nur helfe, das Böse zu bekämpfen, Unglück zu verhindern! Mach, Gott, daß ich keinem Unschuldigen schade! Nicht schon wieder. Nicht immer wieder. O, Gott im Himmel, bitte!

Marvin sagte: »Darf ich das Band zu Ende hören? Ich habe keine Erklärung für das, was Bolling da tut, wenn es wirklich Bolling ist. Ich bin vollkommen verwirrt und ratlos.«

Ja? Bist du das? dachte Coldwell. Und Gonzalos? Er sagt, er hätte zuerst aus Angst verschwiegen, was er wußte. Ich habe auch Angst.

Wer hat die heute nicht? Ist Angst ein Verbrechen? Wer richtet hier? Allein die NSA? Er senkte unglücklich den Kopf.

Das Band lief weiter:

ZWEITE STIMME: »Was werden Sie also offiziell erklären?«

ERSTE STIMME: »Wir haben die Ultrazentrifugen zunächst in unserem Programm ›U-Boote mit Atomantrieb‹ benützt. Alles in Ordnung. Der Anreicherungsgrad genügte. Aber ein U-Boot ist keine Atomwaffe. Wir haben daher unsere eigene Ultrazentrifuge gebaut, die hat ihren Standort, ihr Anreicherungsgrad ist bekannt, mehr kann ich darüber nicht sagen. Wichtig ist, daß diese Zentrifuge hundertprozentig brasilianisch ist.«

ZWEITE STIMME: »Ausgezeichnet.«

ERSTE STIMME: »Wir waren und sind der Meinung, daß unsere Maschine etwas völlig anderes ist als die deutsche Zentrifuge. Ich gebe noch eins drauf. Unsere Leute waren im Ausland, ein ganzes Team, die haben das studiert, und so weiter.«

ZWEITE STIMME: »Gut.«

ERSTE STIMME: »Wir wollen kein riesiges Atombombenarsenal aufbauen. Aber Brasilien *muß* die Bombe haben. Wir wollen keinen Wettlauf, aber ein Abschreckungssignal: Wenn ihr uns provoziert, zünden wir die Bombe. Nehmen wir an, es kommt zu einem neuen Weltkrieg. Neunundzwanzig Prozent des brasilianischen Außenhandels wird per Schiff abgewickelt. Was wird passieren? Entweder tritt Brasilien in den Krieg ein, und die USA treten als Schutzmacht auf. Aber die werden vor allem ihre eigenen Interessen schützen. Also müssen wir sagen: Meine Herren, wir wollen in diesen Krieg nicht eintreten, aber wir werden unsere Handelsmarine schützen, wir werden unsere Schiffe eskortieren. Bitte, lassen Sie unsere Schiffe in Ruhe, sonst schlagen wir zu! Ich meine, das ist doch nur logisch.«

ZWEITE STIMME: »Nur logisch.«

ERSTE STIMME: »Ich habe noch eine Frage.«

ZWEITE STIMME: »Bitte.«

ERSTE STIMME: »Wie weit ist Karlsruhe?«

ZWEITE STIMME: »Ich verstehe nicht…«

Marvin erhob sich und starrte die Lautsprecherboxen auf beiden Seiten der Filmleinwand an.

ERSTE STIMME: »Natürlich verstehen Sie!«
ZWEITE STIMME: »Ich verstehe Sie wirklich nicht...«


»Anfang des neunzehnten Jahrhunderts«, sagte etwa zur gleichen Zeit Wolf Loder, »gab es in England noch Kinderarbeit, zum Beispiel in Bergwerken. Die Stollen wurden damals nur so hoch gebaut, daß Kinder in ihnen arbeiten konnten. Immer wieder gab es Wassereinbrüche. Man legte überflutete Stollen mit Dampfkesselmaschinen trocken. Die waren ziemlich riskant, explodierten häufig, und viele Kinder verloren in den Stollen das Leben. Solches bewegte das Herz eines frommen Mannes, des Pfarrers Stirling. Der Pfarrer Stirling sagte nicht wie Karl Marx: ›Man muß das System ändern‹, sondern er sagte: ›Man muß die Maschine ändern‹, damit nicht so viele Kinder früher als vorgesehen zu Gott dem Herrn eingehen.«

»Sie sind ein Zyniker«, sagte Valerie Roth. »Wer hätte das gedacht?«

»Ich bin kein Zyniker, Frau Roth.«

»Aber vielleicht ein Idealist, Herr Loder?«

»Und wenn?«

»Sehr oft sind Idealisten und Zyniker todgefährliche Leute. Sie nicht. Sie sind ein erfreulicher Idealist. Es war hoch an der Zeit, daß wir bei Ihnen landeten. Ich würde sagen, dramaturgisch kommen Sie und die Sonnenenergie als das Positive der Geschichte genau richtig an dieser Stelle unserer Bestandsaufnahme. Erzählen Sie weiter vom guten Pfarrer Stirling, Herr Loder!«

»Dem guten Pfarrer Stirling«, sagte der Physiker mit den leuchtendblauen Augen, »lagen die Kinder am Herzen – oder die Grubenbesitzer. Jedenfalls zerbrach er sich den Kopf über einen Ersatz für die Dampfkesselmaschinen, und 1816 hatte er es geschafft – um Gottes Lohn. Sein Gerät war einfach. Es bestand aus einer gasgefüllten Röhre und zwei Kolben. Das eine Ende der Röhre wurde stark erhitzt, das andere stark gekühlt. Auf diese Weise kam es zu Überdruck und Unterdruck, und die Kolben wanderten hin und her. Diese Bewegungen wurden auf eine Kurbelwelle übertragen. Zur Zeit des guten Pfarrers Stirling verband man die Kurbelwelle mit einer Pumpe, welche die überfluteten Stollen leersaugte. Heute kann man die Kurbelwelle zum Beispiel auch mit einem Generator verbinden und dieser...«

»...erzeugt dann Strom«, sagte Gilles.

Loder lächelte ihm zu. »So ist es! Wenn man von einem großen Sonnenspiegel die Strahlen gebündelt auf ein Ende der Stirlingmotorröhre lenkt, dann erhitzt man dieses. Und wenn man das andere Ende kühlt, bekommt man elektrische Energie direkt, ohne jeden Umweg, aus Sonnenenergie. Sogar ohne Wasserstoff. Das wäre die ideale Lösung. Ist sie nur leider nicht.«

»Weil das Funktionieren zur Voraussetzung hat, daß immer die Sonne scheint«, sagte Valerie.

»Richtig. Wir sind aber trotzdem selig darüber, daß der gute Pfarrer Stirling seinen Motor erfunden hat. Ich werde Ihnen gleich erklären, warum.«

Von draußen erklang Gelächter. Auf der großen Rasenfläche stand ein älterer Herr mit weißem Haar inmitten einer Gruppe von Männern.

»Mein Vater«, sagte Loder. »Er demonstriert gerade unsere Erfindung. Heute haben wir russischen und japanischen Besuch. Fast täglich kommen Politiker und Wissenschaftler aus der ganzen Welt – davon überzeugt, daß nach dem heutigen Stand des Wissens allein die Solar-Wasserstoff-Technologie die Voraussetzungen für eine zeitlich unbegrenzte und umweltfreundliche Energiequelle garantiert.«

Valerie Roth sagte: »Hören Sie, Herr Loder, ich weiß einigermaßen über Solarenergie Bescheid. Ich habe immerhin jahrelang mit meinem Onkel Professor Ganz in der Physikalischen Gesellschaft Lübeck gearbeitet. Nun, da ich Bolling ersetzen soll, beschäftige ich mich noch intensiver mit Solarenergie. Und dabei ist mir eine Sache immer klarer geworden: Egal, auf welche Weise Sie durch Sonnenenergie Wasserstoff freisetzen und in Strom verwandeln – Sie werden immer neuen Wasserstoff brauchen.«

Loder sah sie lächelnd an.

»Ich weiß, ich sehe komisch aus«, sagte sie leicht aggressiv.

»Bitte?« Loder war verwirrt.

»Mit einem braunen und einem blauen Auge«, sagte Valerie. »Sie alle haben es bemerkt. Keiner spricht darüber. Sehr taktvoll. So was passiert einem schusseligen Weib wie mir eben! Als ich hörte, daß Sie mich heute schon erwarten, packte ich in aller Eile meine Sachen und fuhr los. Schlafwagen bis Basel. Nach dem Aufstehen sah ich beim Einsetzen der Contactlinsen im Spiegel das Malheur. In der Aufregung habe ich zu Hause zwei verschiedenfarbige erwischt.« Sie lachte. »Lief in Basel zu einem Optiker, bevor ich mir ein Taxi nach Binzen nahm. Bis abends wird man gleichfarbige Contactlinsen besorgt haben. Blaue. Ich sage das nur, damit keiner von Ihnen glaubt, ich wäre verrückt geworden.« Sie lachte wieder laut.

Sehr leise sagte Isabelle zu Gilles: »Was ist das für ein Mensch, der Contactlinsen in verschiedenen Farben besitzt und seine Augenfarbe nach Belieben ändern kann?«

»Das habe ich mich auch schon einmal gefragt«, flüsterte er. »Was ist das für eine Frau?«


Die Mutter dieser Frau war sehr schön und im Dritten Reich sehr unglücklich, denn sie haßte die Nazis ebenso, wie ihre Eltern das taten. Die Eltern lebten in München. Margot, so hieß die Mutter der erst nach Kriegsende geborenen Valerie, arbeitete als Physikerin am Kaiser-Wilhelm-Institut in Berlin. Sie hatte ein paar Liebhaber, aber sie liebte keinen von ihnen, denn es war kein einziger darunter, der die Nazis so haßte wie sie, keiner, mit dem sie völlig offen sprechen konnte über ihre Trauer und ihren Zorn.

Auf einer Gesellschaft traf sie dann einen Mann in der Uniform eines Schützen der Deutschen Wehrmacht, der elend, mager und verzweifelt aussah, einen Verband um den Kopf und einen weiteren um die rechte Hand trug. Das war eine laute Gesellschaft mit vielen Ritterkreuzträgern, Wehrwirtschaftsführern und jungen Frauen. Die recht zwielichtige Gastgeberin veranstaltete dauernd solche Einladungen. Offiziere und Bonzen brachten stets massenhaft erlesene Delikatessen, Champagner und französischen Cognac, auch noch 1944.

Eine Freundin hatte Margot mitgenommen, sie konnte es nicht mit ansehen, wie diese sich in ihrem Laboratorium verkroch. Natürlich war die Abendgesellschaft für Margot eine Katastrophe – lauter Typen von Männern, die sie verabscheute. Bis sie dann auf den armseligen Schützen in seiner fleckigen Uniform aufmerksam wurde, den auch ein Freund mitgebracht hatte. Leise und vorsichtig unterhielten sie sich. Er hieß Franz Roth. Seine Mutter war vor zwei Jahren als Kommunistin in Plötzensee gehängt worden, er kam gerade aus der Prinz-Albrecht-Straße. Dort, in der Zentrale der Gestapo, hatte er drei Wochen Haft mit beständigen Verhören und Folter überstanden.

Franz Roth sagte: »Wollen wir zu Ihnen gehen?«

»Ja«, sagte Margot.

In dieser Nacht kamen die britischen Bomber einmal nicht, und so hörten die beiden dann in Margots Wohnung eine Nachrichtensendung der BBC in deutscher Sprache, und als eine Männerstimme verkündete »Hier spricht London! Hier spricht London! Hier spricht London!«, da war Margot mit dem zusammengeschlagenen Mann an ihrer Seite so glücklich wie nie zuvor in ihrem Leben. In dieser Minute begann ihre größte Liebe. So viele Arten von Liebe gibt es.

Nun trennten die beiden sich nicht mehr auch nur für einen einzigen Tag. Ein hoher Offizier der Berliner Standortkommandantur, Freund der Familie Roth aus glücklicheren Zeiten, erreichte, daß Franz in Berlin bleiben konnte. Margot sorgte dafür, daß er wieder zu Kräften kam. Drei Monate, nachdem sie einander kennengelernt hatten, schliefen sie zum erstenmal miteinander. Da wurde die Liebe noch größer. Doch begonnen hatte sie in jener Nacht, da sie gemeinsam London hörten.

Franz erzählte Margot, daß er Regisseur war und vor 1939 in Paris inszeniert hatte. Nach dem Krieg würde er wieder arbeiten dürfen. Darauf freute sich Margot. Die Liebe half ihr über den Schmerz hinweg, als der Vater Ende 1944 in München von Bomben erschlagen wurde. 1945 versteckte sie Franz monatelang an verschiedenen Orten, denn die Gestapo suchte ihn. In der Nacht vom 8. zum 9. Mai 1945 saßen sie wieder in Margots Wohnung vor dem Radioapparat und hörten einen Sprecher diese Worte sagen: »Das Deutsche Reich hat bedingungslos kapituliert. Der Krieg ist zu Ende.« Danach hörten sie in dieser Sendung der BBC die Neunte Symphonie von Ludwig van Beethoven. Und sie hielten einander an den Händen und weinten vor Glück.

Im Sommer 1945 heirateten Margot und Franz Roth in dem zerstörten Berlin. Anfang September teilte sie ihm mit, daß sie schwanger sei. In jener Zeit des Hungers, der Trümmer und der Seuchen war es lebensgefährlich, ein Kind zu bekommen, und Margot fragte ihren Mann, ob sie das Risiko auf sich nehmen solle. Zu ihrer Seligkeit sagte er, darauf angesprochen: »Du mußt das Kind bekommen! Unser Kind, denk doch, Margot! Jetzt, wo der Krieg vorbei ist. Wenn du es wegmachen läßt, schaue ich dich nicht mehr an.« Dann starb das Kind bei der Geburt. Margot bekam eine schwere Sepsis. Dem Tode nahe, bei über einundvierzig Grad Fieber, handelte sie am Krankenhausbett stundenlang mit einem Kürschner um den Preis für ihren einzigen Pelzmantel. Sie brauchte Geld, damit die Ärzte Penicillin auf dem schwarzen Markt kaufen konnten. Der Kürschner zahlte schließlich einen Bruchteil des Wertes, den der Pelzmantel besaß. Mit dem Bruchteil kauften die Ärzte Penicillin auf dem schwarzen Markt, und das Penicillin rettete Margots Leben. Immerhin dauerte es Monate, bis sie wieder ganz gesund war, und Jahre, bis sie eine neue Schwangerschaft riskieren durfte. 1949 kam Valerie zur Welt. Wie glücklich war Margot da! Eine neue Zeit hatte begonnen, sie hatte einen Mann, den sie liebte, ein Kind, das sie liebte, nun durfte Franz auch wieder als Regisseur arbeiten, ach, schönes Leben, schöne Welt!

Franz begann nicht als Regisseur zu arbeiten, obwohl er viele Angebote erhielt. Franz war ungemein gebildet, klug, charmant, beherrschte sechs Sprachen – aber er war, das zeigte sich nun, absolut lebensuntüchtig. Er *konnte* einfach nicht arbeiten. Was er anpackte, ging schief. Was er versuchte, scheiterte.

Als Valerie ein knappes Jahr alt war, verließ Franz Roth Frau und Kind und fuhr nach Rom. Dort arbeitete ein berühmter Regisseur, mit dem er zur Schule gegangen war. In Rom lernte Franz eine junge Schauspielerin kennen. Als diese nach Hollywood gerufen wurde, flog er mit. Margot sah ihn nie wieder, ein paarmal hörte sie noch von ihm und jener Schauspielerin, dann konnte ihr keiner mehr sagen, weshalb und wohin die beiden plötzlich verschwunden waren.

Margot Roth gab alles, was sie an Liebe besaß, der kleinen Valerie. Wann immer jemand schlecht über Franz sprach, verteidigte ihn Margot leidenschaftlich. Er war ein guter, leider schwacher, lebensuntüchtiger Mensch. Was konnte er dafür?

Margot arbeitete wieder als Physikerin. Sie sorgte dafür, daß Valerie eine sehr glückliche Jugend hatte. Sie sorgte für die beste Erziehung, für die besten Schulen. Und Valerie vergalt es ihr nach Kräften. Sie war stets die beste Schülerin und später die beste Studentin ihres Jahrgangs an der Universität, wo sie, wie die Mutter, Physik studierte.

Mit zweiundzwanzig Jahren zog Valerie in eine eigene kleine Wohnung, aber sie besuchte die Mutter regelmäßig. Valerie verliebte sich in einen Mathematikstudenten und war glücklich. Der Mathematikstudent schwängerte Valerie und verschwand sofort danach. Valeries Vater war immerhin erst nach ihrer Geburt verschwunden. Selbstverständlich trug sie das Kind nicht aus.

Lange Zeit war sie sehr unglücklich. Dann verliebte sie sich wieder. In einen Anwalt. Der war verheiratet und schwor, er würde sich scheiden lassen. Das tat er nie. Er hatte zwei Kinder, die brauchten ihn, sagte er. Das sah Valerie ein. Erst zwei Jahre später lernte sie einen neuen Mann kennen. Einen Arzt. Diesmal ging es drei Jahre lang gut. Nach drei Jahren fand Valerie heraus, daß der Arzt für den tschechischen Geheimdienst arbeitete und sie während der Zeit ihrer Liebe zu lebensgefährlichen Missionen, von denen sie nichts ahnte, mißbraucht hatte. Durch schieres Glück war ihr nie etwas geschehen. Als sie ihn zur Rede stellte, drohte er mit Anzeige bei den deutschen Behörden für den Fall, daß sie absprang. Sie weigerte sich, ihm auch nur noch ein einziges Mal zu helfen. Er zeigte sie an. Die deutschen Behörden reagierten vernünftig. Sie schützten Valerie. Der Arzt war längst verschwunden, als sie kamen, um ihn zu holen.

So gab es in Valeries Leben bislang drei Männer, die sie von Herzen geliebt hatte. Alle drei hatten sie betrogen, hintergangen und verlassen. Der vierte, den sie nach einer langen Zeit des Alleinseins und nachdem ihre Mutter in Berlin gestorben war, am meisten zu lieben begann, war Optiker. Er sagte Valerie so lange, daß sie mit ihren dicken Brillengläsern – sie war sehr kurzsichtig – ungünstig aussah, bis sie, voll schwerer Komplexe und Angst, diesen Mann zu verlieren, begann, Contactlinsen zu tragen, die er ihr immer wieder empfohlen hatte. Zu dieser Zeit waren Haftschalen, wie man damals Contactlinsen nannte, noch nicht perfekt entwickelt, das

Einsetzen und Herausnehmen bedeutete immer neue Schmerzen. Valeries Augen entzündeten sich durch die beständige Reizung, auch durch winzige Schmutzpartikelchen, und sie bekam zuletzt eine Bindehautentzündung. So schwer war die, daß sie in eine Klinik gehen und operiert werden mußte. Als sie die Klinik nach zwei Monaten verließ, war der Optiker von Berlin nach Frankfurt übergesiedelt, um dort die junge Frau zu heiraten, mit der er – neben Valerie – ein jahrelanges Verhältnis gehabt hatte.

Das geschah zu jener Zeit, in der Valerie gerade bei ihrem Onkel Professor Gerhard Ganz für die Physikalische Gesellschaft Lübeck zu arbeiten begann. Sie wußte nun, daß Liebe das Grausamste und Schrecklichste war, was einem widerfahren konnte, und sie beschloß, nie mehr zu lieben, nie mehr. Sie fuhr fort, Contactlinsen zu tragen, und sie hatte mit ihnen so wenig Glück, wie sie es mit Männern gehabt hatte, aber dennoch trug sie sie immer weiter.

Der blauäugige Wolf Loder sagte: »Sie haben recht, Frau Roth, bislang brauchte man, um aus Sonnenenergie elektrische Energie zu erzeugen, immer neuen Wasserstoff. Vater und ich haben ein Modell entwickelt, bei dem man nur ein einziges Mal Wasserstoff benötigt – den man immer wieder verwenden kann.«

Er stand vor der Schultafel. Draußen auf der großen Wiese mit den Solarapparaturen lachten Russen und Japaner wieder laut über etwas, das sein Vater gesagt hatte.

»Nur ein einziges Mal?« sagte Valerie Roth. »Das gibt es nicht.« Loder lachte.

»Doch, doch, das gibt es, Frau Roth!« Er sagte zu Ekland: »Natürlich werden Sie das Original der Anlage filmen – es steht draußen. Im Moment herrscht da zuviel Wirbel. Ich zeichne die Sache erst einmal auf die Tafel, okay?«

»Okay«, sagte Valerie.

»Bevor ich zu zeichnen anfange«, sagte Loder, »will ich das Ganze kräftig entmystifizieren. Es ist im Grunde nämlich wahnsinnig einfach. Nehmen wir einen Kühlschrank! Da ist ein Mittel drin, das verdunsten kann – früher war es Ammoniak. Wir benötigen elektrische Energie, um das Mittel gasförmig werden zu lassen – entweichen darf es nicht, wir brauchen es ja noch. Darum das absolut fest geschlossene System. Was passiert, wenn das Mittel sich in Gas verwandelt?«

»Kalt wird es«, sagte Gilles.

»Richtig«, sagte Loder. »Kalt wird es. Damit der Kühlschrank aber immer weiter arbeiten kann, müssen wir das gasförmige Mittel wieder verflüssigen – bei den alten Ammoniaksystemen liefen dafür hinten am Kühlschrank Rohre entlang –, und das Ganze kann von vorn anfangen. So etwas nennt man einen Kreislauf. Vater und ich haben von Anfang an über einen solchen Kreislauf für Wasserstoff nachgedacht. Dabei sind uns sofort chemische Verbindungen eingefallen, die man Hydride nennt. Wenn Sie so wollen – Wasser ist ein Hydrid. $H_2O$. Zwei Wasserstoffatome sind mit einem Sauerstoffatom verbunden. Unter den Metallhydriden ist seit langem Magnesiumhydrid als Hochtemperaturhydrid mit der höchsten Energiedichte bekannt.«

Er schrieb an die Tafel: $MgH_2$.

»Nun hat Professor Bogdanovic vom Max-Planck-Institut für Kohleforschung in Mülheim an der Ruhr eine besondere Art Magnesiumhydrid entwickelt: katalytisches.«

»Was heißt das, katalytisch?« fragte Gilles.

»Normales Magnesiumhydrid gibt beim Erwärmen Wasserstoff nur sehr langsam ab, zu langsam für unsere Zwecke. Das katalytische Magnesiumhydrid gibt den Wasserstoff sehr schnell ab. Prima für unsere Zwecke. Und nun haben wir versucht, uns einen Kreislauf auszudenken – wie beim Kühlschrank oder wie beim Stirlingmotor. Einen Kreislauf für den einmaligen Einsatz von Wasserstoff.«

Er begann auf der Tafel zu zeichnen.

»Das«, sagte er, links beginnend, »ist einer unserer Spezialspiegel, mit denen wir das Sonnenlicht auffangen. Wir bündeln die Sonnenhitze des Spiegels und lenken sie in diesen Druckbehälter.« Er zeichnete eine quaderförmige Kammer. »Hier drin wird es also sehr heiß, nicht wahr?« Er skizzierte eine zweite, größere Kammer, die an die erste anschloß. »Unser Apparat hat einen weiteren Druckbehälter. Den füllen wir mit zu Pulver gestoßenem Magnesiumhydrid.« Er zeichnete viele kleine Ringe und Punkte in die zweite Kammer. »So... Alles nur primitiv angedeutet... Wenn die Sonnenhitze es in dem Eingangsbehälter sehr heiß werden läßt, dann wird natürlich auch die Wand zu dem zweiten Behälter sehr heiß, nicht wahr. Und auch *in* dem zweiten Behälter wird es sehr heiß. So heiß, daß wir die Hitze beispielsweise zum Kochen verwenden können oder, viel wichtiger, zum Antrieb eines...«

»Stirlingmotors«, sagte Isabelle.

»Richtig.« Loder zeichnete mit ein paar Strichen eine solche Maschine, die er an die zweite Kammer anschloß. »Der Stirlingmotor erzeugt elektrischen Strom. Damit können wir viele Dinge tun. In dem mit Magnesiumhydrid gefüllten Behälter passiert aber *noch* etwas.«

»Der Wasserstoff wird aus dem Pulver ausgetrieben«, sagte Valerie.

»Ja«, sagte Loder, »der Wasserstoff wird ausgetrieben. Und zwar schnell. Bei ungefähr fünfhundert Grad Celsius... Wohin mit dem gasförmigen Wasserstoff?« Er lachte, glücklich wie ein Kind. »*Jetzt* kommt's! An den Behälter mit dem Magnesiumhydrid haben wir ein Rohr angeschlossen...« Er zeichnete es. »Das Rohr hat ein Ventil, auf, zu.« Er zeichnete ein Ventil. »Jetzt steht es offen. Das Wasserstoffgas kann also durch das Rohr entweichen...« Er kritzelte. »...in einen weiteren Behälter...« Er zeichnete eine weitere Kammer. »...und dieser Behälter ist gefüllt mit den Spänen eines anderen Metalls, Eisentitan...« Er machte viele Kreidepunkte.

»Das Ventil lassen wir so lange offen, bis aller Wasserstoff aus dem Magnesiumhydrid ausgetrieben und in den anderen Behälter gewandert ist. Dann schließen wir es. Was geschieht jetzt?«

»Jetzt«, sagte Valerie, »wird sich das Wasserstoffgas vermutlich mit den anderen Metallspänen, dem Eisentitan, zu einer chemischen Substanz verbinden.«

»Genau so ist es. Der ausgetriebene Wasserstoff geht mit Eisentitan eine neue Bindung ein: Es entstehen Eisentitanhydrid und wiederum Wärme, etwa zum Erwärmen von Wasser. Und automatisch ist der Wasserstoff hier sicher und kompakt gespeichert. Das Ventil ist jetzt zu. Wir können mit der Hitze im Druckbehälter weiter Strom erzeugen, heißes Wasser, Maschinen laufen lassen, Radio hören, einfach alles. Je nach Größe des Apparates und je nachdem, wie viele Apparateinheiten wir benützen, können wir das System natürlich auch in Fabriken zum Antrieb schwerer und großer Maschinen benützen... So, und jetzt kommt die Nacht.« Er hatte zuerst eine

Sonne gezeichnet, nun wischte er diese fort und zeichnete eine Mondsichel. »Jetzt öffnen wir das Ventil. Der Wasserstoff strömt zurück zum Magnesium, verbindet sich mit diesem wieder zu Magnesiumhydrid, hohe Temperaturen entstehen, die Stirlingmaschine schnurrt, es kann gekocht werden... Und gleichzeitig wird das Eisentitan automatisch kalt – zum Austreiben des Wasserstoffs hat es der Umgebungsluft ja Wärme entzogen. Was können wir mit der entstandenen Kälte anfangen? Nun, wir können zum Beispiel tatsächlich einen Kühlschrank mit ihr betreiben.« Er schloß an die rechte Kammer einen skizzierten Kühlschrank an. »Mit anderen Worten: Wir können alles machen, was wir wollen.«

»Tatsächlich«, sagte Valerie.

»Jetzt kommt der nächste Tag«, fuhr Loder fort. »Die ganze Nacht hindurch ist der Wasserstoff vom Eisentitan zum Magnesium geströmt und hat dabei Kälte, Strom und Kochwärme erzeugt. Nun beginnt das Spiel von vorn. Die Sonne erhitzt wieder das Magnesiumhydrid, treibt den Wasserstoff zurück in das Eisentitan, wieder läuft der Stirlingmotor, wieder ist Kochwärme da, und Warmwasser wird produziert. Der Wasserstoff – immer derselbe Wasserstoff, Frau Doktor Roth – geht vom Magnesium zum Eisentitan. In der nächsten Nacht zurück. Am nächsten Tag wieder in die andere Richtung... Und wir haben das, was wir wollten – nämlich einen Kreislauf mit immer demselben Wasserstoff.«

»Gratuliere!« sagte die Frau mit dem braunen und dem blauen Auge.

»Und das Ganze funktioniert praktisch ohne jeden Energieverlust«, sagte Loder. »Es ist absolut denkbar, unsere Apparate in großer Zahl mit der Eisenbahn vom Süden in den Norden zu transportieren, wo es wenig oder keine Sonne gibt, und anschließend zurück in den Süden, wo es viel Sonne gibt, um die Systeme wieder aufzuladen.«

Von der Wiese her ertönten Gelächter und Rufe.

»Sehen Sie«, sagte Loder. »Mein Vater hat eine Flasche Sekt in den Kühlschrank neben dem Behälter mit den Eisentitanspänen gestellt. Und Gläser. Gläser und Sekt sind jetzt eiskalt. Da! Sie trinken ihn gerade!«

»Das alles«, sagte Valerie Roth und senkte den Kopf, »ist sehr schön. Aber eben erst in der Entwicklung, Herr Loder. Alle diese Solarsysteme sind noch in der Entwicklung...«

»Stimmt nicht!« rief er leidenschaftlich. »Viele arbeiten bereits, vor allem in Amerika.«

»Aber sie sind noch zu teuer... sie haben sich noch nicht durchgesetzt. Sie sagen selbst, daß Sie bei Ihrer Arbeit wieder und wieder behindert werden. Es ist nicht Kleinmut, glauben Sie mir, es ist Realismus, der mich fragen läßt: Kommen Sie mit Ihrer Erfindung nicht schon zu spät? Im Jahr 2040...«

Loder unterbrach sie mit einer Leidenschaft, die alle aufhorchen ließ: »Im Jahr 2040 wird diese Welt schöner sein, als sie jemals war!«

»Sie glauben wirklich...« Valerie verstummte, denn Loder sprach laut weiter.

»Schöner, ja! Wir sind nicht am Ende. Wir sind am Anfang. Sie wissen es offenbar nicht, Frau Roth, Sie sollten es wissen: In der ganzen Welt, auf allen Kontinenten, haben Wissenschaftler und eine ganze Generation von integren Politikern längst ein globales Rettungsnetz geschaffen. Diese Leute sind jederzeit bereit, die Positionen all jener zu übernehmen, die in ihrer Ratlosigkeit oder Verkommenheit morgen schon nicht mehr weiterwissen und ihren Bankrott werden eingestehen müssen. Diese Menschen auf der ganzen Welt, sie bemühen sich, sosehr sie können. Noch gelingt ihnen nicht alles reibungslos. Aber sie werden es schaffen.« Loders Augen leuchteten, seine Wangen hatten sich gerötet.

»Ich habe ja gleich gesagt, daß Sie ein Idealist sind«, sagte Valerie Roth.

»Aber kein Fanatiker«, sagte er. »Nur *ein* Beispiel: Eben fand in Amerika die Energiekonferenz der großen Stromer und Behörden statt. Ja, aber vier Tage zuvor gab es eine Gegenkonferenz, die sich ›Grüne Energie‹ nannte! Das hat nichts zu tun mit unseren grünen Gruppierungen, die leider so zerstritten sind. Erstklassige Profis aus der ganzen Welt trafen sich da und strickten weiter an dem Netz. Wissen Sie, was diese Profis unter anderem beschlossen haben? Sie wollen in Amerika als richtige Partei auftreten – neben Republikanern und Demokraten. Als reguläre Partei.«

»Und sie hätten die größten Chancen«, sagte Valerie, »bei dieser Politikverdrossenheit drüben. Ich war in den USA, bevor Reagan gewählt wurde. Da habe ich Hunderte, Tausende von Aufklebern und Knöpfen gesehen, auf denen stand: ›*Don't vote – you only encourage them!* – Wählt nicht, ihr ermutigt sie bloß!‹ Völlig klar, wer mit ›sie‹ gemeint war. Es gaben ja auch nur einundvierzig Prozent ihre Stimme ab.«

Loder sah Gilles an.

»Muß doch auch für Sie aufregend sein: In Ihrem Buch zu zeigen, wie diese Welt bis knapp vor den Abgrund geführt wird – und wie es da plötzlich überall andere, neue, vernünftige Leute gibt, die sie schöner machen werden, besser, gerechter, als sie jemals war!«

»Ja«, sagte Gilles. »Sehr aufregend.«

Von draußen erklang wieder Gelächter. Deutsche, Japaner und Russen stießen noch einmal mit den Gläsern voller Sekt an, der in der Magnesiumhydrid-Solarmaschine eisgekühlt worden war.


Frankfurt.

Ein anderes Band lief. Es ertönte die...

STIMME MARVINS: »Erich, hier ist Markus. Also?«

ZWEITE STIMME: »Hör mal...«

STIMME MARVINS: »Ich habe doch gesagt, ich rufe heute an. Du bist auf'm Postamt, ich bin auf'm Postamt. Kann keiner mithören. Also!«

ZWEITE STIMME: »Also zwohundertvierzig haben sie aufgegeben[29]. Nicht gut genug. Aber mit zwohunderteinundvierzig sind sie weitergekommen. Unheimlich weit.«

STIMME MARVINS: »Wie unheimlich weit?«

ZWEITE STIMME: »Daß sie es einsetzen können. Und die kritische Masse liegt wirklich tief unter der von Plutonium.«

STIMME MARVINS: »Mensch! Also doch!«

ZWEITE STIMME: »Also doch.«

STIMME MARVINS: »Jetzt haben wir sie. Bis bald!«

ZWEITE STIMME: »Bis bald!«

Es folgte das Geräusch eines Hörers, der aufgelegt wird. Danach nur noch Rauschen in der offenen Verbindung. Ritt stellte durch Fernbedienung das Tonbandgerät ab. Nebenan trat Coldwell wieder vor den Einwegspiegel. Nun wollen wir mal hören, was der Knabe zu sagen hat! Sein Aufnahmegerät lief.

Gonzalos sah Markus Marvin an, bleich, mit offenem Mund. Niemand sprach.

»Na!« sagte der Hauptkommissar Dornhelm endlich. »Das war doch Ihre Stimme, Herr Marvin – oder?«

»Das war meine Stimme«, sagte Marvin. Er wirkte sehr gelassen, fast gleichgültig. Nerven, dachte Coldwell, der ihn beobachtete. Der Kerl hat vielleicht Nerven!

»Und die andere Stimme?« fragte Ritt, der ein mit Schreibmaschine betipptes Blatt Papier in der Hand hielt.

»Sie wissen es doch!« sagte Marvin. »Die Amis wissen es ebenso. Was wollen Sie also noch von mir?«

»Wir wollen, daß Sie uns den Namen des Mannes sagen, mit dem Sie da telefoniert haben.«

Marvin hob die Schultern. »Doktor Erich Hornung. Physiker im Kernforschungszentrum Karlsruhe. Alter Freund aus der Zeit, als ich bei der Aufsichtsbehörde im Umweltministerium arbeitete und meine idealistischen Jahre hatte. Idealistisch in bezug auf Atomenergie. Zufrieden?«

»Na, na, na«, sagte Dornhelm. »Kein Grund, frech zu werden!«

»Wer wird frech?«

»Herr Marvin, Sie haben dieses Gespräch am siebenundzwanzigsten August um sechzehn Uhr fünfunddreißig mitteleuropäischer Zeit geführt. Vom Postamt einhundertfünfunddreißig in Rio de Janeiro aus«, sagte Ritt. »Stimmt das?«

»Ich habe nicht auf die Uhr gesehen.«

Die Chuzpe! dachte Coldwell hinter dem Spiegel. Die ungeheuere Chuzpe dieses Kerls. Ach was, dieses Kerls – die ganze Regierung hat unfaßbare Chuzpe. Püh, beleidigt. Kein wahres Wort, sagen die. Großes deutsches Ehrenwort!

Ritt sah auf das Blatt in seiner Hand. »Der Physiker Doktor Erich Hornung sprach vom Karlsruher Postamt dreiundvierzig aus. Dort riefen Sie ihn immer an?«

»Immer!« sagte Marvin. »Ein paarmal. Aber wenn, dann dort, ja. Weil ich Idiot nicht daran dachte, daß wir auch abgehört werden konnten, wenn Erich öfter zu demselben Postamt ging.«

»Eben«, sagte Dornhelm. »Da den Amerikanern bekannt war, daß Hornung in Karlsruhe stets auf das Postamt dreiundvierzig ging, wurden dort alle Gespräche, auch Überseegespräche, abgehört. Natürlich hat der Computer nicht alle auf Band genommen, sondern nur solche, die unter dem Stichwort Atom, Ihren beiden Namen und Kernforschungszentrum gespeichert waren.«

»Ja«, sagte Marvin bitter, »die Amis haben genug Lauschstationen in der Bundesrepublik.« Er lachte böse. »In meiner Zeit im Umweltministerium, da habe ich auf Kernkraft geschworen. Da hatte ich noch keine Ahnung. Wenn mir damals einer erzählt hätte, was in Karlsruhe und anderswo passiert – geohrfeigt hätte ich ihn. Erst in Amerika, im Atomreservat von Hanford, gingen mir die Augen auf. Und später noch mehr, viel mehr.« Er runzelte die Stirn. »Das wird doch hoffentlich alles auf Band genommen, was ich sage, wie?«

»Worauf Sie Gift nehmen können«, sagte Dornhelm. »Warum?«

»Weil ich gleich etwas klarstellen muß: Bolling, Hornung und ich sind seit langem davon überzeugt, daß eine deutsche Bombe gebaut werden kann. Die Überzeugung haben wir – aber noch keine endgültigen Beweise. Noch nicht.«

Ist das immer noch Chuzpe? dachte Coldwell hinter dem Spiegel, schon wieder beklommen. Oder in was komme ich hier rein? Ich werde alles weitergeben, klar. Aber ich weiß so wenig über diesen Marvin. Sie sagen einem nur das Allernötigste und schicken einen los. Danach hört man nie wieder etwas. Alles geht *through channels*, über den Dienstweg. Ich will das Richtige tun, Gott, ich will niemandem schaden. Verflucht, dachte er, immer nur Ärger mit Deutschland.

»Ich glaube, es wird nötig sein, daß ich ein wenig historisch aushole«, sagte Marvin. »So komme ich besser zu Karlsruhe, Hornung und Transuran zweihunderteinundvierzig.«

»Immer munter!« sagte Dornhelm.

Marvin stand auf, trat vor den Spiegel und sprach diesen an. »Also historisch«, sagte er. »Schon unter Kiesinger hat die deutsche Regierung alles getan, was sie konnte, um den Atomwaffensperrvertrag aufzuweichen. Als er Ende 1969 schließlich unterzeichnet wurde, hatten deutsche Politiker ihn mehr als aufgeweicht. Franz Josef Strauß verteufelte den Vertrag, weil er die deutsche Industrie benachteiligte, immer als Unglück. Vielleicht wissen Sie, was sein Freund Henry Kissinger ihm sagte. Nein? – ›*You are nuclear obsessed*.*

– Sie sind atomar besessen‹, sagte Kissinger. Erzählte Strauß selber. Wie sah denn der Vertrag aus, der unterschrieben wurde?« schrie Marvin plötzlich in den Spiegel hinein.

»Beruhigen Sie sich!« sagte Ritt. »Sie müssen sich beruhigen!«

»Beruhigen? Aufregen muß ich mich, solange mir keiner widerspricht.«

Drei Männer vor dem Spiegel und ein Mann hinter dem Spiegel betrachteten ihn stumm.

Marvin attackierte Dornhelm: »Was ist? Warum starren Sie mich so an?«

»Ich überlege.«

»Was?«

»Auf die Gefahr hin«, sagte Dornhelm langsam, »daß Sie gleich wieder zu toben beginnen, Herr Marvin: Suchen Sie wirklich und wahrhaftig den wasserdichten Beweis dafür, daß eine deutsche Atombombe existiert?«

»Sie...«

»Moment! Ich bin noch nicht fertig. Sie sagen, Sie seien seit langem von der Möglichkeit, die Bombe zu bauen, überzeugt, Sie hätten jedoch noch keine endgültigen Beweise.«

»*Noch* nicht, Herr Dornhelm. Noch nicht!«

»Noch nicht. Ist das nun die Wahrheit, oder bezwecken Sie mit dieser wiederholten Erklärung, daß Sie keine – noch keine – Beweise haben, nicht etwas ganz anderes?«

»Nämlich was?«

»Nämlich, daß Sie ganz einfach deshalb keine Beweise haben, weil es eine deutsche Bombe nicht geben kann? Mit anderen Worten: Haben Sie vielleicht, falls es die Bombe wirklich gibt, sogar den Auftrag Bonns, die Sache verschleiern zu helfen?«

»Das«, sagte Marvin, »ist derart infam und zugleich so dumm, daß ich darauf nicht antworte.«

»Womit Sie völlig recht haben«, sagte Dornhelm.

»*Was?*«

»Sie haben völlig recht, nicht auf meine Frage zu antworten.«

»Warum stellten Sie sie dann?« Marvin war irritiert.

»Um Ihnen zu beweisen, einer wie lächerlichen Kleinigkeit es bedarf, Sie als Lumpen hinzustellen, Herr Marvin. Um Ihnen zu zeigen, wie schwach Ihre Position, wie dubios Ihre Motive im Handumdrehen erscheinen können. Ich unterstelle Ihnen das, was ich eben gesagt habe, nicht. Aber ich könnte es Ihnen sehr wohl unterstellen. Moorboden – auf schwankendem Moorboden bewegen Sie sich. Das wollte ich Ihnen vorführen.«

»Danke für Ihre Bemühung«, sagte Marvin. »Im Ernst. Obwohl ich mir über meine Lage durchaus im klaren bin. Aber Sie haben sich die Arbeit gemacht, mir den eigenen Eindruck zu bestätigen. Das war sehr freundlich, Herr Hauptkommissar. Wenn Sie erlauben, werde ich nun mit der Schilderung der historischen Fakten fortfahren.«

Drei Männer vor dem Spiegel und ein Mann hinter dem Spiegel dachten dasselbe: Spielt Marvin Theater? Kann ein Mensch *so* Theater spielen?

Der hinter dem Spiegel dachte: Ach ja, kann er. Gibt nichts, was der Mensch nicht kann, ich weiß es. Pferde, dachte er wirr. Menschen wetten auf Pferde. Pferde wetten niemals auf Menschen. Sie sind zu klug dazu.

»Was da zuletzt unterschrieben wurde«, sagte Marvin, indem er Dornhelm zulächelte, »war ein Vertrag, der sich nur mit dem befaßt, was verboten ist, und nicht mit dem, was erlaubt ist. Anders ausgedrückt: Alles, was der Atomwaffensperrvertrag nicht ausdrücklich verbietet, ist erlaubt. Verboten für Nichtatommächte ist es, Kernwaffen und Kernsprengkörper herzustellen, Verfügungsgewalt darüber anzustreben und Unterstützung für die Herstellung zu suchen. *Nicht* betrifft das Verbot also den Besitz oder Transfer von nuklearen Trägersystemen. *Nicht* verboten, also erlaubt ist es, den Kernwaffenbau vorzubereiten. Auch die Atomwaffenforschung wird in dem Vertrag nicht verboten und ist damit erlaubt.«

Geschickter Hund, dachte Coldwell hinter dem Spiegel. Stellt alles auf den Kopf. Nicht der Mörder, der Ermordete ist schuldig. So ist das. Oder ist das nicht so? Gott im Himmel, schon wieder mein Oder! Mein verfluchtes Oder. Es bringt mich noch um, dieses Oder.

»Jahrelang haben deutsche Politiker darum gekämpft, daß es in der BRD keine Kontrollen durch Inspektoren der Atomenergieagentur in Wien gibt. Schließlich erreichten sie eine Kontrolle durch

Euratom-Inspektoren. Sie wissen, wie die aussah. Neun Jahre haben die Herren gebraucht, um den Diebstahl von zweihundert Tonnen Urankonzentrat – zweihundert Tonnen! – festzustellen. Neun Jahre! Da war das Zeug längst in Israel verarbeitet. Bis 1975 notierten deutsche Hersteller zwanzig ausländische Bestellungen für Atomkraftwerke. Das friedliche Zeitalter der friedlichen Nutzung der Kernenergie! Friedlich?« schrie Marvin wieder los, in den Spiegel hinein. »Friedlich? Vier Wochen nach Ratifizierung des Sperrvertrags durch Bonn zündete Indien seine erste Atombombe! Bei Kernkraftwerken entsteht nun mal Plutonium. Friedliche Nutzung kann man ›zurückfunktionieren‹. Das für Wackersdorf vorgesehene Purex-Wiederaufbereitungsverfahren kann auch für die Bombenherstellung verwendet werden!«

»Nicht brüllen, Herr Marvin!« sagte Dornhelm, der aufgestanden war. »Mir reicht das jetzt. Nicht brüllen!«

»Wenn Ihre Tochter gerade erschossen worden wäre, würden Sie auch brüllen!«

»Herr Marvin«, sagte Gonzalos mit seltsam unnatürlicher Stimme und seltsam unnatürlich langsamen Bewegungen, einer mechanischen Puppe ähnlich, »es ist wirklich besser, Sie sprechen ruhig und bleiben gefaßt. Ich tue das auch – in meiner Situation, die diesen Herren so zwielichtig erscheinen muß wie die Ihre. Unsere Handlungen werden um nichts glaubwürdiger durch große Emotionen.«

»Sie gehen Ihren Weg, Gonzalos, ich gehe meinen«, sagte Marvin. »Ich erkläre: Die Deutschen können die Bombe bauen. Dasselbe erklären seit langem die Amerikaner. Was geschah? Die Höchstrangigen von ihnen, Leute aus dem Pentagon, wurden in Bonn jedesmal rausgeschmissen, wenn sie deshalb vorstellig wurden. Natürlich können die Deutschen die Bombe bauen. Aber die Amis können es nicht beweisen.«

»Ebensowenig wie Sie«, sagte Ritt.

»Wir wollten es beweisen, Herr Staatsanwalt. Hornung, Bolling und ich. Wir wollten dafür sorgen, daß nichts mehr unter den Teppich gekehrt werden kann. Damit ist es nun vorbei. Die Amis haben uns abgehört und sich dämlich benommen, Bolling ist verschwunden, keine Ahnung, wieso und warum, vielleicht wurde er längst umgebracht...«

»Nachdem er huschhusch vorher noch Frau Katharina Engelbrecht umgebracht hat«, sagte Dornhelm.

»Wer sagt denn, daß *er* das war?« fragte Marvin. »Haben Sie Beweise? Einen Dreck haben Sie!«

»So ist's hübsch«, sagte Dornhelm. »Wollen Sie uns vielleicht erklären, wie Bolling nach Brasilia kam und das Gespräch mit diesem General führen konnte?«

»Ich habe Ihnen schon gesagt, ich bin nicht sicher, daß das Bollings Stimme ist, da auf dem Band.«

»Und das sollen wir Ihnen glauben?« fragte Ritt erregt.

»Nicht, Burschi, nicht! Ganz ruhig!« sagte Dornhelm. »Wir dürfen Herrn Marvin nicht unterbrechen. Herr Marvin, Sie sagten eben, Herr Bolling, Herr Hornung und Sie wollten dafür sorgen, daß nichts mehr unter den Teppich gekehrt werden kann, aber damit sei es nun vorbei, weil die Amis sich dämlich benommen . . .«

»Darum«, schrie Marvin, »schrei ich den Kerl hinter dem Spiegel ja an! In ihrer Dämlichkeit haben die Amis ihre Chance vertan.« Er holte tief Luft. »Die atomaren Sprengköpfe liegen unter amerikanischem Verschluß, heute noch. Wenn ein Krieg losgeht, zuerst ein konventioneller, und der weitet sich aus, dann bestimmen die Amis, wann sie uns die Sprengköpfe geben. Und keiner von uns glaubt doch im Ernst, daß wir, ausgerechnet wir, von den Amis irgendwann gegen irgendwen atomare Sprengköpfe erhalten werden! Niemals werden die uns Gelegenheit geben, uns mit Atomwaffen zu verteidigen. Das will kein Mensch auf der großen, weiten Welt! Und weil das so ist, haben wichtige Politiker – das ist jedenfalls meine Meinung – darauf hingearbeitet, daß wir eine eigene, eine *deutsche* Bombe haben sollen.«

Marvin trat vom Spiegel fort und setzte sich, völlig kraftlos plötzlich. Die anderen starrten ihn an.

Donnerwetter, dachte Coldwell hinter dem Spiegel. Soviel Chuzpe gibt es nicht. Der da so schreit, schreit ja die Wahrheit. Mit dem *könnte* ein Pferd wetten. Er sah nach, ob das Band ordentlich lief, das jedes Wort Marvins aufzeichnete. Wenn der so weitermacht, dachte er, bringe ich aber Material! Damit können wir Bonn endlich wirklich unter Druck setzen. Jesus, süßer Jesus, laß ihn weiterschreien!

Marvin hatte sich beruhigt und sagte: »Jetzt wissen Sie, warum ich mit Hornung zusammenarbeite. Warum ich ihn von Rio aus anrief. Ich hatte auch Bolling informiert. Er war ganz wild hinter der Sache her. Warum kann keiner Bolling finden? Wer weiß, in welchem Faß voll Beton in welchem Hafen er liegt?«

»Herr Marvin«, sagte Ritt, »was hat Ihr Freund Doktor Hornung in Karlsruhe herausgefunden?«

»Haben Sie eine Ahnung, wie es in dieser Kernforschungsanlage zugeht?« fragte Marvin. »Der Komplex wird stärker bewacht und geschützt als jeder Hochsicherheitstrakt. Wenn sich da ein Physiker bloß zu schnell umdreht, hat er den Lauf einer Em-Pi im Bauch. Die Gewerkschaften haben sich schon beschwert über all diese Kontrollen und Sperren.«

»Bitte, Herr Marvin«, sagte Ritt. »Was hat Hornung herausgefunden?«

»Er ist der Meinung«, sagte Marvin, »daß die in Karlsruhe eine ideale Lösung gefunden haben. Plutonium würde für die Herstellung einer deutschen Bombe zu große Schwierigkeiten bringen. Würde doch wer dahinterkommen von den Amis. Sind ja keine Idioten. Bei der Wiederaufbereitung von Brennstäben fallen fünfundneunzig Prozent Uran an, zwei Prozent Plutonium – das abgeliefert werden muß – und drei Prozent Mischsubstanz. Na, und in Karlsruhe sind sie draufgekommen, daß sich in dieser Mischsubstanz stark strahlende Transurane befinden, bei denen die Wirkungsquerschnitte viel größer als bei Plutonium sind. Das heißt: Die kritische Masse, die entstehen muß, damit so eine Bombe funktioniert, kann bei Verwendung von Transuran viel kleiner sein als bei Plutonium. Insbesondere brauchbar erschienen alle Transurane zwischen zweihundertsechsunddreißig und zweihundertzweiundvierzig. Sie setzten zuerst auf zweihundertvierzig. Aber da, sagte ja Hornung am Telefon, erlebten sie eine Enttäuschung. Das wirkliche Zuckerstück ist zweihunderteinundvierzig, Transuran zweihunderteinundvierzig – und niemand muß mehr Sorgen haben wegen abgezweigtem Plutonium! Für das Zeug aus den drei Prozent Mischsubstanz interessiert sich kein Schwein. Und Transuran zweihunderteinundvierzig kommt aus diesen drei Prozent. Sie haben es ja alle gehört, als das Band mit dem Telefongespräch lief! Unheimlich weit gekommen sind sie in Karlsruhe, sagte Hornung.«

Beeindruckt sagte Ritt: »Wenn das wahr ist...«

»Das *ist* wahr!«

»Ich erinnere mich gerade an eine Radiosendung«, erwiderte der Staatsanwalt, »da wurde ähnliches behauptet. Ich habe vergessen, wie die Sendung hieß...«

»Ich nicht«, sagte Marvin. »Sie hieß ›Die Plutonium-Spur. Wiederaufrüstung, Wackersdorf und die deutsche Bombe‹. Der Autor war Günter Karweina, und ausgestrahlt wurde die Sendung vom Sender Freies Berlin.«[30]

»Richtig«, sagte Ritt.

»Nach der Ausstrahlung ging beim Sender nicht ein einziges Wort des Protestes aus Bonn ein«, sagte Marvin. »Es gab keine Forderung nach Gegendarstellung, keinen Skandal, überhaupt nichts. Die Sendung wurde hundertprozentig totgeschwiegen. Für mich ein Beweis dafür, daß jedes Wort den Tatsachen entsprach. Wenn das nicht der Fall gewesen wäre – alle Leute im Sender hätten sie vor Gericht gestellt, inklusive der Putzfrauen.«

Es klopfte.

»Ja!« rief Ritt.

Ein Gerichtsdiener trat ein, grüßte, überreichte dem Staatsanwalt zwei Blatt Papier und verschwand wieder.

Ritt las erst das eine, dann das andere. Alle beobachteten ihn dabei. Er sah zuletzt Marvin an. »Das kam eben über den Fernschreiber. Die New Yorker Filiale von Interpol hat Katharina Engelbrechts Bruder, diesen angeblichen Chemiker Charles Wander, gefunden. Der ist pensionierter Versicherungsagent. Seit vierzehn Jahren querschnittgelähmt. War niemals in Karlsruhe.«

»Tja«, sagte Dornhelm und griff nach dem Blatt.

Wieder blickte Ritt Marvin an. »Erich Hornung ist tot«, sagte er.

Marvins Gesicht war weiß.

Ritt sagte: »Er wurde vor zwanzig Minuten in Karlsruhe von einem großen Audi angefahren, als er auf einem Fußgängerstreifen die Kaiserstraße überqueren wollte. Der Audi hatte eine Geschwindigkeit von mehr als hundert Stundenkilometern, sagen Zeugen. Er schleuderte Hornung mindestens zehn Meter weit. Ein zweiter Wagen, grüner Lincoln, der ebenfalls mit überhöhter Geschwindigkeit folgte, überfuhr Hornung auch noch. Der Physiker war auf der

Stelle tot. Die Wagen hatten verdreckte Nummernschilder. Bis jetzt gibt es keine Spur von ihnen.«

Marvin saß reglos.

Armes Schwein, dachte Ritt.

Armes Schwein, dachte Dornhelm.

Nein, dachte Coldwell. Nein, wenn ich ein Pferd wäre, würde ich doch nicht auf Marvin wetten. Oder?

Das Aufnahmeband lief...

»Soweit zu den Beweisen«, sagte Dornhelm. »Sie haben noch immer keine.«

»Deutsche«, sagte Marvin heiser, »davon bin ich überzeugt, Deutsche haben Hornung umgebracht. Weil er zuviel wußte.«

»Nicht unbedingt«, sagte Dornhelm.

»Was nicht unbedingt?«

»Haben Deutsche Hornung umgebracht. Ich meine, vieles spricht dafür. Wäre logisch. Können aber auch andere gewesen sein.«

»Wer?« fragte Marvin. »Sagen Sie es mir, Herr Dornhelm, wer? Wer hat *noch* Interesse daran, geheimzuhalten, daß die Bundesrepublik die Bombe bauen kann? Die intelligente Bombe. Die mit der kleineren kritischen Masse. Die ohne Plutonium. Die mit Transuran zweihunderteinundvierzig. Wer hat *noch* Interesse daran, daß das geheim bleibt?«

»Ja, ja, ja. Aber Beweise haben Sie keinen einzigen«, sagte Dornhelm. »Sie erzählen uns eine Geschichte. Schlimm, wenn sie wahr ist. Schlimm, wenn sie nicht wahr ist. Wer sagt uns, daß Sie nicht um Ihren Kopf lügen? Hier werden noch und noch Menschen ermordet. Sie nicht, Herr Marvin. Warum gerade Sie nicht?«

»Es gab immerhin beherzte Versuche, nicht wahr?«

»Aber sie mißlangen. Sie leben, Herr Marvin. Warum leben ausgerechnet Sie noch?«

»Kennen Sie ›Die Brücke von San Luis Rey‹ von Thornton Wilder?«

»Ja«, sagte Dornhelm. »Was soll das?«

»Ein wunderbares Buch«, sagte Marvin. »Fünf Menschen, einander völlig fremd, stürzen von dieser Brücke in den Tod. Das Leben eines jeden, so erzählt der Roman, nicht wahr, ist in diesem Moment vollendet – aus verschiedenen Gründen und in den verschiedensten

Bedeutungen des Wortes. Das Leben hat für mich offenbar noch einiges vorgesehen, Herr Dornhelm.«

»Blödsinn«, sagte der.

»Wie Sie meinen«, sagte Marvin. »Ich glaube daran. Sie erinnern sich – ich wollte von Anfang an auch keinen Polizeischutz.«

»Oh, darum also«, sagte Dornhelm mit großer Ironie. Er neigte sich vor. »Und wer überzeugt uns davon, daß alles, was Sie erzählen, nicht erlogen ist, Herr Marvin?«

Ja, wer überzeugt uns davon? dachte der einsame Walter Coldwell hinter dem Spiegel. Er war wirklich sehr einsam. Keine Freunde. Nie Freunde gehabt. Hing mit seinem Beruf zusammen. Nicht nur. Und seine Frauengeschichten waren immer sehr kurz. Meistens waren es Hurengeschichten. Traurige Hurengeschichten. Gewiß, Jesus war Coldwells Freund. Immer gewesen. Würde es immer sein. Das hatte der Vater in ihn hineingeprügelt. Man konnte sehr einsam sein mit Jesus. Einmal, in einem Hotelzimmer, war Coldwell so einsam gewesen mit Jesus, daß er die Nummer der Zeitansage gewählt und fast eine halbe Stunde lang der Mädchenstimme gelauscht hatte.

Ich werde heute eine Hure ins Hotel mitnehmen, dachte Coldwell. Am Bahnhof gibt's den neuen Strich. Vielleicht erwische ich eine lustige Hure. Gott, ist mir elend!

»Ich habe nicht gelogen, Herr Hauptkommissar«, sagte Marvin.

»Wollen Sie Polizeischutz?« fragte der.

»Ich sagte, ich habe nicht gelogen!«

»Hab's gehört. Wollen Sie jetzt vielleicht doch Polizeischutz?«

»Nein, ich will auch jetzt keinen. Weil er nichts wert ist. Der Ami da hinter dem Spiegel, der wird doch jetzt das Band mit meiner Geschichte seiner Dienststelle bringen. Die Leute dort werden es denen in Bonn vorspielen und verlangen, daß sie Zutritt in Karlsruhe kriegen. Wenn sie den kriegen, werden sie natürlich nichts finden, nichts. Verstehen Sie nun, warum ich vorhin gesagt habe, die Amis hätten in ihrer Dämlichkeit alles versiebt?«

Ein Wandtelefon begann zu läuten. Ritt nahm ab.

»Coldwell hier«, sagte der einsame Mann jenseits des Spiegels. »Ich

habe eben mit Headquarters gesprochen. Lassen Sie Marvin laufen!
Er wird natürlich beschattet. Ob er lügt oder nicht, kriegen wir nur
raus, wenn wir ihn laufenlassen – vielleicht.«

»Ja«, sagte Ritt, legte auf und drückte einen Klingelknopf.

»Na?« fragte Marvin. »Was sagt der Ami? Was sagen seine Bosse?
Sie sollen Gonzalos und mich laufenlassen, wie?«

Ritt nickte.

»Das Scheißspiel geht weiter«, sagte Marvin. »Muß ja weitergehen,
klar. Und Doktor Gonzalos? Wird der nun geschützt?«

Der Brasilianer schüttelte den Kopf. »Machen Sie sich um mich
keine Gedanken! Mich kann jetzt kein Mensch mehr schützen. Das
muß ich schon selber tun.«

»Aber wie?« fragte Marvin.

»Meine Sache«, sagte Gonzalos.

»Unsere Abmachung bleibt in Kraft, Herr Marvin«, sagte Ritt und
wirkte elend, hilflos und machtlos. »Sie können gehen, wohin Sie
wollen. Sie müssen es jedoch immer vorher sagen. Und Sie müssen
immer zu mir kommen, wenn ich Sie brauche – wie bisher.«

»Natürlich«, sagte Marvin.

In der Kabine hatte Coldwell seinen Tonbandkoffer gepackt und
geschlossen, desgleichen das Aufnahmegerät.

Der Gerichtsdiener betrat den Vorführraum. »Sie haben geklingelt,
Herr Staatsanwalt.«

»Bringen Sie bitte diese beiden Herren« – Ritt wies auf Gonzalos
und Marvin – »zum hinteren Ausgang!«

»Jawohl, Herr Staatsanwalt. Wenn Sie mir folgen wollen, meine
Herren...«

»Wir sehen uns wieder«, sagte Dornhelm.

Er erhielt keine Antwort. Die beiden Männer folgten dem Diener.
Hinter ihnen fiel die Tür ins Schloß.


Ritt und Dornhelm begleiteten Coldwell. Sie trugen seine Geräte.
Je näher die drei dem Ausgang kamen, desto lauter wurde der
Baulärm.

»Können wir Sie wohin bringen?« fragte Ritt.

»Vielen Dank. Ich habe einen Wagen«, sagte Coldwell. Was ist los
mit mir? dachte er. Warum muß ich gerade jetzt wieder an diese

Mädchenstimme von der Zeitansage denken? Beim nächsten Ton ist es dreiundzwanzig Uhr einundzwanzig Minuten achtzehn Sekunden...

»Sie fahren zum Bahnhof?« fragte Dornhelm.

»Ja«, sagte Coldwell. Beim nächsten Ton ist es dreiundzwanzig Uhr einundzwanzig Minuten neunzehn Sekunden...

»Headquarters. Am Hauptbahnhof sechs, fünfte Etage«, sagte Dornhelm und nickte. »Ich habe gehört, Sie wollen wieder in das neue Woolworth-Haus ziehen. Dort sind Sie ja nur weg, weil das alte abgerissen wurde.«[31]

»Wir gehen in das neue zurück«, sagte Coldwell. Beim nächsten Ton ist es dreiundzwanzig Uhr einundzwanzig Minuten zwanzig Sekunden... Hure, dachte er. Fröhliche Hure. Und dann schlafen. Ich bin immer so müde. Weiß nicht, was das ist. Also, wieder mal Unzucht treiben mit Vergnügen. Oder ohne Vergnügen. Nicht vergessen bei der nächsten Beichte! Wundervoller Mensch warst du, Vater. Ich hoffe, du brennst in der Hölle.

»Da am Bahnhof, beim Postgiroamt, laufen die meisten Richtfunklinien und Leitungsnetze der Post zusammen, was?« fragte Dornhelm.

»Ja«, sagte Coldwell. »Zwischen Zeil und der Großen Eschenheimer Straße. Dort saßen wir bis Ende der sechziger Jahre im Postscheckamt, oberstes Stockwerk.« Beim nächsten Ton ist es dreiundzwanzig Uhr einundzwanzig Minuten einundzwanzig Sekunden...

Nun hatten sie die Eingangshalle erreicht. Kräne kreischten draußen, Bohrer ratterten, Betonmischmaschinen jaulten.

Ein schwarzer Cadillac glitt vor den Eingang und hielt. Coldwell verabschiedete sich kurz von den beiden Deutschen, indem er ihnen seine schlaffe, kalte Hand gab, und nahm die Geräte. Neben der Portiersloge zog der Justizvollzugsbeamte Franz Kulicke die Schirmmütze und dienerte. Coldwell ging auf die Straße hinaus.

Dornhelm sagte: »Du darfst mir nicht böse sein, Burschi, wenn ich mich immer wieder wie ein Übervater benehme und sage, du sollst dich nicht über jede Sauerei derart aufregen.«

»Ich bin dir doch nicht böse, mein Alter.«

»Du weißt, daß mein Vater verschwunden ist, als ich zwei Jahre alt war. Mit fünf habe ich beschlossen, zur Polizei zu gehen. Um ihn wiederzufinden.« Sie kehrten zur Treppe zurück. »Und du...« Dornhelm mit seinem oft rüden Ton stockte. Leise vollendete er den Satz: »...du bist so etwas wie ein Sohn für mich. Das weißt du doch.«

»Das weiß ich«, sagte Ritt. »Fällt dir was Komisches ein, Robert?«

»Was Komisches?«

»Bitte, laß dir was Komisches einfallen...«

Sie gingen weiter.


Beim nächsten Ton ist es dreiundzwanzig Uhr einundzwanzig Minuten zweiundzwanzig Sekunden...

Coldwell hatte den schwarzen Cadillac erreicht. Er stellte die Tonbandkoffer ab und öffnete eine Tür des Fonds. Erschrocken fuhr er zurück. Auf dem Rücksitz lag reglos, mit offenem Mund, sein Chauffeur. Coldwells Gedanken jagten einander. Tot? Betäubt? Der Mann am Steuer – keiner von uns. Nie gesehen. Eine Fal...

Das Wort konnte er nicht mehr zu Ende denken, denn in diesem Moment schlug ihm ein großer Mann in grauem Anzug, der schnell herangekommen war, wuchtig mit dem Griff einer Pistole über den Schädel. Coldwell sackte zusammen. Der Mann im grauen Anzug packte die Tonbandkoffer und rannte fort. Gleich darauf war er hinter einem Baugerüst verschwunden.

Der Fahrer des schwarzen Cadillacs drehte sich nach hinten um, riß die Tür zu und raste mit dem Wagen davon. Coldwell lag auf dem Pflaster. Um seinen Kopf bildete sich eine Blutlache. Menschen kamen herbei. Eine Frau schrie.

Beim nächsten Ton...


# 9


*Freitag, 16. September: Das Hotel Drei Könige in Basel ist eines der schönsten der Schweiz. Philip – wer sonst – hat es vorgeschlagen. Na, was. Joschka Zinner und das Frankfurter Fernsehen zahlen.*

*Wir kommen am frühen Abend ins Hotel zurück, einigermaßen überwältigt von diesem Loder und seinem Vater. In Binzen nennt man sie die Sonnentüftler.*

*Langer Tag war das. Noch immer sehr warm. Philip und ich haben einen gemeinsamen Salon, Schlafzimmer rechts und links. Man betritt das Hotel von der Straßenseite. Es liegt direkt am Rhein, auf den die französischen Fenster unserer Zimmer hinausgehen. Antike Einrichtung. Balkone mit Liegestühlen und Tischchen. Der Strom glüht noch im Sonnenlicht. Ein Stückchen weiter rheinaufwärts führt die große Brücke nach Kleinbasel hinüber. Autos, Straßenbahnen, viele Menschen sehe ich, aber seltsamerweise dringt nicht der geringste Lärm zu uns. Verwunschen still ist es hier auf unserem Balkon. Lautlos gleiten die Schlepper vorüber, mit dem Strom, gegen den Strom, die bunten Schlepper und ihre langen Kähne, schwer beladen, tief liegen sie im Wasser. Wenn so ein Gespann nahe genug kommt, klatschen Wellen an die dicken Mauern unter uns.*

*Lange Zeit sprechen wir nicht.*

*Ich taste nach seiner Hand. Er hält meine fest, und wir schweigen. Nun ist es soweit, denke ich. Will ich. Wünsche ich. Aber langsam und ohne Eile. Doucement . . .*

*Die Schiffe tragen Flaggen vieler Länder. Oft sehen wir Kinder an Deck spielen. Frauen hängen Wäsche auf. Kombüsen, Steuerhäuschen, deren Türen offenstehen. Männer hinter großen Steuerrädern. Andere sitzen in der Sonne, liegen, schlafen, lesen. Einer spielt Mundharmonika. Manchmal weht Radiomusik zu uns. So viele Schlepper. So viele Kähne. So groß der Frieden und die Stille. Wie das wäre, mitzufahren, sage ich, Zeit zu haben. Mit dem Schlepper den Strom hinunter bis nach Holland . . . Schön, sage ich. So schön ist das alles, Philip. – Er schweigt. – Ich bin sehr froh, sage ich. Über das, was Loder uns gezeigt hat. Die Maschine mit dem Magnesiumhydrid. Und das, was er erzählt hat von dem Menschennetz rund um den Erdball . . . Diese »Grüne-Energie«-Konferenz . . . Ich habe dir doch gesagt, Philip, daß es nicht zur Katastrophe kommen wird. Daß wir noch eine Chance haben. Dies ist nicht das Ende der Welt. Erinnerst du dich, daß ich das gesagt habe?*

Ja, ich erinnerte mich, und natürlich erinnere ich mich an jenen Abend auf dem Balkon über dem Strom, nun, da ich in meinem Haus Le Forgeron in Château-d'Oex sitze und in Isabelles Tagebuch lese. Mitte September 1988 hat sie diese Sätze geschrieben. Und jetzt... und jetzt!

*...Es ist nicht das Ende der Welt, sage ich. Oder nur in einem ganz bestimmten Sinn: Indem es nämlich der Beginn einer neuen, besseren ist. – Ja, Isabelle, sagt er. – Alles ist klar zwischen uns. Alles ist so, wie ich es mir ersehnt habe von dem Tag an, da ich ihn kennenlernte. O ja, ich kann mir meines ersten Gefühls stets sicher sein. Es ist immer richtig. Ich bin eine typische Waage. Das muß ich laut gesagt haben, denn er amüsiert sich. – Ja, was haben wir denn da? Eine typische Waage! – Die Waage, das kannst du natürlich nicht wissen in deiner universalen Unbildung, Philip, ist ein kardinales Luftzeichen. – Ein bitte was? – Nun, sie ist geistig betont, falls du mir folgen kannst, mein Freund, nicht erdgebunden, nicht materialistisch. – Verstehe. Aha. Mhm. Na, so etwas! Nicht zu fassen! Mehr! Klär ihn mehr auf, den armen Philip! – Das Zeichen Waage, armer Philip, wird von der Venus regiert... – Weiter! – ...die jenen, die unter diesem Sternzeichen geboren sind, Charme und Liebreiz verleiht. So steht es in den weisen Büchern, und ich zitiere nur. Komm bloß nicht auf den Gedanken, ich wollte mich besser machen, als ich bin. – Meine Waage, murmelt er. Voll dieser lieblichen Bescheidenheit. – Indessen, fahre ich fort, werden hochgesinnte Waagen niemals, höre, Philip! niemals ... – Ich höre, süßeste aller Waagen, ich höre. Niemals was? – ...niemals, bei aller angeborenen Sehnsucht nach Liebe und Anerkennung, einen Grundsatz aufgeben, bloß um die solchen selben zu gewinnen. – Die solchen selben Lieben und Anerkennungen! – Exakt. – Also, das finde ich einfach großartig von den hochgesinnten Waagen! – Die wissen nämlich aus Erfahrung, daß ein derart zweckgerichtetes Verhalten letztendlich nur Demütigungen bringen kann. Daher der Waagen... – Die Waagen! – ...der Waagen, laß mich weiterreden, das ist ein Genitiv, Philip! Du kannst nicht wissen, was das ist, ein Genitiv, mein armer kleiner Schriftsteller. Daher der Waagen gelegentlich unmäßige Beherrschtheit... – Ach, sagt er, hat sich schon*

*sehr gelegt. – Was hat sich schon sehr... – Deine Beherrschtheit,*
*deine unmäßige, Waage. Den Rest kriegen wir auch noch weg*
*viribus unitis, das ist, wie du als gebildeter Mensch weißt, Grie-*
*chisch und heißt: Ich liebe dich. Würde dich sogar lieben, wenn du*
*keine Waage wärst. – Na schön, sage ich, du glaubst nicht an*
*Astrologie. – Ich verstehe nicht, wie eine so hochgesinnte Simultane*
*an so was glauben kann. – Ich tue es ja nur im Grundsätzlichen. –*
*Womit gnädige Frau meinen? – Womit gnädige Frau meint: Zwölf*
*verschiedene Tierkreiszeichen gibt es. Verschiedene! Also müssen*
*die Menschen, die unter ihnen geboren sind, doch zwölf verschiede-*
*ne Typen sein. – Das ist eine ganz hervorragende Logik. – Ach, laß*
*mich doch, Philip! Wann bist denn du geboren? – Elfter erster, sagt*
*er. Das Jahr verrate ich nicht, und wenn du mich im Rhein*
*ertränkst. – Typisch Steinbock, sage ich. – Ist das was Gutes? –*
*Kommt darauf an. – Worauf? – Ah, jetzt glaubst du doch daran! –*
*Reine Höflichkeit. Also, worauf? – Auf den Aszendenten. – Bitte,*
*sagt er, nicht solche Ausdrücke! – Was für einen hast du, Philip? –*
*Muß man einen haben? – Anständige Menschen haben einen. – Ich*
*weiß nicht, was für einen ich habe. – Tja, sage ich, dann kann man*
*natürlich nicht sagen, ob du ein guter Steinbock bist oder ein*
*schlechter...*

*Und Schiffe gleiten vorbei, lautlos, so viele. Wasser klatscht ans*
*Ufer. Die Sonne steht nun schon sehr tief. Erste Lichter in Klein-*
*basel flammen auf. Es bleibt warm. Der Frieden! Der Frieden!*

*Ach, sagt er, so oder so. Auf jeden Fall ist Waage ganz bestimmt das*
*Beste, was man sein kann. Waage! Waage! Großer Gott, eine Waage*
*ist sie auch noch! Man muß dich lieben, Waage. Ich... ich liebe*
*dich, Waage! – Warum liebst du mich, Steinbock? – Weil du alt bist*
*und häßlich, sagt er. – Habe ich mir gedacht, sage ich. – Weißt du,*
*sagt er, aus unserem Probeagieren wird langsam so etwas wie eine*
*von diesen amerikanischen sophisticated comedies. Großes Vorbild:*
*»Die Philadelphia Story«. Habe ich einmal synchronisiert, als*
*meine Bücher noch nicht gingen. Soll ich dir eine Probe geben,*
*Waage? – Gib mir eine Probe, Steinbock!*

*Also legt er los und spielt abwechselnd Frau und Mann: Nicht wahr,*
*du sagst nicht, ich sei viel zu zurückhaltend und viel zu beherrscht?*
*Du sagst nicht, was alle sagen, daß ich eine Frau aus Marmor bin? –*

*Aus Marmor? Nein, nein! Eine Frau aus Fleisch und Blut bist du.*
*Eine Frau, die lebt und atmet. Die süßeste Frau der Welt. Man*
*möchte dich in die Arme nehmen und dir immer wieder sagen – oh,*
*was ist denn, du hast ja Tränen in den Augen. – Hör auf, hör auf,*
*hör auf – nein, nein, sprich weiter, sprich weiter, sprich weiter!...*
*Musik setzt ein, sagt er, massenhaft Geigen. Und so ging's weiter:*
*Was ist denn? Du zitterst ja am ganzen Leib... – Na was! Hör mal,*
*das kann doch um Himmels willen nicht etwa Liebe sein! – Sei ganz*
*ruhig, ist keine. – Gott sei Dank! Wäre höchst unpassend. – Das*
*meinst du wirklich? – Natürlich! Natürlich nicht! Wir sind doch*
*verrückt nacheinander!...*
*Und da übernehme ich den Dialogpart dieser »Sie« und sage:*
*Verrückt nacheinander. Philip, verrückt, verrückt, verrückt. Halt*
*mich, halt mich ganz fest... Und er hält mich fest, und wir küssen*
*einander, lange, lange, über dem dunklen Wasser. Wie wunderbar,*
*denke ich und sage natürlich: Und nun Musik ganz laut. Geigen*
*schluchzen. Langsam sinken die beiden aus dem Bild. Romy*
*Schneider und Alain Delon. – O nein, sagt er, Katherine Hepburn*
*und James Stewart. Aber eigentlich habe ich gehofft: Romy Schnei-*
*der und Philip Gilles. Jetzt bin ich eifersüchtig auf Alain Delon. –*
*Neuverfilmung, sage ich: Philip Gilles und Isabelle Delamare!*

# 10

Und es begab sich in jenen Tagen...

Der Kunststoff Polyvinylchlorid findet sich einfach überall: in
Autos, Flugzeugen, Fensterrahmen, Verpackungsfolien, Schall-
platten, Bodenbelägen, Tischdecken, Küchenstühlen und Kabeliso-
lierungen. Polyvinylchlorid ist ein hochgiftiger Stoff. Bei seiner
Verbrennung entstehen Dioxin und Salzsäure. Schäden für die
Gesundheit sind unabschätzbar. Als ein Sprecher des bundesdeutschen Umweltministeriums erklärte, man beabsichtige eine Kenn-
zeichnungspflicht für Kunststoffprodukte, erhielt der Umweltminister prompt eine Protestnote der Arbeitsgemeinschaft PVC und
Umwelt[32]. Sie hat diesen Wortlaut:

»Sehr geehrter Herr Minister:
nachfolgende Mitarbeiter aus der kunststoffverarbeitenden Industrie protestieren gegen die von der Bundesregierung beabsichtigte
Kennzeichnung der Kunststoffe.
Verwertungsmöglichkeiten gemischter Kunststoffabfälle machen
eine Produktkennzeichnung überflüssig. Eine globale Gattungs-
kennzeichnung kann keine bessere Lösung bringen als die gemischte
Verarbeitung, da weder Sammelsysteme für mehr als zwanzig
Kunststoffe denkbar sind noch eine spezifische Verwertung möglich
wäre. Innerhalb einer Kunststoffgattung werden nämlich noch
individuelle Mischungen und Rezepturen angewandt. Die Kennzeichnung wird aber zur Stoffpolitik der Umweltorganisationen
durch Boykottaufrufe und Produktdiskriminierung genutzt. Dies
haben Grüne und Verbände in ihren Grundsatzpapieren als strate-
gisch-taktische Waffe festgeschrieben.
Wir Mitarbeiter fühlen uns durch eine vom Staat auferlegte Kennzeichnung unserer Produkte diskriminiert und empfinden diese
Kennzeichnung wie einen Davidstern. Der Markt für Recyclate soll
sich frei entwickeln und beginnt am besten bei der gemischten
Kunststoffverwertung. Diesen Weg unterstützen wir.
Mitarbeiter der Firma:
Name, Vorname      Wohnort      Straße      Unterschrift«

Über das unsägliche Flugblatt entrüsteten sich Dietrich Wetzel,
Vorsitzender des Bundestagsausschusses für Bildung und Wissenschaft, und Charlotte Garbe, umweltpolitische Sprecherin der Bun-
destagsfraktion Die Grünen, in einer Presseaussendung mit der
Überschrift: »Kunststoffindustrie vergleicht die Opfer des Holocaust mit Kunststoffprodukten.«
Ansonsten entrüstete sich niemand.


Vor zwanzig Jahren veröffentlichte der Club of Rome eine damals
aufsehenerregende Studie mit dem Titel »Die Grenzen des Wachs-
tums«. Einer der Autoren war der international bekannte Wissenschaftler Dennis Meadows. Anläßlich der Titelgeschichte »Wer
rettet die Erde?« fragte der »Spiegel« Dennis Meadows: »Wieviel
Zeit bleibt Ihrer Meinung nach noch, um das Steuer herumzurei-
ßen?«

Meadows antwortete: »Jetzt ist es bereits zu spät.«

»Seit dem letzten Sommer«, hieß es in der Cover-Story, »spielt das Wetter verrückt wie seit Menschengedenken nicht. New York erlebte erstmals vierzig Tage hintereinander Temperaturen über einunddreißig Grad Celsius, Los Angeles stöhnte noch im Spätherbst unter Rekord-Temperaturen, bevor im Februar 1988 eine völlig ungewöhnliche Kältewelle Kalifornien heimsuchte. Die seit sieben Jahren anhaltende Dürre im Mittleren Westen Nordamerikas verringerte die Getreideernte im Vorjahr um fast ein Drittel. Waldbrände... fraßen sich durch weite Teile des berühmten Yellowstone-Nationalparks... Der gewaltigste je gemessene Hurrikan fegte im September über die Karibik und machte allein in Jamaika fünfhunderttausend Menschen obdachlos. Einen Monat später verwüstete ein weiterer Orkan die Stadt Bluefields in Nicaragua... Kurz zuvor brach in der Antarktis der bisher größte Eisberg vom Schelf. Seither gilt das einhundertundsechzig Kilometer lange Monstrum als warnender Vorbote der globalen Erwärmung, die Teile des Polareises abschmelzen könnte...«[33]

Der sowjetische Klimaforscher Mikhail Budijko schrieb in der Zeitschrift »New Scientist«: »Der Treibhauseffekt ist eine gute Sache für die Erde. Mitte des nächsten Jahrhunderts fällt bis zu fünfzig Prozent mehr Regen. Wüsten werden verschwinden, die Ernteerträge steigen. In der Sahara werden Rinder grasen, Kornfelder wiegen sich in Zentralasien im Wind. Bevor vor zehn Millionen Jahren die Eiszeiten begannen, war ganz Afrika von dichtem Wald bedeckt. Jetzt kann das Paradies zurückkehren...«[34]

Der Frachter »Oostzee« gerät in schweren Sturm und geht in der Elbmündung bei Cuxhaven vor Anker. Ladung: viertausend Fässer Epichlorhydrin, insgesamt eine Million Liter. Epichlorhydrin vergiftet Nieren und Nerven, ist ätzend, krebserregend und explosiv. Die Fässer waren so nachlässig verstaut, daß sie im Sturm durcheinandergeworfen und zum Teil leckgeschlagen wurden. Experten erklären, die Bergung der Ladung sei mit der Gefahr einer unabsehbaren Katastrophe verbunden. Die »Oostzee« wird von einer Stelle zur anderen geschleppt. Nirgendwo kann die Ladung in Sicherheit gebracht werden. Zuletzt wird das Schiff in den Medien nicht mehr erwähnt.

Die Adria stirbt. Von Venedig bis Rimini erstreckt sich an allen Stränden ein faulig-brauner, schleimiger Algenteppich, der immer weiter ausufert. Badeverbote werden erlassen. Ursache: Abwässer aller Art wurden jahrzehntelang direkt in die Adria geleitet. Das Gesundheitsministerium in Rom, bemüht, das Tourismusgebiet zu retten, läßt skrupellos verlauten: »Es besteht keine Gefahr für die Gesundheit. Wegen der Algen muß kein Badeverbot erlassen werden.« Andererseits wird ein Direktor für den Kampf gegen die Algenpest eingesetzt – und nach zwei Wochen unter der Anklage, er sei Angehöriger der Mafia, verhaftet.

Die Welternährungsbehörde FAO legt zum »Tag der Ernährung« einen Bericht vor, in dem es wörtlich heißt: »Neunzig Prozent des vorhersehbaren Bevölkerungswachstums finden in der Dritten Welt statt, in der bereits mehr als drei Viertel aller Menschen leben. Die Umweltgefährdung in diesen Ländern beruht in erster Linie auf der Armut der Bevölkerung. Der tägliche Kampf um die Mittel zum Überleben stellt eine enorme Belastung der natürlichen Voraussetzungen dar.« Mit anderen Worten: Armut ist die Ursache der Umweltgefährdung. Die Armen machen am meisten Dreck.

Frankreich beginnt mit einer neuen Reihe von Atomtests. Als sich massive Proteste regen, erklärt Ministerpräsident Michel Rocard auf einer Pressekonferenz: »Der schlimmste Umweltverschmutzer, den wir kennen, ist der Krieg. Den Atomwaffen verdankt die Menschheit bis heute bereits fünfundvierzig Jahre Frieden. Die Atommacht Frankreich ist auch deshalb nicht bereit, diese Tests einzustellen.« Die Agentur Reuter verbreitete Rocards Erklärung unter der Überschrift: »Atombombentests sind für Frankreich Umweltschutz«.

## 11

»Der erste, der ein Stück Land eingezäunt hatte und sich anmaßte zu sagen: ›Es gehört mir‹, und der Leute fand, die einfältig genug waren, es zu glauben, war der wahre Gründer der menschlichen Gesellschaft.« Bis hierher hatte Miriam Goldstein aus einem Buch vorgelesen. Nun sah sie die Mutter an, die an ihrem Lieblingsplatz in dem wilden Garten hinter dem Haus in Lübeck saß. »Ist es diese Stelle, Mama?«

Die Blinde nickte. »Ja, Miriam. Jean-Jacques Rousseau. Ich wußte doch, daß er das geschrieben hat. Vor über zweihundert Jahren schrieb er diese Sätze, Miriam, denk doch!« Sie wandte ihr Gesicht mit der fast durchsichtig hellen Haut der Sonne zu und wiederholte: »Vor über zweihundert Jahren... Hast du lange suchen müssen?«

»Nein, ich fand die Stelle bald.«

»Lies weiter, Miriam!«

Miriam las weiter: »Wie viele Verbrechen, Kriege, Morde, wieviel Elend und Schrecken hätte derjenige dem Menschengeschlecht erspart, der die Pfähle herausgerissen oder den Graben zugeschüttet und seinesgleichen zugerufen hätte: ›Hütet euch, diesem Betrüger zuzuhören! Ihr seid verloren, denn ihr vergeßt, daß die Früchte allen und die Erde keinem gehört...‹«

Miriam Goldstein legte das Buch fort und lehnte sich in ihrem Stuhl zurück. So viele Blumen blühten, so viele Vögel sangen in den alten Bäumen, es war Spätsommer, reifer, glorreicher Spätsommer.

»Wie spät ist es, Miriam?«

»Vier Uhr.«

»Dann werden deine Gäste gleich kommen.«

»Ja, Mama.«

Die alte Frau tastete nach einer Hand Miriams. Plötzlich standen Tränen in ihren toten Augen. Sarah Goldsteins Finger umklammerten die der Tochter.

»Mama!« rief Miriam. »Mama, was hast du?«

»Angst.«

»Bitte«, sagte Miriam und streichelte den Arm ihrer Mutter, der bis auf den Knochen abgemagert war, »bitte, sag das nicht immer und immer wieder! Du hast so viel Furchtbares überlebt. Heute bist du in Sicherheit.«

»Nein«, sagte die Blinde. »Niemand ist in Sicherheit. Heute weniger denn je. Ich weiß es. Ich kann es fühlen. Ganz stark. Schreckliche Angst habe ich um dich.«

»Um mich?«

»Ja, mein Kind. Um dich.«

»Aber weshalb?«

»Weil das Furchtbare dir ganz nahe ist. So nahe, daß ich es fühlen kann, riechen, fast greifen, fast – Gott verzeih mir! – sehen. Du bist in größter Gefahr, Miriam.«

»Mama«, rief Miriam, »was fühlst du, siehst du fast?«

»Es geschieht Furchtbares, Miriam. Direkt in deiner Nähe. Direkt neben dir. Und ein Mensch von jenen, mit denen du arbeitest, weiß das. Weiß genau Bescheid. Lügt und verstellt sich im Dienste des Furchtbaren.«

»Du meinst, einer der Menschen, die ich eingeladen habe?«

»Ja, Miriam.«

»Einer weiß genau Bescheid?«

»Ja.«

»Und lügt und verstellt sich?«

»Ja«, sagte Sarah Goldstein.

Wenn alle Geschichten erzählt sein werden, die großen und die tragischen, die melodramatischen und grotesken, wenn von allen Geschehnissen auf dieser am Ende des zweiten Jahrtausends christlicher Zeitrechnung dem Untergang entgegentaumelnden Erde berichtet sein wird, dann wird man sich, für den Fall, daß wir noch einmal davonkommen, an das Buch »The Divided Self« des englischen Psychiaters Ronald David Laing erinnern und an einen Satz darin, der oft zitiert wurde: »Wahnsinn kann auch eine gesunde Antwort auf die kranke Welt sein, die wir mit selbstzerstörerischem Eifer schaffen.«

Bruno Gonzalos, Isabelle Delamare, Markus Marvin, Miriam Goldstein, Bernd Ekland, Katja Raal, Valerie Roth, Philip Gilles, Joschka Zinner – sie alle saßen nun in Miriam Goldsteins Arbeitszimmer in Lübeck.

Das Arbeitszimmer war groß. Bücherregale verdeckten die Wände.

Auf einem Bord stand ein jüdischer Leuchter aus altem Silber und von großer Schönheit. Er befand sich seit vielen Generationen im Besitz der Familie Goldstein, und Miriam hatte ihn schon als kleines Kind bewundert. Der Mutter war es gelungen, den Leuchter, bevor sie sich der Gestapo wegen verstecken mußten, bei christlichen Freunden aufzubewahren, so daß sie ihn gleich nach Kriegsende zurückbekam. Damals konnte sie noch sehen, wenn auch sehr schlecht. Völlig erblindete sie erst 1968. Seither strich sie mit den Fingern über den Leuchter, und als einmal ein Jahr zu Ende ging, sagte sie zu Miriam: »Weißt du noch, wie Vater immer die Lichter angezündet hat zu Chanukka?«

»Ja, Mama«, antwortete Miriam. »Und ich werde es niemals vergessen.«

Im Gegensatz zu anderen jüdischen Menora-Leuchtern, die sieben Arme hatten, besitzt der Chanukka-Leuchter acht – und Platz für eine neunte Kerze, den Schamasch, das Nutzlicht.

»Chanukka« ist das hebräische Wort für »Einweihung« und zugleich jenes für das achttägige jüdische Lichterfest, welches zur Erinnerung an die Neuweihe des zerstörten und wiederaufgebauten Tempels von Jerusalem gefeiert wird. Dankend für die »Wunder und Heilstaten«, entzündet jeder fromme Familienvater am ersten Tag ein Festlicht, am zweiten ein zweites, bis am achten Tag alle acht Lichter brennen.

Von 1945 an hatte Miriams Mutter anstelle des Vaters alljährlich die Lichter entzünden müssen. Sie tat es, obwohl sie sehr schlecht sah, und sie tat es auch nach 1968, obwohl sie da vollkommen blind war. Miriam führte ihr die Hand, und Sarah Goldstein konnte die Festlichter nicht mehr sehen, aber sie fühlte ihre Wärme, und sie roch das flüssige Wachs.

An der Fensterwand des Arbeitszimmers standen Fauteuils und ein Sofa um einen großen, viereckigen und niedrigen Steintisch, und hier saßen an jenem Nachmittag des 19. September 1988, einem Montag, neun Menschen – Miriam und jene acht, die sie eingeladen hatte. Schräg schien die Sonne in den Raum und ließ die bunten Rücken vieler Bücher aufleuchten. Das Fenster zum Garten stand offen. Alle konnten Sarah Goldstein sehen, die reglos vor einem Rosenbeet saß, alle konnten die vielen Blumen und die alten Obstbäume mit ihren Früchten sehen, und alle konnten die Vögel singen hören, als Miriam Goldstein zu sprechen begann.

»Ich habe Sie gebeten, heute hierherzukommen, weil wir nach allem, was Herr Marvin und Herr Gonzalos in Frankfurt erlebt haben, unbedingt versuchen müssen, herauszubekommen, was wirklich vorgeht. Denn, und ich glaube, das ist jedem klar, hinter allem, was geschieht, steht ein geheimer Sinn. Wir kennen ihn nicht – ausgenommen einer von uns. Dieser eine kennt ihn sehr wohl. Dieser eine, davon bin ich überzeugt, weiß genau Bescheid. Und ich bin des weiteren davon überzeugt, daß er über etwas Furchtbares Bescheid weiß.«

Joschka Zinner wurde 1932 in Teplitz-Schönau, einer kleinen Stadt im Sudetenland, jenem Teil der Tschechoslowakei, der die Heimat vieler Deutscher war, geboren. Sein Vater besaß ein Kino.

Kinos – Kinematographentheater hatten sie kurz zuvor noch geheißen – waren damals eine Sensation. Neben Stummfilmen gab es die ersten amerikanischen Tonfilme. Anton Zinner war von dieser neuen Kunstart der bewegten Bilder fasziniert. Er hatte sein Kino selbst gebaut – zuvor war es eine Kneipe, ein sogenanntes Beisl, gewesen. Die Bank hatte Anton Zinner einen Kredit eingeräumt, damit er sein Kino, das er Lux nannte, bauen und die notwendigen Apparate kaufen konnte. Er hatte einen Vorführer, aber sehr oft stand er selber an der großen Maschine, besonders zu den Wochenenden, wenn es zwei, ja auch drei Vorstellungen gab, und Grete, seine Frau, saß an der Kasse und verkaufte die Eintrittskarten.

Als Joschka fünf Jahre alt war, durfte er zum erstenmal einen Film sehen, und das war Charlie Chaplins Meisterwerk »Moderne Zeiten«. In der Nacht nach diesem ersten Kinobesuch bekam der kleine Joschka hohes Fieber, ein Arzt mußte gerufen werden. Doch Joschka war nicht krank, er hatte Fieber, weil dieses Wunder Film ihn überwältigt und in einer Weise begeistert hatte, die man mit Worten nicht beschreiben kann.

Von jenem Tag an, da er »Moderne Zeiten« gesehen hatte, war Joschka Zinner dem Film verfallen. Er arbeitete mit dem Vater zusammen. Täglich war er im Lux, täglich sah er Filme, alle mindestens siebenmal, denn mindestens siebenmal wurde der gleiche Film vorgeführt. Bald kannte Joschka viele Filme, und er kannte sie auswendig, jede Einstellung, jedes Bild, jedes Wort, jede Passage der Musik, jeden Schlager. Er fuhr nach Karlsbad, ja nach Prag, um Filme zu sehen, die der Vater in Teplitz-Schönau noch nicht spielte, die er vielleicht nicht zur Vorführung bekam. Filme, Filme, Filme – sie waren das Leben für den heranwachsenden Joschka. Und sie blieben das Leben für den erwachsenen Joschka Zinner.

1946 mußte die Familie die Tschechoslowakei verlassen. Sie landete in Bayern. Mit dem Vater gemeinsam redete Joschka so lange auf den Besitzer einer Münchner Brauerei ein, bis dieser bereit war, ihnen einen Saal in Schwabing zu vermieten. Den Saal bauten sie – diesmal mit Krediten von Schiebern – zu einem Kino um, das sie wieder Lux nannten. Sie machten ein Filmkunsttheater daraus, das heißt, sie spielten nur die besten und schönsten Filme aus sehr vielen Ländern. Und auch das neue Lux war beinahe immer und in allen Vorstellungen ausverkauft.

1955 hatte Joschka genügend Geld gespart, um seinen Lebenstraum verwirklichen zu können: Er gründete eine eigene Filmgesellschaft, denn er wollte selber produzieren. Joschka Zinners Gesellschaft hieß Iris, das war der Vorname der jungen Frau, die er ein Jahr zuvor geheiratet hatte.

Joschka war ein erstklassiger Profi. Alles, was ein Profi im Filmgeschäft wissen muß, hatte er schon in Teplitz-Schönau gelernt, wo er Tag für Tag Filme gesehen hatte, Woche für Woche, Jahr für Jahr, gute und schlechte Filme. Er wußte Bescheid über Kameraeinstellungen, Ton, Schnitt, Mischung, alle technischen und alle künstlerischen Fragen. Er wollte gute Filme machen, das hatte er sich geschworen. Um Geld für diese zu bekommen, produzierte er zunächst eine Reihe von billigen Heimat- und Musikfilmen, die damals in Deutschland das ganz große Geschäft brachten. Als er genug Geld besaß, produzierte Joschka seinen ersten »richtigen« Film, über das Leben des polnischen Kinderarztes Dr. Janusz Korczak, der im von den Deutschen besetzten Warschau ein jüdisches Waisenhaus geleitet hatte und mit den ihm anvertrauten Kindern in das Vernichtungslager ging und mit ihnen in der Gaskammer starb.

Dieser erste »richtige« Film Joschka Zinners erhielt in Deutschland das Prädikat »Besonders wertvoll«, und kaum ein Mensch wollte ihn sehen. Finanziell war der Film in Deutschland eine absolute Katastrophe. Damit hatte Zinner gerechnet. Im Ausland wurde der Film zu einem der größten Erfolge der Nachkriegszeit, erhielt viele der wichtigsten Auszeichnungen und Preise und machte seinen Produzenten mit einem Schlag weltbekannt.

Nun hatte Joschka es geschafft. Nun arbeitete er mit den besten ausländischen Gesellschaften in Coproduktion. Mit den besten Schauspielern, Regisseuren, Drehbuchautoren und Technikern. Er produzierte nur noch gute Filme. Und er war sehr glücklich.

Dann kam das Fernsehen. Das war das Ende vieler Filmhersteller und -verleiher und auch das Ende vieler Filmtheater, denn die Besucherzahlen gingen zunächst rapide zurück. Joschka Zinner bedachte, daß auch das Fernsehen Filme brauchen würde. Er war einer der ersten, die mit dem Fernsehen gemeinsam Filme produzierten. Heute ist dies gang und gäbe, damals war das, was Joschka tat, eine Pionierleistung. Zusammen mit dem Fernsehen machte er weiter gute Filme, gute Fernsehspiele, gute Serien. Er wurde immer ehrgeiziger dabei, immer hektischer, immer nervöser – und seltsamerweise immer geiziger. Im Atelier bückte er sich nach jedem Nagel, den ein Bühnenarbeiter hatte fallen lassen, feilschte um jede Gage, auch die kleinste, entwickelte einen Tick, grundsätzlich die dritte Rate eines Vertrags nicht zu bezahlen und sich dafür vor Gericht zitieren zu lassen, was ihm einen entsprechenden Ruf einbrachte. Auch Philip Gilles hatte Drehbücher für ihn geschrieben, und auch Philip Gilles hatte um dritte Raten prozessieren müssen.

Etliche Jahre später fand Joschka Zinner dann keinen Spaß mehr an Prozessen. Etliche Jahre später begannen Zeitungsherausgeber, Verleger und schattige Existenzen private Fernsehsender zu finanzieren. Die Folge war ein gnadenloser Kampf um Einschaltquoten, also darum, wie viele Menschen welche Sendung von welchem Sender sahen, denn die Höhe der Einschaltquoten stand in direktem Verhältnis zu den Preisen für die Werbespots. Anspruchsvolle Unterhaltung erwies sich zunehmend als schwere Geschäftsstörung. Je weiter die Entwicklung ging, um so mehr setzten die »Verantwortlichen« das Niveau ihrer Entertainmentproduktionen herunter. Mit seinen ehrgeizigen Projekten hatte Joschka Zinner keine Chance mehr – er bekam vom Fernsehen einfach kein Geld für sie. Verbissen investierte er eigenes – und verlor es. Ohne Eigenkapital und somit von den Sendern absolut abhängig, lieferte er nun – wie alle seinesgleichen – Spiele und Serien, vor denen ihn ekelte, denn das, was da angeblich höchste Einschaltquoten brachte, war mittlerweile zum Erbrechen widerwärtig und primitiv geworden. Hatte eine zutiefst verlogene Serie mit einem Pfarrer Erfolg, dann gab es gleich darauf drei bis fünf solche Pfarrerserien. Hatte eine schwachsinnige Arztserie Erfolg, bestellten – und bekamen – die Sender eilends mindestens ein halbes Dutzend Arztserien. Gingen die Privaten mit billigsten Softpornos auf Kundenfang, entschieden die öffentlich-rechtlichen Anstalten tränenden Auges, daß sie diesem Weg folgen mußten.

Joschka Zinner wurde immer hilfloser. Um seine Angestellten bezahlen und leben zu können, stellte er erbärmlichen Schrott her. Immer wieder legte er Exposés zu großen, guten und wichtigen Serien oder Filmen vor. Immer wieder erhielt er sie zurück. Und mußte weiter jene Serien produzieren, die man von ihm verlangte. Er begann, sich jeden Morgen, bevor er ins Büro fuhr, zu übergeben. Jeden Morgen. Eineinhalb Jahre lang. Kein Arzt konnte ihm helfen. Ein Psychiater endlich machte Joschka klar, daß er – kein sehr schwieriger Mechanismus – sich jeden Morgen aus Ekel vor dem erbrach, was ihn im Büro wieder erwartete im Zusammenhang mit der tatsächlich üblen Fernsehunterhaltung, die er herzustellen hatte.

Voll Verzweiflung und Wut ließ der so schlaue Joschka sich zu einem folgenschweren Schritt hinreißen. Er produzierte zusammen mit einer französischen Gesellschaft, bestem Regisseur und besten Schauspielern eine Sechs-mal-zwei-Stunden-Serie nach einem Roman von Josef Roth in der Hoffnung auf den internationalen Markt. Fast sein ganzes Vermögen steckte er in dieses Unternehmen, nahm sogar Hypotheken auf sein Haus und verpfändete seine Lebensversicherungen. Nun mußte er sich nicht mehr allmorgendlich übergeben. Indessen machte, als die Serie halb fertig war, der französische Partner Bankrott. Aufgrund eines kleinen Paragraphen in dem großen Coproduktionsvertrag geriet die fertige Hälfte in die Konkursmasse. Nicht einmal einen Teil seines Geldes erhielt Joschka Zinner zurück. Er war, nach einem Leben voller Mühe, Arbeit und Anerkennung, erledigt. In diesem Moment meldete sich der Frankfurter Fernsehsender.

Ein Hauptabteilungsleiter teilte Zinner mit – o Wunder, unbegreifliches Wunder –, der Sender würde sein vor vierzehn Monaten eingereichtes Exposé zu einer Serie über den katastrophalen Zustand unserer Welt annehmen und die Produktion finanzieren, ausgerechnet ein solches Thema! Zinner konnte es mit Mühe fassen. Diese Serie müsse einfach produziert werden, sagte jener Hauptabteilungsleiter, der so verbittert und verzweifelt war wie Zinner, er habe seine Vorgesetzten praktisch mit Rücktrittsdrohungen erpreßt, »und zwar aus Gründen der Selbstachtung. Damit ich mir morgens beim Rasieren im Spiegel noch ins Gesicht schauen kann«. Als er den Vertrag unterschrieben hatte, umarmte und küßte Joschka Zinner seine Frau Iris und sagte: »Halt mir die Daumen, Süße! Das ist meine letzte Chance. Wenn da was schiefgeht, können wir uns aufhängen bei den Schulden, die ich hab'. Die allerletzte Chance ist das. Noch so eine kommt nicht.«

»Einer weiß über etwas Furchtbares Bescheid?« sagte Joschka Zinner. »Wir haben also einen Verräter unter uns?«

Diesmal war sein maßgeschneiderter Anzug aus blauer Seide, die Brillantnadel war durch die Enden des hohen Kragens eines weißen Hemdes gesteckt, in den aus den Ärmeln schauenden Manschetten steckten Brillantknöpfe in Form vierblättriger Kleeblätter. Gilles kannte Zinner noch aus der Zeit, als dieser grundsätzlich nur billigste Stangenware kaufte. Damals war er ein glücklicher Mensch gewesen, der die »dritte Rate« nicht zahlte.

»Sehr schön«, fuhr Joschka Zinner in der für ihn typischen gehetzten Art fort, »Verräter meint die Frau Anwalt. Verräter unter uns. Hört man gern. Erfreut das Herz. Wie kommt sie dazu, die Dame? Beleidigung für alle. Soll man sich das gefallen lassen? Nicht soll man sich das gefallen lassen. Sofort gehen soll man. Joschka Zinner geht sofort. Was andere tun, ist ihm egal. Unverschämtheit sondergleichen. Küß die Hand, verehrte gnädige Frau!« Er ging zur Tür. »Herr Zinner!« sagte Miriam leise.

»Was ist?«

»Ich habe nicht von einem Verräter gesprochen.«

»Doch, haben Sie!«

»Nein.«

»Nein was?«

»Ich habe lediglich meine Überzeugung geäußert, daß hinter allem, was hier geschieht, ein geheimer Sinn steht und daß einer unter uns diesen Sinn kennt und genau Bescheid weiß, über etwas Furchtbares.«

»Das ist dasselbe wie Verräter.«

»Das ist es nicht.«

»Doch ist es das.«

»Aber nein.«

»Aber ja, verehrte Dame!«

»Herr Zinner«, sagte Miriam noch leiser, »lassen Sie dieses Theater, und setzen Sie sich augenblicklich wieder!«

»Ich denk' nicht dran. Ich bin ja nicht meschugge. Joschka Zinner läßt sich nicht beleidigen. Und ob er geht! Und einen Menschen gibt es, den er nie mehr sehen will, und das sind Sie, verehrte gnädige Frau. Küß die Hand!«

»Herr Zinner!« sagte Marvin laut.

»Was wollen denn Sie?«

»Daß Sie sich setzen.« Marvin trat dicht vor ihn, und der kleine Zinner plumpste erschrocken in seinen Sessel.

»Joschka Zinner läßt sich nicht so behandeln!« rief er. »Mit die größten Leute der Branche hat Joschka Zinner gearbeitet. So was hat er noch nie erlebt! Nie! Ungeheuerlich. Einer unter uns, sagt die Person. Wer könnt' denn der eine sein, möcht' ich wissen?«

»Zum Beispiel Sie«, sagte Marvin.

»Ich? Bin *ich* es also, Sie haben's alle gehört, Damen und Herren – fürs Gericht!«

»Ich habe nicht gesagt, daß Sie es sind. Ich habe gesagt, Sie könnten es sein.«

»Ja, ja, ja. Für so was Blödes hat Joschka Zinner keine Zeit. Weiß nicht, wo ihm der Kopf steht, der arme Joschka Zinner. Allein die Konventionalstrafen, wenn er die Termine nicht einhält! Sie haben ja keine Ahnung, was für ein höllischer Drecksberuf das geworden ist, was er hat, der arme Joschka!« Er wischte sich die feuchten Augen trocken und fragte, plötzlich mit der Stimme eines unglücklichen Kindes: »Wieso könnt' ich der sein, wo mehr weiß, bitte sehr?«

»Wer kam ohne jede Anmeldung in den Frankfurter Hof gestürzt und schrie was von Blitzidee und einmaliger Chance und wollte uns alle am liebsten noch am gleichen Abend für diese Filme in den brasilianischen Urwald schicken? Wer war das?« fragte Marvin.

»Das war Joschka Zinner«, sagte Joschka Zinner. »Haben Sie sich gesträubt mit Händen und Füßen, mein Herr und alle anderen? Hat Joschka Zinner Sie müssen vergewaltigen, einen nach dem andern, bis Sie sich haben ergeben? Einen Dreck! Wie die Hunderln sind Sie hochgehopst vor Begeisterung, daß Joschka Zinner Ihnen so eine Chance gebracht hat.«

»Das ist wahr«, sagte Valerie Roth.

»Aber?« fragte Zinner. »Wo ist das Aber? Schneller, junge Frau, reden Sie schneller! Ich kann nicht leiden diese Langsamkeit. Also bitte: aber?«

»Aber Sie haben mit der Chance dafür gesorgt, daß wir alle zunächst einmal weit, weit weg von Europa und insbesondere Deutschland waren, und daß wir noch auf viele Wochen hinaus mit den Filmen beschäftigt sind und uns um nichts anderes kümmern können.«

»Das heißt? Versteh' kein Wort! Schnell! Machen Sie schon! Kommen Sie zum Punkt. Das heißt?«

»Das heißt, vielleicht war der Hauptgrund, uns alle zu engagieren, nicht der, Filme zu kriegen, sondern uns sehr weit weg und viel zu beschäftigt zu halten, um nicht zu merken, was hier in Wirklichkeit passiert.«

Joschkas Gesicht lief violett an. »Sind Sie wahnsinnig geworden, Frau Doktor? Warum ist Joschka Zinner geachtet und hochgeehrt in der Welt? Warum? Weil er nie in seinem ganzen Leben begangen hat eine Lumperei! Fragen Sie Philip! Philip, vielleicht sagen Sie auch was, um zu verteidigen Ihren alten Freund, der Ihnen geholfen hat noch und noch in Ihrer miesen Zeit, wo Sie nix gehabt haben zum Fressen! Los, Philip, sagen Sie was! Sagen Sie, daß Joschka Zinner niemals hat begangen eine Lumperei in seinem ganzen Leben.«

»Sie sagen es gerade selber. Zum zweitenmal«, sagte Gilles.

»Also auch Sie gegen mich! Dank' ich schön, Philip! Werd' ich mir merken. Mein Freund Philip Gilles sagt auch, ich habe Sauerei verbergen wollen. Mein Freund Philip Gilles. Einen Dreck wert sind Freunde. Einen Dreck wert sind Menschen. Ein einziges Pack sind Menschen. Das Mieseste, wo gibt, sind...«

»Herr Zinner!« sagte Miriam leise.

»Gnädige Frau Anwalt?«

»Hören Sie auf damit! Sofort! Ich glaube nicht, daß Sie ein Verbrechen verbergen wollten, indem Sie das Team außer Landes schickten. Aber jemand könnte Ihnen den Auftrag dazu gegeben haben. Jemand, der seinerseits etwas verbergen will. Verbergen muß. Bevor Sie all diese Menschen engagiert haben, galt es, das Projekt beim Frankfurter Fernsehen durchzubringen.«

»Hat also das Frankfurter Fernsehen etwas zu verbergen.«

Miriam strich sich über das weiße Haar.

»Das hat kein Mensch gesagt. Das Frankfurter Fernsehen ist eine öffentlich-rechtliche Anstalt. Das geht manchmal auch in die Politik. Vielleicht hat ein Politiker etwas zu verbergen – und Ihr Sender weiß überhaupt nichts davon. Im Frankfurter Sender haben die Leute nur plötzlich den Auftrag bekommen, Geld frei zu machen für diese anspruchsvolle Serie. Verzeihen Sie die Frage, Herr Zinner – ich weiß inzwischen, was Sie sonst fürs Fernsehen herstellen –, wann hat man Sie Ihre letzte anspruchsvolle, ernsthafte Serie produzieren lassen?«

»Hören Sie auf!« sagte Zinner. »Bitte, gnädige Frau, belieben aufzuhören! Wissen ja nicht, was los ist. Wegen die Einschaltquoten. Bloß wegen die Einschaltquoten.« Es klang wie ein Fluch.

»Ich weiß es, Herr Zinner«, sagte Miriam. »Und deshalb weiß ich auch, was unsere Filme für Sie bedeuten.«

»Alles, gnädige Frau! Alles!«

»Deshalb haben Sie uns im Frankfurter Hof überfallen und sich betragen wie ein Verrückter.«

»Wie ein Verrückter betrag' ich mich immer.« Zinner grinste verzweifelt.

»Sie haben keine besonders guten Konditionen vom Sender bekommen. Egal. Sie hätten die schlechtesten akzeptiert. Was blieb Ihnen übrig? Zu jeder Kondition hätten Sie abgeschlossen.«

»Zu jeder, ja.«

»Eben, Herr Zinner. Und nun lassen Sie uns einmal annehmen – nur theoretisch annehmen –, Sie hätten das Gefühl gehabt, man benützt Sie, um ein Geheimnis zu verbergen. Bloß das Gefühl, Herr Zinner! Sie sind überintelligent... ein alter Hase in der Branche... Sie hätten Nachforschungen angestellt... genau wie ich... Und vielleicht herausbekommen, warum Sie nach all der Zeit wirklich wieder eine gute Produktion realisieren dürfen... Sie hätten geschwiegen, Herr Zinner. Sie hätten gedacht, was geht das alles mich an, wenn ich bloß meine Serie drehen kann? Wenn ich wieder leben darf wie ein Mensch. Ich sage nicht, daß es so war! Aber wenn es so war, wenn Sie etwas herausbekommen hätten, wenn Sie etwas wüßten... Ich frage Sie, Herr Zinner: Könnten Sie es dafür all diesen Menschen hier unmöglich gemacht haben, ein Verbrechen aufzudecken, indem Sie sie mit Arbeit überbeschäftigten? Könnten Sie so etwas tun, Herr Zinner?«

Alle sahen Zinner an. Der verfärbte sich wieder dunkelviolett im Gesicht.

»Jetzt ist Schluß.« Er stand auf. »Hätten Sie nie sagen dürfen. Nie Joschka Zinner Schweinehund nennen. Küß die Hand, gnädige Frau Anwalt!« Er ging zur Tür, vor sich hin murmelnd.

»Herr Zinner!« sagte Miriam laut.

Er riß die Tür auf und ließ sie hinter sich ins Schloß krachen.

Totenstill war es im Raum.

»Doktor Gonzalos«, sagte Valerie Roth schließlich auf englisch. Heute trug sie grüne Haftschalen.

»Bitte?«

»Ich hätte eine Frage an Sie.«

»Nämlich welche?« fragte Gonzalos.

»Nämlich diese: Markus Marvin hat erzählt, auf dem Tonband, auf dem sich dieser Militärregierungsgeneral, dieser...«

»Calera«, sagte Gonzalos.

»...dieser Calera mit Bolling unterhält...«

»Moment!« unterbrach Marvin. »Ich habe gesagt, eine Stimme klingt so, als *sei* sie die Bollings. Aber von Anfang an hatte ich das Gefühl, daß es nicht Bollings Stimme ist.«

»Okay, Markus, okay, du bist dir nicht sicher«, sagte Valerie. »Doktor Gonzalos sagt, er sei sich sicher. In diesem Gespräch auf

Band sagt Calera, Gonzalos könne von dem deutsch-brasilianischen Geschäft nichts wissen, weil es erstens unter der höchsten Sicherheitsstufe ablief und weil Gonzalos zweitens nur kurze Zeit im Umweltministerium gearbeitet hat.«

»Ja, und?« fragte Bruno Gonzalos.

»Und das stimmt nicht!« sagte Valerie. »Hier habe *ich* nachgeforscht. Sie arbeiteten über drei Jahre, von 1975 bis 1978, im Umweltministerium. Genau zu jener Zeit, da das ›Jahrhundertgeschäft‹ anlief. Irrte sich der General? Log er? *Sie* jedenfalls haben gegen diese falsche Angabe mit keinem Wort protestiert. Warum nicht, Herr Gonzalos?«

Gonzalos war aufgestanden.

»Ich weiß nicht, worauf Sie hinauswollen, Frau Roth.«

»Ich möchte klarstellen, daß Sie die Wahrheit verschwiegen haben. Gerade in diesem Punkt. Zu einem anderen Punkt sagten Sie die Wahrheit. Nämlich, daß Sie von dem deutsch-brasilianischen Geschäft Kenntnis hätten. Das heißt, zuerst sagten Sie, Sie hätten keine. Warum, Herr Gonzalos? Warum?«

»Das geht Sie nichts an!« rief Gonzalos. Er stach mit einem Finger nach Marvin. »Ich bin außer mir vor Empörung darüber, daß Sie all das bekanntgegeben haben! Infam von Ihnen, Herr Marvin! Und eigentlich nur damit zu erklären, daß *Sie* der Mann sind, der sich verstellt.«

»Doktor Gonzalos!« schrie Marvin. »Sie wissen nicht mehr, was Sie sagen!«

»Oh, ich weiß es genau. Und ich verlange...«

»Seien Sie still! Ich bin noch nicht fertig«, sagte Valerie. »Über drei Jahre haben Sie in unmittelbarer Nähe Caleras gearbeitet! Über drei Jahre! Was wissen Sie alles, was Sie *nicht* gesagt haben, Herr Gonzalos? Was wissen Sie darüber, wie es Bolling gelingen konnte, zu Calera vorzudringen und mit ihm über das Atomgeschäft zu sprechen? Sie sind sich absolut sicher, daß es Bolling war. Ist doch Quatsch! Mit gefälschten Papieren kann Bolling das niemals gelungen sein. Niemals. Calera hätte ganz gewiß in Bonn zurückgerufen. Sogar wenn ihm Bolling offiziell über die Botschaft angekündigt worden wäre als Mann, mit dem er die gemeinsame Sprachregelung festlegen soll. Fazit: Bolling hatte überhaupt nur eine Chance, bis zu

Calera vorzudringen, falls er wirklich im Auftrag der deutschen Regierung kam. Mithin wäre Bolling der Mann, der log und uns alle betrog. Ich sage das in großer Trauer, denn ich habe viele Jahre mit ihm gearbeitet und ihn für meinen Freund gehalten.«

»Herrgott noch mal, und ich *sage* doch, die Stimme kam mir seltsam fremd vor!« rief Marvin. »Mehr und mehr glaube ich, daß das nicht Bolling war.«

»Herr Gonzalos glaubt es nach wie vor – oder?«

»Nach wie vor«, sagte der. »Ich bin also so idiotisch, mich mit dem Festhalten an meiner Überzeugung selbst zu beschuldigen, über Calera, Bolling und das Atomgeschäft viel, viel mehr gewußt zu haben, als ich zugebe. Das ist doch hirnrissig! Herr Marvin und ich kennen einander als Wissenschaftler seit Jahren. Herr Marvin war es, der mich und meine Frau als erste Kontaktperson in Brasilien genannt hat. Stimmt das etwa nicht, Herr Marvin?«

»Das stimmt«, sagte der leise.

»Lauter!« schrie Gonzalos.

»Das stimmt!« schrie auch Marvin.

»Dann«, schrie Gonzalos, »müssen Sie alle aber Herrn Marvin mindestens ebenso in Verdacht haben wie mich!«

»Vielleicht haben Sie sein Vertrauen getäuscht«, sagte Valerie Roth kalt. »Sein guter Freund Bolling hat das immerhin auch getan.«

»Das ist ungeheuerlich«, sagte Gonzalos bebend. »Das lasse ich mir nicht bieten. Keine Minute länger bleibe ich mit dieser Person in einem Raum.« Er ging zur Tür, wo er sich noch einmal umsah, dann war auch er verschwunden.

»Die reinste Abschiedssinfonie«, sagte Marvin.

»Nun zu Ihnen, Frau Raal«, sagte Valerie.

»Zu mir?«

»Ja, zu Ihnen. Sie haben in Altamira gesehen, wie Bolling telefonierte. Sie haben gehört, daß er mit Herrn Zinner sprach und um Schutz für Markus Marvin bat.«

Die Tür ging auf, und Joschka Zinner kam herein.

»Lassen Sie sich nicht stören«, sagte er. »Hab's mir überlegt. Will noch ein bissel zuhören. Aber noch einmal komme ich nicht!«

»Frau Raal!« rief Valerie, die Joschka ostentativ nicht beachtete.

Katja errötete. All ihre Pickel erröteten mit. Sie sah unglücklich zu Bernd Ekland.

»Nicht wahr, Frau Raal, so war es doch! So haben Sie es Herrn Ekland und Herrn Marvin erzählt.«

»Also...« begann Katja, wurde aber von Ekland unterbrochen.

»Ich möchte etwas Grundsätzliches sagen, Ihnen allen«, sagte der Kameramann. »Es ist richtig, daß Frau Raal Herrn Bolling zum Telefon laufen sah. Sie hörte ihn auch sprechen. Sie hörte auch den Namen Zinner. Sie hat sich seither alles in Ruhe überlegt und meint heute, sie hätte natürlich niemals ernsthaft behaupten dürfen, daß Bolling auch mit Herrn Zinner telefonierte, bloß weil er den *Namen* nannte.«

»Hat er aber«, sagte Zinner.

»Warten Sie! Ich bin noch nicht fertig.« Ekland stand auf. »Für Frau Raal und mich gebe ich jetzt eine Erklärung ab. Hätte es längst tun sollen. Bin dankbar für die Gelegenheit. Frau Raal und ich wurden von Herrn Zinner engagiert...«

»Weil Sie der beste Kameramann sind, den ich hab'. Und Katja der beste Techniker«, rief Zinner.

»...und wir haben uns sehr darüber gefreut, daß seine Wahl wieder auf uns fiel«, fuhr Ekland fort. »Frau Raal und ich kümmerten uns nur – nur, sage ich – um unsere Arbeit. Und haben sie so gut gemacht, wie wir konnten. Niemals haben wir uns in irgendeine – irgendeine – Intrige verwickeln lassen. Wir tun das auch diesmal nicht. Frau Raal hat Bolling beim Telefonieren beobachtet. Das ist alles. Mehr gibt es nicht zu erzählen. Mehr wird es nie zu erzählen geben. Wir haben nichts mit diesem furchtbaren Geheimnis zu tun, von dem hier dauernd gesprochen wird. Wir wissen nicht, ob es überhaupt so etwas gibt... wir *wollen* es nicht wissen. Wir werden unsere Arbeit tun, und Schluß. Wenn das nicht jeder akzeptiert, gehen wir sofort.«

»Moment mal«, sagte Joschka Zinner. »Das ist ja vielleicht eine Chuzpe, Ekland! Sofort gehen Sie, wenn nicht jeder akzeptiert, daß Sie nichts mit nichts zu tun haben wollen.«

»Ja«, sagte Ekland.

»Also haben wir uns vielleicht geirrt, und *Sie* beide sind die, die wir suchen, und jetzt, wo es Ihnen zu heiß wird, hauen Sie ab und...« Ekland schob den kleinen Produzenten beiseite.

»Komm, Katja!« sagte er.

Ein paar Sekunden später hatten die beiden das Zimmer verlassen. Isabelle, die lange mit Gilles geflüstert hatte, hob eine Hand. »Moment, bitte!«

Die Verbliebenen sahen sie an.

»Es ist mir sehr unangenehm, und deshalb wollte ich nicht darüber sprechen«, sagte Isabelle. »Jetzt sehe ich, daß ich sprechen *muß*. In der Nacht, bevor er verschwand, kam Peter Bolling in mein Hotelzimmer in Altamira und... bedrängte mich. Ich rief Herrn Gilles zu Hilfe. Bolling erlitt einen Asthmaanfall. Als der vorbei war, wollte er sich entschuldigen und...«

»Und am nächsten Morgen war er verschwunden«, sagte Gilles.

»Nebbich«, sagte Joschka Zinner. »Hat den Vergewaltigungsversuch als Vorwand genommen, weil er dringend weg mußte.«

»Weg wohin?«

»Weiß ich? Aber vielleicht wissen Sie.«

»Sie unterstellen, daß Frau Delamare diese Belästigung erfunden hat?«

»Tu ich, ja. Warum soll immer ich schuld sein an allem? Hat vielleicht ihre Gründe gehabt, Bolling zu helfen, weil der untertauchen mußte.«

Gilles sagte leise und langsam: »Daß er aus Scham über sein Betragen verschwand, halten Sie für ausgeschlossen?«

»No!« sagte Joschka. »No also wirklich, Herr Gilles. Vergewaltigung, noch dazu eine, wo es gar nicht dazu gekommen ist – was ist das schon?«

»In Ihrem Gewerbe offenbar nichts Besonderes«, sagte Gilles.

»Wenn Sie mich beleidigen wollen, müssen Sie früher aufstehen, Herr! Nein, nix Besonderes, und nicht nur in meinem Gewerbe.«

»Ich verstehe«, sagte Isabelle.

»Sehen Sie. Da fehlt Ihnen noch die Lebenserfahrung, junge Frau.« Gilles stand auf.

»Unterstehen Sie sich«, sagte Joschka zurückweichend. Er wurde tückisch. »Und was, wenn Sie Vergewaltigung wirklich erfunden haben? Klagen damit Bolling scheinbar an. In Wahrheit schützen Sie ihn. Wie tief stecken *Sie* beide drin in dieser Geschichte?«

Gilles trat auf ihn zu.

Joschka rannte zur Tür. Dort keuchte er: »Jetzt hab' ich genug! Aber wirklich! Das ist ja ein Irrenhaus, ist das hier! Warum sollen nicht Herr Gilles und die junge Frau zu tun haben mit Schweinerei? Und warum eigentlich nicht gnädige Frau Anwalt, möcht' ich wissen?« Gleich darauf war er abermals verschwunden.

»Ja«, sagte Miriam Goldstein, »warum eigentlich nicht ich? Ich vertrete Herrn Marvin und Frau Roth. Und die Physikalische Gesellschaft Lübeck. Es war hier die ganze Zeit die Rede davon, daß mächtige Leute ihn und Frau Roth und die anderen möglichst weit weg haben wollten, damit sie keine Gelegenheit hatten, dahinterzukommen, was wirklich vorgeht. Dazu bedienten sie sich Joschka Zinners.«

»Das haben Sie selber unterstellt«, sagte Valerie.

»Darauf will ich hinaus. Wer sagt denn, daß ich das nicht mit ganz übler Absicht getan habe? Mein Klient Marvin ist von der fixen Idee besessen, die Deutschen hätten die Atombombe – oder könnten sie jederzeit bauen. Diese fixe Idee hat er niemals aufgegeben – auch in Brasilien nicht! Und erst recht nicht, als Staatsanwalt Ritt ihn nach Frankfurt zurückrief.«

»Er behauptet es eisern, aber er hat nicht den geringsten wirklichen Beweis dafür«, sagte Valerie böse. »Der Physiker Erich Hornung, mit dem Markus telefonierte, wurde überfahren, gerade, als Markus verhört wurde. Kann nichts mehr sagen. Alle Tonbandaufzeichnungen hat man diesem NSA-Agenten gestohlen, nachdem man ihn zusammenschlug. Der liegt mit einer Gehirnerschütterung im Krankenhaus. Ritt und Dornhelm haben alles, was Markus erzählte, sofort nach Bonn gemeldet. Bonn *und* die Amerikaner haben die Kernforschungsanlage Karlsruhe durchsuchen lassen. Nicht die geringste Spur von einer Arbeit an Transuranen, insbesondere Transuran zweihunderteinundvierzig. Und sie haben Karlsruhe auf den Kopf gestellt, bei Gott! Nichts gefunden!«

»Weil die dort Zeit hatten, alles verschwinden zu lassen«, sagte Marvin wütend.

»Was immer geschah – du hast keine Beweise, und du hattest nie welche!«

»Und trotzdem hat man meinen Klienten aus Paris zurückgerufen«, sagte Miriam. »Warum sollten also er und ich nicht diejenigen sein, die mit diesem Wirbel um die Bombe, an deren Existenz Marvin und ich in Wahrheit natürlich überhaupt nicht glauben, sondern nur so tun, von einer anderen, viel wichtigeren Sache ablenken?«

»Sie... Sie...« Valerie brach ab. »Das ist ja zum Verrücktwerden!«

»Soll es vielleicht sein«, sagte Miriam.

»Aber Sie haben uns doch alle hierhergerufen, um uns mitzuteilen, daß einer von uns mehr wissen muß!«

»Und wenn *ich* nun der bin, der mehr weiß?« fragte Miriam.

Marvin attackierte Valerie: »In Karlsruhe wurde nichts gefunden, sagst du. Woher weißt du das? Durch deine Beziehungen in Bonn, nicht wahr? Deine großartigen Beziehungen. Keiner weiß, zu wem.«

»Müssen wirklich ausgezeichnete Beziehungen sein«, sagte Miriam. »So viel wissen Sie, Frau Roth.«

»Immer wieder hilfst du uns«, sagte Marvin, der sich mehr und mehr in Wut redete. »Von Anfang an. Ritt und Dornhelm wollten mich nicht nach Brasilien fliegen lassen wegen der Geschichte mit Hansen. Dann hast *du* erreicht, daß ich doch reisen durfte. Ohne deine Hilfe wären alle hiergeblieben. Und damit wäre die Serie gestorben, denn das Frankfurter Fernsehen hat darauf bestanden, daß ich das Team leite. Du hast alle Wege geebnet durch deine Beziehungen...«

»Du Dreckskerl!« schrie Valerie Roth plötzlich. »Du wagst, mich zu beschuldigen? Mich, die, wie du genau weißt, immer und immer wieder erreichte, daß Professor Ganz und die Physikalische Gesellschaft Lübeck aus jeder Schwierigkeit herauskamen und...«

»Das hast du erreicht, ja. Auf welchen Wegen auch immer. Sogar Philip Gilles hast du weichgekriegt mitzumachen. Schreiben soll er. Soviel Publicity wie möglich, alles für die bedrohte Welt. Von nichts anderem sollen die Leute mehr reden. Für nichts anderes sollen sie sich interessieren. Dafür tust du alles. Frau Goldstein, würden Sie von Frau Roth einen Gebrauchtwagen kaufen?«

»So, das reicht«, sagte Valerie. »Du bist wohl wahnsinnig geworden, Markus. Leider kann ich, das werden Sie einsehen, Frau Goldstein, hier nicht mehr bleiben. Sie müssen entschuldigen.«

Die Tür fiel hinter Valerie Roth ins Schloß.

»Interessante Dame«, sagte Miriam.

»Sie sind auch sehr interessant, Frau Doktor«, sagte Markus Marvin wütend.

»Wieso, bitte?«

»Ich bin Ihr Klient, sagen Sie…«

»Nun, ja, das sind Sie doch.«

»…Sie teilen meine Meinung die Bombe betreffend…«

»Ja und?«

»…und dann drehen Sie plötzlich alles um und erklären Valerie, daß das von uns beiden bloß Theater sein könnte, weil wir eventuell ganz andere Ziele verfolgen. Danke schön, Frau Doktor! Danke ganz herzlich. Das war eine große Hilfe für mich und meine Glaubwürdigkeit. Haben Sie erstklassig hingekriegt. Überhaupt die ganze Einladung hier! Für wen arbeiten denn Sie, Frau Doktor Goldstein? Für mich jedenfalls nicht mehr. Ich bin nicht mehr Ihr Klient. Ab sofort entziehe ich Ihnen die Vollmacht. Guten Tag allerseits!«

»Sie haben getan, was Sie konnten, Frau Goldstein«, sagte Gilles, nachdem auch Markus Marvin verschwunden war. »Mehr provozieren konnten Sie nicht.«

»Nein«, sagte Miriam. »Aber was habe ich erreicht damit? Jetzt ist jeder jedem feind, doch ist das, was geschieht, nicht viel zu schwerwiegend, als daß ich hätte schweigen dürfen?«

»Sie mußten es tun«, sagte Gilles.

Isabelle überreichte Miriam ein kleines Päckchen.

»Das haben wir Ihnen mitgebracht. Philip hat etwas gefunden in seinem Haus in der Schweiz, als wir dort waren.«

»Was?«

»Packen Sie es bitte erst aus, wenn Sie mit Ihrer Mutter allein sind«, sagte Gilles. »Wir müssen auch gehen. Alles, alles Gute! Vorne an der Ecke ist ein Taxistand, ich weiß.«


Fünf Minuten später trat Miriam in den abendlichen Garten hinaus. Es war immer noch sehr warm. Die Blinde saß im Licht der sinkenden Sonne. Miriam setzte sich neben sie.

»Na?« fragte Sarah Goldstein.

»Alles umsonst«, sagte Miriam. »Ich bin nicht einen Schritt weitergekommen.« Sie reichte der Mutter das Päckchen.

»Was ist das?«

»Isabelle Delamare und Philip Gilles haben es mir gegeben.«

»Mach es doch auf!«

Miriam öffnete die Verschnürung. Danach saß sie reglos da und sah an, was auf dem Papier vor ihr lag.

»Nun?« fragte die Mutter.

Miriam legte ihr ein Paar sehr kleine, sehr alte Kinderschuhe in den Schoß.

Sarah Goldstein ließ die Finger darüber gleiten. Und ihre toten Augen füllten sich mit Tränen.

# 12

»Wir wollen Wärme haben, wann wir wollen!« rief der junge, smarte Mann am Vormittag des 22. September beim Eingang des Messegeländes in Essen. Etwa dreißig Menschen hörten ihm zu. Es war der Eröffnungstag der DEUBAU, einer wichtigen Messe für alles, was mit Hausbau zu tun hat. Der junge Mann war ein glänzend ausgebildeter Werber. Neben ihm stand der Apparat, für den er warb, und auf diesem stand, wer mit ihm Geld verdienen wollte: RWE.

Dieser Apparat hatte die Ausmaße von eineinhalb Meter Länge, siebzig Zentimeter Höhe und zehn Zentimeter Tiefe.

Der junge Mann sprach rheinländischen Dialekt:[35] »Dat, meine Damen und Herren, ist dat Beste, wat wir anzubieten haben. Stromspeicheröfen für jeden Raum in Ihrer Wohnung! Sie können ihn ideal unterbringen, flach, wie dat Ding is. Und wie gesagt, der spart, dat is 'ne Freude. Den kaufen'se einmal – und dat Ding hat sich für immer! Wenn'se Öl kaufen, da wollen'se auch nit jeden Tag Öl kaufen, wenn Sie dat so ansprechen. Die Frage ist, wann kann man dat nachladen. An dem Gerät da, sehn'se, da is einer, der schon mitdenkt, dat heißt, da is 'n Außenfühler dran, der dat nachts nachkontrolliert...«

»Ne, ne, danke!« rief einer aus der Menge.

»Sagen'se nit ne, ne, ich erklär Ihnen ja gerade dat Gerät! 'n Außenfühler ist da, der kontrolliert, was nachts für 'ne Außentemperatur is, der guckt nach, wieviel Restwärme in dem Gerät drin is, damit dat nit überladen wird. Und wenn vierzig Prozent für den Tag dann praktisch mit der Temperatur genügt, dann macht der dat, der Apparat. Sie sehen also: Der is Ihrer Heizung überlegen.« Eklands BETA hatte Katja auf das Stativ montiert. Die Kamera lief und nahm den jungen Mann und seine Rede auf. Gilles, Isabelle, Marvin, Loder sowie Monique und Gerard Vitran standen dicht hinter der Kamera. Isabelle übersetzte leise für ihre französischen Freunde.

Sie drehten diese Szene zum Thema Energiesparen, dem Hauptbeschäftigungsgebiet der Vitrans. Wenn nicht mit der wahnsinnigen Verschwendung von Energie schnellstens Schluß gemacht wurde, wenn der Energieverbrauch nicht endlich sank, und das enorm, dann hatten alternative Energien wie Solarenergie keine Chance, dann hatte diese Welt keine Chance mehr. In Frankreich war es der Energy Systems International der Vitrans bereits gelungen zu erreichen, daß radikal Energie gespart wurde. Es war vorgesehen, das Team darüber berichten zu lassen. Anläßlich der DEUBAU-Messe in Essen hatte Vitran jedoch vorgeschlagen, mit einer Dokumentation der deutschen Situation zu beginnen.

Die Stimmung in der Gruppe war nach dem Streit bei Miriam Goldstein in Lübeck sehr abgekühlt, nicht offen feindselig, jedoch gereizt. Einer beobachtete mißtrauisch den andern, und es gab ständig kleine Reibereien. Verletzt und beleidigt war Bruno Gonzalos zu den Greenpeace-Leuten nach Hamburg gefahren, um einen Film über die Verklappung der Dünnsäure ins Meer zu besprechen. Ritt hatte sich nicht mehr gemeldet, und von Peter Bolling war noch immer keine Nachricht eingegangen.

Der smarte junge Mann beim Messeeingang propagierte nicht Energieeinsparung, sondern das Gegenteil: noch größeren Energieverbrauch – zu Nutzen und Segen der deutschen Stromer. Und deshalb wollte Gerard Vitran ihn unbedingt gefilmt haben.

»Mit diesem Apparat«, rief der junge Mann, »mit dem brauchen'se nit, sagen wer mal, Öl fürs ganze Jahr schon auf Vorrat zu kaufen. Hier bezahlen'se immer nur dat, wat'se verbrauchen.«

Zwischenrufe, dazu Unruhe unter den mittlerweile zahlreicher gewordenen Neugierigen.

»Nu beruhigen'se mich nit!« rief der junge Mann humorvoll. »Sagen'se mir ruhig dat Gegenteil, wenn'se dat meinen. Ich sage nur dies: Jeder dritte in Essen heizt schon mit Strom. Über zweihunderttausend Essener Bürger können sich wohl nich irren, oder?« Als nicht sofort ein Zwischenruf kam, schrie er triumphierend weiter: »Ja, da kommen'se nich mit, ne? Da müßten'se zu stramm stehn, dat ist dat.«

»Und du hast überhaupt keine Schmerzen?« flüsterte Katja Ekland ins Ohr.

Er schüttelte den Kopf.

»Überhaupt keine mehr?«

»Überhaupt keine mehr, Süße«, flüsterte er.

Katja küßte seine Wange, ihre verunstaltete Gesichtshaut hatte sich tief gerötet vor Glück. Das Cortison, dachte sie. Die Spritzen. Sie wirken. Zehn Kerzen habe ich gespendet und angezündet mit einem einzigen Streichholz. Fünf für ihn, hat Bernd gesagt...

Jemand aus der Menge rief: »Hören Sie mir bloß mit noch mehr Strom auf, Mensch! Bei den Strompreisen, die ihr verlangt! Eine einzige Unverschämtheit ist das, wieviel zu teuer die sind.«

»Bravo!«

»Richtig!«

»Kriegt ihr denn nie den Hals voll?«

»Langsam, langsam!« rief der junge Mann lachend. »Sie sagen: Viel zu teuer, mein Herr...«

»Jawohl, sage ich!«

»Dann sage *ich*: Gucken Sie mal auf die Einwohner von Essen! Von denen sind es schon über zweihunderttausend, die 'ne Speicherheizung haben. Glauben'se denn, die zweihunderttausend wüßten nit, wat'se tun? Wenn'se von denen die Hälfte nehmen, fünfzig Prozent: die haben für ihre Heizung 'nen Quadratmeterpreis von zehn Mark im Jahr.«

»So«, sagte Valerie. »Danke, Bernd! Das genügt. Jetzt wiederholt er sich nur noch. Jetzt gehen wir in die Halle und nehmen als Gegensatz Olsen auf.«

»Okay«, sagte Bernd Ekland und stoppte die BETA.

»Mensch, die Brüder können vielleicht verkaufen und Leute dumm und dämlich reden«, sagte Marvin zu Loder.

»Warten Sie ab, was Olsen sagt!« antwortete dieser.

Die Hallen waren mit Besuchern überfüllt, die Luft war schlecht, der Lärm ohrenbetäubend. Mehrere Fernsehteams drehten bei aufsehenerregenden Maschinen oder Ausstellungsständen. Vor dem Stand der Firma Olsen hatte Katja, summend vor Glück, in unfaßbar kurzer Zeit alle Geräte wieder aufgebaut und den etwa fünfundvierzigjährigen Heizungsfachmann Karl Olsen und Valerie Roth »verkabelt«. Ordner der Messegesellschaft sperrten den Stand weiträumig ab. Hinter roten Seilen drängten sich Neugierige. Katja war in Schweiß gebadet, so sehr hatte sie geschuftet. Schwer atmend sah sie Ekland an. Der küßte sie auf die Wange.

»Wir sind soweit«, sagte Katja zu Valerie, der sie wegen des Lärms noch ein Handmikrophon gegeben hatte.

»Bin ich in Ordnung?« Wieselflink hielt Katja ihr einen Spiegel hin. Valerie begutachtete sich, schminkte die Lippen nach, Katja rückte ihr eine Haarlocke zurecht. Endlich hielt sie wie bei jeder Aufnahme ein Blatt Papier vor die BETA, darauf hatte sie geschrieben: MESSE ESSEN /3, INTERVIEW OLSEN.

»Los, bitte!« sagte Ekland. »Zuerst sind Sie allein im Bild.«

Valerie nickte und begann einen Text zu sprechen, den sie mit Loder und Vitran vorbereitet hatte: »Meine Damen und Herren, Sie haben gesehen und gehört, wie das Rheinisch-Westfälische Elektrizitätswerk versucht, immer noch mehr Strom zu verkaufen – hier durch Anpreisung eines Speicherofens. Wir sind nun in der Halle der DEUBAU am Stand von Herrn Karl Olsen.«

Die BETA auf dem Stativ schwenkte von ihr fort und zeigte den Messestand und seinen Besitzer, aber so, daß Valerie im Bild blieb.

»Herr Olsen ist mittelständischer Unternehmer in einer Stadt am Main. Als Pionier in der Heizungstechnik hat er es sich zum Ziel gesetzt, seinen Kunden beim Energiesparen zu helfen – das nützt den Kunden, ist für Herrn Olsen ein Geschäft und ist gut für die Umwelt. Kaum einer von uns weiß, wieviel auch er zur Entlastung der Umwelt beitragen kann, wenn er bloß seine Gebäudeheizung auf den bestmöglichen Stand bringt, das heißt, wenn er so bauen oder umbauen läßt, daß sein Haus von vornherein wenig Heizenergie braucht. Sie werden die verschiedensten Typen von Sonnenenergiehäusern sehen, mit Sonnenspiegeln auf dem Dach oder an den Wänden. Alle diese Typen brauchen indessen immer neue

Sonnenenergie – egal, wie diese geliefert wird. Die geniale Erfindung von Herrn Olsen ist ein Haus, das fast völlig ohne Heizenergie auskommt, also sozusagen ein Null-Energie-Haus. Herr Olsen, können Sie uns erklären, wie das funktioniert?«

Die BETA nahm nun Olsen auf, der zu sprechen begann und das Gesagte an Bauelementen und Schaubildern demonstrierte.[16]

OLSEN: »Zunächst einmal: Ich baue neue Häuser. Es gibt zwar auch Möglichkeiten, alte Häuser zu adaptieren, aber bleiben wir bei den neuen! Wenn wir nicht schnellstens lernen, ganzheitlich zu denken, wenn jeder nur seinen Interessenbereich sieht wie bisher, dann werden wir sehr bald in einer Sackgasse enden. Ich habe gar nichts gegen Strom. Im Gegenteil! Ich sage, daß wir in Zukunft noch und noch Strom brauchen werden. Aber erstens eine andere Art von Strom, nämlich aus Sonnenenergie – und zweitens mit einem ganz anderen Nutzungsquotienten, das heißt: Wir werden und können mit einem Zehntel des heutigen Bedarfs auskommen. Sehen Sie, der Verbund berechnet den Leuten heute noch rund zehn Mark pro Quadratmeter und pro Jahr. Das ist irrsinnig viel. Das sind die heute nach Wunsch des Verbundes üblichen zweihundertsiebzig Kilowattstunden für einen Quadratmeter Wohnfläche.«

ROTH: »Und Sie bauen Häuser, in denen man mit einem Zehntel dieser Menge auskommt, Herr Olsen?«

OLSEN: »Ja, das tue ich. Und ich kann Ihnen das an etwa zwei Dutzend von mir gebauten Einfamilienhäusern auch beweisen. Kommen Sie einmal in ein solches Haus, ich zeige es Ihnen.«

ROTH: »Das werden wir tun.«

OLSEN: »In meinen Einfamilienhäusern brauchen Sie maximal – maximal – zwanzig Kilowattstunden pro Quadratmeter und pro Jahr – eben ein Zehntel von dem, was da heute angeboten und an Energie verschleudert wird. Das geht noch weiter: Wenn Sie das auf Heizöl umrechnen, brauchen Sie in einem Einfamilienhaus von mir zwei Liter Öl als Äußerstes für den Quadratmeter – und in einem Mehrfamilienhaus sogar nur einen Liter, maximal.«

ROTH: »Und wie schaffen Sie das?«

OLSEN: »Gott, ich bin kein Genie. Sie haben so was Ähnliches vorhin gesagt, aber das ist falsch. Ich hatte Vorbilder, als ich begann – in Skandinavien und vor allem in den USA. Da bin ich hingefahren und habe das im Detail studiert, wissen Sie.«

ROTH: »Mittlerweile haben Sie dort eigene Firmenvertretungen.«
OLSEN: »Richtig. Und viele Neubauten in den USA und in Skandinavien kommen meinem Ziel eines Null-Energie-Hauses schon sehr nahe. Bei uns in der Bundesrepublik sind wir noch nicht soweit. Wie wir das schaffen, haben Sie gefragt.«
ROTH: »Ja.«
OLSEN: »Durch eine Kombination von bautechnischen und klimatechnischen Maßnahmen. Das fängt an mit einer Einbindung der Fenster in die Außenmauern, bei der wir praktisch keine Wärmeverluste nach draußen haben. Also einmal kein Verlust beim Einbau und danach kein Verlust durch die Fenster selbst.«
ROTH: »Wie geht das nun vor sich?«
OLSEN (demonstriert im folgenden an Zeichnungen und Modellen): »Meine Fenster haben einen Wärmeschutz, der sich genau an die Tages- und Jahreszeiten anpaßt. Dieser Schutz wird durch Außensensoren gesteuert. Hier unten gibt es ein Entlüftungssystem... Die Fenster sind natürlich Solarkollektoren – ich erkläre gleich, wie sie funktionieren. In den vergangenen drei Heizperioden habe ich nachgewiesen – nachgewiesen –, daß ich den Energiebedarf meiner Neubauten von dem bislang angenommenen Energiebedarf wirklich um neun Zehntel habe senken können. Jetzt überlegen Sie mal, welche Entlastung für die Umwelt das bringt, wenn es Hunderttausende solcher Häuser, Millionen davon gibt! Wo neunzig Prozent weniger Brennstoff verfeuert werden, da fallen entsprechend weniger Schadstoffe an. Da wären wahrhaftig an die zwei Komma sieben Millionen Tonnen Schadstoffe im Jahr vermeidbar, mit denen Haushalte und Kleinverbraucher die Umwelt belasten. Eine Hausenergietechnik, wie wir sie wollen und bauen, ist für den Umweltschutz mindestens ebenso wichtig wie der Katalysator beim Auto.«
ROTH: »Also, wie sieht Ihre Erfindung aus?«
OLSEN: »Einfach. Die Fensterflächen bei anderen Häusern, auch bei Solarhäusern, sind – was die Energie betrifft – Verlustflächen. Meine Fenster sind Gewinnflächen. Die alten Fenster sind zudem abhängig von Sonnenschein und immer neuer Sonnenenergie, nicht wahr? In meinen Häusern geht kein bißchen Energie verloren. Aber durch die Solartechnik kommt immer neue Energie dazu. Meine Fenster nehmen jede Art von Strahlung auf. Nicht nur Sonnen-

strahlung. Auch Infrarotstrahlung bei Nacht. Natürlich geht das am leichtesten, wenn die meisten Fenster nach Süden sehen. Aber auch Häuser mit Nordfenstern haben eine positive Energiebilanz – das ist mir in x Gutachten vom Max-Planck-Institut Mülheim/Ruhr bestätigt worden. Schauen Sie sich so ein Fenster einmal an! Kriegen Sie es groß genug mit der Kamera? Gut... Also... Zunächst einmal ist das ein Doppelscheibenfenster. Zwischen den Scheiben gibt es drei automatisch herabzufahrende, lichttransparente Rollos. Die sind aus einer Spezialfolie und regulieren den Energiedurchlaß von außen je nach Tages- und Jahreszeit. Sie können das mit einem Kleidungswechsel beim Menschen vergleichen... Und dann kommt noch ein viertes Rollo dazu, das hat eine metallische Außenschicht und schirmt während der Nacht die Kältestrahlung ab. Ich nenne das ein ›intelligentes‹ Haus. Mein ›intelligentes‹ Haus braucht neun Zehntel weniger Energie als die ›dummen‹ Häuser, denen die Stromer noch irrsinnig überhöhte Energiemengen verkaufen können.«

ROTH: »Das ist ja großartig!«

OLSEN: »Das ist großartig, da haben Sie recht. Gar nicht großartig ist, wie sich unsere Regierung verhält.«

ROTH: »Wie verhält die sich?«

OLSEN: »Trotz aller Fachgutachten verweigert sie meiner Firma die Anerkennung dieser Fenster als Energieanlage. (Wird immer lauter und zorniger.) Und weil sie sie nicht anerkennt, erklärt der Bundesfinanzminister, daß unsere Fenster deshalb nicht steuerlich abgesetzt werden dürfen – nach dem dafür eigens vorgesehenen Einkommensteuerparagraphen zweiundachtzig a.«

ROTH: »Der Finanzminister weigert sich?«

OLSEN: »Weigert sich, jawohl. Und jetzt hören Sie gut zu! Die zehnfach überdimensionierten Stromöfen, wie sie das REW empfiehlt – einen haben Sie draußen gesehen, der junge Mann hat ihn so angepriesen, preist ihn den ganzen Tag so an –, diese zehnfach überdimensionierten Stromöfen sind nach derselben Verordnung steuerlich absetzbar.«

ROTH: »Eine steuerliche Absetzbarkeit ist aber doch für die meisten Leute, die sich ein Haus bauen oder bauen lassen, entscheidend bei der Auftragsvergabe. Wenn man sich nun weigert, Ihre Energiefenster als Solaranlage anzuerkennen...«

OLSEN: »... dann kommt das einer fünfzigprozentigen Benachteiligung gegenüber der steuerbegünstigten Konkurrenz gleich, Sie haben's kapiert. Ohne Steuerbegünstigung sind neugebaute Einfamilienhäuser mit unserer Technik daher fünf bis zehn Prozent teurer als konventionelle. Nur bei Mehrfamilienhäusern können wir so billig sein wie die konventionellen, denn unsere Häuser verursachen keine höheren Investitionskosten. Das heißt: Im laufenden Jahr werden wir nur Häuser mit mehreren Wohneinheiten bauen.«

ROTH: »Diese Entscheidung des Finanzministers ist aber doch ungerecht.«

OLSEN: »Natürlich ist sie das. Und ich werde auch weiter gegen sie kämpfen. So ist das nun mal bei Leuten wie uns – fragen Sie Herrn Loder, wie dem die Behörden das Leben schwermachen mit seinen Solarenergieapparaturen! Dabei, und das ist das Perverse, wollen die Gesetzgeber mit diesem Paragraphen zweiundachtzig a das Energiesparen fördern.«

ROTH: »Haben Sie eine Erklärung für das ungerechte Vorgehen der Steuerbehörde?«

OLSEN: »Und ob! Und ich sage es auch laut, es ist die Wahrheit – so sieht die Wirklichkeit aus: Die Umwelt leidet, die Energieverbraucher werden geschröpft – aber der Staat und die Stromkonzerne verdienen sich dumm und dämlich. Dabei wäre der unnötig hohe Energieverbrauch längst vermeidbar.«

ROTH: »Sie sehen sich also einer Front gegenüber, die aus reinem Interessedenken Energiesparen verhindert.«

OLSEN: »Jawohl! (Sehr laut.) Vor ein paar Wochen soll der Umweltminister Töpfer bei einer Versammlung von Mittelstandsunternehmern in Xanten erklärt haben, daß eine so gute Technik keine Unterstützung durch den Staat braucht. Noch und noch gibt es Sonderförderungen für umweltbelastende Technologien. Umweltschonende werden bei der Markteinführung – siehe meinen Fall – behindert. Langsam Zeit, daß wir hier Rambazamba machen.«[17]

Ein Mann in braunem Anzug war herangetreten. Er sagte leise: »Herr Markus Marvin?«

»Ja«, sagte dieser. Er sah den Mann argwöhnisch an. »Was ist los?«

»Ernst Petersen«, sagte der Mann und wies eine Dienstmarke vor.

»Kriminalpolizei. Wir haben soeben die Nachricht erhalten, daß Doktor Bruno Gonzalos vor sechs Stunden von Hamburg aus via London nach Rio de Janeiro abgeflogen ist.«

Ein Telefongespräch.

»Clarisse?«

»Wer spricht dort?«

»Hier ist Isabelle, Isabelle Delamare, Clarisse.«

»Isabelle! Wo bist du?«

»In Essen.«

»Wo?«

»Essen. Das ist eine Stadt in Westdeutschland. Wir filmen hier auf einer Messe. Eben kam ein Kriminalbeamter und sagte, dein Mann sei nach Rio abgeflogen. Was soll das bedeuten?«

»Ich weiß es nicht, Isabelle.«

»Was heißt das?«

»Von wo sprichst du?«

»Aus einer Telefonzelle.«

»Bist du allein?«

»Ja.«

»Du erreichst mich gerade noch.«

»Ich... was?«

»Bruno und ich verschwinden von hier, sobald er gelandet ist.«

»Aber warum, Clarisse, warum?«

»Das weiß ich nicht. Er hat mich angerufen und gesagt, ich soll ein paar Sachen packen. Wir verreisen für einige Zeit.«

»Wohin?«

»Das weiß ich nicht.«

»Warum?«

»Das weiß ich auch nicht.«

»Aber...«

»Du wirst bald von mir hören, Isabelle. Ich verspreche es dir.«

»Clarisse... Clarisse... was macht die Lerche?«

»Wächst und gedeiht. Und ich habe das Gefühl, sie bewegt sich schon.«

Drei Wagen fuhren über die Autobahn Düsseldorf–Frankfurt. Im ersten, einem Mercedes, saß Katja Raal neben Bernd Ekland, der den schweren Wagen lenkte. Auf den beiden Vordertüren des Mercedes standen die Worte FRANKFURTER FERNSEHEN. Im Fond saßen Isabelle und Gilles.

Den folgenden BMW mit Lübecker Kennzeichen lenkte Markus Marvin, neben ihm saß Valerie Roth. Die beiden stritten. Auf dem Rücksitz saß Loder. Das Autoradio war eingeschaltet für Verkehrsdurchsagen. Leise ertönte Jazz.

Im dritten Wagen, einem Citroën mit Pariser Nummerntafel, fuhren Gerard Vitran und seine Frau Monique. Sie sah nach vorne zu dem Mercedes, in dem Isabelle mit Gilles saß.

»Unsere Kleine... wieviel Glück hat sie ihm gebracht... und wie glücklich ist sie selbst... wenigstens zwei Menschen in dieser Equipe, die glücklich sind.«

»Zwei? Wir beide, sind wir nichts?«

»Ach, Gerard!... Freilich, daß er so viel älter ist... Sie wird sehr verzweifelt sein, wenn er stirbt...«

»Wer weiß, wann jemand stirbt«, sagte Vitran. »Außerdem: Isabelle könnte auch sehr unglücklich sein, wenn er sehr alt wird und sich sehr verändert. Sieh doch: Die beiden lieben sich. Für unsere Kleine dauert diese Liebe ewig. Isabelle denkt nicht an Alter, Krankheit, Tod. *Er* schon. *Er* gewiß. Ich glaube, ich kenne ihn jetzt gut genug. Gilles weiß, daß dies keine Liebe für immer und ewig sein wird... Isabelle hat ihn erlöst aus dem Gefängnis seiner Erinnerung... ja, das alles hat sie getan... und dennoch weiß er bestimmt: Dies ist Glück auf Zeit... Er weiß, daß er ein Ewig nicht verlangen darf in seinem Alter und von einer so viel jüngeren Frau.«

»Manchmal denke ich, Liebe ist das Furchtbarste, was es gibt«, sagte Monique.

»Das Furchtbarste und das Wunderbarste«, sagte Vitran. »Immer beides zugleich. *Er* weiß das. Und ganz sicher ist er – wie ich, wie wir beide als Zuschauer – am meisten beglückt darüber, daß dies eine so federleichte, fröhliche, heitere Liebe ist, *chérie*... Wieviel lachen die beiden miteinander... Übereinander... Laß ihnen ihr Glück, solange es dauert!«

Im Mercedes sagte Katja, zu Gilles und Isabelle gewandt: »Sie verstehen, daß Bernd und ich nur unsere Arbeit tun und in nichts verstrickt werden wollen bei dieser Geschichte?«

»Wir müssen es zur Kenntnis nehmen«, sagte Isabelle.

»Manche, glaube ich, verstehen es nicht... und halten uns für gewissenlos... feige... gefühllos...«

»Und wenn es einer tut – soll er!« sagte Ekland. »Uns egal. Wir lassen uns nicht hineinziehen in diese dreckige Sache... dreckig ist sie doch, Herr Gilles?«

»Sieht so aus.«

Drei Wagen fuhren über die Autobahn.

Feine Stimmung, dachte Loder in dem BMW. Seit sie in Lübeck bei der Goldstein waren. Und nun natürlich erst recht, weil Gonzalos abgehauen ist. Bedrückt sind sie. Ist ja auch eine Scheißsituation. Kann wirklich keiner mehr keinem trauen. Aber diese Fahrerei ist der reine Wahnsinn. Marvin streitet mit der Roth. Schlägt auf das Lenkrad. Sieht sie an und nicht nach vorn. Und das bei einhundertsechzig Stundenkilometern!

»...ich habe jedes Recht, mir meine Gedanken zu machen! Wer finanziert denn die Physikalische Gesellschaft? Doch Bonn. Das Forschungsministerium. Oder willst du das leugnen?«

»Ich will gar nichts leugnen«, sagte Valerie. »Du bist wütend. Mußt deine Wut auslassen. Weil ich gerade da bin, an mir.«

»Ich bin auch noch da«, sagte Loder. Die beiden hörten ihn nicht. Marvin schlug wieder auf das Lenkrad. »Finanziert von Bonn! Schön ist das. Großartig ist das. Und Bonn leugnet ums Verrecken, daß wir die Bombe haben. Was weißt du eigentlich *darüber*? Du weißt doch sonst immer alles! Durch deine Bonner Beziehungen. Über die Bombe und Bonn hast du noch kein Wort gesagt...«

»Hör mal«, rief Valerie, »du bist wohl wahnsinnig geworden, Markus! Du hast den Nerv und wagst anzudeuten...«

»Ja, habe ich. Ja, wage ich. Wäre doch immerhin möglich, nicht wahr, daß du eine ganze Menge weißt über die Bombe bei deiner Informiertheit... daß Bonn dir sagt, was du uns sagen sollst... und dich dafür schützt vor allem... Mehr als möglich wäre das...«

Er setzte zum Überholen eines Wagens an.

»Nicht!« rief Valerie. »Hinter uns kommt einer!«

»Na und?« fragte Marvin. Er überholte. Die Scheinwerfer des

anderen Wagens flammten auf, seine Hupe heulte, er raste ganz dicht vorbei.

Marvin lachte.

Loder sagte sehr laut: »Aus. Schluß. Mir reicht das jetzt. Ich will noch ein wenig leben. Herr Marvin, da vorne ist ein Parkplatz. Sie halten und lassen mich ans Steuer! Unter allen Umständen.«

Zu seiner Verblüffung folgte Marvin.

Sie wechselten die Plätze, ohne daß ein Wort gesprochen wurde. Nun fuhr Loder, und Marvin saß brütend im Fond. Valerie schwieg und starrte auf die Fahrbahn, die ihnen entgegenflog. Zum Kotzen, dachte Loder. Jetzt redet keiner. Und wir sollen zusammenarbeiten! Ich muß wenigstens versuchen, ein normales Gespräch in Gang zu bringen. Er sagte laut: »Da gibt es einen jungen Wirtschaftswissenschaftler, Olav Hohmeyer heißt er, der hat nachgewiesen, daß der angeblich kostengünstige Strom aus Kohle und Atom in Wahrheit ein Riesenverlustgeschäft ist...«

Die beiden anderen schwiegen weiter.

Ach was, dachte Loder, ich rede einfach: »...Hohmeyer geht in seinem Buch[18] von der Tatsache aus, daß auch schlimmste Umweltkatastrophen die Öffentlichkeit – und die Politiker besonders – so lange kaltlassen, bis sich Verluste in Geldwerten summieren...«

Schweigen. Leise Musik aus dem Autoradio.

»Hören Sie mir überhaupt zu?« fragte Loder.

»Ganz genau«, sagte Marvin.

Valerie Roth sagte nichts.

»Weiter, erzählen Sie weiter, Herr Loder!« sagte Marvin.

»Na schön«, sagte dieser. »›Soziale Kosten des Energieverbrauchs‹ heißt Hohmeyers Buch. Der Mann arbeitet am Karlsruher – schon wieder Karlsruhe! – Fraunhofer-Institut für Systemtechnik und Innovationsanalyse. Mit seinem Buch hat er in Fachkreisen für Riesenaufregung gesorgt. Er kommt nämlich zu dem Ergebnis, daß die Elektrizitätswirtschaft seit vielen Jahren falsch investiert hat, weil sie falschen Annahmen folgte, die die wahren Kosten der konventionellen Energieträger Kohle und Atom zur Stromerzeugung nur unzureichend wiedergeben.«

»Darüber müssen wir auch berichten!« sagte Marvin.

»Unbedingt«, sagte Loder. »Nur filmen Sie jetzt nicht gerade in

Karlsruhe. Ich werde Hohmeyer anrufen und bitten, nach Binzen zu kommen.«

»Prima.«

»Die nicht im Elektrizitätspreis enthaltenen Kosten in Gestalt der verschiedensten Risiken und Schäden an Gesundheit und Umwelt – schreibt Hohmeyer – werden mit staatlicher Duldung von den Stromern auf ahnungslose Dritte, auf die Bürger, abgewälzt. Und das eben sind die ›sozialen Kosten‹.«

»Sie können jetzt nicht überholen«, sagte Valerie Roth. »Da kommt einer mit einer Wahnsinnsgeschwindigkeit hinter uns.«

»Den hat er längst gesehen«, sagte Marvin. »Sei bloß still!«

Du lieber Gott, dachte Loder. Und die sind noch für viele Wochen zusammengespannt! Mahlzeit!

Ein großer Wagen raste links an ihnen vorüber, hupend, mit aufgeblendeten Scheinwerfern.

»Total *high* oder besoffen oder beides«, sagte Valerie Roth. Und zu Loder: »Na, los, los, los! Jetzt geht es! Oder wollen Sie ewig hinter dem Idioten da herfahren? Entschuldigen Sie, Herr Loder, aber ich weiß wirklich nicht, was mit Markus los ist. Was der aufführt...«

»Halt den Mund!« sagte Marvin im Fond.

Loder setzte zum Überholen an. Ekland in dem Mercedes vor ihm hatte das schon vor längerer Zeit getan.

»Weiter, Herr Loder!« sagte Marvin.

»Ich weiß nicht. Ich mache Sie beide nur noch nervöser.«

»Weiter, bitte!« sagte Marvin gepreßt.

»Na schön... In Hohmeyers Buch finden sich haargenau durchgerechnete Kostenzuschläge, die er davon ableitet, daß Kohle wie Uran irgendwann einmal erschöpft sein werden. Dafür setzt er Rücklagen zur Erschließung neuer Energiesysteme ein. Ermittelt staatliche Aufwendungen für Grundlagenforschung und Entwicklung im Kohle- und Atomsektor sowie die Kosten für Polizei- und Katastrophenschutz... Denken Sie bloß an den Einsatz von Polizei und Grenzschutz und was weiß ich in Gorleben und Wackersdorf und an die dazugehörige Infrastruktur wie Kasernen, Einsatzfahrzeuge, Hubschrauber, technisches Gerät, Bereitstellung kompletter ABC-Züge für große Unfälle! Daraus ergeben sich ›soziale Kosten‹ zwischen vier und zwölf Pfennig pro Kilowattstunde Atom- oder Kohlestrom...«

»Sie fahren zweihundert«, sagte Valerie.

»Ekland fährt mindestens zweihundertzwanzig«, sagte Loder.

»Wenn er sich umbringen will – seine Sache. Gehen Sie runter vom Gas!«

»Ganz wie Sie wünschen, Frau Roth.« Wenn das so weiterläuft, landen alle miteinander in der Klapsmühle, dachte Loder und sagte betont unberührt: »Dagegen Wind- und vor allem Solarstrom! Hier errechnet sich ein ›sozialer Nutzen‹ durch verbesserte Lebensqualität und die Schaffung von Arbeitsplätzen. Dieser Nutzeffekt spiegelt sich aber in den Preisen nicht wider. Hohmeyer errechnete sechs bis siebzehn Pfennige pro Kilowattstunde. Daraus folgt: Wenn sich beim Wirtschaftlichkeitsvergleich zwischen Kohle- und Atomstrom einerseits und Sonnenkraft andererseits die ›sozialen Kosten‹ im Preis niederschlügen, was sie eigentlich müßten, dann würde Strom aus Kohle und Atom sich im Schnitt um acht Pfennige verteuern, während Sonnenstrom etwa zehn Pfennige billiger würde. Anders ausgedrückt: Wenn man eine solche Kosten-Nutzen-Rechnung in den Energiepreisen zum Ausdruck brächte, würde sich herausstellen: Das Ende der Kohle- und Atomära ist längst eingeläutet.«

»Hören Sie, das ist eine tolle Geschichte!« sagte Valerie, plötzlich gepackt. »Das muß Hohmeyer vor der Kamera erzählen. Unbedingt!«

»Wird er. Wird er.« Loder fuhr fort: »Der Zeitpunkt der Veröffentlichung seiner Arbeit ist günstig. Das Bundesforschungsministerium nimmt seither Anträge auf Zuschüsse zur Stromgewinnung aus Windkraft entgegen – vorerst begrenzt auf insgesamt hundert Megawatt Kapazität. Das reicht gerade für die ersten tausend Windgeneratoren zu je einhundert Kilowatt... aber immerhin: Die Förderung kommt einer De-facto-Anerkennung der Berechnungen Hohmeyers schon sehr nahe...«

»Windkraft«, sagte Marvin böse. »Und was ist mit Solarenergie?«

»Mit Solarenergie ist nichts«, sagte Loder. »Im Gegenteil. Sie haben ja in Essen gehört, was da passiert. Angeblich energiesparende Stromöfen sind steuerabzugsfähig, die Solarhäuser Olsens nicht. Hohmeyer hat hochgerechnet, was an ›sozialen Kosten‹ bei der angeblich so günstigen Kohle- und Atomenergie anfällt... Je nach

Berechnungsmodus jährlich sage und schreibe fünfzehn bis vierzig Milliarden Mark. Also, wenn diese Schweinerei nicht abgestellt werden kann...«

»Moment!« sagte Marvin.

»Was ist los?«

»Drehen Sie das Radio lauter, bitte!«

Loder tat es. Eine Sprecherstimme erklang:

»...Polizei bitten um Ihre Mitarbeit. Gesucht werden im Großraum Frankfurt zwei Wagen. Erstens: eine Ambulanz, weiß, mit breiten roten Längsstreifen und dem Kennzeichen F – LB – eins, zwei, drei, fünf; zweitens ein VW-Transporter, flaschengrün, Kennzeichen HH – SU – acht, sieben, sechs, fünf. Die beiden Fahrzeuge können auch abgestellt worden sein. Zweckdienliche Hinweise nehmen das Polizeipräsidium Frankfurt und jede Polizeidienststelle entgegen. Die Wagen werden gesucht im Zusammenhang mit der Entführung des Pharmaindustriellen Hilmar Hansen und seiner Frau Elisa. Ich wiederhole: Die Polizei bittet um Ihre Mitarbeit. Gesucht werden im Großraum Frankfurt...«

# Viertes Buch

»Wenn jemand so sehr besorgt ist, könnte der
angemessene Ratschlag sein: Gründe keine Familie!«

*Roger Berry, Direktor der Gesundheits- und Sicher-
heitsabteilung der englischen Wiederaufbereitungsanlage
Sellafield, im Februar 1990 zu den Ängsten der Arbeiter,
sie könnten nachweislich durch Strahlung verursachte
Leukämie auf ihre Kinder übertragen.*

# 1

»Innerhalb der Autonomen Frauengruppen gibt es eine äußerst rigide Hierarchie«, sagte Robert Dornhelm. Er lehnte sich in dem häßlichen Stuhl hinter dem häßlichen Schreibtisch in seinem häßlichen Zimmer im Polizeipräsidium zurück und preßte die Fingerspitzen gegeneinander, während er hin und her schaukelte. Elmar Ritt saß ihm gegenüber. »Ich erklär's dir, Burschi. Aber denk dran, du hast mir versprochen, dich nicht aufzuregen. Wir haben alle Zeit der Welt. Die Hansens sind längst durch die Ringfahndung gebracht worden. Einfach zuviel Pech. Also paß auf: Ganz oben stehen die separatistisch autonomen Lesben. Das sind sozusagen die radikalen Königinnen, die Alphaweibchen, möchte ich sagen. Hör mir gut zu, das hat sich nämlich plötzlich alles verschoben. Hochinteressant für jeden Soziologen. Dann kommen die reformerischen Lesben. Und zuletzt die Hetera-Frauen, genannt Heteras.«

»Genannt wie?«

»Heteras, Burschi. Solche, die's mit Frauen *und* Männern tun. Du bist ganz ruhig?«

»Herrgott, ja doch!«

»Gut, Burschi. Den Heteras gewähren die separatistisch autonomen und die reformerischen Lesben zwar Zutritt zu ihren Räumen und Veranstaltungen, aber von allen entscheidenden Informationen und Aktionen sind sie ausgeschlossen. Gelten als unzuverlässig. Logisch, nicht? Ich meine, die können sich ja auch nicht entscheiden, wie?«

»Robert...«

»Ruhig, Burschi, ruhig! Ich sag' dir doch: Die Hansens sind erst einmal für uns verloren. Da müssen wir jetzt warten, bis sich die Erpresser melden. Verflucht professionell gemacht, wer immer das war.«

»Du hast gesagt, wir haben einen Zeugen.«

»Deshalb erzähle ich dir ja von den radikalen Lesben und all dem Zeug. Wirst gleich sehen, warum. Aber vorher muß ich dir noch was sagen, in großem Ernst. Du bist mein bester Freund. Wirklich und wahrhaftig. Ich liebe dich wie einen Sohn. Verflucht noch mal, du weißt so gut wie ich, daß wir verlorene Schlachten kämpfen unser Leben lang, daß wir nie wirklich ran kommen an die ganz großen Schweine. Und trotzdem, Burschi, den Vorwurf muß ich dir machen, bist du immer noch absolut zielorientiert, ehrgeizig und fickrig.«

»Gib Ruh'!«

»Nein, ich gebe nicht Ruh'! Du mußt dir das einfach abgewöhnen! Wir zwei – was haben wir schon alles miteinander erlebt! Wie oft sind wir schon auf die Schnauze gefallen. Gerechtigkeit, du liebes Gottchen! Wie viele Verbrecher sind uns schon durch die Lappen gegangen! Du mußt endlich gescheiter werden, Burschi. Gerechtigkeit – ich weiß schon, dein Vater, mein Vater... Hilft alles nichts. Ich hatte auch mal hohe Ideale. Genau wie du. Vergiß sie! Das mit unseren Vätern war einfach persönliches Pech. Glaub es doch endlich: Gerechtigkeit ist nur ein Wort.«

»Schon gut«, sagte Ritt und schloß die brennenden Augen. »Schon gut, Robert. Hast ja recht. Erzähl weiter!«

Dornhelm schaukelte auf dem alten Stuhl.

»Wo war ich? Ach ja! Kein Vertrauen zu den Heteras. Ich kenne die Szene von früher. Radikale Lesben vor zwölf Jahren... das waren natürlich nicht solche, die eine besonders radikale Politik vertraten. Das nicht. Aber kein Schwanzträger durfte ihre Wohnungen betreten. Galt damals auch für männliche Kinder aller Altersgruppen und für männliche Haustiere. Nur bei kastrierten Katern gab es Grundsatzdiskussionen. Die meisten von diesen Radikalen sind heute verheiratet und leben träge und wohlversorgt vor sich hin... Goldene Siebziger...« Dornhelm lächelte träumerisch. »Heutzutage ist das alles anders. Die Autonomen Frauen – das Ganze hat natürlich nicht das geringste mit der *richtigen* Frauenbewegung zu tun – sind inzwischen so weit gegangen, daß sie bei Straßenschlachten rein weibliche Blocks von Putztruppen bilden.«

»Von was?«

»Putztruppen. So nennen sich die Schläger, auch die männlichen. Kommt von ›auf den Putz hauen‹ oder ›Putz machen‹, weißt du.« Dornhelm schüttelte den Kopf. »Eine einzige große Schande«, sagte er. »Nicht die geringste Ahnung vom wirklichen Leben. Sitzt hinter deinen Akten und ermittelst über Menschen, von denen du nicht die Bohne weißt. Sollte verboten werden, so was. Wie gesagt, heute stellen diese Frauen ihre eigenen Putztruppen. Und jetzt paß auf: Wenn so eine Hetera aufsteigen will in die oberen Ränge, dann muß sie schon einige Taten vorweisen. Eine gute Referenz ist da beispielsweise das Verlassen des schwanztragenden Gefährten – so bösartig wie möglich. Falls es sich beim Opfer auch noch um eine Führerfigur, einen berüchtigten Streetfighter zum Beispiel, handelt, dann hat die Hetera schon einen Riesenbonus. Das Nonplusultra ist es natürlich, wenn so ein paar Heteras nachweisen können, daß sie einen Macho in Leder mit Springstiefeln samt Stahlkappen, Arm- und Halsbändern, kahlgeschorenem Schädel mit Irokesenkamm und Nieten, groß wie Gewürzgurken, das übliche Outfit eben, daß sie so einen Ledermacho zusammengeschlagen haben.« »Weiter«, sagte Ritt. »Jetzt beginnt mich die Sache zu interessieren.«

»Und so gehen die Hetera-Frauen, die aufsteigen wollen, in genau demselben Outfit durch Frankfurt – auch durch München, Hamburg, Düsseldorf, Berlin –, und fast jede Nacht wird so ein Streetfighter, so ein ruhmreicher, von zwei oder drei Heteras niedergemacht.«

»Also auch unser Zeuge«, sagte Ritt.

»Nicht so fickrig sollst du sein! Ja, unser Zeuge auch. Aber warte doch! Du mußt den kompletten Durchblick haben, damit wir über die psychologische Behandlung des Zeugen sprechen können. Das alles hat natürlich eine zweite Seite. Ich meine, die Machos wollen sich ja nicht dauernd niedermachen lassen, wie? Also ziehen auch sie los und lauern nachts Frauen auf und schlagen sie nach Kräften zusammen, ohne dabei irgendein Sexualdelikt zu begehen – oder ist das an sich schon eines? Schwere Materie... Die Kerle machen keinen Unterschied nach Alter, Aussehen, Staatsangehörigkeit. Da hat sich vor drei Wochen in Duisburg ein Fall ereignet, wo einer seine ehemalige Freundin, eine Hetera, die aufsteigen wollte und ihn deshalb verließ, sechzehn Stunden lang gefoltert und vergewaltigt und mit Rache nur so überschwemmt hat. Sechzehn Stunden lang, Burschi! Das können wir nicht. Konnten wir nie. Sechzehn Stunden...« Er schaukelte und versank wieder in Träumereien.

Ritt fragte sanft: »Erzählst du auch mal was von dem Zeugen, Robert?«

Dornhelm hörte auf zu schaukeln.

»Unser Zeuge – Stefan Milde heißt er, nichts zu lachen, ach so, du lachst ja gar nicht –, also der Stefan Milde, der wurde von zwei Heteras nachts überfallen und niedergemacht. Diese Autonomen haben ihre eigenen Ärzte. So einer hat ihn wieder hingekriegt, aber der Milde ist seither ein gebrochener Mensch. Trägt nicht einmal mehr das Lederoutfit, sondern Jeans und Slipper und Pullover, nirgends ein Loch. Nur den alten Irokesenkamm auf dem kahlen Schädel, den hat er noch. Das geht nicht so schnell. Gelb.«

»Was ist gelb?«

»Sein Kamm. Gefärbt. Unser Zeuge ist ein Opfer des unaufhaltsamen Aufstiegs der separatistischen autonomen Lesben. Du kennst doch ›Casablanca‹.«

»*Was?*«

»›Casablanca‹. Mit Humphrey Bogart und der Bergman. ›*As time goes by*‹. Kennst du den Film?«

»Klar.«

»Eben. Wer kennt den nicht? Weißt du, wie Humphrey sagt: ›Ich schau dir in die Augen, Kleines‹? Bei den Autonomen heißt das jetzt: ›Ich hau dir in die Fresse, Kleiner.‹«

»Robert, bitte!«

»Ist ja schon gut! Also, der geht im Stadtwald spazieren.«

»Wer?«

»Na, der Milde. Hat ihm sein Arzt verordnet. Täglich zwei Stunden spazieren. Damit er wieder auf die Beine kommt. Da beim Golfplatz.«

»Was da beim Golfplatz?«

»Geht er spazieren täglich zwei Stunden, der Milde. Wohnt in Niederrad. Darum der Stadtpark. Weil der so nahe liegt. Wüst zugerichtet von den Heteras. Hab' Fotos gesehen. Schrecklich.«

»Was für Fotos?«

»Na, die die Kollegen gemacht haben. Heimlich. Die haben Fotos von allen Autonomen. Dicke Alben. Und seit den Schüssen an der Startbahn West, seit da Polizisten ermordet wurden, werden alle Autonomen, die Telefon haben, abgehört. Kam bisher nicht das geringste raus dabei, aber die Aktion läuft immer weiter. Vielleicht kommt doch noch was raus, wer weiß.«

»Und der Milde hat Telefon.«

»Schweinchen schlau. Ja, hat er. Und wird abgehört. Weiß es nicht, oder es ist ihm scheißegal. Jedenfalls, das haben die Kollegen alles auf Band.« Dornhelm blickte auf einen Zettel. »Heute, am dreiundzwanzigsten September, um dreizehn Uhr einundzwanzig, hat er einen Kumpel angerufen. Völlig außer Atem und erschüttert.«

»Warum außer Atem?«

»Weil er vom Stadtwald bis nach Niederrad gerannt ist.«

»Und warum erschüttert?«

»Weil er was Schreckliches gesehen hat.«

»Und das hat er seinem Kumpel erzählt.«

»Richtig. Jetzt sind wir soweit. Siehst doch ein, daß mein kurzer einführender Vortrag nötig war, gelt?«

Ritt preßte die Lippen zusammen.

»Kollegen sagen, der Milde, der unterhält sich oft am Telefon mit seinem Kumpel – Anders heißt der. Bei dem Milde herrscht eine einzige große Depression. Nicht nur, weil die zwei Heteras ihm in die Eier – weil die ihn niedergemacht haben. Schon vorher. Seit den Schüssen an der Startbahn West. Das ist völlig schiefgelaufen, sagt der Milde. Den Bullen in die Schnauze, okay. Immer rin! Aber Mord? Nee, sagt er, nee. Haben die Kollegen alles auf Band. Nee, Mord is nicht. Eigentlich gibt es gar keine autonome Szene mehr, sagt der Milde. Historische Begründung: Eben weil's schieflief an der Startbahn West. Die Toten. Darum auch diese Loslösung der reformerischen und der separatistischen autonomen Lesben von den Kerlen und ihre ungeheuere Aggressivität gegen Schwanzträger. Zerfällt alles, sagt der Milde. Aufstieg und Fall des Römischen Reiches, sage ich. Einzige große Deprimiertheit bei ihm und vielen anderen... Na ja, und heute um dreizehn Uhr einundzwanzig hat Milde seinen Kumpel Anders angerufen und dem erzählt, was er erlebt hat im Stadtwald. Wir haben alles auf Band, jedes Wort. Also ist er da spazierengegangen, wie's der Doktor verordnet hat, auf der Kiesschneise, die Kiesschneise geht in Nord-Süd-Richtung westlich ganz nahe am Golfplatz vorbei, weißt du, und auf der anderen Seite, noch ein Stück weiter westlich, läuft die Autobahn, und dort, etwas südlich, ist das Frankfurter Kreuz und der Ami-Flughafen und der Rhein-Main-Flughafen... Na, er geht da auf der Kiesschneise, erzählt der Milde dem Anders, und auf einmal hört er eine Sirene. Was macht er? Pawlowscher Reflex. Seitlich in die Büsche springt er und haut sich auf den Boden. Dann sieht er, daß da eine Ambulanz auf der Kiesschneise runtergeschossen kommt, keine Funkstreife, wie er gedacht hat. Die Ambulanz rast an ihm vorbei und bremst, daß es eine Riesenstaubwolke gibt...«

...und hält. Aus dem Gebüsch rollt ein flaschengrüner VW-Transporter und bleibt knapp vor der Ambulanz stehen. Der Fahrer der Ambulanz, ein Hüne in weißem Kittel, springt ins Freie, rennt nach hinten und öffnet die Türen des Rettungswagens. Zwei Männer, gleichfalls in weißen Kitteln, stehen darin, muskulöse Typen. Einer springt zu dem Fahrer hinunter, der andere reicht ihnen eine Trage, zieht einen bewußtlosen Zivilisten an den Füßen nach vorn und schiebt ihn auf die Trage. Hurtig eilen die zwei zu dem Transporter, dessen Ladetür ein Mann in blauem Overall mittlerweile geöffnet hat. Rein mit der Trage! Der Mann in Blau springt auf die Ladefläche und rollt den Bewußtlosen von der Trage herunter. Die Weißkittel rennen zurück zur Ambulanz. Ein zweiter bewußtloser Zivilist wird auf die Trage geschoben und ebenfalls im VW verstaut. Wieder zurück! Ein kleiner, zart wirkender Mann mit edel geschnittenem Schädel und feinem weißem Haar, flanellgekleidet, bewußtlos, gleitet auf die Trage. Zum Transporter mit ihm! Eine Präzision, eine Geschicklichkeit, eine Geschwindigkeit! Hut ab!

Nun entsteigt eine imposante Dame der Ambulanz. Die Dame trägt ein taubenblaues Kostüm, das stammt gewiß aus einem der ersten Salons der Stadt (vielleicht sogar aus dem fernen Paris), dazu passende Schuhe, Strümpfe, Handschuhe, ein wenig Schmuck. Groß ist die Lady, breite Schultern hat sie, schmale Hüften, lange Beine. Das braune Haar zu einer Pagenfrisur geschnitten. Ein wenig verwirrt ist die Pagenfrisur. Hüftschwingend verschwindet die

Dame im VW-Transporter. Zwei Weißkittel folgen, der Ambulanzfahrer versperrt die Ladetür, läuft zum Rettungswagen und fährt
los. Der Blaue klettert hinter das Steuer des Transporters. Fährt
gleichfalls los...

»...und das war's«, sagte Dornhelm. »Früher hätte Stefan Milde,
der große Streetfighter, das bloß ganz *cool* registriert, aber ich hab'
dir ja gesagt, seit ihn die zwei Heteras niedergemacht haben, ist er
völlig mit den Nerven runter, und so rennt er schleunigst nach
Hause und ruft seinen Kumpel an, diesen Anders. Und erzählt ihm
alles, was er gesehen hat, und vermutet dahinter, ganz klar, erster
Gedanke, der ihm kommt, eine besonders infame Bullensauerei, er
muß den Anders und die anderen warnen, da geht was los, da geht
was los, richtig hysterisch ist der Milde am Telefon, und alles
erzählt er so, wie ich es dir gerade erzählt habe. Unser Mann im
Präsidium, der das alles mitschnitt, war nicht gerade pinkeln oder
eine rauchen und hat auch nicht gepennt, hat sich den ganzen Salm
nicht erst abends oder zwei Tage später oder überhaupt nicht
angehört. Nein, putzmunter war unser Mann, braucht sich dieser
Coldwell mit seiner NSA und ihren zehntausend Ohren wirklich
nicht so aufzublähen vor Stolz, wir schaffen's auch manchmal,
klein, klein nur, aber oho! Wie findest du denn das, Burschi?«
Ritt gab keine Antwort.
»Also Alarm. Ringfahndung. Funkstreifen raus. Finden weder
Ambulanz noch Transporter. Am Telefon hat der Milde dem
Anders auch die Nummern von beiden Fahrzeugen genannt. Na,
hurra! Die haben ihre Nummernschilder in der Zwischenzeit doch
mindestens zweimal gewechselt! Sehr viel wahrscheinlicher noch
haben sie den Transporter schon gegen einen anderen Wagen
getauscht und den gegen einen dritten – und sind längst weg von der
Straße und hocken in irgendeiner Wohnung, die sie vor Wochen
gemietet haben. Rühren sich jetzt nicht vom Fleck, klar. Und wir
können nichts tun, als auf den ersten Anruf warten, wo sie uns
vielleicht sagen, wieviel sie haben wollen für einen lebenden Hansen, eine lebende Frau Gemahlin und zwei Kollegen. Aber wie ich
den Betrieb kenne, sagen sie uns das in Raten, Burschi, und lassen
uns lange, lange warten.« Er sah Ritt sanft an. »Du hast die

Erlaubnis gegeben, daß Hansen heute das Bürgerhospital verlassen durfte, höre ich, Burschi.«

»Nach Rücksprache mit Dr. Heidenreich, ja. Es geht Hansen schon so gut, daß man ihn daheim weiterpflegen kann.«

»Wann ist er mit seiner Frau vom Bürgerhospital abgefahren?«

»Um dreizehn Uhr«, sagte Ritt. »Natürlich mit Personenschutz.«

»Natürlich.«

»Zwei Kriminalbeamte stiegen in die Ambulanz. Sollten ihn zum Schloß Arabella begleiten.«

»Tüchtige Kollegen«, sagte Dornhelm.

»Red nicht so! Sie hatten drei Entführer gegen sich – die beiden Weißkittel und den Ambulanzfahrer.«

»Sag ich ja, tüchtig. Werden sich tapfer gewehrt haben, als man ihnen in der Ambulanz die Spritzen verpaßte. Hatten keine Chance. Ohnmächtig beide, als man sie rauszog. War das eine Ambulanz vom Krankenhaus?«

»Eine private. Angefordert von Frau Hansen. Erstklassiges Unternehmen. Geschultes Personal.«

»Weiß Gott«, sagte Dornhelm. »Hut ab! So einfach das Ganze. Die großen Dinge sind immer ganz einfach, Burschi. Wir haben das noch immer nicht kapiert. Darum stürmen wir von Erfolg zu Erfolg.«

»Was ist mit dem Autonomen?« fragte Ritt.

»Was soll mit ihm sein?«

»Was hat der euch gesagt?«

»Burschi! Bist du schon gaga? Oder sollte es Alzheimer sein? Sehr auf dem Vormarsch, hör' ich, auch bei Jüngeren. Hat's dich erwischt, mein Armer?«

»Laß das! Was sagt er?«

»Ein Chaot? Ein Autonomer? Gar nichts sagt der. Der redet doch nicht mit uns Scheißbullen! Unter gar keinen Umständen redet der mit uns. Da können wir ihn einsperren, bis er schwarz wird. Und das dürfen wir nicht. Zwei sind zu ihm gefahren und haben die Eröffnung einer Konversation versucht. *No can do.* Am Arsch lecken können wir ihn, und Anzeige hat er auch schon erstattet – weil wir sein Telefon abhören. Du weißt, wir tun's, er weiß, wir tun's, er hat sich nur nicht vorstellen können, daß irgendwelche Idioten gesagt haben, wir sollen's immer weiter tun.«

Zu dieser Zeit tagten in Bonn und im Bundeskriminalamt Wiesbaden bereits Krisenstäbe. In dem kleinen Schloß Arabella – Thomas Hansen hatten Kriminalbeamte sofort aus der Schule geholt – kümmerte sich eine Polizistin um das altklug-hochmütig wirkende Kind. Ein permanenter Telefondienst mit Bandgeräten, die sich bei jedem Anruf automatisch einschalteten, war installiert. Die Ringfahndung war aufgehoben. Mitglieder der Antiterroreinheit GSG 9 sowie alle verfügbaren Kräfte von Polizei, Grenzschutz und Bundeswehr suchten nun im gesamten Gebiet der Bundesrepublik nach Hilmar und Elisa Hansen.

Am 26. September, drei Tage später, entließen die Entführer die beiden Kriminalbeamten, doch es gab noch nicht den kleinsten Hinweis auf ihr Motiv, den Aufenthaltsort der Hansens und auch nicht darauf, ob die beiden – oder einer von ihnen – noch lebten.

# 2

Ein grauenvoller Schrei ertönte, als der Wagen mit Elmar Ritt und Robert Dornhelm am 26. September gegen vierzehn Uhr fünfundvierzig durch das große Parktor des kleinen Schlosses Arabella fuhr. Zwei Videokameras bewachten die Einfahrt.

»Fleißig, fleißig, die Buben«, sagte Dornhelm, am Steuer. Er grüßte Kriminalbeamte und Polizisten mit Maschinenpistolen, die in Abständen den Kiesweg entlang standen, reglos in der grellen Sonne.

»Was für Buben?« fragte Ritt.

»Ach so, du warst ja noch nicht hier. Priester, Burschi, Priester.« Dornhelm bewunderte den Park. »Sieh dir diese Bäume an! Fast alles aus Fernost, hat mir Frau Toeren erzählt.«

»Wer ist Frau Toeren?«

»Die Hausdame. Therese Toeren, mit o-e. Sehr freundlich. Herzlich und offen. Wirklich. Würde man hier gar nicht vermuten.«

Der Schrei, der nun ertönte, klang wie das Gebrüll eines zu Tode getroffenen Löwen.

»Das sind Priester?« Ritt war zusammengezuckt.

»Ganz junge. Da vorne, unter dem Park, liegt ein Seminar, hat Frau

Toeren mir gesagt. Zwischen zwei und drei üben die Herren. Wochentags. Samstag, Sonntag und an den hohen christlichen Feiertagen üben sie nicht.«

»Üben sie was, verflucht?«

»Karate, Burschi.«

»Was?«

»Karate. Weißt nicht, was Karate ist? Weißt nicht, daß die Kämpfer bei Karate derartige Schreie...« Ein entsetzlicher ertönte. »...na ja, so einen wie diesen halt ausstoßen?«

Auf den Treppenabsätzen des Schlosses Arabella, in den Salons und auf den drei großen Terrassen, von denen man den Park überblicken konnte, sahen sie weitere Polizisten. Dornhelm und Ritt gingen durch einen Raum voller Bilder.

»Matisse, Degas, Liebermann... was du willst. Alles da. Bekommst du, wenn du brav bist und Fluorchlorkohlenwasserstoffe herstellst, Burschi«, sagte Dornhelm. »Wir haben den falschen Beruf. Ach so, Hansen stellt ja keine FCKWs her. Nicht mehr. Sagt er. Was immer er macht, es muß sich auszahlen. Natürlich ohne jeden Neid bemerkt. So eine Mordkommission ist auch etwas Schönes.«

Sie erreichten den modern eingerichteten Wohnraum mit der sehr großen weißen Ledergarnitur in Form eines L und dem Glastisch davor. Über dem weißen Marmorkamin hing in schwerem, vergoldetem Rahmen das Porträt von Elisa Hansen, die Augen verfolgten den Betrachter, wohin er auch ging. Auf der großen weißen Marmorterrasse waren die blauen Sonnensegel ausgefahren. Einer der unsichtbaren Priestereleven stieß gerade wieder einen Schrei aus, als Dornhelm und Ritt zu dem jungen Mann in Hemd und Hose traten, der an dem gewaltigen Glastisch im Terrassenzimmer saß. Vor ihm waren verschiedene Apparate aufgebaut, darunter ein High-Tech-Tonbandgerät, das neben einem Telefonapparat stand. Dornhelm und Ritt kannten die Type: Das Bandgerät schaltete sich sofort ein, wenn das Telefon läutete.

»Tag, Brauner«, sagte Dornhelm.

»Guten Tag, Herr Hauptkommissar.«

»Zum Kotzen langweilig, wie?«

»Ich hätte mir diese Bemerkung nie erlaubt. Aber wenn Sie es sagen...« Der junge Kriminalbeamte, der Brauner hieß, gehörte zum technischen Stab der Mordkommission. Er war verheiratet, hatte zwei Kinder und sammelte Bierdeckel aller Marken. »Das Lustigste hier ist noch die Schreierei der Pfaffen.«

»Viele Anrufe?« fragte Ritt.

»Zuerst jede Menge. Presse natürlich. Funk. Fernsehen. Inland. Ausland. Dann Trittbrettfahrer. Hundert Millionen, zwei Milliarden, und die Hansens sind frei. Das war das Mühsamste, denn natürlich müssen wir jedem Anruf nachgehen, so blödsinnig er ist. Dann Anrufe, in denen die Hansens schweinisch beschimpft wurden als Umweltverbrecher. Wirklich ziemlich happig zum Teil. Alles auf Band, wenn es Sie interessiert. Schweinisch und sadistisch. Was man mit den Hansens machen soll. Also, da haben sogar wir noch was Neues zu hören bekommen! Dreht einem fast den Magen um.«

»Sympathieanrufe?«

»Sehr wenige. Und die meisten von den wenigen sehr martialisch: Was wir mit den Entführern machen sollen, wenn wir sie erwischen. Ungefähr dasselbe, was die andern sich für die Hansens wünschen. Wir müssen viel mehr Psychopathen im Land haben, als wir wissen.«

»Ich weiß schon, wie viele wir haben«, sagte Dornhelm. »Sie sind jung und idealistisch, Brauner. Warten Sie ein paar Jahre! Wie arbeitet ihr?«

»Je zwei Mann immer sechs Stunden, rund um die Uhr. Vier Schichten also. Unten in der Bibliothek sitzt ein Kollege. Dasselbe technische Equipment. Für den Fall, daß wir zwei Anrufe zur gleichen Zeit kriegen. Aber jetzt... Stundenlang kommt überhaupt nichts.«

Zwischen Vogelgesang wieder ein Schrei.

»Nur die Katholen, jeden Tag zwei Stunden. Sonst...« Brauner hob die Schultern.

»Wo ist der Junge?«

»Immer in der Nähe. Sein Zimmer liegt neben dem mit den Bildern.«

Thomas Hansen spielte Schach mit der Hausdame Therese Toeren, als Dornhelm und Ritt eintraten. Er stand auf und verneigte sich. Der kleine Junge, der seiner Mutter so ähnlich sah mit den breiten

Schultern und schmalen Hüften, den braunen Augen und dem vollen Mund, trug kurze Hosen und ein blaues Lacoste-Hemd. Auch Therese Toeren hatte sich zur Begrüßung erhoben. Dunkel wie das Haar waren die Augen der schlanken Frau mit dem gebräunten, fast ungeschminkten Gesicht. Ein hellgrünes Sommerkostüm trug die Hausdame, dazu passende Schuhe, keinerlei Schmuck. Sie lächelte, einen Arm um den Jungen gelegt. Als wolle sie ihn beschützen, dachte Ritt. Und der Junge – kleiner Prinz, also wirklich.

Thomas Hansen sagte höflich: »Guten Tag, Herr Dornhelm. Schön, daß Sie mich wieder einmal besuchen. Und Sie sind sicherlich Staatsanwalt Ritt.«

»Ja«, sagte der.

Thomas gab Ritt eine kühle, schmale Hand und verneigte sich wieder. Er stellte vor: »Das ist Frau Therese Toeren, ich nenne sie Thesi.«

Die Hausdame strich ihm über das Haar, während sie leicht den Kopf senkte.

»Sehr erfreut«, sagte Ritt.

»Bitte nehmen Sie Platz, meine Herren«, sagte Thomas Hansen. Lange seidige Wimpern hatten seine braunen Augen.

Alle setzten sich.

»Thesi hat schon die zweite Partie verloren.«

»Weil du so phantastisch spielst«, sagte Frau Toeren. Wenn sie lächelte – und das tat sie oft –, wurden zwei Reihen schöner Zähne sichtbar.

»Ich spiele ganz schlecht«, sagte Thomas. »Thesi läßt mich gewinnen.«

»Das ist nicht wahr!«

»Doch ist es wahr!« sagte der Junge. »Und ich will das nicht, Thesi! Du meinst es lieb, ich weiß, aber bei der nächsten Partie spielst du richtig – bitte!«

Thomas' Zimmer war hell wie alle Räume des Hauses, perfekt aufgeräumt, die Fenster standen offen. An den Wänden klebten große Plakate von Tina Turner und Michael Jackson. Ritt sah eine teure B&O-Anlage, Compact-Discs, Platten und Kassetten. Der Fernsehapparat stand in einer Ecke, eine große Fotografie seiner Mutter auf dem Tischchen neben Thomas' Bett.

Aus dem Park ertönte abermals der Schrei eines frommen Herrn.

Frau Toeren sah auf ihre Armbanduhr.

»Fast drei. Gleich Schluß.« Sie blickte die beiden Männer an: »Im Moment gar nicht schlecht, so etwas in der Nähe zu haben.«

Dornhelm, dem diese Frau offenbar sehr gefiel, nickte. »Kannst dich nicht beklagen, daß du zuwenig Schutz hast, Thomas«, sagte er. »Was dazu noch von unseren Leuten rumsteht, ist auch kein Klacks.«

»Ich beklage mich nicht, Herr Hauptkommissar«, sagte der Junge ernst. »Sie haben ausgezeichnete Leute geschickt. Mit vielen bin ich schon fast befreundet.« Er sprach absolut reines Hochdeutsch, hatte eine Haut wie Samt, und sein braunes Haar schimmerte.

»Tut uns leid, daß wir immer noch keinen Schritt weitergekommen sind«, sagte Dornhelm. »Wir tun, was wir können.«

»Davon bin ich überzeugt, Herr Hauptkommissar.«

»Es *kann* jetzt nicht mehr lange dauern, bis die Entführer sich melden«, sagte Dornhelm.

»Das sagen hier alle«, antwortete Thomas.

Der Junge wurde Ritt unheimlich. Was ist los mit dem Kind? dachte er. Hat es überhaupt keine Emotionen, oder tut es nur so, als ob es keine hätte? Ist das eine mechanische Puppe oder ein lebender Mensch? Er sagte: »Furchtbar für dich, was da passiert ist, Thomas.«

»Ja«, sagte der Junge.

»Ich meine – dein Vater und deine Mutter, das ist doch ganz schrecklich.«

»Ganz schrecklich, Herr Staatsanwalt.«

Frau Toeren lächelte. »Sie dürfen keinen falschen Eindruck bekommen, Herr Ritt«, sagte sie. »Thomas steht unter Schock... Er ist nicht fähig, seine Gefühle, seine wahren Gefühle – zu akzentuieren. Sagt auch Doktor Demel.«

»Das ist der Arzt, der zweimal täglich kommt«, ergänzte Dornhelm.

»Ich stehe unter Schock«, sagte Thomas.

Ritt starrte ihn an. So etwas habe ich noch nicht erlebt, dachte er.

»Wenn der Schock verschwindet, hat Doktor Demel zur Thesi gesagt, werde ich Medikamente kriegen, Sedative.«

Ritt schluckte. »Was wirst du kriegen?«

»Sedative«, sagte der Junge.

»Weißt du, was das ist?«

Thomas zuckte mit den Achseln. »*Sie* wissen doch, was Sedative sind, Herr Staatsanwalt!«

»*Ich* weiß es.«

»Warum fragen Sie mich dann?«

»Hör mal, Kleiner...« begann Ritt und brach ab. »Alles klar. Schock. Sedative. Darum bist du so.«

»Darum bin ich wie?«

»So ruhig und gefaßt«, sagte Frau Toeren und strich dem Jungen wieder über das Haar. »Großartig ist Thomas, meine Herren. Wirklich ganz und gar großartig. Ich bewundere ihn.«

»Ja, tun Sie das?« fragte Ritt.

»Thomas und ich kennen einander seit fünf Jahren, seit er noch ganz klein war. Ich hänge sehr an ihm.«

»Und ich an der Thesi«, sagte Thomas. »Ich habe die Thesi sehr lieb.«

Frau Toeren lächelte.

»Thesi ist immer da für mich«, sagte der Junge. »Immer! Wie jetzt. Papa sehe ich nur ganz selten. Entweder er ist verreist, oder er kommt so spät heim, daß ich schlafe, und wenn ich aufwache, ist er schon wieder weg... Mama... die sehe ich öfter. Zum Frühstück. Oder wenn ich aus der Schule komme. Und abends. Manchmal spielt sie sogar mit mir. Sie hat schrecklich viel zu tun. Die Thesi hat auch viel zu tun – aber immer Zeit für mich.«

»Na, na, na«, sagte Frau Toeren. »So ist das ja nun auch nicht.«

»Genau so ist das«, sagte der Junge und sah die Frau mit dem schönen, offenen Gesicht fest an. »Die Thesi spielt mit mir, im Haus und draußen. Tennis und Golf. Im Moment geht das nicht. Im Moment darf ich nicht aus dem Haus. Auch Schulaufgaben macht die Thesi mit mir. Jetzt nicht. Jetzt darf ich ja nicht in die Schule. Aber sonst.« Ein Schrei erklang. Der Junge sah auf seine Uhr. »Das war der letzte für heute.« Fast trotzig fügte er hinzu: »Sehr lieb habe ich die Thesi.«

»Aber du hoffst, daß deine Eltern schnellstens wieder da sind«, sagte Ritt und kam sich vor wie ein Idiot.

»O ja, natürlich«, sagte Thomas. »Wird teuer werden.«

»Was?« fragte Ritt.

»Wir werden zahlen müssen, damit man sie freiläßt. Lösegeld.«

»Du bist sicher, daß die Entführer Geld verlangen werden?«

»Sie nicht?«

Frau Toeren räusperte sich.

»Zum Glück ist genug da«, sagte der Junge. »Gestern hat mich Herr Doktor Keller besucht, unser Generalbevollmächtigter. Er sagte, ich brauche keine Angst zu haben – was die Erpresser verlangen, werden sie kriegen. Also habe ich keine Angst. Auch daß die Erpresser sich Zeit lassen, ist normal, sagte Herr Keller. Das sind Professionelle. Die hoffen, daß wir die Nerven verlieren, wenn sie uns so lange ohne Nachricht lassen.«

»Aber du verlierst nicht die Nerven, wie?« fragte Ritt.

»Nein, Herr Staatsanwalt. Und wenn ich sie verliere, wenn der Schock weggeht, dann...«

»Dann?« fragte Ritt.

»Dann ist immer die Thesi bei mir. Deshalb habe ich überhaupt keine Angst. Die Thesi ist bei mir. Immer.«

»Schön von Ihnen, daß Sie sich so um den Jungen kümmern«, sagte Ritt.

»Ich bitte Sie«, sagte Frau Toeren. »Das ist doch nur selbstverständlich.«

»Und du bist ganz froh, daß du nicht in die Schule darfst, scheint mir.«

»Ja und nein, Herr Staatsanwalt.«

»Was heißt ja und nein?«

»Sehen Sie«, sagte Thomas, »das sind doch lauter Schweine.«

»Wer?«

»Die Lehrer und die Kinder und die Eltern von den Kindern.«

»Thomas!« sagte Frau Toeren. »So darfst du nicht sprechen, ich sage es dir immer wieder. Es ist nicht wahr.«

»Doch ist es wahr, Thesi. Und ich will den beiden Herren auch erklären, warum.«

»Erklär mal schön!« sagte Dornhelm.

»Wie die reden«, sagte Thomas. »Seit mein Vater im Krankenhaus war, reden die so, die Schweine. Dein Vater ist ein Lump. Ein Gangster. Macht die Welt kaputt. Gehört in'n Knast, lebenslang.

Ach was, Knast! Rübe ab, das einzig Senkrechte für so eine Sau. Sau, damit meinen sie meinen Vater.« Thomas sprach immer weiter, gleich ruhig, gleich sachlich. »Ein Schweinkerl, dein Vater. Ein Arschloch...«

»Thomas!« sagte Frau Toeren. »Also wirklich!«

»...ein Verbrecher«, fuhr der Junge ungerührt fort. »Aufhängen sollte man so was. Natürlich von den Eltern aufgehetzt, das ist mir klar.«

»Und keiner hilft dir?«

»Keiner.«

»Die Lehrer?«

»Manche halten sich raus. Andere denken wie die Kinder. Und manche haben zuerst getan, was sie konnten, aber es hat nichts geholfen. Da gaben sie's auf. Wenn ich heimkam – Kriminalbeamte brachten mich hin und holten mich ab, ich stehe seit einer Ewigkeit unter Polizeischutz...«

Ich stehe seit einer Ewigkeit unter Polizeischutz, dachte Ritt, wie der Junge sich ausdrückt!

»Wenn ich also heimkam, habe ich mich immer gleich bei der Thesi verkrochen. Weil ich natürlich oft weinen mußte. Die Thesi hat mich getröstet... Manchmal bin ich zuerst Mama über den Weg gelaufen. Die hat mir sofort angesehen, was wieder los war in der Schule. Und dann hat *sie* weinen müssen, und *ich* habe sie getröstet... Nein, ich bin wirklich froh, daß ich deshalb eine Weile nicht in die Schule darf. Auf der anderen Seite...«

»Auf der anderen Seite?« fragte Ritt.

»Als Sie mich fragten, ob ich froh bin, habe ich ja und nein gesagt, nicht?«

»Ja. Und?«

»Na ja, auf der einen Seite bin ich froh, auf der anderen Seite würde ich gerade jetzt wahnsinnig gern hingehen.«

»Wahnsinnig gern?«

»Ja. Morgen.«

»Warum morgen?«

»Morgen sind die Peace Birds im Amerika-Haus.«

»Wer?«

»Die Peace Birds«, sagte Thomas. »Wissen Sie nicht, wer die Peace Birds sind?«

»Nein«, sagte Ritt.

»Muß ich mich aber schon sehr wundern«, sagte Thomas. »Ich habe gedacht, wer die Peace Birds sind, das weiß jeder.«

»Jeder nicht, Thomas«, sagte Frau Toeren. »Und du darfst einfach nicht all diese schrecklichen Wörter sagen! Mir zuliebe. Bitte!«

»Also, wer sind die Peace Birds?« fragte Ritt.

»Kinder«, sagte Thomas. »Sehr viele. Jungen und Mädchen. Deutsche und Türken und Italiener und Jugoslawen und Spanier und Portugiesen – was es bei uns eben alles so gibt. Haben überall ihre Gruppen. Auch hier in Frankfurt. Manche sind noch ganz klein – fünf Jahre alt.« Thomas grinste. »Kümmern sich auch schon um die Umwelt! Sammeln Müll in den Kindergärten! Wenn sie ein bißchen älter sind und in die Schule gehen, weigern sie sich, Milch oder Kakao aus Plastikverpackungen zu trinken, und verlangen Glasflaschen. Lächerlich, wie? Erlebe ich jeden Tag – wenn ich in die Schule darf, meine ich. Die Zehn- und Elfjährigen besuchen Ökoseminare und lernen, wie man Pflanzen erkennt, wie man Nester für Ohrwürmer baut oder solchen Blödsinn.« Er lachte kurz. »Sie haben keine Ahnung, wie ernst die das nehmen! In Lausanne hat es doch eben diese Artenschutzkonferenz gegeben, nicht? Da haben die Peace Birds dagegen protestiert, daß die Elefanten ausgerottet werden.«

»Wenn ich mir erlauben darf, etwas zu bemerken«, sagte Frau Toeren. Warm und mütterlich klang ihre Stimme. »Dies ist natürlich eine Folge unserer Informationsgesellschaft. Die Peace Birds beziehen ihr Wissen aus dem ZDF-Kinder-Umweltmagazin ›mittendrin‹, das, wie ich höre, so gut ankam, daß der Sender weitere Folgen produziert. Außerdem gibt es mittlerweile kaum einen Verlag, der nicht Bücher zum Thema Umwelt veröffentlicht – für Kinder.« Sie schlug ein schönes Bein über das andere. »Während Eltern und Erzieher noch fragen, ob Kinder den Druck der bedrohten Wirklichkeit aushalten werden, kämpfen die Kleinen längst höchst engagiert für eine bessere Umwelt. Man sollte es nicht für möglich halten.« Sie hob kurz die Schultern. »Thomas hat diese Sache leider nur negativ erlebt.«

»Ja«, sagte Dornhelm, »leider.«

»Leute wie mein Vater«, sagte Thomas, »sind natürlich das rote

Tuch für die Peace Birds. Sie haben keine Ahnung, was die alles über Leute wie meinen Vater sagen! Und weil sie Kinder sind, sind sie natürlich ein Fressen fürs TV!«

»Fressen fürs TV«, wiederholte Ritt und starrte den Jungen an.

»Na was!« sagte der. »Kinder im Fernsehen! Klagen Leute wie meinen Vater an. Kämpfen gegen Leute wie meinen Vater! Müssen viele Erwachsene heulen, so ergriffen sind sie. Die Peace Birds sagen, sie haben sich darum zu kümmern, daß die Welt nicht kaputtgemacht wird durch Leute wie meinen Vater. Die Erwachsenen kümmern sich nicht genug darum oder gar nicht. Machen die Welt nur kaputt. Phantastisch, was die für ein Echo haben, die Peace Birds! Einmal hat mein Vater versucht, mit ihnen zu diskutieren. In Grund und Boden haben die ihn geredet. Ich war dabei. Hat es sehr ungeschickt angefangen, mein Vater. Kann so etwas einfach nicht. Sagt auch meine Mutter. Soll sich nicht auf Debatten einlassen. Zu weich, mein Vater. Sagt auch meine Mutter. *Ich*, ich könnte diskutieren mit den Peace Birds. *Ich*, ich würde sie so fertigmachen, daß sie nie wieder rummaulen. Hätte die richtigen Argumente. Und ich bin selbst ein Kind. Kinder sollen mit Kindern reden. Das wäre was! Und darum tut es mir leid, daß ich morgen nicht in die Schule darf.«

»Du hast gesagt, die Peace-Bird-Kinder sind morgen im Amerika-Haus?«

»Ja«, sagte Thomas. »Und zwar die Berliner Gruppe. Zu einer großen Diskussion. Und von wegen Fressen fürs TV: Der ›Spiegel‹ wird auch da sein und zuerst ein Interview mit ihnen machen.«

»Ich verstehe«, sagte Ritt. »Und da hättest du gerne mitdiskutiert.«

»Und wie!« sagte Thomas. »Aber ich darf ja nicht aus dem Haus.«

Ein Kriminalbeamter riß die Zimmertür auf. »Herr Dornhelm! Anruf! Man will Sie sprechen. Auch den Jungen.«

Dornhelm rannte los. Ritt, Frau Toeren und Thomas folgten. Im Terrassenzimmer saß der Kriminalbeamte Brauner hinter seinen Apparaturen und säuberte die Fingernägel mit einem Taschenmesser.

»Was ist los?« fragte Dornhelm. »Ich denke, einer hat angerufen?«

»Eine.«

»Und?«

»Wieder aufgelegt.«

»Was?«

»Wollte Sie sprechen. Habe ich gesagt, ich muß Sie holen lassen. Hat sie gesagt, ich glaube doch nicht, sie ist so dämlich und wartet. Wird gleich wieder anrufen. Woher weiß die, daß Sie hier sind?«

»Keine Ahnung.«

Der Telefonapparat begann zu läuten. Das Bandgerät schaltete sich ein. Seine Spulen kreisten.

»Los!« sagte Dornhelm.

Brauner hob ab. »Hier bei Hansen«, sagte er.

Eine jugendliche Stimme fragte: »Ist er jetzt da?«

»Ja.«

»Geben Sie ihn mir!«

Brauner reichte Dornhelm den Hörer und Ritt eine Muschel zum Mithören.

»Hier ist Robert Dornhelm«, meldete sich der Hauptkommissar.

»Und Elmar Ritt steht neben Ihnen und hört mit.«

»Ja.«

»Und ein Band läuft.«

»Woher wissen Sie, daß wir hier sind?«

»Nicht doch. Wir haben eben so lange gewartet.«

»Warum?«

»Werden Sie gleich verstehen.« Ein Pfeifton erklang. »Da kommt jetzt von Zeit zu Zeit dieses Piepsen. Kleine Apparatur bei uns. Wir sind nicht zu orten und nicht abzuhören. Auch der Anschluß Hansen nicht. Nicht einmal...« Pfeifton »...von der NSA. Wir haben Hansen und seine Frau. Es geht ihnen gut – noch.« Pfeifton. »Dies ist nur eine erste Kontaktaufnahme. Wir sagen Ihnen nicht, was wir für die Freilassung verlangen.« Pfeifton. »Wir haben keine Eile. Wir sind auch nicht auf diesen Anschluß fixiert. Das nächste Mal...« Pfeifton »...rufen wir vielleicht Keller an, den Generalbevollmächtigten. Oder im Präsidium. Oder im Gericht. Oder bei Ihnen...« Pfeifton »...zu Hause.«

»Warum sagen Sie nicht, wieviel Geld Sie wollen?«

»Unsere Bedingungen geben wir später bekannt.«

»Ich will Herrn und Frau Hansen hören.«

Pfeifton. »Schlauer Bulle. Darum rufen wir ja an. Ist der Junge da?«

»Ja.«

»Geben Sie ihm den Hörer!«

Dornhelm tat es.

»Hier ist Thomas Hansen«, sagte der Junge.

Pfeifton. »Thomas!« rief eine andere Frauenstimme. »Mein Junge! Thomas! Erkennst du mich?«

»Natürlich, Mama.«

»Mein armer Liebling, sei ruhig! Uns geht es gut... Gib den Hörer weiter, Liebling!« Pfeifton. »Herr Dornhelm, Herr Ritt! Sie müssen tun, was diese Menschen verlangen! Alles! Unter allen Umständen! Sie sind sonst schuld am Tod von zwei Menschen.« Pfeifton.

»Wir werden alles tun, Frau Hansen, seien Sie unbesorgt. Auch wenn Sie sich nur abgesetzt haben, werden wir herausfinden, wohin. Bei dieser seltsamen Entführung sind Sie aufrechten Ganges gesehen worden«, sagte Dornhelm.

Elisa Hansen überhörte das. »Geben Sie Thomas den Hörer!«

Der Junge nahm ihn. »Mama?«

»Mein Kleiner! Deine Mami liebt dich so sehr. Unendlich liebt dich deine Mami, das weißt du, nicht wahr?«

»Ja, Mama.«

»Und du, du liebst sie auch unendlich.«

»Ja, Mama.«

»Leb wohl, mein Schatz! Bis bald... bis bald! Warte, ich gebe dir noch Papa!« Pfeifton. »Thomas?« Die leise, kultivierte Stimme Hilmar Hansens ertönte.

»Guten Tag, Papa.«

»Du erkennst meine Stimme?«

»Natürlich, Papa... Wo seid ihr?«

Pfeifton. »Das kann ich nicht sagen. Ich liebe dich, mein Junge... Mami liebt dich... alles wird gut... Bald sehen wir uns wieder... Aber die Bedingungen...« Pfeifton »... müssen erfüllt werden. Das haben alle, die mithören, verstanden, ja?« Pfeifton.

Thomas sah Ritt und Dornhelm an. »Ja, Papa. Sie nicken.«

Pfeifton. Die junge Frauenstimme: »Gib mir noch mal Dornhelm!«

»Sie will Sie«, sagte Thomas und hielt dem Hauptkommissar den Hörer hin.

»Dornhelm«, sagte Dornhelm.

Pfeifton. »Der Anruf war nur zur Identifikation und damit Sie wissen, daß wir die beiden haben und daß sie leben.«

»Das ist damit keineswegs hundertprozentig...«

Pfeifton.

»...bewiesen. Kann auch eine Stimmenmanipulation vom Band gewesen sein«, sagte Dornhelm.

»Glauben Sie, was Sie wollen!«

Klick.

Die Verbindung war unterbrochen. Das Bandgerät stoppte. Der Kriminalbeamte Brauner nahm Dornhelm den Hörer aus der Hand und legte ihn auf. Danach hob er den Hörer eines anderen Geräts ab und meldete sich: »Hans? Brauner hier. Na?... Überhaupt nichts?... Was heißt, nicht lange genug? Wir bestimmen doch nicht, wie lange die reden, Mensch!... Was?... Na wenigstens etwas. Tschüs!« Er hängte ein und sagte: »Nicht zu orten. Völlig neue Art der Codierung, sagen die Spezialisten. Und: Der Anruf kam auf keinen Fall aus Europa.«

»Sondern von wo?«

»Von einem anderen Kontinent: Asien, Afrika, Australien oder Amerika.«

»Da sind sie sicher?«

»Da sind sie sicher.«

»Na, prima!« Dornhelm neigte sich zu Thomas. »Nun hör mal, mein Junge, damit ich dir das erkläre...«

Thomas sah ihn kalt an. »Sie brauchen mir nichts erklären. Ich bin kein Idiot. Ich habe schon verstanden. Muß ich hierbleiben?«

»Nein...«

»Dann will ich zurück in mein Zimmer«, sagte Thomas. Er ging schon auf die Tür zu. Dabei drehte er sich um. »Kommst du mit, Thesi?«

»Natürlich, Thomas«, sagte diese. Sie trat neben den Jungen. Der lehnte den Kopf an ihre Hüfte und schlang einen Arm um sie. So verließen sie den Raum. Die Tür fiel zu.

»Auch eine Reaktion«, sagte Ritt.

»Tja«, sagte Dornhelm. »Ganz was Feines, in das wir da reingerodelt sind. Versuchter Totschlag. Ein Haufen Morde. Die deutsche Bombe. Entführung. Weißt du noch, was das war, mit dem alles angefangen hat, Burschi?«

»Was?«

»Pinkelsteine«, sagte Robert Dornhelm.

*Juchhe! Die Welt hat wieder einen Tag überlebt!*
*Wenn das so weitergeht mit der Technik, wird der Mensch sich*
*eines Tages vernichten können.*
*Die Welt ist ein paar Kilometer unter der Erde noch völlig in*
*Ordnung.*
*Ihr geht mit der Welt um, als hättet ihr eine zweite im Keller.*

Das war das Ende eines mit Kinderhand geschriebenen Briefes.
Unter der letzten Zeile stand noch

*Heiko, 11 Jahre, Deutschland*

Der Brief[39] war an die Wand eines großen Saales im Frankfurter
Amerika-Haus nahe der Alten Oper an der Staufenstraße 1 gepinnt.
Alle Wände waren von Briefen und bunten Zeichnungen bedeckt.
»Den nehmen wir unbedingt«, sagte Ekland zu Katja Raal.
Die beiden waren mit Marvin, Valerie, Isabelle und Gilles hierhergekommen – eine Stunde bevor die Diskussion mit den Berliner
Peace-Bird-Kindern beginnen sollte. Die Ankündigung hatte Valerie entdeckt, und daß sie diese Diskussion und das Interview filmen
wollten, war allen sofort klar gewesen. Ein Mann um die Fünfzig –
sehr schlank, graues Haar, kurzgestutzter grauer Bart, blaue Augen
– unterhielt sich mit den Filmleuten. Er war einer der Gründer von
Peace Bird und hieß Holger Güssefeld.[40]
»1982«, sagte Güssefeld, »haben wir in der Hamburger Einkaufszo-
ne einen großen Tapezierertisch aufgestellt. Es sollte der längste
Friedensbrief der Welt geschrieben werden. Hauptsächlich Kinder
beteiligten sich an dieser Aktion. Der Gedanke dazu war mir
gekommen. So lang wurde dieser Brief zuletzt, daß er dann 1985, bei
dem Treffen der Chefs der beiden Supermächte in Genf, die
Botschaftsgebäude der Sowjetunion und der USA verband. Vorher
gab es eine Aktion ›A letter to both‹. Die Peace Birds, wie sich die
Kinder selbst nannten, forderten Kinder in der ganzen Welt auf, an
die beiden Regierungschefs zu schreiben. Das Ergebnis waren

zweihundertdreißigtausend Briefe von Kindern aus achtundzwanzig – überwiegend europäischen – Ländern...«

Bernd Ekland war vor einem anderen Brief stehengeblieben. »Den da auch«, sagte er.

Katja nickte.

Eine orangefarbene Sonne schien auf dem gemalten Brief, ein großer Baum trug viele Äpfel, eine Wiese war voller Blumen, und auf der Wiese hatte ein Kind in verschiedenen Farben verschiedene Figuren gezeichnet, die lachten und fröhlich waren. Unter jeder Gestalt stand, um wen es sich handelte: Papa, Mutti, ich, Sübeyin. Über dem Bild verlief eine blaue Schrift: WIR SIND EINE GLÜCKLICHE FAMILIE UND WOLLEN ES IMMER BLEIBEN! Und schließlich war da der Name der Künstlerin zu lesen: ZELIKA, 9 JAHRE.

»...nun beschlossen die Kinder, daß eine Abordnung von ihnen diese Briefe Reagan und Gorbatschow in Genf persönlich übergeben sollte«, sagte Güssefeld.

»Zweihundertdreißigtausend Briefe?« fragte Marvin.

»Sie wollten alle mitnehmen, aber überreichen wollten sie nur tausend, und zwar nicht Reagan und Gorbatschow einzeln, sondern beiden gemeinsam.« Güssefeld strich sich über das graue Haar. »Und das klappte nicht. Hätte wohl zu friedlich ausgesehen. 1987 überreichten Abgesandte der Peace Birds tausend Briefe in Washington wenigstens *einem* Empfänger, und die tausend Briefe kamen im Bauch eines Jumbos wieder nach Deutschland zurück...«

»Und den da unbedingt«, sagte Ekland.

Der Brief, auf den er wies, lautete:

*Ich finde es schlimm, daß die Kinder, die jetzt leben und die noch geboren werden, alles wieder in Ordnung bringen müssen. Wenn es so weitergeht wie jetzt, wovon sollen die Menschen im Jahr 2000 dann noch leben? Bestimmt gibt es dann neue technische Fortschritte. Es gibt bestimmt auch mehr Computer und Videogeräte. Trotzdem glaube ich, daß es mehr Nachteile geben wird.*

*Was sind denn einhundertfünfzigtausend Roboter im Vergleich zu einhundertfünfzigtausend Menschen, die bei einem Atomkraftwerkunfall, bei einem Krieg, bei verseuchtem Wasser und bei Krankheiten sterben?*

*Wenn alle Menschen mehr für die Umwelt tun würden, wenn nicht alle Sachen, die man kauft, doppelt und dreifach in Plastik gewickelt werden würden, wenn nicht jede Fabrik ihren Dreck in die Flüsse abfließen lassen würde, wenn es keine Spraydosen mehr geben würde, dann könnten die Menschen im Jahr 2000 bestimmt besser leben.*

*Annika Wilmers, 11 Jahre, Stadthagen*

»... nun waren alle Briefe wieder bei uns«, sagte der grauhaarige, graubärtige Holger Güssefeld mit den blauen Augen. »Und die Kinder waren in aller Mund. Plötzlich gab es überall Peace-Bird-Gruppen.«

»Und den da, Bernd! Den da auch«, sagte Katja. »Bitte! Wir brauchen doch Zwischenschnitte während des Interviews.«

»Klar, Süße«, sagte er. »Den da auch.«

*Die Umwelt wird nicht mehr sauber sein. Immer mehr Tiere sterben aus. Sogar die Hasen sterben aus. Es wird bald keine Tiere mehr geben. Wir ersticken in der verschmutzten Umwelt. Wenn ich zaubern könnte, würde ich zaubern, daß die Umwelt ganz sauber ist. Wenn ich Kinder bekomme, sollen sie eine gesunde Umwelt haben.*

*Sabine Ratajczak, 10 Jahre, Hannover*

»1987 kam ein großer Teil der Briefe in die Berliner Gedächtniskirche, und Kinder diskutierten dort mit Erwachsenen. Ein Schriftsteller«, sagte Güssefeld, »baute diese Berliner-Gedächtniskirchen-Diskussion in einen Roman über die Gefahren der Gen-Technologie ein... wird jetzt gerade verfilmt. Die Filmleute waren bei uns, und Peace-Bird-Kinder haben die Diskussion noch einmal geführt – vor laufender Kamera.« Güssefeld stockte. »Im vorigen Jahrhundert machten französische Autoren das gerne...«

»Was?« fragte Valerie.

»Sie ließen Personen aus früheren Romanen wieder auftauchen. Wenn Sie, Herr Gilles, jetzt Ihr Buch schreiben, dann werden die Peace-Bird-Kinder wieder auftauchen. Nicht nur als Personen, nein, als viel mehr – als Symbol. Symbol für das Positive, Gute...«

»Das Netzwerk der vielen rund um die Welt, von dem Wolf Loder sprach«, sagte leise Isabelle zu Gilles.

»Bitte?« fragte Güssefeld.

»Nur eine Erinnerung«, sagte Isabelle.

»Ich weiß nicht, wie es Ihnen geht«, sagte der Mann mit dem grauen Haar, »aber je älter ich werde, um so öfter mache ich die Erfahrung, daß sich Kreise schließen im Leben. Zuerst dieser Schriftsteller und die Kinder... und nun Sie, Herr Gilles, und die Kinder... wieder ein Kreis...«

»Ja«, sagte Isabelle, »wieder ein Kreis. Erzählen Sie weiter, Herr Güssefeld!«

»Weiter«, sagte der, »gern... Inzwischen setzen sich die Peace Birds genauso wie für den Frieden für die Erhaltung der Umwelt ein. Sie kämpfen mit allen Mitteln, die ihnen zur Verfügung stehen, gegen die Vernichtung der Umwelt. Sie sind enorm engagiert, informiert und mittlerweile rede- und schreibgewandt. Selbstsicher wenden sie sich an Bürgermeister und Regierungsmitglieder. In diesem Jahr allein bekam Umweltminister Töpfer fünfzigtausend Briefe. ›Wieso lassen Sie zu, daß die großen Chemiefirmen immer noch alle Giftstoffe ins Meer kippen?‹ Etwa in der Art. Oder: ›Wenn das so weitergeht mit der Luftverschmutzung, wird auch der Hund noch aussterben.‹ ... Die Kinder drängen und fordern. Die zehnjährige Anne Flosdorff zum Beispiel entdeckte in den Regalen eines Kölner Kaufhofs sogenannte Gasdruckfanfaren. Das sind...«

»... diese Trompeten, mit denen Fußballfans irren Lärm machen!« Marvin nickte.

»Ja«, sagte Güssefeld, »und diese Fanfaren werden mit Fluorchlorkohlenwasserstoff betrieben. Empört schrieb Anne an den Kundendienst des Kaufhofs. Ob man es verantworten könne, Waren anzubieten, mit denen ›FCKW-Gas nutzlos und sinnlos‹ in die Luft geblasen wird. Sie sei zwar erst zehn Jahre alt, aber sie habe Angst vor der Zukunft.«

»Bekam sie eine Antwort?« fragte Valerie.

»O ja«, sagte Güssefeld. »Im Verhältnis zu anderen Menschen, schrieb ihr der Kundendienst, gehe es ihr doch großartig, und deshalb solle sie nicht über Dinge grübeln, von denen sie nicht wisse, ›wie sie später ausgehen‹. Es sei wahrlich nicht Aufgabe des

Kaufhofs, Menschen zu erziehen. Solange Fußballfans diese Fanfaren haben wollen, sollte Anne doch großzügig sein... Oder: Ein Peace-Bird-Vertreter, Frank Stahmer, vierzehn Jahre alt, war gerade auf einem Kongreß für Frieden und Ökologie in Moskau. Es ging unter anderem um die Rettung der Wolga. Die ist nämlich, sagt Frank, ›kurz vor dem Umkippen‹. Frank liest regelmäßig Zeitung. Er weiß bestens Bescheid über die Ölpest in Alaska, die Abholzung der Regenwälder und daß in der Bundesrepublik etwa vierundfünfzig Milliarden Mark pro Jahr für Rüstung ausgegeben werden. Sämtliche Politiker sind in seinen Augen ›Flaschen‹, glaubwürdig allein ist für ihn Gorbatschow...«

»Bernd«, flüsterte Katja, »bitte auch den da!«

*Ich habe Angst vor dem Altwerden, vor der Zukunft. Am liebsten möchte ich sie stoppen, die Zeit. Vielleicht auch ein bißchen zurückdrehen, ein paar Jahre?*

*Wo's noch keinen sauren Regen gab, damals...*

*Ich sehe mir die Blumen an in unserem Garten. Die Blätter werden so komisch, so weiß. Die Knospen gehen nicht richtig auf, gehen langsam kaputt.*

*Ich sehe mir die Tannen an und trauere um jeden braunen Zweig, der doch früher noch so grün war.*

*Im Fernsehen sehe ich die Seehunde, die Tag für Tag in der Nordsee sterben. Auch sehe ich die Vögel in der Nordsee. Ihre Flügel sind verklebt.*

*Dann geh' ich raus, will ausspannen. Der Qualm von den Fabriken und Autos liegt überall in der Luft.*

*Ich geh' in mein Zimmer, setz' mich in eine Ecke und frage mich: Menschen, was habt ihr aus der Welt gemacht?*

*Martina Rao, 13 Jahre, Wuppertal*

Eine Stunde später war der Saal des Amerika-Hauses mit Kindern und Erwachsenen überfüllt. Jene, die keinen Platz in den Sesselreihen gefunden hatten, saßen und standen in den Gängen. Ekland trug die BETA auf der Schulter. Er filmte nicht nur die Peace Birds, sondern immer wieder auch ihre Zuhörer.

Die Peace Birds saßen an der Frontseite des Saals hinter einem langen Tisch, den ein tiefhängendes grünes Tuch verbarg, und unter einem großen weißen Stofftransparent, auf dem die Worte standen: WIR WOLLEN GESUNDE MILCH! WIR STRAHLEN LIEBER SELBER!

Die Redakteurin des »Spiegel«, welche die Peace-Bird-Kinder interviewen wollte – vor jedem Kind stand ein Mikrophon –, hieß Angela Gatterburg. Die hübsche und zierliche Frau hatte mittelblondes Haar und grüne Augen. Dank ihrer Freundlichkeit und der Intensität, mit der sie den Kindern bei der Vorbesprechung zugehört hatte, waren diese ihr sofort innig verbunden gewesen.

Angela Gatterburg hob eine Hand. »Ruhe! Bitte, seid ruhig!«

Es wurde still im Saal. Katja huschte hin und her. Scheinwerfer an hohen Stativen flammten auf. Isabelle, Gilles, Marvin und Valerie standen gegen eine Wand gepreßt.

»Sind Sie soweit?« fragte Angela Gatterburg.

»Von uns aus okay«, sagte Katja.

»Also dann«, sagte Angela Gatterburg. »Zunächst möchte ich euch die fünf Teilnehmer dieser Gesprächsrunde vorstellen. Links von mir sitzt Lisa, sie ist zwölf Jahre alt. Dann kommt Veronika, elf Jahre. Rechts neben mir sitzt Corinna, vierzehn Jahre alt. Dann kommt Dilan, eine Kurdin, fünfzehn Jahre. Und, ganz außen, das ist ein Türke, Güven, vierzehn Jahre. Ich heiße Angela Gatterburg, bin seit zwei Jahren Redakteurin beim ›Spiegel‹ und zweiunddreißig Jahre alt. Beginnen wir also![41] Erste Frage: Was ist ein Peace Bird?«

Dilan, sie hatte große, ernste Augen, ein schöngeschnittenes Gesicht und hochgetürmtes dunkles Haar, antwortete: »Ein Peace Bird ist für den Frieden. Wir setzen uns aber auch für die Umwelt ein, für die dritte Welt und gegen Kinderkrieg wie zwischen Iran und Irak.« Einen hellen, weichen Pullover trug Dilan.

»Habt ihr ein gemeinsames Ziel?« fragte Angela Gatterburg.

Corinna, sie hatte eine Brille, sehr große Ohrringe aus dünnem Messingdraht, ihr dunkles Haar reichte bis auf die Schultern, antwortete: »Ja, unsere Hauptaktion ist, Kinderbriefe an Reagan und Gorbatschow oder an Bush und Gorbatschow zu sammeln. Wir haben bis jetzt zweihundertfünfzigtausend Briefe, und das ist ein Anfang dafür, daß Kinder ernst genommen werden.«

Angela Gatterburg neigte sich vor. »Wie seid ihr dazu gekommen, euch zu engagieren?«

Dilan sagte: »Man bekommt halt durch die Medien 'ne Menge mit. Wenn ich die Nachrichten anschaue, hör' ich immer nur, wo schon wieder ein paar Kinder gestorben sind, wo eine Hungersnot herrscht. Also, wer das mitbekommt, der muß was tun, wenn er nicht ganz bescheuert ist.«

Güven, der Türke, trug wie Corinna eine Brille, hatte ganz kurz geschnittenes Haar, war für sein Alter sehr groß und machte einen besonders gepflegten Eindruck.

»Ich«, sagte er, »habe immer ein komisches Gefühl, wenn ich höre, es werden Bomben geworfen. Seit ich bei den Peace Birds bin, fühle ich mich besser. Ich habe auch sonst niemanden, der mit mir über Krieg redet.«

Isabelle stand neben Gilles. Sie sah ihn an. Er ergriff ihre Hand und hielt sie fest.

»Ich engagiere mich auch«, sagte Dilan, »weil ich Kurdin bin und die Kurden in der Türkei unterdrückt werden. Die werden aus politischen Gründen ins Gefängnis geschmissen. Ich weiß auch, daß sie gequält und gefoltert werden, die Frauen werden vergewaltigt. Ich weiß das, weil auch mein Onkel im Gefängnis ist.«

Angela Gatterburg fragte: »Wie informiert ihr euch über politische Ereignisse?«

»Also«, sagte Corinna, an ihrer Brille rückend, »ich lese jeden Tag die ›taz‹.«

»Ich lese im ›Spiegel‹«, sagte Dilan. »Und ich finde es wichtig, Nachrichten zu sehen; das habe ich bei meinen Eltern durchgesetzt. Manchmal kriege ich dabei Zustände. Mich nervt, wie die Politiker dasitzen und ziemliche Scheiße erzählen.«

Lisa trug im blonden Haar ein dunkles Band. Ihr ärmelloses Kleid war schwarz-weiß gemustert. Sie hatte hellwache Augen und sah aus, als ob sie gerne lachte – wenn es Anlaß zum Lachen gab. Lisa sagte: »Ich gucke auch Nachrichten. Alle Sender, die ich schaffe.«

Ein kleiner Junge im Publikum war aufgesprungen und rief: »Ich möchte gerne wissen...«

Sehr freundlich unterbrach ihn die »Spiegel«-Redakteurin: »Später! Wenn das Interview zu Ende ist, könnt ihr alle Fragen stellen. Warte noch ein wenig, bitte, ja?«

»Ja«, sagte der kleine Junge und strahlte sie an.

Angela Gatterburg fragte die Kinder neben sich: »Was tut ihr selbst für die Umwelt?«

Dilan antwortete lebhaft: »Also, ich versuche, was zu ändern, kann mich aber zu Hause nicht so gut durchsetzen. Wir haben immer noch dieses blöde rosa Klopapier. Ich würde lieber das graue kaufen, auf dem ›Danke‹ steht. Also, ich tue nicht genug für die Umwelt. Na ja, immerhin, ich bin gegen die Neonazis.«

»Du meinst, das ist ein Engagement für die Umwelt?« fragte Angela Gatterburg.

»Ja«, sagte Dilan, »im weitesten Sinn schon. Wenn du nur die Pflanzen als Umwelt bezeichnest, ist das nicht richtig. Zur Umwelt gehören auch die Menschen.«

An dieser Stelle klatschten viele Kinder laut und lange.

»Bravo!« rief ein Mädchen.

Isabelle sah wieder Gilles an, und er drückte ihre Hand sehr fest.

Lisa wartete, bis der Beifall verklungen war, dann legte sie die nackten Unterarme auf das grüne Tuch des Podiumstisches und neigte sich über ihr Mikrophon. »Mir ist aufgefallen«, sagte sie, »daß im Klo bei der Spülung so viel Wasser kommt. Da habe ich einfach einen Draht rumgewickelt, und jetzt kommt weniger Wasser. Wenn meine Mutter Waschmittel mit Phosphat kauft, rede ich ein ernstes Wort mit ihr.«

Ein paar Kinder klatschten wieder.

Die Redakteurin fragte: »Was wird eurer Meinung nach innerhalb der nächsten zehn Jahre passieren?«

»In zehn Jahren lebe ich nicht mehr«, sagte Dilan.

Ekland hob eine Hand.

»Was ist?« fragte Angela Gatterburg.

»Kassettenwechsel«, sagte er. »Nur einen Moment.«

Katja schob bereits eine neue Kassette in die BETA. Dann hielt sie ein Blatt Papier vor die Kamera, darauf hatte sie geschrieben: FRANKFURT AMERIKA-HAUS / 2, DISKUSSION PEACE-BIRD-KINDER.

»Kamera läuft«, sagte Ekland.

Katja kniete neben einem Gerät. »Ton auch«, sagte sie.

»Bitte«, sagte Ekland zu Angela Gatterburg.

»Ich wiederhole meine letzte Frage«, sagte die. »Was wird denn eurer Meinung nach innerhalb der nächsten zehn Jahre passieren?«

»In zehn Jahren lebe ich nicht mehr«, sagte Dilan noch einmal.

»Oh!« rief ein sehr kleiner Junge erschrocken.

»Das mit der Umwelt ist wirklich schlimm«, sagte die kleine Kurdin, »das ist wirklich katastrophal. Irgendwas wird bestimmt passieren, oder ich mache Selbstmord und kapituliere. Entweder bringt mich jemand um, oder ich bringe mich selbst um.«

Stille folgte. Viele Kinder sahen Dilan an. Die erwiderte alle Blicke ernst.

Endlich sagte Lisa: »Das Ding wird in zehn Jahren bestimmt seine Wirkung zeigen.«

»Welches Ding?« fragte die »Spiegel«-Redakteurin.

»Na, das Ozonloch«, sagte Lisa und unterstrich die Worte mit Bewegungen ihrer kleinen Hände, deren Finger sich öffneten und schlossen. »Und vielleicht explodiert auch ein Kernkraftwerk. Ich hab' solche Angst vor dem Jahr 2000. Da geht bestimmt irgendwas los, irgend so ein riesiges Chemiewerk könnte auch explodieren. Oder Politiker sagen, sie wollen etwas ausprobieren, etwas, was nicht gefährlich ist, und dann schmeißen sie 'ne Atombombe. Dann geht die Welt auseinander, sie zerbricht.«

Veronikas Haar war brünett, nach hinten gekämmt und im Nacken mit einem Kamm festgehalten. Sie trug Bluejeans und ein knöpfbares blaues Oberteil mit hellen Ärmeln. Ihr Gesicht war fein und schmal geschnitten. Sie sagte: »Also, lange geht das bestimmt nicht mehr weiter. Es könnte so viel passieren. Vielleicht kommt eine Sintflut. Vielleicht machen sie auch einen Atombombenversuch, und dann kommt der Weltuntergang.«

Der große Güven, der so gepflegt wirkte, sagte langsam und mit gerunzelter Stirn: »Ich glaube, die Menschen können sich irgendwie nicht verändern. Vielleicht sollten sich die Staaten zusammentun. Aber bis das passiert, wird es bestimmt zu spät sein, und wir stehen da im Dunkeln und sind tot.«

Behutsam fragte Angela Gatterburg: »Könnten die politischen Parteien helfen?«

»Ich glaube«, sagte Corinna kopfschüttelnd, »daß alle Parteien etwas döselig drauf sind...«

Viele Kinder klatschten.

Ekland filmte groß einzelne Gesichter.

»...brauchbar sind vielleicht die Grünen und in Berlin die AL«, fuhr Corinna fort. »Die sind zwar chaotisch, aber bei uns, bei den Peace Birds, ist es auch chaotisch, und trotzdem schaffen wir 'ne Menge.«

»Was meinst du mit döselig?« fragte Angela Gatterburg.

»Also zum Beispiel die CDU«, sagte Corinna. »Wenn man sich die Parteiprogramme mal durchliest, das klingt alles sehr gut. Aber es klingt immer nur so. Ob Ausländerpolitik oder Schulpolitik, also, mir fällt eigentlich gar nichts ein bei der CDU, von dem ich sagen würde, das ist okay.«

Wieder klatschten viele Kinder, auch einige Erwachsene. Andere protestierten.

Ein Vater rief: »Unerhört!«

Ein anderer: »Ihr seid ja ganz hübsch verhetzt!«

»Sehr richtig!« rief ein dritter.

»Quatsch«, rief ein vierter Vater. »Recht hat die Kleine!«

»Völlig Ihrer Meinung!« rief eine Mutter. »Bravo, Corinna!«

Lisa mit dem dunklen Band im blonden Haar sagte: »Ich glaube, die CDU wird gewählt von Menschen, die nicht sehr viel Ahnung haben von der Politik, die gehen nach dem Namen ›christlich‹, das hat was mit dem lieben Gott zu tun, und deshalb ist es gut und basta.«

Neuer Beifall und neuer Protest unter den kleinen und großen Zuhörern.

»Wart ihr schon mal auf einer Demonstration?« fragte Angela Gatterburg, nachdem wieder Ruhe eingetreten war.

Alle fünf Kinder antworteten gleichzeitig: »Ja.«

Corinna sagte: »Ich war bei der IWF-Demo, bin dann aber abgehauen, weil ich wirklich Schiß hatte. Schülerdemos sind sonst nicht gefährlich.«

»Ich war auf einer Schülerdemonstration«, sagte Lisa, »das war ziemlich übertrieben und spießig. Da haben sich viele Polizisten mit eisigen Gesichtern vors Schöneberger Rathaus gestellt und dort Barrikaden aufgebaut. Ein Polizist hat uns aber 'ne Flüstertüte gegeben, das hat mich gewundert.«

Die Kinder lachten.

»Schau!« sagte Isabelle leise zu Gilles. »Ganz hinten links, beim Eingang!«

Gilles wandte sich um. Beim Eingang stand der Staatsanwalt Elmar Ritt. Jetzt verneigte er sich knapp. Auch Gilles grüßte.

»Was der hier wohl will?« fragte Isabelle.

Sie sah Ritt an. Er erwiderte ihren Blick ernst.

»Seltsam«, sagte Isabelle.

Inzwischen fragte Angela Gatterburg: »Fühlt ihr euch eigentlich ernstgenommen?«

Dilan sagte: »Wenn wir bei einer Peace-Bird-Veranstaltung Flugblätter verteilen, bleiben die Leute stehen und sagen: ›Ach, die kleinen süßen Kinder!‹ Dann hören sie uns zu und gucken ganz kritisch und sagen: ›Ihr wißt doch gar nicht, was los ist, ihr habt doch keine Ahnung!‹ Es ist doch so, daß Politiker oder überhaupt Erwachsene schon viel zu festgefahren sind in ihrer Meinung. Die wollen sich nicht überzeugen lassen.«

Viele Kinder klatschten sehr laut, und viele Erwachsene sahen sehr irritiert aus.

»Das klingt ja alles so pessimistisch«, sagte Angela Gatterburg.

»Ich würde nicht sagen, daß es pessimistisch ist«, antwortete Dilan und schüttelte langsam den Kopf mit dem hochgetürmten Haar. »Eher realistisch. Und wenn wir uns jetzt ganz doll einsetzen, geht vielleicht doch noch alles gut.«

Da applaudierten alle Kinder und Erwachsenen.

Lisa sagte: »Ich bin nicht pessimistisch, weil, wenn man überhaupt kein Vertrauen mehr hat, dann kannst du gleich abkratzen.«

Beifall.

»Frieden kann man nur in kleinen Schritten erreichen«, sagte Corinna. »Erfolge hat man nicht so richtig, weil man nicht sehen kann, welche Menschen man verändert hat. Sie kriegen ja nicht plötzlich blaue Haare oder so. Natürlich sind wir auch manchmal mutlos.«

Angela Gatterburg sah auf ihr Bandgerät.

»Ich wollte noch schnell was sagen zu den Politikern«, rief Lisa. »Die meisten denken nur an sich. Die sind einfach egoistisch. Was später passiert, nach ihrem Tod, das ist ihnen eigentlich egal. Aber das Wichtigste ist trotzdem, daß man nicht alles hinwirft.«

Nun klatschten sie wieder im Zuhörerraum, Kinder und Erwachsene. Angela Gatterburg hob lächelnd die Hände. Es wurde ruhig.

»So«, sagte sie. »Das war das Interview. Und nun die Diskussion! Ihr könnt so viele Fragen stellen, wie ihr wollt, und alles sagen, was ihr denkt, und euch mit den Peace Birds unterhalten, solange ihr wollt...«

Thomas Hansen, dachte der Staatsanwalt Ritt, hat gesagt, er würde so gerne herkommen und mit den Peace Birds sprechen... »*Ich*, ich könnte diskutieren mit diesen Kindern. *Ich*, ich würde sie so fertigmachen, daß sie nie wieder rummaulen. Hätte die richtigen Argumente. Und ich bin selbst ein Kind. Kinder sollten mit Kindern reden.«

Ja, das hat Thomas gesagt, dachte Elmar Ritt mit dem Gefühl, daß er der Wahrheit, die er so sehr suchte, nahe, ganz nahe war.

»Du da!« sagte Angela Gatterburg indessen zu dem kleinen Jungen, der schon zu Beginn des Interviews aufgesprungen war. »Jetzt bist du dran! Was wolltest du wissen?«

Der kleine Junge stand wieder auf. Sein Gesicht war rot vor Aufregung. »Ich möchte wissen«, sagte er, »wie man ein Peace Bird wird.«

Während er sprach, nahm Ekland sein Gesicht auf, ganz groß.

Isabelle lehnte gegen Gilles' Schulter. Er sah sie an. Sie wies zur letzten Zeile eines Briefes, der direkt neben ihnen an die Wand gepinnt war.

*Ich will leben – und meine Katze auch.*


# 3

»Wenn die Ökologie eine Zukunft hat, dann nur in industrieller Form. Und die Industrie kann nur eine Zukunft haben, wenn sie ökologisch denkt.«

Der Mann, der diese Worte am Abend des 28. September 1988, einem Mittwoch, in der großen Wohnküche der Vitrans in Paris sprach, hieß Pierre Leroy. Er war sehr groß, sehr kräftig und siebenunddreißig Jahre alt. Sein schwarzes Haar war leicht gekräuselt. Leroy hatte ein breites Gesicht, eine hohe Stirn und hellwache dunkle Augen. Von Beruf Physiker, hätte er dem Aussehen nach auch ein intellektueller Zehnkämpfer sein können. Der langjährige Mitarbeiter Gerard Vitrans stammte aus dem Elsaß und sprach in fast akzentfreiem Deutsch zu den Anwesenden, die nach dem Essen bei Kaffee und Cognac um den Küchentisch saßen: Marvin, Valerie Roth, Gilles und Wolf Loder. Isabelle half Monique beim Geschirrabräumen. Ekland und Katja fehlten. Sie waren in ihrer kleinen Pension geblieben. Man würde ihnen gewiß rechtzeitig mitteilen, was gefilmt werden sollte, hatte Ekland gesagt. Sie wollten nur noch bei der effektiven Arbeit, nicht mehr bei Vorbesprechungen anwesend sein. Die miserable Stimmung im Team war dadurch noch schwieriger geworden.

Lediglich Pierre Leroy schien sie unberührt zu lassen. Er sprach sicher und animiert. Monique hatte ihn den anderen vorgestellt – ihr Mann war nach Saudi-Arabien gerufen worden. Dort entstand in der Nähe von Riad ein den örtlichen Bedürfnissen angepaßtes Stromversorgungsnetz, basierend auf Solarenergie.

»Für Menschen, die mit alternativen Energien arbeiten, also zum Beispiel Doktor Loder, existiert ein großes psychologisches Handicap«, fuhr Leroy, der jahrelang in Außenstellen gearbeitet hatte, fort. »Sehen Sie: Bisher liegt alles, was mit Energieerzeugung zu tun hat, in den Händen von einigen wenigen. Ganz gleich, wo Sie Strom brauchen – Sie müssen ihn von allmächtigen Monopolisten beziehen. Sie sind absolut abhängig von diesen Leuten. Der Grundgedanke der Sonnenenergie besagt jedoch, daß man sie am besten und schnellsten in kleinen Einheiten durchsetzen wird – Hausgemeinschaften, Einzelhäusern, einzelnen Anlagen und Fabriken. Insbesondere gilt das für die Dritte Welt. Doktor Loder weiß: Das wirklich Revolutionäre an der Solartechnik ist, daß sie die Menschen unabhängig macht von den Strommonopolisten. Wenn sich einer ein Sonnenhaus baut, wenn eine Gruppe von Menschen ihre gesamte Energie aus einem kleinen Solarkraftwerk bezieht, dann sind sie für die allmächtigen Stromer verloren. Das ist natürlich der Alptraum der Monopolisten. Deshalb versuchen sie, Loder und seinen Leuten und uns genauso das Leben schwerzumachen, wo sie nur können. Nicht mehr abhängig von ihnen – *quel horreur!*«

»Sie sprechen hervorragend deutsch«, sagte Marvin.

»Zweite Sprache, schon in der Schule«, sagte Leroy, »und auch daheim.«

»Erstklassiger Mann«, sagte Monique leise zu Isabelle. Die beiden füllten eine Spülmaschine mit dem Abendessengeschirr. »Gerard ist sehr froh, daß er jetzt in Paris arbeitet.«

»Paß auf die Weingläser auf!« sagte Isabelle. »Du mußt sie anders hineinstellen, sonst rutschen sie, wenn die Maschine läuft.«

»Gefällt er dir auch?«

»Na ja«, sagte Isabelle, »es geht.«

»Was gefällt dir nicht an ihm?«

»Monique, du mußt die Gläser wirklich anders in die Gitter stecken, glaub mir!«

»Ich meine«, sagte Leroy, »dies ist letzten Endes auch der Grund, warum Gerard bei seiner Beratung der Regierung scheiterte. Vorher, als er noch Sekretär der Atomarbeitersektion war, passierte dasselbe. Immer wieder hat Gerard auf die Gefahren der Plutoniumtechnik hingewiesen – bis die Betreiberfirmen darauf bestanden, daß er flog. Davon haben Sie schon gehört, wie?«

»Ja«, sagte Valerie Roth. »Und daraufhin sagte die Regierung, er solle für Energieeinsparung in Frankreich sorgen.«

Leroy nickte. »Und da sind wir wieder bei dem psychologischen Handicap, von dem ich eingangs sprach. Gerard sah sofort, daß Energieeinsparung nur möglich ist, wenn er Frankreich mit einem Netz von dezentralen – dezentralen – Energieagenturen überzieht, wenn er den Verbrauchern ökonomische *und* ökologische Energietechniken nahebringt. Genau das tut auch Monsieur Loder, genau das tun alle Solarforscher. Sie schaffen eine auf das Individuum zugeschnittene Energieversorgung – und damit sind sie natürliche Todfeinde der Monopolisten.«

»Leroy könnte die Weingläser ganz bestimmt so in die Gitter setzen, daß nichts passiert, wie?« sagte Monique leise bei der Spülmaschine und lachte.

»Ach, hör schon auf!« sagte Isabelle.

Pierre Leroy war aufgestanden und wanderte in der Küche auf und ab.

»Während Gerard mit seiner Studie für die Regierung auf größtmögliche Energieeinsparung aus war, betrieb die staatlich forcierte

Atomwirtschaft genau die entgegengesetzte Strategie: Fast explosionsartig entstanden immer neue AKWs und damit ein Zwang zur Stromvermarktung auf Teufel komm raus. Immer mehr Strom sollte verbraucht werden. Immer mehr, immer mehr. Das hat dazu geführt, daß seit zehn Jahren – Gerard flog prompt ein zweites Mal – in Frankreich praktisch alle neuen Wohnbauten mit Elektroheizung ausgestattet sind, also auf besonders unökologische und unökonomische Weise. Selbst entlegene ländliche Wohngegenden werden an den Atomtropf genommen. Dagegen bemühten sich Gerard und seine Leute um den Aufbau von dezentralen Holzkraftwerken. Sie wurden gleichfalls gefeuert und haben verloren – so scheint es. Die Menschen müssen Strom verschwenden noch und noch und noch, die Umwelt versauen und gefährden und blechen, blechen, blechen...« Leroy hatte sich in Rage geredet. Er blieb stehen. Laut sagte er: »Ja, aber das scheint nur so. Bevor Gerard und die anderen gingen, legten sie noch ihre Saat: Überall in den Departements der französischen Provinzen hinterließen sie Regionalbüros mit lokal operierenden Energieberatern, die auf der alten Sparlinie weiterarbeiten.«

»Und einer dieser Berater sind Sie«, sagte Loder.

»Ja«, sagte Pierre Leroy. »Einer davon bin ich. Mal sehen, wer am Ende gewinnt.«

»Er natürlich«, sagte Monique leise. Sie schaltete lächelnd die Spülmaschine ein.

»Möchte wissen, ob dein Gewinner auch Gefühle hat«, sagte Isabelle.

»Erzählen Sie bitte, wie Sie arbeiten«, sagte Marvin, »damit wir eine Vorstellung davon kriegen, was wir filmen können.«

»Ja«, sagte Valerie Roth, »wie sieht sie aus, die Saat, von der Sie sprachen – die Saat, die Gerard Vitran und seine Freunde hinterlassen haben?«

Pierre Leroy lächelte plötzlich, jungenhaft und verlegen. »Ich habe sehr selbstbewußt und forsch geredet, wie?« fragte er. »Sie müssen das entschuldigen. Das ist eine *déformation professionnelle*, eine Berufskrankheit... Wenn man dauernd Leute von etwas überzeugen, wenn man weiterkommen, etwas erreichen will... man bekommt dann leicht diesen Glaubet-und-folget-mir-denn-ich-kenneden-rechten-Weg-Ton... Natürlich gehen uns noch und noch Projekte daneben. Natürlich funktioniert vieles nicht so, wie wir es erhoffen. Natürlich experimentieren wir. Wir nehmen eine Methode und versuchen's mit ihr. Wenn es nicht klappt, geben wir das zu und versuchen es mit einer anderen Methode... Aber wenigstens versuchen wir es immer und immer wieder... Und überlegen vorher genau, denn sehr viele Mißerfolge dürfen wir uns einfach nicht leisten.« Er räusperte sich. »Unserer Arbeit liegt *ein* Gedanke zugrunde: Es muß Schluß sein mit der maßlosen Energieproduktion, und das schnellstens! Wir müssen – und wir können es! – ganz tief runtergehen mit der Energieproduktion. Nur dann hat alternative Energie, vor allem natürlich Sonnenenergie, eine Chance! Nur dann zerstören wir nicht weiter diese ohnedies schon fast irreversibel zerstörte Welt. Erste Aufgabe unserer Regionalbüros«, sagte der große, starke Pierre Leroy und strich sich über das krause schwarze Haar, »ist es deshalb, gemeinsam mit Kommunalpolitikern einen energiepolitischen Aktionsplan auszuarbeiten.«

»Und weil es mit staatlichem Geld dauernd hapert und nie genug da ist«, schaltete sich Monique ein, »sind unsere Leute gezwungen, immer neue, das heißt bessere und billigere Energielösungen zu finden. Hier hat Armut mal was Gutes.«

»Es kommt noch etwas anderes dazu«, sagte Leroy. »Wir leben, und in diesem Falle muß ich sagen, Gott sei dafür gedankt, in einem kapitalistischen System. Wenn wir immer und immer wieder zeigen können, daß wir mit ›wenig‹ und ›billig‹ Besseres erreichen als mit ›teuer‹ und ›viel zu viel‹, dann bleibt kein Kapitalistenauge trocken! Dann muß so ein alter Wirtschaftshase doch einfach sagen: Was wir bisher durch Verbrennen von Öl, Gas und Kohle an Strom gewonnen haben, das war nur ein Bruchteil des Energiegehalts dieser Rohstoffe – und die Luft versauten wir dazu! Das gleiche gilt für Atomstrom. Da werden auch nur knapp dreißig Prozent der irrsinnig teuren Primärenergie in elektrische Energie verwandelt. Da muß der alte Hase sich einfach sagen: ›Hier liegt unsere ganz große Chance.‹ Die Zukunft hat eben erst begonnen, Herrschaften! Nicht Proletarier aller Länder – das ist vorbei, nein, bald schon wird es heißen: Kapitalisten aller Länder, schaut mal, wieviel man mit ›billig‹ und ›gesund‹ verkaufen und Geld scheffeln kann – und vereinigt euch! So wird es heißen. Und dann müssen wir wieder höllisch aufpassen, daß keine *neuen* Monopolisten kommen.«

Gilles lachte.

»Schon eine Type, wie?« sagte er leise zu Isabelle.

»Findest du?« flüsterte die. »Ich nicht. Prätentiös und zweihundert Prozent von sich überzeugt, und alles für eine Pointe.«

»Diese Situation«, sagte der athletische Pierre Leroy, »zwingt natürlich auch die Kommunalpolitiker, nach billigsten und dabei besten Lösungen zu suchen. In den meisten Fällen ist es unseren Leuten gelungen, mit den Regionalpolitikern Arbeitsbeziehungen zu entwickeln, die von Vertrauen und gegenseitigem Respekt getragen werden. Da kommt uns die französische Geschichte zugute. Aufgrund monarchistischer, beziehungsweise jakobinischer Tradition leiden alle Beziehungen zwischen Paris und den Regionen unter Mißtrauen gegenüber der Zentralgewalt!«

»Was genau ist nun Ihre Aufgabe, Monsieur Leroy?« fragte Marvin.

»Tja, ich würde sagen, meine Kollegen und ich, wir sind Animateure, Anreger. Ohne uns und unser beständiges Drängen würden sehr viele von diesen gestreßten Lokalpolitikern mit ihrem Berg Sorgen – Arbeitslosigkeit, Ausbildung, Verkehrsplanung – die Energiefragen an letzte Stelle setzen.«

»Konkret«, sagte Valerie. »Wie können wir das alles im Bild zeigen?«

»Es gibt Regionen, in denen wir besonders erfolgreich sind«, sagte Leroy. »Ich fahre gern mit Ihnen hin. Zum Beispiel nach Poitou-Charente. Dort werden Industrieabfälle zur Energieerzeugung genutzt. Kleine Inselnetze auf Brennholzbasis erstellen die Beheizung von Wohngebäuden. Auch Haushaltsabfälle und sogar eine Thermalquelle sind in das Netz einbezogen worden.« Er strahlte und zeigte dabei starke, weiße Zähne. »Holz schlechter Qualität wird nicht weggeworfen, sondern zur Energieerzeugung genutzt. Dann die enorme Energiequelle aus den Weinbaugebieten: Wir haben da spezielle Kessel zur Nutzung der brennbaren Abfälle. Wie anderswo auch werden Wohn- und Landwirtschaftsgebäude auf bessere Energienutzung hin verändert. An der Atlantikküste entstehen Anlagen des sozialen Wohnungsbaus unter Nutzung von Solar- und Biotechnik. Wir haben ferner statt der alten Benzinkisten Elektronutzfahrzeuge eingeführt. Zu den Bauten mit energiesparender und umweltschonender Holzheizung gehören auch Banken, Sparkassen und Versicherungsgebäude.« Er begann wieder auf und ab zu laufen. »Oder Franche-Comté! Da müssen Sie hin! Zwischen den zahlreichen Sägewerken der Waldregion und den Wohngebieten werden dort Nahwärmenetze errichtet. Wir arbeiten mit der Forst- und Holzwirtschaft zusammen. Wenn wir hier ordentlich prüfen und suchen, können wir dazu noch die bedeutenden Nutz- und Bauholzimporte Frankreichs herunterdrücken und Devisen sparen – und auf der anderen Seite alle Gebäudeheizungen auf langlebige ›Holzbriketts‹ umstellen, die wir aus minderwertigem Brennholz produzieren. Und Sie müssen mit mir nach Nord/Pas-de-Calais! Dort wird das Stahlwerk USINOR das neue Nahwärmenetz eines ganzen Stadtteils von Dünkirchen mit Abfallwärme versorgen. Mit Abfallwärme!«

Unten im Büro läutete das Telefon. Monique eilte die Wendeltreppe hinab, dann erklang ihre Stimme: »Monsieur Gilles! Für Sie!«

Gilles sah Isabelle fragend an, hob die Schultern und stand auf. Er blieb nur kurz im Büro.

»Etwas passiert?« fragte Isabelle, als er die Treppe wieder herauf- kam.

»Das war Monsieur Oltramare«, sagte er. »In meinem Haus ist eingebrochen worden. Vor acht Tagen schon. So lange haben sie vergebens gesucht, bis sie mich endlich dank Herrn Ritt hier fanden. Monsieur Oltramare sagt, Gordon hörte Geräusche und ging nachsehen. Die Diebe schossen ihn krankenhausreif. Die Gendarmerie will mich sprechen und wissen, was alles gestohlen wurde.«

»Du mußt nach Château-d'Oex?« fragte Isabelle.

Gilles nickte. »So schnell wie möglich.«

»Und Gordon ist im Hospital?«

»Ja.«

»Wo?«

»In Fribourg.«

»Ich komme mit«, sagte Isabelle. Und mit einem Blick auf Leroy: »Sie sprechen so gut deutsch, Monsieur. Für die nächste Zeit braucht ihr keinen Dolmetscher, wie?«

491

»Bestimmt nicht, Mademoiselle«, sagte Pierre Leroy lächelnd. »Begleiten Sie Monsieur Gilles mit ruhigem Gewissen!«

# 4

*Montag, 3. Oktober 1988: Nun sind wir schon den fünften Tag in Château-d'Oex. Wir kamen am 29. September mit dem Flugzeug in Genf an. Monsieur Oltramare holte uns ab, freundlich, scheu und voller Charme.*
*Auf der Autobahn bemerkte Philip, daß ein langes Stück der Lärmschutzwände mit Sonnenzellen bedeckt war, und machte mich darauf aufmerksam. – Das ist ein Pilotprojekt, sagte Monsieur Oltramare. So ein Zellenfeld in dieser sonnenreichen Gegend liefert einhundertfünfundvierzigtausend Kilowattstunden »Sonnenstrom« pro Jahr – etwa den Jahresverbrauch für dreißig Familien. – Donnerwetter, sagte Philip. – Siehst du, es geht! sagte ich. Und Monsieur Oltramare berichtete weiter, daß derartige Solarlärmschutzwände auch schon an der Rheintal-Autobahn nach Chur arbeiten und daß eine Solaranlage entlang der Bahnlinie Bellinzona–Locarno geplant ist. – Wenn überall an Autobahnen und Schienenwegen, wo die Sonneneinstrahlung stark genug ist, Solarzellenfelder montiert würden, sagte Monsieur Oltramare, könnten, heißt es, fünfhundertfünfzigtausend Megawattstunden Strom jährlich erzeugt werden. Ein großes Sonnenkraftwerk soll demnächst am Mont Soleil im Jura eröffnet werden. Und selbst in dem berühmten Kurort Arosa werden bereits zahlreiche Ferienhäuser solar mit Strom und Wasser versorgt, ja sogar die Melkmaschinen für die Kühe betreibt man dort mit Sonnenkraft.*

Monsieur Oltramare hatte Gordon Trevors häßlichen Hund mitgebracht, denn nun kümmerte er sich um Happy mit den großen traurigen Augen und dem gefleckten Fell, das kahle Stellen besaß. Ins Krankenhaus durfte der Hund nicht, sosehr Gordon auch darum gebeten hatte.
Es war noch sommerlich warm, viele Blumen blühten auf den

Herbstwiesen. Philip Gilles saß neben Monsieur Oltramare in dem alten Wagen, Isabelle hinter ihm. Sie legte eine Hand auf seine Schulter und fühlte sich sehr mit ihm verbunden. Der Hund saß zu Philips Füßen.

Monsieur Oltramare sagte, es habe noch nie einen Einbruch in Château-d'Oex gegeben, seit er dort lebe, alle Leute seien entsetzt. Aber da waren immer mehr Drogensüchtige, und die brachen, wenn sie unbedingt Geld für den nächsten Schuß benötigten, einfach überall ein, zu jeder Tages- und Nachtzeit, egal, wie groß das Risiko war.

Monsieur Oltramare zeigte sich sehr bekümmert darüber, daß dergleichen nun auch in seinem kleinen Paradies geschehen war – und noch dazu bei Philip, den er so gern hatte, und daß Gordon, den er ebenso gern hatte, dabei angeschossen worden war. Großes Glück habe Gordon gehabt, sagte Monsieur Oltramare, während sie durch kleine Dörfer und abgeerntete Felder fuhren, immer weiter auf die Berge zu, über denen ein tiefblauer Himmel leuchtete. Philip hatte seine Hand auf die Isabelles gelegt, und sie dachte, welch großes Glück auch sie beide gehabt hatten, weil sie einander begegnet waren.

Ein Schuß hatte Gordon in die linke Hüfte getroffen, sagte Monsieur Oltramare, aber weder Milz noch Niere seien verletzt. Es war ein Steckschuß, und Gordon lag im Hospital in Fribourg.

»Viel gestohlen?«

Monsieur Oltramare wurde noch bedrückter. »Diese Kerle hatten es so leicht«, sagte er. »Die Eingangstür von Le Forgeron besitzt doch nur ein ganz simples Schloß, das man mit einem gebogenen Stück Draht öffnen kann, und viel Zeit hatten die Kerle auch und...«

»Na«, sagte Philip, »und?«

»...und sie haben nichts gefunden, was sie ganz schnell zu Geld machen konnten, Bargeld schon gar nicht, und so haben die beiden in ihrer Wut Bücher aus den Regalen gerissen und vieles zerstört und Anzüge mitgenommen und... und den ›Sinnenden‹, diese Bronzeskulptur von Barlach.«

Das brachte Monsieur Oltramare nur mit großer Mühe heraus, denn er wußte, wie sehr Philip an dem »Sinnenden« hing, und als er es gesagt hatte, war es lange still im Wagen, und Isabelle sah, daß Philip sehr betroffen war.

»Aber wie konnten sie die Statue stehlen?« fragte er. »Sie ist doch so schwer!«

Monsieur Oltramare sagte: »Sie haben auch ein Dreiradauto gestohlen, von der Wiese neben meinem Hotel, zu dem haben sie den ›Sinnenden‹ geschleppt und dabei etwas Lärm gemacht. Das hörte Happy, der bellte und damit Gordon weckte.« Im Pyjama sei der Engländer laut schreiend aus dem Nachbarhaus Les Clématites gelaufen, und da habe einer der beiden Kerle geschossen, und der häßliche Hund auf dem Vordersitz wimmerte, als Monsieur Oltramare das erzählte, er verstand natürlich jedes Wort.

»Trotzdem seltsam«, sagte Philip. »Was machen Drogensüchtige mit einer Barlach-Statue?«

»Oh, es gibt jetzt so viele Hehler, Monsieur Philip, Sie haben da keine Vorstellung. Je mehr Süchtige, um so mehr Hehler. Die übernehmen so etwas schnell und hauen die Diebe mächtig übers Ohr, wenn die ihnen so eine Statue oder Schmuck oder Bilder oder was immer bringen, aber das ist den Süchtigen gleich, die denken doch nur an die nächste Ration, *n'est-ce pas?* Es tut mir so leid, Monsieur Philip.«

»Mir auch«, sagte Philip.


Als sie später mit zwei Gendarmen in das kleine Haus traten, sahen sie, daß die Einbrecher es arg verwüstet hatten. Der handgewebte Teppich war an vielen Stellen zerschnitten, schöne Bücher lagen auseinandergerissen herum, die alten Möbel waren zerkratzt und alle Schubladen herausgerissen oder zerschlagen. Auf der Decke von Philips Bett gab es einen großen, schmutzigen Fleck, und ein Gendarm sagte verschämt, die Diebe hätten auf das Bett... »Also, Monsieur Gilles, sie haben da einen großen Haufen Exkremente zurückgelassen. Wir mußten ihn entfernen... die Fliegen... Das tun Diebe hier im Süden immer, wenn sie wütend sind, weil sie nicht genug gefunden haben...«

Die Gendarmen stellten viele Fragen betreffend den »Sinnenden«, und Philip beschrieb ihnen die Statue genau. Er zeigte Fotografien von ihr in dem dreibändigen Werkverzeichnis von F. Schult, das er besaß, es war längst vergriffen und nur noch in Museen und bei Kunsthändlern auffindbar. Die Gendarmen baten, es mitnehmen zu dürfen, um die Abbildungen zu fotokopieren und mit einer genauen Beschreibung in die Fahndung geben zu können. Der »Sinnende II« trug im Werkverzeichnis die Nummer 445 (es gab auch einen »Sinnenden I«), und Philip sagte, auf der Hinterseite des nicht sehr hohen Sockels sei in die Bronze ›E. BARLACH 1934‹ eingraviert.

Am Nachmittag fuhren sie mit Philips Wagen nach Fribourg, um Gordon zu besuchen, aber eine ältere, große und dicke Oberschwester hielt sie auf und sagte, Gordon dürfe keine Besuche empfangen. »Was soll das heißen?« fragte Philip erschrocken. »Ist etwas passiert?«

»Das nicht«, sagte die strenge Oberschwester, die Bernadette hieß – der Name stand auf einem Täfelchen an ihrer Bluse. »Es ist einfach noch zu früh für Besuche.«

»Aber Monsieur Oltramare war doch schon hier!«

»Jetzt«, sagte Schwester Bernadette, »darf er auch nicht mehr kommen.«

»Aber warum nicht?«

Die Oberschwester murmelte etwas von Verantwortung.

»Sie *verbieten* uns, Monsieur Trevor zu besuchen?« fragte Philip.

»*Verbieten*«, sagte Schwester Bernadette, »ich verbiete Ihnen gar nichts. Ich kann es nur medizinisch nicht verantworten.«

»Und wann dürfen wir Monsieur Trevor besuchen?«

»Später. Im Moment keinesfalls.«

Es war einfach nichts zu machen, und so fuhren sie in das Hotel Bon Accueil zurück und erzählten die Geschichte Monsieur Oltramare, und der fing an zu lachen.

»Was ist denn so komisch? fragte Philip.

Und Monsieur Oltramare erzählte, was so komisch war. Er hatte Gordon jeden Nachmittag besucht, um mit ihm Schach zu spielen und ein paar Whiskys zu trinken. Er hatte immer eine Flasche mitgebracht, die Gordon in einer Nische hinter einer Gottesmutter aus bemaltem Ton versteckte, bis Oltramare die leere Flasche wieder mitnahm. Zuletzt waren sie dann von Oberschwester Bernadette überrascht worden. Diese war sehr gereizt und verbat Gordon den Whisky. Alkohol sei ein schweres und heimtückisches Gift, sagte sie. »Ich höre, Sie trinken seit Jahren, Monsieur Trevor. Bei mir werden Sie das nicht tun. Alkohol macht impotent. Wollen Sie impotent sein, Monsieur Trevor?«

»Und da«, erzählte Monsieur Oltramare, »hat Gordon geantwortet: ›Ja, liebe Schwester Bernadette, das ist immer mein größter Wunsch gewesen. Aber denken Sie bloß, schon vor fünfundvierzig Jahren hat ihn mir die Deutsche Luftwaffe erfüllt.‹ Und das«, sagte Monsieur Oltramare, »hat die Oberschwester noch wütender gemacht, und seither kann sie Besuche aus medizinischer Sicht nicht verantworten. Aber in ein paar Tagen geht sie in Urlaub, dann könnt ihr Gordon sehen. Die anderen Schwestern haben nichts gegen ein bißchen Alkohol.«

»Und warum hat Bernadette soviel dagegen?« fragte Philip.

Monsieur Oltramare lachte wieder und sagte: »Bernadette stammt aus Château-d'Oex, und ihr Mann ist ein schwerer Alkoholiker und total impotent.« Das ganze Dorf wisse das, und es zeige, wie persönliche Erfahrungen einen Menschen formen.

*Monique in Paris angerufen und gefragt, ob sie Philip und mich schon wieder brauchen, und Monique sagt, wir könnten ruhig noch bleiben, das Team sei mit Pierre Leroy zwischen drei Departements unterwegs, sie drehten gerade in dem Stahlwerk USINOR bei Dünkirchen und würden sich melden, wenn sie fertig seien. Leroy schreibe auch die Texte, mache seine Sache prima, und alle seien begeistert von ihm.*

*Dieser Leroy geht mir seit Tagen durch den Kopf – wie ein Gesicht, das im Zucken eines Blitzlichts aus dem Dunkel auftaucht.*

*Als ich den Hörer niederlege und Philip sage, daß wir noch bleiben dürfen, ist er, der gerade versucht, das Chaos in seinem kleinen Haus zu beseitigen, so glücklich wie ich und hebt mich hoch und dreht sich mit mir im Kreis, und wir lachen beide wie arme Irre, und dann fallen wir auf die große Couch neben dem Kamin...*

*Donnerstag, 6. Oktober 1988: Heute früh fuhren wir mit Philips Wagen ein Stück den Berg hinauf bis dorthin, wo die Straße gesperrt ist, hoch über dem Dorf. Wir parkten bei einer Schranke und wanderten zu Fuß weiter. Der steinige Weg stieg steil an, und wieder war der Himmel dunkelblau, die Sonne schien, auf den Steilhängen grasten viele weiß-braun gefleckte Kühe, die Hänge waren vom Weg mit Stacheldraht abgegrenzt, und auf den Wiesen und Weiden blühten noch immer Blumen. Philip kannte die Namen der Pflanzen und sagte sie mir. Woher weißt du das alles? – Ich lebe seit zehn Jahren hier, chérie. Ich kenne jeden Baum, jeden Strauch, jeden Stein, jede Blume, jede Jahreszeit. Die Bauern haben mir gesagt, wie all die Pflanzen heißen. Jeden Weg bin ich viele, viele Male mit Gordon gelaufen. Wenn ich jemals irgendwo daheim war, dann hier . . .*

*Jetzt sind wir schon sehr hoch gestiegen. Wir gehen langsamer, setzen uns auf einen Baumstamm. Tief unter uns liegt das Dorf. So viel Ruhe. So viel Frieden. So schön. Da oben erzählt er mir, warum er eine derart große Beziehung zu Barlach, zu dem »Sinnenden« hat . . .*

*Sein Vater war Architekt. Als Philip ein kleiner Junge war, ging es ihnen eine Weile sehr gut. Dann verlor der Vater alles, was er besaß, nach dem Börsenkrach 1929. Von 1930 an waren sie sehr arm.*

*Als es ihnen noch gutging, hatten sie ein Haus in Berlin-Zehlendorf. Zum Wochenende kamen immer viele Gäste. Philips Mutter verehrte Schauspieler, Schriftsteller, Bildhauer, Musiker, Maler . . . alle Arten von Künstlern. Die saßen dann hinter der Villa im Garten. Auch Politiker, Ärzte und Anwälte kamen. Ein großes Haus führten Philips Eltern, bis alles verlorenging. Berühmte Männer und besonders die verschiedenen Parfumdüfte wunderschöner Damen waren dem kleinen Jungen, der dabeisein und zuhören durfte, im Gedächtnis geblieben. Um sieben Uhr abends mußte er essen und um acht ins Bett.*

*Die Mutter war es stets, die einlud, so sehr interessiert an Kunst, jeder Art von Kunst. Der Vater war politisch interessiert und engagiert. Dessen Vater hatte mit Bebel gearbeitet. Alter Sozi, Philips Vater.*

*Oft kam ein Schauspieler zu Besuch, der konnte großartig Hitler nachmachen. Und alle lachten sich kaputt, wenn er diesen Clown imitierte, der Deutschland regieren wollte. Ein paar Jahre später waren viele von denen, die da lachten, in Lagern, emigriert, tot. Auch Philips Vater. Die Nazis ermordeten ihn . . .*

*Wie alt warst du 1930? frage ich. – Nicht ganz fünf Jahre, sagt er.*
*Damals hat er zum erstenmal von Barlach gehört. Gab eine berühm-*
*te Schauspielerin in Berlin, Tilla Durieux. Die war verheiratet mit*
*dem Kunsthändler Paul Cassirer. Kamen auch ein paarmal nach*
*Zehlendorf. Cassirer förderte Barlach. Der hatte damals gerade*
*begonnen, seinen »Fries der Lauschenden« zu schaffen. Diese*
*Arbeit wurzelte im Musikalischen, ursprünglich entworfen für ein*
*Beethoven-Denkmal. Zuerst sollten die Relieffiguren rings um eine*
*gedrungene Säule angeordnet sein – oben der Kopf Beethovens –*
*und wunderbarer Musik lauschen ... Da waren unter anderen die*
*»Pilgerin«, die »Tänzerin«, der »Gläubige«, der »Empfindsame«,*
*der »Begnadete«, der »Wanderer« und eben der »Sinnende« ...*
*Der »Sinnende I«, sagt Philip. Du mußt dir das vorstellen! Diese*
*Figuren, schlank und schmal, hatten keinen Rücken, sie standen ja*
*an der Säule, nicht wahr? Die Arbeit blieb liegen, es wurde nichts*
*Gutes daraus, erzählte Tilla Durieux. – Das alles hast du dir*
*gemerkt? – Ja, sagt er. – Seltsam. – Gar nicht seltsam. – Wieso nicht?*
*– Warte! sagt er. Mein Vater war – ganz anders als meine lebhafte,*
*begeisterungsfähige Mutter – ein sehr ruhiger Mensch. Ich sehe ihn*
*vor mir, wie er in einem Korbstuhl sitzt und Pfeife raucht und*
*zuhört. Er rauchte immer Pfeife und hörte immer zu. So habe ich*
*ihn in Erinnerung ...*
*(Ich schreibe all dies derart ausführlich nieder, weil die Geschichte*
*mir so großen Eindruck machte, und natürlich wegen ihres Endes.)*

»Ja«, sagte Philip da auf dem Berghang zwischen Blumen und
Steinen und stacheligen Sträuchern, »und die Durieux erzählte, sie
habe sich diese insgesamt neun Gestalten der Beethoven-Säule nun
als Fries gewünscht, für ihr Musikzimmer ... so etwas gab es damals
noch, *chérie!* Solche Wünsche hatten die Menschen noch. Und 1929
fing Barlach neu an mit diesem Fries, aber diesmal sollte jede Gestalt
für sich stehen und einen Rücken haben – losgelöst vom Relief der
Säule, weißt du ... Zuvor aber hatte Barlach aus irgendeinem
Grund die neunte Gestalt, eben den ›Sinnenden‹, herausgenommen
und durch eine andere Gestalt, den ›Blinden‹, ersetzt, der die Züge
des Künstlers trug ...«

»Warum? Warum hat er den ›Sinnenden‹ herausgenommen?« fragte
Isabelle.

»Warum? Niemand kannte die Antwort. Und weil es eben keine Antwort gab, weil es ein Rätsel blieb, interessierte sich auch der kleine Junge, der ich damals war, für den ›Sinnenden‹.«

*Der Durieux wollte Barlach den »Sinnenden« neu schaffen, und das wurde dann ebenjener ›Sinnende II‹. Fünf Jahre alt war Philip, als die Gestalt ihn zu faszinieren begann... Er sprach langsam zu mir, in seiner Erinnerung an Jahre, die schon so weit, so weit hinausgewandert waren im Sandmeer der Zeit...*
*Dieser »Fries der Lauschenden« wurde und wurde nicht fertig. Cassirer starb. Die Durieux heiratete wieder. Ihr zweiter Mann gab Barlach neues Geld. Dann verlor auch der zweite Mann alles. Zuletzt kam Hermann Reemtsma, ein Hamburger Reeder, der Bruder des Zigarettenfabrikanten. Reemtsma unterstützte Barlach von da an bis zu dessen Tod 1938... Seine Arbeiten wurden aus Museen und Kirchen entfernt, vieles wurde zerstört. Was Barlach schuf, war »entartete Kunst«. Philip sagte, er habe zahlreiche Barlach-Bücher in Le Forgeron, er las mir dann auch vor, was die Nazis über Barlach schrieben...*

Ja, ich habe Isabelle vorgelesen. Nun, so viel später, da ich diese Eintragungen aus ihrem Tagebuch abschreibe im Wohnzimmer von Le Forgeron, habe ich auch den Band »Barlach« von Carl D. Carls aus dem Regal geholt. Es ist wohl das beste Werk über ihn. Und Carls zitiert aus dem »Völkischen Beobachter«: »Man hat inmitten dieser Barlach-Gestalten das Gefühl, in einer Gesellschaft von nervenkranken, geistig unzulänglichen, haltlosen Kreaturen zu weilen. Man fühlt sich umwittert von den Ausdünstungen verwahrloster Leiber mit plumpem Bau und schlechten Säften, von Opfern rassischer Niederzucht... minderrassig und halbidiotisch... Ein naturentfremdeter Antikünstler... ein Kulturschänder...«

*Warum haßten die Nazis Barlach so? frage ich. – Schau dir seine Gestalten an! sagt Philip. Da ist keine einzige darunter, die auch nur den Schatten einer Bereitschaft zeigt, sich Verbrechern zu unterwerfen, ihnen zu gehorchen, ihre Befehle auszuführen oder gar so zu werden wie sie. Das muß die Nazis wahnsinnig gemacht haben bei*

Barlach und seinen Gestalten: daß er sich und daß sie sich niemals beugen würden. Daß jede dieser Figuren – wie er – Sinnbild der Freiheit des Geistes und des Individuums war.

Nun, und als Philips Vater ermordet wurde von den Nazis, als sie Barlach zu Tode gehetzt hatten: da verschmolzen Barlach und sein Vater und der »Sinnende« für ihn immer mehr zu einem Einzigen, dem Symbol für alles Gute und Anständige und allen Widerstand gegen Gewalt und Terror, alles, woran er glaubte, was er erhoffte...

Viele Jahre nach dem Krieg sah Philip den »Sinnenden« zum erstenmal. Sah ihn! In Hamburg, im Barlach-Haus. Das hatte auch Hermann Reemtsma bauen lassen, und dort kann man viele Barlach-Werke sehen, welche den Nazis und ihrem Terror getrotzt haben. Philip suchte von nun an verzweifelt einen Guß des »Sinnenden« – vergebens. Nirgends konnte er einen finden. Er weiß nicht mehr, wie viele Galerien er bat, mitzusuchen. Und dann, 1977, rief ihn ein Berliner Kunsthändler an und sagte, da sei ein Bronzeguß des »Sinnenden« aufgetaucht – in London! Und der sei zu kaufen. Gerade hatte Philip einen Filmstoff teuer nach Amerika verkauft und genug Geld... und endlich stand der »Sinnende« vor ihm – nach fast einem Menschenleben.

Jemand hatte ihn gerettet. Aber es war nicht die Rettung allein. Es war viel mehr. Es war der endgültige Beweis, daß das Böse niemals siegt. Manchmal währt es sehr lange. Niemals ewig. Es war der Beweis dafür, daß man das Gute nicht zerstören kann, sagt Philip. Sehr oft wird das versucht. Sehr viel Gutes geht verloren. Aber das Gute kann niemand vernichten. Es ist genau, wie Hemingway schreibt: Sie können einen Menschen töten – aber sie können ihn nicht vernichten.

Sie konnten meinen Vater töten, aber nicht vernichten. Sie konnten Barlach zu Tode bringen, aber nicht vernichten. Und nicht und niemals seine Gestalten. Es war lange Zeit mein einziger Trost, sagt Philip, all dies zu denken, Isabelle. Bis ich dich traf. Seit wir einander lieben, wurde alles anders. Und darum ist es nicht so schlimm, daß der »Sinnende« jetzt gestohlen wurde. Ohne dich, Isabelle, ohne dich wäre es... Philip spricht den Satz nicht zu Ende, und ich sage: Er wird wiederkommen, der »Sinnende«. Er muß

*wiederkommen! Das Böse siegt niemals, und das Gute kann nie-*
*mand vernichten. Daran glaubst du doch? – Ja, daran glaube ich. –*
*Also! sage ich. Dann mußt du auch daran glauben, daß der »Sinnen-*
*de« wiederkommt. Ist das logisch oder nicht? – Das ist logisch, sagt*
*er und lächelt.*
*Wir sitzen noch lange auf dem Baumstamm. Dann gehen wir den*
*weiten Weg zum Wagen zurück und fahren hinunter ins Tal und*
*nach Fribourg. Wir haben gehört, daß Oberschwester Bernadette*
*ihren Urlaub angetreten hat, und so wollen wir endlich Gordon*
*besuchen.*

Gordon war sehr froh, Philip wiederzusehen und auch Isabelle.
Er lag in einem Einzelzimmer des großen und modernen Hospitals.

Philip umarmte Gordon vorsichtig, und auch Isabelle umarmte ihn,
und dann saßen sie an seinem Bett. Sie hatten Magazine und
Zeitungen und Taschenbücher mitgebracht, und Philip holte auch
eine Flasche Whisky hervor. Gordon grinste beglückt und erklärte,
wo die Zahnputzgläser standen. Es gab sogar einen kleinen Kühlschrank in diesem Zimmer, wirklich ein hervorragend ausgestatte-
tes Hospital.

Dann hatten sie alle ihre Drinks und tranken auf Gordons schnelle
Genesung, und er erzählte, daß er schon dreimal denselben Traum
gehabt habe.

»Also stellt euch vor«, sagte er. »Ich fliege! Nicht mit einem Ballon,
nein, mit meiner alten Spitfire, aber es ist nicht Krieg, ich fliege bloß
so, ganz hoch und bei gutem Wetter, und dazu höre ich meine
Lieblingsmusik. Einfach phantastisch! In all den Jahren habe ich das
niemals geträumt. Ich bin so glücklich in meinem Traum und ganz
gesund, ich bin nie verwundet worden, alles ist in Ordnung, und ich
weiß, daß meine Frau auf mich wartet, wenn ich heimkehre.«

Er sah, daß Isabelle den Kopf senkte, und sagte: »Ich bin nie traurig,
wenn ich aufwache, Isabelle, ich hatte meine Zeit und viel mehr
Schönes als die meisten, denn ich bin hier in Château-d'Oex gelandet und habe Philip und Monsieur Oltramare.«

»Und mich«, sagte sie.

»Sie sind großartig«, sagte Gordon. »Sie sind einfach großartig,

Isabelle, und ich hebe mein Glas auf eure Liebe. Auf die wollen wir trinken!«
Und das taten sie dann.

*Gordons Lieblingsmusik war das Klarinettenkonzert von Mozart, ich fragte ihn.*
*Als wir dann später vor Philips Haus ankommen, parkt da ein Auto. Und ein Gendarmerieoffizier unterhält sich mit Monsieur Oltramare. Der strahlt uns an. Er hat Schlüssel zu Philips Haus, die Eingangstür ist offen, und wir sehen sofort: Der »Sinnende« steht wieder im großen Wohnraum. Ich habe es prophezeit. Ich habe es gewußt. Aber nun ist mir einen Moment doch schwindlig.*
*Der Gendarmerieoffizier berichtet: Die Statue wurde einem Kunsthändler in Zürich angeboten. Von zwei Männern. Die merkten wohl, daß der Kunsthändler versuchte, die Polizei zu rufen. Sie waren schnell verschwunden und ließen die Statue zurück.*
*Dann sind wir allein. Nacht ist es geworden. Philip holt Späne und Buchenholz, große Kloben. Er zündet das Kaminfeuer an. Wir sitzen nebeneinander, den »Sinnenden« vor uns und den tanzenden Flammen. Ich lege einen Arm um Philips Schulter. Licht und Schatten auf der Statue. Es ist, als hätte sie hundert verschiedene Gesichter, als lebte sie. Draußen gehen Menschen vorüber. Lachen. Dann ist es wieder still. So viel Glück haben wir, sage ich. – Ja, sagt Philip, so viel Glück...*

Ich habe diese Tagebucheintragung Isabelles nun noch einmal gelesen und dabei staunend festgestellt, wie anders ich an jenem Tag da oben auf dem Berghang gesprochen und gedacht habe, wie so sehr anders als noch gar nicht lange Zeit zuvor. Wie anders als zu Beginn dieses Berichtes, da mich nur Ekel erfüllte vor dieser Welt und ihren Menschen, da ich Horstmanns »Untier« zitierte. Und nun habe ich über das Böse gesprochen, das niemals siegt. Über das Gute, das immer Sieger bleibt zuletzt. Was ist mit mir geschehen, seit ich Isabelle traf? Welch ein Geschenk, diese späte Liebe!
Von Glück hat sie gesprochen da vor dem Kamin.
Und auch ein paarmal von Pierre Leroy in diesen Tagen...

## 5

Katja Raal hielt ein Stück weißen Karton vor die Kamera. Darauf hatte sie mit Fettstift geschrieben: HAMBURG/1, INTERVIEW DR. BRAUNGART.

Bernd Ekland stand hinter der auf einem Stativ montierten BETA und sagte leise: »Bitte, Frau Doktor Roth...«

An einem mit Büchern und Papieren überhäuften Schreibtisch saß Valerie einem großen, schlanken Mann gegenüber, der eine Brille trug. Überwach waren seine sehr hellen graugrünen Augen.

Die Kamera lief.

Valerie sagte, in das Objektiv blickend: »Dies ist Doktor Michael Braungart, Direktor des EPEA-Umweltinstituts in Hamburg.[42] Seine Frau ist Vorstandsmitglied von Greenpeace International...«

Es war der frühe Nachmittag des 14. Oktober 1988. Am 17. Oktober, drei Tage später, hatte das Team eine Verabredung mit dem Bundesumweltminister in Bonn. Dort sollte seine Stellungnahme zu dem größtenteils schon abgedrehten Dioxintransport gedreht werden.

Im Büro Dr. Braungarts waren alle Wände von Stellagen verdeckt, vollgestopft mit Ordnern, Büchern, Papieren und Akten. Isabelle, Marvin und Gilles hatten sich in eine Ecke des Zimmers gesetzt und hörten zu.

»Herr Doktor Braungart«, sagte Valerie zu dem erstaunlich jungen Mann, »wofür steht die Abkürzung EPEA?«

Braungart fuhr sich durch das dunkelblonde Haar. »Die Abkürzung bedeutet Encouragement Protection Enforcement Agency – deutsch etwa: Agentur zur Durchsetzung von Umweltschutz. Wir haben Büros in London, New York, São Paulo und Moskau.« Der hochintelligente Mann sprach schnell.

»Sie sind Physiker?«

»Ja.«

Valerie neigte sich vor. »Herr Doktor Braungart, nach all den Protesten gegen offene Sondermülldeponien gibt es mittlerweile in der Bundesrepublik vierundfünfzig Müllverbrennungsanlagen.«

»Die genaue Bezeichnung«, sagte Braungart, »ist Müllkraftwerk. Sie werden bald die feine psychologische Verbindung zu Atom-

kraftwerk verstehen, die diese Wortschöpfung veranlaßte. Vierund-
fünfzig Müllkraftwerke, ja. Von den Städten in Auftrag gegeben.
Mit diesen Müllkraftwerken kommen aber weiter Bürgerproteste.«
»Warum?«

»Weil sie nicht gut sind. Beim Abfackeln werden Dioxin und neue
giftige Verbindungen freigesetzt. Erste Meßaufträge ergaben
Schreckliches. Und nun kommen also die Stromer vom Verbund.
Haben gerade Schwierigkeiten, ihre Überkapazitäten loszuwerden,
die sie dank dem Gesetz von 1935 erzeugen dürfen. Es ist einfach
zuviel passiert, die Politiker in Bonn und in den Kommunen sind
verärgert. Gut, sagen die vom Verbund, machen wir euch einen
Vorschlag: Ihr erstickt im Sondermüll. Wir offerieren euch Eins-a-
super-de-luxe-Müllkraftwerke. Merken Sie jetzt die feine psychologische Verbindung? Atomkraftwerke – Müllkraftwerke! Und auch
der Wunsch dahinter ist der gleiche: Alle müssen von *uns* kaufen.
*Wir* müssen das Monopol haben.« Braungart hatte sich in Rage
geredet, er sprach noch schneller. »Müllkraftwerke sind das größte
Geschäft nach den Atomkraftwerken! Ein Investitionsvolumen von
dreißig bis vierzig Milliarden D-Mark wird erwartet. Deshalb beteiligen sich am Bau natürlich auch viele große Konzerne. Die Atomkraftwerke der neunziger Jahre werden die Müllkraftwerke der
Stromer sein!«

»Wie viele sollen gebaut werden?«

»Im Augenblick einhundertundzwanzig. Manche sind schon im
Bau. Europaweit denkt man an vierhundert. Bei solchen Geldmen-
gen wird *jeder* schwach – wie seinerzeit, als die Stromer alle an die
Steckdose lockten. Dasselbe System, dieselbe Methode. Das Monopol muß gewahrt bleiben! Feststellen, wie gut die Dinger sind, kann
man ja erst, wenn sie gebaut sind. Eines steht heute schon fest: Der
Müll wird damit hauptsächlich in die Luft und in das Wasser
verlagert. Die entstehenden Rückstände sind größtenteils schädli-
cher als der vorherige Müll, weil sich beim Verbrennen neue
gefährliche Substanzen bilden.«

»Auch Dioxine?«

»Auch Dioxine, natürlich! Die wissenschaftlichen Untersuchungen
darüber werden sehr unobjektiv von seiten der Müllverbrenner
ausgewertet. Nach einer Untersuchung sind achtzig Prozent der

organischen Emissionen unbekannt. Dabei handelt es sich jährlich um mehrere Tonnen unbekannter Substanzen – in Seveso genügten weniger als zwei Kilogramm, um die Katastrophe durch eine bis dahin weitgehend unbekannte Chemikalie auszulösen. In den Rauchgasen der Müllverbrennung sind mindestens zwanzig dioxinartige Chemikalien enthalten, denen ein ähnliches Giftigkeitspotential zugeschrieben werden muß wie den Dioxinen.« Braungart lachte ein böses Lachen.

»Was gibt's?« fragte Valerie.

»Mir ist gerade etwas eingefallen«, sagte er. »Eine *wahre* Geschichte. Da gibt es ein Gesetz über die Reinhaltung der Luft. Nach diesem Gesetz dürfen Müllkraftwerke nicht auf großen, freien Flächen gebaut werden. Dort ist die Luft nämlich noch relativ sauber. Ein Müllkraftwerk würde sie – davon geht der Gesetzgeber aus – über jedes zulässige Maß hinaus verdrecken.« Er lachte wieder. »Deshalb gibt es keine Baugenehmigungen für Müllkraftwerke dort, wo die Luft halbwegs intakt ist. Baugenehmigungen gibt es nur für Standorte in oder bei großen Städten. Da nämlich ist die Luft...«

»...schon von vornherein derart verdreckt, daß es auf ein bißchen mehr oder weniger nicht ankommt«, sagte Valerie.

»Richtig!« Braungart nickte. »Die Reinheit der Milch von Kühen unterliegt Kontrollen. Baute man die Müllkraftwerke dort, wo es Kühe gibt, also auf Wiesen und Weiden, kämen durch die Atemwege Giftstoffe ins Fleisch und die Milch der Tiere, und die Milch wäre nicht mehr so rein, wie es die Normen verlangen. In den Städten atmen Menschen die Giftstoffe ein, beispielsweise stillende Mütter. Muttermilch ist vom Gesetzgeber keiner Kontrolle unterworfen, es gibt keine Grenzwerte. Sie kann also so voller Gift sein, wie es gerade eben kommt. Und dieses Gift geben die Mütter beim Nähren direkt an ihre Babys weiter. Dagegen hat der Gesetzgeber nicht das geringste einzuwenden.«

»Feiner Gesetzgeber«, sagte Valerie.

»O ja«, erwiderte Braungart. »Darf man wohl sagen. Aber sehen Sie, Müll – das ist jetzt eben das ganz große Geschäft. Haben Sie schon mal was von Müll-Zwischenlagerung gehört?«

»Nein.«

»Dasselbe System wie bei der Zwischenlagerung von radioaktivem Müll. Die gleiche Augenwischerei wie die sogenannte Entsorgung über La Hague. Da kriegen wir ja die hochgiftigen Substanzen, die endgelagert werden müssen und für die es kein Endlager gibt, auch wieder zurück, nicht wahr? Schon genial, diese Parallelität des Vorgehens! Passen Sie auf: Wie die AKWs in radioaktivem Müll, so erstickt die Industrie in chemischem Müll. Er muß einfach weg! Also haben sich da ein Haufen Unternehmen auf Transport spezialisiert. Die sagen der Industrie: ›Ihr zahlt, wir nehmen euch den Müll ab.‹ Das ist mittlerweile ein internationales Geschäft geworden mit Gewinnspannen wie im Drogen- und Waffenhandel. Die Firma transportiert also den Chemiemüll ab, ja? Das ist gesetzlich geregelt. Aber das Gesetz ist für die Katz.«

»Wieso?«

»Das Gesetz«, sagte Braungart, »sieht so aus: Der Erzeuger gibt dem Transporteur den Müll, und der gibt ihm eine Bestätigung, daß er den Müll übernommen hat. Der Transporteur bringt das Zeug zum Entsorger. Dafür bekommt er vom Entsorger wieder eine Bestätigung. Der Entsorger schließlich muß dem Erzeuger mitteilen, daß er den Müll erhalten hat. Es gibt also drei Begleitscheine: einen für den Erzeuger, einen für den Transporteur, einen, den der Beseitiger dem Erzeuger gibt. Ah, da passen wir schon verflucht auf, daß alles mit rechten Dingen zugeht, na was denn!« Braungart lachte wieder böse. »Nichts geht mit rechten Dingen zu. Denn ein Genie hat die Idee mit der Zwischenlagerung gehabt – sie folgt der Strategie der Atommüllentsorger.«

»Wie sieht diese Zwischenlagerung aus?« fragte Valerie.

»Sie ist der Trick! Der Clou! Die Masche! Das, was Hitchcock in seinen Filmen den McGuffin nannte. Sehen Sie: So ein Transporteur übernimmt also von einem Werk Abfall. Sehr oft hochgiftigen, hochgefährlichen Abfall. Je giftiger der Abfall, desto teurer der Transport – klar. Entsorgt der Transporteur nun den hochgiftigen und hochgefährlichen Abfall selbst? Nein. Na, wohin bringt er ihn wohl?«

»Zu einem ›Zwischenlager‹«, sagte Valerie.

»Sie haben schon kapiert! Da gibt es eine Firma, die ist dabei, der zentrale Sondermüllbeseitiger hier in Norddeutschland zu werden.

Kümmert sich um alles – kleinen, harmlosen Müll und großen, hochgefährlichen. Hat nun so ein Zwischenlager angelegt – in Isernhagen. Und damit kommt für sie der warme Regen.«

»Wieso?«

»Nach Beschluß der Umweltministerkonferenz dürfen nur solche Abfälle ins Ausland exportiert werden, die in der Bundesrepublik nicht beseitigungsfähig sind. Wenn in einem Zwischenlager also beseitigungsfähiger Giftmüll mit nicht beseitigungsfähigem Abfall gemischt wird, entsteht unter anderem nicht beseitigungsfähiger Exportmüll, der billig über weitere Zwischenlager zum Beispiel nach Afrika gebracht werden kann. Oder man mischt die Abfälle beispielsweise mit Sägemehl. Das Ganze kann man dann sogar als Brennstoff nach Belgien und in die Türkei exportieren. Dort kommt das giftige Zeug in Zementöfen und wird so fein verteilt über das Land. Die eigentlichen Erzeuger sind dafür natürlich nicht mehr verantwortlich. Mit dem Trick haben die Firmen das ganze Begleitscheinverfahren unterlaufen. Sobald das Müllgemisch im Zwischenlager, zum Beispiel in Isernhagen, ankommt, gilt es für den Gesetzgeber als beseitigt, als entsorgt. Ich habe hier die Vorschriften und gesetzlichen Bestimmungen...«

Wichtige Passagen waren mit breitem Gelbstift gekennzeichnet. Die Dokumente sollte Ekland nach dem Interview aufnehmen.

»Für die Behörden ist der Müll verschwunden – aber natürlich ist er noch da – verdünnt sozusagen, im Zwischenlager. Weil jede Kontrolle wegfällt bei etwas, das ›entsorgt‹ wurde, und weil das Begleitscheinverfahren unterlaufen wurde, ist nun plötzlich die Entsorgerfirma Erzeuger, Transporteur und Beseitiger in einem. Auf diese Weise werden allein in Hamburg jedes Jahr zirka dreißigtausend Tonnen Sondermüll ›neu‹ und ›zusätzlich‹ erzeugt.

»Unfaßbar!« Valerie schüttelte den Kopf.

Braungart winkte ab.

»Das geht noch weiter! Das Verursacherprinzip ist aufgehoben. Weil Abfälle verschiedener Zusammensetzung gemischt wurden, läßt sich der Verursacher von giftigen Teilmengen nicht mehr ermitteln. Da lohnt sich natürlich die Falschdeklaration. Es gibt nur dreitausend Analyseverfahren für rund fünfhunderttausend Industriechemikalien.«

»Und so entstehen Stoffgemische, die jederzeit zu Katastrophen führen können«, sagte Valerie.

»Selbstverständlich, Frau Doktor.«

In diesem Moment klopfte es laut an die Tür des Büros.

Ekland stoppte die BETA.

»Wer ist da?« rief Marvin.

»Joschka«, ertönte die gehetzte Stimme des kleinen Filmproduzenten von draußen.

»Kommen Sie herein!« Marvin war aufgestanden.

Joschka Zinner stürmte in den Raum, blauer Blazer mit vergoldeten Knöpfen, gestreiftes Hemd, Klubkrawatte mit Brillantnadel, Brillantmanschettenknöpfe, Flanellhose, aus blauem Leder geflochtene Halbschuhe, weiße Socken.

»Was ist hier los? Seit einer Stunde rufe ich an. Sekretärin sagt, sie darf nicht verbinden. Also nehm' ich ein Taxi, fahr' her. Ein Vermögen. Wir haben's ja zum Rausschmeißen... Ach so, *arbeiten* tut's ihr! Brav, Kinder, brav, immer fleißig, immer an den armen Joschka denken. Seid's mir immer noch die liebsten von all die Gauner, mit wo ich zu tun hab'. Also habt ihr's noch nicht gehört.« Er nickte, außer Atem.

»*Was* haben wir noch nicht gehört, Herr Zinner?« fragte Valerie Roth.

»Daß...« Joschka plumpste in einen Sessel und preßte eine Hand dorthin, wo sich unter Anzug und Haut eigentlich sein Herz befinden mußte. »Stiche. Gerannt bin ich, ich Idiot. No«, schrie er plötzlich los, »daß der Hansen, dem Sie die Schnauze poliert haben, Marvin, daß der eine Giftgasfabrik gebaut haben soll für den Dings... den... Helft's mir... den da in Libyen... wie heißt er?«

»Gaddafi?« sagte Valerie, sich langsam erhebend.

»Gaddafi, natürlich!« schrie Joschka Zinner. »Ist gekommen in die Abendnachrichten, ARD, ZDF! Ganze Welt außer sich, und ihr keine Ahnung! Mir ist ganz schlecht. Giftgasfabrik für Gaddafi! Giftgas! Ausgerechnet von Deutschen! Erfreut das Herz, wie? Tut wohl, was? Stehen wir wieder erstklassig da vor der Welt. Ja, ja, ja, schaut's mich nicht so an wie die Kuh, wenn's donnert, eine Giftgasfabrik für den Gaddafi soll er gebaut haben, der feine Herr Hansen, sagt der Staatsanwalt.«

## 6

Wenige Stunden zuvor, am Nachmittag des 14. Oktober 1988, hatten drei Männer im Büro des Hauptkommissars Dornhelm im Frankfurter Polizeipräsidium gesessen: der Chef der Mordkommission I mit den ewig violett verfärbten Lippen, der Staatsanwalt Elmar Ritt und der NSA-Agent Walter Coldwell, der nach dem Überfall mit einer schweren Gehirnerschütterung ins US-Army-Hospital gebracht worden war. Vor drei Tagen hatte er das Krankenhaus wieder verlassen dürfen.

Die beiden Deutschen sahen ihn an.

»Giftgas?« sagte Ritt. »Eine ganze Fabrik?«

»Ja«, sagte Coldwell, den sein Vater jahrelang bis zur Bewußtlosigkeit geschlagen hatte wegen entsetzlich vieler entsetzlich schwerer Sünden, welche der Junge gar nicht begangen hatte.

»Schick«, sagte Dornhelm. »Schick. Also wirklich.«

»Ich habe die Erlaubnis, es Ihnen beiden sagen zu dürfen«, sagte Coldwell. »Heute abend wird es offiziell bekanntgegeben. Zur Zeit wissen nur die Bundesregierung und meine Regierung davon. Ach so, ja, und Interpol. Den Leuten in Paris mußten wir es schnellstens sagen. Alle sind sicher, daß Hansen mit Frau in einem Land sitzt, das nicht ausliefert.«

»Also war die ganze Entführung Theater«, sagte Ritt.

Coldwell nickte. »Die beiden müssen geahnt haben, daß die Sache vor dem Platzen steht. Da sind sie abgehauen. Hatten sie wohl von Anfang an vor, wenn was schiefgeht.«

»Was heißt von Anfang an?« fragte Ritt.

»Ach Gott«, sagte Coldwell und dachte, daß er soeben wieder einmal den Namen des Herrn unnütz gebraucht hatte, eine schwere Sünde, er hatte auch schon wieder einmal Unzucht getrieben mit einer hübschen Hure und mit Vergnügen, seit er aus dem Hospital heraus war. Bald muß ich wieder zur Beichte, dachte der häßliche Mann mit dem breiten, teigigen Gesicht, dem schütteren Haar und den ewig traurigen Augen – und den Anzügen eines Schneiders aus der Londoner Bond Street, den Maßhemden aus Hamburg und der Maßschuhen aus Florenz. Ich bereue, ich bereue von ganzem Herzen, aber diesmal wenigstens muß ich dazu nicht auch noch die

Furcht haben, einem Unschuldigen geschadet zu haben durch meine Tätigkeit, die Furcht meines Lebens. Eine besonders hübsche Hure war das. Ich habe ihre Telefonnummer. Ganz gewiß werde ich bald wieder sündigen. »Ach Gott«, gebrauchte er den Namen des Herrn gleich darauf ein weiteres Mal unnütz, »das geht schon seit 1986.« Ab und zu fühlte er sich ein wenig schwindlig, und deutlich sah man noch eine dunkelrote, langgezogene Narbe auf seinem Kopf. »1986 haben wir euerem Bundesnachrichtendienst schon Fotoauswertungen unserer Spezialisten geschickt, nach denen eine angebliche Chemiefabrik da in der libyschen Wüste bei Toresos wohl als Produktionsstätte für Nervengas ausgewiesen werden konnte.«

»1986. Und was passierte daraufhin?« fragte Ritt.

»Nichts«, sagte Coldwell bitter.

»Nichts passierte daraufhin natürlich«, sagte Dornhelm, der hinter seinem häßlichen Schreibtisch in seinem häßlichen Büro saß. »Hättest doch sonst was gehört darüber, Burschi. Selbstverständlich passierte nichts. Bedrückt bist du jetzt wieder mal, geht dir nahe, was bei uns alles passiert, ohne daß etwas passiert. Ich kann's verstehen, traurig bist du, weil du mehr und mehr einsiehst, wie sehr ich recht habe, Burschi. Bist auch viel ruhiger geworden, muß ich sagen, schreist kaum noch, schwitzt kaum noch, glaubst mir endlich, was ich dir immer und immer wieder gesagt habe: Man darf sich einfach nicht aufregen. So sind Menschen eben. So sind sie – und es gibt keine anderen. Der BND hat einen Bericht gemacht und nach Bonn geschickt, und die in Bonn sollen bloß die Schultern gezuckt haben – so war es doch, Mister Coldwell, wie?«

»Genauso war es, Herr Dornhelm.« Der NSA-Agent nickte. »Ein Jahr später haben wir dem Bundesnachrichtendienst weiteres sehr konkretes Material geliefert: den Mitschnitt eines Telefongesprächs. Wir haben natürlich auch Lauschangriffsschiffe im Mittelmeer. Eines hörte ein Telefongespräch zwischen Toresos und der Hansen-Chemie ab. Wurde über Satellit geführt. Das Schiff lag vor Sizilien. Die libyschen Ingenieure baten um sofortige Anweisungen und schnellste Hilfe. Bei einem Testlauf waren giftige Gase ausgeströmt...«

Am späten Nachmittag des 22. April 1915 erhob sich an der West-front, nahe der flandrischen Ortschaft Langemark bei Ypern, leich-ter Nordwind. Frontbeobachter sahen von den deutschen Linien zwei grünlich-gelbe Wolken aufsteigen, die sich in Schwaden auf die Schützengräben der Alliierten zuwälzten, dicht über dem Erdbo-den, etwa eineinhalb Meter hoch.

Eine Minute später waren Zehntausende französischer und algeri-scher Soldaten in beißenden grünen Nebel gehüllt. Die Männer liefen blau an, umklammerten ihre Kehle und rangen verzweifelt nach Luft. Schaum trat ihnen aus Mund und Nase, viele husteten so stark, daß die Lunge platzte. Als sich der Nebel lichtete, waren fünftausend alliierte Soldaten tot und zehntausend schwer verletzt – das deutsche Heer hatte den chemischen Krieg eröffnet.

Pioniere der dreiundzwanzigsten und sechsundzwanzigsten Hee-resgruppe hatten aus zylinderförmigen Behältern rund einhundert-sechzig Tonnen Chlorgas ausströmen lassen und mit dieser ersten Vergasungsaktion ein sechs Kilometer breites Loch in die gegneri-sche Front gerissen. Fünf Monate später, nach hektischen Aktivitä-ten in englischen Labors, setzten die Briten ihrerseits Chlorgas ein, weitere zehn Monate später die Franzosen; fortan tobte der totale Gaskrieg.

Auch im ferneren Verlauf des Ersten Weltkriegs sorgte Deutsch-lands chemische Industrie für eine Eskalation: Sie produzierte als erste das noch giftigere Phosgen (Grünkreuz) und anschließend Senfgas (Lost, Gelbkreuz), einen stark riechenden Kampfstoff, der zu Dauer-Erbrechen, schwärenden Abszessen, Lungenentzündun-gen und Blindheit führen kann und ab 1917 zum Einsatz kam. Die Alliierten konnten erst zwei Monate vor Kriegsende nachziehen.

Beide Seiten attackierten einander mit schätzungsweise einhundert-dreizehntausend Tonnen chemischer Kampfstoffe, gegen Ende des Krieges hauptsächlich mit Gasgranaten. Eins Komma drei Millio-nen Soldaten wurden vergiftet, einundneunzigtausend gingen elend zugrunde. Ausschlaggebend für die Überlegenheit bei der Giftgas-herstellung war die Kapazität der großen deutschen Chemieunter-nehmen, die sich nach dem Krieg zu einer Interessengemeinschaft zusammenschlossen: der I. G. Farben.

Die chemische Industrie, die durch den Kriegsausbruch zunächst

Umsatzeinbußen hinnehmen mußte, machte mit der Giftgasproduktion ein glänzendes Geschäft. Carl Duisberg, Generaldirektor der Bayer-Werke und Verbandsvorsitzender der Farbenindustrie, soll schon im ersten Kriegsjahr das deutsche Oberkommando auf die Anwendung chemischer Waffen hingewiesen haben – mit Erfolg.

Der Wissenschaftler Gerhard Schrader, der für den Chemiekonzern I. G. Farben forschte, entwickelte 1937 den Kampfstoff Tabun und 1938 eine tabunähnliche Verbindung, die Sarin genannt wurde – beides Nervengase, die zum totalen Kontrollverlust der Muskulatur führen. Die Opfer winden sich in Krämpfen und Zuckungen, Darm und Blase entleeren sich unkontrollierbar, der Tod tritt nach wenigen Minuten durch qualvolles Ersticken ein.

Zum Einsatz dieser Kampfstoffe konnte Hitler sich im Zweiten Weltkrieg nicht entschließen, weil er irrtümlich annahm, die Alliierten verfügten gleichfalls über Nervengase wie Tabun oder Sarin und könnten Vergeltung üben. Statt dessen tobte der Gaskrieg hinter verschlossenen Türen: in den Gaskammern von Auschwitz, Maidanek und Treblinka. Millionen Juden, nackt und wehrlos, wurden so gemordet. Auch aus dem Holocaust zog die deutsche Chemieindustrie Profite. Das tödliche KZ-Gas Zyklon B war eine Blausäure-Chlor-Verbindung.

Nach 1945 avancierte die deutsche Chemieindustrie zu einem der größten Hersteller von Insektenvertilgungsmitteln der Erde und geriet mit ihrer furchtbaren Tradition später sogar in den Verdacht, Despoten der dritten Welt bei der Produktion von Menschenvergiftungsmitteln dienstbar zu sein: erst dem irakischen Diktator Saddam Hussein, der Giftgas gegen Iraner einsetzte, dann dem unberechenbaren Libyer Oberst Moammar El Gaddafi.

»Nach dem Telefonmitschnitt dieses Hilferufs der Libyer an die Hansen-Chemie geschah noch immer nichts in Bonn?« fragte Elmar Ritt.

Coldwell schüttelte den häßlichen Schädel. »Nein. Das Kanzleramt stufte auch diesen Beweis als ›vage‹ ein. – Sie erinnern sich gewiß.«

»Ja«, sagte Dornhelm.

»Als amerikanische ·Stellen immer mehr drängten, wurde von – eine Wortneuschöpfung – ›nicht gerichtsverwertbarem Material‹

gesprochen. Zuvor hatten sich Regierungsmitglieder maßlos entrüstet. Sie erinnern sich gewiß auch daran«, sagte Coldwell. »Es war für sie ›nicht denkbar‹, daß sich einzelne in der Bundesrepublik aus Gewinnsucht an Vorhaben beteiligen, die zumindest in Teilen der Welt friedensgefährdend sind.«

»Sie taten sogar noch eins drauf«, sage Dornhelm. »›Unerträglich‹ fanden sie es, ›wenn man die Deutschen auf die Anklagebank setzte, ohne daß sie die Möglichkeit hatten, die Beweismittel einzusehen‹. Der CDU/CSU-Fraktions-Vize attackierte die Amerikaner am massivsten, ›die schrillen Töne‹ aus Washington würden nicht ohne Auswirkungen auf die deutsch-amerikanischen Beziehungen bleiben. Beleidigt blafften die Bonner nicht nur ihre Hauptverbündeten an, sie setzten auch ihre außenpolitische Glaubwürdigkeit aufs Spiel. Erinnerst du dich, Burschi? Wie oft habe ich dir gesagt, wie das Leben wirklich ist? Du bist mein bester Freund. Ich will nicht, daß du dich kaputtmachst. Hat doch keinen Sinn! Wir müssen Realisten bleiben. In unserem Beruf, ich bitte dich! Nie kommen wir an die ganz großen Schweine ran, nie. An Mörder und Kinderschänder vielleicht. Wenn wir Glück haben. Aber an so was wie Hansen? An einen, der Giftgas liefert? Nie im Leben, Burschi. Da hängen doch so viele mit drin, die viel zuviel Macht haben. Gerechtigkeit! Wer mir noch was von Gerechtigkeit erzählt, dem breche ich alle Knochen.«

Ritt trat an ein Fenster und sah in einen dreckigen Innenhof.

»Aber ihr habt nicht lockergelassen«, sagte Dornhelm zu dem NSA-Agenten.

»Nein«, sagte der, während er daran dachte, wie recht der Chef der Mordkommission I mit seinem Pessimismus hatte. Bei der deutschen Bombe sind wir keinen Schritt weitergekommen und werden es auch nie tun, überlegte Coldwell. Und bei so vielen anderen Riesensauereien, ob wir sie begehen, ob andere sie begehen, wird es das auch niemals geben, niemals – Gerechtigkeit! »Wir ließen nicht locker«, sagte er traurig. »Als der Kanzler und seine Begleitung nach Washington kamen, haben wir es ihnen wieder unter die Nase gerieben. Seit Monaten schrieb da der Kolumnist William Safire schon über das ›Auschwitz im Sand‹, das von einer deutschen Firma gebaut wurde. Ausgerechnet von einer deutschen Firma!« Und was ist mit Dir, Herr, dachte Coldwell und fühlte sich elend, so elend. Wo warst Du, als die Öfen rauchten? Warum hast Du Auschwitz zugelassen? Schläfst Du gut, Herr, zu dem ich bete, um dessentwillen ich mich mein Leben lang mit einem schlechten Gewissen quäle und zehn Gegrüßet-seist-du-Maria und drei Rosenkränze bete, wenn ich beim Pokern betrogen oder eine Nutte genommen habe?

»Zuletzt«, sagte er, »haben sich die Bonner entschlossen, endlich doch etwas zu tun, pühbeleidigt noch immer. Finanzprüfer haben sie zur Hansen-Chemie geschickt. Die Prokuristen dort legten den Prüfern bergeweise Material vor. Die Beamten sahen Fotos vom Bau einer Fabrik. Rund um sie bewaldete Berge und grüne Wiesen. Auf der Baustelle chinesische Arbeiter, auf Tafeln chinesische Schriftzeichen. Dann kam die Buchhaltung dran.«

»Also haben wir es euch zu verdanken, daß Herrn Dornhelm und mir der Fall Hansen/Marvin ein paar Tage lang aus den Händen genommen wurde«, sagte Ritt, der immer noch aus dem Fenster in den dreckigen Hof blickte. »Es wurde da natürlich nicht nur Engelbrechts Wohnung durchsucht, die Wohnung von diesem Waffenschieber, genauso wichtig war euch die Durchsuchung von Hansens Firma.«

»Sie sehen doch ein, daß es nötig war«, sagte Coldwell.

»Klar«, sagte Dornhelm, »wir sehen alles ein. Ich schon lang und mein Freund Ritt jetzt auch. Gefunden wurde damals natürlich nichts bei Hansen, auch klar.«

»Nein«, sagte Coldwell, der sich seit Jahrzehnten dauernd wie vor dem Ausbruch einer schweren Grippe fühlte. »Nichts Belastendes jedenfalls. Abrechnungen über Flüge nach Fernost fanden die Prüfer, Rechnungen von Hilton-Hotels in Fernost, Bewirtungsbelege, Taxiquittungen – alles Fernost. Kein einziger Hinweis auf Libyen. Und so hieß es dann auch in dem Bericht des Finanzamts: ›Es wurde eine Fabrik für pharmazeutische Produkte in Fernost gebaut.‹«

Coldwell stöhnte leise.

»Immer noch Schmerzen?« fragte Dornhelm.

Der Amerikaner strich sich behutsam über den Kopf. »Manchmal noch. Hansen hat tatsächlich eine solche Fabrik in Fernost gebaut. Das gab der Chef der Finanzbehörde mit fester Stimme nach

Abschluß der Überprüfung auf einer Pressekonferenz bekannt. Hansen saß neben ihm, ich war auch im Saal. Nach der Erklärung des Finanzmenschen entrüstete Hansen sich als Ehrenmann. Sprach von ›unseriösen, haltlosen Verdächtigungen‹ – und ausdrücklich behielt er sich Schadenersatzforderungen vor.«

»Nerven hat der Herr«, sagte Dornhelm. »Nun setz dich endlich wieder, Burschi! Du machst mich ganz verrückt, wenn du so dastehst, ich fange noch an zu heulen.«

Ritt ging zu seinem Stuhl zurück, wobei er Dornhelm kurz eine Hand auf die Schulter legte. »Der Deal mit Gaddafi lief also über Fernost«, sagte er.

»Ja«, sagte Coldwell. »Über Fernost. Aber jetzt waren auch die deutschen Dienste wütend. Abgekanzelt hatten die Bonner sie. Lächerlich gemacht. Niemals ernst genommen. Jetzt haben sie diese Sauerei aufgedröselt. Noch heute abend, spätestens ab morgen werden alle Medien Einzelheiten berichten – und euere Politiker werden sich bemühen, den außenpolitischen Schaden einigermaßen zu reparieren. Mit dieser mühseligen Aufgabe ist der Finanzminister betraut worden, der in Amerika bereits von einem zum andern rennt und beteuert, daß die Bundesrepublik das, was da passiert ist, ebenso bedauert wie verabscheut, und daß der Kanzler angeordnet hat, allen Spuren ohne Ansehen von Personen und Firmen nachzugehen – mit äußerster Beschleunigung.« Coldwell grunzte. »Mit äußerster Beschleunigung haben Herr und Frau Hansen sich vor drei Wochen aus Deutschland abgesetzt in ein Land, das garantiert unter keinen Umständen daran denkt, sie auszuliefern.« Er neigte sich vor. »Natürlich wußte Hansen von Anfang an, wie heikel dieses Geschäft war. Kein Idiot, der Kleine. Von Anfang an alle Spuren verwischen, das wollte er. In Fernost wurde also eine Pharmafabrik gebaut, von der Firma Psi-Chon. Know-how und Konstruktion lieferte die Hansen-Chemie. Psi-Chon ist Gesellschafter der Hansen-Chemie und ein alter Freund der Familie. Der alte Freund war natürlich einverstanden damit, daß Hansen in Bremen noch eine Tochtergesellschaft der Firma Psi-Chon gründete. Damit hatte er die Tarnung, die er für das Libyengeschäft brauchte. Jetzt wissen das plötzlich alle in Bonn. Jetzt! Die Verhandlungen führte ein pakistanischer Geschäftsmann mit Büro in Frankfurt – ein Vertrauensmann Gaddafis. Trat 1984 an Hansen heran mit einem kleinen Wünschelein. Das kleine Wünschelein war eine Giftgasfabrik. Der Vertrauensmann trat auch an andere Firmen heran – Baufirmen, denn das sollte ein Riesenkomplex werden. Ich vereinfache enorm. Im Detail liest sich das wie ein äußerst komplizierter Krimi. Natürlich konnte Hansen das Ding nicht ohne seine engsten Mitarbeiter drehen. Der Generalbevollmächtigte Keller hielt sich raus. Schlauer Hund. Zwei Prokuristen sind verhaftet worden. Beide sagen, sie hätten nichts anderes getan, als alle Chemikalien und Anlagen, die verlangt wurden, nach Fernost für das Pharmawerk der Firma Psi-Chon zu liefern. Sie verstehen – über Bremerhaven wurde das Zeug verschifft. Alles, was Gaddafi brauchte. Adressiert an die Firma Psi-Chon in Fernost. Psi-Chon verschiffte es weiter nach Libyen. Nach den Erkenntnissen der CIA entsteht da in Toresos südlich von Tripolis die größte Fabrik für chemische Waffen, die jemals entdeckt wurde. Alle Unterlagen fand man im Keller des Büros von Gaddafis Vetrautem in Frankfurt in zwölf großen Kisten.«

»Und der Pakistani ist auch verschwunden, klar«, sagte Dornhelm.

»Klar«, sagte Coldwell.

»Und Hansen nahm rechtzeitig alles, was er für fünfhundert Jahre Wohlleben braucht, aus der Hansen-Chemie raus, bevor er abhaute.«

Coldwell nickte.

»Siehst du, Burschi – absolut lächerlich das alles, aber so ist das Leben, absolut lächerlich!« sagte Dornhelm. »Marvin schlug Hansen krankenhausreif wegen dieser Pinkelsteine. Marvin haßte Hansen. Nicht nur deshalb. Immerhin war er mal mit Frau Hansen verheiratet. Marvin wußte, wie korrupt Hansen war. Marvin hätte ganz bestimmt weiter und weiter gebohrt – wie?«

»Ganz bestimmt«, sagte der Amerikaner.

Ritt saß reglos. Er hielt die Augen geschlossen.

»Und so kam also jemand auf die Idee, Marvin mit diesen Filmen zu beauftragen und weit, weit wegzuschicken. Ihn und Valerie Roth. Die war genauso gefährlich für Hansen. Stimmt's?«

»Stimmt«, sagte Coldwell.

»Und wer hatte wohl diese herrliche Idee?« fragte Dornhelm.

»Ja, wer?« sagte Coldwell. »Und welche Rolle spielt Bolling?«

»Ja«, sagte Dornhelm. »Und welche Rolle spielt Bolling?«

»Es ist immer noch Ihr Fall, Herr Ritt«, sagte Coldwell. »Sie werden jetzt viele Mitarbeiter brauchen. Die besten. Die fähigsten. Es ist immer noch Ihr Fall – dieser Irrgarten aus Lügen und Grausamkeit.«

»Aber es ist kein ungewöhnlicher Fall«, sagte Dornhelm. »Lügen und grausam sein fällt den meisten Menschen nicht schwer.«

Robert Dornhelm dachte daran, daß sein Vater verschwunden und nie mehr gefunden worden war, weshalb er schon als kleiner Junge beschlossen hatte, Polizist zu werden, um anderen kleinen Jungen zu helfen, ihre verschwundenen Väter zu finden, und dafür zu sorgen, daß jene bestraft werden, die solchen Vätern Böses getan hatten.

Elmar Ritt dachte an seinen Vater, der von dem Stabsrichter Holzwig, einem der »furchtbaren Juristen« der Naziwehrmacht, noch am Tag der bedingungslosen Kapitulation des Deutschen Reiches zum Tode verurteilt und am 10. Mai 1945 erschossen worden war.

Walter Coldwell dachte an seinen Vater, den religiösen Fanatiker, der ihn und seine Mutter halb totgeschlagen hatte, dem Herrn zu Ehren und Wohlgefallen.

Alle drei Männer dachten daran, daß sie der Väter wegen ihren Beruf ergriffen hatten, um der Gerechtigkeit zu dienen, und alle drei Männer dachten daran, wie wenig Gerechtigkeit und wie grauenvoll viel Ungerechtigkeit es gab in dieser Welt – trotz ihrer und Millionen anderer Menschen Anstrengung.

Und es war lange Zeit still in dem häßlichen Büro im Polizeipräsidium von Frankfurt am Main.

# 7

Am nächsten Morgen brach der Sturm dann endgültig los.

Zeitungen, Fernsehen und Radiostationen hatten ein einziges Thema. Rudel von Reportern stürzten sich in Bonn auf jeden Politiker, den sie sahen. Da es ein Samstag war, sahen sie nicht viele. Bei der

eilig einberufenen Bundespressekonferenz stand dem Regierungssprecher der Schweiß auf der Stirn, er verstotterte sich und hatte vor
Müdigkeit entzündete Augen. Beim ersten zaghaften Versuch, die
Regierung in Schutz zu nehmen, wurde er von Journalisten nieder-
geschrien.

Nach den Abendnachrichten verbreitete das Fernsehen eine kurze
Stellungnahme des Kanzlers. Es werde unnachsichtig durchgegrif-
fen, erklärte dieser, verwies auf ähnliche Fälle in anderen Ländern,
beklagte die deutsche Unart, das eigene Nest zu beschmutzen, und
beschwor die Gemeinschaft aller Demokraten. Anschließend gab es
ein Special, in dessen Verlauf eine Runde von verantwortlichen
Männern und Frauen aus verschiedenen Geheimdiensten und dem
Justizministerium einander anbrüllten und beleidigten.

Der Generalbundesanwalt erklärte, alle Behörden arbeiteten fieber-
haft. Die beiden Prokuristen der Firma Hansen-Chemie würden
fast pausenlos verhört. Gegen Elisa und Hilmar Hansen laufe ein
internationaler Haftbefehl. Interpol suche das Ehepaar seit dem Tag
der vorgetäuschten Entführung – vergebens, was nicht deutsche
Schuld sei.

Der Giftgasskandal war für die meisten europäischen und alle
großen amerikanischen Zeitungen der Aufmacher, die TV-Stationen Europas und der USA brachten ihn gleichfalls als *lead*, die
Kommentare waren ausnahmslos aggressiv anklagend. Deutschland
und Giftgas!

Eine größere impulsive Protestkundgebung in Bonn wurde von der
Polizei aufgelöst. Eine Sondereinheit hatte das Gebiet um Schloß
Arabella in Königstein, dem Sitz der Familie Hansen, weiträumig
abgesperrt, und Uniformierte vertrieben Gruppen von Reportern,
Fernsehteams und Angehörige einer Friedensgruppe.

Thomas Hansen, den neunjährigen Sohn des flüchtigen Ehepaares,
bewachten ein Dutzend Beamte, darunter ein Arzt, rund um die
Uhr. Der Junge weigerte sich, sein Zimmer zu verlassen. Therese
Toeren war die einzige, mit der er redete.

Der folgende Tag war ein Sonntag. Für Montag, den 17. Oktober,
hatte Markus Marvin einen Termin beim Bundesumweltminister
erhalten. Das Interview sollte um elf Uhr beginnen. Als Marvin und

Valerie Roth mit Ekland und Katja Raal (sie schleppte die BETA-Ausrüstung) um neun Uhr dreißig im Bundesministerium für Umwelt, Naturschutz und Reaktorsicherheit in Bonns Kennedy-Allee 5 eintrafen, wurden sie schon erwartet und zu einem großen Besprechungsraum im zweiten Stock des Gebäudes geleitet. Sie kamen so früh, damit Katja und Bernd genügend Zeit hatten, in Ruhe die Geräte aufzubauen. Katja fuhr mit dem Paternoster noch einmal hinunter und holte aus dem Mercedes des Frankfurter Fernsehens weitere Lichtfilter.

Als sie in den zweiten Stock zurückkehrte und den Gang zu dem großen Besprechungsraum hinabging, hörte sie plötzlich hinter einer geschlossenen Tür eine laute Männerstimme und erstarrte.

»Unverschämtheit!« schrie die Stimme hinter der Tür. »Glauben Sie bloß nicht, daß Sie damit durchkommen! Sie werden jetzt etwas erleben, das verspreche ich Ihnen!«

*Bolling!*

Das war Peter Bolling, der da so wütend und laut schrie – offenbar bei einem Telefongespräch. Ja, das war Bollings Stimme!

Hinter der Tür stand er, saß er, drei, fünf Meter von Katja entfernt. Sie hatte die Filter fallen lassen. Sie bebte am ganzen Körper, so furchtbar erschrocken war sie. Und weiter und weiter sprach Bolling, tobte Bolling, drohte Bollings Stimme. Katja biß sich auf die Unterlippe und hob die Tüllfilter auf. Zusammennehmen! dachte sie, zusammennehmen! Du mußt dich zusammennehmen! Heiß und kalt war ihr jetzt abwechselnd. Auf der Stirn voller Akne stand Schweiß.

Weg. Weg. Ich muß hier weg. Bernd! Bernd! Katja lief taumelnd den Gang hinab zu dem großen Besprechungsraum. Riß die Tür auf. Niemand beachtete sie.

Ein junger Mann in grauem Flanell stand da, auf ihn redeten die anderen ein – empört, nervös, durcheinander.

»Bernd!« rief Katja. »Ich muß dir was sagen – sofort!«

Alle sahen nun sie an.

»Gib Ruhe, Katja! Später.« Ekland schüttelte den Kopf.

»Was ist denn los?« fragte Marvin.

Katja erstarrte. Nicht. Nicht. Nichts sagen. Vor all diesen Leuten – oh, lieber Gott im Himmel, immer mache ich alles falsch! »Nicht wichtig«, murmelte sie. »Nicht wichtig... Verzeihung...«

Die anderen redeten schon wieder auf den jungen Mann ein.

»Wir haben eine feste Verabredung mit dem Minister!« – Valerie.

»Seit Wochen! Zweimal bestätigt!« – Ekland.

»Wenn Sie glauben, daß Sie uns für dumm verkaufen können, dann haben Sie sich geirrt!« – Marvin.

»Bloß weil jetzt hier jeder in Todesangst lebt, ein falsches Wort zu sagen, ein einziges Wort zuviel nach dem Giftgasskandal, läßt sich der Minister nicht sprechen! Sehr schön.« – Ekland.

Bernd! Katja starrte ihn an, sie sah lächerlich aus mit den großen Filtern in den Händen, so klein, so verloren. Sie versuchte, Eklands Blick auf sich zu ziehen. Vergebens. Der Kameramann war derart wütend, daß er die eigenen Vorsätze vergaß, sich nie mehr zu engagieren, sich nie mehr einzumischen.

»Wir haben unsere Zeit nicht gestohlen, Herr Schwarz! Das ist eine Riesenproduktion mit festem Drehplan. Wissen Sie, was ein Drehplan ist?«

»Bitte!« Herr Schwarz in grauem Flanell hob beide Hände. Zarte Hände. »Der Herr Minister bedauert aufrichtig, aber er mußte zum Ortstermin bei einem AKW. Außerordentlich dringende Sache. Unter keinen Umständen zu verschieben. Wir hatten noch gestern abend keine Ahnung davon. Ich wiederhole, der Herr Minister bedauert...«

»Dafür können wir uns was kaufen!«

»Wenn Sie einen neuen Zeitpunkt vereinbaren wollen...«

»Wollen wir nicht. Können wir nicht. Sie hören ja, fester Drehplan. Wir müssen schnellstens nach Amerika. Wenn die Sache mit Hansen und Libyen erst einmal Kreise zieht, wird der Minister doch erst recht nicht für uns zu sprechen sein.«

»Aber wir kommen ohne ihn aus, seien Sie beruhigt, Herr Schwarz! Wir werden Ihr schönes Ministerium filmen, und im Film wird ein Sprecher sagen, daß der Minister eine feste Verabredung platzen und sich nicht sprechen ließ.«

»So ist das nicht. Ich habe Ihnen doch erklärt, daß der Herr Minister dringend und unerwartet...«

»Wir haben's gehört. Herzlichen Dank, Herr Schwarz. Ganz besonders tief empfundenen Dank. Beste Grüße an den Herrn Minister!«

Herr Schwarz ging grußlos. Die Tür fiel hinter ihm zu.

»Was jetzt?« Valerie Roth sah Marvin an.

»Nichts jetzt«, sagte der. »Abbauen und raus hier! Da schreibt uns Gilles einen besonders schönen Text dazu. Wenn ich bitten dürfte, Herr Ekland...«

Katja eilte zu Bernd.

»Wo warst du denn? Hilf mir!«

»Bernd...«

»Erst die Scheinwerfer!«

»Bernd!«

»Der Ton! Du trittst drauf!«

»Bernd, hör zu!«

»Was ist?« Er sah sie ungeduldig an.

Das geht ja nicht, dachte Katja verzweifelt. Nicht hier. Nicht jetzt. Die anderen dürfen es nicht hören. Niemand darf es hören außer Bernd. Ich muß warten, bis wir allein sind.

»Was ist denn?« fragte er gereizt.

»Nichts... Nichts, Bernd... Entschuldige... Ich... die Scheinwerfer...«

Katja eilte zum ersten und begann, ihn vom Stativ zu schrauben. Wenn wir allein sind, dachte sie. Wenn wir allein sind. Solange muß ich warten. Ich habe schon einmal alles falsch gemacht – da in Altamira in Brasilien. Ich darf nicht noch einmal alles falsch machen. Ich muß jetzt warten.

Sie mußte fast eine Stunde warten.

Nachdem alle das Ministerium verlassen hatten, fuhren sie zum Bundespresseamt. Marvin wollte sich unbedingt sofort beim Regierungssprecher beschweren. Der war natürlich nicht zu erreichen. Niemand im Bundespresseamt war zu erreichen.

Sie telefonierten mit dem Sender und bekamen die Anweisung, auf das Interview zu verzichten und schnellstens nach den USA zu fliegen – ab Paris mit einer Concorde. In ihr gebe es noch genügend Platz für alle.

»Wir fahren ins Bristol«, sagte Marvin schließlich zu Ekland. »Fahrt ihr in eure Pension! Sofort packen! Wir nehmen noch die Mittagsmaschine nach Paris.«

Dann, endlich, war Katja mit Bernd allein.

Er saß am Steuer des großen Mercedes, in dem ihr ganzes Arbeitsgerät verstaut war, und fuhr vorsichtig wie stets.

»Also, was ist los, Kleine?«

»Bernd... Bernd... ich... ich habe...«

»Na!«

»Ich habe Peter Bolling gehört!« rief Katja Raal.

Behutsam fuhr Ekland weiter. »Wo?« fragte er.

»Im Ministerium. Hinter einer Tür.«

»Was für einer Tür?«

»Da im zweiten Stock. Wo wir drehen wollten. Ich hab' doch die Lichtfilter geholt, nicht, und wie ich aus dem Paternoster trete, komme ich an der Tür vorbei und höre Bollings Stimme. Ganz laut! Ganz deutlich! Peter Bolling! Er ist in Bonn! Im Umweltministerium!«

»Hör auf zu schreien, Katja! Du mußt dich beruhigen. Das war nicht Bollings Stimme. Du hast dich getäuscht.«

»Ich habe mich *nicht* getäuscht! Ich will auf der Stelle tot umfallen, wenn das nicht Bollings Stimme war. Schon das zweite Mal, daß ich diesen Bolling... Warum passiert das immer mir, Bernd? Ich kann doch nichts dafür!«

»Sagt ja niemand, Kleine.« Er hielt vor einer Ampel, die auf Rot stand, und strich zärtlich über Katjas zuckenden Rücken. »Gute Katja. Brave Katja. So sehr zusammengenommen hast du dich.« Er küßte sie. »Großartig. Weiß schon, warum ich dich liebe.«

Sie begann zu weinen. »Du hast gesagt, wir dürfen uns unter keinen Umständen in diese Sache reinziehen lassen. Du hast gesagt, das ist alles viel zu gefährlich. Wir müssen an uns denken. Arbeit tun, Mund halten und sehen, daß wir so schnell wie möglich weg sind von alldem.«

»Genau das müssen wir tun. Werden wir tun.«

»Aber Bolling.«

»Was Bolling?«

»Wenn er doch in Bonn ist.«

»Das war nicht seine Stimme.«

»Doch! Doch! Doch! War sie!«

Das Licht der Ampel wechselte. Ekland fuhr weiter.

»War sie nicht. Du hast dich anstecken lassen von der Geschichte mit seiner Stimme auf Band.«

»Herrgott, er *war* es! Er war es, Bernd! Hinter der Tür! Ich hab' ihn doch gehört!«

»Gut, du hast ihn gehört. Aber du bist nicht ganz sicher. Nicht absolut sicher, meine ich. Denk an Marvin! Der hat auch gesagt, er ist nicht absolut sicher, daß das Bollings Stimme war auf dem Tonband.«

»Ich bin sicher, Bernd!«

»Absolut? Wirklich absolut?«

Sie sah ihn verzweifelt an. »N-nein, also... also absolut nicht...«

»Na, bitte! Ist auch egal. Du hast überhaupt keine Stimme gehört.«

»Natürlich habe ich...« Katja brach ab. »Ach so. Du meinst...«

»Genau das! Du hast einfach nichts gehört. Müssen wir mit keinem Menschen darüber reden. Werden wir mit keinem Menschen darüber reden. Wir lassen uns in nichts verwickeln. In *nichts*, Süße. Jetzt ist bald Schluß. Solange werden wir es auch noch schaffen, draußen zu bleiben aus dieser Geschichte. Erwartet niemand etwas anderes von uns. Ich habe es doch allen öffentlich erklärt, da in Lübeck, bei Frau Doktor Goldstein. Wir tun unsere Arbeit – und aus.«

»Aber müssen wir es nicht doch den anderen sagen, Bernd?«

»Nein, verdammt! Wir haben uns bisher rausgehalten, wir werden uns weiter raushalten.«

»Aber gerade jetzt, Bernd! Vielleicht steckt Bolling in der Hansen-Geschichte drin...«

»Gerade deshalb nicht! Der Hansen-Skandal hat eben erst angefangen. Was da noch kommt, weiß kein Mensch. Das wird lebensgefährlich für jeden, der damit zu tun hat. Giftgas, Katja! Giftgas! Du wirst kein einziges Wort sagen – zu niemandem, niemals! Schwör mir das, Katja! Schwöre es!«

»Ich... ich schwöre es, Bernd...«

»Jetzt ist es schon viel besser, nicht? Du und ich. Wir beide. Wir halten zusammen. Gegen jeden und alle. Filme über die anderen Solaranlagen gibt's im Archiv. Nur Amerika noch, Katja, dann sind wir fertig. Dann soll geschehen, was will. Dann kommst du zum Professor. Ich habe mit ihm telefoniert. Du hast schon einen Termin. Zehnter November, fünfzehn Uhr. Na, was sagst du?«

Sie streichelte seinen Arm. »Bernd... ich hab' dich so lieb...«

»Ich dich doch auch! Zehnter November, Katja, so bald schon! So bald! Siehst doch ein, daß ich recht habe, was?«

»Sehe ich ein.«

»Und hast keine Angst mehr.«

»Und hab' keine Angst mehr«, sagte Katja Raal. »Überhaupt keine. Das einzig Richtige. Sich in nichts verwickeln lassen, zum Schluß noch. Nein, gar keine Angst hab' ich... Lieber Gott, lieber Gott, wenn ich bloß keine solche Angst hätte!«

»Endlich fängt man an, richtig nachzurechnen! Was kostet das alles denn nun wirklich: Auto, Autobahnen, Strom, Heizung, Kohle, Atomenergie, Luftfahrt, chemische Landwirtschaft? Was sind die Folgekosten für Umwelt, Gesundheit, menschliches Gemeinwohl? Endlich fragt man danach – und ich sage, das ist das Tollste, was der Westen zu bieten hat! So epochal wie Perestroika und Glasnost im Osten!« Der große, starke Physiker Pierre Leroy sah begeistert von Marvin zu Gilles und Isabelle. Seine hellwachen dunklen Augen leuchteten vor Begeisterung. Er lachte. »Der Kapitalismus mit menschlichem Gesicht!«

Da war es knapp vor siebzehn Uhr am 17. Oktober, und sie saßen in der großen Bar des Flughafens Charles de Gaulle vor Paris – auch Katja Raal und Bernd Ekland sowie Valerie Roth, Monique und Gerard Vitran. Wegen einer technischen Überprüfung der Concorde verschob sich der Start. Sie hätte bereits um sechzehn Uhr abfliegen und um dreizehn Uhr fünfundvierzig lokaler Zeit auf dem John-F.-Kennedy-Flughafen in New York landen sollen. Dort hätte es eine Anschlußmaschine zum Tri-Cities-Airport von Richmond nahe dem Atomreservat Hanford im Staate Washington gegeben. Nun saßen sie schon beinahe eine Stunde in der Bar und warteten. Monique und Gerard Vitran sowie Pierre Leroy, die zum Abschied gekommen waren, warteten mit ihnen.

Leroy war aufgeregt. Er hatte vor einiger Zeit in Deutschland zu tun gehabt und dabei viele Dinge erfahren, die ihn seither nicht zur Ruhe kommen ließen. Jetzt sah er Gilles an.

»Entschuldigen Sie, wenn ich hier große Reden halte, aber das ist wirklich alles ganz und gar unerhört.« Er sprach wieder deutsch. »Ich habe eine Rede Ernst Ulrich von Weizsäckers gehört... das ist – helfen Sie mir, Herr Marvin!«

»Der Sohn von Carl Friedrich, dem Philosophen und Physiker, und der Neffe unseres Bundespräsidenten.«

»Ja, danke... ich wußte es nicht genau. Der Direktor des Bonner Instituts für Europäische Umweltpolitik... Also, der sagte dem Sinn nach, daß ein wirtschaftliches und zugleich ökologisches Optimum nur zu erreichen ist, wenn die Preise aller Güter, die wir herstellen und kaufen, wirtschaftlich *und* ökologisch berechnet werden. Da kommt etwas Großes in Gang. Erst, wenn die Preise die wirtschaftliche *und* die ökologische Wahrheit sagen, können unsere Kaufentscheidungen in Einklang gebracht werden mit dem Schutz der Umwelt.« Er strahlte Isabelle an.

»Ja, das wäre schön«, sagte Gilles. »Nur: So neu ist das nun auch wieder nicht. Die Umwelt hat ihren Preis. Das war schon 1891 eine prophetische Erkenntnis des amerikanischen Ökonomen Alfred Marshall. 1920 folgte ihm sein französischer Kollege Arthur Pigou mit Fragen nach den Umweltkosten der Industrieproduktion. Die beiden wollten eine umweltgerechte Preisgestaltung – und konnten sie nicht durchsetzen.«

»Ich bin begeistert!« behauptete Leroy. »Was Sie alles wissen, Monsieur Gilles! Weizsäcker hat sich auf Pigou berufen. Jetzt endlich kommt er zu Ehren. Jetzt, bei den Debatten über Umweltsteuern, die ja nichts weniger sind als die ökologische Reform der Marktwirtschaft.«

Isabelle hielt eine Zigarette. Gilles riß ein Streichholz an. Leroy hielt sein Feuerzeug hoch.

Isabelle beugte sich über die Flamme des Feuerzeugs. »Danke.«

»Sicherlich wissen alle von Ihnen schon eine Menge über diese Entwicklung«, sagte Leroy. »Ich bin von dem, was ich da in Deutschland gehört habe, total überwältigt.« Er wandte sich an Monique und Gerard, erklärte ihnen auf französisch, worüber er sprach, und entschuldigte sich dafür, daß er deutsch redete.

Monique winkte ab. »Macht nichts, Pierre. Braucht Isabelle nicht zu übersetzen. Uns hast du das alles ja schon erzählt.«

Pierre Leroy sah wieder Gilles an. »Hauptsächlich erzähle ich es Ihnen, Monsieur. Es ist die wichtigste Entwicklung überhaupt. In Ihrem Buch müssen Sie darüber schreiben! Erlauben Sie, daß ich Sie informiere...«

»Sehr freundlich von Ihnen, Monsieur Leroy«, sagte Gilles.

»Noch«, sagte Leroy, »arbeiten wir auf der Kosten-Nutzen-Basis.

Aber neben Kapital und Arbeit sind doch Umweltressourcen für die Güterproduktion unverzichtbar. Bisher hat man sie in der herkömmlichen Ökonomie als Produktionsfaktor nicht einmal erwähnt. Immer noch – die Zeiger der Umweltuhren zeigen auf fünf vor zwölf – werden Natur und Umwelt zu Billigtarifen ausgebeutet.«

Gilles, Marvin, Valerie Roth und Isabelle hörten aufmerksam zu, Leroys Begeisterung wirkte ansteckend.

›Aber schon 1986«, sagte er, und Gilles dachte, wie eigenartig es war, daß dem soviel Jüngeren offenbar daran lag, gerade ihn zu enthusiasmieren, »kam der Durchbruch. Da erschien ein aufsehenerregendes Buch von Lutz Wicke: ›Die ökologischen Milliarden – das kostet die zerstörte Umwelt‹. Habe es erst jetzt gelesen. Wicke schätzt die jährlichen Schäden durch quasi umweltblindes Wirtschaften auf hundert bis zweihundert Milliarden Mark – das sind zehn Prozent allein des bundesdeutschen Bruttosozialprodukts. Für Umweltschutz gibt Bonn nur etwa einundzwanzig Milliarden Mark aus – also ein Zehntel der Umweltverluste.«

Ekland und Katja saßen abseits. Jetzt stand sie hastig auf. Bleich war ihr Gesicht.

»Was ist? Mußt du schon wieder brechen?«

»Ja...«

»Im Flugzeug zweimal... Ist das wirklich nur die Aufregung?«

»Bestimmt...« Sie stürzte fort, zu einer Toilette.

Ekland sah ihr besorgt nach.

»Wicke hat die Beträge für die BRD aufgeschlüsselt«, sagte der schwarzäugige, lebhafte Leroy, der in seiner Begeisterung fast ein Solo zum besten gab. »Luftverschmutzung – dreißig Milliarden. Gewässerverschmutzung – zwanzig Milliarden. Bodenbelastung – zehn Milliarden. Lärm und sonstige Schäden – sechzig Milliarden. Das gilt natürlich für jedes Land ähnlich. Wir leben weit über unsere Verhältnisse – großenteils auf Kosten der Umwelt und auf Rechnung der Nachkommen, denen wir immer mehr und immer größere Probleme hinterlassen, etwa den strahlenden Müll aus Reaktoren, den niemand entsorgen kann. Daß das unmoralisch ist, wird kein anständiger Mensch bestreiten. Dieser Wicke hat jetzt mit einem Kollegen im Umweltbundesamt, Jochen Hucke heißt der, ein neues

Buch präsentiert, Titel: ›Der ökologische Marshall-Plan‹. Die beiden schlagen eine globale Umweltaktion vor. Sie meinen, daß angesichts der ungeheueren Gefahren und der ihnen zugrundeliegenden Ursachen – überhöhter Energieverbrauch mit entsprechendem Kohlendioxidausstoß, Verantwortungslosigkeit der Chemiegiganten, Massenarmut, ungerechte Landverteilung in der Dritten Welt und so weiter und so weiter –, daß hier die Politik der sogenannten kleinen Schritte einfach nicht mehr ausreicht. Einen internationalen Plan brauchen wir deshalb, einen ökologischen Marshall-Plan. So wie der alte Marshall-Plan nach 1945 das zerstörte Europa gerettet hat, soll der ökologische Marshall-Plan mit Hilfe einer Steuer auf den Verbrauch von Kohle, Öl und Gas in den nächsten vierzig Jahren insgesamt sechstausend Milliarden Dollar aufbringen und damit die – ja, wahrhaftig – die Welt retten, wobei natürlich auch überall energiesparende Techniken eingeführt werden müssen.«

Während dieser ganzen Zeit spielte Isabelle mit dem Kettchen, an dem die alte Münze hing.

Marvin sagte mitgerissen: »Das habe ich auch gelesen. Und dies: Ein unerwünschtes Ausweichen auf Atomenergie soll dadurch verhindert werden, daß den Betreibern von Reaktoren künftig die vollen Kosten einer Versicherung gegen mögliche Kernschmelzunfälle auferlegt werden – heute haftet für das Risiko noch immer die Allgemeinheit. Eine Abschaffung dieses Privilegs der Atomwirtschaft wird ausreichen, um jeden weiteren Ausbau zu verhindern. In der Bundesrepublik ließe sich beispielsweise durch einen solchen Marshall-Plan der Ausstoß von Kohlendioxid bis zum Jahr 2030 halbieren – anderswo natürlich auch. So könnten Klimakatastrophen vielleicht wirklich noch verhindert werden.«

»Ich sagte doch«, rief Leroy, »das westliche Gegenstück zur Perestroika ist das alles!« Er wandte sich an Marvin: »Einen Satz habe ich gelesen, den Ihr Rat der Wirtschaftssachverständigen in einem Gutachten für Ihren Wirtschaftsminister schrieb: ›Das umweltschonende Wirtschaftswachstum ist anders strukturiert als das umweltbelastende – es allein fördert die Wohlfahrt der Bürger.‹ Damit hat sich die Ökologiebewegung in den Köpfen des Establishments durchgesetzt – nicht nur bei Ihnen, überall bereits. Wirtschaftswachstum wird endlich nach seiner Umweltqualität beurteilt! Trot aller Katastrophenmeldungen ein Silberstreif. So schaffen wir es noch.«

»Isabelle!« sagte Gerard Vitran laut.

Sie schreckte auf. »Ja, bitte?«

»Würdest du wohl das letzte übersetzen, was Pierre gesagt hat?« Er grinste.

»Wenn Sie gestatten«, sagte Leroy mit einem Augenzwinkern und übersetzte selber.

»Es bewegt sich wirklich etwas«, sagte Marvin anschließend. »Nicht nur im Osten, auch bei uns im Westen vollzieht sich eine Revolution des Denkens, und ich sage das nicht wie ein Kind, das im Dunkeln singt, nicht, um sich Mut zu machen. Nein, es ist wirklich so, wie Monsieur Leroy es formuliert: Auch wir haben unsere Perestroika! Der Deutsche Gewerkschaftsbund bereitet für den nächsten Bundeskongreß den Umbau des Steuer- und Abgabengesetzes vor. Der Trend geht durchweg von der sozialen zur ökosozialen Marktwirtschaft. Ein SPD-Parteitag hat in diesem Jahr Umweltsteuern zum politischen Programm erhoben und es damit den Grünen nachgetan. Als Ziel eines mit Umweltsteuern finanzierten ökologischen Umbaus der Industriegesellschaft bis zum Jahr 2000 nennt die SPD: Verringerung des Energieverbrauchs um etwa ein Drittel, eine Wasserqualität für alle Seen und Flüsse, die gefahrloses Baden erlaubt, Stopp des Artenschwunds in der Tier- und Pflanzenwelt durch Schaffung von Naturschutzgebieten auf zehn bis fünfzehn Prozent der Fläche der Bundesrepublik, Bodenschutz, der keine Schadstoffe mehr in das Grund- und Trinkwasser, in Lebensmittel und Muttermilch eindringen läßt. Und ein um dreißig Prozent verringertes Müllaufkommen.«

»Und ganz Ähnliches geschieht bereits bei uns«, sagte Leroy, der so jungenhaft, stark und zuversichtlich wirkte. »Und in so vielen anderen Ländern. Denn das ist klar: Nur weltweit funktioniert der Plan, über alle Grenzen hinweg. War die politische Situation jemals günstiger für derartiges?« Leroy redete so laut, daß andere Barbesucher ihn ansahen. »Wenn Gorbatschows Ideen zur Folge haben, daß Tag für Tag Dinge ereignen – und bestimmt noch viel mehr werden –, die wir uns gestern noch nicht einmal vorzustellen oder vorstellen konnten, dann haben wir mit dem

›Neuen Denken‹ die gleiche Chance! Auch ökologisch kann sich dann so vieles ereignen, das heute noch unvorstellbar ist. *Alles* könnte sich ändern, wenn plötzlich ethische Überlegungen in unserem kapitalistischen System Platz haben. Auf den Kopf stellen würde sich alles. Heute noch rechnen uns die Kassen vor: Was kostet Krankheit? Was kostet es, einen kranken Menschen wieder gesund zu machen? Einen durch diese kranke Welt kranken Menschen. Morgen schon könnte die Frage heißen: Was kostet Gesundheit? Was kostet es, Schädigungen der Umwelt zu beseitigen, damit viele Menschen gar nicht erst krank werden? Wer ist heute noch bereit, für einen anderen einzutreten? Jeder steht doch auf seinem Ego-Trip!« Leroy wurde leiser, seine Stimme klang warm, weich, bewegt: »So vieles wäre dann möglich... So viele Fragen wären dann absolut seriös... zum Beispiel – verzeihen Sie, es klingt pathetisch –, zum Beispiel: Was kostet ein Kinderlachen? Was kosten Zufriedenheit, Wärme, Hoffnung? Was kostet – Pardon – Zuneigung? Was bin ich bereit, dafür zu bezahlen? Was bin ich bereit, dafür zu tun? Und was dafür zu unterlassen?« Er sah Isabelle an. »Sie sind skeptisch?«

»Wie kommen Sie darauf?« sagte Isabelle. »Sie kennen mich doch überhaupt nicht!«

»Nach Ihrem Gesichtsausdruck zu schließen...«

Gilles lächelte.

Während des ganzen Gesprächs hatten von Zeit zu Zeit Stimmen aus Lautsprechern Starts und Landungen bekanntgegeben.

Leroy war nach seinem Solo verlegen. Er sagte: »Ich... ich bin so sehr bewegt von all diesem Neuen. Aber ich bin immer noch Realist. Vieles gibt es, das man mit Geld niemals kaufen, mit Geld niemals kompensieren kann... Wie etwa soll man den ästhetischen Verlust einer Landschaftszerstörung berechnen? Wie das durch eine Krebserkrankung verursachte Leid?... Nein, nein, gewiß, auch die ökologische Berechnung ist nur ein Mittel zum Zweck. Aber immerhin: Wissenschaft und Politik gemeinsam werden jetzt – toi, toi, toi! – neue Sozialtechniken entwickeln, mit denen wir ökologische Erkenntnisse *und* ethische Maximen in die Praxis umsetzen können – und das bewegt mich eben mehr als alles andere, das ich jemals erlebt habe. Entschuldigen Sie bitte meine zu lauten Worte!«

Ein Gong erklang aus den Lautsprechern. Eine Mädchenstimme begann zu sprechen: »Achtung bitte! Meine Damen und Herren, Air France gibt nun den verspäteten Abflug ihres Concorde-Fluges null, null, eins nach New York bekannt. Passagiere werden gebeten, sich durch Ausgang vierundzwanzig an Bord zu begeben. Danke!«

# 8

»Meine Damen und Herren, in fünf Minuten werden wir auf dem Flughafen von Asunción landen«, sagte die Stimme einer Stewardeß aus den Bordlautsprechern. »Wir bitten Sie, das Rauchen einzustellen und sich anzuschnallen. Danke!« Diese Mitteilung in Spanisch wurde englisch wiederholt.

Thomas Hansen saß am Fenster einer nur halbvollen Maschine der staatlichen paraguayischen Fluggesellschaft LAP. Neben dem neunjährigen Jungen, der einen blauen Maßanzug und ein weißes Hemd mit blauer Krawatte trug, saß Dr. Keller, Generalbevollmächtigter der Hansen-Chemie, neununddreißigjährig, groß, schlank und wie ein Bankier gekleidet: dunkler Anzug, weißes Hemd, hoher Kragen, dunkle Krawatte. Sein Kopf war schmal, die Stirn hoch, das blonde Haar angegraut und nach hinten gebürstet. Seltsam transparent wirkende Hände hatte Dr. Keller, es entstand das Gefühl, als sehe man jeden Fingerknochen. Lachend blickte er Thomas an. Das Gesicht des Jungen blieb ernst. Wie Dr. Keller schloß er nun die Schnalle seines Gurtes. Er war müde. Die beiden hatten einen weiten Flug hinter sich – von Frankfurt nach Rio mit der Lufthansa und von dort mit einer Maschine der LAP nach Asunción. Es war wenige Minuten nach zwölf Uhr mittags am 25. Oktober 1988.

Eine Woche zuvor war Markus Marvin mit seinem Team vom Pariser Flughafen Charles de Gaulle aus nach New York und weiter zum Tri-Cities-Airport von Richmond im Staate Washington geflogen. Vor elf Tagen, am 14. Oktober, hatten die Medien zum erstenmal über den geheimen Bau einer Giftgasfabrik für Libyens Staatschef Gaddafi durch die Hansen-Chemie berichtet.

Die Maschine zog einen großen Bogen um Asunción, die Hauptstadt Paraguays, und sank dabei immer tiefer. Nun setzte sie auf und rollte aus. Thomas Hansen sah, wie ein silberfarbener Mercedes langsam auf die Rollbahn fuhr. Nachdem das Flugzeug zum Halten gekommen war und Thomas und Dr. Keller es verlassen hatten, trat der Chauffeur des Mercedes, ein junger Mann in blauer Uniform, zu ihnen. Er hatte blondes Haar, blaue Augen und lachte.

»Willkommen in Paraguay! Ich bin Paul Kassel, Fahrer von Herrn und Frau Hansen. Bitte, steigen Sie in den Wagen. Ich bringe Sie an den See.«

»Was für einen See?« fragte Thomas ernst.

»Schönster See des Landes«, sagte Kassel. »Ypacarai-See. In einer halben Stunde sind wir da. Deine Eltern haben dort ein Haus. Verzeihung! Darf ich ›du‹ sagen?«

»Bitte! Sag Thomas zu mir!«

»Gerne, Thomas. Dann nenn du mich Paul!« Kassel hielt die Tür des Fonds auf. Thomas und Dr. Keller stiegen ein. Paul setzte sich hinter das Steuer und fuhr los. Beim Verlassen des Flugfelds stoppte er noch einmal vor einer Schranke. Ein Polizist trat an den Mercedes heran. Paul sprach Spanisch mit ihm. Dann wandte er sich um.

»Er möchte Ihre Pässe sehen. Reine Formalität.«

Der Polizist war freundlich und dabei von gelassener Würde. Er gab die Pässe zurück und salutierte. Paul hob eine Hand. Sie fuhren auf der Nationalstraße 1 um die Hauptstadt herum in östlicher Richtung. Der Wagen glitt durch bunt zusammengewürfelte Arbeiter- und Handwerkerviertel. Thomas wurde noch einmal munter. Es gab so viel zu sehen. Frauen im Amazonensitz auf Eseln kamen ihnen entgegen, eine hielt eine dicke schwarze Zigarre im Mund.

»Die reiten zum Markt«, sagte Paul. »Hier ist noch der Tauschhandel üblich, weißt du.«

Männer ritten auf Pferden, aufrecht und stolz.

»Auch unterwegs zum Markt«, sagte Paul. »Geschäfte machen. *Arrieros* heißen sie – die paraguayischen Gauchos.«

Auf Fahrrädern glitten fröhliche Mädchen vorüber.

»Gefallen dir, was?« Paul grinste.

»Ja«, sagte Thomas, ernst wie zuvor. »Schönes Land, das meine Eltern sich ausgesucht haben.«

›Das stimmt«, sagte Paul. »Alle Menschen hier sind freundlich und liebenswürdig und meistens sehr schön. Nicht nur die Mädchen. Weißt du, wem sie das verdanken? Ich bin schon seit sechs Jahren hier und habe mich für die Geschichte Paraguays interessiert. Die verdanken ihr Aussehen und Wesen einem Mann namens Domingo Martinez Irala, dem ersten Gouverneur von Asunción. Der entschied um 1540 herum – so lange ist das her –, daß sich jeder Spanier einen eigenen Harem mit bis zu fünfzig Guarani-Schönheiten halten durfte. Die Guaranis, das waren die Ureinwohner. Was der Gouverneur da erlaubte, war zwar nicht gerade hochgradig katholisch, aber es machte ihn enorm populär.«

»Das kann ich mir vorstellen«, sagte Thomas. Sein Gesicht blieb ausdruckslos.

»Die Guarani-Männer hatten nichts gegen diese Verordnung. Wegen der ständigen Kämpfe mit den Inkas wurden sie immer weniger, und die überlebten, konnten den Frauenüberschuß einfach nicht schaffen. Waren richtig froh darüber, daß ihnen die Spanier was abnahmen.«

»Ich verstehe«, sagte Thomas.

»Und siehst du, diese Vermischung zwischen Ureinwohnern und Zuwanderern hat eine eigenständige Rasse geschaffen – die Paraguayos. Schöne Menschen mit klaren Gesichtern, schwarzem Haar, und immer mit derselben gelassenen Freundlichkeit. Jeder Bauer empfängt dich so. Na ja, und die Girls ...«

»Hast du eines?«

»Ich habe eines, ja. Ich hatte schon eine ganze Menge«, sagte Paul. Er und Dr. Keller lachten. Thomas lachte nicht.

Die Vororte waren zurückgeblieben, die Landschaft war verwandelt, als läge sie viele Autostunden von Asunción entfernt: frischgrün, weit offen, nie flach. Sogar der Boden war sanft gewellt, und in der Ferne sah Thomas im Dunst dieses Sonnentags langgezogene Hügelketten. Auf den Weiden graste Vieh. Sie fuhren nun durch sauber geschnittene Zuckerrohr- und Maniokfelder.

»Als ich herkam«, sagte Paul, »ging der Urwald noch bis an diese Nationalstraße eins heran. Die haben da unheimlich gerodet, das Land ist trotzdem immer noch ein einziger Urwald. Nur die Lapachobäume hier haben sie stehen lassen.«

»Lapacho – sind das diese großen rosa und lila Blumensträuße?«
fragte Thomas. Dr. Keller sah den Jungen unentwegt an.

»Ja«, sagte Paul, »diese großen Blumensträuße, wie du sagst, das
sind die Lapachobäume. Bäume! Zwischen August und Dezember
verlieren sie alle Blätter, und ihre Blüten leuchten. Trotz aller
Schönheit werden sie nicht stehen bleiben.«

»Warum nicht?«

»Die Besitzer warten, bis sie ganz ausgewachsen sind, dann fällt
man sie. Das Holz bringt viel Geld...«

Etwas später schon war der Ypacarai-See zu sehen.

»Donnerwetter!« sagte Dr. Keller. »Das ist ja fast nur etwas für
Hochglanzpostkarten. Guten Geschmack hatten deine Eltern immer, Thomas. Vor allem deine Mama. Wie groß ist der See?«

»Zweiundvierzig Quadratkilometer, Herr Doktor Keller«, sagte
Paul. »Nur wenige Meter tief. Schlammiger Boden, keine Algen,
keine Fische. Kein Angeln. Dafür kann man baden, segeln, Was-
serski laufen oder einfach faulenzen im Sand.« Er bog nach links ab.

»Der Hauptort hier heißt San Bernardino. Herr und Frau Hansen
wohnen etwas außerhalb.« Sie fuhren nun durch Straßen mit
kleinen Hotels und Pensionen, vielen Clubs und schönen Villen im
Stil der französischen Riviera. »San Bernardino ist 1881 von deutschen Einwanderern gegründet worden. Spricht fast jeder in der
Gegend noch Deutsch...«

Die Clubs und Villen blieben zurück. Eine neu geteerte Straße
führte wieder hinaus auf das Land, das hier bewaldet war, zum
großen Teil mit Lapachobäumen und ihren rosa und lila Blütenmen-
gen. Paul bremste, nachdem er minutenlang an einer weißen Mauer
entlanggefahren war, und bog wieder nach links. Durch ein hohes
schmiedeeisernes Tor, das offenstand, fuhr er in einen großen Park.
Hier gab es englischen Rasen, kleine Seen, alte Bäume, gepflegte
Beete und in ihnen große Mengen einer flammendroten Blume.

»Schau doch, Thomas!« rief Dr. Keller.

»Ich schaue, Herr Keller«, sagte der Junge.

»Die schönste Blume Paraguays«, sagte Paul. »Hat einen fast
unaussprechlichen Namen.«

»Wie heißt sie?« fragte Dr. Keller.

»Mburukuya«, sagte Paul. Und zu Thomas: »Sag's nach!«

Thomas reagierte nicht. Unentwegt betrachtete ihn Dr. Keller.

»Papageien!« rief der Generalbevollmächtigte der Hansen-Chemie. »In den Bäumen!«

»Wilde«, sagte Paul. »Haben wir jede Menge davon.« Er fuhr an einem weißen Gebäude vorbei. »Hier wohnt das Personal.« Der Weg durch den Park beschrieb eine sanfte Biegung. Ein blendendweißes Herrenhaus im europäischen Gründerstil wurde sichtbar. »Und hier wohnen deine Eltern.«

Sie standen auf der großen Freitreppe, der mädchenhaft wirkende, zarte und sanfte Hilmar Hansen mit dem edel geschnittenen Kopf und dem sehr feinen weißen Haar, und seine Frau Elisa, größer als er, mit breiten Schultern, schmalen Hüften, langen Beinen und Pagenfrisur.

Paul hielt auf knirschendem weißem Kies, der in der Sonne glitzerte.

»Thomas!« rief Frau Hansen.

Sie lief ihm entgegen. Neben einem Beet voll flammendroter Blumen begegneten sie einander. Die Mutter kniete nieder, sie drückte den Jungen an sich.

»Mein Herz«, sagte Elisa Hansen. »Mein Liebling. Mein Alles.«

»Guten Tag, Mama«, sagte der Junge ernst.

Wieder und wieder küßte ihn Frau Hansen. Als sie sich zuletzt erhob, hatte sie Tränen in den Augen. Thomas trat zu Hilmar Hansen, reichte ihm eine schlaffe Hand, ließ sich auf Stirn und Wangen küssen und sagte: »Guten Tag, Papa.«

»Guten Tag, mein Junge«, sagte Hilmar Hansen mit hoher, zarter Stimme. »Wie glücklich bin ich, dich zu sehen.«

»Ich auch«, sagte Thomas und wischte sich Speichelspuren der Küsse aus dem Gesicht.

»Nur einen Begrüßungsschluck«, sagte die Mutter in der riesenhaften Halle des Hauses. Ein deutscher Diener, er trug schwarze Hosen und eine grün-gold gestreifte Weste, servierte Champagner, für den Jungen Orangensaft.

»Und einen Schluck Champagner dazu bitte, zur Feier des Tages«, sagte Elisa Hansen. »Dann wirst du auch besonders gut schlafen.« Sie hob ihr Glas. »Auf dich, Thomas!« rief sie, und alle tranken ihm zu.

In der Halle standen ausgesucht schöne antike Möbel. Es gab mehrere Sitzgruppen, und vor dem Kamin war der Marmorboden zwei Stufen tief abgesenkt. Thomas sah, daß Bilder, die er in Schloß Arabella nie gesehen hatte, an den Wänden hingen. Er verstand für sein Alter viel von Malerei, es gab nichts, wofür er sich mehr interessierte, und er erkannte unter anderem einen Nolde, einen Kandinsky, einen Picasso und einen Van Gogh, der Unsummen gekostet haben mußte. Langsam und ernst schritt er von einem Bild zum anderen.

»Schön«, sagte er und sah weder Mutter noch Vater an. »Sehr schön. Alles. Auch der Park.«

»Es ist ganz wunderbar hier«, sagte Elisa Hansen, hinter der, stumm und ehrerbietig, Dr. Keller ging. »Wir fühlen uns so wohl wie in Königstein. Wohler. Und so viele Vögel gibt es, keine Nachtigallen, aber andere Vögel, die singen. In ganz Paraguay gibt es sie nicht. Nur um den Ypacarai-See herum. Sie singen einfach herrlich, du wirst sie hören, Liebling.«

»Ja, Mama«, sagte Thomas. Er blieb vor einem einzeln hängenden großen Bild stehen, das auf Holz gemalt war. Lange betrachtete er es stumm. In satten Farben funkelte das Gemälde juwelenhaft.

»Das ist das Schönste, was ich je gesehen habe«, sagte er zuletzt.

»Es ist die ›Ruhe auf der Flucht‹ von Lucas Cranach dem Älteren«, sagte Elisa Hansen und drückte ihren Sohn an sich. »Du kennst das Bild doch!«

»Gewiß, Mama. Aber im Original sehe ich es zum erstenmal.« Der Junge betrachtete wieder das Gemälde, das die Heilige Familie zeigte, von dienenden und musizierenden Engeln umgeben, im Mittelpunkt Josef, vor ihm sitzend, in rotem Gewand und mit rotem Haar, Maria, auf einem Knie das Kind, dem ein Engel Erdbeeren reichte. Die Gruppe war in eine bergige Waldlandschaft hinein komponiert. Durch eine Fichte und eine Birke fiel der Blick auf den wolkenlos blauen Himmel und die unendliche Weite, in der sich, fern, fern, blau-weiße Berge erhoben.

»Acht Engel«, sagte der Junge. »Nein, nie habe ich etwas Schöneres gesehen. Sie auch nicht, Herr Keller, wie?«

»Nie«, sagte Dr. Keller.

Der Junge sah die Mutter an. »Es gibt einen Haftbefehl gegen euch«, sagte er ruhig.

»So ist es, mein Herz«, sagte die Mutter. »Gefällt dir auch das Haus, Liebling?«

»Ja«, sagte der Junge. »Ihr werdet nie nach Deutschland zurückkommen.«

»Natürlich nicht«, sagte der Vater.

»Natürlich nicht«, sagte der Junge und nickte. »Ihr hättet keine Chance. Nicht die geringste.«

»Ebendeshalb kommen wir nie mehr zurück, geliebter Schatz«, sagte die Mutter. »Obwohl das Ganze selbstverständlich eine infame Verschwörung der Konkurrenz ist. Wir sind unschuldig.«

»Selbstverständlich«, sagte der Junge.

»Mit dieser Fabrik in Libyen haben wir nicht das geringste zu tun. Zum Glück wurden wir rechtzeitig von Doktor Keller« – sie lächelte dem Generalbevollmächtigten zu – »über diese ungeheuerliche Intrige informiert und konnten uns in Sicherheit bringen. Von einem deutschen Gericht dürfen wir kein faires Urteil erwarten. Dazu sind wir zu vielen Herrschaften im Land zu unabhängig und zu stark. Wir würden ganz gewiß zu Unrecht verurteilt, Liebling.«

»Und zwar zu Höchststrafen«, sagte Dr. Keller. »Unbedingt zu Höchststrafen. Das deutsche Ansehen in der Welt wurde durch die Kabale gegen die Hansen-Chemie sehr geschädigt. Aber das war diesen Verbrechern egal. Sie wollten die Hansen-Chemie und deine Eltern vernichten, Thomas. Nun, es ist ihnen nicht gelungen. Die Hansen-Chemie arbeitet weiter, unabhängig, groß und stark wie eh und je. Bald wird sie noch viel stärker sein – und deine Eltern sind in Sicherheit, so wie du es bist, Thomas.«

Der Junge nickte und sah noch einmal das Gemälde von Lucas Cranach an. »Ihr müßt – ich meine: die, die diese Fabrik gebaut haben, müssen irrsinnig daran verdient haben.«

»Absolut irrsinnig, Liebling«, sagte Elisa Hansen und strich ihrem Sohn zärtlich über das braune Haar. »Aber nun solltest du schnell baden und dann ins Bett! Der lange Flug! Die Zeitverschiebung! Das andere Klima! Du bist todmüde und erschöpft. In zwei, drei Tagen erst wird dein Körper sich wirklich umgestellt haben. Das gilt auch für Sie, Doktor Keller. Auch Sie müssen jetzt schlafen.«

»Gewiß, Madame.«

»Gegessen haben Sie doch im Flugzeug?«

»Ausgiebig gefrühstückt, Madame.«

»Oder hast du vielleicht Hunger, Liebling?«

»Nein, Mama.«

»Ihr Zimmer liegt im Westflügel. Herr Ulrich wird es Ihnen zeigen. Das ist unser lieber Butler hier.« Der Diener in der grün-gold gestreiften Weste, der die Getränke gebracht hatte, verneigte sich leicht. Die beiden verschwanden.

»Und du schläfst im Ostflügel, mein Herz. Ich gehe mit dir und zeige dir alles«, sagte Elisa Hansen, einen Arm um Thomas' Schulter.

Das Haus war groß wie ein Hotel. Der Junge ging mit seiner Mutter einen langen Gang entlang. Dabei begegnete er männlichen und weiblichen Angestellten. Es waren Einheimische, die ihn freundlich anlächelten und höflich grüßten. Auch er grüßte alle sehr freundlich, aber ohne zu lächeln.

Mit einem Lift fuhren seine Mutter und er in den zweiten Stock empor. Endlich erreichten sie ihr Ziel.

»Das ist dein Wohnzimmer, Liebling... das hier das Schlafzimmer... und das Bad. Alle Fenster gehen zum See hinaus, siehst du?«

»Ja, Mama«, sagte Thomas. Ganz plötzlich überkam ihn große Müdigkeit. Er sprach langsam.

»Alles für dich vorbereitet. Auch das Wasser in der Wanne ist schon eingelassen. Zieh dich aus!«

Der neunjährige Junge folgte gehorsam. Er wurde von Minute zu Minute benommener. Nackt stieg er in das warme Wasser der Wanne.

»Warte! Mami seift dich ein!« Liebevoll wusch Elisa Hansen ihren Sohn. »So, jetzt steh auf! Ich dusche dich ab.« Sie tat es. »Ist das gut? Tut dir das wohl?«

»Ja«, sagte er.

Sie frottierte ihn trocken.

Auf bloßen Füßen ging Thomas in das Schlafzimmer, zog einen Pyjama an und legte sich unter die kühle Decke, während Elisa Hansen schwere Vorhänge vor die Fenster zog. Es wurde dämmrig in dem großen Raum.

Elisa Hansen kniete neben dem Bett nieder und küßte Thomas auf den Mund. »So, so...« Sie strich die Decke zurecht. »Ist es so gut?«

»Ja, Mama.«

»Jetzt wirst du schlafen, tief schlafen. Morgen, wenn du dich schon ein wenig eingewöhnt hast, sprechen wir über alles, ja?«

»Ja, Mama.«

»Ich lasse die Tür einen Spalt weit offen. Wenn du aufwachst und irgend etwas brauchst – hier ist die Klingel. Es kommt dann sofort jemand, Tag oder Nacht. Und hier ist ein Telefon. Wenn du mich haben willst – mein Schlafzimmer hat die Nummer elf. Wirst du dir das merken?«

»Elf«, sagte er. »Natürlich merke ich mir das.«

»Mein Zimmer ist ziemlich weit weg. In einem anderen Stockwerk. Aber ich komme sofort, Liebling. Sofort ist deine Mama bei dir.«

Sie umarmte und küßte ihn noch einmal, dann ging sie schnell aus dem Raum. Die Tür ließ sie offen, wie versprochen.

Thomas seufzte tief. Zwei Minuten später war er eingeschlafen. Er träumte von den acht Engeln.

Am nächsten Nachmittag saßen dann Hansen, seine Frau, Thomas und Dr. Keller vor dem großen Kamin in der Wohnhalle, in welcher der Cranach und die anderen Bilder hingen. Dicke Holzkloben brannten. Butler Ulrich servierte Tee.

»Du kannst ohne weiteres neunzig Tage hierbleiben, mein Herz«, sagte Elisa Hansen zu ihrem Sohn. »Danach bekommst du sofort eine Verlängerung für weitere neunzig Tage.« Sie hatte den braunen Pagenkopf sorgfältig gekämmt. Ihre braunen Augen leuchteten. Elisa Hansen trug weiße Hosen und einen gelben Kaschmirpullover. Die weiß-gelben Schuhe hatten hohe Absätze. Im linken Ohrläppchen hing ein großer Smaragd.

»Dasselbe gilt auch für Sie, Herr Keller«, sagte der zierliche, weißhaarige Hilmar Hansen, der im Ausschnitt seiner Tweedjacke ein Tuch trug, das Elisa von Zeit zu Zeit zurechtzupfte. Hansen war ein wenig erkältet.

»Ich weiß, Herr Hansen«, sagte Dr. Keller.

»Erst im nächsten Herbst kommst du aufs Gymnasium, Thomas«, sagte Elisa. »Du bist so gut in der Schule, daß du auch außerhalb der Ferien herkommen kannst. In den Ferien sowieso. Freust du dich, Liebling?«

»Seid ihr hundertprozentig sicher, daß Paraguay euch nicht ausliefert?« fragte Thomas, statt zu antworten.

»Hundertfünfzigprozentig, Süßer!« Elisa Hansen lachte fröhlich. »Genauso wie dir und Doktor Keller keine deutsche Behörde jemals verbieten kann, herzukommen. Euch beiden nicht – und niemandem sonst, der uns besuchen will. Doktor Keller wird sehr häufig hiersein. Er führt das Werk weiter.« Sie wandte sich an den überkorrekt gekleideten Mann, der wie ein Bankier wirkte. »Sie tun, was Sie für richtig halten – immer, Doktor Keller. Sollte es zu grundsätzlichen Überlegungen kommen...«

»Rufe ich sofort an und fliege her, Frau Hansen. Und bringe, falls nötig, die besten Fachleute und Anwälte mit.«

»Ich weiß, ich kann mich auf Sie verlassen«, sagte Elisa und lächelte ihn an.

»Natürlich wird es einen Prozeß geben«, sagte Dr. Keller. »Wird nichts dabei herauskommen, gewiß. Außer viel Mediengeschwätz. Dennoch habe ich mir erlaubt, die besten Anwälte zu verpflichten, die es für derlei gibt.«

»Welche?«

Er nannte drei Namen.

»Ausgezeichnet, Doktor.« Elisa lächelte ihm noch einmal zu.

»Die beiden Prokuristen wird man natürlich verurteilen.«

»Natürlich«, sagte Elisa. Und zu Hilmar Hansen: »Hast du Fieber? Sieh jetzt nach!«

Gehorsam zog der ein Thermometer aus dem Hemd, das sie ihm kurz zuvor unter die Achsel gesteckt hatte.

»Zeig her!«

Er reichte es ihr.

»Siebenunddreißigacht. Erhöhte Temperatur. Nach dem Tee legst du dich ins Bett!«

»Gewiß, Liebste«, sagte Hilmar Hansen.

»Um sieben kommt Doktor Tastil vorbei.«

»Das ist wirklich nicht nötig...«

»Ganz sicher ist es nötig! Du weißt, wie sehr wir auf deine Gesundheit achten müssen – in diesem immer noch geschwächten Zustand.« Sie sah Thomas an. »Wir telefonieren täglich, mein Alles. Täglich muß ich deine Stimme hören.«

»Und ich bin immer für dich da«, sagte Dr. Keller.

»Wir haben Zeit genug zu überlegen, in welches Gymnasium du kommst«, sagte Elisa. »Vielleicht sogar ins Ausland. England. Frankreich. Die Zeit vergeht so schnell. Du wirst Chemie studieren. Das wolltest du doch.«

»Ja, Mama. Malerei nur als Hobby.«

Sie küßte ihn.

»Was habe ich für einen wunderbaren Sohn! Eines Tages wirst du die Hansen-Chemie leiten. Doktor Keller hat dafür gesorgt, daß schon jetzt alles dir gehört und nichts beschlagnahmt werden kann. Es gibt keine Sippenhaft. Doktor Keller steht dir zur Seite, Liebling.«

Butler Ulrich goß Tee nach.

»Es gibt keinen einzigen Tag der Unterbrechung in Deutschland. Die Werke arbeiten weiter wie eh und je«, sagte Elisa Hansen. »Sei ganz ohne Sorge. Alles erledigt Doktor Keller.«

»Niemand kann wagen, sie stillzulegen«, sagte der Generalbevollmächtigte. »Wie viele Arbeitsplätze gingen da verloren!«

»Da hörst du es! Alles geht weiter. Aber jetzt bleibst du erst einmal einen Monat bei deiner Mami!«

»Nein«, sagte Thomas.

Elisa Hansen lachte noch.

»Nein was, mein Herz?«

»Nein, ich bleibe nicht bei dir«, sagte Thomas und sah die Mutter ernst an. »Und ich komme auch nie mehr hierher.«

»Du...« Elisa Hansen betrachtete ihn erschüttert.

»Nie mehr«, wiederholte ihr Sohn.

»Aber warum nicht, mein Liebling?« rief sie. »Warum nicht, um alles in der Welt?«

»Weil ich zurück zur Thesi will«, sagte Thomas.

»Ist das die Hausdame?« fragte Dr. Keller den zierlichen Herrn Hansen.

»Ja, Frau Toeren«, antwortete dieser.

»Du willst zurück zu Frau Therese?« fragte Elisa Hansen, und ihre Stimme war plötzlich klanglos, sie sah innerhalb von zwei Sekunden um zwanzig Jahre gealtert aus.

»Ja, Mama«, sagte Thomas. »Und ich will bei der Thesi bleiben.

Bitte, ruf sie an und sag ihr, sie soll gleich losfliegen und mich abholen!«

Plötzlich war es totenstill in der Halle.

Die Kuh stand langsam auf, schwankte und fiel um. Ein paar weitere Rinder der Herde erhoben sich, ein schwer verwachsenes Tier konnte nicht mehr aufstehen. Und zwei Rinder, die aufgestanden waren, fielen auch wieder um.

Kreise, dachte Markus Marvin, der zur Zeit, da es in der Halle einer großen Villa am Ypacarai-See in Paraguay plötzlich totenstill geworden war, in einem Landrover nahe dem Atomreservat von Hanford an der Weide des Farmers Ray Evans und seinen verkrüppelten Tieren in Richtung der kleinen Stadt Mesa vorbeifuhr. Immer neue Kreise schließen sich. Hier war ich schon einmal. Das alles habe ich schon einmal gesehen. Eine Ewigkeit scheint es her zu sein. Und war doch erst im März. Vor sieben Monaten nur. Was ist alles geschehen in diesen sieben Monaten? Nachdem ich zum erstenmal hier war, hat das, was ich sah und hörte, mein Leben verändert. Sie haben mich aus dem Hessischen Umweltministerium geworfen. Bei der Physikalischen Gesellschaft Lübeck bin ich gelandet. Meine geliebte Tochter Susanne ist tot, erschossen wurde sie im brasilianischen Urwald. Andere Menschen wurden getötet. Wo bin ich überall gewesen?

Hinter Marvin, in einem zweiten Wagen, fuhren Bernd Ekland, Katja Raal und Valerie Roth. Neben ihm saß Isabelle, im Fond Gilles. Sie waren dabei, die letzten Aufnahmen zu machen. Sie hatten diese Tiere gefilmt und das Hanford-Atomreservat. Sie hatten mit Einwohnern und Behördenvertretern gesprochen. Sie hatten dokumentiert, was Atom- und Plutoniumwirtschaft anrichten. Nun wollten sie nur noch einmal nach Mesa, in das Stardust Memories Café, das Ray Evans' Vetter Tom gehörte.

Ein Kreis. Wieder schließt sich ein Kreis, dachte Markus Marvin. Gefolgt von dem zweiten Wagen, fuhr er dann die Main Street von Mesa hinunter. Auch hier haben wir schon gedreht, dachte er. Für die anderen ist alles neu. Die Tankstellen, die Kinos, Warenhäuser, Banken, Geschäfte, die wenigen hohen Gebäude, der schwache Autoverkehr.

Und die Menschen, dachte Marvin. Alle sehen bedrückt aus. Keiner lacht. Sogar die Kinder sind ernst. Nur wenige spielen. Und die sind traurig beim Spielen. Die meisten sitzen und stehen herum. Wie die Rinder auf Evans Weide. Noch trister ist hier alles geworden.

Er sah das Stardust Memories Café und lenkte den Rover an den Straßenrand. Der Wagen hinter ihm, an dessen Steuer Ekland saß, folgte. Hier, dachte Marvin, während er anhielt und ausstieg, hat Ray Evans damals im März gesungen mit seiner brüchigen Stimme, ich erinnere mich genau... »*Ahm tired of livin' An' feared of dying, But Ol' man river he jes keeps rollin' along...*«

Angst vorm Leben habe ich und Angst vorm Sterben, aber *Ol' man river*, der alte Mann Strom, er fließt ruhig weiter und weiter und weiter...

Nichts hatte sich geändert im Stardust Memories Café.

Da war die lange Theke, an der man auf hohen Hockern aß und trank. Da waren die bunten Nischen mit den bunten Plastiktischen und Plastikstühlen. Daneben ein Krimskramsladen, Apotheke, Drogerie, Kaufhaus in einem – der Drugstore.

Katja hatte den Drugstore kaum betreten, da wurde sie gelblich-grün im Gesicht und stürzte auf die Damentoilette. Nur Valerie bemerkte es während der allgemeinen Begrüßung. Nach ein paar Minuten folgte sie Katja und fand diese in einem weißgekachelten Vorraum mit zwei großen Spiegeln über den Waschbecken. Katja stand zitternd vor einem der Becken und spülte ihren Mund. Sie sah elend aus. Unter den Augen lagen dunkle Ringe.

»Meine Arme«, sagte Valerie und legte ihr mitfühlend eine Hand auf die Schulter. Katja zuckte erschrocken zusammen. »Nicht doch! Ich tue Ihnen doch nichts, meine Liebe.« Valerie sagte behutsam: »Das beobachte ich schon, seit wir aus Bonn abgeflogen sind. Schon da war Ihnen dauernd schlecht. Auch in der Flughafenbar in Paris. Seit wann sind Sie schwanger, meine Liebe?«

Katja sah Valerie verständnislos an.

»Unter uns Frauen! Schließlich keine Katastrophe. Vielleicht kann ich Ihnen helfen... In welchem Monat sind Sie?«

»Aber... aber...« Katja wischte ihr Gesicht mit einem Taschentuch trocken. »Ich bin doch gar nicht schwanger!«

»Bestimmt nicht? Wissen Sie das genau?«

»Ganz genau!«

»Ja, aber... was ist es dann? Was haben Sie bloß?« Katja wich vor Valerie zurück. »Wollen Sie es mir nicht sagen?«

Katja schüttelte den Kopf.

»Nein?«

Neuerliches Kopfschütteln.

Valerie trat einen Schritt vor. »Warum denn nicht? Ist es so schlimm?«

Nicken.

»Was kann denn bloß so schlimm sein? Wirklich, Katja, ich bin doch Ihre Freundin! Ich mache mir Sorgen. Wollen Sie es mir nicht doch sagen?«

Kopfschütteln.

»Warum nicht? Das ist ja nicht mit anzusehen, wie Sie sich herumquälen... dauernd dieses Erbrechen... Da muß einfach etwas geschehen... Ich rufe einen Arzt...«

»*Nein!*« Das hatte Katja geschrien. Sie zitterte. »Keinen Arzt, bitte keinen Arzt! Ich... ich bin nicht krank...«

»Aber das ist doch nicht normal, wie oft Sie sich erbrechen... Ich habe Angst...«

»Ich auch...«

Katja biß sich auf die Lippe. Das hätte ich nicht sagen sollen. Aber diese Valerie ist so nett, dachte sie, und kümmert sich so um mich. So geht das wirklich nicht weiter mit mir...

Valerie setzte sich neben Katja, die in einen Sessel gesunken war, und legte eine Hand auf ihren Arm. »Courage! Wovor haben Sie solche Angst?«

Katja begann zu weinen. Valerie nahm sie in den Arm und streichelte die Schluchzende zärtlich. Und zuletzt fing Katja doch zu sprechen an.

»Peter Bolling...«

»Was, Peter Bolling?«

»Bernd hat gesagt, ich darf es niemandem sagen...«

»Was dürfen Sie niemandem sagen, Liebste?«

»Daß er in Bonn war... im Umweltministerium...«

»Bolling? Im Umweltministerium?« Valerie wiederholte Katjas Worte ungläubig.

»Ja...«

»Aber das ist doch lächerlich!«

»Gar nicht lächerlich. Ich habe da seine Stimme gehört! Ganz deutlich.« Jetzt wurde Katja hysterisch. »Seine Stimme, ich schwöre es! Bollings Stimme! Bollings Stimme!«

»Das ist grotesk... arme Katja... Sie *müssen* sich geirrt haben...«

»Nein! Er war es! Er war es!«

»Das gibt es nicht... Das kann er nicht gewesen sein. Er ist doch verschwunden... Weiß Gott, ob er überhaupt noch lebt! Also wirklich, was ist das für ein Unsinn? Sie... Sie haben da etwas von Markus... von Markus Marvin gehört... über dieses Tonband, das man ihm und Gonzalos in Frankfurt vorgespielt hat. Gonzalos sagte, er habe Bollings Stimme erkannt... Markus sagte, das sei nicht Bollings Stimme gewesen... Eine sehr ähnliche Stimme, ja... aber nicht die Bollings... und Markus kennt Peter doch nun wirklich. Sie sind ganz einfach überarbeitet, meine Arme. Kein Wunder... all diese Wochen... der Klimawechsel... die Schufterei... Mit den Nerven herunter sind Sie... ganz mit den Nerven herunter... Und seit Sie diese mysteriöse Tonbandgeschichte gehört haben, bilden Sie sich alles mögliche ein... zum Beispiel, daß sie in Bonn Bolling gehört haben... So eine verrückte Idee! Bolling in Bonn! Warum haben Sie denn nicht diese Tür einfach aufgemacht und ins Zimmer geschaut, wer drin war?«

»Ich... ich weiß nicht... Bernd sagt ja auch, daß ich bloß durcheinander bin...«

»Na bitte!«

»...und daß ich damit aufhören soll... und ruhig sein... jetzt, wo unsere Arbeit zu Ende ist... nur heute noch drehen wir...«

»Gott sei Dank! Dann ruhen Sie sich aber richtig aus in Deutschland! Bernd sagt es auch... und Bernd liebt Sie doch – wie?«

»Ja-ha...«

»Und will Ihr Bestes... Wirklich, Sie dürfen sich einfach nicht weiter in diese verrückte Idee verrennen... Sie werden sonst wirklich noch krank... Bernd sagt es, ich sage es: Das war nie und nimmer Bollings Stimme!«

»Sie... Sie... meinen wirklich?«

»Mein liebes Kind, ich bitte Sie!«

»Ja, vielleicht bin ich tatsächlich... Würden Sie mir bitte ein Taschentuch leihen? Meines ist ganz naß... Danke, Sie sind so lieb zu mir... alle sind so lieb zu mir... Wenn es Bernd und nun auch Sie sagen, dann höre ich vielleicht wirklich schon Gespensterstimmen...« Katja lachte, hoch und zittrig.

Valerie lachte auch. »Jetzt werden Sie endlich vernünftig. Warten Sie, ich helfe Ihnen mit dem Lippenstift... So können Sie ja nicht unter die Leute gehen... liebe, dumme Katja...«

Ein paar Minuten später kamen die beiden in das Café zurück. Valerie lächelte Katja noch einmal zu und drückte ihr fest die Hand.

»Danke!« flüsterte diese. »Danke!«

Heute saßen keine Angestellten hier, keine Arbeiter einer Baustelle, keine High-School-Mädchen mit ihren Freunden. Tom Evans hatte gesagt, heute komme ein Fernsehteam aus Deutschland, *TV-people from Germany, you know, folks. Maybe you've seen them, they've been shooting here for quite some time now, the whole goddamned fucked up mess*, vielleicht habt ihr sie gesehen, Leute, sie filmen schon eine ganze Weile hier, die ganze gottverdammte Scheiße. *Won't help us a damn.* Wird uns einen Dreck helfen. *But you never know.* Aber wissen kann man's nie...

So waren also nur Tom Evans und sein Vetter, Farmer Ray Evans, da und Corabelle, die Schönheit hinter der Theke, der die Jungs immer sagten, daß sie wie Marilyn Monroe aussah, und Corabelle lächelte strahlend und zeigte ihre wunderbaren Zähne und strich das blonde Haar zurück und drückte die Brüste unter der weißen Seidenbluse vor und hatte leuchtendrot geschminkte Lippen und war schon *something to look at, oh yeah*, eine heiße Nummer, war sie, ständig in Behandlung wegen Leukämie, damit könne sie noch Jahrzehnte leben, hatte der Arzt gesagt. Zehn Jahre Hollywood würden mir genügen, sagte Corabelle immer, mehr hat Marilyn auch nicht gehabt.

Ach ja, und der kleine Hund auf dem uralten Korbstuhl war auch noch da – alles wie im März, dachte Marvin, unter diesem Plakat, das auffordert, AIDS keine Chance zu geben, liegt der Hund, glanzlose Knopfaugen hat der Kleine, sein Fell ist noch räudiger geworden, noch mehr Haare sind ausgefallen, so viel weiße Haut sieht man.

Katja baute, einigermaßen getröstet durch Valerie, alles für die letzten Interviews auf. Sie leuchtete ein, und Ekland trug die BETA nun schon wieder selber und konnte sie auch lange Zeit auf der Schulter halten. Die Schmerzen waren weg, vollkommen weg, seit Katja ihm täglich Cortisonspritzen gab.

Hin und her eilte sie atemlos, schleppte, schraubte und dachte: Glücklich, glücklich muß ich Idiotenweib sein, glücklich darüber, daß er gar keine Schmerzen mehr hat. Statt dessen... das war vielleicht wirklich nicht Bolling...

Und dann interviewte Marvin Corabelle, die von ihrer Leukämie erzählte und von der grotesken Einrichtung drüben in Richmond, diesem Science Center und dem Computer mit der Aufschrift: FÜR IHRE PERSÖNLICHE DOSIS, und was da für lächerliche Werte rauskamen, wenn man seine Daten eingab. Vielleicht wird es doch noch etwas mit Hollywood, dachte die schöne Corabelle, so lange hat dieser Kameramann mich gefilmt, ein wirklich netter Kerl, *a really nice guy* mit seiner Assistentin, *poor girl, her face is just too awful to look at*, armes Mädchen, von ihrem Gesicht wird dir übel. Gut, Corabelle hatte eine sehr geschwollene Schilddrüse, die hatten hier viele, man sah sie nicht, wenn Corabelle den Kopf ein wenig schief hielt und ihr langes, blondes Haar über eine Schulter legte, den Trick hatte sie schon lange raus, aber all die Geschwüre und Pickel im Gesicht der jungen Frau, *pitiful, just pitiful*.

Und dann interviewte Valerie den verwachsenen Tom Evans, und der sagte, was er schon zwei Dutzend Reportern gesagt hatte, auswendig konnte er es.

»Am 25. März 1947 wurde ich hier geboren. Mit krummen Beinen und krummen Fingern... Bin impotent... Genetisch defekt, sagt Joe Webb, ›und ein kommunistischer Hetzer‹. So spricht Joe Webb, der Leiter der Bürgerinitiative *für* Hanford. Dann sind die da ja wohl alle kommunistische Hetzer gewesen.«

Tom Evans wies auf die Tafel neben der Jukebox, vor der er stand, schief und krumm. Und Ekland, die BETA auf der Schulter, drehte sich langsam und nahm die Tafel auf, während Tom erklärte, er selber hätte sie angefertigt, die Tafel mit der roten Schrift. Ganz oben stand: DEATH MILE FAMILIES.

»Als Mister Marvin zum erstenmal hier war, da waren neunundzwanzig Namen auf der Liste. Sind inzwischen zwei dazugekommen«, sagte Tom mit seiner seltsam blechernen Stimme, und Ekland schwenkte ganz langsam, Zeile für Zeile, die Tafel hinunter und nahm auf, was da stand, zuletzt die Namen der Neuzugänge seit März:

DIE FARADAYS – Carl und Mary, Leberkrebs, Knochenkrebs
DIE ADDAMS – er Schilddrüsenkrebs, sie Brustkrebs

Dann mußte Katja die Kassette gegen eine neue austauschen, und während sie das tat, klopfte es an der Tür des Cafés, die versperrt war. Durch die Glasscheibe sah man draußen einen großen, hageren Mann in Bluejeans stehen, der winkte.

»Das ist George Mooreland«, sagte Tom. »Anwalt. Vertritt viele von uns in Prozessen gegen die Regierung. Eins-a-Mann. Lege meine Hand für den ins Feuer. Habe ihm gesagt, daß Sie heute noch mal hier sind. George hat auch ein paar Geschichten zu erzählen. Wollen Sie sie hören?«

»Bitte«, sagte Marvin.

Eine Viertelstunde später stand der Anwalt vor der Kamera.

»Wissen Sie, womit hier alles aufflog?« fragte George Mooreland. »Ein Arbeiter löste bei einer Routinekontrolle Strahlenalarm aus. 1981 war das. Als die Gründe für die Verstrahlung untersucht wurden, fand man, daß sie von Austern kam, die fünfhundert Kilometer entfernt aufgesammelt worden waren – an der Mündung des Columbia, der durch das Hanford-Gelände fließt.«

»Wie viele Kilometer entfernt?« fragte Marvin.

»Fünfhundert, Sie haben schon richtig gehört«, sagte der Anwalt grimmig. »Die Bedrohung durch das Atom ist ubiquitär...«

»Ubiquitär«, wiederholte Marvin.

»Ja, das bedeutet...«

»Ich weiß, was es bedeutet, Mister Mooreland«, sagte Marvin. »Ich habe das Wort vor kurzer Zeit gehört – im Zusammenhang mit der Verbreitung von Dioxin, dem giftigsten aller Gifte. Da war auch von ubiquitärer Verbreitung die Rede – allgegenwärtig also.«

»Allgegenwärtig, ja«, sagte der Anwalt. »Ein schleichendes Tschernobyl, das ohne Unterlaß Gesundheit und Leben von Millionen

547

Arbeitern und Ansiedlern beeinträchtigt. Wissen Sie, wen ich mit dieser Aussage wörtlich zitiert habe? Sie können es nicht wissen. Ich zitierte Jack Geiger, Professor an der Medizinischen Fakultät der City University of New York. Der Gouverneur des Staates Ohio, der gerade jetzt die Plutoniumanlage von Fernald schließen ließ – da gab es auch einen ungeheuren Skandal, das war die reinste Plutoniumberieselungsanlage! –, der Gouverneur von Ohio fand da noch drastischere Worte als Doktor Geiger. Er sagte: ›Hätte ein Terrorist eine Zeitbombe in Fernald vergraben, hätte man prompt und entschlossen reagiert. Aber es war unsere Regierung, die dies tat und die uns belügt...‹«

Die kleine Kirche am Rand der Lincoln Avenue war leer. Nur ein Mensch kniete vor dem Altar und betete lautlos: Katja Raal. Sie war von Mesa mit dem Team nach Richmond zurückgefahren, wo sie und Bernd Ekland in einer Pension namens Rosebud nahe dieser kleinen Kirche wohnten – alle anderen wohnten im Regency-Hotel. Katja hatte Bernd unterwegs gesagt, sie wolle noch in die kleine Kirche gehen und dann in die Pension nachkommen, um zu baden und sich umzuziehen. Marvin hatte nach Abschluß der Dreharbeiten alle für den Abend ins Regency geladen.
Lieber Gott, betete Katja, ich danke Dir, daß Du Bernd so sehr geholfen hast. Gar keine Schmerzen hat er mehr. Danke, lieber Gott, danke. Bitte, lieber Gott, mach, daß Valerie und Bernd wirklich recht haben und es nicht Bollings Stimme war! Morgen fliegen wir nach Deutschland zurück. Am zehnten November bin ich beim Professor wegen meiner Akne. Lieber Gott im Himmel, bitte, mach, daß er mir helfen kann mit den ganz weichen, langwelligen Röntgenstrahlen, und daß ich nicht mehr mit diesem scheußlichen Gesicht herumlaufen muß. Ich will doch so sehr, daß Bernd mich einmal ohne Akne sieht. Ich werde jetzt zehn Kerzen kaufen und auf das Gestell stecken und alle anzünden – wie ich das in dieser Kirche in Paris getan habe. Und wenn ich es schaffe, alle zehn mit einem einzigen Streichholz anzuzünden, dann ist das ein Zeichen, daß alles gutgehen wird mit mir und der Akne, wie es gutging mit Bernd in Paris. Ich bitte Dich so sehr, lieber Gott. Amen.
Sie erhob sich, nahm zehn Kerzen aus einer Schachtel und schob

einen Zehndollarschein durch den Schlitz des Opferstocks. Sie befestigte die Kerzen auf Dornen und zündete sie an. Dann wartete sie kurz und schloß die Augen und konzentrierte sich. Und dann öffnete sie die Augen wieder und riß ein Streichholz an – und mit dem schaffte sie alle zehn Kerzen, eine nach der anderen.

Das Zeichen, lieber Gott! sagte Katja lautlos, und Tränen liefen über ihr Gesicht. Das war das Zeichen! Oh, ich danke Dir! Alles wird gut werden mit mir, alles wird gut.

Sie ging langsam durch die schwach beleuchtete Kirche zum Ausgang, und mit jedem Schritt, den sie tat, wurde sie glücklicher, und in Gedanken wiederholte sie immer wieder: Alles wird gut mit mir, alles wird gut mit mir. Als sie aus der Dunkelheit und auf den Kirchenvorplatz hinaustrat, war sie erfüllt von Seligkeit. Im nächsten Moment warf ein ungeheuerer Schlag sie gegen eine Mauer, und gleich darauf verspürte sie einen grauenvollen Schmerz in der Brust. Sie schrie und sah, wie eine Gestalt schemenhaft auf sie zutrat. Die Lincoln Avenue, ein paar Treppen unter ihr, war vom Abendverkehr verstopft. Auto schob sich hinter Auto in beiden Richtungen, so viele Lichter waren da, soviel Hupen- und Motorenlärm. Niemand hörte ihren Schrei. Niemand hörte den zweiten Schuß, den die Gestalt, sehr nahe herangekommen, aus einer Pistole abfeuerte. Katja stürzte, und im Sturz riß sie die Gestalt mit. Sie rollten beide die Treppe hinab, Katja blieb auf dem Rücken liegen und schrie, und da war die Gestalt über ihr, und noch dreimal zuckte es blendend hell auf vor dem Lauf der Pistole. Die letzten beiden Male sah es Katja nicht mehr.

Als die Polizei herausgefunden hatte, wer die Tote war und daß sie zu einem deutschen Fernsehteam gehörte, fuhr Detective-Captain Jerome Caspary von der Homicide Division ins Regency und sprach mit Marvin und den anderen. Sie waren vor Entsetzen unfähig, mehr zu sagen, als daß Katja Raal und ihr Freund, der Kameramann Bernd Ekland, in einer Pension namens Rosebud abgestiegen waren. Also fuhr Detective-Captain Caspary dorthin, und als er ankam, stand Bernd Ekland schon auf der Straße vor dem Haus. Die anderen hatten angerufen und ihm gesagt, was geschehen war. Caspary stieg aus seinem Wagen.

»Mister Ekland?«

»Ja.«

»Sie wissen...«

»Ja.«

»Es tut mir sehr leid für Sie, Sir«, sagte Caspary.

»Wo ist sie?«

»In der Morgue, Sir.« Caspary räusperte sich. »Es wird notwendig sein, daß Sie die Tote identifizieren.«

»Bringen Sie mich hin!«

»Wenn Sie sich schlecht fühlen, rufe ich über Funk einen Arzt...«

»Bringen Sie mich hin!« Ekland setzte sich in den Polizeiwagen. Während der Fahrt sprach er kein Wort.

Polizisten in Uniform und Zivil standen in den Gängen der Morgue, durch die Caspary dann mit Ekland ging. Sie sahen ihn nicht an. Niemand sprach. In der großen, weißgekachelten Leichenhalle stank es nach Desinfektionsmitteln. Ein kleiner alter Mann rollte eine Bahre aus dem Kühlfach. Der Körper darauf war in ein weißes Tuch geschlagen. Ekland trat nahe heran. Caspary machte dem alten Mann ein Zeichen, und der alte Mann schlug ein Ende des Tuchs zurück, und Bernd Ekland sah Katjas unverletztes Gesicht. Es war ein glückliches Gesicht, ja, es schien, als ob die Tote lachte oder zumindest lächelte. Ekland sah in Katjas Gesicht und dachte daran, wie sehr er sie geliebt hatte und daß er nun ohne sie leben mußte. Und immer weiter sah er in das glückliche Gesicht der toten Katja Raal.

Ich bin schuld, dachte er. Ich habe ihr gesagt, daß wir uns aus allem raushalten müssen und keinen Anteil nehmen dürfen. Nur unsere Arbeit tun und uns in nichts verstricken lassen, habe ich gesagt. Aber das geht nicht, ich sehe es ein, jetzt, wo es zu spät ist. Man kann sich nicht aus allem heraushalten und bewahren, nie. Er neigte sich vor und küßte Katja auf den Mund. Der Mund war sehr kalt.

»Sie ist es?« fragte Caspary, der neben ihn getreten war, leise.

Ekland nickte.

»Haben Sie eine Ahnung, warum sie ermordet wurde?«

»Nein.«

Aber dann dachte er daran, daß er sich nun nicht länger aus allem heraushalten durfte, und er wollte alles erzählen, alles, was geschehen war in diesen langen Wochen.

Doch bevor er zu sprechen beginnen konnte, sagte Caspary: »Wir brauchen dringend Hilfe. Jede Art Hilfe. Sie kommen von so weit her, Miss Raal auch. Natürlich werden wir feststellen, um welchen Typ von Pistole es sich handelte. Wir fanden eine blaue Contactlinse vor der Kirche.«

»Eine was?« fragte Ekland.

»Eine blaue Contactlinse«, sagte Caspary, während der alte Mann die Bahre in das Kühlfach zurückrollte.


Das Telefon läutete in Isabelles Hotelzimmer.

Sie schreckte aus dem Schlaf und wußte zunächst nicht, wo sie sich befand. Die Vorhänge waren zugezogen. Sie tastete nach dem Schalter der Nachttischlampe und ergriff das Telefon.

»Guten Morgen, Isabelle«, sagte eine Frauenstimme.

Isabelle fuhr im Bett hoch. »Clarisse!«

»Leise. Nur kurz reden.«

»Wo bist du?«

»In Bogotá.«

»Wo?«

»In Bogotá. In Kolumbien.«

»In Bogotá... aber wieso... woher... Wie spät ist es?«

»Bei euch in Richmond fünf Minuten vor neun.«

»Vor neun! Ich... wir kamen erst sehr spät ins Bett... Die Polizei hat uns... Du weißt nicht, was geschehen ist, Clarisse.«

»Ich weiß es. Deshalb rufe ich an. Nur kurz am Telefon. Kommt alle, so schnell ihr könnt! Es ist von größter Wichtigkeit. Sag den anderen, sie sollen packen!«

»Packen... den anderen... Valerie Roth ist verschwunden... Sie hat...«

»Ich weiß. Nehmt die Mittagsmaschine der TWA nach Los Angeles! Dort müßt ihr warten und in der Nacht nach Bogotá fliegen. Morgen um vierzehn Uhr seid ihr da. Bruno und ich erwarten euch auf dem Flughafen. Ihr müßt unbedingt kommen! Unbedingt!«

»Aber warum?«

»Peter Bolling ist in Bogotá.«

In Bogotá regnete es. Es regnete fast jeden Nachmittag in Bogotá. Eine TWA-Maschine aus Los Angeles landete pünktlich um vierzehn Uhr auf dem Flughafen El Dorado. Clarisse und Bruno Gonzalos erwarteten Isabelle, Gilles und Marvin. Mit einem Taxi fuhren sie los. Gonzalos gab die Adresse des Anwalts Dr. Ignacio Nigra an.

»Was ist mit Bolling...« begann Marvin sofort.

»Nicht«, sagte Gonzalos. »Später. Über alles andere können wir reden. Die Zeitungen brachten die Nachricht von der Ermordung Katja Raals. Es hieß auch, daß Valerie Roth verschwunden ist und als ihr vermeintlicher Mörder gesucht wird.«

»Sie nannten euer Hotel in Richmond«, sagte Clarisse. »So konnte ich dich sofort anrufen, Isabelle. Es hat sich hier etwas ereignet, weshalb wir euch sofort hierhaben wollten, Bruno und ich. Wo ist Ekland?«

»Im Krankenhaus«, sagte Isabelle. »Nervenzusammenbruch. Er und Katja waren doch...«

»Ich weiß. Schrecklich...« Clarisse sah in den Regen.

Isabelle drückte sie an sich. »Du siehst wunderbar aus... im wievielten Monat is es?«

»Im vierten.« Clarisse Gonzalos trug ein weitgeschnittenes beigefarbenes Kleid. Die dunkelhäutige Mulattin mit dem schwarzen Haar und den sehr großen schwarzen Augen sah Isabelle an. Sie lächelte. »Und schon ungeheuer lebendig«, sagte sie.

Knapp vor drei Uhr betraten sie die Kanzlei des Dr. Ignacio Nigra in einem alten, prunkvollen Haus am Rande der Plaza Bolivar. Zwei Männer mit hellen Regenmänteln saßen im Vorzimmer.

»Sie werden erwartet«, sagte eine Sekretärin. »Bitte, folgen Sie mir!«

Nacheinander betraten sie den Konferenzraum des Anwalts. Der große Mestize war elegant gekleidet wie stets. Die teuere Seidenkrawatte und der teuere Anzug harmonierten auf das vortrefflichste mit den Tapeten und Möbeln des Konferenzraums. Außer Nigra erhob sich noch ein anderer Mann – der sechsundvierzigjährige Chemiker Peter Bolling. Beklommen rückte er an seiner Brille. Nigra begrüßte seine Besucher mit fast übertriebener Höflichkeit. Der Regen schlug gegen die Fensterscheiben.

Endlich saßen alle.

Der Anwalt sagte: »Ich danke Ihnen dafür, daß Sie so schnell gekommen sind. Hier ist, scheint mir, größte Eile geboten. Aus diesem Grund wird es wohl das beste sein, wenn Señor Bolling seine Geschichte selbst erzählt. Bitte, Señor Bolling!«

Dieser sah auf die Tischplatte. Nervös drehte er das Fläschchen mit der Corticoide-Lösung für den Fall eines Asthmaanfalls in einer von Säuren und Laugen verätzten und verfärbten Hand.

»Bitte!« sagte Gonzalos laut.

Bolling hob den Kopf und sah von einem zum anderen. »Sie halten mich alle für einen Schweinehund, ich weiß. Ich... ich bin auch ein Schweinehund. Aber dann...« Er räusperte sich. »Zunächst: Wie bin ich hierhergekommen? Nun, in jener Nacht in Altamira, in der ich... in der ich...«

»Schon gut«, sagte Isabelle, die nur für Nigra und die Gonzalos' übersetzte. »Was war in jener Nacht, Herr Bolling?«

»In jener Nacht zum vierten September, an dem dann deine Tochter erschossen wurde – es tut mir so leid, Markus, so schrecklich leid, es ist furchtbar...«

»Weiter, Mensch!« sagte Marvin grob.

Ignacio Nigra, an der Spitze des Konferenztisches, preßte lächelnd die Spitzen der edlen, langen Finger gegeneinander.

»Das alles ist sehr schwer für meinen Mandanten«, sagte er, und Isabelle übersetzte.

»Ihren Mandanten?« fragte Marvin.

»Ja, Señor.«

»Warum ist es sehr schwer?« fragte Marvin.

»Sie werden es verstehen, Sie werden es gleich verstehen«, sagte Nigra, und seine schwarzen Augen glühten.

»In jener Nacht kam noch ein Mann zu mir«, sagte Bolling.

»Was für ein Mann?«

»Das erzähle ich später. Der Mann sagte – nein, er befahl mir, sofort aus Altamira zu verschwinden und nach Bogotá zu fliegen. Hier sollte ich mich bei Herrn Doktor Nigra melden.«

»Warum solltest du sofort verschwinden?« fragte Marvin.

»Damit Verdacht auf mich fiel«, sagte Peter Bolling. »Ich sollte verschwinden und verschwunden bleiben. Damit soviel Verdacht auf mich fiel wie nur möglich.«

»Du hast diesen... diesen Mann nicht gefragt, warum du soviel Verdacht auf dich lenken solltest?«

»Nein. Ich... ich werde es erzählen«, sagte Bolling. »Ich werde alles erzählen...«


Peter Bolling wurde am 11. April 1942 als Karl Krakowiak in der Stadt Beuthen in Oberschlesien geboren. Krakowiak war der Name seiner Eltern. Unter der linken Achselhöhle hatte Peter ein großes Muttermal.

Der Vater litt an Herzrhythmusbeschwerden und mußte darum nicht Soldat werden. Es besaß ein Installationsgeschäft in Beuthen. Zwei Jahre zuvor, am 25. Januar 1940, war Karls Bruder Clemens geboren worden.

Im Januar 1945 flüchtete die Familie Krakowiak wie mehrere Millionen Deutsche aus den östlichen Gebieten Europas vor der Roten Armee nach Westen. Karl war damals knapp drei Jahre alt.

Auf der Flucht verloren Hunderttausende das Leben.

Zu ihnen gehörten die Eltern von Karl und Clemens Krakowiak. Fremde Menschen nahmen die Kinder mit. Vor Berlin geriet der Treck in erbitterte Kämpfe zwischen sowjetischen und deutschen Truppen, und die Brüder wurden getrennt. Ein Ehepaar, das eigene Kinder besaß, brachte Karl bis in die Gegend von Köln. Dort übergaben ihn die fremden Menschen dem Pfarrer einer Kirche, und diesem gelang es, Karl in einem Heim unterzubringen.

Während der Flucht hatten die kleinen Kinder an Bindfäden Papptafeln um den Hals getragen, auf denen ihr Name sowie ihr Geburtsdatum standen. Bei Tieffliegerangriffen verloren viele Kinder das Leben, und viele verloren die Papptafel mit ihrem Namen und Geburtsdatum. Zu diesen gehörte auch Karl Krakowiak. Da waren seine Eltern schon tot, und er war von seinem älteren Bruder Clemens getrennt worden. In dem Chaos aus Eis und Blut, Schnee und Hunger, Erschöpfung und Tod fand jemand neben Karl Krakowiak eine solche Papptafel und hängte sie ihm um. Der Junge bemerkte erst später, daß er ständig als Peter Bolling angesprochen wurde. Er war klein und verzweifelt und sehr verwirrt, und er dachte, die Namensänderung sei mit gutem Grund vorgenommen worden, ja habe ihm vielleicht das Leben gerettet, und deshalb erhob er nie Einspruch, wenn er Peter Bolling genannt wurde. Er erhielt im Heim auch Papiere auf diesen Namen.

Im Heim blieb Karl Krakowiak, der nun Peter Bolling hieß, bis 1955. Für ihn war klar, daß auch sein Bruder Clemens auf der Flucht den Tod gefunden hatte.

Am 15. Mai 1955, als Peter aus der Schule kam, wartete vor dem Heim ein Junge.

»Du«, sagte er, »wie heißt du?«

Peter starrte den Jungen, der so mager war wie er selber, erschrocken an. »Peter Bolling heiße ich.«

»Sicher?« fragte der Junge. Die Sohlen seiner Schuhe waren aufgerissen. »Ganz sicher?«

»Ganz sicher nicht. Ich glaube, ich habe einmal anders geheißen, aber ich kann mich nicht mehr erinnern. Wir haben flüchten müssen, ich war noch klein. Irgendwann haben sie, glaube ich, angefangen, mich Peter Bolling zu nennen, ich weiß nicht, warum.« Er starrte wieder den fremden Jungen an. »Wer bist du denn?«

»Hast du einen Bruder?«

»Ich habe einen gehabt«, sagte Peter. »Aber der ist tot, glaube ich. Meine Eltern sind auch tot. Umgekommen auf der Flucht, das weiß ich bestimmt. Ja, ich habe einen Bruder gehabt.«

»Von wo bist du geflüchtet?«

»Aus Oberschlesien«, sagte Peter. »Ich glaube, aus Beuthen. Aber in meinen Papieren steht Breslau. Ich kenne mich nicht aus.«

»Wie hat dein Bruder geheißen?«

»Clemens«, sagte Peter Bolling. »Das weiß ich noch genau.«

»Und hat dein Vater ein Installationsgeschäft gehabt in Beuthen?« fragte der fremde Junge, der eine schmutzige Jacke und eine schmutzige, zerrissene Hose trug.

»Ja«, sagte Peter und fühlte sein Herz klopfen. »Wie heißt du denn?«

»Clemens Hartin«, sagte der fremde Junge. »Hast du einen großen Leberfleck unter der linken Achselhöhle?«

»Ja«, sagte Peter und hob sein Hemd.

»Dann bist du mein Bruder«, sagte Clemens Hartin und umarmte ihn. »Mutti hat immer wieder gesagt, wenn wir uns verlieren, kann ich dich an diesem Leberfleck erkennen. Jahrelang habe ich dich gesucht. Endlich habe ich dich gefunden!«

»Mein Bruder«, sagte Peter benommen. »Aber wieso heißt du Hartin?«

»Ich bin in München gelandet. Eine Familie dort hat mich adoptiert. Herr und Frau Hartin. Herr Hartin ist Maler. Er malt sehr schön. Weil sie mich adoptiert haben, heiße ich auch nicht mehr Krakowiak, sondern Clemens Hartin.«

»Mein Bruder«, sagte Peter Bolling noch einmal und begann zu weinen. Er mußte sich auf den Rasen vor dem Heim setzen. Clemens Hartin setzte sich neben ihn.

»Nicht weinen«, sagte er. »Bitte, wein nicht! Jetzt ist doch alles gut! Jetzt haben wir uns doch wiedergefunden!«

Danach begann er selbst zu weinen.


»... so war das also«, sagte Peter Bolling dreiunddreißig Jahre später im Konferenzraum des Anwalts Nigra in Bogotá, wo es, wie fast jeden Nachmittag, regnete. »So fing es an. Clemens war zwei Jahre älter als ich und schon damals der Mutigere und Lebenstüchtigere. Er setzte durch – ein fünfzehnjähriger Junge! –, daß ich aus dem Heim entlassen wurde und mit ihm nach München gehen durfte. Dort kam ich in ein anderes Heim und eine andere Schule. Oft war ich krank. Clemens war viel gesünder und stärker als ich. Wenn ein Junge mich verprügelt hatte, dann verprügelte ihn mein Bruder derart, daß mich bald alle in Ruhe ließen. 1957 bekam ich eine Scharlach-Diphtherie. Die Ärzte hatten mich schon aufgegeben. Mein Bruder nicht. Der saß Tag und Nacht an meinem Bett und pflegte mich. Und brachte mich durch. Als es mir besserging, war ich so schwach, daß ich nicht einmal gehen konnte. Frau Hartin hatte eine Schwester, die war mit einem Bauern im Allgäu verheiratet. Dorthin fuhr mein Bruder mit mir. Milch und Honig gab es da... Clemens pflegte mich weiter. Brachte mir wieder das Gehen bei. Ging mit mir auf die Alm, zuerst nur ein kleines Stück und auf ebenem Grund, dann immer weiter und höher hinauf. Beim Essen gab er mir die besten Bissen...« Bolling fuhr sich mit einem Handrücken über die Augen. »Das waren die schönsten Tage meines Lebens... Ohne Clemens wäre ich gestorben, sagten die Ärzte später. Mein Bruder hatte mir zum erstenmal das Leben gerettet.«

»Zum erstenmal?« fragte Marvin. »Hat er es noch einmal getan?«
»Ja«, sagte Peter Bolling. »Er rettete mir das Leben noch einmal –
viele Jahre später. Als ich älter war, übersiedelte ich aus dem Heim
in das Münchner Kolping-Haus. Dort blieb ich noch, als ich schon
auf die Universität ging. Mein Bruder ging auf die gleiche. Ich
studierte Chemie, mein Bruder Jus. Ich arbeitete dann zunächst in
einer Münchner Pharmafabrik und später bei Hoechst in Frankfurt,
mein Bruder zuerst in einer Münchner Rechtsanwaltskanzlei und
später im Bonner Wirtschaftsministerium.«
»Wo?« fragte Marvin.
»Ja«, sagte Peter Bolling. »Im Bonner Wirtschaftsministerium.«
Der Regen trommelte gegen die Scheiben.

»Dein Bruder war also der Mann in Bonn, der immer wieder der
Physikalischen Gesellschaft Lübeck aus schwierigen Situationen
half und durch den Valerie über so vieles informiert wurde«, sagte
Marvin.
»Mein Bruder Clemens Hartin[43], ja«, sagte Bolling. Ministerialdi-
rektor im Wirtschaftsministerium. Du weißt vielleicht etwas über
Valerie Roths Leben. Über ihr Pech mit Männern, ihre immer
neuen Enttäuschungen?«
»Sie hat mir davon erzählt. O Gott!« sagte Marvin, auffahrend.
»Ja, o Gott«, sagte Bolling. »In meinem Bruder Clemens fand
Valerie den Mann, der sie nie enttäuschte, der immer gut zu ihr
blieb, sie immer liebte und sie nie verließ. Valerie ist meinem Bruder
Clemens hörig, total hörig.«
»Das heißt«, sagte Marvin, »als die Giftgasfabrik, die Hansen für
Gaddafi baute, ins Gerede kam, hat Valerie uns – und andere, zum
Beispiel den Staatsanwalt Ritt oder Frau Doktor Goldstein – wis-
sentlich und willentlich falsch informiert, hat Geschichten erzählt,
die nicht stimmten, hat gezielt falsche Informationen gegeben im
Auftrag deines Bruders.«
»So ist es«, sagte Bolling und sah wieder auf die Tischplatte.
»Und der Plan, uns alle weit, weit wegzuschicken, damit wir nichts
über die Giftgasfabrikgeschichte herauskriegen konnten – der
stammte allein von deinem Bruder Clemens?«
»Ja, von meinem Bruder Clemens«, sagte Bolling.

»Du hast mir dein Interesse an der deutschen Bombe also auch nur in seinem Auftrag vorgespielt, um mich von Hansen abzulenken.«

»Ja, Markus.«

»Ich verstehe«, sagte Marvin.

»Du verstehst gar nichts«, sagte Bolling. »Ich hänge an meinem Bruder Clemens. Ich verdanke ihm mein Leben. Siehst du, ich sagte, ich sei viel krank gewesen, schon als Kind. Ihr wißt alle, daß ich dann in Frührente gehen mußte mit meinem Asthma. Was ihr nicht wißt, ist, daß ich als Erwachsener an Leukämie erkrankt bin. Für die meisten heute noch ein Todesurteil. Dank der hervorragenden Beziehungen meines Bruders wurde ich in einer amerikanischen Spezialklinik durch eine Rückenmarktransplantation geheilt.«

»Hat Clemens Rückenmark für dich gespendet?« fragte Marvin.

»Ja«, sagte Bolling, »das hat er getan. Wir sind Brüder. Mit den gleichen Blutgruppen. Das Risiko, daß das Spendermark abgestoßen wurde, war darum weniger hoch. Daß ich heute hier sitze und nicht schon jahrelang tot bin, ist ein Wunder, das ich meinem Bruder verdanke. Es entschuldigt nichts, was Clemens getan hat, aber es erklärt vielleicht, warum ich alles getan habe, was er von mir verlangte. Schwer zu erklären... oder auch gar nicht schwer: Ich erfüllte immer blindlings, was Clemens forderte. Ich bin Wissenschaftler... ziemlich weltfremd, nicht wahr? Sehr lange Zeit dachte ich wirklich, daß mein Bruder alles aus guten Gründen tat, daß es schon seine Richtigkeit hatte mit allem, was er von mir verlangte... Ich... liebte meinen Bruder... Ich liebe ihn noch immer...«

Schweigen folgte.

»Der Mann, der da ins Hotel Paraíso kam und dir befahl, sofort zu verschwinden, kam von deinem Bruder«, sagte Marvin.

»Ja«, sagte Bolling. »Clemens hatte ihn geschickt. Wir durften doch nicht telefonieren.«

»Und du bist nach Bogotá geflogen und da geblieben.«

»Ja.«

»Dann war es also dein Bruder Clemens, der nach Brasilia flog und mit diesem General Calera sprach. Deshalb war ich nicht sicher, ob das deine Stimme war da auf dem Band, das mir Ritt und Dornhelm vorspielten. Es war die Stimme deines Bruders.«

»Es war die Stimme meines Bruders, natürlich«, sagte Bolling. »Und natürlich wußte er, daß die NSA das Gespräch abhörte. Das war ja der Sinn der Übung: die Amerikaner abzulenken von Hansens Giftgasgeschäft. Denn daß die Deutschen überallhin Atomanlagen lieferten und selbst die Bombe bauen konnten, das wußten die Amis schon lange. Sie konnten es nie beweisen. Können es auch heute noch nicht.«

»Unter anderem dank deines Bruders Clemens«, sagte Marvin.

»Nein, damit hatte er nichts zu tun«, sagte Bolling. »Aber dank meines Bruders Clemens hätten die Amis auch das Giftgasfabrikgeschäft niemals nachweisen können – wenn nicht eines ihrer Lauschschiffe im Mittelmeer jenes Telefongespräch aufgefangen und mitgeschnitten hätte, in dem die Techniker aus Toresos bei der Hansen-Chemie verzweifelt um Hilfe baten, weil bei einem Probelauf Giftgas ausgetreten war... Damals, als Hansen ins Spiel kam, begriff ich natürlich, was Clemens wirklich tat. Das öffnete mir die Augen – endlich.«

»Und trotzdem hast du alles weiter gedeckt, hast du alles weiter mitgetragen«, sagte Marvin.

»Trotzdem, ja. Genauso wie Valerie.«

»Liebe«, sagte Marvin.

»Liebe«, sagte Bolling.


»Wie lange wärst du hier in Bogotá in deinem Versteck geblieben?« fragte Marvin.

»Solange es mein Bruder gewünscht hätte«, sagte Bolling ruhig. »Ich tat doch immer noch, was mein Bruder wünschte. Aber dann kam etwas dazwischen.«

»Was?«

»Später«, sagte Bolling. »Zunächst begann Doktor Gonzalos mich zu suchen.«

Der Mann mit der sanften Stimme nickte und neigte sich vor. »Ja«, sagte er leise. »Wir haben Herrn Bolling gesucht, meine Frau und ich.«

Nun übersetzte Isabelle wieder.

Gonzalos sagte: »Den Ausschlag gab, daß Sie, Herr Marvin, damals bei unserem Verhör durch Herrn Ritt und Herrn Dornhelm in

Frankfurt bezüglich der Stimme, die mit General Calera verhandelte, so unsicher waren – und bis zum Schluß blieben. Also sagte ich mir, was damals niemand sagte: Vielleicht liegt das daran, daß Herr Marvin Herrn Bolling so gut und so lange kennt und deshalb Zweifel hat. Und wenn er seine Zweifel zu Recht hat, dann bedeutet das: Es gibt einen Mann mit einer sehr ähnlichen Stimme wie Herr Bolling, es gibt einen zweiten Mann. Der Gedanke ließ mich nicht mehr los. Nach diesem Verhör in Frankfurt kam es dann zu jenem argen Treffen in Frau Doktor Goldsteins Haus in Lübeck, bei dem unsere kleine Gemeinschaft zerbrach.«

Er sah versunken seine Frau an. Es war plötzlich ganz still, nur der Regen trommelte gegen die Scheiben.

»Damals fühlte ich mich tief verletzt und fand es unmöglich, in dieser Atmosphäre weiterzuarbeiten. Meine fixe Idee: Alles wird erst gut werden, wenn ich herausgefunden habe, wer der Mann bei General Calera wirklich gewesen ist. Was lag näher, als nach Brasilien zu fliegen und dort die Suche allein aufzunehmen? Ich rief Clarisse an und sagte ihr, ich käme heim, sie solle sich reisefertig machen.«

»Warum reisefertig?« fragte Marvin.

»Ich bin auch nur ein Mensch«, sagte Gonzalos. »Ich hatte große Angst um Clarisse, das Kind und mich. Wenn herauskam, daß ich Calera auf diesem Band wiedererkannte und das auch noch gesagt habe... Erinnern Sie sich an seine Drohung! Ich wollte einerseits untertauchen mit Clarisse, andererseits die Suche nach jenem zweiten Mann aufnehmen, nach ihm oder nach Herrn Bolling, denn daß die beiden etwas verbinden mußte, war mir klar. Und ebenso klar war mir: Wenn ich herausfand, was die beiden verband, dann wußte ich alles über jenen ›geheimen Sinn‹, wußte ›jenes Furchtbare‹, von dem Frau Doktor Goldstein gesprochen hatte, dann wußte ich die Wahrheit über alles, was vorging.«

»Das wurde eine Odyssee«, sagte Clarisse. »Wir flogen von Rio nach Belém und fuhren von dort mit dem Wagen nach Altamira. Stiegen im Hotel Paraíso ab, wo Sie alle gewohnt hatten. Fragten und fragten. Nicht nur die Portiers. Viele Menschen. Wer wußte, wohin Herr Bolling verschwunden war? Niemand wußte etwas. Und wenn jemand etwas wußte, sagte er es nicht.«

»Dann«, erzählte Gonzalos, »versuchte ich es mit Geld. Das brachte uns weiter. Ein Portier erinnerte sich plötzlich daran, daß in der Nacht, bevor Herr Bolling verschwand, noch ein Mann ins Hotel gekommen war und mit ihm gesprochen hatte. Er beschrieb diesen Mann. Nun suchten wir den.«

»Das dauerte eine kleine Ewigkeit«, sagte Clarisse. »Wir gaben Zeitungsinserate auf. Belohnung und so weiter... Schließlich meldete sich ein Mann. Nicht jener, der Herrn Bolling aufgesucht hatte – ein Freund von ihm. Große Handelei. Dieser Mensch mußte sehr vorsichtig sein, das war uns klar. Und auch wir mußten sehr vorsichtig sein... Calera... das Baby... Endlich wurden wir einig. Wir trafen den richtigen Mann in einer Bar, gaben ihm, was er verlangte – und er sagte uns, daß er Herrn Bolling im Auftrag von dessen Bruder befohlen hatte, nach Bogotá zu fliegen. Er erzählte uns all das, was Herr Bolling gerade Ihnen erzählt hat.«

»Ja, nun wußten wir, daß er nach Bogotá geflogen war«, sagte Gonzalos zu Marvin. »Wohin in Bogotá? War er dort geblieben? Die Stadt hat vier Komma eins Millionen Einwohner. Wir flogen auch nach Bogotá. Ich erinnerte mich an diesen Cousin unseres Filmproduzenten Zinner – Achille Machado, Importkaufmann.«

»Wir suchten ihn auf«, sagte Clarisse. »Erzählten, daß wir seinen Cousin kennen. Daß mein Mann für seinen Cousin arbeitet! Daß wir Herrn Bolling ganz dringend sprechen müssen.«

»Dabei«, sagte Gonzalos, »hatten wir die ganze Zeit Angst, Machado würde Joschka Zinner in Hamburg anrufen. Er tat es nicht. Wir sagten, die Polizei in Brasilien verfolge noch Hintermänner der Mörder von Susanne Marvin und stelle Fragen um Fragen, auch ihn, Machado, betreffend. Da bekam er es prompt mit der Angst, wie wir gehofft hatten, und empfahl uns Doktor Nigra. Sie sind der liebe Gott für ihn, Señor. Sicher hat er Sie angerufen und unser Kommen angekündigt, sobald wir ihn verließen.«

»Selbstverständlich«, sagte Ignacio Nigra.

Clarisse sagte: »Also fragten wir Herrn Doktor Nigra nach Herrn Bolling. Doktor Nigra hatte natürlich noch nicht einmal den Namen gehört. Tat ihm unendlich leid. *Lo siento. Lo siento. Very sorry.*«

Der Anwalt lächelte, hob beide Hände, wackelte mit dem Kopf, verdrehte die Augen.

»Als wir gingen«, sagte Gonzalos, »meinte Clarisse: ›Ich könnte schwören, er weiß genau, wo Bolling steckt.‹ Wir wollten ja auch untertauchen – wegen des Babys. So stiegen wir im Tropicana ab. Das ist ein kleines, billiges Hotel. Teuere können wir uns nicht leisten. Dann hatte Clarisse einen Einfall.« Gonzalos sah seine Frau an.

»Na ja«, sagte Clarisse, »Herr Bolling leidet doch an Asthma. Also sagte ich zu meinem Mann: Mit seinem Asthma wird er immer wieder diese Corticoide-Lösung benötigen. Die bekommt er nur in Apotheken. Wenn er in Bogotá ist, muß er hier in eine Apotheke gehen. Vielleicht erinnert sich da jemand an ihn.«

»Darum«, sagte Gonzalos, »fingen wir an, systematisch sämtliche großen und kleinen Apotheken der Stadt abzuklappern. Clarisse, die sich schonen mußte, jeden Tag drei, ich jeden Tag fünf. Wieder verging Zeit. Und dann – endlich – erinnerte man sich in einer Apotheke an einen Ausländer, einen Deutschen, der schon ein paarmal gekommen war, um Antiasthmaspray zu kaufen. Die Beschreibung traf auf Herrn Bolling zu. Von nun an beobachteten wir abwechselnd diese Apotheke. Und eines Tages kam er tatsächlich.« Gonzalos schwieg kurz. »Er bemerkte mich nicht. Ich ging ihm nach, folgte ihm im Bus bis zu einer Hochhaussiedlung weit draußen am Stadtrand. Bis an seine Wohnungstür ging ich ihm nach. Er war sehr erschrocken. Und dann...«

»Und dann?« fragte Marvin ungeduldig.

»Erzählte er mir alles. Ich rief Clarisse an. Sie kam dazu. Wir... wir konnten verstehen, was Herr Bolling getan hat. Seine Geschichte bewegte uns sehr. Nun kannten wir also jenen ›geheimen Sinn‹, jenes ›Furchtbare‹...«

»Aber Sie konnten nicht zur Polizei gehen, ohne sich selbst zu gefährden, ich verstehe«, sagte Marvin.

»Sie verstehen wiederum nicht«, sagte Clarisse. »Wir wären auch nicht zur Polizei gegangen, wenn wir uns damit *nicht* selbst gefährdet hätten. Herr Bolling tat uns leid... sehr leid. Also lebten wir weiter in unserem billigen Hotel und er in seinem Hochhausversteck, das Doktor Nigra ihm besorgt hatte.«

»Und gestern rief Doktor Nigra uns an«, sagte Gonzalos. »Er berichtete, Herr Bolling habe sich soeben aus der Botschaft der Bundesrepublik gemeldet.«

»Aus der Embajada Alemán, Carrera vier, zwoundsiebzig Stric..
fünfunddreißig Edificio Sisky«, sagte der elegante Anwalt pedan-
tisch. »Bogotá hat ein besonders effizientes und besonders modernes
Straßensystem. Danach findet jedes Kind jede Adresse sofort. Ja
Señor Bolling rief aus der deutschen Botschaft an.«

»Warum?« fragte Marvin.

»Weil etwas dazwischengekommen ist – ich habe es doch gesagt
Weil ich im Radio gehört habe, daß und wo Katja Raal erschossen
worden ist – und daß man Valerie Roth sucht als ihre Mörderin. Da
war bei mir Schluß. Was auch immer ich getan habe – ich konnte es
vor mir vertreten. Einen Mord konnte ich nicht vor mir vertreten.«

»Konntest du nicht?« fragte Marvin.

»Nein.«

»Und was war mit den Morden an dem Waffenhändler Herbert
Engelbrecht, an seiner Frau Katharina, an dem Physiker Erich
Hornung vom Kernforschungszentrum Karlsruhe – wenn wir wirklich glauben wollen, daß meine Tochter Susanne versehentlich
erschossen worden ist?«

»Das alles hatte nichts mit meinem Bruder Clemens zu tun«, sagte
Bolling.

»Da bist du sicher?«

»Da bin ich absolut sicher.«

»Und wieso?«

»Weil er es mir sagen ließ. Clemens hat mich niemals belogen.
Jemand anderer kam auf die Idee, mit der Bombenspur von dem
Giftgasskandal abzulenken. Darum mußte ich verschwinden. Darum schickte man Clemens zu General Calera nach Brasilia – wohl
wissend, daß ihr Gespräch von den Amerikanern abgehört wurde.
Und daß der Mann, der da bei Frau Engelbrecht erschien und sich
als ihr Bruder ausgab, der Mann mit den angeblich verätzten
Händen, der sie ermordete, daß das nicht ich war, ist allen längst
klar. Natürlich auch dir.«

»Natürlich«, sagte Marvin gereizt. »Woher weißt du eigentlich von
allem, was geschehen ist – auch nachdem du verschwunden warst?«

»Von mir«, sagte der Anwalt Ignacio Nigra, und Isabelle übersetzte.

»Und woher wissen Sie davon?«

»Lieber Señor Marvin, ich weiß so ziemlich alles.« Nigra lächelte. »Und ich muß sagen, der Agent – von welchem Dienst immer er kam –, der da in diesem Frankfurter Sanatorium erschien, hat sich idiotisch benommen. Interpol fand den wirklichen Bruder von Frau Engelbrecht in New York ohne weiteres. Verätzte Finger...« Nigra schnitt eine Grimasse der Verachtung. »Schwachsinnig. Hier in Kolumbien hätte das der kleinste Drogendealer intelligenter gemacht.«

Marvin lehnte sich plötzlich in seinem Sessel zurück, als wäre er in höchstem Maße erschöpft.

»Gut«, sagte er zu Bolling. »Du bist kein Mörder, und du kannst Mord nicht entschuldigen. Valerie hat Katja ermordet. Da war Schluß bei dir.«

»Da war Schluß, ja«, sagte Bolling. »Ich weiß nicht einmal, ob Valerie die arme Katja im Auftrag meines Bruders getötet hat. Sie kann es auch aus eigenen Stücken getan haben. Vieles spricht dafür. Auf jeden Fall stellte Katja offenbar eine sehr große Gefahr für meinen Bruder dar... ich habe keine Ahnung, wodurch... Valerie jedenfalls muß dieser Ansicht gewesen sein. Und so erschoß sie Katja. Und da stellte ich mich der Botschaft.«

»Wodurch kann Katja bloß gefährlich für Ihren Bruder gewesen sein?« fragte Isabelle.

»Ich sage doch, ich weiß es nicht.«

»Moment mal«, sagte Marvin. »Da war doch etwas in Bonn... an jenem Vormittag im Umweltministerium... Erinnert ihr euch nicht? Katja kam völlig verstört in das Besprechungszimmer gestürzt, in dem wir mit diesem Herrn Schwarz stritten.«

»Ja«, sagte Isabelle. »Und danach war sie ganz verändert... angsterfüllt... schreckhaft... dauernd war ihr übel... Vielleicht hat sie im Umweltministerium etwas herausgefunden.«

»Aber was?« fragte Bolling. »Hat sie denn niemandem ein einziges Wort gesagt?«

»Kein einziges Wort«, erwiderte Marvin. »Mir nicht. Und soviel ich weiß, auch niemand anderem. Vielleicht Ekland. Wenn überhaupt jemandem, dann Ekland. Vielleicht selbst dem nicht.«

Katja muß etwas herausbekommen haben«, sagte Clarisse. »Und sie muß es Valerie erzählt haben, was immer es ist. Und Valerie tötete sie, um Ihren Bruder zu schützen, Herr Bolling. Es war sehr klug von Ihnen, zur Botschaft zu gehen und ein Geständnis abzulegen – das haben Sie doch getan, wie?«

»Ja«, sagte Bolling, »das habe ich getan. Es ist mir gleich, was nun mit mir geschieht. Vermutlich wird man mich nach Deutschland bringen. Ich werde auch dort die Wahrheit sagen. Ich halte diese Situation nicht mehr aus. Man wird mich ins Gefängnis stecken, sicherlich. Was soll's? Ich bin schwer krank. Aber nie, nie werde ich vergessen, was mein Bruder für mich getan hat. Bis zu meinem Ende nicht. Ich hatte nur noch diesen Wunsch: Ihnen die ganze Geschichte zu erzählen – wahrhaftig nicht, damit Sie Mitleid mit mir haben.«

Marvin schüttelte den Kopf. »Nein«, sagte er.

»Was nein?« Bolling sah ihn an.

»Nein, ich glaube nicht, daß das die ganze Geschichte ist. *Deine* Geschichte, ja. Aber nicht wirklich die ganze.«

»Was meinen Sie damit, Herr Marvin?« fragte Clarisse.

»Ich meine...« Marvin sprach langsam, er wog jedes Wort ab. »Was ist alles geschehen... mit wieviel Umsicht hat man uns weit, weit fortgeschickt und mit diesen Filmen beschäftigt, bloß damit wir keine Zeit und Gelegenheit hatten, uns um Hansen und diese Giftgasfabrik zu kümmern... Denn *das* ist es doch, was vor allem niemals herauskommen sollte, nicht wahr... und nur herauskam, weil dieser Hilferuf der Libyer von der NSA abgehört wurde... Alle Politiker haben gegen den bloßen Verdacht, da könne so eine Fabrik gebaut werden, lauthals protestiert bis zum letzten...«

»Ich verstehe nicht, worauf du hinauswillst«, sagte Bolling.

»Ich will darauf hinaus, daß meiner Meinung nach nicht nur die Hansen-Chemie allein am Bau dieser Fabrik beteiligt gewesen ist... Wäre sie allein gewesen – wer von den Behörden hätte davon gewußt? Und wenn man davon erfahren hätte, wäre Hansen nicht sofort zur Rechenschaft gezogen worden? Hätte man den Bau nicht sofort gestoppt?«

»Da ist was dran«, sagte Gonzalos.

»Wenn die Behörden nichts ahnten, warum dann aber diese ungeheuren Bemühungen, das, was Hansen tat, geheimzuhalten? Ich meine: Er ist immer noch ein privater Unternehmer! Warum wird er dann von deinem Bruder Clemens derart abgeschirmt, Peter? Warum setzt dein Bruder sich derart für ihn ein? Was da mit uns und unserer Expedition aufgeführt wurde, das wäre einfach... einfach viel zu viel gewesen für den Fall, daß Hansen *allein* für den Bau dieser Fabrik verantwortlich war... So einen Hansen hätte man doch ganz schnell hochgehen lassen, um gar nicht erst in den Verdacht zu kommen, eine Giftgaslieferung zu tolerieren... Sie *ist* aber toleriert worden... und bestritten... und wie bestritten... von hohen und höchsten Stellen!«

»Sie wollen sagen...«, begann Gonzalos und verstummte.

»Ich will sagen, daß eine mächtige Firma verdächtigt wird, an diesem Giftgasfabrikbau beteiligt zu sein... Nur dann sind die große Intrige und das große Leugnen bis zuletzt für mich verständlich... Dann stimmt es... wie soll ich sagen... dann stimmt es dramaturgisch. Das meine ich... deshalb sagte ich, du hast uns nicht die *ganze* Geschichte erzählt, Peter. Nicht, weil du nicht wolltest, sondern weil du die Geschichte in ihrem ganzen Ausmaß nicht kennst...«

»Die Mächtigen hängen mit drin?« fragte Bolling und starrte Marvin an.

»Ich weiß es nicht, Peter. Ich glaube es. Aber natürlich werde ich es nie beweisen können...«[44] Eine lange Pause folgte. Dann fragte Marvin: »Wieso hat man dich in der Botschaft noch einmal gehenlassen?«

»Hat man nicht«, sagte Bolling. »Hast du die zwei Herren im Vorraum nicht gesehen? Die mit den hellen Regenmänteln? Das sind Sicherheitsbeamte der Botschaft. Brachten mich her. Werden mich jetzt zurückbringen.« Er sah den Anwalt an.

Doktor Ignacio Nigra nahm einen Telefonhörer ab und sprach ein paar Worte. Als er den Hörer niederlegte, erklang plötzlich laute Militärmusik. Gleichzeitig erhob Peter Bolling sich schwankend und griff röchelnd nach seiner Kehle. Er bekam einen Asthmaanfall. Sein Gesicht verfärbte sich violett.

Die zwei Männer, die im Vorzimmer gewartet hatten, traten ein. Nigra sagte etwas zu ihnen. Sie nickten, nahmen den nach Luft Ringenden zwischen sich und schleppten ihn schnell aus dem Konferenzraum, wobei einer von ihnen schon das Corticoide-Fläschchen öffnete. Die Tür fiel zu.

»Ekelhaft. Er hatte schon zwei Anfälle hier«, sagte Nigra. »Die Herren erledigen das draußen bestens.« Er trat mit leuchtenden Augen an ein Fenster, gegen das noch immer der Regen schlug. »Kommen Sie, meine Herrschaften, kommen Sie! Punkt fünf findet täglich vor dem Palacio Presidencial, dem Amtssitz des Präsidenten, die Wachablösung statt – nach altem preußischem Vorbild.«

Sie traten alle an die Fenster.

»Die große Statue auf dem Platz stellt Simon Bolivar dar, den Befreier Südamerikas«, erläuterte Doktor Ignacio Nigra stolz. Trotz des Regens drängten sich vor dem Palast Touristen mit Fotoapparaten. Operettenuniformen trugen die Soldaten, die da im Stechschritt marschierten, salutierten, das Gewehr präsentierten und die alte Wache ablösten. Eine Militärkapelle spielte.

»Das ist der ›Badenweiler Marsch‹«, sagte Marvin entgeistert.

»Ja«, sagte Nigra strahlend. »Hitlers Lieblingsmarsch.«


»Ich rufe dich jeden Tag an!« rief Elisa Hansen verzweifelt. Ihr Sohn gab keine Antwort. Elisa Hansen stand vor dem Eingang zur Paßkontrolle in der mit Menschen überfüllten Halle des Flughafens Asunción. »Jeden Tag!« rief Elisa Hansen, der Tränen über das bleiche Gesicht liefen. »Thomas, bitte, sag etwas!«

Der Junge schwieg. Noch fester hielt er die Hand von Therese Toeren an seiner Seite. Die Menschen vor der Paßkontrolle waren nervös und gereizt. Diese Ausländerin, die da schrie und schluchzte und dauernd versuchte, sich zwischen sie zu drängen, verärgerte alle. Viele äußerten laut ihren Unmut.

»Thomas!« rief Elisa Hansen.

Er wandte den Kopf noch mehr von ihr ab und schwieg.

»Thomas, mein Gott, Thomas... So tun Sie doch etwas, Frau Toeren!«

»Was soll ich tun, Frau Hansen?« fragte die Hausdame, die nach Paraguay gekommen war, um den Jungen abzuholen und nun im Begriff stand, mit ihm den Rückflug anzutreten. »Was soll ich tun?«

Sie wurde mit Thomas immer weiter vorwärts geschoben. Die Beamten hinter der Sperre arbeiteten schnell. Der Abflug der LAP-Maschine nach Rio de Janeiro war bereits zweimal aufgerufen worden. Der Generalbevollmächtigte Dr. Keller und der Chauffeur

Paul Kassel bemühten sich, Elisa Hansen zu beruhigen. In dem Gedränge kamen sie nicht an sie heran.

»Frau Hansen!« rief Dr. Keller. »Frau Hansen, ich bitte Sie, kein Aufsehen! Kommen Sie zurück in den Wagen!«

»Gnädige Frau!« rief Paul Kassel. »Bitte, gnädige Frau!«

Sie schien beide nicht zu hören. Immer wieder versuchte sie, an ihren Sohn heranzukommen. Immer wieder wurde sie zurückgestoßen. Zwei Männer beschimpften sie.

Elisa Hansen schrie jetzt. »Thomas!« schrie sie. »Bitte, Thomas, sprich mit mir! Ich liebe dich! Ich liebe dich so! Was soll ich denn ohne dich tun?«

»Verflucht noch mal, gehen Sie endlich weg hier!«

»Diese gräßliche Ausländerin ist völlig betrunken!«

»Achtung, bitte! LAP gibt zum drittenmal Abflug ihres Fluges Nummer vierhundertfünfunddreißig nach Rio de Janeiro bekannt. Passagiere werden dringend gebeten, schnellstens an Bord zu gehen!«

»Thomas, mein Gott, Thomas, sag ein Wort!«

Er sagte kein Wort, kein einziges Wort.

»Es tut mir so leid!« rief Therese Toeren.

»Tho...« Elisa Hansen taumelte und stürzte zu Boden. Reglos blieb sie liegen.

Eine Frau schrie auf. Ein Pressefotograf hob seine Kamera und blitzte entzückt drauflos.

Dr. Keller kniete schon neben Elisa Hansen. »Der Fotograf!« schrie er Paul Kassel zu.

Kassel rannte zu dem Fotografen und schlug ihm, so fest er konnte, eine Faust in den Bauch, woraufhin dieser stöhnend zurücktaumelte. Kassel schlug dem Mann ins Gesicht und entriß ihm die Kamera, öffnete sie, zog den Film heraus und schleuderte den Apparat fort.

»Na warte, du Saukerl...« Der Fotograf wollte sich auf ihn stürzen.

Kassel eilte zu Dr. Keller. Gleichzeitig traf ein Flughafenpolizist ein, und der Fotograf lief fort.

»Was ist hier los?« fragte der Polizist. »Wer ist das?«

»Señora Elisa Hansen. Frau des bekannten Unternehmers. Sehr gut mit Ihrem Chef befreundet.«

»Tot?«

»Blödsinn. Ohnmächtig«, sagte Dr. Keller. »Helft mir! Sie muß hier weg – schnell!« Er sprach laut und brutal.

Die drei Männer hoben die Bewußtlose auf und trugen sie zu einem der Ausgänge.

Thomas war hinter dem Schalter der Paßkontrolle verschwunden. Er hatte sich nicht ein einziges Mal umgedreht.


Diesmal war es der Nachmittags-Chefportier Jürgen Carl, der Gilles in der Halle des Frankfurter Hofs entgegenkam. Dieser traf mit Isabelle und Marvin gegen Mittag des 2. November dort ein. Carl war kleiner und zierlicher als sein Freund und Kollege Bergmann und von derselben Freundlichkeit und steten Hilfsbereitschaft. Sein schmales Gesicht strahlte.

»Willkommen, Herr Gilles! Willkommen, meine Herrschaften!« Gilles schüttelte ihm die Hand. »Verzeihung. Sie sind Herr Markus Marvin?«

»Ja.«

»Ich dachte es mir. Herr Ritt, der Staatsanwalt, hat eine Nachricht für Sie hinterlassen. Sie möchten bitte sofort nach Eintreffen im Gericht anrufen.«

»Im Gericht?« fragte Marvin.

»Ja. Ich bringe Sie zur Telefonzentrale. Pardon, meine Herrschaften!« Der feingliedrige Portier eilte schon los.

»Bin gleich wieder da!« rief Marvin über die Schulter.

Das war er in der Tat. Er sah verstört aus.

»Was ist los?« fragte Gilles.

»Wir sollen sofort nach Keitum kommen. Alle drei.«

»Wohin?«

»Nach Keitum auf Sylt. Ritt ist schon da. Dornhelm auch.«

»Aber warum?« fragte Gilles.

»Valerie wurde dort gesehen. Im Haus des verstorbenen Professors Gerhard Ganz. Mit einem Mann. Jemand hat die Polizei verständigt. Ein Taxichauffeur. Die Polizei verständigte Dornhelm und Ritt – seine Sekretärin sagte mir das.«


Am Spätnachmittag trafen sie ein. Sie hatten noch eine Linienmaschine nach Hamburg erreicht und waren von dort mit einer Twin

Otter hinüber zur Insel geflogen. Auf dem kleinen Flughafen kontrollierten Polizisten und Männer des Bundesgrenzschutzes. Starts gab es nicht. Niemand durfte die Insel verlassen, sagte ein Polizist zu Marvin.

Vor dem Flughafengebäude standen Taxis. Aus einem sprang ein älterer Mann und winkte. »Herr Gilles! Herr Gilles!« Er kam auf ihn zugelaufen und schüttelte seine Hand. Dann wandte er sich an Isabelle. »Guten Tag, meine Dame.« Und an Marvin. »Guten Tag, mein Herr. Keese, der Name, Edmund Keese.«

Edmund Keese, dachte Gilles, der pessimistische Chauffeur, der mich damals nach Keitum fuhr, als Gerhard Ganz gestorben war. Edmund Keese, der das Ende der Insel Sylt voraussah. Ein Notizbuch und einen Plastikkugelschreiber hat er mir zum Abschied geschenkt. »Hier ist meine Nummer«, hat er gesagt. »Tag und Nacht zu erreichen.« Am 12. August war das, einem glutheißen Tag. Was ist alles geschehen seither...

»*Ich* habe die Polizei verständigt«, sagte Keese stolz. »Ich erzähle Ihnen alles. Sie wollen doch nach Keitum zu den Herren, die aus Frankfurt gekommen sind. Ich fahre Sie hin.«

Er ging schon voraus zu seinem Taxi. Gleich darauf fuhren sie los. Marvin saß neben Keese, Gilles neben Isabelle im Fond.

Der einsame alte Mann redete fast ununterbrochen. Dies war sein großer Tag. »Also, ist das nicht ein Zufall, Herr Gilles? Im Sommer habe ich Sie gefahren, erinnern Sie sich? Zum Benen-Diken-Hof. Später dann habe ich Contactlinsen für Frau Roth gebracht ins Haus vom Herrn Professor, Gott hab' ihn selig. Sie hatten einen Riesenkrach mit einem Herrn da, erinnern Sie sich?«

»Ja«, sagte Gilles abwesend. Er sah aus dem Fenster. Diesmal lag die Keitumer Landstraße verlassen vor ihnen. Im Sommer hatte es hier kaum ein Weiterkommen gegeben. Tief hingen nun dunkle Wolken über der Insel. Ostwind heulte um den Wagen. Es war kalt. Ende der Saison, dachte Gilles. Schon lange. Keine blühenden Blumen mehr...

»Und Sie, Herr Gilles, haben gesagt: ›Bringen Sie mich hier weg, so schnell wie möglich!‹ Zurück nach Westerland habe ich Sie gefahren. Der Schriftsteller Gilles sind Sie. Heute weiß ich es. Damals habe ich Sie nicht erkannt.«

...Keine Blumen mehr, nur stacheliges Gebüsch, dachte Gilles, Bäume ohne Laub. Auf den Weiden viele Schafe. Jetzt ist ihr Fell sehr dicht und lang, wie Kugeln auf vier Beinen sehen sie aus mit den Farbzeichen am Pelz, roten, grünen und blauen Punkten, Kreuzen, Dreiecken, Kreisen...

»Ja, also daß ich Ihnen das erzähle, meine Herrschaften... Ich wohne doch gegenüber dem Haus vom Herrn Professor, nicht? Und so gegen halb zwölf heute, da hält ein Taxi, und die Frau Doktor Roth steigt aus. Mit einem anderen Herrn. Nicht dem von damals... Moment!« Er starrte Marvin, der neben ihm saß, an. »Das waren damals ja Sie, der Herr, mit dem Herr Gilles den Krach hatte!«

»Das war ich, ja«, sagte Marvin geduldig.

»Sehen Sie! Der alte Keese vergißt nie ein Gesicht. Ja, aber heute mittag, das war ein anderer Herr. Sehr pressiert, die beiden. In Eile heißt das. Ich kenne viele so feine Wörter. Bilde mich durch Lesen. Hab' natürlich auch was von Ihnen gelesen, Herr Gilles. Hat mir sehr gefallen, wirklich. Kondolation! Ja, also die Frau Roth hat mich nicht einmal gegrüßt. Ich sie schon. Obwohl ich eine Scheißangst gehabt habe... Ich meine: Hat doch im Radio und Fernsehen und in den Zeitungen geheißen, daß sie gesucht wird, weil sie jemanden erschossen hat in Amerika... Eine so liebe Dame... wenn die einen Menschen erschießt, erschießt sie vielleicht auch mich, habe ich gedacht und mich ins Haus verdrückt... aber immer das Haus gegenüber beobachtet.«

..Dicke Schafe, dachte Gilles, dem so vieles einfiel, das einst gewesen war, vor langer Zeit. Er wollte nicht daran denken und drehte sich zu Isabelle, doch die blickte aus dem Fenster. Er wandte wieder den Kopf und sah die schönen alten Häuser inmitten der Wiesen und Weiden, sah weiße Mauern, die schwarzen Balken des Fachwerks und die reetgedeckten Dächer in der Dämmerung.

Keese bremste.

»Was ist los?« fragte Gilles, aufschreckend.

Dann sah er es.

Straßensperre. Polizisten mit Stahlhelmen und Maschinenpistolen. Einer trat grüßend heran und bat um die Pässe. Er blätterte sie aufmerksam durch, sah in einer Liste nach, nickte, gab die Pässe zurück und wünschte gute Fahrt.

Keese redete sofort weiter: »Na, und zehn Minuten später hat im Haus vom Herrn Professor der Schornstein zu rauchen begonnen wie verrückt. Die beiden haben die Fenster aufgerissen, so habe ich sehen können, was sie machten.«

»Was machten sie?«

»Papiere haben sie verbrannt im Kamin, Aktenordner, solche Sachen. Sehr viel davon.«

... Der Winter kommt, dachte Gilles, schon versinkt hier alles ins Spukhafte. Ein paar Zeilen fielen ihm wieder ein, die Ernst Penzoldt über Sylt geschrieben hatte: ›Gott hat hier gefunden, was zur Herstellung des Menschen nötig war. Sand und Lehm für die Gestalt, Wind genug für den Atem, die Sprache und die Seele, Feuchte genug für Tränen, Bläue genug für die Augen, Steine für das Herz in der Brust.‹ Ich habe auch einen Stein in der Brust, dachte er. Denk nicht daran! sagte zu sich. Es ist vorbei, du kannst nichts ändern. Du hast es gewußt von Anfang an. Also beklage dich nicht. Du hast deine Zeit gehabt. Was für eine Zeit! Hättest du dir das vorgestellt noch vor einem halben Jahr? Niemals. Also!

Keese redete und redete.

Seltsam, daß mich das alles überhaupt nicht mehr interessiert, dachte Gilles. Isabelle interessiert es ganz offensichtlich auch nicht. Nur Marvin. Der hört aufgeregt zu...

»Also bin ich losgesaust nach Westerland. Zur Polizei dort. Und hab' das gemeldet. Hat doch geheißen, Hinweise werden dringend erbeten. Der Polizeiposten in Keitum war mir zu klein... Denen in Westerland habe ich gesagt, daß die Frau Roth da ist und was sie tut mit dem fremden Herrn... Danach hat es Alarm gegeben. *Ich* habe ihn sozusagen provoziert, nicht? War meine Pflicht... nur meine Pflicht... Die in Westerland haben dann in Frankfurt angerufen... und zwei Stunden später sind die Herren von dort gekommen... haben mir die Hand gegeben und sich bedankt... War doch selbstverständlich, daß ich das meldete, nicht? Aber trotzdem, natürlich hat's mich gefreut... Zu der Zeit hat das Haus vom Herrn Professor schon gebrannt.«

»Gebrannt?« fragte Marvin.

»Sage ich doch! Frau Roth und der Herr waren verschwunden. Vorher haben sie das Haus angezündet. Das brennt noch immer, und wie, bei dem Sturm! Sie werden es gleich sehen!«

. . . Da war das Landhaus Stricker, über dreihundert Jahre alt. Es glitt vorbei. Sofort darauf bremste Keese wieder, und es gab eine weitere Polizeikontrolle. Und dann waren sie in Keitum, und während Keese erzählte, fuhren sie an den schönen alten Kapitänshäusern vorbei, an Fisch Fietes Restaurant und weiter bis zum Heimatmuseum und dem roten Altfriesischen Haus. Blau waren die meisten Türen und Fensterrahmen der Häuser hier, weiß die Mauern, moosig das Reet. Da war die grellgelbe Telefonzelle, da war der kleine Supermarkt, da waren die großen, viele Jahrhunderte alten Findlinge. Und Menschen waren hier, viele neugierige Menschen. Sie standen vor einer Polizeiabsperrung und starrten zu dem Haus, das in Flammen stand. Drei Löschzüge der Feuerwehr arbeiteten. Männer in Schutzanzügen mit Helmen und großen Schläuchen, aus denen Wasser schoß, kämpften gegen das Feuer, doch das Holz des großen Hauses war uralt, die Balken waren dick und schwer, und die Männer hatten ihre Mühe bei dem fauchenden Wind, der fast schon zum Sturm geworden war. Sie hielten die ganze Umgebung des Hauses unter Wasser.

»Hier geht's nicht weiter«, sagte Keese. »Nein, nein, nein, unter keinen Umständen nehme ich Geld. War mir doch eine Ehre. . .«

Sie stiegen alle aus.

Bei der Absperrung zeigte Marvin wieder seinen Paß und sagte: »Staatsanwalt Ritt erwartet uns.«

»Tut mir leid«, sagte ein junger Mann vom Bundesgrenzschutz, der eine Maschinenpistole hielt. »Sie können hier nicht durch.«

Der Offizier neben ihm sagte: »Moment. Herr Marvin? Herr Gilles? Fräulein Delamare?«

»Ja«, sagte Marvin.

»Das ist in Ordnung«, sagte der Offizier zu dem jungen Mann mit der Maschinenpistole. Und zu den anderen: »Bitte, kommen Sie mit mir!«

»Ich auch«, sagte Keese. »Ich habe hier mein Domezil.«

Also gingen sie hinter dem Offizier in den Jens-Uwe-Lorsen-Wai hinein und näherten sich, über tropfende Schlauchleitungen steigend, dem brennenden Haus. Auch hier standen Polizisten, und da waren Fotografen und mehrere Fernsehteams. Die roten Aggrega' der Feuerwehren tuckerten und pochten.

»Was sagen Sie dazu, Herr Gilles?« fragte Keese klagend. »S

liebe Frau, die Frau Doktor Roth – Mörderin. Keiner kennt den anderen, sag' ich immer. Keiner keinen. Das schöne, alte Haus vom Herrn Professor. Die eigene Nichte. Ein Glück, daß er das nicht mehr hat erleben müssen. Da kann er froh sein, daß er tot ist, nicht?«

»Ja«, sagte Gilles. »Da kann er froh sein.«

»Bitte«, sagte der Offizier, »kommen Sie weiter!«

»Alles Gute, Herr Gilles«, sagte Keese. »Alles...« Er brach verloren ab, schüttelte den Kopf und starrte in die Flammen.

Lauter als das Prasseln und Krachen des Feuers erklang hier aufgeregtes Kreischen.

»Sind das Möwen?« fragte Gilles.

»Jede Menge«, sagte der Offizier.

»In der Nacht?«

»Der Brand, Herr Gilles! Die Helligkeit. Das regt sie auf, die Möwen.«


Der Staatsanwalt Elmar Ritt saß in einem großen, mit Funk ausgestatteten Einsatzwagen. Neben ihm saß der Hauptkommissar Dornhelm. Er telefonierte gerade und unterbrach kurz, während Marvin alle miteinander bekannt machte.

»Als Herr Dornhelm und ich ankamen, brannte das Haus schon«, sagte Ritt. »Sie lassen es total niederbrennen, sagen die Feuerwehrleute. Geben nur acht, daß das Feuer sich nicht ausbreitet. Die Häuser in der Nähe, Hecken, Gras, Bäume, Sträucher, alles ist jetzt strohtrocken.«

Auch über dem Einsatzwagen kreischten die Möwen, so laut, so laut.

»War der Mann, mit dem Frau Roth herkam, der Ministerialdirektor Clemens Hartin?« fragte Marvin.

»Nach der Beschreibung, die uns dieser Taxichauffeur Keese gab, ja. Nicht nur nach seiner Beschreibung. In Bonn ist Hartin verschwunden. Er war auf dem Rhein-Main-Flughafen, als die Maschine landete, mit der Valerie Roth aus Amerika zurückkam. Wir haben vielen Beamten dort Fotos von ihm gezeigt. Ein paar haben ihn wiedererkannt. Sie sind ganz sicher. Wir wissen nur nicht, was die beiden taten und wo sie waren, bevor sie heute nachmittag hier eintrafen.«

»Hier haben sie vermutlich Dokumente verbrannt, meinte unser Taxichauffeur.«

574

»Ja. Zweifellos sehr wichtige. Und sehr viele. Mußten offenbar vernichtet werden. Ich meine: Sie riskierten doch enorm viel, die beiden, indem sie noch einmal herkamen. Zuletzt steckten sie dann sicherheitshalber das Haus in Brand.«

»Und hatten Glück«, sagte Marvin.

»Hatten was?«

»Glück.«

»O ja, Glück«, sagte Ritt leise, als schäme er sich.

»Wo sie jetzt wohl sind?« fragte Marvin.

»Niemand darf die Insel verlassen«, sagte Ritt. »Aber diese Anordnung wurde mit enormer Verspätung gegeben. Hier ging alles schief.«

Dornhelm beendete sein Funktelefongespräch und legte den Hörer nieder. Er sagte zu Ritt: »Sie sind weg. Mit dem Fährschiff nach Havneby. Wir haben die Sperre um vierzehn Uhr fünfundvierzig verkündet. Hat sich nicht sofort überall rumgesprochen. Schlamperei? Absicht? Um fünfzehn Uhr jedenfalls ging noch ein Fährschiff von List rüber nach Havneby. Glück? Gute Vorbereitung? Burschi, wir wären wieder mal soweit.«

An alle gewandt erklärte er: »Havneby ist ein Hafen auf der dänischen Insel Röm nördlich von Sylt. Mit der Fähre sind es bis Röm fünfundfünfzig Minuten. Von dort geht ein Straßendamm zum dänischen Festland hinüber. Die Grenzer sagen, auf dieser Fähre waren keine Passagiere mit dem Namen Valerie Roth und Clemens Hartin. Natürlich hatte Hartin falsche Pässe vorbereitet. Schon seit langem.«

»Natürlich«, sagte Ritt sehr ruhig. »Wurden in die Fahndung gegeben. Wird nichts bringen. Viel zu gerissen, die beiden. Wir müssen nur den Fall zu Ende bringen. Ordentlich zu Ende.« Er sah Isabelle an und lächelte ohne Hoffnung.

Die Möwen schrien über dem Wagen.

»Dazu brauchen wir auch Ihre Aussage darüber, was in Richmond und Bogotá geschehen ist«, sagte Dornhelm. »Völlig idiotisch das alles, wo wir doch nichts mehr tun können, aber die Berichte müssen vollständig sein. Vollständig!« Er lachte. »Wir haben drüben in Westerland Zimmer reservieren lassen, im Hotel Hamburg. Es ist zu dieser Jahreszeit fast leer. Würden Sie uns bitte dort die

Fragen beantworten? Sie können übernachten. Auf Staatskosten natürlich. Werden Sie?«

»Selbstverständlich«, sagte Marvin. Er sah Gilles und Isabelle an. »In Ordnung, wie?«

Gilles nickte.

»Gleich ist es halb acht«, sagte Dornhelm. »Um neunzehn Uhr fünfundzwanzig war heute Hochwasserspitze. Muß schön ausschauen im Mondlicht. Wir haben hier noch zu tun. Wenn Sie sich das Watt ansehen wollen? Eine Funkstreife bringt Sie dann nach Westerland.«

Also verließen sie den Einsatzwagen, gingen das Stück Jens-Uwe-Lorsen-Wai zurück und stiegen dabei wieder über undichte Feuerwehrschläuche. Der Brand wütete noch immer. Balken stürzten, und jedesmal flogen Funken auf. Jetzt tobte der Sturm. Als sie durch die Absperrung gingen, hielt dort gerade ein Taxi.

Joschka Zinner sprang heraus. »Marvin!« schrie er und rannte auf ihn zu. »Hab' in Berlin gehört, daß Sie hier sind. Komm' direkt aus Berlin. Mensch, was für ein Massel! Der Giftgasskandal, der Skandal in Bonn, Valerie eine Mörderin! Und die Serie abgedreht! Was für ein Massel! Da! Fotografen! Fernsehen! Das geht um die Welt! Jetzt müssen Sie sich ranhalten, Marvin! Schneiden, mischen, Sprechertexte, hören Sie, Gilles? Das muß über den Sender, solange alles noch heiß ist.«

»Katja Raal ist tot, Herr Zinner«, sagte Marvin.

»Katja wer?«

Die Möwen kreischten, kreischten, kreischten.

»Die Technikerin, die mit Ekland arbeitete.«

»Ach so, die mit den Pickeln. Was für ein Segen, daß die Roth sie erst erschossen hat, nachdem ihr in Mesa alles abgedreht hattet! Der Kameramann ist völlig mit den Nerven runter deshalb, hör' ich. Noch im Krankenhaus?«

»Ich weiß es nicht, Herr Zinner«, sagte Marvin.

»Ist auch scheißegal. Wird sich schon errappeln, der Mann. Wird eine neue finden. Hat sie sehr gern gehabt, die Kleine, ich weiß. Trotzdem sie so ausgesehen hat. Also, ich könnte ja nicht... Ekland brauchen wir nicht mehr. Alles im Kasten. Auch die Dings, die Katja brauchen wir nicht mehr. Cutterinnen brauchen wir jetzt.

Hab' ich paar phantastische. Muß alles so schnell wie möglich gehen, Marvin! Dranbleiben Tag und Nacht! Die in Frankfurt sind ganz wild, gestern mit ihnen telefoniert.Großen Stein im Brett hab' ich bei denen. Wenn diese Serie hinhaut, krieg' ich zwei weitere durch. Eine wär' was für Sie... Kommen Sie, ich zeig' Ihnen, wie der Zeitplan aussieht... « Er zog Marvin mit sich.

Isabelle und Gilles gingen bis an den Weg, der zum Watt hinabführte. Hier waren große Steine zu Schutzmauern gefügt. Uralte Bäume mit grotesk verkrüppelten Ästen standen am Abhang. Die beiden sahen den Strand, der wie das Hochwasser im Mondlicht lag. Weit enfernt kreiste das Feuer eines Leuchtturms.

Der Sturm war hier sehr stark. Er zerrte an ihren Mänteln, rüttelte in den Kronen der Bäume, ließ Äste knarren und seufzen, fuhr durch das stachelige Gebüsch und fegte unten am Strand Abfall vor sich her.

Sie standen stumm nebeneinander, ohne sich zu berühren, und sie blickten auf das Watt hinaus, ohne sich anzusehen.

»Komm!« sagte Isabelle zuletzt. Der Sturm warf sie fast um.

Gilles stützte sie. »Woran hast du gedacht?« fragte er, während sie zurück zu der Straße, den Lichtern, den Menschen und dem Feuer gingen, langsam, vorgeneigt gegen den Sturm.

»An Katja.«

»Arme Katja«, sagte er.

»Es ist eine solche Gemeinheit. Ich fühle mich so elend.«

»Ich weiß«, sagte er.

»Wegen vielem.«

»Ich weiß«, sagte er und drückte sie beim Gehen an sich. »Da vorn ist ein Café. Wir trinken etwas Heißes. Grog. Glühwein. Kaffee. Etwas ganz Heißes.«

»Grog«, sagte sie.

»Danach wirst du dich besser fühlen.«

»Mich besser fühlen, wenn ich Grog getrunken habe...«

»Du weißt, wie ich es meine. Es geht vorüber. Es geht alles vorüber.«

Die Möwen kreischten.

»Ja«, sagte sie. »Sicherlich.«

# Epilog

Ich will leben – und meine Katze auch

*Holger Kloibach, 9 Jahre alt, aus Ramstein*

Mein lieber Philip,
eben hat Clarisse angerufen. Gestern wurde ihr Baby geboren. Es ist
ein Mädchen und wiegt dreitausendvierhundertachtundzwanzig
Gramm. Clarisse und Bruno sind sehr glücklich, ich bin es, Du
wirst es gewiß auch sein. Sie wollen das Kind auf den Namen
Belinda taufen lassen, aber nennen werden sie es immer Cotovia.
Natürlich konntest Du sofort Portugiesisch. Ja, Lerche werden sie
das Mädchen rufen.

Ach, Philip! Unsere Liebe war so fröhlich und unbeschwert und
endete in so großer Freundschaft. Du hast von Anfang an gewußt,
wie alles kommen wird, ich wollte es nicht glauben. Und Du hast
mich nie festzuhalten versucht. Ein type trés chic sind Sie, Monsieur!

Pierre und ich lieben einander sehr und arbeiten zusammen. Morgen fliegen wir für drei Wochen nach Ägypten. Die Regierung in
Kairo hat sich an Gerard gewandt. Es geht um Energiefragen in
ländlichen Kommunen. Gerard schickt Pierre. Seine erste Aus-
landsmission! Und ich darf dolmetschen.

Pierre ist voll Optimismus und Enthusiasmus – aber er bleibt stets
Realist. Erinnerst Du Dich, wie er in dieser Flughafenbar vom
»Kapitalismus mit dem menschlichen Gesicht« sprach? Damals fing
ich an, ihn zu lieben, und weil ich das fühlte, war ich traurig, denn
ich wollte doch immer nur Dich lieben, und Du hast gelächelt – la
comédie humaine, voilà!

Pierre hat recht, wenn er sagt, dieses ökologische »neue Denken« bei
uns sei nur vergleichbar mit Perestroika und Glasnost. Das Unvorstellbare, es wird Wirklichkeit, daran glaube ich so fest wie Pierre.
Wir schaffen es. Wir schaffen es!

Du schreibst, Du seist fast fertig mit Deinem Buch, im August sol es erscheinen. Wie wunderbar, daß Du wieder zu schreiben begonnen hast in »unserer« Zeit.

Dies weiß ich jetzt: Jede Liebe ist einzigartig und einmalig, keine gleicht der anderen. Mit Glück erlebt der Mensch eine Liebe, mit viel Glück zwei. Ich, Philip, habe sie doch tatsächlich mit drei wichtigen Männern erlebt! Die Rede ist von Liebe, nicht von ein paar kleinen Affären, Du verstehst.

Drei Lieben: Dich, Pierre und einen Mann so alt wie ich, vor vielen Jahren auf der Universität. Dieser Mann ist dann bei einem Autounfall ums Leben gekommen, wir hatten nur ein Jahr. Du und ich, wir hatten nicht einmal ein halbes, und doch war es eine so große Liebe. Mit keinem anderen konnte ich so oft und herzlich lachen wie mit Dir, und in all dieser Heiterkeit und Leichtigkeit wollte ich Dir nichts von jener anderen Liebe erzählen.

Grundsätzlich ernst war sie. Immer wieder sprach der junge Mann über den Tod, er muß etwas geahnt haben. Ach ja, unser Lied war »Summertime«. In Rio hast Du einen Pianisten gebeten, es für mich zu spielen, und einmal spieltest Du es in Château-d'Oex. Danach nie wieder. Du wußtest, daß dieses Lied nicht Dir und mir, nicht unserer Liebe gehörte. Auch dafür danke ich Dir.

Du schreibst, Du willst immer noch unbedingt wissen, was das Geheimnis der Münze ist, die ich am Hals trage. Also: Der Mann, der meine erste Liebe war, fand sie in Griechenland auf dem Weg zu einem Kloster. Bevor er in den Tod fuhr, schenkte er mir die Münze. Er hatte sie durchbohren und an eine dünne Kette hängen lassen, und als wir einander zum Abschied küßten, schloß er die Kette um meinen Hals und bat mich, sie immer zu tragen. Das will ich tun – bis zu meinem Ende.

Auf der Münze stehen, sehr klein, einige Worte. Ins Deutsche übersetzt, lauten sie: FANGE JETZT ZU LEBEN AN, UND ZÄHLE JEDEN TAG ALS EIN LEBEN FÜR SICH!

Die wirkliche Bedeutung dieser Ermahnung hat erst unsere Liebe mir klarwerden lassen.

Ich umarme Dich!
Isabelle

# Dank

Zuerst den Kindern! Ihnen, die von der Zukunft am meisten bedroht und dabei unser aller größte Hoffnung sind, weil sie sich ehrlicher und mutiger, klüger und leidenschaftlicher um die Rettung der Erde bemühen als die meisten Erwachsenen. Für alle Hilfe, die sie mir zuteil werden ließen, danke ich also: Özlem Altunkas, Carina Eckel, Carolin Galuba, Heiko, Antje Kessler, Holger Kloibach, Heidi Kretschmer, Sabine Ratajczak, Martina Rau, Annika Wilmers, Zelika, den Peace Birds Lisa Anna Claren, Dilan Demir, Corinna Fenner, Anne Flosdorff, Güven Meseci und Frank Stahmer.

Sehr viele Menschen der verschiedensten Berufe, Nationalitäten und sozialen Positionen haben sich in spontaner Verbundenheit bereit erklärt, mich bei der Arbeit an diesem Dokumentarroman zu unterstützen. Ohne sie hätte ich ihn niemals schreiben können. Die meisten jener Menschen haben indessen gebeten, ihre Namen nicht zu nennen – aus Bescheidenheit, aber hauptsächlich, weil sie mir wichtigste Informationen aus naheliegenden Gründen nur unter der Voraussetzung zukommen lassen konnten, daß sie anonym bleiben. Andere sind unabhängig genug, um mit einer Namensnennung einverstanden zu sein. So spreche ich neben den vielen Ungenannten folgenden Persönlichkeiten meinen innigen Dank aus für ihre großartige Hilfe: Reinhard Spilker (ihm als ersten, denn über mehr als zwei Jahre hinweg half er mir unermüdlich bei den Recherchen), und sodann, in alphabetischer Folge, Kristiane Allert-Wybranietz, Rudolf Augstein (der mir das Archiv des »Spiegel« zur Verfügung stellte), Dr. Michael Braungart, Dr. Ing. eh. mult. Ludwig Bölkow, Marion Gräfin Dönhoff (die mir, liebenswürdig wie stets, gestattete, das Archiv der »ZEIT« zu benützen), Rainer Fabian (der mir erlaubte, Material aus einem seiner Berichte zu verwenden), Angela Gatterburg, Stefan Heym, Professor Ulrich Horstmann, meinem alten Freund Günter Karweina (er ließ mir freie Hand, aus seinen Büchern und Features zu zitieren), Professor Dr. Hans Kleinwächter, Jürgen Kleinwächter, Birgit Lahann (die mir eigenes Material »schenkte«), Lothar Mayer (er gestattete mir, viele Passagen aus seinem wunderbaren Essay »Warum schweigen wir?« zu verwenden), Antoine Oltramare (der mich ermächtigte, ihn bei seinem schönen Namen zu nennen), Werhart Otto (IG Metall), den Peace-Bird-Organisatoren Holger Güssefeld und Peter Unger-Wolff, Regine Rusch, Dr. Hermann Scheer, MdB/SPD und Begründer von Eurosolar, und Michael Schwelien (der mir in überaus freundlich·r und kollegialer Weise seine »ZEIT«-Dossiers über den brasilianischen Regenwald und über das Hanford-Atomreservat zur Verfügung stellte).

# Dokumentation

[1]) Der erwähnte schwere Störfall im Block A des Kernkraftwerks Biblis wurde zum erstenmal am 5. Dezember 1988 um zwanzig Uhr in der Hauptnachrichtensendung der ARD bekanntgegeben, weil die »Frankfurter Rundschau« die Darstellung eines amerikanischen Fachmagazins veröffentlicht hatte. Nach zehn anderen Störfällen seit 1974 war es am 16. und 17. Dezember 1987 zu diesem gekommen. Fast ein Jahr lang hatte die Regierung der Öffentlichkeit das Ereignis verheimlicht. Wie auch in ähnlichen Fällen sind aus rein dramaturgischen Gründen im Buch die Daten verändert worden.

[2]) Wie es in und rund um die Stadt Mesa beim Hanford-Atomreservat im Staate Washington aussieht und was sich dort abspielt, ist in der Wochenschrift »DIE ZEIT« Nr. 45 vom 4. November 1988 auf den Seiten 17 bis 20 in einem Artikel nachzulesen, der den Titel trägt: »Tod aus der Bombenfabrik – Die älteste Plutoniumfabrik steht in Hanford. In ihrer Umgebung sind viele Menschen krank.« Autor dieses »ZEIT«-Dossiers ist Michael Schwelien.

[3]) Laut »abc der deutschen Wirtschaft, anerkannt durch den Adreßbuchausschuß der deutschen Wirtschaft am 1. Februar 1955«, Darmstadt, November 1955, unter Stichwort »chemisch-technische Industrie Frankfurt«: »Deutsche Gesellschaft für Schädlingsbekämpfung mbH., Neue Mainzer Str. 20, D (Drahtwort): Degesch, FS: 041221... Vertrieb von überwiegend nach eigenen Patenten und in eigenen Betrieben hergestellten hochwirksamen Schädlingsbekämpfungsmitteln, bes. für Material- und Vorratsschutz und Seuchenabwehr, Spez: Zyklon, T-Gas, M-Gas, Ventox, Tritox... Calcyan, fahrbare und stationäre Begasungskammern mit Kreislaufsystem.«

⁴) Ein Spiel »Ariernachweis« gab es 1988 wirklich. Die Beschreibung und das Ersuchen, sich im Falle von zweckdienlichen Angaben bei der Münchner Staatsanwaltschaft I zu melden, stehen auf Seite 13 der »Süddeutschen Zeitung« vom 10. Februar 1989 unter der Überschrift »Judenvernichtung als Computerspiel«.

⁵) Der wörtlich zitierte Artikel findet sich in der Ausgabe der »Süddeutschen Zeitung« vom 24. Februar 1989.

⁶) Diese Sätze Prof. Wassermanns finden sich in den »Kieler Nachrichten« vom 24. Oktober 1988.

⁷) Vgl. »Stern« Nr. 11/1989 und »Bild« vom 8. Mai 1989 S. 5.

⁸) Das Interview mit Prof. Paul Watzlawick erschien in der österreichischen »Wochenpresse« Nr. 21 vom 26. Mai 1989.

⁹) Der erste Ozonalarm in sämtlichen deutschen Bundesländern wurde am Freitag, dem 26. Mai 1989, ausgelöst. Der CDU/CSU-Protest entspricht den Tatsachen.

¹⁰) »Die Vernichtung der tropischen Wälder hat dramatisch zugenommen: 1980 belief sich nach Schätzungen der Ernährungs- und Landwirtschaftsorganisationen der Vereinten Nationen die jährliche Vernichtung in geschlossenen tropischen Primärwäldern auf etwa $75\,000\,\text{km}^2$ und in offenen Tropenwäldern auf etwa $39\,000\,\text{km}^2$. Nach neueren, vorläufigen Schätzungen beträgt die Zunahme der Vernichtungsrate gegenüber 1980 90%. Dies bedeutet, daß derzeit allein im Bereich geschlossener Primärwälder jedes Jahr $142\,000\,\text{km}^2$ zerstört werden.« Pressedienst der CDU/CSU-Fraktion im Deutschen Bundestag vom 6. Februar 1990.

¹¹) wörtlich ebda.

¹²) Vgl. Memorandum der Grünen vom Januar 1989, »Spiegel« Nr. 9/1989, »DIE ZEIT« Nr. 12/1989.

¹³) ebda.

¹⁴) Vgl. Michael Schweliens Dossier »Im Krieg mit der Natur« in »DIE ZEIT« Nr. 12/1989.

¹⁵) Alle Angaben und Formulierungen, auch über die Klinik von Altamira, sind einer Aussendung des Pressedienstes INS vom 21. September 1988 entnommen.

¹⁶) Dieser Artikel erschien in der Wochenendbeilage der »Süddeut-

schen Zeitung« vom 25./26. Juni 1988. Er faszinierte mich derart, daß ich Lothar Mayer um ein Gespräch bat, das dann in München stattfand. Alle Überlegungen und Überzeugungen, die hier von Philip Gilles geäußert werden, sind also jene von Lothar Mayer, dem ich herzlich dafür danke, daß er mir erlaubte, sie für mein Buch zu benützen. Aus dem erwähnten Artikel sind zahlreiche Passagen wörtlich übernommen.

[17]) Vgl. Michael Schweliens Dossier.

[18]) Alle Angaben zu Ferro Carajás finden sich im »Spiegel« Nr. 9/1989 und in »DIE ZEIT« Nr. 2/1989.

[19]) Nach einer ARD-Sendung vom 22. Juni 1989.

[20]) Entsprechend einem Bericht der Deutschen Presse-Agentur vom 7. Juni 1989.

[21]) »Zugbegleiter« zum Eurocity 171 »Rätia« vom Juni 1989.

[22]) Chico Mendes entging seinen Verfolgern nicht. Er wurde dreieinhalb Monate später, am 22. Dezember 1988, ermordet. Am 9. Dezember hatte er auf einer Pressekonferenz in São Paulo die Namen der beiden Großgrundbesitzer bekanntgegeben, die ihm nach dem Leben trachteten. Diese Namen wurden hier nicht verändert. Am 5. Januar 1989 meldete die Nachrichtenagentur Agence France Presse: »rio branco + die brasilianische polizei hat in einem untersuchungsbericht den einundzwanzigjährigen darcy alves da silva und den sechsundzwanzigjährigen antonio pereira als mörder des am 22. dezember 1988 erschossenen umweltschützers chico mendes bezeichnet + während sich darcy alves da silva vier tage nach der tat der polizei stellte, ist pereira noch flüchtig + weiter gefahndet wird nach dem vater von darcy, darli alves da silva, und dessen bruder alvarina alves da silva, den beiden großgrundbesitzern, die den mord angeordnet haben sollen + die brüder gehören der rechtsextremen großgrundbesitzervereinigung ›demokratische landunion‹ (udr) an + nach verschiedenen berichten sollen sie sich in bolivien auf dem besitz eines cousins aufhalten + bei einem interview im gefängnis erklärte der einundzwanzigjährige darcy alves da silva, er sei stolz darauf, chico mendes, den durch sein engagement bekannten und mit auszeichnungen geehrten umweltschützer, ermordet zu haben.«

[23]) Die meisten der im folgenden erwähnten Tatsachen stammen aus dem Funkfeature »Die Dioxin-Familie – Vom geheimen Wissen der Bundesregierung über die Entstehung der Supergifte«, einer Co-Produktion des SFB und des WDR, Autor: Reinhard Spilker, wissenschaftliche Beratung: Dr. Imre Kerner. Sendung: 23. Februar 1984.

[24]) Alle Angaben aus Büchern und Funkfeatures von Günter Karweina.

[25]) Günter Karweina: »Der Stromstaat«, »Stern«-Buch 1984.

[26]) Hervorragend beschrieben wird der geheime Dienst in dem Buch »The Puzzle Palace« von James Bamford, desgleichen in der Titelgeschichte des »Spiegel« Nr. 8/1989: »Freund hört mit«.

[27]) Laut Beantwortung einer Kleinen Anfrage an den Bundesminister für Forschung und Technologie, gegeben am 2. Februar 1990.

[28]) In diesem Dialog wurden sehr viele Fakten verarbeitet. Sie sind unter anderem nachzulesen in der »Frankfurter Rundschau« vom 17. Juli 1989 in einem Artikel mit der Überschrift »Bonn und deutsche Firmen in Brasiliens Atomrüstung verstrickt« sowie in einem Interview mit dem ehemaligen brasilianischen Marineminister Maximiano da Fonseca über Brasiliens Atombombe, das die »taz« am 25. September 1987 abdruckte.

[29]) Diese Isotopenbezeichnungen sind nicht naturwissenschaftlich, sie stehen für bestimmte »strategisch interessante« Transuranisotope.

[30]) Diese Angaben sind exakt. Nach der Sendung am 2. Februar 1989 gab es keinerlei offizielle oder inoffizielle Proteste.

[31]) Alle Angaben über den früheren, jetzigen und zukünftigen Sitz der Frankfurter NSA-Zentrale vgl. »Spiegel« Nr. 8/1989, Titelgeschichte: »Freund hört mit«.

[32]) Das Originalflugblatt vom 10. Juli 1989 liegt dem Autor vor.

[33]) »Wer rettet die Erde?« in »Spiegel« Nr. 29/1989.

[34]) Vgl. »New Scientist« vom August 1989.

[35]) Diese Werberede für Speicheröfen wurde vor Ort auf Band aufgenommen und ist hier exakt wiedergegeben.

[36]) Das folgende ist die wörtliche Wiedergabe eines tatsächlichen Interviews, nur der Name des Interviewten wurde geändert.

[37]) 1990 gewährte das Umweltministerium dann die finanzielle Unterstützung.

[38]) Olav Hohmeyer: »Soziale Kosten des Energieverbrauchs«, Berlin, Heidelberg, New York 1989.

[39]) Herzlich dankt der Autor dem Wilhelm Heyne Verlag München und dem anrich verlag Kevelaer für die Erlaubnis, Briefe und kurze Textausschnitte aus »Ich will leben und meine Katze auch«, herausgegeben von Kristiane Allert-Wybranietz, und aus »So soll die Welt nicht werden. Kinder schreiben über ihre Zukunft«, herausgegeben im Auftrag der IG Metall von Regina Rusch, zitieren zu dürfen.

[40]) Der Name ist echt. Die geschilderte Entstehungsgeschichte von Peace Bird e. V. entspricht der Tatsache.

[41]) Das Interview ist authentisch. Dramaturgisch nötige Änderungen: Die Aufzeichnung erfolgte nicht im Amerika-Haus Frankfurt, sondern im Amerika-Haus Berlin, es wurde nicht gefilmt, und es gab keine Zuhörerschaft.

[42]) Dies sind die richtigen Namen des Wissenschaftlers und seines Instituts. Dr. Braungart hat das folgende Interview autorisiert und zur Veröffentlichung in diesem Buch freigegeben.

[43]) Diese Figur ist frei erfunden.

[44]) Über Aufforderung des Deutschen Bundestags erstellte die Bundesregierung einen umfangreichen »Bericht der Bundesregierung an den Deutschen Bundestag über eine mögliche Beteiligung deutscher Firmen an einer C-Waffen-Produktion in Libyen« (Drucksache 11/3995 vom 15. Februar 1989). Dieser Bericht veranlaßte den SPD-Bundestagsabgeordneten Norbert Gansel, dem damaligen Chef des Bundeskanzleramts Dr. Schäuble mit Schreiben vom 22. Februar 1989 eine Reihe von Fragen zu stellen.

Am 12. Dezember 1989 brachte das Fernsehmagazin »Panorama« einen Bericht über die Beteiligung der Salzgitterindustriebau (SIG) am Bau einer Chemiewaffenfabrik in Libyen. Am 13. Dezember 1989 gab der SPD-Bundestagsabgeordnete Norbert Gansel eine längere Erklärung ab, die von der SPD unter dem Titel »Gansel: Warum hat die Bundesregierung Salzgitter-Manager gedeckt?« veröffentlicht wurde. In dieser Erklärung heißt es unter Punkt 1 c), daß es sich bei dem in einem Bericht der Moskauer Botschaft erwähnten »deutschen Staatskonzern« nur um den Salzgitter-Konzern handeln könne. Der Staatskonzern Salzgitter AG, seit Herbst 1989 zur VEBA gehörig, ging hervor aus den 1937 gegründeten »Reichswerken Hermann Göring« und befand sich zum in Frage kommenden Zeitpunkt noch in Staatsbesitz.

Bei einem Telefongespräch mit einem Mitarbeiter des Autors am 23. Februar 1990 erklärte MdB Albrecht Müller (SPD), Mitglied des Auswärtigen Ausschusses, wörtlich: »In einer Geheimsitzung im Februar 1989 bestätigte die Bundesregierung dem Auswärtigen Ausschuß des Bundestages, daß der in jener Zeugenaussage vom Juli 1985 genannte ›Staatskonzern‹ Salzgitter ist, bestätigte auch, daß nun gegen Salzgitter ermittelt werde. Über bisherige Ermittlungsergebnisse wollte die Bundesregierung nichts sagen, da es sich um ein ›schwebendes Verfahren‹ handelt.«

In der Tat läuft seit Februar 1989 ein Ermittlungsverfahren gegen das Geschäftsführende Vorstandsmitglied der Salzgitter AG Andreas Böhm (verantwortlich für das Projekt »Pharma 150«) zunächst bei der Staatsanwaltschaft Offenburg, danach Mannheim. Die umfangreichen Akten (Mitte 1989 kam es bei Salzgitter mit rund hundert Beamten zu einer Hausdurchsuchung) sind zur Zeit, da dieses Buch in Druck geht, noch nicht ganz ausgewertet.

Der zuständige Oberstaatsanwalt Dr. Wechsung von der Staatsanwaltschaft Mannheim, Abt. VI (Wirtschaftskriminalität) erklärte dem Mitarbeiter des Autors am 28. Februar 1990 am Telefon wörtlich: »Wenn wir gegen Böhm weiterermitteln, bejahen wir damit den Verdacht, daß Böhm an dieser verbotenen Ausfuhr für die Giftgasfabrik in Libyen beteiligt ist.«